谨以此书

献给为西方哲学东渐做出贡献的中外学者们！

本书出版得到了中山大学哲学系和华中科技大学研究生院资助

西方哲学东渐史

XIFANG ZHEXUE DONGJIAN SHI

黄见德 著 （上）

人民出版社

责任编辑:张伟珍
封面设计:肖　辉
版式设计:程凤琴

图书在版编目(CIP)数据

西方哲学东渐史(上、下)/黄见德著.
－北京:人民出版社,2006.8(2007.7 重印)
ISBN 978－7－01－005703－3

Ⅰ.西… Ⅱ.黄… Ⅲ.①哲学史-西方国家 ②哲学史-中国
Ⅳ.①B5 ②B2

中国版本图书馆 CIP 数据核字(2006)第 077187 号

西方哲学东渐史(上、下)
XIFANG ZHEXUE DONGJIANSHI

黄见德　著

人 戻 出 版 社 出版发行
(100706　北京朝阳门内大街 166 号)

北京瑞古冠中印刷厂印刷　新华书店经销

2006 年 8 月第 1 版　2007 年 7 月北京第 2 次印刷
开本:880 毫米×1230 毫米 1/32　印张:49.375
字数:1115 千字　印数:2,001－5,000 册

ISBN 978－7－01－005703－3　定价:90.00 元(上下卷)

邮购地址 100706　北京朝阳门内大街 166 号
人民东方图书销售中心　电话 (010)65250042　65289539

目　录

Volume I Contents

序

张 世 英

  黄见德教授早在 20 世纪 90 年代初就已经出版过有关西方哲学东渐史的专著,2002 年又有《20 世纪西方哲学东渐史导论》问世,摆在我们面前的这部《西方哲学东渐史》上下两卷是在前几本著作的基础上扩大、充实、改写而成的。这部著作不是史实的简单铺陈,而更多的是从西方哲学东渐的史实中总结出一些普遍性的规律和经验教训,因而是一部史论结合、理论性较强的哲学专著。作者关于中国哲学在中西哲学交流中所处的历史地位问题的观点,以及关于中国学者在中西哲学交流中的文化心态问题的意见,给了我深刻的印象,我在这些方面亦有同感。

  黄见德教授指出,19 世纪中叶鸦片战争以后,"在中国哲学舞台上开展的中西哲学交流"的双方,"一方是西方近现代哲学,一方是中国传统哲学"。西方近现代哲学比起中国传统哲学来"显然属于高一层的哲学形态","一为落后,一为先进","这两种哲学形态的冲突",是"两种不同发展程度,或不同时代差别的文化与哲学"之间的冲突,是"两种不同性质与层次的哲学冲突"。① 作者的这个见识,对于如何看待鸦片战争以来西方哲学东渐的态度问题至关重要,我很赞同。长期以来,不少有关西学东渐的观点,

---

  ① 见本书"绪论",第 8 页。

就是误把这段时期中两个不同层次、不同时代、不同发展程度的哲学差距，或者如作者所更为简洁地概括的那样，误把"先进与落后的哲学差异"，单纯地看成是中国哲学与西方哲学的民族性差异，是"东方精神文明与西方物质文明之间的冲突，"于是"在弘扬传统的口号下拒斥西方哲学"，①以致不能"对自己的哲学进行深刻的反思与正确的总结，以便弄清和确定自己继续进步的起点，并在这个基础上汲取高于自己哲学层次的哲学成果，作为契机进行变革，实现哲学转型，提高自己的哲学层次"，也就是说，不能"汲取西方哲学中反映时代前进的积极成果，变革中国的传统哲学，使之实现转型，并发展成为新形态的哲学"②。作者在这里明确的告诉我们，中国传统哲学需要变革，需要在原有的基础上实现哲学的转型，而要做到这一点，首先就需要承认西方近现代哲学在其与中国传统哲学的较量中的先进性和"高一层次"，需要"汲取西方哲学中反映时代前进的积极成果"。

　　冯友兰早在解放前出版的《中国哲学史》（下册第495页）中说过："直至最近，中国无论在何方面，皆尚在中古时代……近所谓东西文化之不同，在许多点上，实即中古文化与近古文化之差异。"我在《天人之际》与《哲学导论》两书中也已多处讲到并贯穿了这样一条原则，即中国传统哲学与西方近现代哲学的差别，不仅是中西哲学的民族性、地域性差别，而且是古代哲学与近现代哲学的时代性差别。但我没有像黄见德教授这样更进而明确地、尖锐地把这个差别规定为低层次与高层次、落后与先进、不同发展程度的差别。我很佩服黄见德教授学术上的胆识。

---

① 见本书"绪论"，第5页。
② 见本书"绪论"，第8页。

中国传统哲学与西方近现代哲学的这种差别,其具体内容究竟是什么呢? 我们应该怎样来学习西方近代哲学,汲取其先进成果以提高中国传统哲学呢? 两者间的交流具有什么文化上的意义呢? 我想接着黄见德教授的话头,就这几个问题作点申述。

我在《天人之际》和《哲学导论》等著作中已多处论述过,西方自文艺复兴以后特别是自笛卡儿起到黑格尔逝世的近代哲学,其主导原则是"主体性",是"主体——客体"关系的思维模式(所谓"主体性"也就是指"主体——客体"关系中主体的特性),这种原则和思维模式已由古希腊的柏拉图哲学开其先河。西方近代哲学的认识论与方法论,都是这种哲学原则和思维模式的产物,而作为西方文化和近代文明之标志的科学,是同近代哲学的认识论与方法论,特别是与演绎法密不可分的,也可以说,西方科学之繁荣发达,在西方近代哲学中有其思想上的根源。和西方近代哲学不同,中国传统哲学以不重主客二分的"天人合一"为主导原则,少有认识论与方法论,更缺少演绎法。中国古代科学之不发达或不甚发达,是与中国传统哲学的这种特点相应的。与西方近代哲学相比,中国传统哲学显然落后了一个时代,在哲学发展的程度上和前进的步伐上低了一个层次。而自 19 世纪中叶以后所发生的中西哲学的交流与碰撞,正是这种落后的中国传统哲学与先进的西方近代哲学的交流与碰撞。在这种形势下,中国传统哲学的态度显然应是以向西方近代哲学学习为其主要任务,学习其不同于"天人合一"思想的"主体——客体"关系的思维模式和与之相联系的"主体性"原则,学习其认识论与方法论,特别是演绎法。

明白了中国传统哲学与西方近代哲学之差距的具体内容,关于怎样学习和汲取西方近代哲学的先进成果的问题也就容易回答了。中国传统哲学由于以不分主客的"天人合一"为主导原则,较少讲主体如何认识客体的认识论与方法论，故具有直观性、朴素性和模糊性的特点：断语（格言、箴言之类的东西）比较多，也比较精粹，富有深意和诗意，但缺少论证，即使有论证，也多系形象性的比喻、类比、类推，有时也有些归纳法，但很少逻辑推理和演绎法，于是一些内容丰厚深刻的哲学断语给后人留下了各式各样的不确定的解释空间。作为诗的语言，这些断语给人以无穷的玩味和美的享受；作为哲学的思考，这些断语则给人留下了难以捉摸的遗憾。西方近代哲学则不然：一个哲学论断或哲学观点，特别是具有创新意义的论断、观点，都有详细的论证和说明，或演绎，或归纳，一步一步的逻辑推理，条分缕析，头头是道。中国传统哲学的一些论断、观点，主要是通过生动的形象性的东西让人感受它，从而接受它，但接受了却不一定能铺陈一大套道理。西方近代哲学的一些论断、观点，主要是通过抽象的概念，严格的逻辑性来说服人，但说服了却不一定就有内心的感受而心悦诚服。这样说，中国传统哲学和西方近代哲学在方法上似乎是半斤八两，各有优缺点，但值得注意的是，从缺乏逻辑的认识方式到重逻辑的思维方式，是人类认识道路上的一个重大的前进性步骤。西方近代哲学重逻辑推理，把哲学弄成了缺乏诗意的抽象概念王国，这个缺点是人类认识史上前进中的缺点，我们不能因为这个缺点就停留在中国传统哲学那种缺乏逻辑论证和理论说明的低层次的认识水平上。而且，西方近代哲学的这个缺点，已在其前进过程中，在19世纪中叶以后的西方现当代哲学中，愈来愈被揭示而加以克服，西方现当代哲学中欧洲大陆的人文主义的哲学家就特别致力于超越传统的概念哲学，超越单纯的逻辑推理，而企图在近代哲学认识论与方法论的基础上，进而把哲学与诗意结合起来，达到超理性（不是抛弃理性和逻辑论证）的一种更高一级的直观境界。从缺乏逻辑思维到重逻辑思维再到超越逻辑思维,这是认识史上一个必由的"之"字形道路,而中国传统哲学的认识方法尚处在"之"字形的原初阶段。中国传统哲学要想前进,就必须学习、汲取西方哲学的认识论与方法论,使自己走出那种朴素的简单直观的状态。我常常爱用画龙点睛来比喻中国传统哲学与西方近代哲学在认识论与方法论方面的差异:中国传统哲学的一些论断、观点很精辟,很有深意和诗意,好比画龙点睛之"睛",点得很神,但缺乏论证,龙身只是寥寥数笔,好比漫画和狂草;西方近代哲学,逻辑论证和理论说明很周详,好比龙身画得很精细,是工笔画,但缺乏具有诗意和深意的概括性语言,"睛"没有像中国传统哲学那样点得神灵活现。中国传统哲学在和西方当代哲学的交流中所要做的,就是要进一步把龙身画得精细一点儿,在"画龙"上下工夫,给龙身画工笔画,这正好同西方现当代哲学为了弥补近代哲学的抽象性缺点而在"点睛"上下工夫的情况形成一个对比。我以为中国传统哲学只有这样才能化腐朽为神奇,使自己重新生动活泼起来,走向世界。中国传统哲学中的确有很深厚的内蕴和巨大的潜力,但它按其原初的直观形态,在当前的国际思潮中则只能显得是一个"睡狮",它需要西方近代哲学的认识论与方法论来激活它,惊醒它,一旦这个"睡狮"被激活、被惊醒过来,它就比西方近代哲学更具威力和魅力。事实上,19世纪中叶以来的西方哲学东渐的历史,也是西方近代哲学激活、惊醒中国传统哲学的历史。

这里所谓用西方近代哲学的认识论与方法论来激活、惊醒中国传统哲学的"睡狮",其实就是要把中国传统哲学中所内在地蕴藏的东西抽绎出来,进行逻辑的分析,并结合现代的实际,作出评判性的解读和新的诠释。如果认为研究中国传统哲学就只能在中国古籍的故纸堆里转来转去,那虽然就研究者个人来说,也可能使他成为功底深厚的专家,但中国传统哲学中很多可贵的东西却依然只能处于沉睡中。只有既有旧学功底,又有西方哲学的素养特别是西方近代哲学认识论与方法论的训练的学者,才有可能做好激活、惊醒"睡狮"的工程。当然,要做好这项工程,也并非易事。一是学者本人深受几千年来老传统的影响,不习惯于和不善于做细致的逻辑分析和逻辑推理,中国学者至今仍不擅长于这方面的功夫,就如同西方学者(包括一些人文主义的思想家)至今对于中国传统的天人合一的诗意境界仍然没有深入的领会一样,这种本民族传统的影响和作用,即使在国际思想交流日益深广的形势下,也是难以在短时期内消除的。二是外在的压力。我国思想界至今仍然有一种对西方思想心存疑虑和警惕的心态:讲弘扬传统,可以口若悬河,一泻千里,讲学习西方特别是学习西方哲学,则畏首畏尾,多加限制之词。这种思想上的自我禁锢,如果得不到真正的解放,中国传统哲学之"睡狮"必将继续处于沉睡之中。

前面已经提到,西方近代哲学的认识论和方法论比起中国传统哲学来,在时代性差异上,具有"高一个层次"的优越性,但它本身的抽象性的缺点有待克服和超越。与此相联系的是,西方近代哲学,从文化发展的角度来看,其与中国传统哲学的差异也有同样的两面性:既比中国传统哲学高出一个时代,又有其本身的缺点有待克服和超越。

西方近代哲学由于其"主体——客体"关系的思维模式和"主体性"原则,而使科学得到了长足的发展,这是其文化方面的优胜之处,但它忽视了古希腊的人与自然融合为一的审美境界,这是西方近代哲学的片面性,也是其文化方面的缺点。也就因为这个缘故,一些近代哲学家、思想家,例如赫尔德、黑格尔等人都对古希腊有羡慕、怀念之情。而古希腊这种审美境界,正如黑格尔所说,是与包括中国在内的东方的"实体性的合一"亦即不分主客的"天人合一"境界相似相通的。这也就意味着,中国传统哲学的"天人合一"境界对于西方近代哲学来说,亦有其优胜之处。从文化发展的程度和前进的步伐来讲,中国传统哲学不重主客二分,从思想上阻碍了科学的发展,以致中国传统文化落后了一个时代,低了一个层次,但中国传统哲学所讲的"天人合一"的审美境界又有点像马克思赞赏古希腊艺术、史诗所说的那样,虽已过时不能照搬,却仍有"魅力"。科学与审美都是个人人性和人类文化活动不可缺少的方面,而在19世纪中叶以后所发生的中西文化交流中却发生了明显的矛盾。有的人出于保持和爱护中国传统的天人合一的审美境界和审美文化的动机,而一味贬斥科学本身,以致反对近代哲学的"主体——客体"关系和"主体性"原则,主张以中国传统的"天人合一"代替西方近代的"主体——客体"关系和"主体性"原则。这种观点显然违背了思想文化发展的规律,违背了时代前进的步伐。发展科学是时代的要求,是当今中华民族思想文化发展之所亟需。我们绝不能牺牲科学发展而退回到中国传统哲学所讲的那种不分主客的、原始的"天人合一"的境界中去。西方近代哲学家虽使得像黑格尔等人那样有怀念、羡慕古希腊的人与自然合一的故园之情,但西方哲学发展的历程并没有退回到古希腊,而是超越近代哲学自身,进入现当代哲学,把科学所要求的"主体性"与审美所要求的"主客融合"两者结合起来。中国在科学方面已经落后于西方,从而在整个文化发展的道路上也落后了。为今之计,我们只有在科学发展上奋起直追,而又吸取西方思想文化发展的经验教训,走超越科学之路,即在发展科学的同时,汲取本民族传统文化中"天人合一"境界的优点,使之融科学与审美为一体,这才是当今我们民族的思想文化发展应当遵循之路。

　　我在《新哲学讲演录》等著作中已多处申述过,个人精神意识的发展过程包含高低不同的阶段,大体上说来,最低级的是一种求得个人欲望满足的阶段,较高的是以追求客观事物的因果性、规律性之类的秩序为满足的阶段,再高的是以满足人自身的意志追求的阶段,最高的是审美追求的阶段,我把人对万有相通、万物一体的领悟看作是审美追求的极致,只要人对万物一体之"一体"有一种敬畏、崇拜的感情,那就可以算得上是一种宗教感情,我认为这是一种无神论的宗教感情。这样,人生的境界也就可以相应地按高低层次分为:(1)"欲求的境界";(2)"求实的境界";(3)"追求社会理想的境界"(包括"道德的境界");(4)"审美的境界"(又称"诗意的境界"),其极致是"宗教的境界",我指的是上述那种无神论的宗教境界。每个个人都是上述几种精神境界的统一体,但各种境界在不同人身上所占的比例关系不一样,有的人以最低级的欲求境界占主导地位,有的人以最高的诗意境界占主导地位;在同一个人身上,不同的时间、不同的情况下也有比例关系之不同,同一个人有时是以最低级的欲求境界占主导地位,有时是以最高的诗意境界占主导地位。理想的人格是以最高的精神境界占压倒优势的人。

　　和个人精神境界的高低层次相应的是,人类文化活动的发展过程也可以分为高低不同的阶段。撇开原始的人类文明低下的阶段不说,人类文化活动的初始阶段是科学(包括其萌芽状态在内),较高的是道德,再高的是审美,审美的极致是宗教(还是指我所说的无神论的宗教)。语言当然也是人类的文化活动,它是最基础性的文化活动,故有科学语言、道德语言、审美语言(包括诗意语言、宗教语言)之分,这里不拟做语言方面的讨论。一般说来,一个民族也是文化活动的上述各个方面的统一体,但和个人精

神境界一样,各种文化活动在各民族中所占比例关系不一样,在同一民族中也随着时代的迁移而有不同的比例关系:

中华民族传统文化以审美(如道家的审美文化)和道德(如儒家的道德文化)占主导地位,科学在中华传统文化中一直没有重要位置。不过由于时代的进步,特别是自19世纪中叶以来,传统文化不重视科学的局面已经越来越改观了,当前甚至发展到需要批判科学至上主义的地步。在西方文化中,以宗教与科学占主导地位,道德以宗教为基础,包括在宗教之中,审美居于次要位置,不过自康德强调审美的独立自主性以来,其在西方文化中所占的比重已经越来越大了,现当代的欧洲大陆人文主义的思想家们正努力从事超越科学、融科学于审美的工作。

从中西文化的民族性差异和地域性差异的角度来看,中华文化落后于西方文化之处,从总体上说,主要表现在科学上,而科学落后的总的思想根源(当然还有经济的、政治的原因),还是在于中国传统哲学重不分主客的"天人合一",缺乏"主——客"关系的思维方式。哲学上的这种落后性,使得中华传统文化中占主导地位的审美和道德基本上都处于一种前科学的状态、前主客二分的状态。不过审美道德不同于科学。审美,正如马克思评论古希腊艺术所说的那样,过时的东西至今仍可有"永久的魅力",我想,道德也多少有类似的情况。中国古代的审美文化和道德文化特别是审美文化,虽已过时,却至今仍然对我们具有"永久的魅力"。而且,审美与道德比科学更多地具有民族性特色和地域性特色,不可单纯地以时代性差异来评判其高低,而更多地应是中西古今相互辉映。在此种意义下,中国传统的审美文化和道德文化对西方现当代人亦应有其"魅力",例如中国道家所讲的人与自然融合为一的"天人合一"的审美境界,儒家所讲的"民胞物与"的另一种"天人合一"的境界——道德境界,就值得当今的西方人鉴赏和借鉴。在西方哲学东渐的过程中,在中西文化的交流中,中华传统文化向西方引进的,主要应是其近代哲学的"主——客"关系思维方式和"主体性"原则,是其认识论与方法论,以及在此哲学影响下发展起来的近现代科学,而我们民族可供西方借鉴的,主要应是上述道家的审美境界和儒家的道德境界。我这里都用了"主要"二字,就不是惟一的意思。

当然,我们仍然不能忘记我在前面所讲的,中华传统文化中的审美与道德,毕竟基本上是前科学的、前"主——客"关系的。从我们民族文化自身的发展来说,我们尽管承认这种前科学的文化至今仍保持其"魅力",但毕竟过时了,我们更应该随着时代前进的步伐,把我们传统的审美文化、道德文化提升到超越科学、超越"主——客"关系的境地。我常常讲,现时代的诗人不可能再是消极顺应自然,"箪瓢屡空,宴如也"的田园隐士,而可以是忙碌于高精尖的科技园里的积极进取之士。我这话的意思就是要紧跟时代,提倡一种既包含科学技术在内而又超越科学技术的审美境界和审美文化。我国传统的道德境界和道德文化是封建主义的,它把道德看成是天理而与人欲绝对对立起来,与主体认识客体、征服客体的功利追求绝对对立起来,这在科技日益发达的今天显然也是迂腐过时的观点。我们需要发展科学,以满足功利的需求,我们今天所应该提倡的道德境界和道德文化,只能是既包含科学所提供我们的功利需求方面的满足而又超越之,而绝不能以天理灭人欲,只讲道德,不讲科学。总之,科学与审美、与道德是相通的,我中华文化未来发展的趋向,应是既享受科学所带来的福音,又有"天人合一"、"民胞物与"精神境界的审美文化与道德文化。

中华传统的审美文化与道德文化,由于基本上是前科学的、前

"主——客"关系的,所以超越科学、超越"主——客"关系的问题在近代以前尚未提上日程。超越的问题主要发生在 19 世纪中叶以后的近现代,特别是自 20 世纪 80 年代改革开放以来,科技事业日益繁荣发达,西方早已在先进的科学基础上所产生的超越科学、超越"主——客"关系的审美文化与道德文化(包括宗教文化)涌入中华大地,这才使我们民族的审美文化与道德文化不能停留在前科学、前"主——客"关系状态的问题日益凸显出来。但这绝不意味着我们需要亦步亦趋地把西方的现当代审美文化与道德文化(包括宗教)照搬过来。我们需要赶上时代的步伐,学习西方的科学,学习西方的"主——客"关系的思维方式和"主体性"精神,而又超越之,但我想再重复一下上面所说过的,审美与道德比科学更多地具有民族性特色,不可单纯地以时代性差异评判其高低。所以,我们当今在超越科学、超越"主——客"关系的审美文化与道德文化方面所下的工夫,应该是更多地继承和发扬我中华传统的审美文化与道德文化的特点和优点(当然也要借鉴西方现当代的审美文化与道德文化),把西方的科学、"主——客"思维方式和"主体性"精神纳入中华文化,使二者融合为一,从而创造出具有中华民族特色的超科学、超"主——客"关系的审美文化与道德文化,包括创造出这样的新的哲学体系。只有这样,中华文化才能既在时代性方面赶上西方现当代文化,又能保持中华文化的民族性特色,而与西方现当代文化并驾齐驱,与之作平等对话。

中西思想文化一般都有一个从主客不分到"主——客"关系又到超越"主——客"关系的阶段性发展过程,这是一种时代性的前进过程,但处于大体上同一阶段的中西思想文化又有各自的民族特色,不仅在内容上和形式上,而且在前进的步伐上、时段的长短上也有很大的差异。例如西方近代思想家黑格尔等人所羡慕、怀念的古希腊的人与自然、人与人融合为一的家园，与中国传统的天人合一就不能一概而论。同理，今天我们讲超科学、超"主——客"关系的审美文化和道德文化，也不能照抄西方现当代的超科学、超"主——客"关系的文化模式。总之，在对待中西文化交流的问题上，在对待西学东渐的问题上，我们既不能把时代性的差距看成是民族特色上的区别，以保持中华民族性特色为名，为本民族文化的时代性落后作辩护；也不能把本来更多地具有民族特色的东西单纯地看成是时代性差距，以弥补时代性的差距为名，抹杀中华民族文化的特色。当然，民族特色也不是没有先进与落后的时代性区分，随着时代的发展与进步，民族特色中一些落后的、缺乏生命力的成分会越来越被淘汰，其中有生命力的、先进的东西会越来越发扬光大，其结果或将是时代性比民族性更占突出地位，于是"民族性的差异会越来越小"，"人类的共性会越来越显著"。① 我以为这是世界文化发展的大势，世界大同还需要很长很长的时间，而且，即使在理想的大同社会里，文化的民族性差异也必将保持，世界大同的社会应是一个和而不同的社会。无论如何，弄清时代性与民族性的这种种复杂关系，应是我们思考中西文化交流、思考西学东渐问题的关键。

2005 年 4 月 16 日

---

① 见本书"结束语"，第 785 页。

绪论 研究西方哲学东渐史的
几个问题

任何时代的哲学,都是人类社会发展一定阶段上时代精神的集中体现。它作为文化的核心部分,同其他文化现象一样,都是在社会发展一定时期人类实践的基础上产生的。在它产生后,不但有其独立发展的历史,而且,各国哲学发展的历史说明,它们又都是在相互交流、既相互冲突又相互融合的过程中向前发展的。所以,还有它们交流与传播的历史。

研究西方哲学,首先应该研究西方各国哲学家创造的哲学成果及其发展规律。在这一方面,应该承认,我国几代学者辛勤耕耘,取得了一定的进展。特别是近 20 年来,成绩斐然,学术水平有了明显的提高。但也不能否认,就总体来说,没有取得应该取得的学术成果,没有发挥它应该发挥的积极作用。这与没有及时地与系统地开展西方哲学东渐史的研究,有着直接的关系。虽然在这一方面,也发表过一些文章,出版过一些著作,但是,一方面由于过去这个领域研究的基础甚是薄弱,另一方面,随着人类社会走向全球化步伐的加快,更是对它提出了新的要求。因此,为了提高西方哲学研究的学术水平,促进人类哲学事业的共同繁荣与发展,开展包括西方哲学东渐史在内的中外哲学交流与传播史的研究,越来越显得迫切和重要。

原因在于,哲学的发展与繁荣,除了社会实践提供的现实条件外,总结和继承各国哲学家进行哲学交流与传播的经验与教训积累起来的成果,也是一个重要条件。如果通过反思以往各国哲学之间交流与传播的历史,对于它们之间相互碰撞与相互融合所达到的广度、深度及其规律性有了清醒的认识,那么,在今后各国哲学之间进行交流与传播的过程中,就有可能更加自觉地遵循哲学交流的规律、吸取人类哲学智慧的优秀成果,用以繁荣和提高现时代的哲学。而在开展中外哲学交流史研究方面,西方哲学东渐史的研究具有特别的重要性,必须首先给予高度的重视和充分的研究。

一、哲学交流是人类哲学事业发展的动力之一

要把这个标题指明的观点阐述清楚,必须从不同哲学之间交流与传播的必然发生说起。

任何一种哲学形态,都是在一定地域人类实践基础上和一定文化背景条件下产生的,而决定哲学产生的各个地域的实践基础和文化背景是有差别的。在所有这些条件下形成的哲学,从内容到形式都必然具有不同民族、国家或地区的特点。所以,从国家来说,世界上的哲学便有中国哲学、印度哲学、德国哲学与英国哲学的区别;从地区来说,有东方哲学、西方哲学与阿拉伯哲学的差别。

而且还要看到,任何一种形态的哲学,又都是以在一定历史阶段上人类的社会实践和文化背景为基础而发展的。而不同历史阶段上的人类社会实践与文化背景,由于它的发展程度的差异,使在这些条件基础上形成的哲学形态也必然有时代性或层次上的差

异。因此,在各国或各地区的哲学史上,便有古代哲学、中世纪哲学、近代哲学与现代哲学不同时代性质的分别。

在各国或各地区哲学产生的初期,由于人类战胜自然的能力低下,生产水平不高以及交通的阻隔,造成了人类早期对自然环境的极大依赖。这不但使地理条件制约着特定地区哲学的萌芽及其形成的内容与形式,还突出地限制着不同民族、国家、地区的哲学之间不能开展相互交流。因此,在各种哲学产生的初期,以致在相当长的一段时间内,各个不同民族、国家或地区的哲学不得不在封闭状态中各自独立地发展。

但是,像任何事物都不会永远凝固不前一样,哲学局限在本民族或本地区独立发展的状态也必然发生变化。因为随着人类战胜自然能力的提高和生产力的发展,地理条件对人类的制约力量便随之相对降低,从而使各个不同地域的封闭状态被先后打破。特别是随着人类实践的向前发展,交通的畅达和商品交换的出现,导致文化发展的不平衡。因为各种文化自组织发展到一定程度,必然发生自我扩张和相互接触,致使各个地区的文化之间发生流动与交流。在这个过程中首先发生了输入或输出现象,并随着相互交流的进展,接着又出现了输入项与输出项从平衡到不平衡。就这样,在商品交换和文化交流的过程中,不同民族、国家或地区的哲学交流和传播便随之开始了。这样发生的哲学交流与传播,虽然受到各个民族、国家或地区具体条件的影响,受到各种偶然因素的制约,但都无法改变或阻止它的必然发生。

实践证明,不同国家哲学之间的交流与传播,不仅是人类哲学发展过程中必然发生的文化现象,而且更为重要的是,这种交流与传播还是人类哲学事业发展的动力之一。无论对于处于同一层次哲学的发展,还是对于处于不同层次哲学的发展,都是这样。

　　一般说来,不同国家或地区的哲学进行交流或传播时,发生矛盾与冲突是不可避免的。这是因为任何一种哲学都是一定地域与一定时代的产物;生活在不同地域与不同时代的人,都存在着区别于其他地域与其他时代的生活环境与思维方式。在这些条件的基础上哲学家分别创立的哲学体系必然各有不同的特点。正是这些特点带来了不同国家或地区哲学之间的差别。因此,它们在相互接触与相互交流的过程中,由于不同哲学的地域性与时代性的差异,发生矛盾与冲突是必然的。哲学交流与传播作为推动人类哲学发展的动力,就主要是通过克服或解决这些矛盾来实现的。不过,由于同一层次与不同层次的哲学在交流与传播时,矛盾与冲突的表现不同,解决矛盾与冲突对于这些哲学发展的意义也有所不同。

　　例如,同一层次的哲学进行交流与传播时,由于不同的哲学各自都具有排他性与抗拒性,因此,出现矛盾与冲突是难以避免的。在这种情况下,不论西方哲学东渐,还是东方哲学西渐,为了要能在传播地区生存下去,首先必须适应本地区的环境,这就需要对自己的某些不适应的方面作出改变。只有这样,外来哲学才有可能在这里传播开来,并对当地哲学发生影响。这样一来,不仅本土哲学由于外来哲学传播的推动而得到了发展,而且就是外来哲学本身,也因为在这种过程中对自身作出的调适也得到了发展。明清之际基督教哲学在中国的早期传播就是这样。由此可见,同一层次的哲学在交流与传播时,如果把两者之间的矛盾与冲突解决好了,那么,必然相得益彰,相互促进,哲学交流便成为哲学发展的一种推动力量。

　　又如,不同层次的哲学进行交流与传播时,由于哲学反映的时代性差异,发生矛盾与冲突更是难以避免的,而且,处理好这些矛盾与冲突，无论对于高一层次的哲学，还是暂居低一层次的哲学的发展，都具有十分重要的意义。下面，着重从后者的角度进行具体阐明。

首先，暂居低一层次的哲学在同高一层次的哲学交流时，虽然存在着尖锐的矛盾与激烈的冲突，但它只有在和高一层次的哲学的相互比较中，才能对自己的哲学进行深刻的反思与正确的总结，以便弄清和确立自己继续进步的起点，并在这个基础上吸取高于自己哲学层次的哲学成果，作为契机进行变革，实现哲学转型，提高自己的哲学层次。

然而，要能够正确地反省过去，对它的内容和性质作出客观的判断，却不是一件容易做到的事情。人们常说，当局者迷。一般说来，一个生活在本民族哲学氛围中的人，不容易看清这种哲学的本来面貌。用哲学语言表述，要认识一个事物，就是要把这个事物对象化，然后才有可能正确地认识它。那么，怎样才能把我们自己身处其中的本土哲学对象化呢？一个较为容易做到的办法就是要超出本土哲学的局限，放眼世界，输入先进地区的哲学，即高于自己哲学层次的哲学，并把它同本土哲学进行一番比较。为了做到这一点，从现在的理论视野要求，必须要有全球化的文化心态。近代以来，不少中国学者所以不能或很少对中国传统哲学进行批判性总结，其中一个重要原因，就是他们不能摆脱"华夏中心"文化主义的束缚，没有世界眼光，对先进地区的文化、哲学缺乏全面的认识。然而，当他们一旦具备了这些条件，并以高一层次的哲学作为镜子再来对照本土哲学时，结果就会是另一番景象。哪些是精华，哪些是糟粕，哪些是本国哲学中有生命力的因素，哪些是继续发展过程中的缺项，就会清清楚楚地呈现在眼前。因此，只有将本土哲学放在与高一层次的哲学参照系下，并在与它相互比较和区别中，才能谈得上分清保存什么,扬弃什么。暂居低一层次的哲学要变革和发展,就要有所否定。不改变点什么,不会有所创新,哲学也就不会得到提高和发展。在一般情况下,哲学的变革只有首先在强烈地感受到了它自身发展中的某些局限之后,才会萌发迫切要求变革的愿望和激情。近代以来,不少中国学者开始程度不同地运用西方哲学中的某些思想体系、观念、原理与思维方法,来局部地或全盘地审查中国传统哲学中原有的基本观点和思维方式,就是在西方哲学重新东渐以后出现的这种反思和总结的表现。例如清末民初,根植于半封建半殖民地土壤中日渐枯黄的本土哲学之树,为什么到这个时候表现出复苏状态,并且随着西方哲学东渐的进展而不断萌生出嫩芽与绿叶呢? 原因就是当时有一批学者,例如梁启超、严复、王国维、章太炎、蔡元培等人,他们虽然对中国哲学有较深刻的认识,但却并不死守着它;同时他们还研究了西方哲学,并能运用它们与中国的传统哲学进行比较,正是在相互比较的过程中,他们通过对本土哲学的反省,重新估价它的性质,提炼其精华,剔除其糟粕,进而运用西方哲学来解读中国哲学的概念与观点,或者吸收西方哲学的某些思想与原理融会到中国哲学中来,从而使中国传统哲学走上了变革和转型的阶段。

其次,暂处低一层次的哲学通过同高一层次哲学的交流,除了在相互比较中发现自己的缺项与局限之外,更主要的还在于,通过两者激烈的碰撞,在解决矛盾与冲突的过程中使它们融合起来,从而在推动低一层次的哲学实现转型的同时,还促使高一层的哲学走向成熟,进入新的境界。

要注意的是,这里不同层次的哲学通过矛盾与冲突的解决使之融合,不是以高一层次的哲学简单地取代低一层次的哲学,而是通过它们之间的相互对话,拓展文化视野,以致形成共同的文化视野。这个过程实际上是双向运动的过程。一方面,通过对话认识各自哲学的性质与边界,另一方面,通过对自身哲学的重新解释拓展自己的理论视野。这是一种反复的循环回答。在这个过程中,对高一层次哲学的解读,实际上是从低一层次哲学的角度向高一层次哲学的发问,而从高一层次哲学中得到的回答,又会促使向低一层次的哲学发问,并进一步迫使低一层次的哲学以新的方式对高一层次的哲学作出回答,与此同时,还会对自己的哲学传统作出新的解释。

由此可见,理论视野的拓展,既是一个不断解读高一层次哲学的过程,也是一个不断对低一层次哲学传统重新解释与建构的过程。而且,原来的哲学鸿沟愈大,新的智力视野或理论视野也就扩展得愈大。这个拓展视野的过程,也是解决矛盾与冲突的过程。它对于高一层次的哲学,是自我的一种延伸,通过交流与传播,发挥它的影响力,既能促使低一层的哲学发生变化,也是自身走向成熟的步骤;对于低一层次的哲学,通过吸取高一层次的哲学成果,以此作为契机进行再创造,是变革自身实现转型不可缺少的条件。因此,这个解决矛盾与冲突的过程,就是不同层次的哲学实现融合的过程。不过,这种融合不是两者的合二而一,而是通过各自的拓展,达到理论视野的融合。融合后它们原先作为不同层次的哲学体系的特性,各自依然保持,只不过低层次的哲学已经转型了,高一层次的哲学更加成熟了。"所以,文化的融合并不会创造一种单一文化的一统天下,而只会导致各种不同文化的共同繁荣和交相辉映。"①

---

① 王晓朝:《文化的互动和转型》,见许志伟等主编:《冲突与互补:基督教哲学在中国》,第314页,中国社会科学出版社,2000年。

例如,清末民初西方哲学重新全面启始东渐时,在中国哲学舞台上开展的中西哲学交流,以近现代西方哲学为一方和以中国传统哲学为一方的冲突,就是属于这种性质。西方近现代哲学是西方社会走向现代化的过程中,在当时生产实践和科学实践基础上产生的,它比当时建立在小农经济基础上的中国传统哲学,显然属于高一层次的哲学形态。因此,这两种哲学形态的冲突,绝不是什么东方精神文明和西方物质文明之间的冲突,而是古老的东方与近代崛起的西方物质文明与精神文明两个方面的冲突在哲学上的集中体现。如何对待和处理好这两种不同性质与层次的哲学冲突,是用政治力量加以排斥,还是在两种不同性质或层次的哲学冲突中,正确认识与判断它们之间的时代差别,通过对话拓展理论视野,吸取西方哲学中反映时代前进的积极成果,变革中国的传统哲学,使之实现转型,并发展成为新形态的哲学。这是一个重大而复杂的时代课题。在这个问题上,近代以来,特别是在20世纪中西哲学交流的过程中,有过极其深刻的历史教训。主要是在中西哲学交流过程中,由于"文化民族主义"与哲学研究政治化,不能正确认识和处理两者的关系,在一段不短的时期内,不但没有从西方哲学中吸取有积极意义的理论成果,反而对它进行了尖锐的批判与简单的否定,使中国传统哲学的变革与转型长期处在难产之中。消极后果是极其严重的。黑格尔曾经指出,"哲学的工作实在是一种连续不断的觉醒"。① 近代以来中国传统哲学的变革与转型,就是这种不断觉醒的过程。然而,实现这种觉醒的条件之一,是要把自己的哲学与高于自己哲学层次的哲学进行比较与碰撞,离开

---

① 黑格尔:《哲学史讲演录》,第1卷,第42页,生活·读书·新知三联书店(以下简称"三联书店"),1956年。

了同高于本土的哲学发生冲突,不仅会使本土哲学停滞,甚至还有可能使自己陷入衰败之境。

总之,不同民族、国家或地区的哲学之间进行交流是必然的,也是任何力量阻挡不了的。原因在于,哲学的创造和发展,虽然不能简单依赖与吸取其他民族、国家或地区的哲学,但是,哲学的创造与发展也不能离开不同民族、国家与地区哲学之间的交流与传播而孤立地进行。人类哲学发展的历史已经证明,哲学交流与传播是哲学创造与发展的动力之一。正像季羡林先生肯定的那样:"文化交流是推动人类社会前进的主要动力之一"①。哲学作为文化的核心部分,不同哲学之间进行的交流是哲学进步与发展的动力之一,更是毫无疑问的。而且历史还证明,凡是重视和积极开展哲学交流与传播,并且乐于汲取异质哲学营养的,才有可能使本土哲学得到发展和繁荣。特别是近代以来,哪一个国家能够最迅速、最理智、最直接地利用人类智慧的最新最高创造,哪一个国家就一定能够走到世界的前列。我们看到,正是"由于文化交流,世界各民族的文化才能互相补充,共同发展,才能形成了今天世界上万紫千红的文化繁荣的景象。"②而仅就哲学来说,当今世界上的几大主要哲学潮流,它们之所以博大精深,多姿多彩,之所以具有恒久不息的生命力,主要是在总结与反映社会实践成果的基础上,积极地开展了不同哲学之间的交流与传播,妥善地处理了弘扬本土哲学与汲取外来哲学的关系。这是人类哲学发展和社会进步的杠杆。

---

① 季羡林:《文化的冲突与融合·序》,第 2 页,北京大学出版社,1997 年。
② 同上。

二、中外哲学之间进行交流的历史考察

中华民族是一个古老的民族。她有不断独立发展与光辉灿烂的文化传统。这是足以使广大炎黄子孙引以为自豪的。但是,不断独立发展并不等于孤立发展。实际上,这种独立发展的文化,本来就是在中华民族或中国国内各区域之间长期和颇具规模的文化交流过程中形成的;而在它形成之后,能够在世界上不断独立地发展,其中一个重要原因,就在于它乐于接受与善于消化外来文化,并且通过学习与创新,使中华民族的文化不但得到了长期的独立发展,而且使它在世界文化之林中焕发出斑斓异彩。

在我国文化独立发展的过程中,对于中华民族文化的发展具有划时代的意义,规模最大的文化交流有两次。值得提出的是,在这两次交流中,哲学交流都是它的核心部分。

第一次,公元1世纪到8世纪,中国文化与印度佛教文化之间的交流。作为交流双方的文化质量与规模,都呈现出均势。"这一方面是由于中华固有文化自东汉已渐趋式微,不复有先秦之朝气,亦不复有西汉前期之盛势,文坛沉寂,思想僵直,学术衰枯,亟待更张;另一方面南亚次大陆传来的佛教文化,是自成系统、内容丰盈、思辨精深、文采灿然的一支文化,它与中华固有文化相较,长短各具,难言伯仲。"①因此,这个时期文化交流的两大系统,除了内容的差异之外,是处在同一文化层次上进行的。

在交流过程中,我们国家通过邀请印度学者,或者派人到印度学习等方式,把以佛教为中心的印度文化系统引进来。经过翻译、

---

① 　丁伟志、高崧:《中西体用之间》,第3页,中国社会科学出版社,1995年。

合本、格义与研究，一共花了七八百年的时间，终于把这一异质文化移植过来，使其融入到我国民族精神生活的各个方面。印度文化的输入，对于中华民族文化的震撼是空前的，影响是全面的和重大的。从总体上说，也是积极的。"中华文化确因汲取、消化佛教文化，而进入了一个充满创造力的崭新的繁荣期。"①其中，系统地引进佛教哲学对中国哲学的启迪和推动作用，就足以得到证明。因为佛教哲学的输入，经过我国学者的吸收与加工，从而创造了许多中国式的佛教派别，如智𫖮的"天台宗"，法藏的"华严宗"，玄奘的"唯识宗"，善导的"净土宗"，弘忍及其弟子神秀、惠能的"禅宗"。由于这些佛教派别在中国的创立，从而使佛教在七八世纪得到了很大的发展。在这些佛教派别中，"禅宗"是纯粹中国化的佛教哲学。它以新的理论成就、思想面貌和具有较高思辨水平的特殊形态的宗教哲学，对整个世界上的思想都产生了深远的影响，从而丰富和提高了人类文化。可见，中国文化与印度文化的交流与融合，一方面，改造和提高了中国的文化；表现在哲学方面，使中国原有的哲学因汲取了印度佛教哲学的思辨因素而得到了全面的提高。而且另一方面，在这以后由于佛教传入的刺激而促使道教形成，接着在儒、道、释的基础上产生了宋明新儒学。后来，还由于对儒学的批判和扬弃，进而涌现出明清之际的早期启蒙思想。这些都足以说明，因为摄取和融合了异质的佛教文化，中国原有的文化与哲学，不仅因此增强了创造力，使其自身得到了提高和发展，同时也使佛教文化自身得到了改造与发展，使之成为中国化的佛教文化。而且通过中国学者的创造进而传播到其他地方去，还为人类的文化与哲学事业作出了重要贡献。

---

① 丁伟志、高崧：《中西体用之间》，第4页，中国社会科学出版社，1995年。

总之，这是一场取长补短与相互补充的文化交流。在交流过程中，通过矛盾与冲突的拼斗和解决，使人类文化史上两个不同系统文化之间达到了水乳交融般的和谐。从中可以看到，汲取印度佛教文化，并以此充实和改造中华文化，不仅反映了中华民族文化博大的包容量和勇于创造的精神，而且更为重要的是，使它进入了一个灿烂绚丽发展的新时期。

第二次，从16世纪末至17世纪初开始，直到现在还在继续之中。这次文化交流主要是在我国文化与欧美西方文化之间进行的。作为这次交流核心的西方哲学东渐，因为是本书的研究对象，因此，这里只是着重指出如下几点：

一是中西文化交流，并非始于16世纪末17世纪初，相反，可以说是源远流长。只要举出几件众所周知的事实，就足以证明。一件是，早从1世纪的汉代开始，中国的丝绸经过"丝绸之路"便输出到了意大利。丝绸贸易对于推动欧洲城市经济的复兴与发展，开辟东西方的交通要道，促进欧洲对东方与中国的了解，都发挥过积极的作用。另一件是，中国的造纸、印刷术、火药与指南针等四大发明，于文艺复兴初期传入欧洲，为欧洲的文艺复兴提供了坚实的物质基础，推动了欧洲近代文明的诞生，并因此成为引导资本主义走向世界的重要条件。第三件是，景教和也里可温教于唐代和元代在中国的传播。只是由于这些教派在传播的过程中，过于依赖封建政权，且把其活动范围局限在少数族群之中，加上传教士缺乏深厚的文化底蕴和道德情操，所以对当时中国社会与中国文化谈不上有多少影响。这些事实虽然说明中西之间的文化交流历史久远，但从双方交流的主流考察，还停留在器物交流的水平上，而且多是经过间接途径进行的。至于精神层面的交流，虽然有过西方基督教一些派别在中国的传播，但时间短暂，影响极其微弱,没有达到具有实质性的思想交流,谈不上是宗教与哲学的真正传播。然而,尽管如此,这些交流又为 16 世纪末至 17 世纪初开始的中西文化交流奠定了一定的基础。

二是这次中西文化的交流,在时间上已经跨越了四个世纪,经历了几种社会形态。所以把它作为一个过程进行考察与论述,是因为从经济和文化的实际进程分析,本质上是一个统一的历史过程,即是古老的中国走出中世纪,迈向现代化的进程。中西文化交流从物质层面进到思想层面的直接对话,是在这种历史条件下实现的。而作为它的直接表现的西方哲学东渐,不仅是这个过程中适应中国社会走向现代化发生的重要文化现象,而且在整个过程中,它始终是围绕着如何解决中国面临不同的时代主题展开的。在这一点上,自 19 世纪中叶以来,表现得最为明显。具体说来,基本上是沿着以改良的方式图谋富国强兵为时代主题,发展到以民主革命的方式彻底改造旧中国建立新中国为时代主题,再发展到以建设社会主义现代化的中国为时代主题向前发展的。尽管在这个过程的不同历史阶段上,具体任务有所区别,但贯彻始终的时代主题是中国社会的现代化,却没有发生变化。这是本书考察、分析与判断西方哲学东渐过程中发生的一切现象的出发点。

三是从 16 世纪末以来,随着中西方关系以及交流双方文化心态的变化,在西方哲学东渐已经过去的四百多年中,经历了一个由萌芽、挫折、复苏、发展,历尽坎坷,到 20 世纪的末期终于重新走上健康之路的极其曲折的过程。在这个过程中,一方面,由于不同时代各种政治力量的推动,几代中国学者冲破阻力和辛勤耕耘,在西方哲学研究中取得了一批足以引为豪的学术成果,并以此有力地推动了中国社会的现代化事业不断向前发展。在这一方面,应该肯定,西方哲学东渐成绩巨大。

　　但是，另一方面，因国际环境风云变幻，国内各种政治势力此消彼长，使西方哲学东渐过程几起几落。例如，18世纪初到19世纪中，由于"礼仪之争"以及宫廷里的夺权斗争，人为地中断了中西文化交流，也使中国趋向现代化的历史进程发生逆转。这段历史回流在西方哲学东渐史上，教训是十分惨重的。然而，时到20世纪下半叶的一段时间内，又因"文化大革命"的发生，演出了包括西方哲学东渐在内的中西文化交流再度被人为地打断的悲剧。就是取得了一定进展的19世纪下半叶到20世纪60年代初的西方哲学东渐过程，不用说在未接受马克思主义以前跌宕起伏，极不顺利，即使在确立了马克思主义在国家意识形态中的统治地位以后，值得吸取的教训仍然不少。所以，在这一方面，应当承认，由于上述种种原因，使西方哲学东渐过程充满了曲折和起伏，使西方哲学没有取得应该取得的学术成果，使这些成果没有发挥它们在中国社会走向现代化进程中本来应该发挥的积极作用。教训是十分深刻的。只是时到20世纪70年代的后期，在经历了一段曲折之后，经过反思，痛定思痛，随着工作重点的转移与改革开放方针的贯彻，中西方化、哲学交流才很快走上了健康发展的道路，并且在西方哲学的学术研究，以及运用这些成果推动中国社会的现代化发展方面，都取得了举世瞩目的成就。

　　通过上述两次中外文化与哲学交流的回顾，我们深深感到，每当我们国家把国门打开，欢迎外来文化，并且乐于引进、善于消化、勇于创新的时候，恰恰正是我国文化及其哲学，也是我们国力向前发展的时期；而每当由于种种原因我们国家闭关锁国，故步自封，中断了中外文化交流的时候，恰恰就是我国文化及其哲学陷于停滞，也是我们国家国力处于衰退的时期。

　　这两次中外文化交流，特别是其中作为核心部分的哲学交流的经验与教训,都应该加以深刻的反省和认真的总结。"前事不忘,后事之师"。如果把这项工作搞好了,那么,对于未来的西方哲学东渐与中外文化交流,将是一份具有重要价值的精神财富。不过,第一次中外文化交流,已经成为过去,第二次中西文化交流,却仍在进行之中。因此,首先研究构成第二次中西文化交流主要部分的西方哲学东渐,便具有特殊的迫切性。也因此,考察与阐明16世纪末以来西方哲学东渐过程中的经验与教训,即成为本书将要全力以赴完成的任务。

三、西方哲学东渐史的研究对象与研究进展

西方文化是西方社会共同创造的财富。它包括物器层面、制度层面与精神层面的文化。西方哲学属于精神层面,是整个西方文化的核心部分。随着西方哲学的引进,中国哲学界不但有了对西方哲学的研究,而且还同时开始有了西方哲学东渐史的研究。

研究西方哲学与研究西方哲学东渐史,尽管在内容上它们之间存在着十分密切的关系,但从研究对象和任务考察,它们又是有区别的。前者是通过对西方哲学本身(包括西方哲学家的著作、哲学体系、哲学流派、哲学思潮的理论观点及其发展过程等)的翻译、介绍、评论与扬弃,从中总结西方哲学家提出哲学观点与建立哲学体系的经验教训,揭示西方哲学发展的规律性,并将它在中国传播开来,使它在中国社会发展的进程中发挥作用与影响;后者则是通过对西方哲学在中国传播的历史背景、方式、途径、文献,以及中国学者研究与传播西方哲学的活动、成果以及社会影响的考察,总结西方哲学在中国传播过程中的经验教训,揭示西方哲学东渐

过程的规律性，以此保证西方哲学东渐沿着健康的道路发展，从而在推动西方哲学研究学术水平不断得到提高的同时，使它在中国社会走向现代化的过程中发挥更大的积极作用。

把西方哲学东渐史作为研究对象进行学术研究，自这一文化现象产生后不久便开始了。主要表现在有些学者从不同的角度出发，对某些传播者研究西方哲学的学术活动、学术成果及其社会影响，分别进行了一些介绍与评论。这样的作品开始时多以论文的形式出现。另外，也夹杂在某些学术著作之中。在不同的历史时期，都有发表。

例如，在西方哲学重新全面东渐后不久，便陆续有些此类内容的论著问世。其中，在20世纪的上半叶，1920年和1923年，分别出版了梁启超的《清代学术概论》与蔡元培的《五十年来的中国哲学》。虽然这两本著作并不全是有关西方哲学东渐史的内容，但前者有包括这类内容在内的晚清学术研究宏观面貌的概述，后者则突出地就世纪之交严复对进化论、王国维对康德、叔本华与尼采哲学，以及新文化运动期间刊出的"柏格森号"与杜威和罗素在中国的讲演活动，进行了扼要的介绍和论述。介绍客观，论述平稳，但缺少提炼和归纳。1934年，郭湛波的《近五十年中国思想史》一书，其中第七篇"五十年来中国思想论战"与第八篇"中国五十年来思想的介绍"，全部都是有关西方哲学东渐史内容的论述。前一篇介绍了二三十年代在中西文化交流过程中发生的"东西文化"、"科学与玄学"以及"中国本位文化"等论战。后一篇阐述了严复、李石曾、王国维、陈独秀的传播活动以及杜威、柏格森与罗素哲学在中国传播的景况。书中客观地摆出的材料较多，但对传播者的选择与传播内容的叙述有些详略不当，对西方哲学东渐发展线索的分析不够清晰。1946年，贺麟出版了《当代中国哲学》一书,其中第二章"西方哲学的概述与融合",在一定意义上说,是对 19 世纪末以来西方哲学东渐史的宏观描绘。书中热情地评述了许多中国学者传播西方哲学的成果,生动地论述了西方哲学传播的特点,初步揭示了贯穿在这个过程中西方哲学东渐的规律性。

在 1949 年以后的一段时间内,有关西方哲学东渐史的研究,虽然有些学者在某些文章中也偶然有所涉及,但同对西方哲学的研究一样,就整个说,进展不大。引起重视并投入一定力量进行研究,是改革开放以后发生的事情。主要表现是,在 20 世纪 80 年代与 90 年代中期前,随着新时期西方哲学东渐的繁荣,探讨西方哲学东渐的文章多了起来。其中,贺麟的《康德黑格尔哲学东渐记》,相当系统地介绍了从晚清直到 1949 年几代学者传播康德和黑格尔哲学的活动及其成果,不但补充和深化了 40 年代他对西方哲学东渐的看法,而且通过康德、黑格尔哲学东渐过程的介绍,在一定程度上把这段西方哲学东渐史的面貌勾勒出来了。特别要提出的是,台湾学者这个时期也开展了对此类课题的探索。例如,沈清松的《哲学在台湾的发展》以及邬昆如的《欧陆现代哲学在台省的创新与发展》①,都是最好的证明。不但如此,经过一段时间的潜心研究,到 90 年代初,论述西方哲学东渐史上某个过程或某个专题的著作也问世了。例如,黄见德等的《西方哲学东渐史》(1840—1949),黄见德的《西方哲学在当代中国》与《20 世纪西方哲学东渐问题》,李步楼等的《冲击与思考——西方思潮在中国》与《西方非理性主义人生哲学在中国》,陈海鸿等的《西方哲学的

---

①　沈清松的文章见《海峡两岸学术研究的发展》,中国论坛杂志社,1988年,邬昆如的文章载台湾大学《哲学杂志》,第 17 期,1996 年 8 月。

研究与进展》,王晓朝的《基督教与帝国文化》,元青的《杜威与中国》,冯崇义的《罗素与中国》,董德福的《生命哲学在中国》等。这些著作都是西方哲学东渐史系统研究起步时的作品。它们的共同特点是,都是着眼于西方哲学东渐的某一个阶段,或是某一个专题的传播,没有一本是研究西方哲学东渐全过程的。而且,有些书中"左"的痕迹清晰可辨,史料不全,提出的观点论述不深。不过,它们虽然存在这些缺点,但是在材料与思路等方面,也为今后的研究打下了基础。

系统而全面地开展西方哲学东渐史的研究,于 20、21 世纪之交真正开始了。一个标志是,由汤一介先生主编的《20 世纪西方哲学东渐史》丛书这个时候同读者见面了。这套丛书由《20 世纪西方哲学东渐史导论》、《康德黑格尔哲学在中国》、《马克思主义哲学在中国》、《进化主义在中国》、《实在论在中国》、《实用主义在中国》、《尼采哲学在中国》、《分析哲学在中国》、《现象学思潮在中国》、《结构主义与后结构主义在中国》、《后现代与后殖民主义在中国》、《西方哲学在当代台湾和香港》与《中国本土文化视野下的西方哲学》构成。《导论》可视为丛书的总论,其余均为分论。而且,每册分论还编辑一册资料同时出版。担任这些著作写作任务的,都是国内研究西方哲学中与此相关思潮颇有心得的学者。从中可以看到,虽然它阐述的对象也不是西方哲学的全过程,但通过对 20 世纪西方哲学东渐的发生、过程、学术成果、社会影响、经验教训以及规律性的探讨,在国内原先研究的基础上,都取得了明显的进展。

另一个标志是,2002 年 9 月,"海峡两岸西方哲学东渐百年研讨会"在武昌珞珈山举行。出席的代表有来自大陆与台湾研究西方哲学的学者近一百人。他们不但为会议提供了 50 多篇高质量的论文①,而且在发言中,就西方哲学东渐史料的挖掘、学术研究成果的评价、社会影响的估计,经验教训的总结、西方哲学东渐过程规律的揭示,进行了热烈而深入的讨论,有力地推动了西方哲学东渐史的进一步研究。

现在,我的计划是,要在自己原先研究的基础上,并充分吸取上述有关成果,写出一部分为上下两卷,反映西方哲学东渐全过程的《西方哲学东渐史》来。

四、研究西方哲学东渐史的意义

开展西方哲学东渐史的研究,在科学文化研究事业中,具有重要的理论意义和实践意义。在这里,只提出两点来加以说明。

首先,有利于促进西方哲学研究学术水平的提高与传统哲学变革的实现,以此促进中国的现代化事业向前发展。

西方哲学东渐,是中国社会走出中世纪、迈向现代化过程中发生的一种十分重要的文化现象。引进西方哲学,开展对它的学术研究,并把它在中国传播开来,根本目的在于适应和推动中国现代化事业的顺利进行与目标的全面实现。因此,要说明研究西方哲学东渐史的意义,必须把它同中国的现代化事业联系起来进行考察。

西方哲学,主要是近现代西方哲学,作为西方社会迈向现代化过程中社会实践的理论总结,它对于后生型的中国现代化的启动

---

① 会议的组织者从这些论文中挑选出一部分,由《世界哲学》编辑部编辑出版的《激荡与反思:海峡两岸西方哲学东渐百年学术研讨会专集》一册,作为2002年《世界哲学增刊》发行。

与发展，具有多方面的积极意义。主要是：可以帮助国人认识世界的发展潮流与选择现代化的模式；可以用来进行思想启蒙、促进传统哲学变革与文化变迁；可以促进现代化主体的培养与保证现代化目标的全面实现等。这些是输入西方哲学对于中国现代化事业本来可以而且应该发挥的积极作用。不过，在实践中要能使这些作用发挥出来并发挥到理想的程度，必须在西方哲学东渐的过程中以取得的学术成果能否满足现代化发展的需要为条件或前提，否则，将会落空。

以20世纪某些阶段上的西方哲学东渐来说，由于种种不同的原因带来西方哲学东渐不时陷入困难与曲折之中，致使西方哲学的学术研究没有取得应该取得的成果，也直接影响了中国现代化的顺利启动与健康发展。消极后果是有目共睹的。

例如，在科学文化的现代化建设中，促进传统哲学实现变革，是其中一项重要任务。其目的在于，通过传统哲学变革进一步来构建能够体现时代精神的新哲学，以便为现代化开辟道路。然而，由于西方哲学东渐坎坎坷坷，致使它对中国传统哲学变革的推动作用，发挥得十分不尽如人意。主要是在这个过程中，在弘扬传统的口号下，拒斥西方哲学。因此，虽然它们的思想代表为了政治斗争的需要，在清理传统哲学和引进西方哲学方面都做了一些有意义的工作，甚至曾经会通中西，把西方哲学中许多流行的概念纳入自己仓促形成的体系中。但是，从最终的结果来看，由于不论对中国传统哲学的清理，还是对西方哲学的消化，都缺乏应有的深度，所以这样建立起来的体系，不免囫囵吞枣，食而不化，以致他们所谓会通中西、融合新旧的理论创造，往往流于肤浅或自陷迷途，显得十分脆弱。更为严重的是，由于传统哲学变革不彻底，导致思想启蒙不力，使人们在长期小农经济基础上建立起来的思维模式和文化心态,在旧的传统惰力的束缚下不能解放出来,使中国社会"走出中世纪、迈向现代化"所需要的理性觉醒与成熟,即文化变迁迟迟不能实现。因此,我们可以看到,在20世纪中国社会发展过程中的某些时期内,新的虽然在不断地冲破旧的,但死的又不断地拖住活的。社会生活中新旧杂陈,矛盾交错,方生方死,导致中国社会在迈向现代化的过程中,不断出现曲折与反复。这种历史现象的产生,虽然是传统哲学中封建性糟粕形成的惰力在文化深层结构中起作用的结果,但也同时充分说明由于西方哲学东渐过程中没有取得相应的学术成果,致使传统哲学变革长期处在难产之中。

又如对于思想启蒙的消极影响。有的学者指出,"中华民族对现代化思想启蒙的程度,取决于对现代化世界及其发展趋势的认识程度。"[1]就是说,现代化思想启蒙达到什么程度,对现代世界及其发展趋势的认识也就达到什么程度。然而,由于在西方哲学东渐过程中没有取得应有的学术成果,遏制了西方哲学在现代化思想启蒙中积极作用的发挥,从而失去了作为体现西方社会现代化时代精神的参照物,特别是其中有关社会发展规律的揭示。这样不但使对于现代化以及对于现代世界发展规律的认识,长期处在若明若暗之中,而且还由此导致在中国走向现代化道路的选择上,也长期难以找到适合中国国情发展的模式。

问题是,这些现象或后果是怎样产生的? 明白一点说,为什么没有取得应有的学术成果,以及取得的一些成果也为什么没有发挥它本来可以发挥的作用? 这个问题以及与此有关的一系列问题,就是西方哲学东渐史必须研究和回答的。通过深入的研究,正

---

① 罗荣渠:《从"西化"到现代化》,载《人民日报》,1989年2月26日。

确地解答这些问题，它对于从事西方哲学研究的学者和中外文化交流政策的决策者来说，如果能从中吸取有益的经验和教训，那么，前者通过调整文化心态，就能取得应该取得的学术成果，后者就能依据文化交流的规律，营造良好的学术研究环境，保证中外哲学交流沿着健康的道路发展。这样，取得的学术成果及其发挥的社会影响，将是另一番景象。

其次，通过研究，经过反思与总结，在取得对以往西方哲学东渐过程正确认识的基础上，就有可能以崭新的态度与更为开放的心态迎接与开展21世纪中外哲学交流，推动人类哲学事业共同走向繁荣。

大家知道，已经过去的西方哲学东渐过程，经历了不同的发展阶段。例如，20世纪的西方哲学东渐，是19世纪下半叶西方哲学东渐的继续，确切地说，是16世纪末至18世纪初西方哲学东渐的继续。按理说，20世纪的西方哲学东渐事业，在总结明清之际与晚清西方哲学东渐教训的基础上，会更加自觉、更加理智与更有选择地在吸取和消化西方哲学发展最新成就的过程中，使中西哲学融会贯通，经过创新，促进中国传统哲学顺利地实现变革，以此推动文化变迁，使其在中国走向现代化的过程中发挥它应该发挥的作用。然而实际情况怎样呢？前面列举的一些事实说明，情况并不是人们希望的那样。

这又是为什么？在我看来，这与没有积极地与全面地开展西方哲学东渐史的研究，不能从以往西方哲学东渐过程中吸取经验与教训，有着十分密切的关系。所以，如果我们现在，通过研究西方哲学东渐史，认真反思与总结西方哲学东渐发展过程中各个时期发生的种种问题与教训，并把它们提高到理论的高度上进行分析，不但可以获得对以往西方哲学东渐史正确的与清晰的认识，而且,如果能够从中吸取经验和教训,以史为鉴,进一步把它运用到 21 世纪中外哲学交流的实践中去,"前事不忘,后事之师",在行动上就会自觉地依据哲学交流与会通的发展规律,在更高的层次与更大的规模上继续开展这项工作。如果这样,那么,人类的哲学事业在走向全球化的过程中,必将得到共同的发展与繁荣。

研究西方哲学东渐史的这些意义,随着人类社会进入 21 世纪,被越来越多的学者所关注和阐明。特别是哲学界,一段时间以来还不断发出了积极开展西方哲学东渐史研究的呼吁。早在 1990 年 7 月,陈修斋教授就指出:"既然今天仍旧甚至更加需要引进西方哲学,那么对于以往三百年或者至少一个半世纪以来引进西方哲学的历程进行一番回顾,总结其经验教训,探索其规律性,以作当前和今后引进工作的借鉴,就是很有必要,也是很有意义的事。这工作本来早就应该做了,可惜的是以往虽也有人在这方面尝试过,做过一些初步的或局部的工作,但在此以前还始终没有人来对西方哲学传入中国的过程,做过全面、系统的考察,因而留下了社会主义文化建设中一块亟待填补的空白。"①

又如,任继愈先生在为贺麟《五十年来的中国哲学》再版写的"序"中认为,"近三十年来的哲学界的成败得失,至今尚未来得及很好总结。"②这里说的"三十年",是指 1949 年中华人民共和国成立后的一段时间,而贺麟的这本著作,却是对 20 世纪上半叶中国哲学发展的总结。因此,他指出,如果过去我们对这本书给

① 陈修斋:《西方哲学东渐史》(1840—1949)"序",第2—3页,武汉出版社,1991年。
② 任继愈:《五十年来的中国哲学》"再版序",第3页,辽宁教育出版社,1989年。

予了必要的注意，那么，对这"以后的三十年的中国哲学的认识也会有所裨益"①。此外，方克立教授在讲到这个课题的研究时，也特别提到了贺麟的那本著作。他写道，这本书出版后，"中国的历史又向前走过了半个世纪，现在已经进入了本世纪的最后十年，新的世纪即将来临。我认为，处在世纪之交的哲学家们有责任对一百年来的中国哲学发展的现实历程和丰富内容做出深刻的总结和反思，通过批判的总结和反思，为中国哲学的未来发展探索一条积极、现实的道路。"②中国学者对于西方哲学东渐史的研究，无疑属于中国哲学研究领域的一个重要组成部分。前述学者的呼吁，反映了世纪之交中国哲学界对于开展这项研究的期盼。如果通过系统而深入的研究，对于西方哲学全过程的进展及其规律性取得清晰而正确的认识，那么，它对中国哲学理论水平的提高，为人类哲学事业的繁荣，显然都具有重要意义。

---

① 任继愈：《五十年来的中国哲学》"再版序"，第 3 页，辽宁教育出版社，1989 年。

② 方克立：《二十世纪中国哲学的宏观审视》，载《中国社会科学院研究生院学报》，1994 年，第 4 期，第 1 页。

第一章　明清之际西方哲学
在中国的早期传播

（16 世纪末至 18 世纪初）

虽说中西文化交流源远流长,但是,进展到具有实质性思想交流与哲学层面的直接对话,却是伴随颇具规模的中西文化交流,在明清之际的出现才发生的。正如法国科学院院士谢和耐在研究这个课题时指出的:"事实上,第一批耶稣会传教士正是在这一时期进入中国,并与中国最有文化修养的阶层建立了联系。这样一来,欧亚大陆那基本上是独立发展起来的两种社会,在历史上首次开始了真正的交流。"①16 世纪末这样开始的中西文化交流,直到 18 世纪初被人为地打断,前后持续了将近两个世纪。考察一下这个时期中西文化交流形成的局面、取得的成果、留下的影响,完全有理由说,这是"一段令人陶醉的时期"②,在中西文化交流史上占有重要的位置。

仅就当时文化交流过程中处于核心地位的西方哲学东渐而言,它不仅是西方哲学东渐的源头,而且,交流过程中,双方文化心态健康,

---

① 谢和耐著,耿昇译:《中国与基督教——中西文化首次撞击》增补本,"中译本序",第 1 页,上海古籍出版社,2003 年。

② 许理和:《17—18 世纪耶稣会研究》,载《国际汉学》1999 年,第 4 期,第 429 页,大象出版社。

开创了平等对话、会通超胜的先河,成为西方哲学东渐史上一笔十分宝贵的财富。因此,明清之际的西方哲学东渐,虽是西方哲学在中国的早期传播,但它在西方哲学东渐史上,却具有非常特殊的意义。

把形成西方哲学东渐源头这些特征的原因及其表现阐释清楚,既是全面认识与正确评价这个时期西方哲学东渐的基础,也是深刻理解与真正把握西方哲学东渐发展过程及其规律性的条件。不过,西方哲学东渐只是当时中西文化交流内容的一部分,要真正阐述清楚,必须把它放在明末清初中西文化交流发生及其发展过程的全局中进行考察;就是说,只有把当时中西文化交流有关全局的论题阐述清楚了,才有可能。因此,在这一章中,首先用一节的篇幅较为具体地交代一下中西文化交流有关全局的几个论题。然后在这个基础上,分别陈述西方哲学在中国的早期传播及影响。

第一节　中西文化首度在中国直接交汇

那么,明清之际中西文化交流过程中需要阐述的有关全局性论题,有哪些呢?

一、明清之际中西文化交汇的世界背景

所谓明清之际,或曰明末清初,一般认为在具体时间的起止上,是从1582年意大利传教士利玛窦抵达澳门,1583年进入中国内地肇庆开始①,直到1723年因"礼仪之争"罗马教廷干涉中国内

---

① 利玛窦到达中国的时间,有不同的记载。徐光启在《利子碑记》中说是1580年,艾儒略在《大西利先生行迹》中说是1581年。这里依利玛窦在《利玛窦中国札记》与徐宗泽在《明清间耶稣会士译著提要》中的记载。

政,雍正明令"禁教",实行闭关锁国政策终止的这个历史阶段。从当时中西文化交流过程中选择具有代表性的事件或人物活动作为这个时期的起止标志,上述看法是有根据的。不过,要注意的是,从中西哲学交流的角度考察,不能把它看得过于简单化了,不要把它同在此之前与在此之后的中西文化交流过程人为地割裂开来。

在人类历史的发展过程中,明末清初的欧洲与中国,都处在从封建社会向资本主义、从农业社会向工业社会过渡的时期。为了全面与最终实现这个大转变,需要做好经济、政治与思想等项过渡的准备工作。要指出的是,上述条件不是在以往自然经济形成的各国孤立状态中产生的,而是在当时已经开始的国际开放性变迁中完成的。所以,随着这些条件准备的进展,必然引起世界形势的急剧变化。其中一个突出的表现是,以1519年麦哲伦环球航行为标志的地理发现为起点,人类历史从此开始进入了全球化时代。这样一来,随着世界市场的开拓,打破了以往长期形成的自给自足与闭关自守的状态,促进了各个国家与民族之间的相互往来与相互依赖。更为重要的是,一方面,"使每个文明国家以及这些国家中的每一个人的需要的满足都依赖于整个世界"①,另一方面,还"使一切国家的生产和消费都成为世界性的了。……物质的生产是如此,精神的生产也是如此。各民族的精神产品成了公共的财产"。② 这是明末清初人类社会发展的潮流与趋势。

---

① 马克思恩格斯:《德意志意识形态》,见《马克思恩格斯选集》,第1卷,第67页,人民出版社,1995年。

② 马克思恩格斯:《共产党宣言》,见《马克思恩格斯选集》,第1卷,第254—255页,人民出版社,1995年。

　　中西文化首度直接交汇,就是在这样的世界背景下发生的。
下面,从欧洲与中国两个方面,分别加以具体说明。

　　首先,在欧洲方面。

　　自从13世纪农奴制度开始崩溃以来,西欧的商业资本取代土
地资本的速度,得到了迅速的发展。到16世纪,在地理大发现的
推动下,欧洲已进入中世纪的末期。主要表现是,孕育在封建制度
母体中的资本主义生产关系日见壮大;资本主义原始积累的步伐
日益加速;资产阶级革命的先声——文艺复兴运动达到了极盛时
期。为了积累更多的货币和财富,正在成长中的资产阶级,除了对
国内的劳动群众进行残酷剥夺,使社会的生产资料和生活资料转
化为资本,使广大群众转化为雇佣劳动者以外,还利用国家权力进
行海外扩张,通过建立殖民统治与开展商业贸易活动,也成为资本
原始积累的重要形式。在这一方面,《马可波罗游记》在西方人面
前展现的中国,那广袤的土地,富饶的物产,是极富魅力的。因此,
随着海外扩张的进展,西方的殖民势力从地中海与大西洋相继转
移与扩展到了西太平洋一带。其中,中国无疑是它们争夺的主要
对象。最早来到这个区域的,是欧洲资本主义因素萌芽最早的一
些国家。例如葡萄牙人,1510年与1511年,先后分别侵占了印度
西海岸的果阿与马来半岛的马六甲之后,不断前来骚扰中国的东
南沿海地区,并于1534年通过欺骗与贿赂手段,以"租借"的名
义,终于在中国的澳门盘踞下来。又如西班牙人,1519年分别征
服墨西哥与秘鲁之后,横渡太平洋,于1565年强占了菲律宾。再
如荷兰人,1596年以"东印度公司"的名义开始对瓜哇进行殖民统
治后,进一步派舰队反复侵扰福建沿海,于1614年侵占了中国的
澎湖和台湾。以此为起点,随着西方资本主义经济以及向外扩
张的发展,欧洲文化也进入了一个主动开拓与大力向外传播的

时期。所有这些,从欧洲方面说明了中西文化直接交汇的必然发生。

其次,在中国方面。

明清之际的中国,同样已经进入封建社会的晚期。一方面由于农民大起义所引发的社会诸矛盾的展开,以及王朝更迭关外少数民族对汉族的征服,使中国社会处在"天崩地裂"的大变动之中。然而另一方面,自16世纪中叶开始,随着资本主义因素的萌芽与滋长,中国社会和文化已呈现出走出中世纪的某些征兆。例如,"在长江中下游及东南沿海(也包括晋东南等少数北方地区),工场手工业和商品经济渐成规模,出现某种从'农本'向'重商'转化的苗头。与此相继,在观念领域也初露'破块启蒙'的动向,诸如明清之际的黄宗羲在《明夷待访录》中对专制君主的抨击,对君臣之间从主奴依附向平等同事关系转化的期望,对学校议政、'工商皆本'的热烈倡导,都昭示着一种新的精神的迫近。"①

正是在这样的社会条件下,近代早期启蒙运动在神州大地上开展起来了。它的主要表现是:"自然科学的研究热潮和市民文艺运动的蓬勃兴起。"②例如,"新兴质测之学,以'考索物理'为宗旨,强调'实验'方法,'精求其故,积变以考之',并与'专言治教'的'宰理'之学相分离,开始突破传统思维模式;新兴市井文艺,更从多方面动摇着传统的价值观念、人生理想、审美情趣、婚恋模式等等;反映在哲学思想上,当时南北崛起的一代启蒙思想家,不约

---

① 冯天瑜:《中国文化现代转型随想》,载《天津社会科学》,1992年第2期,第51页。

② 萧萐父:《对外开放的历史反思》,见《吹沙集》,第37页,巴蜀书社,1991年。

而同地掀起对宋明道学及传统学风的揭露批判,通过提倡'经世致用'、'核物究理'、'依人建极'而走向人文主义的觉醒。"①这里列举的种种事实,反映了市民反对封建特权的要求,表现了越出封建藩篱的早期民主主义意识。而就其显示的一般政治倾向和学术倾向来看,也"已显然区别于封建传统思想,具有了对封建专制主义和封建蒙昧主义实行自我批判的性质。"②这些事实的出现,说明在明清之际中国社会为了向现代化过渡,实际上从经济、政治和思想上在进行准备。从中可以看到,虽然晚明社会危机日趋严重,但这些事实充分证明,当时中国社会的发展,不但有了引进西方文化的需要,而且也具备了接受西方文化的条件。

就是这个时候,表现为"西学东渐"与"中学西传"的中西文化汇合与直接交流,合乎规律地发生了。

二、西方传教士东来

这样开始的中西文化首度直接交流,是随着西方传教士的东来拉开序幕的。而且,还是以西方传教士作为主要媒介开展的。因此,西方传教士不但是这个时期"西学东渐"的主要承担者,也是"中学西传"的主要传播者。

此种文化现象的发生,首先是出于西方殖民主义者海外扩张的需要。

因为在西方,资本原始积累的过程,是伴随海外扩张,建立与征服殖民地进行的。然而,在这个过程中,殖民主义者的殖民行为

---

① 萧萐父:《对外开放的历史反思》,见《吹沙集》,第37页,巴蜀书社,1991年。

② 萧萐父:《中国哲学启蒙的坎坷道路》,见《吹沙集》,第19页,巴蜀书社,1991年。

不断激起殖民地人民的愤怒与反抗,使他们的征服活动难以顺利进行,甚至不时陷入险境之中。因此,在他们掀起征服世界的浪潮中,为了从被征服者那里掠夺巨额财富,在采取军事手段的同时,为了骗取征服对象相信他们进行的征服活动是正义的与合法的,还使用精神征服的手段,以便摧毁征服对象的反抗意识,改变其原先的信仰,使其心悦诚服地接受殖民者的殖民统治。这在西方殖民主义者的海外扩张过程中,不但是绝对不可缺少的,而且有些时候或在某种情况下,甚至比军事征服还显得更加重要。而在进行精神征服时,殖民主义者主要是依靠教会力量进行与完成的。例如,在西班牙远征墨西哥的过程中,教会便"承担了西班牙政府的其他机构所不能担当的职能"。① 可见,在精神征服这一点上,"教会所起的作用是压倒一切的"。② 尤其是殖民主义者一旦感到军事力量不足以征服时,他们更是看重教会力量在精神征服中的作用。例如,西班牙在征服菲律宾时,便是这样。对此有的学者曾经指出,"西班牙之所以利用天主教会作为重要的殖民统治的工具,还有更为实际的原因,即它意识到单凭有限的殖民军队和暴力,对付不了菲律宾人民群众的反抗,必须借助于天主教会的力量才能有效地征服和统治这个国家。"③所以,当时葡萄牙人和西班牙人在海外扩张时,"他们不止为了寻求财宝和权力,而且一心要传扬征服者先辈的西方基督教。他们传扬基督教的热情是狂热的。"④

---

① 艾·巴·托马斯著,寿进文译:《拉丁美洲史》,第 1 册,第 297 页,商务印书馆,1973 年。

② 同上书,第 279 页。

③ 周南京:《西班牙天主教会在菲律宾殖民统治中的作用》,载《世界历史》,1982 年,第 2 期,第 56 页。

④ 阿诺德·汤因比著,晏可佳等译:《一个历史学家的宗教观》,第 173 页,四川人民出版社,1990 年。

这种传扬宗教的狂热情绪,正是源于殖民主义者对基督教作为征服和统治殖民地的工具的需要。因此,在他们建立殖民地的过程中,军事征服和精神征服,往往是同步进行的。

其次,也是当时教会力量急于摆脱困境、巩固天主教在欧洲统治地位的需要。

在葡萄牙与西班牙大规模地掠夺海外殖民地的同时,在文艺复兴运动的高潮中,于1517年爆发了一场由德国传教士马丁·路德(1485—1546)领导的、深刻改变欧洲面貌的宗教改革运动。其结果之一是,"粉碎了中世纪的典型特征——欧洲的宗教统一,削弱了中世纪社会的主要制度——教会",①导致统一的欧洲教会发生分裂,失去了许多信仰的领地,出现了包括英国、北欧和德国北部的"新教"教区,从而动摇了天主教会和教皇的权威。在这种形势下,罗马教廷希望它属下的各个教派、新老修会(多明我、方济各、奥斯定和耶稣会)积极配合西方殖民主义者的扩张活动,通过向海外派遣传教士的方式寻找新的教区,以此达到巩固天主教在欧洲的统治地位。

这里,要着重指出的是,在这个过程中,天主教内部还发生了一场影响同样深远的"天主教复兴运动"。早在15世纪末,随着西班牙民族国家的形成及其在欧洲强国地位的确立,在不更改教义而又能剔除教会弊端的条件下,西班牙产生了具有独立性的国家教会,使教廷对行政事务的干预受到了制约,社会中的道德生活与理智生活也有所刷新。然而,终因这种局面只限于西班牙境内,且没有持续多久,难以挽回整个基督教会走向衰败的趋势。不过,

---

① 马文·佩里主编,胡万里等译:《西方文明史》,上卷,第419页,商务印书馆,1993年。

就是在这个时候,文艺复兴运动中涌现出来的著名人文主义者依纳爵·罗耀拉(Ignatius Loyola, 1491—1556)在依拉斯谟的影响下,提出了一套有别于马丁·路德宗教改革的新方案。他认为,在新教反叛和分离的冲击下,必须通过教会内的革新,涤除过去的弊端,以此重新燃起信仰的热情。他指出,这样做的目的,不是削弱而是增强对天主的信仰,不是动摇而是强化天主教会的权威,不是缩小而是扩大天主教会在世界的影响。为此,他"寻求创立一种新型的宗教秩序,将人文主义的精神财富与经过改革的、将对强大的经济、政治阶层具有吸引力的天主教融为一体"。[1] 于是,在他的推动下,一个以复兴天主教会为主旨的运动开展起来了。1534年由依纳爵·罗耀拉创建,1540年经教皇保罗二世批准的耶稣会,便是适应天主教会的复兴而诞生的。

耶稣会的成立,使天主教获得了内部改革的动力,加上在它主持下开展的一系列活动,终于在一定程度上拯救了欧洲天主教会摇摇欲坠的局面。在基督教历史上,就其产生的影响来说,它和脱离母体的新教教会所作出的改革,意义"一样重大"。[2] 其中一个突出表现是,依据罗耀拉的计划与规定,凡是皈依者在加入耶稣会以后,必须随时听从教宗的指示,被派遣到世界各地开展传教活动。本来,基督教在其形成与发展的过程中,便具有通过传教进行精神传递与精神扩散的特征。所以,当耶稣会成立以后,从一开始就把这个特征跟海外殖民时代及巩固教会权威联系起来,把派遣耶稣会士到海外传教,作为耶稣会生存和扩大影响的主要手段。

---

① 马文·佩里主编,胡万里等译:《西方文明史》,上卷,第431页,商务印书馆,1993年。

② 赫·乔·韦尔斯著,吴文藻等译:《世界史纲》,第816页,人民出版社,1982年。

这样一来,通过耶稣会士在海外的传教活动,在一定程度上的确扩大了天主教在世界各地的影响。正如有的学者所说,"美洲的发现,东印度航路的开辟——西班牙和葡萄牙在这方面占有领先地位——还有通往中国的陆路交通的恢复,正好与宗教生活的振兴同时到来,这就点燃了基督教徒的热情,希望促使新世界和最古老世界的人民皈依基督教,于是一个新的传教活动时期开始了"。①

就是在西方社会发展的这种历史条件下,上述两个方面各自从自己的利益出发,联手开始向亚洲,特别是向中国派出了大批传教士。毫无疑问,传教士来华传教的根本目的,在于使中国皈依基督教,进而使中国成为西方国家的殖民地。然而,当传教士们踏上中国土地时,他们面对的却是一个具有悠久历史的文明古国,就开始时的生产水平与综合国力来说,与西方国家也不相上下。在这样的形势下,依靠军事征服不但不能奏效,甚至想要进入中国都难以达到目的。而且,即使采取精神征服的手段,如果使用对待其他国家的办法,同样也是行不通的。16世纪50年代至70年代沙勿略来华传教的失败,便是最佳的例证。

这些事实使耶稣会传教士中一部人认识到,要能进入中国,立下足来,并打开在中国传教的局面,必须改变在其他地区传教的一套办法。例如,利玛窦在给罗马神父的信中就说:"中国十分广大,大多读书识字,写好的文章,但对所有外国人十分敏感,好像所有外国人皆能强占他们的领土似的,不让任何洋人入境。因此对传教事业十分不利,我们不能聚集很多人给他们布道,也不能声明

---

① 穆尔著,郭舜平等译:《基督教简史》,第274—275页,商务印书馆,1989年。

我们来这里传播天主教,只能慢慢地,个别地讲道"。① 就是说,必须找到适合在中国传教的道路与方式。

为此,利玛窦从调查研究入手,在总结以往传教失败教训的基础上,提出了一套在中国开展"学术传教"的路线与策略。第一,采取适合中国文化传统与中国风俗的传教方式,以此使传教活动顺利开展起来。例如在具体行动上,"习华言、易华服、说儒书,从儒教,以博中国人之信用,其教始能推行"②。第二,走上层路线,争取中国士大夫直至皇帝的支持。例如,1583年罗明坚带利玛窦到达肇庆谒见知府时,即按中国习俗行跪拜礼,称自己"仰慕中国政治昌明,由西洋航海而来"③,博得中国官员以接待秀才之礼热烈欢迎,并因此在肇庆居住下来。在以后广泛与中国士大夫交往的过程中,他们通过各种办法结识了相当一批朝廷命官。1601年,甚至经过充分的准备与精心的策划,终于得到了万历皇帝的召见,并赐屋供其居住,建立教堂供其布道,破例允许外国传教士在北京长期待下来,不但取得了在京城的传教权,还享受了朝廷颁发的俸禄。第三,"以学术收揽人心"④,利用西方科学作为敲门砖,通过同中国学者进行文化交流,以此赢得信徒,打开在中国传教的局面。在这一方面,利玛窦特别下了一番工夫。例如,他把带来的代表西方物质文明的成果展示出来,把西方科学著作大量译述与印刷,与此同时,还把中国的有关经典文献积极地传播到西方去,

---

① 罗渔泽:《利玛窦书信集》,上册,第219页,台北(光启社)辅大出版社,1986年。

② 柳诒徵:《中国文化史》(下),第19页,正中书局,1948年。

③ 裴化行著,肖浚华译:《天主教十六世纪在华传教志》,第242页,商务印书馆,1936年。

④ 费赖之著,冯承钧译:《在华耶稣会士列传及书目》,上册,第32页,商务印书馆,1938年。

等等。

　　通过这些卓有成效的工作,的确大大打开了在中国的传教局面,使天主教在中国的传教工作进入了一个新的时期。应该指出的是,就是在这个过程中,由西方传教士作为主要媒介,并以这种方式掀开了明清之际中西文化交流的序幕。正如侯外庐所言,"中国正式接触到'西学',应以明末因基督传入带来的学术为其端倪"。① 因此,传教士主观上采用学术传教的方式,虽是出于策略考虑的权宜之计,但是,通过他们主动捎来的"西学"以及热情带回去的"中学"结出的果实,客观上却为中西文化交流作出了宝贵的贡献。

　　为了深刻理解这一点,有必要介绍一下东来的西方传教士。因为上述传教路线与策略的提出,中西文化交流局面的形成,成就的取得,都与传教士接受的教育及其具有的素质关系十分直接。

　　在西方,传教士在被派遣以前,都要经过教会学校的长期训练与严格培养。例如,耶稣会所属的学校,为了造就合格的教士,规定招收的对象必须是在 14 岁至 23 岁之间、品行端正、天资聪慧的年轻人。进校以后,除了接受长期的与刻苦的道德修养训练外,在文化知识上必须系统学习神学、文学(包括文法、修辞、诗词和历史)、语言知识(包括拉丁、希腊、希伯莱语)、逻辑学、形上学、伦理学,以及物理、数学等自然科学。经过前后十年左右这样的训练和培养,当他们完成学业,通过考试正式加入耶稣会时,除了在道德品行方面经受了考验与锻炼外,一般都有了较高的文化素养和广博的科学知识。而且,最后能否成为派到海外的传教士,还要依据

―――――――――

① 　侯外庐主编:《中国思想通史》,第 4 卷,第 1189 页,人民出版社,1980 年。

耶稣会制定的遴选标准,经过十分严格的选拔过程,才有可能。如此这般,就保证了派遣来华的传教士在德行、忠诚、文化素养、身体条件与应变能力等方面,都具备了相当优秀的素质。

例如利玛窦(Matteo Ricci, 1552—1610),便是经过如此这般培养出来的一个极具代表性的传教士。早年,他在意大利家乡的耶稣会书院,接受了初等与中等教育,在浓厚的宗教气氛中萌生了终生修炼的念头。1572年,进入罗马神学院学习。在这里,他度过了"心灵功课"的修炼过程,体验了"心灵体操"的宗教生活,经受了宗教神学的系统熏陶,还大量地学习和掌握了逻辑学、形上学、伦理学等有关人文主义思想的古典文献,特别是在著名数学家克拉维斯(Clavius, 1538—1612)的指导下,全面而深入地钻研了数学和哲学,广泛地涉猎了当时自然科学的各个领域,被培养成为一名虔诚的传教士和知识渊博的学者。由此,便不难明白,他的这些学术素养,不但为他在中国打开传教的局面,而且更为重要的是,也为他成为明清之际中西文化交流的主要承担者,掀开近代中西方文化交流的序幕,以及取得成就提供了良好的思想与科学条件。

三、中国学者在近代中西文化交流序幕掀开时发挥的作用

不过必须指出,明清之际西方传教士在中国传教取得的每一项进展,以及他们在中西文化交流过程中获得的每一个成就,除了他们具有的学术素养以外,与当时中国政府给予传教士的特殊礼遇,特别是中国学者对西学的热情欢迎态度也是分不开的。就是说,近代早期中西文化交流序幕的拉开,与中国学者在这个过程中发挥的积极作用也有直接的关系。

大家知道,虽然当时社会上保守派不少,并不时挑起事端,如

明末的沈潅与清初的杨光先，但大多数知识分子对西学东渐，都采取了热情欢迎与包容的态度。中国学者所以这样，"并非出于盲目的好奇，而是显示了一种历史的自觉"①。因为在他们看来，西学的输入，除了认为传教士带来的基督教义与哲学，与儒家学说深相契合，在性理天道、化育民众、怵惕德行等方面，可补儒学的不足外，更多的则是敏锐地意识到，西方传教士带来的基督教哲学，以及天算历法等实用之学对于中国的社会发展与思想启蒙的意义。

例如徐光启（1562—1633），上海人。1604 年中进士。他从西方传教士带来的"事天爱人之说，格物穷理之论，治国平天下之术"②，以及数学、医药、农田、火利等西学中，像是看到了一个"得所未有"的世界③，认为这些"显自法家名理，微及性命宗根"的西学，"较我中国往籍，多所未闻"④，深感"心悦志满"⑤。因此，他指出："格物穷理之中，又复旁出一种象数之学。象数之学，大者为历法，为律吕；至其他有形有质之物，有度有数之事，无不赖以为用，用之无不尽巧极妙者"⑥。就以《几何原本》来说，他称它为

① 萧蓬父：《对外开放的历史反思》，见《吹沙集》，第 38 页，巴蜀书社，1991年。

② 徐光启：《辨学章疏》，见《徐光启集》下册，第 434 页，上海古籍出版社，1984 年。

③ 徐光启：《跋二十五言》，见《徐光启集》上册，第 87 页，上海古籍出版社，1984 年。

④ 徐光启：《修改历法请访用汤若望罗雅谷疏》，见《徐光启集》下册，第 344页，上海古籍出版社，1984 年。

⑤ 徐光启：《跋二十五言》，见《徐光启集》上册，第 87 页，上海古籍出版社，1984 年。

⑥ 徐光启：《泰西水法序》，见《徐光启集》上册，第 66 页，上海古籍出版社，1984 年。

"度数之宗,所以穷方圆平直之情,尽规矩准绳之用也","真可谓万象之形囿,百家之学海"①。在这里,他认识到了传教士输入的数学方法,是近代各门科学理论和应用技术的主要基石,是中国社会发展不可缺少的。

又如李之藻(1565—1630),杭州人。1598 年中进士。在同传教士共同译介与相互切磋的过程中,他发现西学中有些值得借鉴与吸取的内容。例如,他在谈到利玛窦及其《畸人十篇》时,认为"其持议崇正辟邪,居恒手不释卷,经目能逆顺诵,精及情命,博及象纬舆地,旁及句股算术,有中国儒先累世发明未晰者。"②又如在论及利玛窦展示的《山海舆地全图》时,由于它反映了地理大发现的成果,因此,在李之藻看来,对于当时的中国来说,"令人闻所未闻"③,从中使人认识到"地如此其大也,而其在天中一粟耳;吾州吾乡,又一粟之中毫末"④。就是说,这种反映地理大发现的成果,能够大大拓展国人的视野,具有加强对世界了解以及开启心智的作用。

再如杨廷筠(1557—1627),杭州人。1592 年中进士。他从形而上的角度出发,阐明了西学对于"补儒"的作用,以及西学与儒学相辅相行的道理。其余,如徐太素、冯应京等,通过各种形式,也都发表了他们对西学以及西学东渐的看法。并且,基于这些认识,有些学者提出了发挥文化移植优势,积极地把西方文化输入进来

---

① 徐光启:《刻几何原本序》,见《徐光启集》上册,第 75 页,上海古籍出版社,1984 年。

② 李之藻:《畸人十篇序》,见朱维铮主编:《利玛窦中文注释集》,第 501 页,复旦大学出版社,2001 年。

③ 李之藻:《刻职方外记序》,见徐宗泽编著:《明清间耶稣会士译著提要》,第 315 页,中华书局,1949 年。

④ 同上。

的主张。因为在他们看来,博采外域文明,是发展中国科学文化事业的重要途径。正如徐光启描述的那样,"必若博求道艺之士,虚心杨榷,令彼三千年增修渐进之业,我岁月间拱受其成,以光昭我圣明来远之盛,且传之史册"①。

引进西方文化,不仅因为西学中有中学还没有的,需要引进;西学中有优于中学的,需要吸取,因此把它输入进来是必要的。而且,他们笃信西学与中学,深相契合,存在诸多相通的内容,因此把它们输入进来,实现中西文化会通,也是可能的。例如,瞿太素在为利玛窦《交友论》作序时,便阐明了西方修行事天之学与儒家传统思想之间心同理同的道理,说"此心此理,若合契符"②。又如,李之藻在为利玛窦的《天主实义》重刻写序时,在中西科学相通的基础上,进一步指明了在理器两个方面的中西会通,说"东海西海,心同理同。所不同者,特言语文字"而已③。再如徐光启在《辨学章疏》中论及修身、爱人、劝善等问题时,认为西学学说与中国圣贤之教如出一辙,说它们"理相符合"④。对于中西文化之间相通的这种看法,几乎成了当时中国大部分士大夫的共识。正是从这种认识出发,为了替已经腐败的传统寻求新的学术基础,推动中国科学及文化向前发展,以适应中国社会发展的需要,他们更以博大的胸怀和前所未有的理论勇气,主张中西文化会通;通过会通使

---

①　徐光启:《简平仪说序》,见《徐光启集》,上册,第74页,上海古籍出版社,1984年。

②　瞿太素:《大西域利公友》,见朱维铮主编:《利玛窦中文著译集》,第117页,复旦大学出版社,2001年。

③　李之藻:《天主实义重刻序》,见朱维铮主编:《利玛窦中文著译集》,第100页,复旦大学出版社,2001年

④　徐光启:《辨学章疏》,见《徐光启集》,下册,第432页,上海古籍出版社,1984年。

中国传统文明与西方的先进文化融合起来。徐光启提出的"欲超前胜,必须会通"的方针①,便是上述主张的集中体现。它充分表达了中国学者既希望超越中国传统,又力争超胜西方的愿望与信心。最为宝贵的是,为了排除交流过程中,特别是西学东渐过程中可能遇到的干扰,保证中西文化交流,特别是西学东渐的顺利进行,他们喊出了"苟利于国,远近何论焉"的口号②。有的还假称孔子"天子失官,学在四夷"的名言,驳斥了以夷夏分畛的陈腐观念。

所有这些,在明末思想文化领域出现的多元化趋势中,不仅从思想上为传教士进入中国以及西学在中国的传播提供了需要的文化氛围,而且,通过他们为此采取的一系列实际步骤与具体行动,例如,热情引导传教士适应儒学,精心策划传教士在中国长期居住并跻身主流社会;又如,在共同译介西学著作时,"口授者,犹虑言不达意;笔之者,亦恐文不切事,于是反复推敲,互助以补不足"③;再如,一旦发生教难,他们便挺身而出,有的公开出来辩护,有的多方设法进行营救等,对"学术传教"路线的形成,中西文化直接交汇局面的出现,以及学术成果的取得,都产生了重大的影响。特别是在当时中西文化交流过程中,由于他们同利玛窦等西方传教士建立的深厚友谊以及长期的友好交往,替中西文化交流培育了一个和平与平等的基础,从而为明清之际中西文化交流的顺利开展

---

① 徐光启:《辨学章疏》,见《徐光启集》,下册,第 433 页,上海古籍出版社,1984 年。

② 徐光启:《历书总目表》,见《徐光启集》,下册,第 374 页,上海古籍出版社,1984 年。

③ 徐宗泽:《西士与华士著译书籍》,见《明清间耶稣会士译著提要》,第 11—12 页,中华书局,1949 年。

发挥了示范作用。

　　因此,如果说,在明末清初的中西方化交流过程中,以利玛窦、傅泛际、汤若望、金尼阁、艾儒略、南怀仁、庞迪我为代表的西方传教士,"是一种完整文化的不自觉的载体",①那么,以徐光启、李之藻、杨廷筠、瞿太素、冯应京、王徵、方以智、顾炎武、李光弼等为代表的中国学者,则是作为中国文化的不自觉载体,为掀开近代早期中西文化交流序幕,以及开展平等对话、会通超胜局面发挥着积极作用,这些无疑也是应该加以肯定的。

　　前面的事实充分说明,在明清之际中西文化交流的过程中,以西方传教士们为交流的一方,面对一个国力强盛、历史悠久的大国,开始出于策略与无奈采取了"学术传教"的方式。而作为交流另一方的中国学者,对于利玛窦等人介绍来的西学,"既不趋之若鹜,盲目随和,也不拒之门外,孤芳自赏,而是心态平稳,该做自我批评时就反躬自问,虚心学习,该承认传统时,也不夜郎自大,旁若无人"。② 这样一来,他们各自从自己的需要出发,向对方学习。于是,在 1600 年前后,正是通过他们实现了"在两个完全相互独立发展起来的伟大文化之间的第一次真正实质性接触",③使中西文化交流进展到了思想与哲学平等对话的层次。

---

　　① 谢和耐著,于硕等译:《中国文化与基督教的冲击》"序",第 2 页,辽宁人民出版社,1989 年。

　　② 张西平:《回到平等对话的元点上——对四百年来中西文化交流的检讨》,载《光明日报》,2001 年 9 月 18 日。

　　③ 谢和耐著,于硕等译:《中国文化与基督教的冲击》"序",第 3 页,辽宁人民出版社,1989 年。

第二节　基督教典籍与托马斯著作的译介

在中西文化交流过程中,仅就西学东渐来说,把西方的科学技术输入到中国来,显然是传教士来华传教的手段,而使基督教神学与哲学在中国传播开来,才是他们东来的真正目的。然而长期以来,即使对于前者,也难以得到应有的肯定,对于后者则更是认为不屑一顾,因而常常遭到严厉的批判与全面的否定。这是一个值得进一步研究的问题。在我看来,关键是要把它放在明清之际中西文化交流的过程中进行考察,通过全面阐明当时基督教神学与哲学传播的主要内容,在还它们本来面貌的基础上,才有可能正确地评价它在西方哲学东渐史上的真实意义。

一、西方传教士东来的使命

实际上,全面地使基督教神学、哲学在中国传播开来,是明清之际西方传教士在中国全力以赴开展的,并在西方哲学东渐史上取得了不少成绩的一项工作。

为了理解这一事实,需要从西方传教士东来的使命说起。说来也十分简单,因为完成这项工作是由他们来华的目的与使命决定的。大家知道,在文艺复兴运动的高潮中,由于内部受到宗教改革的冲击,外部受到人文主义者的批判,罗马教廷为了重振往日的光辉和权威,决心向世界各地,主要是向东方派出大批传教士,以便发挥基督教的影响,扩大教区,达到建立“世界天主教王国”的目的。这既是教廷孜孜以求的目的,也是它赋予传教士的神圣使命。传教士正是怀着使中国基督教化的理想踏上中华大地的。在这一点上,传教士们也是乐于承认的。例如,利玛窦便说过,“我们耶稣会同人,依照本会成立的宗旨,梯山航海……做耶稣的勇兵,替他上阵作战,来征讨这崇拜偶像的中国"①。因此,他们都十分看重这项使命,认为这次东来是"自从使徒们出埃及使全世界福音化以来,为了传播基督教所进行的最重要的一次远征"②。并从这种认识出发,决心背井离乡,弃家忘身,出生入死,不远万里,前来中国为献身这项事业作出贡献。

而且,在他们看来,为了完成这项使命,只有把基督教神学与基督教教义在中国广泛传播开来,才有可能归化中国人,使中国基督教化。这又是由他们对基督教神学的性质及其功能的认识决定的。1623 年,意大利传教士艾儒略（Julius Aleni, 1582—1648）把他来华后用中文撰写的《西学凡》一书在杭州刻印出来。许胥臣指出,"凡也者,举其概也"。③ 这说明,所谓"西学凡",原是概述西学各科内容的一部著作。在这本书中,艾儒略通过欧洲大学专业设置及其课程大纲的简要阐释,第一次向中国人介绍了当时西学包含的内容。首先,他把西方大学设置的专业称为"科",说当时欧洲大学设置的专业有六科:（1）文科,拉丁文是 Rethorica,译音为勒铎理加;（2）理科,Philosophia,斐禄所费亚;（3）医科,Medcina,默第济纳;（4）法科,Leges,勒义斯;（5）教科,Canones,加诺搦斯;（6）道科,Cheologie,陡禄日亚。然后,作者把各专业开设课程的内容,依据当时欧洲规定的标准,分别择要进行了概括性的

---

　　① 裴化行著,王书社译:《利玛窦司铎与当代中国社会》,第一册,第1—2页,河北献县传教团理财书店,1937 年。

　　② 利玛窦等著,何济高等译:《利玛窦中国札记》,下册,第 478 页,中华书局,1987 年。

　　③ 许胥臣:《西学凡引》,见徐宗泽编著:《明清间耶稣会士译著提要》,第293 页,中华书局,1949 年。

介绍。

　　在这里,着重介绍一下艾儒略对"道学"在西学中所居位置的突出强调。他指出,道学乃是"超生出死之学"①。在内容上,它"总括人学之精,加以天学之奥,将古今经典与诸圣人微论,立为次第,节节相因,多方证析,以明其道,使天主教中义理,无不立解"②。在功能上,学习与掌握了道学,一方面能帮助世人,"知万有之始终、人类之本向、生死之大事"③,另一方面,还能大破群疑,使"万种异端,无不自露其邪而自消灭,万民自然洗心,以归一也"④。因此,道学在西学六科中,"为极、为大"⑤。如果把它在中国传播开来,便能完成归化中国人的使命。

　　对于道学的这种性质及其在中国传播的作用,其他传教士也多有阐述。例如,利类思(Pudovicus Buglio,1606—1682)为了使"道学"能在中国顺利传播开来,他把"道学"比附儒家学说,称它为"天学"。他写道,"天学西文曰:陡禄日亚:云陡,指天主,本称陡斯;云禄日亚,指天主事理也"⑥。就是说,西学中的道学,即是中国儒家的天学。它研究的对象是天主以及与天主有关的教义。所以,它在西学六科中,"最贵且要"⑦。后来,有些受洗的中国人士也有这种看法。例如徐宗泽,他指出,道学即是基督教神学。它

---

　　①　艾儒略:《西学凡》,见《天学初函》(一),第49页(台湾学生书局根据李之藻1628年刻本、金陵大学存梵帝冈图书馆藏本,于1965年影印。下同)。
　　②　同上书,第50页。
　　③　同上。
　　④　同上。
　　⑤　同上书,第51页。
　　⑥　利类思:《超性学要自序》,见徐宗泽编著:《明清间耶稣会士译著提要》,第189页,中华书局,1949年。
　　⑦　同上。

"是超性学,是论天主之学"①;"其对象是天主,及其与天主有关者"②;因此,它"是最尊贵之学"③。一个人只要学习了神学,就"令人知天主、爱天主、事天主"④,所以,它是"人不可不知之学"⑤。相反,西学中的其他学科只是"人学"或"他学"。虽然他们在这里承认了"人学"或"他学"的存在,并且主张在学习时,要把两者连贯起来,但是,他们却认为,如果把它们加以比较,那么,"他学"对于"道学"来说,便"如萤光于太阳,万不相及"⑥。因此,只是知晓了"他学"而不掌握"道学",则"他学总为无根,不能满适人心,以得其当然之主善,内外之真福也"⑦。由此可见,道学在西学中具有至高无上的神圣地位。

这样谈论的"道科"或"天学",实际上是专指基督教神学。从对它的性质、功能的上述认识出发,为了使其在中国基督教化的过程中发挥出应有的作用,传教士们多方面地积极地开展了传播工作。

二、基督教典籍的翻译与刊刻

在这些工作中,基于传教士东来的使命,他们"所怀抱之志,乃在传教救灵"⑧,以此进一步使中国基督教化。问题是,要使中

---

① 徐宗泽:《叙》,见《明清间耶稣会士译著提要》,第187页,中华书局,1949年。
② 同上。
③ 同上。
④ 同上。
⑤ 同上。
⑥ 艾儒略:《西学凡》,见《天学初函》(一),第50页。
⑦ 同上。
⑧ 徐宗泽:《明清间耶稣会士译著提要》"绪言",第9页,中华书局,1949年。

国人"领洗入教"①,首先必须引导他们"洞明教道"②。因为教道有要理,它使人知道天主为何物,这是每个受洗者不可不知的基本道理。除此以外,还有更深的教理,即修成方法,这是每个教友受洗后应该具备的修养。不过,这些神圣的教道,都在圣书,即基督教的典籍与经院哲学家阐释经典的著作中。因此,把这些圣书翻译出来,并用中文印成书籍在中国使之广泛传播,便成为入华传教士一项最基本的工作。

而且,从明清之际译出并刻出的这类著作来看,完全有根据地说,数量不少。只是因为禁教等原因,致使它们未能完整地留传下来。不过,徐宗泽提供的材料,仍然使我们知道,通过不同的途径,除了上海徐家汇藏书楼外,梵帝冈与巴黎国立图书馆,也都分别收藏与保存了其中相当一部分。这在徐宗泽编著的《明清间耶稣会士译著提要》一书列出的篇目中,就足以得到证明。他的上述著作,即是根据徐家汇藏书楼的此类藏书编写的。在这本书中,他把当时所有西学书籍分为七类,其中,除了"圣书类",共计65部,基本上都是基督教神学的典籍外,其余"真教辩护类"、"神哲学类"、"教史类"与"格言类"中,也都包含了不少此类书籍。由此可见,在当时传教士翻译或自撰的所有西学书籍中,有关基督教典籍的数量,所占的比例是相当突出的。

从内容上考察,仅从"圣书类"来说,便有圣经,阐明天主之言;有圣传,讲述圣人圣女之奇行奇迹;有崇修,阐述勤人修德之功;有敬礼,阐述崇拜天主恭敬圣人之礼仪;有论道,讲述圣教之道

---

① 徐宗泽:《明清间耶稣会士译著提要》"绪言",第9页,中华书局,1949年。

② 同上书,第10页。

理等。其中,有译自基督教的典籍,如《古新圣经》(贺清泰译,抄本未刊)、《圣经直解》(利类思译)、《司铎日课》(利类思译,1640年刻)、《圣事礼典》(利类思译,1675年刻)、《圣教日课》(龙华民译,1602年刻)、《振心总牍》(费奇规译)、《已亡日课经》(利类思译)、《天主降生言行经略》(艾儒略译,1624年刻)、《圣年广益》(冯秉正译,1735年刻)、《崇修精蕴》(林安多译,1783年后始传)等。还有传教士对基督教典籍的阐释,如《天主经解》(罗雅谷著)、《主经体味》(殷弘绪著)、《司铎典要》(利类思述,1676年刻)、《圣人祷文》(龙华民撰)、《圣母行实》(高一志述,1631年刻)、《圣若瑟行实》(阳玛诺著)、《真福利训诠》(汤若望著)等。其余,在"真教辩护类"、"神哲学类"、"教史类"与"格言类"中,在内容上也夹杂了不少有关圣书类的著作。通过这些基督教典籍的翻译、刊刻,使基督教的基本教义,相当全面地传入到中国来了。仅就这一点来说,足以证明当时传教士在从事这项工作时,是十分下工夫的。

三、托马斯著作的翻译与出版

不过,他们看到,只是把基督教的有关典籍迻译过来,或者只是依据这些神学教条进行赤裸裸的宣传,在使中国基督教化的过程中,效果并不好,作用也不大。因此,为了适应中国人,特别是士大夫接受基督教的心态,他们在中国传教时,并不满足于照本宣科地宣讲基督教的经典,而是要使它具有一定的哲学形态,使基督教的教义从哲学上得到全面的论证。他们认为,只有这样,才能引导中国人痛痛快快地接受基督教信仰。

为了理解这一点,得介绍一下传教士对哲学的看法。前面谈到艾儒略的《西学凡》时,提到西学中有一科为"理学"。此"理学"即为哲学。为了比附宋儒学说,他把 Philosophia 译为"理学"。这是西文 Philosophia 在中文中最早的一个译名。艾儒略指出,"理学者,义理之大学也"。① 就是说,哲学是探究万物之理、万物之根,即研究事物最终原因或最终理由的学问。不过,这种理是看不见的,它隐藏在具体事物之中,"如金在砂,如玉在璞,须淘之、剖之"②,只有经过推理和论证,才能被人们认识与掌握,并为人们所信服。而一旦认识与掌握了,它就使"人以义理超于万物,而为万物之灵。格物穷理,则于人全,而于天近"③。可见,哲学对于人的重要性。

而且,他还指出,在哲学课程的开设上,"有门类、有支节,大都学之专者,则三四年可成"④。在内容的具体安排上,第一年,学"落日加"(逻辑学),通过学习,"以立诸学之根基,辨其是与非、虚与实、表与里之诸法"⑤;第二年,学"费西加"(物理学),通过学习,"以剖判万物之理,而为之辩其本末,原其性情,由其当然以究其所以然"⑥;第三年,为默达费西加(数学),通过学习,"总论诸有形并及无形之宗理"⑦;第四年,"总理三年之学"⑧,通过学习,"细论几何之学与修齐治平之学"⑨。这是西方哲学内容在中国的

---

①　艾儒略:《西学凡》,见《天学初函》(一),第 31 页,台湾学生书局,1965年。

②　同上。

③　同上。

④　同上。

⑤　同上。

⑥　同上书,第 34 页。

⑦　同上书,第 36 页。

⑧　同上书,第 37 页。

⑨　同上。

最早介绍。

　　这样谈论的理学,大体上反映了希腊哲学家对哲学的看法。实际上,艾儒略在《西学凡》中,也是这样把亚里士多德推荐给中国人民的。他称亚氏"其识超卓,其学渊深,其才旷逸"①,认为他在哲学研究中,"每物见其当然,而必索其所以然,因其既明而益觅其所未明,由显入微,从粗及细,排定物类之门,极其广肆,一一钩致,而决定其说"②,甚是推崇他的探索精神。不过在艾儒略等传教士看来,哲学不过是神学的婢女,而神学研究的惟一对象只能是基督教的经典与教义。为了使其归化中国,虽然他们进行传播的不是古代希腊哲学,然而又必须把它运用到这里来,以便使用它的某些观点、原理和方法,对基督教的教义进行加工与论证,使之成为他们在中国传教时需要的基督教哲学或叫神哲学。就是说,这样的哲学是运用希腊先哲的某些观点与方法,对基督教的古今经典与教义进行了层层推理与全面论证后产生的,从而不仅使基督教的教义得到了哲学论证,而且还易为中国人理解和接受。可见,这样产生的哲学,是"以解《圣经》为目的,但采取了希腊哲学中的哲学原理来解释神学理论"③。这样一来,它"有两个显著特点:一是从希腊哲学开端的,在中世纪发扬光大的'永恒哲学'的传统;二是在信仰中建构哲学"④。这种新的哲学就是中世纪经院哲学家建构的经院哲学。这是基督教哲学在西方中世纪的典型

---

　　①　艾儒略:《西学凡》,见《天学初函》(一),第 42 页,台湾学生书局,1965年。

　　②　同上书,第 42—43 页。

　　③　傅乐安:《托马斯·阿奎那传》,第 65 页,河北人民出版社,1977 年。

　　④　赵敦华:《基督教哲学概念的意义》,见许志伟等主编:《冲突与互补:基督教哲学在中国》,第 9—10 页,社科文献出版社,2000 年。

表现。

因此,传教士在中国传教的过程中,除了翻译基督教的典籍外,还把西方中世纪经院哲学家有代表性的著作,翻译后并使之广泛传播开来,便成为他们的另一项重要工作。在这一方面,艾儒略首先提到了托马斯·阿奎那及其著作。他写道,"此种学问,古来圣圣所阐。其间有一大圣,名为多玛斯,著书甚博。又取前圣之言,括为陡禄日亚略。所言最明、最简、最确。而此后学天学者,悉皆禀仰不能更赞一辞。"①这里说的"括为陡禄日亚略",实指托马斯所著《神学大全》(Somme Thilogioue)一书。在他看来,托马斯站在神学立场上,通过这本书把基督教经典与希腊哲学融合起来,在回答各派哲学挑战的过程中,吸收与融合了多种哲学因素,使之"会其要领,参以独见,立为定论,若一学海"②,从而建立了一个完整的经院哲学体系。《神学大全》一书,则是这个哲学体系的集中体现。

接着,艾儒略在《西学凡》中,简要地介绍了该书的主要内容。他指出,该书有三大支。"第一支,先论陡禄日亚之学,次论天主之本体"③。在论天主之本体时,阐明了"天主之至一、至纯、至全、至善、至无穷、无变迁、而无所不在,无始无终而无时不有,至灵无所不知,至真不容差谬"④,以此在阐明天主存在及其神性的基础上,揭示了天主的功能在于关照与保护万物。"第二支,论人之究

---

① 艾儒略:《西学凡》,见《天学初函》(一),第51页,台湾学生书局,1965年。

② 利类思:《超性学要自序》,见徐宗泽编著:《明清间耶稣会士译著提要》,第190页,中华书局,1949年。

③ 艾儒略:《西学凡》,见《天学初函》(一),第51页,台湾学生书局,1965年。

④ 同上书,第51—52页。

竟归向，与人生前身后之真福。"①在阐明人的善恶与祸福的关系
时，论述了天主教的各种戒律。第三支，在前面指出了人类可能犯
下的诸种罪过后，在这里，阐述了天主教的"降生救世论"②，以此
宣传了天主显灵，赏善罚恶，善者升天堂，恶者下地狱等教义。这
样的介绍，虽然十分简略，但它却把托马斯在《神学大全》中的经
院哲学思想最早传入进来了。

　　而且，这本书在传教士的心目中，"由初迄末，层层相发，序若
鳞次；累累交承，贯似珠连，望之浩瀚，拟河汉之无极"③。就是说，
它逻辑严谨，特别是在内容上，"义理宏深，旨归精当"④，是当时
"诸理之正鹄，百学之领袖，万圣之师资"⑤，是使中国人得以皈依
的最佳选择。

　　因此，利类思决心克服种种困难，把它译成中文，使之在中国
流传开来。正如他在序言中说的，"旅人九万里东来，仰承先哲正
传，愿谐同志将此书编译华言，以告当世"⑥，否则，便会有辱使命。
就这样，利类思把他翻译《神学大全》三大支中的第一部分，取名
为《超性学要》，分三次刻印。其中第一支中的"论天主性体"，六
卷；"论三位一体"，三卷；"论万物原始"，一卷，共十卷，于1654年
出版；第一支中的"论天神"，五卷；"论形物之造"，一卷，共六卷，
于1676年刊出；第一支中的"论灵魂"，六卷；"论人肉身"，二卷；

---

　　①　艾儒略：《西学凡》，见《天学初函》（一），第53页，台湾学生书局，1965
年。
　　②　同上书，第55页。
　　③　利类思：《超性学要自序》，见徐宗泽编著：《明清间耶稣会士译著提要》，
第190页，中华书局，1949年。
　　④　同上。
　　⑤　同上。
　　⑥　同上。

"论总治万物",一卷,共九卷,于1677年刻印。后来,葡萄牙传教士安文思(Gtabriel de Magalhaens, 1609—1677)又把他所译《神学大全》中第三大支中的"天主降生",四卷;"复活论",二卷,共六卷,于1677年付梓问世。

这是托马斯·阿奎那著作用中文在中国翻译与出版最早的一本。虽然它不是《神学大全》的全译,但在明末清初那种动乱的年代,传教士能这样把它翻译并刻印出来,实在不是一件容易的事情。而且,它不仅在当时成为宣讲基督教哲学的主要依据,而且直到现在,仍然是研究托马斯·阿奎那经院哲学的重要著作。

第三节　基督教神哲学的初步传播

传教士在中国传教的过程中,把基督教的典籍和经院哲学家的著作翻译过来,并原原本本地传播出去,为此作出了不少努力。但在他们看来,开展这些工作虽然十分必要,却不能以此感到满意。原因是,由于基督教信仰与儒家学说之间存在着巨大差异,只是这样照搬过来进行宣讲,不但难以归化中国人,特别是其中的士大夫,甚至还有可能引起他们的极大反感。因此,传教士们从总结过去传教失败的教训中认识到,在中国传播基督教,必须贯彻"学术传教"路线,把基督教教义与中国的儒家学说结合与融汇起来,通过"合儒"、"补儒"的方式,在使它们二者界限模糊的同时,全力找到它们之间的契合点。他们认为,只有经过这样比较、融合后形成的基督教哲学,才有可能被中国人真正接受。

这样一来,撰写这种在"合儒"、"补儒"以融汇中西哲学基础上阐释与宣传基督教教义的著作,便成为他们在中国传教过程中全力以赴进行的一项工作。这样的作品,其内容既有神学,也有哲学，是神学与哲学相结合的神哲学。要写好这种著作，除了对基督教的经典有透彻的领悟外，对中国文化，特别是儒家学说也要有全面与深入的了解。而且，还要通过中西宗教与哲学比较，使二者融合起来，并运用中国儒学的概念把它表述出来。这对来华的传教士来说，需要克服的困难，是可想而知的。

　　然而，明末清初几代来华的传教士，遵循利玛窦"学术传教"的路线，在中国学者的帮助下，在通力合作的过程中，创造性地写出了一本本这样传播基督教神哲学的著作。在内容上，它们的显著特点是，一方面，从根源上证明了中国儒学与基督教教义存在着共同性，以此融合起来论证了基督教信仰；另一方面，针对儒家学说缺乏逻辑思想的缺点，在阐述基督教哲学的观点时，全面加强了逻辑论证。在这些著作中，有的综合性地阐明基督教的哲学体系，有的专题性地论述基督教哲学中的某个论题或某个观点。这些著作虽然主要是来华传教士写的，但也有一部分是他们同中国学者合著的，而其中的护教性著作，则完全是由中国学者撰写的。要指出的是，它们都是中西宗教与哲学早期交流过程中平等对话的产物。通过这些著作，使基督教神哲学初步地输入到中国。只是由于"礼仪之争"与"禁教"、中西文化交流被人为地打断等原因，没有完整地保存下来。不过，从《四库全书》的著录与存目中，仍然可以窥见其大概。特别是 1628 年李之藻编辑并刊刻的《天学初函》，使其中一部分重要著作得以留传下来。下面，根据《四库全书》、《天学初函》以及后来出版的《天主教东传文献》，综合起来阐述明清之际基督教哲学在中国传播的主要内容。

一、形上学

　　上帝存在及其属性，是经院哲学形上学的基本内容，也是整个经院哲学的核心或主题。在基督教哲学中,通过经院哲学家对上帝存在及其属性的论述,阐明了基督教的创世说,即世界的终极原因,使它成为经院哲学整个理论体系的前提。可见,这一部分的内容对于传播基督教的教义,具有十分重要的意义。

因此,明清之际来华传教士在中国传教的过程中,首先倾注全力传播的就是这一部分内容。不过,面对中国的文化传统与士大夫接受基督教信条的心态,他们不满足于西方中世纪经院哲学家已经进行的那些论证,而是在大量摘引中国古籍五经中有关"上帝"或"天"的材料,以此说明它们与基督教的"天主"或"上帝"是相同的,还吸取托马斯从经验事实或自然事物出发的证明,并尽量用儒学的概念把它表述出来。根据这种思路,他们对上帝存在及其属性进行了新的论证,并撰写与出版了一批这样的著作。其中,代表性的有:罗明坚的《天主圣教实录》,利玛窦的《天主实义》,庞迪我的《天主实义续篇》,艾儒略的《万物真原》,孟儒望的《天学略义》,汤若望的《主制群徵》,南怀仁的《教要序论》与罗南望的《天主教启蒙》等。除此以外,中国学者如徐光启的《辨学章疏》、杨廷筠的《代疑篇》与邵辅忠的《天学说》等护教性著作,也都属于这一类。所有这些著作都是写给中国那些对基督教感兴趣,但不知真义的士大夫看的,其目的在于向他们贯输基督教的基本教义。但是,从形上学意义上论述上帝存在、上帝属性以及上帝与万物的关系,却是这些著作中反复奏出的主旋律。

1. 上帝存在的证明

在上述著作中给人印象特别深刻的是,对上帝存在的论证。罗明坚是最早进行此项证明的传教士。

罗明坚(Michel Ruggieri, 1543—1607),意大利人。1580年来华。由他撰写,并于1584年在广州刻印的《天主圣教实录》,是西方传教士第一部用中文宣讲基督教义的纲领性著作。此书是他在翻译欧洲莱代斯马(P. Ledesma)神父编辑的一本简明通俗的《要理问题》的基础上,根据当时他对中国文化的理解编撰而成的。在这本书中,罗明坚首次全面地阐扬了基督教的基本教理。其中第一章"真有一天主",集中地论述了上帝的存在。首先,他开宗明义地肯定,"天地之中,真有一尊,为天地万物之主"①。他指出,此"万物之主",就是"吾西国人所奉之真主"②,即上帝。接着,他列举了一些人们不能否认的事实作为例证,以此提出和论述了上帝存在的三条理由。

第一,"譬有外国一人,游至中华,见其各处州县府司三院,承事一位人君撑持掌握,故能如是之安泰"③。他指出,虽然他没有亲至京师,目见国王,但以理推之,知有一位人君存在,中华大地才能出现并维持国泰民安的局面。同理,"如此乾坤之内,星高乎日,日高乎月,月高乎气,气浮于水,水行于地,地随四时而生花果草木"④,也必有一至尊、即上帝存在。否则,"焉然使四时而不乱哉?"⑤

第二,"物不能自成,楼台房屋不能自起,恒必成于良工之手。人必生于父母,鸟必出于其卵,知此则知天地不能自成,必繇于天主之制作可知矣"⑥。

第三,"日月星宿,各尊度数。若譬之以理,诚如舟楫之渡江

---

① 罗明坚:《天主圣教实录》,见《天主教东传文献续篇》(二),第766—767页(台湾学生书局根据梵帝冈图书馆藏本,于1966年影印。下同)。

② 同上。

③ 同上。

④ 同上书,第767—768页。

⑤ 同上。

⑥ 同上。

河,樯船帆舵,百物具备,随水之上下。江海之浅深,风涛之或静或涌,而无损坏之忧者,则知一舟之中,必有掌驾良工,撑持掌握,乃能安渡"①。以此类推,"天地之间,事物如此其至众也,苟无一主,亦何以撑持掌握此天地万物哉"②? 由此他得到的结论是,"所以深知其定有一尊之天主也"③。

应该承认,这本著作作为中西思想交汇的初次尝试,在西方哲学东渐史上有其不可否认的意义。但是,从对上帝存在的论证来看,它又是处于过渡阶段的产物。主要表现在,罗明坚提出上帝存在的几条理由,都是从当下能够直观到的经验事实出发,最后才推出上帝的必然存在。这种推论或类比方式,是当年经院哲学家论证上帝存在常常采用的,现在来华传教士不过是简单地把它照搬过来罢了,并无多少发挥或创造。因此,不但推论过程较为简单,而且在中西思想的交汇上也是极为初步的与表面的。这充分反映了西方传教士来华早期对中国文化尚不熟悉,对中西文化交汇尚处在探索过程中的真实情景。

因此,随着对中国文化、特别是对儒学认识的进展,传教士感到需要创造性地写出新的作品,以此推进对上帝存在的证明。利玛窦经过三年的努力,1596年在南昌撰成初稿,经过徐光启润色,于1604年在北京正式出版的《天主实义》一书,便是适应基督教义的进一步传播与中西文化的真正交汇需要而产生的。这是利玛窦写作时间最长,在当时基督教哲学传播过程中最为重要的宣扬教义的著作。

---

① 罗明坚:《天主圣教实录》,见《天主教东传文献续篇》(二),第767—768页,台湾学生书局,1966年。
② 同上。
③ 同上。

在这本书中,利玛窦并未论述圣教的所有奥义,而是在着力寻求基督教与儒学之间的共同性和互补性的基础上,仅仅突出了那些以自然理智方式的阐述,即那些易为中国人理解与接受,且与儒家思想相互沟通的教义。在这一点上,如果说,在罗明坚的《天主圣教实录》中,还只是表现为一种不成熟的策略,那么,在利玛窦的《天主实义》中,则是建立在思想自觉的基础之上。例如,为了论证西方的"天主"跟中国的"上帝",实同位而异名,他多方摘引《诗》、《书》、《易》、《礼》等儒家经典中的有关材料,认为"吾天主,乃古经书所称上帝也"①;又说,"历观古书,而知上帝与天主,特异以名也"②,并由此得出结论称,"吾国天主,即华言上帝"③,以此作为前提肯定了上帝的存在,然后对它的存在进行了多方面的论证。下面,择要进行介绍。

第一,"物之无魂无知觉者,必不能于本处所自有所移动,而中度数。使以度数动,则必藉外灵才以助之。"④例如,要是把一块石头悬于空中,该石必然落下,并在某个地方停止运动。在利氏看来,石头所以从上而下,并非由于它的度数、即其本性所致。那么,原因何在呢? 又如日月星辰,它们各自处于天空的某一位置,或自东向西,或自西向东运动,"度数各依其则,次舍各安其位,曾无纤忽差忒焉者,倘无尊主斡旋主宰其间,能免无悖乎哉"⑤? 由此可见,风吹草动,星转月移,都是由于有一个外部力量推动的结果。

①　利玛窦:《天主实义》首篇,见朱维铮主编:《利玛窦中文著译集》,第21页,复旦大学出版社,2001年。
②　同上。
③　同上。
④　同上书,第9页。
⑤　同上书,第10页。

这个推动者,就是上帝。

第二,"物虽本有知觉,然无灵性,其或能行灵者之事,必有灵者为引动之。"①就以鸟兽来说,本冥顽不灵,然而,它们却"饥知求食,渴知求饮,畏矰缴而薄青冥,惊网罟而潜山泽,或吐哺,或跪乳,俱以保身孳子防害就利,与灵者无异"②。这是什么原因呢? 利氏指出,"此必有尊主者默教之,才能如此也"③。这个尊主,便是上帝。

第三,"凡物不能自成,必须外为者以成之"④。例如,以铜铸一小球,一切自然条件具备了,如果没有巧工铸之,显然难以自成。同理,有了砖石木材,如果没有工匠之手,楼台房屋也是难以建成的。何况天地之大,事物之众,昼夜旋行,日月扬光,山长草木,海育鱼龙,有哪一样是自然生成的? 由此,利氏断言,"知此,则知天地不能自成,定有所为制作者,即吾所谓天主也"⑤。

第四,"物本不灵,而有安排,莫不有安排之者"⑥。例如宫室,"前有门以通出入,后有园以种花果,庭在中间以接宾客,室在左右以便寝卧……如此乎处置协宜,而后主人安居之以为快,则宫室必由巧匠营作,而后能成也"⑦。又如"铜铸之字,本各为一字,而能接续成句,排成一篇文章,苟非明儒安置之,何能自然偶合乎?"⑧他认为,透过这些事实,便可知道"天地万物,咸有安排一定之理,有

---

① 利玛窦:《天主实义》首篇,见朱维铮主编:《利玛窦中文著译集》,第10页,复旦大学出版社,2001年。
② 同上。
③ 同上。
④ 同上。
⑤ 同上。
⑥ 同上书,第11页。
⑦ 同上。
⑧ 同上。

质有文,而不可增减焉者"①。以此类推,上至日月星宿宇宙,下至飞走鳞介诸物,所以"安排布置,有次有常,非初有至灵之主赋予其质,岂能优游于宇下,各得其所哉"②? 他指出,这个赋予万物的"至灵之主",就是上帝。

第五,"众物所生形性,或受诸胎,或出诸卵,或发乎种,皆非由己制作也"③。他问道,上述"胎卵种,犹然一物耳,又必有所以为始生者,而后能生他物,果于何而生乎"④? 在他看来,这样问下去,必须"推及每类初宗,皆不在于本类能生,必有元始特异之类化生万类者,即吾所称天主是也"⑤。因此,他指出,"天主之称,谓物之原"⑥。天地万物,有的有始有终,有的有始无终,只有天主,它"无始无终,而为万物始焉,为万物根柢焉"⑦。并且由此得出结论:"无天主则无物矣。物由天主生,天主无所由生也"⑧。

利玛窦关于上帝存在的这些论证,基本思想来自托马斯,但在理论渊源上,其中除了有的出自柏拉图的思想外,主要还是源于亚里士多德的"运动观"、"第一运动者"与"目的论"观念。在托马斯那里,他依据"由结果追溯原因"的路数,遵循由感性上升到理性的认识原则,对上帝存在的理论进行了全面的总结与论述,成为经院哲学中关于上帝存在证明的主体。而在利玛窦的论证中,虽

---

① 利玛窦:《天主实义》首篇,见朱维铮主编:《利玛窦中文著译集》,第 11 页,复旦大学出版社,2001 年。
② 同上。
③ 同上。
④ 同上。
⑤ 同上书,第 11—12 页。
⑥ 同上书,第 12 页。
⑦ 同上。
⑧ 同上。

然沿用了托马斯的思路与材料,但却不是从正面阐述基督教的教义入手,而是在与朝中硕儒的切磋过程中,大量引用中国儒学的有关论述,从经院哲学的角度阐释了宇宙万物的和谐及其发展,肯定都是仰赖上帝的创造与治理的结果。因之,书中还阐发了儒家学说和基督教义之间存在着某种相合之处,使儒学色彩和基督教义结合成为该书的特色之一。正如冯应京所言,"是书也,历引吾六经之语,以证其实"①。李之藻亦谓,"彼其梯航琛赆,自古不与中国相通,初不闻有所谓羲、文、周、孔之教,故其为说,亦初不袭吾濂、洛、关、闽之解,而特于知天事天大旨,乃与经传所纪,如券斯合"②。加之利玛窦使用中国士大夫所熟悉的语言,笔调轻快,读起来使人感到趣味盎然。因此出版后,即刻得到了中国知识界不少人的欢迎与好评。然而,利玛窦自己却感到,在论证上帝存在,及其创造和治理万物等方面,虽然"轻轻地触及人们经常要问神父的许多问题"③,但是,"谈得很简略,解说得不是很充分"④,希望有时间作出详尽而深刻的论证。

后来,随着高一志的《寰宇始末》、傅泛际的《寰有诠》与庞迪我的《天主实义续篇》等著作的先后问世,利玛窦的上述愿望在一定意义上得到了实现。例如,高著与傅著在介绍《圣经》与《旧约》中关于"创世纪"的内容时,都相当全面地论述了上帝存在的教义。特别是庞迪我的《天主实义续篇》,实际上是利玛窦《天主实

---

①　冯应京:《天主实义序》,见朱维铮主编:《利玛窦中文著译集》,第98页,复旦大学出版社,2001年。

②　李之藻:《天主实义重刊序》,见朱维铮主编:《利玛窦中文著译集》,第99—100页,复旦大学出版社,2001年。

③　利玛窦等著,何济高等译:《利玛窦中国札记》,下册,第486页,中华书局,1983年。

④　同上。

义》主题的进一步阐释。正如卫匡国 1654 年把它收入拉丁文书目时说的,"证明天主之存在,并充分理解其特性"①,是庞氏著作的鲜明特征。

庞迪我(1571—1618),西班牙人。1599 年来华。在这本书中,他没有像罗明坚与利玛窦那样,列出一条条理由来证明上帝的存在,而是在第一章"人宜认有天主"中,首先肯定"世界有一至尊主,初造天地万物,而后恒育临莅之"②,并断言这是一个"铭刻人心,不待论而自明"的正道实理③。然后,在第二、三、四章中,分别通过物的存在,没有灵觉的蠢物的存在,人的存在的深入论述,以大量的材料有力地证明了上帝的必然存在。

要指出的是,在这样论述的过程中,作者一方面突出地强调了认识这个"正道实理"的极端重要性。他认为,人们在日常生活中,"遇吉福如意之事,莫不颙天,敬礼感谢,求申益之;艰难拂意莫不吁天,祈释解之;为非者,亦莫不怖畏之,疾痛呼号,救之"④。人类这种"共祷、共敬、共怖,不称而同"的感情与表现⑤,既说明了这是一个"生而知之"的正道实理⑥,也证明了此理对于人类的真实意义。正如庞氏所言,"信有一公主,设心奉敬,遵守戒命,则生死大事,乃行善去恶之大本,建矣,关系甚重"⑦。就是说,坚信上

①　转引自方豪《影印天主实义续篇序》,见《天主教东传文献续篇》(一),第 11 页,台湾学生书局,1966 年。
②　庞迪我:《天主实义续篇》,见《天主教东传文献续篇》(一),第 99 页,台湾学生书局,1966 年。
③　同上。
④　同上。
⑤　同上。
⑥　同上。
⑦　同上书,第 102 页。

帝的存在,是决定人的命运的大事情。所以在他看来,"认此主为实学,事此主为本分,爱此主为本性"①。正是从这种认识出发,自述他背井离乡到中国来的目的,就是为了"天下国国人人,皆得识真主,循正路,以积实德,建真功,使今世得享宁安之乐,而身后亦得跻天界"②。

另一方面,在论述这些道理时,庞迪我又是使用中国士大夫熟悉的语言和知识来阐明基督教的教义的。例如,为了说明大千世界有一造物主,即物不能"自始"的道理,他叙述了东西南北各国从无序到有序的发展过程。其中,在引证中国的材料时,他说,"如中国史书所载,画卦钻火,尝药教稼等,万用万事,无不有由肇始"③。他问道,"不能自始,何独造是事用之人数? 与安立人类之世界,偏无肇始,偶然实而全有哉"④? 他正是在回答这个问题的过程中,推出上帝存在的。具体说来,其推论是:"天地万物,既皆有始,有始则必有造其始。此造始者有始乎? 若曰有始,是亦待造,尚不离物;若曰无始,是即吾所求无始。无始无终无量,为几物之总原主者矣"⑤。这样,他便借助中国士大夫所熟悉的历史故事,通过逻辑推理,一步步地终于得出了上帝是天地万物主宰的结论。正是庞迪我通过这种用心良苦的论证,使他的这本著作的影响,虽然不及利玛窦的《天主实义》那么广泛,但从基督教义传播的角度考察,在对上帝存在教义的论证上,却取得了一定的进展。

---

①　庞迪我:《天主实义续篇》,见《天主教东传文献续篇》(一),第100页,台湾学生书局,1966年。
②　同上书,第109页。
③　同上书,第111页。
④　同上。
⑤　同上。

2. 上帝属性

上帝的属性、神性，是基督教哲学论述一切问题的出发点。因此，在传扬基督教义的过程中，同样受到了传教士的高度重视。对于这个论题，不仅在论证上帝存在时都曾经分别提到，而且在他们的著作中，还都以较大的篇幅进行了集中的阐述。

不过，在表达方式上，略有不同。

首先，在《天主圣教实录》中，罗明坚认为，虽然上帝的属性是一个"非言语之所能尽"的问题①，但是，他仍然作出了归纳，即：（1）"天主之德甚是圆满，无所不足"②；（2）天主"甚嘉，而能施恩于人物"③；（3）"天主甚是灵通"④；（4）"天主有甚权衡能干，而能宰制乾坤，生养人物"⑤；（5）天主"正法，而能赏善罚恶"⑥；（6）"天主且甚慈悲"⑦；（7）"天主无为而成"⑧。虽然对上帝进行的这些归纳，论述的理由都十分粗浅，表述也不甚准确，但也大体反映了基督教义的基本精神。这是传教士在中国对上帝属性最早提出的看法。

后来，庞迪我在《天主实义续篇》中，对上帝属性的论述有了明显的进展。其中，不仅有一章"天主何知"阐明了认识这个问题的重要性以及说明这个问题的难度，而且还使用了七章的篇幅，以

①　罗明坚：《天主圣教实录》，见《天主教东传文献续篇》（二），第770页，台湾学生书局，1966年。
②　同上书，第771页。
③　同上。
④　同上书，第772页。
⑤　同上。
⑥　同上。
⑦　同上书，第773页。
⑧　同上。

"天主惟一"、"天主无始终"、"天主有生命"、"天主纯神无形"、"天主至纯无杂"、"天主无所不在"与"天主无所不能"为题,分别运用实际事例,全面地阐明了他对上帝属性的看法。

除此以外,在这个过程中,其他一些传教士在宣传上帝的神性时,还有一些不同方式的表述。例如,艾儒略《西学凡》中介绍托马斯的观点时,把上帝的属性概括为一句话,即"天主之至一、至纯、至全、至善,至无穷无变迁,而无所不在、无始无终、而无时不有至灵、无所不知至真"①。这是最为简洁的归纳与表述。

特别是利玛窦在《天主实义》中,对上帝属性的表达颇为精彩。他写道:"今吾欲拟指天主何物,曰:非天也,非地也,而其高明博厚,较天地犹甚也;非鬼神也,而其神灵鬼神不啻也;非人也,而邈迈圣睿也;非所谓道德也,而为道德之源也。彼实无往无来,而吾欲言其以往者,但曰无始也;欲言其以来者,但曰无终也。又推而意其体也,无处可以容载也,而无所不盈充也。不动,而为诸动之宗。无手无口,而化生万森,教谕万生也。其能也,无毁无衰,而可以无之为有者。其知也,无昧无谬,而以往之万世以前,未来之万世以后,无事可逃其知,如对目也。其善纯备无滓,而为众善之归宿,不善者虽微,而不能为之累也。其恩惠广大,无壅无塞,无私无类,无所不及,小虫细介亦被其泽也"②。这段对上帝的叙述,在内容上与前面罗明坚与庞迪我的归纳虽然大同小异,但它不是对上帝属性的直接阐明,而是从各个角度对上帝属性及其本质的形象描述,给人以极为深刻的印象。不过,它只是从上帝的外在表

① 艾儒略:《西学凡》,见《天学初函》(二),第51—52页,台湾学生书局,1965年。

② 利玛窦:《天主实义》,见朱维铮主编:《利玛窦中文著译集》,第14—15页,复旦大学出版社,2001年。

现形态方面阐明的，没有从根源上进行揭示，因此论述的力量显得弱了一些。

在这一点上，艾儒略《万物真原》进行了较好的补充。他写道："天主为万有无原之原，胡询其所从生乎？天主有所从生则非，天主矣盖有始者必出于无始，天地有始，始于天主之全能。则天主为万物未始有始之始矣，何更求之有哉？若必云，天主有所从生将穷无生，天主者又从何生耶？……天主自超万物之生，自在万有之光无所从生，而实为自有，且为万有之元有者也。"①艾儒略对上帝属性提出的看法，虽然不像利玛窦那样多角度地对上帝的属性加以描述，而只是从它的本原性上进行揭示，却较为集中又有力地把需要表达的观点突出出来，并说清楚了。在这个意义上，它补充与深化了利玛窦对上帝属性的论述。

上述几位传教士对上帝属性的说法，在表述上，显然有些地方与经院哲学家不同，但是，却以前述方式忠实地把基督教哲学中关于上帝神性的教义输入进来了。要指出的是，他们在归纳与阐述时，各自传承的经院哲学家也是不同的。例如，利玛窦宣称上帝"无往无来"，"无始无终"而又"无所不及，小虫细介亦被其泽"时，他的观点都是来自托马斯。因为在托马斯那里，"共相存在于个别事物之先，是上帝的心智，上帝据以创造世界，创造万物，这个共相实质上就是上帝"②。同时，"共相作为事物存在的'形式'或'本质'存在于个别事物之中"③，这时的上帝不仅是最高的实体，也是精神的实在和物质实体，而"上帝实体没有存在与本质区分，

---

① 艾儒略：《万物真原》，见《徐家汇藏书楼明清天主教文献》，第一册，第210—213页，辅仁大学出版社，1996年。

② 尹大贻：《基督教哲学》，第114页，四川人民出版社，1987年。

③ 同上。

精神实体含有存在与本质区分,物质实体含有存在与本质、形式与质料双重区分"①。又如艾儒略在论述上帝是"万有无原之原"时,采取的原则则是安瑟伦"单一的论证":"就是把上帝看成一个单一的存在体,而其他的事物则是由他来证明的,这是神学中的一个古老问题,即神创世界。神创世界必须是以神证明万物的存在,而不能以万物来证明上帝的存在"②。

二、灵魂与认识

灵魂存在及其不朽,是基督教极为重要的教义。它是灵魂得救这种终极关怀与赏善罚恶这种神学道德的基础。在中世纪的欧洲,由于经院哲学家对它的精心论证与反复加工,使其在基督教神哲学中占有极其重要的位置。

同样,传教士来华后对这一内容的传播,也颇为重视。因为他们看来,对于灵魂(Anima)的研究,即他们称之为亚尼玛的学问,在基督教哲学中"为最益、为最尊"③,"是世人千百万种学问根宗"④。宣称一个人如果认识了亚尼玛之尊、之性、之能、之情,那么,他便认识了自己,并因此"必然明达世间万事,如水流花谢,难可久恋,惟当罄心努力,以求天上永永常在之事。"⑤并且指出,格物穷理之君子,需要学习,齐家治国平天下的为人师牧者,更应该掌握。如果说,学习了陡斯(天主)论,"令人认其源","使人享福"⑥,那

①　赵敦华:《基督教哲学 1500 年》,第 383 页,人民出版社,1994 年。
②　尹大贻:《基督教哲学》,第 100 页,四川人民出版社,1987 年。
③　毕方济:《灵言蠡勺》,见《天学初函》(二),第 1127 页,台湾学生书局,1965 年。
④　同上。
⑤　同上。
⑥　同上书,第 1130 页。

么，掌握灵魂论，则"令人认己"，"使人可受福"①。所以，对此"人人所当先务也"②，甚是看重灵魂论在基督教哲学传播中的作用。

与此同时，当时的中国，随着晚明心学的兴起，士大夫认为在早期的心学中，虽然也有关于灵魂的见解，但论述不充分，加之受到"焚书坑儒"的影响，使这些见解"残缺失序"③。然而，当他们看到传教士输入的灵魂学说中，不但有与儒家的心学传统相合的地方，而且要是把它们融合起来，还可以补足儒家论述的不充分，使之推动儒家心学的发展，从而表示了对基督教灵魂论输入的欢迎态度。

这样，他们合作撰写并刻出了不少有关宣传基督教灵魂论的作品，使它成为当时基督教哲学东渐的重点内容之一。其中，除了前面提到的一些著作在阐明上帝存在及其属性时，多少不同地涉及灵魂问题外，还涌现了一些专门论述灵魂论的著作。如由毕方济口授、徐光启笔录的《灵言蠡勺》、龙华民的《灵魂道体说》、利类思的《性灵说》、艾儒略的《性学粗述》（1623 年）与孙璋的《性学真诠》（1757 年）等。在这些著作中，谈论灵魂问题最为详细、最为全面的当推《灵言蠡勺》一书。

毕方济（Franciscus Sambiasi, 1582—1649），意大利人。1610 年来华。1624 年出版的《灵言蠡勺》一书，在李之藻编辑的《天学初函》理编中，不但被陈垣称赞为"说理最精"④，而且在阐

---

① 毕方济：《灵言蠡勺》，见《天学初函》（二），第 1130 页，台湾学生书局，1965 年。

② 同上书，第 1127 页。

③ 孙璋：《性理真诠序》，见徐宗泽编著：《明清间耶稣会士译著提要》，第 221 页，中华书局，1949 年。

④ 陈垣：《重刊灵言蠡勺序》，见《明清间耶稣会士译著提要》，第 204 页，中华书局，1949 年。

释基督教灵魂教义时,还把西方哲学中不少认识学说输入进来了。因此,下面联系传教士的其他有关论述,着重介绍一下这部著作。

1. 关于亚尼玛之体

书的开篇,毕方济以定义的形式,从总体上概述了他对灵魂的看法。他写道:"亚尼玛是自立之体,是本自在者,是神之类,是不能死,是由天主造成,是从无物而有,是成于赋我之所、赋我之时,是为我体模,是终赖额辣济亚(译言圣宠),赖人之善行,可享真福。"①这段话通过不同的表述,实质上都是作者从本质与特性上对亚尼玛的界定。主要意思是,亚尼玛是上帝创造的,具有神性,是不朽的,于人十分重要。

然后,对上述界定中的每句话,逐一地进行了解释。其中,所谓"自立之体",这是对灵魂的总称,说明它具有神性的特征。所谓"本自在者",是根据世界之魂有三品,即生魂、觉魂与灵魂的区分,认为灵魂有别于生魂与觉魂。灵魂是本自在者。早在《天主实义》中,利玛窦曾经指出,生魂觉魂是草本禽兽之魂,草木禽兽死后,魂即不存;灵魂是人类之魂,人身死后,而魂却"永存不灭"。② 毕方济在利玛窦论述的基础上指出,三魂在与人体结合的过程中,生魂与觉魂是"依模",它们是"从质而生,皆赖其体而为有"③,而灵魂则是"为我体模",它"非出于质,非赖其体而有"④。

---

① 毕方济:《灵言蠡勺》,见《天学初函》(二),第1134页,台湾学生书局,1965年。

② 利玛窦:《天主实义》,见朱维铮主编:《利玛窦中文著译集》,第26页,复旦大学出版社,2001年。

③ 毕方济:《灵言蠡勺》,见《天学初函》(二),第1136页,台湾学生书局,1965年。

④ 同上。

这是他根据亚里士多德在论述物的形成时,把物分为"作"、"模"、"质"与"为"四因素的理论,进一步把"模"分为"体模"与"依模",认为"体模"决定人的生命及其为人的性质,人的肉体死后仍然独立存在。相反,生魂与觉魂却依赖于人的肉体,并随肉体的死亡而消失。所以这样,在于灵魂"由天主造成",具有神性,是不朽的。由此可见,灵魂最终必然依赖额辣济亚,即圣宠的恩泽。因为"亚尼玛在人,他无所终向,惟赖圣宠,可尽力向事陡斯,立功业以享真福也"①。就是说,只有依靠天主给人施以"初提醒特佑"、"次维持特佑"与"后恒终特佑"三种圣宠,得到天主自始至终的提醒与保佑,人才能至死为义,行大善,而后得享升天之福。正如奥古斯丁说的,"天主造成人之亚尼玛,为通达至美好,通而爱之,爱而得之,得而享之,曰额辣济亚者以明天上真福,非人之志力"②。如此看来,毕方济的这些说法虽然有些繁杂,然而经过上面的分析,实际上不过是通过灵魂性质,灵魂与上帝以及人们关系的阐明,仍然在传扬上帝创世的基督教义。

2. 关于亚尼玛之能

在这一部分里,毕方济通过灵魂与人的关系的进一步叙述,阐明了灵魂对于人的功能或作用,以及人的认识发展过程。这在全书中,是论述较为充分的部分。

作者认为,亚尼玛之能,体现为人具有的功能。这是上帝赋予人以灵魂后必然发挥出来的作用与表现。他把这种能区分为"生能"(生魂)、"觉能"(觉魂)与"灵能"(灵魂)三种,它们表现在人

---

① 毕方济:《灵言蠡勺》,见《天学初函》(二),第 1141 页,台湾学生书局,1965 年。

② 同上。

身上的作用是不同的。首先,生魂的功能有三,即养育之能、长大之能与传生之能。这些功能,主要是从人的生理机制方面阐明的,尚未涉及人的认识问题。

其次,觉魂的功能有二,即"动能"与"觉能"。人生来不但有动能;这是禽兽有而草木没有的,而且还有觉能;这是禽兽没有,只有人才有的;人有了觉能后,开始它使用外觉五司,即耳、目、口、鼻、体感觉器官,收集外界色、臭、声、味等诸种感性材料;然后,它使用内觉二司,即"一公司、二思司",把外觉收集的材料进行归类,使之分别之。除此以外,在觉能中,还有"嗜能"一项;它通过"欲能"与"怒能",对适合需要的对象求之、并敢求之,对不适合需要的对象弃之、并敢弃之。这是"觉魂"认识事物时对对象的选择作用。从认识过程说,这里阐述的是人在感性认识阶段上的表现、特点及其意义。

最后,作者认为,如果天主只是赋予人以生魂与觉魂,那么,它与"草木禽兽等,无以大异"①。在他看来,人在世界上,所以"超轶万类,卓然首出者"②,完全在于上帝给它以灵魂的缘故。所以,《灵言蠡勺》中对这一部分的论述,毕方济尤为下工夫。

他指出,灵觉或灵魂有三司,即:"一曰记含者,二曰明悟者,三曰爱欲者"③,并对它们各自的功能、表现、特点进行相当详细的解释。

谈及"记含者"时,作者认为,它存在于人的脑囊,居于颅颐之后。人为了认识世界上的万事万物,需要"先考名实,如物有同名

---

① 毕方济:《灵言蠡勺》,见《天学初函》(二),第 1154 页,台湾学生书局,1965 年。
② 同上。
③ 同上。

异实者,举其名,先定其物之实,然后可得而论也,"①以便确定对事物的称谓。为此,"记含者"通过它的"记能"、"记功"与"习像"三种功能,对感性提供的材料进行整理;具体说来,使用"司记含"整理"有形之物",使用"灵记含"整理"无形之物",使物在人的脑海中留下记忆,形成印象。在这个基础上,通过"忆记",把过去得到的这些印象重现出来,做到"今一念及,宛然如见"②;通过"推记","从此一物而记他物"③,以此得到对物的初步认识。所以,毕方济认为,"记含在人,奇妙无方"④,因为它是"百学之藏,诸业之母,智者之子"⑤。

　　谈到"明悟者"时,毕方济指出,它的任务在于,通过"明诸有形无形之物"⑥,以"通达其公共之理、公共之性"⑦。就是说,在前面"记含者"对感性材料初步整理、形成印象的基础上,"明悟者"进一步对它加工,以便取得对事物的全面、即理性认识。在他看来,这一任务是由构成"明悟者"的两个相互联结的功能,即"作明悟"与"受明悟"来完成的。前者"作万象以助受明"⑧,经过对事物的初步归纳加工,形成对于事物的表象认识,后者则"遂加光明,悟万物而得其理"⑨,经过对事物的抽象加工,形成对于事物的

────────────

　　①　毕方济:《灵言蠡勺》,见《天学初函》(二),第1155页,台湾学生书局,1965年。
　　②　同上书,第1161页。
　　③　同上书,第1162页。
　　④　同上书,第1167页。
　　⑤　同上书,第1165页。
　　⑥　同上书,第1168页。
　　⑦　同上书,第1174页。
　　⑧　同上书,第1169页。
　　⑨　同上。

概念认识。这种认识虽然离开了具体事物，然而它却达到了对事物的全面与深刻的认识，即理性认识。正如毕方济所言，"先有作者为可明，次有受者明之，则遂明矣"①。

而且，在这个从"作明悟"到"受明悟"的过程中，为了实现"明悟"，达到对于事物"所以然"的认识，他还具体地指出，必须经过"直通"、"合通"与"推通"三个步骤。其中，"直通者，百凡诸物，一一取之，纯而不杂"②，是对某一事物进行分析形成概念；"合通者，和合二物，并而收之，分别能否"③，是对两个以上事物进行抽象形成概念；"推通者，以此物合于彼物，又推及于他物"④，是通过推论，由此及彼地抽象加工得到概念。这样，便完成了"明悟者"的任务，达到了对事物的本质认识。认识进展到这个程度，说明"明悟可通达于至微、至玄、至深之所，可达于至高、至明天上之上"⑤。因此，他用了一串赞美的言辞，如说它是"分别万真万伪者试金之石"，是"中居堂皇审判功罪之官司"、是"照察黑暗私欲之燎烛"、是"辨可否决嫌疑定犹豫之指南针"⑥，以此来形容与肯定它对人的重要意义。

叙述到这里，作者对"灵能"的阐述没有止步，而是从知识论领域进到了"爱欲者"，即伦理领域。他写道"爱欲所得属诸义，明悟所得属于知也"⑦，然而，"爱欲不能自行，必先明悟者照之，识

①　毕方济：《灵言蠡勺》，见《天学初函》（二），第 1170 页，台湾学生书局，1965 年。
②　同上书，第 1183 页。
③　同上书，第 1184 页。
④　同上。
⑤　同上书，第 1188 页。
⑥　同上。
⑦　同上书，第 1186 页。

之,然后得行其爱也"①。就是说"爱欲"虽然高于明悟,但是"明悟之行,恒在于内"②,而爱欲之行在于外,所以,爱欲必须以明悟为基础。作者正是从这里出发,通过对"爱欲者"三种功能,即"性欲"、"司欲"与"灵欲"的阐释,论述了一些有关的伦理问题。

3. 关于亚尼玛之尊及其美好之情

在《灵言蠡勺》中,毕方济对灵魂的全部论述,实际上都是对上帝属性及其表现观点的进一步发挥。关于亚尼玛之体、之能的阐述是这样,关于亚尼玛之尊及其美好之情的阐述,也是这样。

首先,在"论亚尼玛之尊与天主相似"中,他指出,天下万物是不可能与天主"无穷之善、无穷之妙"相似的③。至于灵魂与天主的相似,也只能是在"假借比喻"的意义上进行谈论④,目的"不在屈抑天主,而长世人莫大之傲"⑤,而是为了"显扬天主全能大智、至善之性,又赞美其普施于人亚尼玛无穷之恩"⑥。在这样把灵魂与天主进行比较后,结果他发现它们在性,即属性上有八点相似,在模、即形式上有七点相似,在行、即功能上有十点相似。虽然这些相似之处,他列出了这么许多条,以此从性、模与行上论证了亚尼玛之尊,然而对它们稍加分析,便不难看出,原来都不过是上帝神性的具体表现罢了。

其次,"论亚尼玛所向美好之情",实际上是前述"论亚尼玛之尊"的继续,目的在于阐明灵魂的最终指向。在这个论题上,毕方

① 毕方济:《灵言蠡勺》,见《天学初函》(二),第1187页,台湾学生书局,1965年。
② 同上书,第1186页。
③ 同上书,第1213页。
④ 同上。
⑤ 同上书,第1214页。
⑥ 同上。

济根据基督教的教义,认为灵魂的最终指向是真善美,而上帝是真善美的本体。他指出,真善美是总美好、最美好、恒美好、至美好。"无时不为美好,无物不为美好,无处不为美好"①,是一切美好之根本。他写道,"论至美好之性情,其尊贵也,为无穷际之大。论至美好之品位,其峻绝也,为无穷际之高。论美好之包涵,其富有也,为无穷际之广博。论至美好之存驻,其无始无终也,为无穷际之久远。论至美好之精微,其难测难量也,为无穷际之幽深"②。通过"至美好"特点的这些阐述,在人们面前充分展示了亚尼玛所向美好之情。不过,他又指出,对于人来说,它却"目不可见,耳不可闻,惟当信之,惟当望之,惟当存想之"③。就是说,它不是知识的对象,而是作为人们信仰追求的目标,其价值在于引导他们朝着这个目标奔去。正如毕氏所言,它作为"亚尼玛之终向,是人之诸行、人之诸愿所当向之的"④。而且,他还指出,人们如果能够这样,那么,他便"凡百无有差谬,如海舟之得指南,定不迷其往也。求此则遇万福,为此而死,则得常生"⑤。这样,通过对亚尼玛所向美好之情的论述,在进一步阐明"亚尼玛之尊"的基础上,便把人们引导到信仰上帝的道路上去了,并在造物主那里达到了最高的和谐。

　　灵魂论是基督教的重要教义,也是古代希腊哲学家研究的重要论题。传教士在华传播灵魂论的过程中,既带来了体现基督教

---

① 毕方济:《灵言蠡勺》,见《天学初函》(二),第 1236 页,台湾学生书局,1965 年。

② 同上。

③ 同上书,第 1238 页。

④ 同上书,第 1266 页。

⑤ 同上。

义的托马斯的灵魂学说,还把古代希腊哲学中柏拉图与亚里士多德的有关观点输入进来了。而且,他们在把这些思想糅合的基础上,对认识的概念、认识的环节与认识的过程,都进行了相当细致、系统的介绍。这些哲学内容的东渐,对于中国传统哲学的变革,无疑是有意义的。

三、伦理道德

传教士来华后在与中国士大夫的交往中,深切地感到他们高度关注修身养性等伦理道德方面的事情,并从有关著作中还发现在学理方面,他们对伦理道德问题的理解也相当深刻。因此在传教过程中,他们同中国士大夫开展了大量有关伦理道德的对话,有些对话通过加工形成著作出版。在这些对话与著作中,传教士热情地介绍了基督教哲学中有关人性、修身、交友等方面的思想,使它成为他们在中国传播基督教哲学的重要内容之一。而且,在使它和中国传统道德融合方面,他们也作出了富有成效的努力。

1. 人性与善恶

在利玛窦时代,托马斯·阿奎那的人性论在基督教哲学中占据统治地位。他认为,人是理性的动物。"人类行动的准则和尺度是理性,因为理性是人类行动的第一原理"①,所以,"力求按理性行事乃是人所特有的"②,利玛窦等传教士在中国介绍基督教哲学的人性学说时,主要是从托马斯的这种观点出发的。

当他们谈论人性问题时,利玛窦一开始对"性"概念进行了严格的界定。他写道,"夫性也者,非他,乃各物类之本体耳。曰各

---

① 托马斯:《托马斯政治著作选》,第104页,商务印书馆,1963年。
② 同上书,第112页。

物类也,则同类同性,异类异性……但物有自立者,而性亦为自立;有依赖者,而性兼为依赖"①。十分明显,这里把"性"界定为事物的本体,是自立者的说法,都是来自托马斯改造亚里士多德有关形式与质料学说后形成的观点。托马斯认为,人与自然物都是质料与形式的的结合物。不过,人与自然物是有区别的,表现在它们各自有形式的不同。在这一点上,托马斯把形式区分为实体的形式与非实体的形式,宣称实体形式是精神存在,只有神、天使与人才具有实体形式。人的实体形式,即是人的理性灵魂,它既具有精神性,又具有实体性,因而不朽不灭。与此不同,自然物属于非理性存在,它的形式是非实体形式,它不具有实质性,只与物相联系而存在,没有自身的独立存在,当构成物破坏之后,这种形式也就不存在了②。由此可见,"性"是事物的本体,物不同,性也不同。

接着,利玛窦指出,人因有灵魂的功能而具有实体形式,因此,它和草木不同在于它有推理能力。并从这里出发,提出了他对"人性"的看法。他写道:"人也者,以其前推明其后,以其显验其隐,以其既晓及其所未晓也,故曰能推论理者。立人于本类,而别其体于他物,乃所谓人性也。仁义礼智,在推理之后也"③。在一般意义上,能推理是人的本质,利玛窦在这里却把推理界定为人性,认为"能推论理"是使人与其他物区别开来,使人之所以成为

---

① 利玛窦:《天主实义》,见朱维铮主编:《利玛窦中文著译集》,第72—73页,复旦大学出版社,2001年。

② 参见车铭洲:《西欧中世纪哲学概论》,第92—93页,天津人民出版社,1982年。

③ 利玛窦:《天主实义》,见朱维铮主编:《利玛窦中文著译集》,第73页,复旦大学出版社,2001年。

人的本性,也就是人性。要指出的是,这里"推理"中的"理",实际上是理性不是宋明理学中的"理"。因为正如托马斯所说,"理性是一切人类动作的第一原理,一切其他原理多少都得服从理性。"①利玛窦把西方思想中的这些观点,理性高于德性,即本体论高于伦理学的主张带到中国来,对于向来看重伦理的儒家传统来说,显然是一个冲击。

那么,这样界定的人性是善还是恶呢?利玛窦的回答是:"若论厥性之体及情,均为天主所化生,而以理为主,则俱可爱可欲,而本善无恶矣。"②在这一段话里,由于利玛窦把人性之本性及其发用(情)均追溯源于上帝,因此,利玛窦便十分轻而易举地推出人性善的结论。除此之外,由于在他看来,"可爱可欲"者即是善,因此,只要把理性作为人性之本,也必然推导出人性本善的结论。而且,在论述的时候,他还把"善"与"德"联系起来,宣称"善"有"性之善",即人本性之善与"德之善",即人后天养成之善,并且宣传为了最终进入与天主结合的神圣境界,还分别就"德之善"与"德之养"的修炼提出了种种要求。

从主导方面看,传教士着力宣传的是人性本善论。但是,他们也不否认人性有恶的一面。在他们看来,恶并非人性本有,它只是善的对应物,是因为善的丧失而派生出来的,此即人类始祖的原罪。由于原罪的影响,使人的现实形态的本性(后天获得性)呈现为恶。在这个问题上,即人因原罪堕落后的人性,传教士在宣讲中,一般多是极力加以回避,即使有时不得不讲到它,也只是含糊

---

① 托马斯:《西方伦理学名著逻辑》,第387页,商务印书馆,1987年。

② 利玛窦:《天主实义》,见朱维铮主编:《利玛窦中文著译集》,第73页,复旦大学出版社,2001年。

其辞地和极其简略地提到而已。

2. 修身理论

在前述人性理论的基础上,传教士对人的道德修养提出了要求。其中,特别是关于克己修身之论,更是他们传播基督教哲学伦理观时特别卖力的。宣讲这一内容的主要著作,除了前面一些著作中也有所论述外,还有一些专题性著作,如高一志的《修身西学》,利玛窦的《二十五言》、《畸人十篇》、《交友论》,庞迪我的《七克》等。在这些著作中,从各个角度阐明基督教哲学中关于修身的理论。

首先,对于这些理论的阐明,都是建立在基督教的基本教义之上的。上帝不仅是修身之本原,而且还是判定修身的标准。因为在他们看来,修德克欲,绝对不是一个人仅依靠自身的力量就能够达到目的的。正如庞迪我说的那样,"自有生以来,但有一念提醒,莫非天主上帝赐我者;富贵寿安微暂之福,有一隙之明者,皆出于上帝……迨德成欲克,皆上帝赐也。"[1]认为只是依靠自己的力量,便"德成欲克",那是"忘却本原,冥悖自是"[2],绝对不可能的事情。原因在于,"德之能出于天,德之权悬于天,多寡之数,惟天主能判之"[3]。就是说,上帝不仅是一切修身之论的根源,而且还是判断一切修身言行好坏的标准,只有以此为根据,爱天主之所爱,恶天主之恶,皈依基督教神,才有可能谈到修德养性的一切问题。

其次,从上述认识出发,传教士分别阐明了基督教伦理学中关

①　庞迪我:《七克自序》,见徐宗泽编著:《明清间耶稣会士译著提要》,第54—55页,中华书局,1949年。

②　同上书,第55页。

③　庞迪我:《七克》,见《天学初函》,第747页,台湾学生书局,1965年。

于修身的原则、要求、内容与归宿的理论。其中，针对人们道德修养过程中存在的问题，主张提倡什么、克服什么的论述，值得注意。实际上，这是对修身养性提出的要求与内容。在阐明这些问题时，高一志在 1630 年刻出的《修身西学》中，认为个人的道德修养，必须做到符合"智德"、"义德"、"毅德"与"廉德"的原则。而利玛窦在《二十五言》中，则把这些原则或要求，具体指明就是要做到："诚"、"智"、"廉"、"勇"、"实"、"和"、"恒"、"义"、"谦"。特别是庞迪我，在其出版的《七克》这部宏扬基督教宗旨的布道著作中，宣称人性中常常滋生出"傲"、"妒"、"贪"、"忿"、"饕"、"淫"与"怠"等七种罪恶的邪念。因此，为了克其心之罪根，植其心之德种，他针锋相对地对人的道德修养提出七条要求，即："谦"、"恕"、"惠"、"忍"、"节"、"贞"、"勤"，主张以谦伏傲，"傲如狮猛，以谦伏之"①；以恕平妒，"妒如涛起，以恕平之"②；以惠解贪，"贪如握固，以惠解之"③；以忍息忿，"忿如火炽，以忍息之"④；以节塞饕，"饕如壑受，以节塞之"⑤；以贞防淫，"淫如水溢，以贞防之"⑥；以勤策怠，"怠如驽疲，以勤策之"⑦，并逐条进行了充分的论述。在这些论述中，值得重视的，不在于传教士对于修身养性提出了多少条要求，也不是这些要求有多么严厉；实际上他们提出的上述要求，虽然有多有少，但在内容上却大同小异，而是在阐明这些要求时，为融会中西伦理学说作出的努力。例如，他们用儒学中"仁"

---

① 庞迪我：《七克》，见《天学初函》（二），第 717 页，台湾学生书局，1965 年。
② 同上书，第 793 页。
③ 同上书，第 835 页。
④ 同上书，第 883 页。
⑤ 同上书，第 945 页。
⑥ 同上书，第 1001 页。
⑦ 同上书，第 1053 页。

这个范畴来表述基督教的伦理学说,使西方神哲学的道德论中国化。又如在论述"爱"的思想时,庞迪我把孔子"己所不欲,勿施于人"的观点和《圣经》中"爱人如己"的主张糅合起来,从而传扬了基督教的教义。

除此之外,在传扬修身理论时,传教士还宣传了其他一些教义。如主张修炼过程中要身体力行、知难而进、每日省察、善用光阴,以平静的心态对待凡间俗事;把生命看作是一个不断在死亡的过程;修炼克欲的最终归宿是,成功者升天堂,失败者下地狱等,以此充分展示了基督教道德论的精义。

这些宣讲基督教伦理道德的著作传开后,很快在当时的中国知识界产生了颇为热烈的反响。对此,传教士们因为它们受到的欢迎及其积极影响,深受鼓舞自不用多说。要着重指出的是,因为这些著作中突出了儒家伦理道德与基督教伦理道德之间的共同点,使士大夫们乐于接受。加之书中在阐述这些观点时,大量引用欧洲与中国古代贤哲的名言警句,从而增强了论点的说服力。所以,有些名士硕儒为之作序写引,给它以充分的肯定。例如陈采亮读过《七克》后,觉得"其书精实切近,多吾儒所雅称。至其语语字字,刺骨透心,则儒门鼓吹也。"①又如李之藻看过《畸人十篇》后,说它"令人读之而迷者醒,贪者廉,傲者谦,妒者仁,悍者悌"。② 事实正是这样,有些中国文人正是在读过这些著作后接受了其中的说法而有所"悟",因而走上了皈依上帝的道路。

---

① 陈采亮:《七克序》,见《天学初函》(二),第 205 页,台湾学生书局,1965年。

② 李之藻:《畸人十篇》,见朱维铮主编:《利玛窦中文著译等》,第 501 页,复旦大学出版社,2001 年。

四、基督教神学与哲学传入中国的意义

前述明清之际基督教哲学在中国的传播,只是从形而上学、灵魂、认识论与伦理学几个领域阐明了当时输入的基督教哲学的内容;当然,其中也有一些与基督教神学交叉的部分。不过,即使在这几个领域中,引进的内容也不止前面提到的这些。特别是在这几个领域之外,如自然哲学、社会政治等方面,也同样进行了热情的传播。因此,可以肯定地说,当时基督教哲学虽是早期初步输入,但在内容上却是相当全面的。

那么,这样传入的基督教神学与哲学,对于当时的中国来说,有什么意义呢?

这是一个在认识上分歧很大的问题。而且,从"西学东渐"序幕拉开不久分歧便出现了。不过,虽然当时有些封建官僚与士大夫采取了反对态度,并不时挑起事端,但从总的倾向上看,明末清初的中国知识界,对包括基督教神学与哲学在内的"西学东渐",表示了欢迎的态度,对引进基督教神学与哲学的必要性,也给予了充分的肯定。因为在他们看来,中西方道理相通,传教士传入的基督教哲学与儒家学说,多有相合之处。例如徐光启。他在《辨学章疏》中指出,在修身、事天、爱人、劝善等问题上,传教士带来的基督教哲学与中国圣贤之教如出一辙。他写道:"盖彼国教人,皆务修身以事上主,闻中国圣贤之教,亦皆修身事天,理相符合。是以辛苦艰难,履危蹈险,来相印证,欲使人人为善,以称上天爱人之意"①。在谈到引进基督教哲学的必要性时,他更是言简意赅地指

①　徐光启:《辨学章疏》,见《徐光启集》,下册,第431—432页,上海古籍出版社,1984年。

出:"可以补益王化,左右儒术,救正佛法。"①意思是说,由于基督教义的基础与儒家学说本是相通的,因此,基督教哲学的输入,除具有破除佛教偶像崇拜的功能外,还可补充和完善儒学的作用。这是徐光启当时热衷于在这两者之间进行调适的真谛所在。

到 20 世纪初,梁启超在《中国近三百年学术史》中论述明清之际发生的这场"西学东渐"时,认为它在"中国学术史上应该大笔特书"。② 虽然他只是指出了其中历算学一个学科,但把他前后论述的观点联系起来,可以说,这是他对包括基督教哲学在内的整个"西学东渐"作出的积极评价。

然而,长期以来,由于信仰上的对立,以及从 19 世纪中叶开始基督教各派随殖民主义势力进入中国,因民族主义感情激起国人对它的反抗,加上 20 世纪一段时间内从意识形态出发对它的严厉批判,使它在中国人心目中留下的印象是:它是中国传统文化与人伦精神的对立者,是中世纪"黑暗时代"的代表者,是科学与民主时代的落伍者。在这样的历史条件下,要实事求是地谈论与评价明清之际基督教哲学的传入在西方哲学东渐史上的意义,显然是难以办到的。

不过,人类社会的历史发展到今天,对于全球化启动时发生的这次基督教哲学东渐,如果把它放在中西文化与哲学交流的全局中进行考察,那么,它在西方哲学东渐史上的积极意义,是不难发现的。

首先,基督教哲学是中西文化、哲学交流的重要内容,它的输

---

① 徐光启:《辨学章疏》,见《徐光启集》,下册,第 432 页,上海古籍出版社,1984 年。

② 梁启超:《中国近三百年学术史》,第 10 页,东方出版社,1996 年。

入有助于我们全面了解基督教以及整个西方文化与哲学。略知西方历史的人都知道,中世纪的基督教哲学,一方面是希腊哲学精神、希伯莱宗教精神和罗马法治精神的全面整合,另一方面它还深深地影响了近代与现代西方文化与哲学的发展。因此,它在西方文化与哲学的发展过程中具有十分重要的地位。要正确了解与全面把握西方文化与哲学的全貌、特征、意义及其发展过程,如果没有对作为西方哲学的重要组成部分与重要发展环节的基督教哲学的了解与把握,那是难以办到的。因此,我们认为,正确认识与全面把握基督教神学与哲学,是我们理解西方文化与哲学全貌及其发展过程的历史基础。长期以来,我们对西方文化,特别是西方哲学的认识,所以一直停留在较为肤浅的层面上,与我们对基督教神学与哲学缺乏应有的研究,关系极为密切。

　　其次,通过比较与沟通,可以从基督教哲学中吸取一些有益于丰富中国传统哲学与建设中国现代化需要的哲学资源。毫无疑问,基督教的信仰及其教义,与中国传统文化之间确实存在着不小的差异与间隔,有些甚至是根本性的。但是,它们作为人类实践一定发展阶段上的产物,在基督教哲学与同一时期的中国哲学之间,在整体上又有一些相通、可以进行比较的地方。"比如,两者都产生于文化专制主义环境之中,都是封建时代的意识形态,都达到了理性思辨和宗教精神的融合,都有强烈的宗教伦理精神,同时不乏本体论和世界观的理论基础"。①

　　而且,从这种相似性中,就有可能甚至必然产生出具体问题与观点上的相似与可比。所谓可比,即"通过理性的解释,把特殊的信念加以合理化,使之具有最大限度的普遍性与必然性。经过这

---

　　①　赵敦华:《基督教哲学 1500 年》,第 18 页,人民出版社,1994 年。

样的哲学解释和理性处理,基督教哲学与中国传统哲学之间的差异会得到理解,间隔会被打通。"①例如,从表面上看去,基督教原罪说与儒家的性善论,是水火不相容的。然而经过哲学的比较与分析,却发现基督教哲学在对于原罪的解释过程中提出的意志自由思想,而儒家在论述性善时提出的道德自律思想,是人类道德的两条根本原则。它们不是绝对对立的,而是相互可以取长补短的。在其他一些问题上,如基督教的上帝与儒家的"天"、基督教的神人关系与儒家天人关系、基督教的自然律与儒家天道观,都有相通可比之处。两者都有神圣与世俗相结合的价值观。如果通过理性解释和哲学比较,那么,"基督教哲学体现的神圣价值可以与中国传统的价值观相结合,并能适应中国现代文化对神圣文化的需要,甚至可能被吸收在中国现代文化之中。"②这是有道理的,是值得我们加以重视的。

第四节　亚里士多德哲学的初步译介

明清之际传教士在全力以赴传播基督教哲学的同时,还初步地把亚里士多德的哲学著作与哲学思想译介过来了。

这种现象的发生,是由西方哲学发展的内在逻辑决定的。原因是,在从古代希腊哲学到中世纪经院哲学的发展过程中,经院哲学家为了论证各种经院哲学论题,改造与吸取了希腊哲学的某些思想、观点、原理与方法,并把它们运用与整合到经院哲

---

① 赵敦华:《基督教哲学在中国的意义》,见许志伟等主编:《冲突与互补:基督教哲学在中国》,第17—18页,社科文献出版社,2000年。

② 同上书,第18页。

学中去,用来建构起了各种经院哲学体系。这样一来,古代希腊哲学不但是经院哲学的理论来源之一,而且,被改造与吸取的这部分希腊哲学的内容,还成为经院哲学的有机组成部分。而传教士在中国传播基督教哲学的过程中,基本上是沿着中世纪经院哲学家构建经院哲学的思路进行的。因此,他们在中国宣讲基督教哲学时,必然介绍被改造与被吸收的那一部分希腊哲学的内容。

毫无疑问,无论经院哲学家还是传教士改造与吸收希腊哲学的目的,都是为了论证与阐明基督教哲学。因此,经过他们改造与吸收后的希腊哲学与希腊哲学的本来面目,显然发生了一定的变化。但是,不管怎样改造与吸收,他们毕竟是以希腊哲学为基础来谈论与传播希腊哲学的。这样,在当时传播的西方哲学中,不仅有基督教哲学,还有希腊哲学。而在希腊哲学中,一些主要哲学家,如恩培多克勒、苏格拉底、柏拉图与亚里士多德的思想,都被不同程度地予以介绍。不过,由于亚里士多德哲学与基督教哲学的关系特别密切,因此,便成为传教士传播希腊哲学时的主要内容。

一、亚里士多德著作的译介

重视亚里士多德哲学的介绍,表现之一是对其著作的译介。

在这一方面,首先被推出来的是由傅泛际(Franciscus Furta-do, 1587—1653)译义、李之藻(1545—1630)达辞的《寰有诠》。本书原是葡萄牙科因布尔(Coimbre)耶稣会大学使用的课本,而内容却是亚里士多德自然哲学中的《论天》一书。1623年开始翻译,历经五载,于1628年译就在杭州刊印。不过,译本只是节译意义,而非直译。这是在中国出版亚里士多德的第一部著作。它的研究对象是"评论四行天体诸义"①,论述宇宙的构成及其变化。因此,在内容上,它只是"第论有形之性"②,而且,它们"皆有形有声可晰"③。可见,它在亚里士多德的著作中,内容较为浅显,翻译起来也较为容易。所以,才有可能被选择作为亚里士多德著作中最先被译出与出版的著作。

其次是亚里士多德逻辑学著作的译介。其中有:由傅泛际译义、李之藻达辞的《名理探》,以及由南怀仁编译的《穷理学》。前者根据1611年日耳曼出版的科因布尔耶稣会大学的哲学讲义译出,但内容却源于亚里士多德的逻辑学。原文为拉丁文。全书分为上、下两编。上编为五公论,即(1)宗,jenus,(2)类,Species,(3)殊,Diffenetia,(4)独,Propvium,(5)依,accideus,以及十论,即(1)论自立体,(2)论几何,(3)论互视,(4)论何似,(5)论施作,(6)论承受,(7)论体势,(8)论何居,(9)论暂久,(10)论得有。下编论三段法,等。1631年在杭州刻印时,只刻出了五公十论共十卷。译文笔调明快,得到了很多中国学者的赞扬。

1630年李之藻辞世后,久居西安传教的傅泛际在这里继续《名理探》后二十卷三段论部分的翻译。但他没有译完,已经译出的部分也没有及时刻印出来。南怀仁(Ferdinandus Verbiest,1623—1688)继承傅泛际的事业,完成了全书的翻译。他把它和其他传教士有关逻辑与科学的著作,如利类思的《万物原始》、王

---

① 李次彪:《名理探又序》,见徐宗泽编著:《明清间耶稣会士译著提要》,第196页,中华书局,1949年。
② 李之藻:《译寰有诠序》,见徐宗泽编著:《明清间耶稣会士译著提要》,第199页,中华书局,1949年。
③ 李次彪:《名理探又序》,见徐宗泽编著:《明清间耶稣会士译著提要》,第196页,中华书局,1949年。

肃丰的《裴录答汇》等汇编起来,共 40 卷,结集取书名为《穷理学》,于 1683 年进呈康熙皇帝。可惜的是,长期以来没有发现《穷理学》的原件。1939 年,徐宗泽说有人在燕京大学图书馆看到了旧抄本《穷理学》的残本一部,共两函十六本。其中,有"推理之总论"五卷,"形性之推理"一卷,"轻重之推理"一卷。徐宗泽认为,这些残本,"砾丝阑恭楷,书面绸绫标题,颇似进呈之本"①。是否如此,值得考究。

除此之外,《灵言蠡勺》中的灵魂学说,以及《修身西学》、《西学治平》与《西学齐家》中的伦理学介绍,实际上也都是来自亚里士多德《灵魂论》与《伦理学》著作的翻译与转述。一个古代西方哲学家的著作,如此热情地被译介过来,在明清之际除了托马斯外,还没有其他哲学家的著作这样受到重视。这是颇有意义的。

二、亚里士多德逻辑学说的介绍

深受西方文化长期熏陶的利玛窦,来华后在与中国士大夫的交往过程中,不久便发现他们在谈话或讨论问题时,不是按照科学思维方法,而是凭着自己的直觉能力。因此,一旦研究与论述问题起来,便毫无逻辑条理可言。

思维方式或思想方法上的这个弱点,在中国传统文化中,的确是不能否认的。传教士们在揭露与批评这个弱点的基础上,在开展西方哲学的传播时,相当重视西方逻辑思维方法的介绍;甚至选择某些科学著作的译介,也是从这个角度考虑的。例如,《几何原

---

① 徐宗泽编著:《明清间耶稣会士译著提要》,第 191 页,中华书局,1949 年(现存于北京大学图书馆善本部的《穷理学》残本,有可能即是原燕京大学图书馆保存的残本)。

本》等数学著作的翻译与传入,即是一个最佳的例证。因为在他们看来,《几何原本》虽是数学著作,但其理论基础却是形式逻辑规则。正如利玛窦说的,在这本书里,"每一个命题都依照次序出现,并且完全证明其合理,就是连最顽固的人也不能否认"①。在这一点上,把《几何原本》收入《四库全书》的编者,也有同样的认识。他写道:"其书每卷有界说,有公论,有设题。界说者,先取所用各解说之;公论者,举其不可疑之理;设题则据其所欲言之理,次第设立,先其易者,其次难者,由浅入深,由简而繁,推之至于无以复加而后已"②。

而且,传教士们这种传播西方逻辑思维方法的热情,在西方哲学早期传播过程中,一直坚持下来。例如,时至清初南怀仁还专门编译介绍亚里士多德逻辑思想的《穷理学》一书,便足以证明。在《进呈穷理学书奏》中,他之所以反复强调学习掌握逻辑思维方法的重要性,原因就在于他认为:"穷理学"是"百学之根"③,是"百学之宗"④,是"订非之磨勘,试真之砺石,万艺之司衡,灵界之日光,明悟之眼目,义理之启钥"⑤。一句话,它是"诸学之首需者也"⑥,只有掌握了这种逻辑思维方法,才能"广开百学之门"⑦。相反,如果不掌握它,"则如金宝藏于地脉,而不知开矿之门路矣"⑧。正是基

①　利玛窦:《中国传教史》,第458页,台湾光启社,1986年。
②　永瑢等:《四库全书总目》,上册,第907页,中华书局,1995年。
③　南怀仁:《进呈穷理学书奏》,见徐宗泽编著:《明清间耶稣会士译著提要》,第192页,中华书局,1949年。
④　同上。
⑤　同上。
⑥　同上。
⑦　同上书,第191页。
⑧　同上。

于对逻辑思维方法重要性的这种认识，所以，他表示："臣自钦取来京，至今二十四载，昼夜竭力，以全备推理之法，详察穷理之书，从西字已经翻译而未刻者，皆校对而增修之，纂集之；其未经翻译者，则接续而翻译，以加补之，辑集成帙，庶几能备推理之要法矣"①。《穷理学》一书的编译与进呈，就是传教士上述态度的集中体现。

　　明清之际以传教士为主传入的西方逻辑思维方法，主要是对亚里士多德逻辑理论的介绍。

　　首先，艾儒略在《西学凡》中，在指出逻辑学（落日加）在理学，即哲学的五个科目中居于首位，它的奠基人是亚里士多德后，还把亚氏的逻辑理论归纳为六大门，即：落日加诸预论，五公称之论，理之有论，十字论，辨学之论与知学之论，并简单地概述了它们的主要内容。虽然它只是篇目的介绍，但却较为全面地指明了亚里士多德逻辑理论具有丰富的内容。

　　其次，在具体介绍亚里士多德逻辑学说方面，则主要有《名理探》与《穷理学》两部著作。其中，《名理探》的前五卷，阐明了"五公"理论。所谓"五公"，即宗、类、殊、独与依。对于这几个概念的含义，简单说来，"宗"为生觉，"类"为人性，"殊"为推理，"独"为能笑，"依"为黑白。如果依据李之藻的翻译，那么上述五个概念则是："宗"是逻辑学中阐述的"属"；"类"是"种"；"殊"讲"差异"；"独"论述事物的本质属性；"依"陈述事物的偶有性。由此可见，通过这五个概念的阐明，实际上介绍了亚里士多德的"四谓词"理论，即属、定义、固有性与偶然性的

────────────

　　① 南怀仁：《进呈穷理学书奏》，见徐宗泽编著：《明清间耶稣会士译著提要》，第191页，中华书局，1949年。

理论。

　　而在《名理探》的后五卷中,论述的是"十论"理论。所谓"十论",即:自立体、几何、互视、何似、施作、承受、体势、何居、暂久与得有。这是亚里士多德《范畴篇》中的 10 个范畴在中国的最早译名。现在一般译为:实体,数量,性质,关系,位置,时间,姿势,所有,主动与受动。对于它们各自的含义,依据李之藻当年的解释,简单说来,"自立体"即是实体;"几何"即是数量;"互视"指事物之间的关系;"何似"指物所以何似;"施作"指主动;"承受"指被动,"体势"讲形体的分布,"何居"指位置;"暂久"指时间。如果把《名理探》与亚里士多德的《范畴篇》对照一下,便不难发现,除了排列次序上略有变动外,在范畴的内容上是完全一致的。

　　本来,南怀仁编译的《穷理学》一书,是介绍亚里士多德逻辑理论的重要著作,可惜的是,长期以来没有人见过原版,更不可能被流传下来。前面说过,20 世纪的 30 年代,北京燕京大学图书馆收藏的旧抄本《穷理学》残本一部,其中有"推理之总论"五卷,"形性之推理"一卷,"轻重之推理"一卷。这些内容在亚里士多德的逻辑理论中占有重要地位,传教士们把它译介过来,在西方哲学东渐史上是很有意义的。

　　虽然传播过程中发生了这种十分使人惋惜的现象,但是,透过前面的事实,我们认为,亚里士多德的逻辑学说,不仅在中国得到了初步的介绍,而且,它对于打开中国学者的视野,推动中国传统思维方式变革,以及近代中国逻辑的发展,都产生过一定的积极作用。因此,李天经曾把亚里士多德的逻辑比喻为照亮人们探求事物之"理"的道路上的太阳。他认为,如同众生赖太阳之光而生明一样,"名理探在众学中,亦施其光炤,令无舛迷,众学赖之以归真实,此其为用固不重且大哉。"①而且,他还指出,中国科学要有大的发展,就应该像西方的"格致"学那样,以形式逻辑的"名理"作"格物穷理之原本"②。这一论断的提出,完全改造了宋儒所谓"格物穷理"的内涵,从而将"格物穷理"创造性地转化为研究新兴质测之学的科学的知性精神。

三、亚里士多德"四因说"的介绍

在探寻事物运动的原因时,亚里士多德把"原因"作为解释"为什么"的理由,认为把握了事物的"为什么",就把握了它的基本原因,并且在总结希腊哲学有关成果的基础上,提出了事物运动的"四因说",即:质料因、形式因、动力因、目的因。

不过,他又指出,形式因、动力因和目的因,通常是一致的,或者说,动力因和目的因应该统一于形式因,都是内在于形式的因素。因此,"四因"便成为质料和形式两因。而且,在论述这两种原因的关系时,最后还得出了存在着"不动的推动者"或"第一推动者"的结论。

亚里士多德哲学的这些观点,对中世纪经院哲学产生了重大的与直接的影响。传教士们在中国传播基督教哲学的过程中,跟随中世纪经院哲学家的思路,在论证上帝是万物生成的终极原因时,也谈到与利用了亚里士多德的"四因说"。

例如利玛窦。首先,他说"试论物之所以然,有四焉。四者维

----

① 李天经:《名理探序》,见徐宗泽编著:《明清间耶稣会士译著提要》,第195页,中华书局,1949年。
② 同上书,第194页。

何？有作者、有模者、有质者、有为者"①。接着,在把亚氏"四因"这样最早译成中文后,还对它们的各自的含义作出了解释。他写道:"夫作者,造其物而施之为物也;模者,状其物置之于本伦,别之于他类也;质者,物之本来体质所以受模者也;为者,定物之所向所用也。"②在如此阐明"四因"的含义后,还分别举例加以具体述说。

不但如此,利玛窦对亚氏的"四因说"还进一步加以引申,以此证明上帝是世界万物运动与发展的最终原因。他指出,"天下无有一物,不具此四者。四之中,其模者、质者,此二者在物之内,为物之本分,或谓阴阳是也;作者、为者,此二者在物之外,超于物之先者也,不能为物之本分。"③这段话仅就表述亚氏"四因说"的思想来说,是相当准确与清楚的。值得注意的是,在这里,他把质料与形式比喻为儒学中阴阳二气,是万物的"本分",认为只有作者、为者在事物之外之先,不是事物的"本分"。那么,这个在事物之外之先的原因是什么呢？显然,这样的作者、为者只能是上帝了,只有它才是超自然的终极原因。

四、亚里士多德自然哲学的介绍

在希腊自然哲学发展阶段,哲学家们都探讨了世界的始基或本原问题。泰利斯的"水"、赫拉克利特的"火"、德谟克利特的"原子"等,都是在探讨这个问题时提出的观点。亚里士多德也探讨了这个问题。他把恩培多克勒的"四根"说向前推进,提出了"四

---

① 利玛窦:《天主实义》首篇,见朱维铮主编:《利玛窦中文著译集》,第12页,复旦大学出版社,2000年。
② 同上。
③ 同上。

元素"的学说。他认为,构成世界万物的基础是一种原初的物质;它具有两组互相对立的特性,即热和冷、干和湿。这些特性互相结合便形成四种元素,即:热和干结合为火,热和湿结合为气,冷和干结合为土,冷和湿结合为水。这些元素的性质,可以相互取代从而造成各元素之间的互相转化,形成世界万物。

"四元素"学说是亚里士多德自然哲学中的重要内容。传教士在中国宣讲基督教哲学时,也同时介绍了亚氏的"四元素"学说。其中,最早介绍的是利玛窦和傅泛际。他们分别在《天主实义》、《乾坤体义》与《寰有诠》中,把"四元素"称之为"四行"或"四元行",并简要地阐述了由"四行"构成世界万物的情景。例如,利玛窦在《乾坤体义》中指出:"所谓行者,乃万象之所出,则行为元行,乃至纯也,宜无相杂,无相有矣"①。在这样把亚里士多德的"元素"改称为"行"或"元行",并界定了它的特性后又指出:"天下凡有形者,俱从四行成其质,曰火、气、水、土是也,其数不可阙增也"②。就是说,世界万物都是由于这些"行"的特性相合或变化构成的。而且,在他看来,上帝就是用这些"元行"造成了现在的世界。对此,他写道:"当初造物者,欲创作万物于寰宇,先混沌造四行,然后因其情势,布之于本处矣。火情至轻,则跻于九重天之下而止;土情至重,则下凝而安天地之当中;水情比土而轻,则浮土之上而息;气情不轻不重,,则乘水土而负火焉"③。在这一段描述中,虽然作者是在宣传上帝创世的基督教教义,但其中利用与介绍了亚里士多德的"四元素"说,也是非常清楚的。

---

① 利玛窦:《乾坤体义》,见朱维铮主编:《利玛窦中文著译集》,第525页,复旦大学出版社,2001年。
② 同上书,第526页。
③ 同上。

后来,庞迪我在《天主实义续篇》中,对于由"四行"构成世界万物,他有一段极为生动的描述。他写道:"万形之物,取质于四行,据其性情,各得其所。火至轻清,跻于天域,使焰不下害。土至重浊,离天最远。水稍轻,则浮土之上。气轻重之间,则乘水上,而负火焉。四行之情,相攻互敌,而攻敌之中,又有相和。土燥水湿相敌,乃以俱冷而和。水冷气热相敌,乃以俱湿而和。气湿火燥相敌,乃以俱热而和。火热土冷相敌,乃以俱燥而和。全敌而无和,物不生。竟和而无敌,物不成。和敌各半,造化并兴。然彼此力埒,则不相藉。或一强一弱,则强常胜,弱常负,而不相配,物俱难保矣。四行则强以攻者,弱以防;强以防者,弱以攻。如火性猛急,所遇即化,水弱反熄之。土性钝懦,化物最迟,火刚即变之。若此则其强弱调适,而后万物之造化,存安甚顺也"①。在读这段娓娓动听的描述时,千万不要以为庞迪我是在论述天地造化,以及"四行"相生相克形成世界万物的情景。实际上,三句不离本行,庞迪我虽然在阐述"四行"之间的关系时介绍了亚里士多德的"四元素"思想,但是,他却不是单纯要去揭示自然界的规律,而是以此引导人们去思考,自然界为什么会产生如此神奇的相互制约关系。在这里,他最终要告诉人们的是,这些现象冥冥中之所以如此,都是由于造物主一手安排的结果。

不过,对于亚氏"四元素"学说的介绍,高一志是最为全面的一个。高一志(1566—1640),意大利人。1605年来华。他在《空际格致》中,依据亚氏的"四元素"理论,从宇宙论的角度阐述了他对"四行"的看法。首先,他认为,要了解世界万物的生成变化,

---

① 庞迪我:《天主实义续篇》,见《天主教东传文献》(一),第124—126页,台湾学生书局,1986年。

"须先推明其变化之切根"①。他指出,所谓"切根者",就是"四元行",即"火、气、水、土是也"②,它们是"元行",是"纯体",是"惟能生成杂物之诸品"③。就是说,世界万物都是由它们相合与变化形成的。他在这样为"四行"定位时,像利玛窦一样,既否定了古代希腊有些哲学家把某一物体当作世界始基的观点,也否定了中国传统哲学"五行"中把金、木称为世界始基的观点。

然后,在阐明"四行"各自的性能以及由它们相合形成世界万物时,还论述了它们何以"不杂不乱"的原因。在他看来,简单说,是由"四元行"本能之次序决定的,即"土下而水次之,火上而气次之"④。具体一点说:一是由于"四行"的轻重不同。"重爱低,轻爱高,以分上下"⑤,由此决定"水轻于土,气重于火,水在土之上,气在火之下"⑥。二是由于"四行"和情、性情的差异。"情相和则近,相背则远"⑦。例如,"干冷成土,湿冷成水,土水以冷情相和,故相近……若背情之行,相反则远。例如,水冷而湿,火热而干,二情正背,故以相远"⑧。三是由于"见试"之故,说穿了是造物主安排的结果。例如,有人问为什么"水多在下,而土在上"时,他的回答是:"造物主初造天地,无山无谷,地面为水所蔽,但欲适物之便,故山峙谷降,水乃流而盈科,如人血脉周流,非土在

①　高一志:《空际格致》,见《天主教东传文献三篇》,第 843 页,台湾学生书局,1986 年。
②　同上。
③　同上书,第 844 页。
④　同上书,第 853 页。
⑤　同上。
⑥　同上。
⑦　同上书,第 854 页。
⑧　同上。

水上也"①。意思是说,由"四行"构成的世界所以这样有序,都是由上帝的意志决定的。例如,世界形成之初,天地无谷,然而为了万物的合理安排,造物主劈山有谷,使水流之。因此,这不简单是一个土在水上的问题。从这里可以看到,虽然在论述"四行"时介绍了亚里士多德的"四元素"观点,但作者的真正本意,仍然在于传扬基督教"创世说"的教义。

就这样,亚里士多德哲学中的一些思想,如形式逻辑、"四因说"与"四元素"等,传教士在传播基督教神哲学的过程中,便最早地介绍到中国来了。这种以传播中世纪经院哲学为直接目的,而同时又把古代希腊哲学带来的现象,在西方哲学东渐史上是不多见的,值得进一步研究。

第五节　平等对话以及中西文化
交流被人为地打断

从 16 世纪末开始,到 18 世纪初的中西哲学交流,虽是中西哲学直接交流的早期,但它在西方哲学东渐史上却具有特殊重要的意义。主要是它为人类哲学的交流与传播、繁荣与发展,既提供了有益的经验,也留下了值得吸取的教训。

一、良好的开端

16 世纪末中西文化直接地与全面地开始交流时,正是人类历史走向全球化时代的开始。发生在这种历史条件下的西方哲学东

---

①　高一志:《空际格致》,见《天主教东传文献三篇》,第 855—856 页,台湾学生书局,1986 年。

渐,标志着源远流长的中西文化交流进展到了一个新的层次,即哲学思想对话的层次。前面第二、三、四几节阐述的事实,不但充分说明中西文化交流已经进展到了这个层次,而且,交流过程中由于传播者把西学作为整体加以引进,以及交流过程中开展中西平等对话两大鲜明特点,使这个时期的西方哲学东渐取得了多方面的成果,这些成果在当时的社会生活中发挥了一定的积极作用。所以,在西方哲学东渐史上,这是一个良好的开端。

首先,把西学作为整体进行移植,相当全面地把西方哲学输入进来了。这为西方哲学东渐史开了一个好头。

明清之际开展的中西文化与哲学交流,不论从交流的媒介、交流的地域、交流的方式,还是交流的内容,都达到了一定的规模。特别是在输入的内容上,正如方豪指出的那样,"自利氏入华,迄于乾嘉厉行禁教之时为止,中西文化交流蔚为巨观。西洋近代天文、历法、数学、物理、医学、哲学、地理、水利诸学,建筑、音乐、绘画等技术,无不在此时期传入。"①这说明,明末清初开展的中西文化交流,仅从"西学东渐"一方面来说,虽然输入基督教神学、哲学与自然科学到中国来,各自都提出了不同的理由,但如果把它们综合起来加以考察,那么,完全可以肯定,当时是把西学作为整体进行移植的。尽管这样做不是传播者基于认识采取的自觉行动,但在客观上却符合了知识移植的规律。

要指出的是,这些传入的知识,大都是中世纪末期欧洲流行的古典科学和新近取得的科学技术成果,是灿烂的古希腊、古罗马文明在文艺复兴时代重新繁盛起来的学术之花。之所以能这样传入

---

① 方豪:《中西交通史》(重排本),第 692 页,台湾中国文化大学出版部印行,1983 年。

中国,不能简单地把它归于利玛窦等传教士个人博学使然,主要是新的时代造成的。因为"十四世纪以后的欧洲经济文化的迅速发展,特别是由于文艺复兴取得辉煌成果,自十五世纪开始,欧洲文明逐步赶上并超过中国,这样,十六、十七世纪东来的欧洲学者,便有资格成为学术的输出者"①。因此,这样以整体的形式把西学输入中国,既反映了西方社会知识发展的状况,也反映了中国社会发展对这些知识的需要。

不过,长期以来,学术界对这个时期西学输入的意义,认识上是颇不一致的。如果说,对于数学、天文、历算与水利等自然科学知识的输入也难以得到应有的肯定,那么,对于基督教哲学的输入则完全遭到了简单的否定。近年来,有些学者经过艰苦的探索,对此提出了一些有启迪的看法②。在我看来,要理解基督教哲学的输入是否有意义,除了本章第二节中指出的那些以外,关键是要搞清基督教哲学在西方哲学发展过程中本来具有的价值,及其在西方哲学史上的地位。如果这样进行考察,那么便不难发现,中世纪的经院哲学,即基督教哲学,在西方哲学的发展过程中,它是"古希腊哲学与近代哲学之间的中介"③。一方面,它在基督教文化的背景中改造、丰富和发展了古希腊哲学;另一方面,它研究与论证的诸多哲学论题,在新的历史条件下,又深深地影响了近代、现代西方哲学的发展及其面貌。

重要的还在于,以其研究的哲学问题、取得的理论成果,即从其内容来看,在西方哲学史上有它的"独立地位和特殊

---

①　冯天瑜:《明清文化史散论》,第157页,华中工学院出版社,1984年。
②　参见尹大贻的《基督教哲学》、赵敦华的《基督教哲学1500年》与王晓朝的《基督教与帝国文化》。
③　赵敦华:《基督教哲学1500年》,第9页,人民出版社,1994年。

贡献"①。从表面上看去,一个常常被人忽视的事实是,"中世纪的哲学文献无论从数量上,还是从质量上都不逊于古代与近、现代哲学著作"②。就以质量来说,这里所谓哲学的"质量",是指哲学研究问题的深度和广度,思辨的高度与力度,范畴、概念的概括性,方法的成熟性和连贯性等。这些都集中体现在基督教哲学研究和论述的内容上。在这一方面,基督教哲学在西方哲学史上有着辉煌的篇章。

例如,基督教哲学在形而上学、自然哲学、知识论、伦理学和社会政治等方面,就为人类哲学的发展作出过特殊贡献。一个表现是,"中世纪对亚里士多德'存在'概念意义的辨析演化为关于实体、本质和实在的不同学说,实在论与唯名论的争论把柏拉图与亚里士多德关于共相的不同理解发展为本体论和认识论领域两条路线的分歧,关于质料与形式关系的研究导致了物质实体观对理智抽象作用的讨论触及感性与理性、思想与现实、个人意识与类意识关系这样一些认识论的基本问题,按照基督教对希腊哲学灵魂学说进行改造不但导致了精神实体观,而且包含着对人的心理和生理现象的具体研究。至于中世纪对自由意志、善和恶、自然律等伦理问题的研究,它们与希腊哲学中有关的零星论述相比,更显出中世纪哲学的独创性"③。另一表现是,"近代形而上学的上帝、灵魂和世界三大主题,物质与精神二元论的实体观,认识论中的天赋观念论,经验论和先验论观点,义务论、幸福论和意志论的伦理观等重要理论在中世纪哲学家的思想中已经相当成熟"④。就是说,近

① 赵敦华:《基督教哲学1500年》,第9页,人民出版社,1994年。
② 同上。
③ 同上书,第10页。
④ 同上。

代西方哲学中的这些理论或学说,都是在中世纪经院哲学家研究基础上向前推进的。

根据这些事实,有理由说,西方中世纪的基督教哲学,不但是西方哲学史上的一个重要环节,而且,由于它是希伯莱宗教、希腊哲学和罗马法律三种精神的全面整合,因此,这样创建起来的基督教哲学体系,作为人类认识一定阶段上的理论总结,包含了丰富的、有价值的理论成果,在西方哲学史上占有重要地位。

而且,还要指出的是,传教士在中国传播基督教哲学时,还有他们的创造性阐释。毫无疑问,利玛窦等来华传教士本质上不是人文主义者。但是。他们是从处于文艺复兴运动高潮中的西欧而来;出发前在一定程度上接受了文艺复兴思潮的教育,来华后他们的传教活动也证明他们受到了文艺复兴时期的精神影响。这种影响既反映在西方自然科学与技术的传入方面,更体现在对基督教哲学进行创造性阐释的过程中。例如,他们对中国礼仪的宽容、对儒学的耐心钻研,在此基础上开展与儒学的对话,以及在宣讲及其著作中会通耶儒、传布某些非宗教世俗化的思想观念,都在一定程度上体现了文艺复兴时期的精神气氛。因此,他们在宣讲基督教哲学时,不是原汁原味,不是照本宣科,而是在会通耶儒,吸取儒学中某些思想后对它进行创造性的阐释。通过这样引进的基督教哲学,不但为中国人打开了一扇认识欧洲与世界的窗户,在更大的范围内满足了人们不同的精神需要。而且,把它同中国传统哲学进行比较,还能够促进中西哲学之间的相互理解,并在理解的基础上取长补短,从而丰富和推动中国哲学向前发展。例如,从基督教哲学中可以得到思维方式的启示,得到反思本民族思想传统的新视角,并且还有可以在比较、反思的实践的基础上产生一种与西方竞争,使中国屹立于世界民族之林的先进观念。明末一部分先进分子开始突破传统思维方式,进而致力于新问题的研究,就是在这种条件下出现的。

其次,开创了一条中西文化交流平等对话与融合会通的道路,为健康地开展西方哲学东渐树立了榜样。

这条道路,既是明清之际西方哲学得到顺利开展的保证,更是这个时期中西文化交流与西方哲学东渐的鲜明特点。显然,这条道路的形成也主要是由当时欧洲与中国的关系决定的。

从欧洲来说,虽然16世纪欧洲的一些国家已经进入资本原始积累阶段,殖民主义活动也相当猖獗,并把矛头指向东亚,开始危及中国沿海的安全。不过,这个时期的欧洲,尚处在第一次进行殖民扩张的过程中,"欧洲中心论"的观念尚未完全形成。当它们来到东方面对着中国时,虽然这时中国的国力已开始走下坡路,但还处于比较强大的地位,绝不是葡萄牙、西班牙这样一些初期的殖民主义国家所能征服的。特别是看到中国有比基督教悠久得多的文化,使传教士中的一些开明之士,不但由衷地赞美与敬佩,而且认识到要在中国打开传教的局面,必须在尊重中国古老文明的基础上采取平等对话的态度。利玛窦提出的"学术传教"路线,便是这种平等对话态度的产物与体现。

就中国而言,当时资本主义的生产关系虽然已经萌芽,社会经济结构的调整也开始进行,但是,经济发展却同政治腐败及各种社会矛盾的激化形成很大的反差。因此,在这种社会条件下,"在普遍要求社会变革的呼声中,为了强化已被腐蚀的传统价值,需要寻求一种新的学术基础。剔除腐败,振兴道德,纠正浮躁,树立崇尚经世致用学风,给衰落的传统科学注入复兴的生机和活力。"①正是这个时候,以徐光启、李之藻、杨廷筠为代表的相当一批知识分子敏锐地意识到,包括西方哲学在内的西学东渐,有可能成为促进中国社会变革的一股力量。因此,他们不但以罕见的热忱,欢迎以传教士为媒介的"西学"在中国的传播。而且,还发扬"累朝以来,包荒容纳……不遗远外"的传统②,在深入认识"西学"可以"补益当世"的前提下,以博大的胸怀与进取的精神,提出了以融合和超胜为核心的"会通"中西文化、哲学的方针。

这些事实说明,明清之际中西双方都是从自己的需要出发,向对方学习,中西之间的文化交往是平等地进行的。由此可见,相互倾慕、相互尊重、相互学习是当时中西关系的主要特征。正是在这样的历史条件下,不仅产生了中西之间平等对话与融合会通的精神,而且,更加值得重视的是,当时西方哲学东渐就是依据这种精神进行的。

例如,在较浅的层面上,来华传教士学习汉语、改穿儒服,使用中文著述,尊重中国崇拜孔子与祭祀祖先的礼仪,把中国的典籍译成西文在西方传播开来等。如果说,这种做法在开始时是他们推行适应性传教路线采用的手段,那么,从他们几代人能够坚持下来,在实际上,这些手段便成为中西文化交流过程具有平等对话的真挚表现。同样,当时中国的学术领袖,如徐光启、李之藻、杨廷筠等,也各个都读西洋书,谈西洋数学与历法,与传教士合作译书写书,为传教士的著述润色作序,一旦发生"教难",他们挺身而出进行辩护。透过这些事实,一幅中西文化、哲学之间平等交往与平等

---

① 沈定平:《明清之际中西文化交流史——明代:调适与会通》,第 3 页,商务印书馆,2001 年。

② 徐光启:《辨学章疏》,见《徐光启集》,下册,第 433 页,上海古籍出版社,1984 年。

对话的画面,便生动地展现在世人的面前。

　　在更深的层面上,从当时中西文化、哲学进行交流中,可以看到,一方面,西方传教士在传播基督教哲学的过程中,不仅尊重中国人的思维习惯和认识能力,有意地省略如原罪、三位一体、耶稣受难与救赎等基本教义的公开宣传,而且,即使在真正传扬基督教的重要信条时,也不只是一般地运用儒家术语和思想进行诠释,将西方宗教中有位格的造物主观念,跟中国上古时代的原始宗教糅合在一起,还在充分肯定"三纲五常"与"自然法则"具有一致性的前提下,将儒家基本思想跟基督教主要信条融为一体。他们在这样宣讲基督教哲学时,不仅认为基督教旨与儒家传统原本就是相通的,并且还想用基督教"超自然"的信仰对儒家学说的某些不足之处加以补充,使之更加完善。这样一来,他们有时甚至在与教会教导不相符合的范围内引入儒家学说。这种被称为"大胆的首创精神"①是西方传教士在会通耶儒过程中作出的努力。另一方面,中国学者也是这样的,其中,最著名的代表是徐光启。他不仅响亮地喊出了"欲求超胜,必须会通;会通之前,必须翻译"的口号②,而且在会通中西文化与哲学的过程中作出了多方面的努力。例如,他同利玛窦一样,特别重视中西哲学中道德领域的会通。因为在他看来,传统的价值观已趋腐败,必须寻找一种新的道德观念和方法,来重塑传统的道德并提高整个社会的道德水准。在这一方面,他不但把利玛窦阐述的有关教理作为个人自警的箴言,而且还成为他传扬新的道德观念的宝贵教材。在《辨学章疏》中有一段话,

　　①　利玛窦等著,何济高等译:《利玛窦中国札记》,下册,第666页,中华书局,1984年。
　　②　徐光启:《历史总目表》,见《徐光启集》,下册,第374页,上海古籍出版社,1984年。

真实地反映了他会通中西的努力。他写道："其说以昭事上帝为宗本，以保救身灵为切要，以忠义慈爱为工夫，以迁善改过为入门，以忏悔涤除为进修，以升天真福为作善之荣贵，以地狱永殃为作恶之苦极，一切戒训规条，悉皆天理人情之至。其法能令人为善必真，去恶必尽，盖所言上主生育拯救之恩，赏善罚恶之理，明白真切，足以耸动人心，使其爱信畏惧。"①在这一段护教词中，既有上帝主宰、灵魂救赎、天堂地狱及忏悔涤除等基督教义，亦有忠孝慈爱、修身迁善、赏善罚恶等儒家思想。这些来自不同哲学中的道德观念，经过徐光启的调适改造之后，已经自然而和谐地交融在一起，成为一种中西合璧的新的道德观。

这里列举的例子，只是当时会通中西哲学过程中的极少一部分。但是，从中仍然可以看到，以利玛窦为代表的西士会通中西的深入程度，已经远远超出了那种外在形式的适应性策略，而进展到对基督教义进行增删以及注入儒家思想。这是他们在具有感化力的中国文化、哲学影响下对基督教哲学的创新与发展。同样，无论从基本的价值取向，或者社会的功利目的来看，以徐光启为代表的中士会通中西的拳拳之意，完全在于振兴处于衰颓之中的儒家学说。不过这不是简单地回归他们早已视为煨烬糟粕的旧有观念，而是希冀通过外来思想的刺激和补充，通过中国传统哲学与异质哲学交融而形成新的哲学基础，以恢复传统儒家的光辉与活力。这样一来，如果说利玛窦的"学术传教"路线开始是出于策略的考虑，那么，上述中西哲学平等对话与融合会通事实，说明原先外部适应性的策略已经完全内化为一种真诚的文化、哲学交流。实际

①　徐光启：《辨学章疏》，见《徐光启集》，下册，第 432 页，上海古籍出版社，1984 年。

上,澳大利亚学者圣索利厄早就这样肯定过。他说:"如果与儒教的这种结合,以及后来的同化从一开始就是一种策略,那就是很难否认的。利玛窦为了外部利益采取了这一立场,但它并不始终均为一种策略。他一系列的书简说明开始那颇有好感的评价后来逐渐变成了一种真挚的文化联系"①。因此,我们认为,明清之际西方哲学东渐过程中形成的平等对话与融合会通的鲜明特点,更是中西学者为中西文化、哲学的健康交流开创的一条新路。在这里,它把探讨和寻求中西文化、哲学的一致性与互补性作为共同的思想基础,并为此进行了有益的尝试。这在一定程度上,体察了时代发展的信息,反映了文化、哲学交流与发展的客观规律。在西方哲学东渐史上,这是一份十分珍贵的精神遗产。

　　把前面的论述归纳起来,一句话,明清之际西方哲学东渐,在西方哲学东渐史上是一个良好的开端。梁启超曾经把这个时期欧洲历算学的输入称为中国学术史上值得大书特书的公案。在我们看来,对当时中西之间宗教、哲学的交流与西方哲学的输入,也应该作出同样的判断。实际上,早在当时中西文化交流过程中,1697年,莱布尼茨在写给耶稣会神父安东尼·维尔纽斯(Antoine Verjus)的信中,就得出了这样的结论。他写道:"我认为(在中国的)传教活动是我们的这个时代最伟大的壮举。它不仅有利于上帝的荣耀,基督教的传播,亦将大大促进人类的普遍进步,以及科学与艺术在欧洲与中国的同时发展。这是光明的开始,一下子便可完成数千年以来的工作。将它们(中国)的知识带到我们这儿,将我们的介绍给他们,两方面的知识就会得到成倍的增长,这是人们所

　　① 约翰·圣索利厄:《入华耶稣会士的儒教观》,载安田朴等著,耿昇译:《明清间耶稣会士和中西文化交流》,第129—130页,巴蜀书社,1993年。

想像的最伟大的事情"①。当年莱布尼茨根据自己的亲身经历提出的上述看法,能够启发我们对明清之际的西方哲学东渐进行新的思考。在我看来,就促进科学文化交流,从而使人类共同发展这一点来讲,莱布尼茨的评价是恰当的。

二、西方哲学早期东渐被人为地打断

然而,16 世纪末掀开的近代中西文化交流的帷幕,经过 17 世纪到 18 世纪初,持续了将近两个世纪的中西文化交流,被人为地打断了。

这是一个十分不幸的结局。

为了理解这一现象的出现,得从"礼仪之争"说起。所谓"礼仪之争",是指围绕对利玛窦推行的"学术传教"路线或"利玛窦规矩"的不同看法引发的争论。利玛窦逝世后,首先在耶稣会内部,后来还有其他会派的传教上,不断起来反对将"Deus"译为"天主",反对中国教徒敬孔祭祖。从 17 世纪 30 年代开始,争论从耶稣会内部发展到耶稣会外部,一直闹到教皇和康熙那里。1794 年 11 月 20 日,教皇克莱孟十一世(Clemenet XI)发布命令,禁止中国教徒参加祭孔祭祖的仪式,并派特使铎罗(Thamas Mailland de Townor)来华宣布与贯彻。1705 年,铎罗到达北京后,康熙皇帝以礼相待,两次召见。只是当他得知铎罗的真实来意是要推翻"利玛窦规矩"时,才断然宣布:"将来若是有人主张反对敬孔祭祖,西洋人就很难再留在中国"②。这样,"礼仪之争"便由一个纯粹宗

---

① 莱布尼茨:《莱布尼茨致 Autoine Verjus》(1697 年 12 月 2 日),见《莱布尼茨中国通信集》,第 55 页,法兰克福,1990 年。
② 罗光:《教廷与中国使节史》,第 124 页,台湾光启社,1976 年。

教礼仪问题发展到中国政府与罗马教廷之间的冲突。

到 1715 年,教皇通过公布有名的"自登基之日"教谕,重申严禁中国教徒祀祖祭孔,并派嘉禄(Carlo Ambrosins Mezzabarba)前来中国贯彻执行。嘉禄到北京后,康熙仍然多次接见,但因为看到教皇的通谕后,十分气愤,加上国内有些官员屡请禁教,因此,在斥责西洋人为"小人"的同时,明令全面禁教:"以后西洋人不必在中国行教,禁止可也,免得多事"①。从此开始,在全面禁教的声浪中,除了有一技之长的传教士仍然留在宫中外,大多数传教士都被驱逐出境。不过,即使这样,中国朝廷与罗马教廷之间,仍然没有发展到绝交的地步。

但是,雍正继位以后,1724 年,这种情况发生了变化。因为康熙死后在清廷争夺皇位的过程中,本来,允禛(即继位后的雍正皇帝)是四太子,支持他的宗教势力是喇嘛教派,而皇太子允礽却与耶稣会士亲近。因此,当允禛使用手段夺得帝位后,宣称传教士卷入了宫廷争权夺利的斗争,经他批准礼部奏请,除在钦天监供职的西洋人外,其余全部驱往澳门,再也不准阑入内部。从此开始,闭关自守,实行文化隔离政策。

"礼仪之争"中出现的上述态度,除反映了基督教的排他性与中国封建社会长期形成的封闭性外,还有更为深刻的根源,即它还是西方社会的发展过程以及西方各国之间政治、经济、外交斗争的曲折表观。16 世纪末和 17 世纪初,早期的航海大国西班牙与葡萄牙开始衰落,而这个时候的荷兰、英国与法国,不但一跃成为海上强国,而且还以这种实力向海外、也主要是向东方追逐经济和政治利益。曾经支持西班牙和葡萄牙耶稣会在海外传教的罗马教

① 陈垣人:《康熙与罗马使节关系文书》,故宫博物院影印本,1932 年。

廷,这个时候却与法国的关系最为密切,并极力支持争夺葡、西两国在中国获得的"精神狩猎"成果。因此,当法国传教士后来进入中国否定"利玛窦规矩"时,罗马教廷给它以有力的支持。一再派人来华禁止中国教徒祭祖祭孔,就是这种支持的外在表现。由此可见,"在宗教要求的背后,隐藏着同样多的政治与民族角逐"①。

　　就这样,持续了将近两个世纪的中西文化交流与西方哲学东渐,被人为地打断了。这是令人痛心的。在这以后的一百多年中,中西双方由于社会发展的不同状况,双方的力量发生了巨大变化。

　　从西方来说,伴随着欧洲封建经济制度的解体和资本主义生产关系的发展,欧洲社会实现了历史上的新飞跃。在政治上,资产阶级的革命运动由英国转到了法国,使资产阶级先后成为西方社会的统治者。在科学技术与哲学社会科学方面,也取得了迅速的发展和辉煌的成就。如自然科学方面,天文学、数学、物理、化学、医学等各门科学,都得到了长足的进步。哥白尼、伽利略、牛顿、刻卜勒等在各自的科学领域中取得了开纪元的成就,给新时代铺下了文明的光环。又如在哲学社会科学方面,通过14世纪到16世纪以个性解放与人道主义为核心的文艺复兴运动,把一批群星灿烂的文学家,艺术学塑造在人类文明的长廊上。经过17世纪到18世纪,享有世界声誉的培根、笛卡儿、斯宾诺莎、莱布尼茨、伏尔泰、卢梭和狄德罗等,都先后登上了哲学舞台。他们在不同的国度掀起的启蒙运动,大力提倡理性精神,在哲学上突出了认识论的研究,在政治理论方面确立了"天赋人权"的资产阶级学说。就是力量还十分软弱的德国资产阶级,也通过康德在哲学上发动的革命,

---

　　① 《马克思恩格斯论宗教》,第8页,人民出版社,1954年。

推翻了前一世纪占统治地位的形而上学体系。接着,通过黑格尔和费尔巴哈建立的哲学体系,分别恢复了辩证法和唯物主义的权威。总之,由于资主义生产方式的建立,特别是随着现代化事业的发展,一方面创立了比人类以往的全部生产力还要大得多的物质力量;另一方面,还创造了反映这种物质力量的崭新的精神文明。到19世纪40年代,在批判继承法国空想社会主义、英国政治经济学、德国古典哲学和总结工人运动历史经验的广阔基础上,产生了人类文明的最新成果——马克思主义。

从中国来说,其间虽然出现过所谓乾嘉盛世,但是,它不过是一个自我封闭的木乃伊。因为自雍正以来,对外闭关封锁,对内钦定封锁,两相配合,所谓乾嘉学术潮流,实际上是大兴文字狱,强化封建文化专制,恢复宋明理学权威,不允许民间有任何一点思想自由。这样一来,前一个世纪启蒙思想的火花,到这个时期几乎完全熄灭了。整个18世纪到19世纪中叶,中国就处在这种状态下。这种政策造成的后果是极其严重的。它使中国社会停滞不前,国运日衰,使生活在这种社会中的人们因循守旧,泥古不前。特别是由于闭关自守,傲然自大,致使对外部世界发生的巨大变化,孑然无知。一旦外患频临,文臣无退敌之谋,武将无取胜之术,朝廷计穷,"惟顿首流涕,君臣相持嚎哭而已"①。这段历史回流,在中西文化交流史上给我们留下了许多沉痛的教训。

上述不同的变化表明,直到鸦片战争以前,中国趋向现代化的历史进程发生逆转,社会发展相对停滞,而西方资本主义国家却在现代化的道路上取得了长足的进步。特别要指出的是,随着中西

① 欧阳中鹄:《谭嗣同〈兵算学仪〉注》,见《谭嗣同全集》(上),第158页,中华书局,1981年。

双方力量发生的巨大变化,中西双方的关系也发生了同样的变化。这种变化严重地影响了后来中西文化交流与西方哲学东渐的进程。

第二章 鸦片战争与洋务运动
时期西学重新东渐

（19世纪初至90年代初）

中断了一个多世纪的中西文化交流,到19世纪初重新开展起来。不过,鸦片战争前后重新开始的西学东渐,由于中西经济、军事实力与社会发展阶段的不同,导致双方关系、特别是文化心态的变化,由此形成了前后不同的一些鲜明特点。也是这些特点使鸦片战争后,特别是洋务运动阶段对西学的选择,依据"中体西用"原则基本上停留在物器层面上。作为西学核心的西方哲学只有零星的介绍。西学重新东渐后,西方哲学东渐一开始就处在曲折之中。

第一节 鸦片战争前后西学重新东渐的新特点

一般都认为,18世纪初被人为地打断了的西学东渐,只是到19世纪40年代鸦片战争后才得以重新开展起来。实际上,西学重新东来,早在19世纪初便发生了。不过要指出的是,鸦片战争后与鸦片战争前的西方哲学东渐,各有一些根本不同的特点。因此,为了明白这些特点的产生以及鸦片战争后西学东渐发生的变化,有必要首先扼要地介绍一下鸦片战争前西学重新东来。

一、十九世纪初西学重新东来

17世纪末、18世纪初以来,尽管清朝政府采取严厉的措施禁止西方传教士在中国传教,然而西方列强,特别是其中后起的几个强国向东方的殖民扩张并没有因此停顿下来。西学重新东渐便是在这个过程中以新的方式发生的,而担当这轮西学东渐主要角色者,虽然也是西方的传教士,不过他们不是原先的天主教耶稣会,而是属于基督教新教。

1807年,马礼逊(Robert Morrison,1782—1834)受英国伦敦传教会的派遣,最初只身到中国开辟新教教区。先抵达澳门,后进入广州。这是西学重新东渐的重要标志。不久,1813年,伦敦会的另一位传教士米怜(1785—1822),紧跟其后前来协助工作。不过,由于清廷不准传教的禁令,使他们不能在中国的内地公开传教。因此,他们不得不把活动的重点放在中国的外围,即马六甲、新加坡、巴达维亚(今雅加达)等南洋一带的华人身上,以便伺机向中国大陆发展。而且,在这之后,除了伦敦会外,荷兰传道会、美国教会传道会、浸信传道会等,也先后派出一批传教士来到这些地方。其中,在后来传教过程中较有影响者,有英国的麦都思、杨威廉、美国的裨为仁、雅裨理等人。

毫无疑问,他们在这些地方传教的最终目的,是企图用基督教的教义归化中国。因此,他们通过兴办学校,建立医院,撰写著作,开设印刷所等手段多方面地开展传教活动。通过这些活动,在布道、传播基督教教义的同时,更为重要的是,使中断了的西学东渐以这种方式重新开展起来。其中一个最集中的表现是,传教士在马六甲、巴达维亚、新加坡、广州、澳门、槟榔屿和曼谷七个地方,据伟烈业力《基督教在华传教士回忆录》一书中的记载,1842 年前出版的书刊共有 138 种。从内容上考察,在这 138 种中文书刊中,有的学者统计,"属于《圣经》、圣诗、辨道、宗教人物传记、宗教历史内容的,有 106 种,占 76% ;属于世界历史、地理、政治、经济方面内容的,32 种,占 24%"①。

传教士对于《圣经》等基督教教义的传扬,从它们作为一种西方文化来说,无疑是西学东渐的内容之一。而从它们对后来西学东渐发挥的影响来说,有关世界历史、地理、政治、经济的一些内容,更加值得重视。因为虽然它们都是一些知识性的读物,但在经过长期与世隔绝之后,它们却为那些要求认识和了解世界的中国人提供了基本的材料。例如,在有关世界历史的著作中,由德国传教士郭实腊(1803—1851)编、1838 年在新加坡出版的《古今万国纲鉴》一书,配以大幅地图介绍了世界各国的历史。这是鸦片战争前中国人了解世界历史知识较为详细的一本。特别是美国传教士裨治文(1801—1861)编、1838 年也是在新加坡付梓的《美理哥合省国志略》一书,通过对美国疆域、早期历史、独立过程、自然风光、工农商业,以及政府、法律、国防、教育等的相当全面叙述,更是成为中国知识分子了解美国最主要、最可靠的资料。鸦片战争后,梁廷枏的《合省国说》谈到美国时,就主要是依据此书写成的。魏源在《海国图志》中阐述对美国的看法,其根据也主要取材于裨著。同样,徐继畬的《瀛寰志略》一书,受到该书的深刻影响,更是十分清晰可辨。所以,1862 年,裨治文重刻此书时指出,是书问世后,"海内诸君,谬加许可,如《海国图志》、《瀛寰志略》及《大地全

---

① 熊月之:《西学东渐与晚清社会》,第 104 页,上海人民出版社,1994 年。

图》等书,均蒙采入。又有日本人以其国语译之。……予又迁居沪上,索书者踵接于门"①。此书出版后产生的广泛影响,于此可见一斑。

又如,在这 138 种书刊中有四种报刊,即《察世俗每月统计传》、《特选撮要每月纪传》、《天下新闻》和《东西洋考每月统计传》。它们都是由传教士创办的以华人为对象的刊物。虽然刊出的内容多以传扬基督教的教义为主,但也夹有不少世俗的文章。《察世俗每月统计传》便是这样。它在宣扬神理神道的同时,还介绍了天文、地理、历史、民情、风俗的知识。如果把这方面的内容综合起来,其中谈及近代天文的学说,有《天文地理论》、《论行星》、《论侍星》、《论地为行星》、《论地周日每年运转一轮》、《论月》、《论彗星》、《论静星》、《论日食》、《论月食》、《天球说》等;介绍历史地理的知识,有《论有罗巴列国》、《论亚细亚列国》、《论亚非利加列国》、《论亚默利加列国》、《法兰西国作变复平略传》等。尤其是《东西洋考每月统计传》,1833 年 8 月 1 日在广州创刊,翌年迁往新加坡。它刊载的内容十分广泛,有新闻、历史、地理、宗教、哲学、议论、自然、天文、工艺、商业、贸易、文学和杂闻。透过这些内容,广泛地介绍了世界各国、各地区的历史、地理、民情、风俗,因而不但在鸦片战争前的南洋华侨中以及广州、澳门一带产生过很大的影响,而且它对鸦片战争后中国知识分子了解世界也曾经发挥过一定的启迪作用。魏源撰写《海国图志》思考中国的出路时,引证这份杂志的地方达 26 处之多,便是最为直接的证明。

这些事实足以说明,西学重新东渐在鸦片战争前的 19 世纪初

---

① 裨治文:《重刻〈联邦志略〉》,见 1862 年《联邦志略》木刻本,卷首。

便发生了。更要指出的是,这个阶段西学东渐具有的一些特征。当时,虽然在经济、军事实力方面,西方列强通过工业革命走上现代化道路后已经超过晚清,并且时刻企图向中国进行殖民扩张,但是,清政府仍然坚持闭关禁教。因此,以传教士为主要媒介重新开始的西学东渐,在没有经过战争和没有不平等条约保护的条件下,他们不但难以进入中国内地,即使在中国周边地区进行传教活动,一般也不以他们的国家政府或军事作为后盾。这样一来,在这种环境或条件下进行的中西文化交流,相对说来,双方都是采取平等的态度进行的。然而,这种状况到鸦片战争时便急剧地发生了变化。

二、鸦片战争后西学东渐发生的变化

1840 年到 1842 年中英之间进行的鸦片战争,结果清朝政府失败,被迫与英、美、法等国签订不平等的《南京条约》、《望厦条约》和《黄埔条约》;根据这些条约割让香港给英国,开放广州、福州、厦门、宁波、上海为通商口岸,允许外国人在这些口岸传播宗教、建立学堂、开办医院。这样,关闭了一百多年的清国大门,终于被英国的大炮轰开了。随着国际国内这一形势的出现,西学东渐不但从中国周边迁移到了内地的广大地区,更加值得指出的是,在这种形势下进行的中西文化交流,形成了一些过去不曾具有的特点。要全面了解这些特点,得从鸦片战争后中国社会发生的变化说起。

首先一个变化是,中国被动地卷进了世界现代化潮流。

原因在于,现代化是一场全球化的社会变革。在世界现代化历史的发展过程中,西欧最先跨进了这个过程。从它发生的起源考察,显然是内生型的现代化,即它是"由社会自身的力量产生的

内部创新,经过漫长的社会变革道路"而实现的。① 西欧之所以最先跨进这个过程,是因为它在长期的演变中由无数众多的历史因素的聚合与撞击,并由此形成一种新的定向发展趋势决定的。而在蕴涵内生型现代化潜在能源的西欧各国中,由于英国通过政治革命而克服了发展道路上的重重障碍,使它有可能在18世纪中引发出工业革命的新的发展定势。就是说,因为它最先具备了启动现代化变革所需要的物质技术条件与结构性功能,因而使它得以成为现代化原型的先驱。

从西欧现代化的发生及其发展过程,说明即使像这种内生型现代化,实际上也"是现代工业生产方式和工业化生活方式的普遍扩散的过程。"②因为早在15世纪末到18世纪中叶,西欧各国的商业资本随着大西洋贸易的兴起,就开始向海外进行殖民扩张。到18世纪下半叶,当英国初步实现工业化后,在第二次工业革命的推动下,它首先把西欧和北美局部地卷进了工业化和现代化的大浪潮中。接着,当现代化在欧洲核心地区取得巨大成就后,从19世纪中叶开始又向周围地区扩散,从而越出本土向异质文化地区传播开来。可见,世界向现代化工业社会转变的过程,从一开始就是一个全球性的发展现象。

中国就是在全球现代化继续向前扩散,于19世纪中叶被动地卷进这个过程的。前一章中曾经讲过,早从16世纪开始,中国就已经隐然呈现出走出中世纪的某些征兆。但是,由于"压抑这种潜势的惰力十分强劲,如果没有世界性现代化浪潮的猛烈冲击,中

---

① 罗荣渠:《论现代化的世界进程》,载《中国社会科学》,1990年第5期,第112页。

② 同上。

国'走出中世纪'显然是极其困难的。"①特别因为从18世纪初开始实行闭关锁国政策以来，更是使社会中一度出现的某些新的发展趋势，没有能够形成一种新的发展定势，从而使中国走向现代化的趋势发生了逆转。因此，直到19世纪中叶，中国仍然徘徊在中古故道之上。只是时到1840年英国殖民主义者用炮舰、鸦片和商品打开清王朝的国门时，这种状态才开始发生变化。

　　变化的一个表现是，中国被动地卷进了世界现代化的潮流。从它发生的起源考察，无疑属于后生型的现代化，即它走的是一条"在国际环境影响下，社会受到外部冲击而引起内部的思想和政治变革，并进而推动经济变革的道路。"②这说明，中国在世界现代化的进程中是一名后来者。这对中国的社会发展与现代化建设来说，有不利的因素。但是，也存在有利的一面。主要是它在现代化建设过程中，没有必要像从自我本土发展那样，开始一段时间总是在黑暗的道路上摸索，而是可以借鉴已经走上现代化道路国家的经验与成果，能够避免现代化进程中可能发生的曲折与减少不必要的损失。例如，以建立适应现代化所需要的新文化来说，通过引进已经步入现代化国家的文化，使它在与本土文化的碰撞过程中推动本土传统文化实现变革，使之与外来文化融合起来，就有可能用较短的时间建立起适应本国经济、政治、社会现代化所需要的新文化。在这一方面，日本从明治维新开始全面吸收西方文化推进现代化的经验，是一个成功的例证。同样，我国的先进分子出于历史的自觉，或先或后在一定程度上也认识到了输入已经走上现代

---

　　①　冯天瑜:《中国文化现代转型随想》，载《天津社会科学》，1997年第2期，第51页。

　　②　罗荣渠:《论现代化的世界进程》，载《中国社会科学》，1990年第5期，第112页。

化的西方国家的文化,对于中国文化变迁与实现现代化的意义。其中,洋务运动期间容闳提出要"以西方之学术,灌输于中国,使中国日趋于文明富强之境"的"西学东渐"主张,①具有代表性。在他看来,只要把"西学"输入进来,中国社会就会像西方一样富强和文明起来。通过这一主张的提出,说明中国被动地卷进世界现代化潮流后,中国向西方学习,以及西学重新全面东渐是必然要发生的。

其次一个变化是,从此开始,中国社会又逐步沦为西方列强的殖民地、半殖民地。

前面说过,关闭了一百多年的大清国门,是在鸦片战争的隆隆炮声中被轰开的。虽然在此之前,清皇朝内部的衰败过程与西方殖民主义者的东渐,就各自在进行中。但是,经过鸦片战争,不但把这两个过程交合起来,而且从此开始,在中国社会的发展过程中还增加了一些新的因素。主要是:虽然一方面被动地卷进了全球现代化的潮流,但是另一方面,在强大的西方殖民主义者外来政治、经济、军事的渗透下,又被迫纳入到了以西方资本主义为中心的世界经济体系中去,使国家、民族逐步沦为依附性的半殖民地,使广大人民逐步沦为西方侵略者任意宰割的对象。

鸦片战争后中国社会发生的这些重大变化,前者决定了西学东渐重新发生的必然性。因为当封闭的国门被西方殖民主义者打开之后,中国的先进分子像是猛然从梦中惊醒,看到西方资本主义国家经过一百多年的努力,已经在现代化的道路上突飞猛进,而中国在这段时间内由于自我封闭却一落千丈。因此,当他们寻求中国前途问题的解决时,目光便被西方迅速发展起来的文明成果吸

———————————

① 容闳:《西学东渐记》,第 62 页,岳麓书社,1985 年。

引住了。正是基于中国现代化的这种后生型性质,由此决定了中国需要向西方学习,必须引进西方的现代化文明成果。

后者则蕴涵着这样开展的西学东渐的复杂性。因为当中国被动地踏上现代化道路的时候,也正是中国社会深深陷入危机的开始。在当时的形势下,摆在爱国者面前燃眉之急的历史任务,是挽救民族危亡,变国家贫弱为富强,以便抵御西方殖民主义者的侵略,维护国家的独立。然而,怎样才能使国家富强起来,从什么地方下手呢? 前面已经指出,就是向西方学习,通过西学东渐,输入西方的现代化成果。问题是,这样重新开展的西学东渐,由于中国社会发生的变化,虽然一方面必须向西方学习,但是另一方面,在这种变化了的形势下中西文化交流出现的一些新的特点,又使中国的先进分子在真正采取行动时,却深深地感到了事情的复杂和困难。

简单说来,因为这样开始的中西文化交流与鸦片战争前、特别是与明末清初相比,由于中西双方力量、相对地位以及相互关系发生了重大的变化,使鸦片战争后开展的中西文化交流形成了一些新的特点。首先,随着中西社会的发展呈现出历史阶段的差别,以及体现这种时代差异的文化与哲学发展阶段的不同,使原先文化、哲学交流中的均势被打破了。其次,这样开始的西学东渐,是伴随西方资本主义寻求世界市场、掠夺殖民地、向外扩张,通过军事上的侵略行径进行的。因此,不仅势头之猛、规模之大,为前所未有。而且,在这种条件下双方都形成了新的文化心态,即西方的"文化霸权主义"、中国的"文化民族主义";在这种文化心态支配下进行的文化交流,更使原先平等对话的格局被打破了。这样一来,一个严峻的局面出现在国人面前:一方面,为了救亡图存,捍卫国家主权,为了保证现代化的顺利进行,必须坚决反对西方殖民主义者的

侵略行径;另一方面,为了使中国变贫弱为富强,必须首先有足够
的力量对付列强的侵略,然后奋起直追,实现国家民族的现代化,
又要向侵略者学习,输入他们已经取得的文明成果。在这种形势
下,正确处理向西方学习与反对它们的殖民主义行径的关系,就显
得十分重要。然而在当时,由于帝国主义的入侵,不仅触动了旧中
国统治阶级的根本利益,也伤害了生活在这块土地上的普通百姓
对土地、家园和国土的感情。由此使作为统治阶级思想结晶的意
识形态和作为普通大众观念积淀的社会心理混在一起,使反对帝
国主义侵略、捍卫国家主权的必要性掩盖了输入西方文化、哲学的
必要性,使政教合一、文化与意识形态不分的传统延伸到对待西方
文化、哲学上来,在抵御西方文化、哲学东渐这一点上得到了某种
契合,从而在处理向西方学习与反对列强侵略的关系时,使一些界
限模糊起来,增加了认识和处理向西方学习、引进西方的文明成果
与反对帝国主义侵略关系的难度。因此,在后面的论述中将会看
到,向西方学习的脚步是那样的缓慢,对西学输入的选择是那样的
艰难。西方哲学重新东渐一开始就处在曲折之中,是必然的。

第二节　艰难地迈出向西方学习的第一步

在中国被动地卷进全球现代化潮流后,中国的先进分子开始
进入了向西方学习的探索过程。虽然由于受到前述社会条件与传
统思维定势的制约,探索过程充满了曲折与反复,但是,随着中国
社会因卷入现代化潮流而被纳入新的世界格局后,东西方的距离
毕竟在一步步地缩短,联系在一步步地加强,再也无法自我封闭,
一相情愿地与世界隔绝了。特别因为鸦片战争的失败,给中华民
族带来的空前国耻,既震动了朝野上下,更是刺激了中国知识界研

究世界的热情。

就是在这种条件下，鸦片战争后的西学东渐不但在鸦片战争前的基础上，从南洋一带迁移到了中国的东南沿海，主要是香港、广州、福州、厦门、宁波与上海等城市。而且，随着一批中国人士积极与主动的参与，传播队伍的扩大，使传播的规模、内容与影响，与原先通过南洋飘拂而来，更是不能同日而语。例如，从1843年到1860年，仅上述六个城市共出版的各类西书，便有434种。据有的学者研究，"其中纯属宗教宣传品的有329种，占75.8%；属于天文、地理、数学、医学、历史、经济等方面的有105种，占24.2%"①。要指出的是，在这些西书中，既有一些关于世界历史、地理，甚至哲学的常识，例如《六合丛谈》上刊出的艾约瑟的《百拉多传》与《和马传》，还有一批有价值的自然科学书籍。例如，伟烈亚力、李善兰合译的《续〈几何原本〉》；伟烈亚力、王韬合译的《重学浅说》；艾约瑟、李善兰合译的《植物学》；合信的《天文略论》与《全体新论》，以及蒙克利的《算法全书》等。

这里，没有必要阐述这些西书的内容，要着重指出的是，也是在西学这样重新东渐的条件下，中国一批先进分子终于艰难地迈出了近代中国向西方学习的第一步。其集中表现是，林则徐与魏源等从了解世界与寻找中国的出路出发，提出了"探访夷情"与"师夷长技以制夷"的主张。

一、林则徐"探访夷情"的努力

鸦片战争发生在两个时代的交接点和中西两种社会制度的冲撞点上。在这个过程中，闭关自守的中国，遭到了英国殖民主义者

---

① 熊月之：《西学东渐与晚清社会》，第8页，上海人民出版社，1994年。

的大炮和鸦片的野蛮侵略。这是中国社会发展过程中的一个巨大转折。从此开始,中国社会碰到了一个不熟悉,但又不能不与之打交道的新世界、一个新的社会制度。新的形势、新的环境、新的学问,都迫使中国的知识界前去积极进行探索与研究。"探访夷情"的提出,便是最早的表现。

提出这些主张的,主要是一批从腐败的官僚士大夫中分化出来的有识之士,他们是中国放眼世界最早的一批人。其代表首推林则徐。

林则徐(1785—1850),字元抚,福建侯官人。自幼勤奋好学。13岁中秀才,20岁为举人,27岁成进士。步入封建统治层行列后,虽然仕途顺达,但他与其他官僚不同,办事认真,务实,不囿成说。正是因为具有这种品质,使他在中西两极相逢之时,敢为天下先,跨出了了解与研究西方世界的脚步。

1839年,作为钦差大臣奉命到广州禁烟时,林则徐与当时一般士大夫一样,对英国、对中国以外的资本主义世界的认识,大抵也是来自道听途说的那些。但是,他是一位提倡经世致用的人,相信"知己知彼,百战不殆"的古训,在抗击英国侵略者的实践中,他清醒地认识到:"必须时常探访夷情,知其虚实,始可以定控制之方"。① 为此,首先,他热情地延请熟悉世界情势的有关人士共同商量议事,听取他们对外部世界的介绍,有的还被召入其幕下,成为他的外交助手。其次,他积极搜罗外语人才,通过翻译西文报刊与书籍,以便掌握国际政治、法律、历史、地理知识。例如,他一到广州,即组织人翻译《广州周报》、《广州纪事报》、《新加坡自由

---

① 林则徐:《密陈驾驶澳夷情形片》,见徐思和编:《鸦片战争》(二),第195页,上海神州国光社,1954年。

报》、《孟买新闻报》等英文报纸，把其中有关中国的时事和评论，按时间顺序编订成册，除自用之外，还抄送同僚参考。特别是由他领导译出的《四国志》与《各国律例》；通过前者对世界地理的介绍，通过后者对国际法的介绍，不但开阔了他的视野，而且对于了解国际形势、了解国际惯例，在知己知彼的情况下，为他制定军事、外交、通商、禁烟等各项应付方略，都提供了许多极有价值的知识。

　　更为重要的是，林则徐"探访夷情"、了解世界的这些努力，使他在新形势下的中西初次直接会面时，在中国从封闭状态被迫纳入世界运行体系的转变年代，能以务实的精神，面对与研究这一转变，及时调整了"天朝中心"等不切实际的自大心态。在坚决抗击英国侵略者的过程中，他还认识到了英军"以其船坚炮利而称其强"，[1]"乘风破浪，是其长技"。[2]因此，一方面，他主张避敌之长，攻敌之短，"不与之在洋接仗"[3]，而采取积极防御、"以守为战，以逸待劳"的战略[4]；另一方面，他又提出"师敌之长技以制敌"的主张，[5]认为不要因为西方资本主义的野蛮入侵，便否认他们在科学技术上的先进性。他不但这样说，而且在抗英的实践中，还在广州购置西洋各国大炮200余门，排列珠江两岸，又仿造船只，以增强抗击敌人的能力。这就是他大胆提出的学习敌人长处以战胜敌人的主张。通过这一真知灼见的提出，使他成为近代中国向西方学习的先驱。

---

　　①　林则徐:道光十九年八月奏,见《筹办夷务始末》(道光朝),卷八,第516页,台北文海出版社,1988年。

　　②　同上。

　　③　同上。

　　④　同上书,第278页。

　　⑤　林则徐:道光十九年八月奏,见《筹办夷务始末》(道光朝),卷十五,第11—12页,中华书局,1979年。

与此同时,其他一些有关人士,根据他们收集的国外出版的报刊、书籍与地图,也先后撰成并出版了一批介绍"夷情"的著作。如 1824 年江文泰的《红毛英吉利考略》,同年杨炳的《海录》与肖会裕的《英吉利说》,1844 年至 1845 年梁廷枏的《合省国说》、《耶稣教难入中国说》、《粤道贡国说》与《兰仑偶说》,1848 年徐继畬的《瀛寰志略》等。据不完全统计,从 1840 年到 1864 年,中国先进人士与有关学者共出版了至少 20 部介绍"夷情"的著作。

其中,梁廷枏(1796—1861)的几本书,后来合刊为《海国四说》。这是他在战争硝烟尚未散尽时推出的一部关于世界知识的著作,充分表明了这位身处中国对外联系前沿,深明世界情势的知识分子,唤醒梦醉国人的急迫心情。在《海国四说》与《兰仑偶说》中系统地介绍了英吉利的情况,《合省国说》单独细述了美利坚的概说,从中充分体现了梁氏的独特眼光,以及在新的世界形势下对中国前途的深切关怀。

特别是徐继畬(1795—1873)的《瀛寰志略》,共 10 卷,以图为经,全面而系统地介绍了地球形状,具体阐明了世界近 80 个国家和地区的地理位置,历史变迁,经济,文化与风土民情。读过之后,对人类生存的这个世界,能够形成整体的认识。不过,叙述的重点却是英国、法国与美国。这反映了当时中国人了解世界的时代要求与徐氏个人的学术眼识。而且,从书中对资料的取舍,重点的安排,字里行间都能看出作者对中国政治、军事等问题的严重关切。因此,此书问世之后,在国内外都产生了不小的影响。

总之,通过这些著作详略不同的叙述,可以帮助国人形成对西方国家历史、地理、政治、军事等各种状况的全面认识。然而,在此以前,由于一个多世纪的闭关锁国,人们对于西方这些国家究竟怎样,甚至在地球的何方,都不十分清楚,以致不少方面还存在一些荒诞不经的观念。在那闭关锁国的年代,异国在中国人的心目中,是那样的离奇而遥远,所以有些人竟把西方国家的存在视为海外奇谈。现在,由于这些著作大体上较为准确地说明了地球上的大陆、海洋以及西方国家各自所处的不同位置,也粗略地叙述了这些国家的历史,并企图阐明西方各国当时的政治制度。尽管都说得不甚清楚,甚至其中还夹杂着某些误解,但是,它们却为国人了解与认识这些国家提供了一些较为符合实际的知识,使他们认识到世界之大和环球之广。这对于改变国人以中国为"中心王国"的地理观念,具有重要意义,特别是对于魏源提出"师夷长技以制夷"的主张,产生了直接的影响。

二、魏源"师夷长技以制夷"的提出

上述"探访夷情",了解世界的努力,特别是林则徐"师敌之长技以制敌"的主张进展到魏源那里,得到了发扬光大。

魏源(1794—1857),字默深,湖南邵阳人。早年,他在家乡读书、教书,参加科举考试,但仕途不顺。鸦片战争前曾入幕,先为江苏布政使贺长龄辑《皇朝经世文编》;这是一项庞大的学术工程,全书120卷,分学术、治体、吏政、户政、礼政、兵政、刑政、工政八纲,系统清理与总结了清代道光以前的经世学说,使他加深了对当时社会问题的认识,也为他日后编撰集大成的世界地理巨著,具有重要的启发意义;后为江苏巡抚陶澍筹议海运、水利,参与大计方针的制定等。鸦片战争爆发后,1841年曾作为两江总督裕谦的幕下,亲赴浙江前线参加了抗英斗争,因而对英国的情况有了进一步的了解,并根据英国俘虏安突德的口供,写成《英吉利小记》。鸦片战争的失败,对于这位素抱经世之志的知识分子来说,刺激甚大。从此开始,他把自己探索的眼光,从中国转向了世界。

1842年8月,中英《南京条约》签订,消息传来,魏源受到极大的震动。但是,当时中国的绝大多数人虽然也像魏源一样深为中国的前途感到忧虑,然而,对其后果的严重性却缺乏足够的认识,更不要说明白这是中国一个大变局的开始。在这严峻的事实面前,魏源陷入了深深的思索:鸦片战争对于中国来说,是一场正义的战争,为什么堂堂天朝大国却败在岛夷手下,最后还被迫签订城下之盟,割地赔款,丧权辱国,原因何在?

魏源首先向历史去寻找答案。他搜集掌故,撰成《圣武记》,力图从祖宗的辉煌中找到法宝,发现落后的满族正是在向明朝学习后,才得以战胜明朝,夺得天下的。他又把目光转向现实,认为不少人知道英国的船坚炮利胜于中国,但是,胜于何处却无人知晓。经过深入的探索与多方面的研究,"师夷长技以制夷"的思想逐渐在他的脑海中成熟起来。最早在《圣武记》的"叙"中,他提出要"以彼长技,御彼长技"①;后来在《道光洋艘征抚记》中,他又提出要"尽转外国之长技为中国之长技"②,说的都是"师夷长技以制夷"。不过,对这个思想的完整阐述,却是在《海国图志》中。1842年,魏源利用《海国图志》50卷本刊刻的机会,怀着对国家民族的巨大的历史责任感,对"师夷长技以制夷"的主张进行了全面的论述。

在《海国图志·原叙》中,魏源指出:"是书何以作?为以夷攻夷而作,为以夷款夷而作,为师夷长技以制夷而作。"③这是魏源在中国近代历史上第一次这样明确地提出的向西方学习的思想。他

---

① 魏源:《圣武记·叙》,第1页,世界书局,1936年。
② 魏源:《圣武记·道光洋艘征抚记》,第336页,世界书局,1936年。
③ 魏源:《海国图志·原叙》,第67页,中州古籍出版社,1999年。

所以能够提出，首先是他从战败中总结出来的教训。他认为，"同一御敌，而知其形与不知共形，利害相百焉；同一款敌，而知其情与不知其情，利害相百焉。"①正是这个原因，魏源编撰《海国图志》，以此把世界的形势以及对手的情况告诉国人。就是在编撰的过程中，使他认识到西方，主要是英国，并不等同于历史上远远落后于中原的"夷狄"。因为他们的制度文化与器物，经过近代以来的发展，已经在不少方面要高于中国。要想抵抗侵略，御敌图强，就要首先承认自己落后，向西方学习。认为只有这样，才能使自己立于不败之地。其次，同他接受的公羊学变易观和经世思想，也有密切的关系。在公羊学上，"夷"和"夏"是没有根本区别的，区别只在于文明和道德的进化程度。夷狄可以进化为诸夏，诸夏也可以退化为夷狄。所以，依据这个观点在冲破"严夷夏之防"的迂腐禁锢后，魏源指出，"欲制外夷者，必先悉夷情始。欲悉夷情者，必先立译馆、翻夷书始。欲造就边才者，必先用留心边事之督抚始。"②而且，通过中英相互了解的比较，他认为中国对英国的了解，还处在"竞莫知其方向，莫悉其离合"的状态中。③相反，英国则通过建英华书院，延华人为师，教汉文汉语，刊中国的经史子集与图经地志，因"无语言文字之隔，故洞悉中国情形虚实"，④对中国的情况了如指掌。魏源认为，在这种条件下，兼之船坚炮利，所以英国打败中国，是必然的。

"师夷长技以制夷"包含了三个相互联系的内容，即师、长技

① 魏源：《海国图志·原叙》，第67页，中州古籍出版社，1999年。
② 魏源：《海国图志·筹海篇》，第99页，中州古籍出版社，1999年。
③ 同上。
④ 魏源：《海国图志·暹罗东南属国，今为英吉利新加坡沿革》，第141页，中州古籍出版社，1999年。

与制夷。"师"是学习;"长技"是英国超过中国的地方;"制夷"是要抵抗与战胜侵略者。在魏源看来,夷之长技不外有三:"一战舰,二火器,三养兵、练兵之法"。① 实际上,在《海国图志》中透露的远不止这些,然而,这三者却是魏源根据鸦片战争的亲眼所见总结出来的。他说,"人但知船炮为西夷之长技,而不知西夷之所长不徒船炮也"②。在他看来,如果只是依靠船坚炮利,而没有其他的因素,英国也是难以战胜中国的。这就是它还有养兵练兵之法。因此,魏源在提出师夷的内容时,首先主张购买洋船、洋炮,练习水战火战,做到"尽收外国之羽翼为中国之羽翼,尽转外国之长技为中国之长技"。③ 后来,又主张仿康熙钦天监用西洋历官之例,聘请外国工匠来广东设厂,制造船炮,传授驾驶之技,认为这样一来,便可尽得西洋之长技为中国之长技。不仅如此,魏源还进一步主张把军工与民用结合起来,以便在战败侵略者后使中国发展与强大。因为"战舰有尽,而出鬻之船无尽",④"造炮有数,而出鬻器械无数";⑤就是说,战争是会结束的,战后的中国是要向前发展的。因此,通过军工与民用结合,制造出有利于中国社会发展的各种工具机器。为此,甚至他还认为,"凡有益民用者,皆可于此造之"。⑥ 这是很有远见的。

而且,在论述"师夷长技以制夷"的过程中,魏源严厉地斥责了那些墨守成规、反对"师夷"的顽固派是"夏虫"、"井蛙",强调

---

① 魏源:《海国图志·议战》,第99页,中州古籍出版社,1999年。
② 同上书,第103页。
③ 魏源:《圣武记·道光洋艘征抚记》,第336页,世界书局,1936年。
④ 魏源:《海国图志·议战》,第103页,中州古籍出版社,1999年。
⑤ 同上。
⑥ 同上。

了"师夷"的重要性,认为"善师四夷者,能制四夷,不善师外夷者,外夷制之"。① 更为重要的是,他还深情地指出,中国并不是从来就是落后的,也不是永远没有希望的。在他看来,只要国人厉精淬志,奋发图强,努力向西方学习,"一年而可习,二年而可精"②,相信这样做,"尽得西洋之长技为中国之长技",③中国就一定能像西方国家一样富强起来。因此,他还满怀信心地指出,师夷长技之后,不久的将来,中国定能出现"风气日开,智慧日出,方见东海之民,犹西海之民"的局面。④

魏源"师夷长技以制夷"的思想,是林则徐"师敌之长技以制敌"主张的继承与发展。它们的共同之处是要在"探访夷情",了解西方世界的基础上"师夷",即引进西方先进的科学技术,以此建立中国的近代工业,使之强大起来后,做到军事上能够抵抗和战胜侵略者,达到"制夷"的目的。不过,这种思想只是到魏源的《海国图志》中,才得到了系统的阐述。

值得一提的是,它的提出不是一时的权宜之计,而是中国先进人士对西方资本主义对中国的侵略作出的最早反应。在这种思想中,它把了解西方,引进他们的"长技",向他们学习,同抵抗西方列强的侵略行径结合起来,充分说明它是和深沉的爱国主义思想交融在一起的。就是在这种艰苦探索中,中国的先进分子最早踏上了向西方寻找真理的途程。这在当时来说,无疑是一条挽救民族危亡的正确之道。因此,当"师夷长技以制夷"提

----

① 魏源:《海国图志·欧罗巴洲各国总叙》,第 268 页,中州古籍出版社,1999 年。

② 魏源:《海国图志·议战》,第 102 页,中州古籍出版社,1999 年。

③ 同上书,第 100 页。

④ 同上书,第 103 页。

出后,立即引起了社会上不少人的积极响应。于是,向西方学习,寻找救国真理的思潮勃兴。一批批先进分子就是沿着魏源"师夷长技以制夷"的思想走上了探索中国社会前途的道路。主要是,它对其后的洋务运动和维新变法运动,都产生了巨大的推动作用。

总之,虽然这些都只是提出向西方学习的尝试与肇始阶段的表现,但是,透过以林则徐、魏源为代表的先进人士"探访夷情"、"师夷长技以制夷"思想的提出及其实践的阐述,却清楚地表明,他们能够把炽热的爱国热情和冷静的政治思考结合起来。因此,尽管他们在向西方学习时,只看到了西方的强大是由于船坚炮利与使用机器进行生产,因而把向西方学习的内容限制在这个范围内,但是,贯穿在他们的思想与行动中,却有一个中心,即主张落后国家应该向先进国家学习,却像一盏微弱的航灯,在夜空中给人以新的启示。所以,他们不愧为向西方学习的探路人。

第三节　西学重新东来后对西学的选择

一般说来,鸦片战争前后的西学东渐,是在西方传教士的主导下进行的,因此在传播的内容上,基本上是根据他们的需要输入的。进到洋务运动阶段,西学输入的内容发生了一些变化。主要是因为有中国的大批传播者投身到西学东渐队伍中来,并依据一定的原则有选择地进行。洋务运动时期运用"中体西用"原则输入,是对西学最早进行选择的结果。因此,从西学输入的主导倾向看,还停留在器物层面上。在这个意义上,它没有把西学作为整体输入进来。

一、洋务运动的兴起与"中体西用"原则的提出

鸦片战争后,晚清政府又经历了与太平天国农民起义军的战争,以及在这期间内穿插的第二次鸦片战争,使它更加处在内忧外患的危急形势之中。

不过,在这些内外战争中,使上层社会中一部分当权派,例如,以恭亲王奕䜣为代表的主张改革的政治集团,以及新兴的地方实权势力曾国藩、李鸿章、张之洞等,痛苦地感觉到了西方国家船坚炮利的先进性,初步领受了现代化的气势与威力;加上从外国传教士和首批外交使节带回的大量信息中,掌握和熟悉了更多的"夷情",从而面对来自西洋的"数千年未有之强敌"(李鸿章语),催促着他们的思想发生变化。虽然他们也属于晚清官僚集团,但是,他们不但是儒学中的饱学之士,而且还是儒学中主张经世致用的人物。这种经世致用的学风,使他们能够正视现实,注重实际,在社会危机、统治危机的严重时刻,能够超出传统治平之道的屏障,敢于寻求自强的新途与办法,以应付形势剧变的迫切需要。这样一来,他们在一定程度上冲破了传统观念的束缚,在林则徐、魏源等"了解夷情","师夷长技"向西方学习的基础上,迈出了新的一步。

一个突出的表现是,由他们领导的洋务运动的兴起与发展。在他们看来,中国并不是没有希望的,只要坚持以中国自古有的文武制度为根本,迅速调整步伐,把西方的先进科学技术照搬过来,制造出像西方那样的先进武器,就不但可以完成镇压农民起义军的任务,而且,还能够使中国富强起来。就是在这种认识的基础上,从19世纪60年代开始,一场以"御侮自强"、"制器练兵"、"富国强兵"为宗旨的洋务运动、或自强运动在中国开展起来了。在这个过程中,他们兴办军事工厂,购买西洋武器,聘请外国技师,派

人出国留学或派人出国考察,的确忙碌了一阵子。

毫无疑问,他们推行自强运动,大办洋务的直接目的,在于镇压农民起义军,以便捍卫已经腐朽的中国封建体制。但是,除了对付这种内部挑战外,它还有富国强兵的一面。这集中表现在洋务派宣扬的"采西学,制洋器,为自强之道"这一点上。例如,曾国藩说过,"目前资夷力以助剿济运,得纾一时之忧,将来师夷智以造炮制炮,尤可期永远之利。"①又如,奕䜣也指出,"购置外国船炮,并派大员训练京兵,无非为自强之所,不使受制于人。"②意思是说,目前兴办洋务是为了进剿农民起义军,以期消除"一时之忧"。然而,如果洋务运动成功了,中国"舰坚炮利"了,国家致富致强了,那么,不但能够做到"不受制于人",不再遭受列强的侵略与欺凌,而且还有可能超过西方殖民主义者,进而做到凌驾于西方列强之上。为此,他们在洋务运动中,在维持封建专制主义根本道统和根本制度的前提下,采取"师夷长技"、"招商官助"等灵活手段,在中国兴办了一批官督商办的军事工业。与此同时,一批民办的资本主义工商业也在这种形势下应运诞生了。这些新兴的工厂和企业在中国的出现,虽然是在维持中世纪封建主义政治经济体制的根基上,只是在物质技术层面范围内搞了一点西方式的工业化。但是,这却标志着现代化在中国的启动,是中国被动地卷进全球现代化潮流的具体表现。

在洋务运动的推行过程中,基于发展科学技术的需要,洋务派主张向西方学习。不过,由于他们对世界潮流与对西学认识的肤浅,以及坚持中国封建体制与传统文化神圣不可侵犯,所以,在处

---

① 曾国藩:《曾文正公全集》奏稿,卷十五,第14页。
② 《筹办夷务始末》(咸丰朝),第79页,中华书局,1979年。

理中西关系与引进西学时,提出了"中体西用"的原则。依据这个原则,虽然洋务派主张因时而变,但只变"器"不变"道",只变"末"不变"本";在引进西方文化时,只能以"中学为体"、"西学为用",只输入西方的物质文化,不能引进其他文化,特别是哲学、社会科学。因为在他们看来,"中国文武制度,事事远出西人之上"。[①] 而且,"中国学术精微,纲常名教以及经世大法,无不毕具"。[②] 只是"中国杂艺不逮泰西,而道德学问、制度、文章,则复出于万国之上"。[③] 这些话说明,在洋务派的心目中,中学不及西学者,只是器物技术而已,至于政治经济制度,自由、民权、平等学说,以及反映社会转型与进步的哲学思想,都在西方之上。在这些方面,没有向西方学习的必要。

"中体西用"是洋务派向西方学习的原则。在这个原则的指导下,他们从发展中国的科学技术出发,把对西学的选择与输入限定在西学的物质层面。具体说来,只是引进西学中的声、光、化、电等自然科学知识以及练兵养兵之法,西学中的制度层面与精神层面完全被排除在外。这是洋务运动期间西学输入的主流倾向或基本倾向。对西学的这种选择表明,他们是在维护中国封建制度这个"体"的前提下引进西方国家的生产手段与科技文化,以此达到强化中国封建本体的目的。这是洋务派既忠于现存封建统治秩序,又具有一定改革要求的反映。因此,其中包含了一些积极的、

---

① 李鸿章:《江苏巡抚李鸿章原函》,见《筹办夷务始末》(同治朝),第 25 卷,第 2491 页,文海出版社,1979 年。

② 张之洞:《劝学篇》,见《戊戌变法资料丛刊》(三),第 218 页,神州国光社,1953 年。

③ 邵作舟:《邵氏危言·译书》,见《戊戌变法资料丛刊》(一),第 183 页,神州国光社,1953 年。

合理的因素,成为近代中国向西方学习的一个阶梯。

二、西学器物层面的输入

在洋务运动的进行过程中,洋务派依据"中体西用"原则多方面地开展了引进与传播西学的工作。

首先,从中央到地方设立译书与文化交流机构。最早,1862年,北京建立了京师同文馆。这是中国政府设制的第一个有关西方语言学术的翻译与教育机构。它隶属总理各国事务衙门,以译书与培养翻译人才为主。它的成立是西学重新东渐的标志。接着,沿海一些地方也相继仿效设馆。如1863年,李鸿章先后在上海和广州建立的同文馆(广州为方言馆)。1867年上海创立的江南制造局,其中也附设有翻译馆。又如,天津设立的北洋制造局(天津制造局)和福州船政学堂(求是堂),按照同文馆的模式,也创立了翻译西学书籍的部门。

这些机构成立后,通过译书使西学得以输入并在中国传播开来。就数量而言,成绩显著者首推江南制造局的译书馆。至1895年,除宗教类外译出的总数达400—500种,另附刊32种,其中专门介绍西情的《西国近事编》,先后刊出108期。京师同文馆译出的西学书籍也十分可观。据姚名达统计,"先后译录,迄光绪二十二年,可读之书,约三百种。"①这些书是当时中国人学习西学的主要来源。但是,这些书的翻译者多是略懂中文的外国传教士,在翻译方法上,一般都是采用汉唐译经旧法,即由西人"以西书之义逐句读成华语,华士以笔述之。"②这种翻译方法,严重影响了译书对

① 姚名达:《中国目录学史》,第315页,上海书店,1984年。
② 傅兰雅:《译书事略》,载《格致汇编》,1880年。

象的选择和翻译质量的提高。

　　其次，创立的新式学校与学会组织，也成为西学传播的重要场所。在第二次鸦片战争后，一方面由于外国传教士在中国掀起了一个办学热潮，据统计，1875 年，教会学校从 20 世纪 50 年代的 50多所增加到 800 余所，在校学生从千余人增加到两千人左右。到甲午战争前，教会学校发展到两千余所，在校学生超过了四万名。另一方面，自 60 年代以来，随着洋务运动的开展，出现了中国人自己办的洋务学堂。这些学堂大致可以分为培养外语人才、军事人才与技术人才三类。虽然它们还没有完全摆脱封建体制的巢臼，但也程度不同地采取了西方近代学校的学制校规，开设了一些自然科学和外语之类的课程。与此同时，民间也创建了一些附设性的学校或学会组织，如上海的格致书院以及由某些外国传教士掌握的益智学会、广学会等。这些学校或学会组织，通过聘请外籍教师或邀请外国人讲学等方式，也不同程度地开展了传播西学的工作。

　　这些事实说明，从中央的同文馆到各地的译书机构、学校和学会，自上而下初步形成了一个输入西学的系统；加上附属性质的少数民间机构和外国传教士掌握的单位，便形成了当时引进和传播西学的基本规模。并且，还以比较稳定的和平缓的速度向前发展，一直保持到 1895 后甲午战争失败。从中可以看到，当时西学输入的动力来自官方、教会和民间三个方面。其中以官方为主，教会次之，民间又次之。洋务运动时期西学的引进与传播工作，主要是依靠它们进行的。

　　由于这些力量的上述共同努力，在 1890 年前的 30 年中，翻译和出版的西学书籍的总量，不仅超过了前半个世纪，而且在这些书籍中，有关自然科学和应用技术的著作占有极大的比例。据有的

学者统计,把它们加在一起,要占总数的70%。① 显然,这是运用
"中体西用"原则选择西学的直接结果。通过这些著作输入的西
学,相当全面地介绍了当时西方的数学、天文学、物理学、化学、动
植物学、地质学、地理学和医学等基础科学,以及与工业相关的应
用科学,如冶炼、造船、化工、开采、纺织、驾驶、军械等,甚至有些科
学的水平,还达到了一定的广度与深度。例如,在物理学方面,对
于力学、电学、声学、水学、热学等各分支学科,都分别进行了专门
介绍。在化学方面,徐寿父子与英国传教士傅兰雅介绍的化学著
作,总共不下二十种,如构成《化学鉴原》的续篇和补编,先后译出
了《化学术数》、《化学考质》和《化学分原》等。这些书不仅概述
了化学的基本原理和各种重要元素的性质,而且对有机化学、无机
化学、定性化学分析和定量化学分析,都做了系统的叙述,并首次
提出了沿用至今的给化学元素确定中文译名的原则。与此同时,
有些中国学者在接受西方自然科学后经过消化,也开始了独立地
撰写介绍西方自然科学与应用技术的著作。如李善兰、徐寿和华
蘅芳等人的作品,即是这样。值得重视的是,在中外学者出版的这
些著作中,有些是当时的著名译作。如除了前面提到的《化学鉴
原》外,还有《代数学》、《声学》、《光学》、《电学全书》、《格致启
蒙》、《金石识别》、《地学浅释》与《西医大成》等,对于后来中国自
然科学的发展都产生过长期而广泛的影响。

　　上述西学输入的活动与成果说明,洋务运动阶段由于西学输
入的有限目的,使西学输入的内容受到很大的限制。即主要引进
西学中的自然科学知识及其应用技术,使这个阶段的西学东渐基
本上停留在器物的低层面上,西学中更为重要的制度层面与精神

① 　熊月之:《西学东渐与晚清社会》,第12页,上海人民出版社,1994年。

层面的文化,都没有引起传播者应有的重视并及时引进。不过,需要指出的是,这只是从西学东渐的主导倾向说的,实际上在西学东渐的这个阶段上,也产生了一些历史、政治、法学、文学、教育与哲学的作品。因此,为了了解本阶段西学东渐出现的这些情况,除了关于西方哲学的零星传播,留待下节专门进行阐述外,这里还想简要地介绍一下其他一些著作的内容。

在这些作品中,值得着重介绍的,有《佐治刍言》、《自西徂东》、《泰西新史揽要》、《万国公法》与《民约通义》等。其中,《自西徂东》,原名是:Civilization, China and Christion,直译:《文明,中国与基督教》。最早连载于自 1879 年 10 月至 1883 年的《万国公报》上,1884 年在香港正式出版。该书为德国传教士花之安(1839—1899)所撰,成书过程中得到冯勉斋等的润色。全书共 5 卷、72 章,"主要通过中西文明的对比,指出中国社会、道德、文化的现状与西方相比落后的地方,并提出改良办法。"①综观全书,从中给人一个深刻的印象是,作者对中国文化的浓厚兴趣,以及他对当时中国所受的苦难的深深同情。他在该书序言中开宗明义地说明自己的写作意图,是最好的证明。他写道:"《自西徂东》之书何为而作也? 欲有以警醒中国之人也。噫! 中国之大势,已有累卵之危矣。在今日熙熙攘攘,似太平景象,然亦思强邻环列,果能怀柔否乎? 夫当今之时势,外邦多日益富强,然中国能改弦易辙,不拘于成迹,发奋为雄,亦无不可共臻强盛,措天下于磐石之安,顾亦思所行者为何如耳。"②而且,为了"警醒中国",他还特别声明,书中所以对中国的弊政陋俗批评甚多,原因正是出于这一目的。正

---

① 陆文雪:《自西徂东》"点校说明",第 1 页,上海书店出版社,2002 年。
② 花之安:《自西徂东》"自序",第 1 页,上海书店出版社,2002 年。

如他指出的那样:"是书言中国之弊端,本有深意,盖有弊当除,是国家之要务,欲人察出其弊之源头,能有以除之也"。① 作者写作这本书的这种良苦用心,无疑足以激发国人探索中国出路的热情。

又如,《佐治刍言》,原名是:Homely Words to Aid Goverance。傅兰雅口译,应祖锡笔述,1885 年出版。全书 3 卷 31 章。前 13 章主要论述有关社会、政治和法律方面的问题,后 18 章主要论述经济问题。它以自由、平等思想为出发点,分别以家室、文教、名位、交涉、国政、法律、劳动、通商等方面,论述了立身处世之道,认为人人有天赋的自主之权,国家应以民为本,政治应以得民心合民意为宗旨。"这是戊戌以前介绍西方社会政治思想最为系统、篇幅最大的一部书,出版以后多次重版,对中国思想界影响很大。"②最为明显的事实是,梁启超读过后云:"《佐治刍言》言立国之理及人所当为之事,凡国与国相处、人与人相处之道悉备焉。皆用几何公论,探木穷源,论政治最通之书。"③据说章太炎阅读此书时,如醉如痴,大为叹服,自称"魂精泄横,勃然似非人"④。有的学者认为,康有为的《大同书》也受到了《佐治刍言》的影响。可见它对当时以及后来的维新派都发挥过积极的启示作用。

第四节 培根等西方哲学思想的零星介绍

前面的事实告诉人们,千万不要以为洋务运动阶段只有

① 花之安:《自西徂东》"凡例",第 6 页,上海书店出版社,2002 年。
② 熊月之:《西学东渐与晚清社会》,第 517 页,上海人民出版社,1994 年。
③ 参见傅兰雅译、应祖锡笔述:《佐治刍言》"点校说明",第 2 页,上海书店出版社,2002 年。
④ 同上。

自然科学与应用技术的输入。要是坚持这种看法,显然是片面的。原因在于,这个阶段上还发生了西方哲学零星传播的现象。

一、早期改良派对洋务派的超越

在洋务运动的推行过程中,除了领导这个运动的洋务派外,还涌现以冯桂芬、王韬、薛福成、马建中与郑观应为代表的早期资产阶级改良主义者。论门第出身,他们中的绝大多数是封建营垒中的人,且受过洋务派的邀宠,有的本来就出自洋务派。但是,在晚清封建社会的衰落过程中,特别是进入 19 世纪的 70 年代以后,一部分地主、官僚、富商、洋行买办、旧式矿业主,由于受到西方资本主义的刺激,其中有些人开始向民族资产阶级转化。在这个转变过程中,他们在旧的营垒中不仅深感封建制度的腐败,而且对于洋务运动产生的某些弊端,也有所察觉。他们虽然忠于清朝王室,但在他们的头脑中却不断地呈现出对于欧美资本主义的憧憬。特别是他们中的一些人,有的参与过民族工商业的活动,有的与西方人士有较多的接触,有的甚至到西方访问或游历过,对西方社会与西方文化有较多的了解。因此,从思想到行动,表现出了某些超越洋务派的倾向。

例如,他们认为,中国要富强起来,在向西方学习时,除了学习它们的"船坚炮利",建立和发展中国的民族工商业、矿务业和近代交通运输外,还主张中国应该废除科举制度,改变"贱工贵士之心",以培养适应民族工商业发展需要的人才。正如薛福成所言:"泰西百工之开物成务,所以可富可强,可大可久者……中国果欲发愤自强,则振百工以前民用,其要端矣。欲劝百工,必先破去千年以来科举之学之畦畛,朝野上下,皆渐化其贱工贵士之心。"①这种主张的提出,已经触及到国家教育体制的改变了。而且,进到19世纪70年代与80年代,这种思想还有了发展。例如,在主张改革教育制度的基础上,有的还指出,"学校建而智士日多,议院立而下情可达,其制造、军旅、水师诸大端,皆其末焉者也。"②在这里,已经把体制变革从教育制度扩大到政治制度了。在他们看来,西方之所以富强,根本原因是他们的议院制度。由此可见,他们看到了西方议会制度的优越性,认为这是西方社会的富强之"本",而"制造"、"军旅"、"水师"则不过是西方社会的富强之"末"。

因此,他们主张在向西方学习时,除了引进自然科学知识及其技术外,还应该学习它们的议会制度。这些主张的提出,反映了中国新兴的资产阶级希望用西方资产阶级的议院制度限制中国的君主专制,企图通过资产阶级参政来削弱君权的要求。就是在这种憧憬中,他们还主张在向西方学习时,不但对洋务派的"中体西用"原则有所訾议,而且还撰写了一些政论性著作,如冯桂芬的《校邠庐抗议》、王韬的《弢园文录外编》、薛福成的《海外文编》、马建中的《适可斋记言》与郑观应的《盛世危言》,来宣传他们的上述主张。不但如此,在这些著作中还阐述了引进西学的重要性,对于西学在中国的传播起了推波助澜的作用。特别是在这个过程中,他们中的个别人,例如王韬,还在这种认识的基础上,开始把西方哲学输入进来。

---

① 薛福成:《振百工说》,见《薛福成选集》,第483页,上海人民出版社,1987年。

② 马建中:《上李伯相言出洋工课书》,见《洋务运动》(一),第428页,上海人民出版社,1961年。

二、王韬对培根等哲学思想的介绍

洋务运动时期零星地引进西方哲学,且取得了一定成绩者,当推王韬。

王韬(1828—1897),江苏长洲(今吴县)人。从小在家乡接受过系统的儒学熏陶。1846 年第二次乡试落第后,他遁迹家乡,悉心学术研究。1849 年,王韬来到上海,进入英国传教士马礼逊创办的墨海书馆从事编辑工作。在这里,通过编译西书以及与外国学者的交流,使他的知识结构与价值观念发生了很大的变化。1862 年,因上书太平军为其攻打上海出谋献策,然信件落入清军手中受到通缉被迫逃往香港,从此开始了 23 年的流亡生活。在此期间,除了在这里办报从事新闻工作外,还先后访问与考察过英、法、日等国,得以亲炙西方的学术文化,使他对资本主义社会的政治、经济、文化与科学技术等方面的状况,有了更多更深的了解。1884 年回到上海后担任格致书院院长,直到 1897 年病逝于上海城西草堂。

王韬传播西方哲学的工作,主要是在香港以及两度在上海期间进行的。

首先,在墨海书馆期间,王韬撰有《西学原始考》、《泰西著述考》与《西学图说》三本著作,还有由英国人伟烈亚力口述,由他笔译的《西国天学源流》、《重学浅说》与《华英通商事略》三本著作。晚年,他将这六种书籍汇集起来,以《西学辑存》为书名于 1890 年刻印出来。

在这些著作中,较为重要的是《西学原始考》与《西国天学源流》。前者不仅是一本编年体的西方科学简史,后者也不仅是西方天文学沿革的述略,使人感兴趣的是在这两本书中提到了西方的大批哲学家,如古希腊罗马时代的泰利士、阿拉克西曼德、阿拉克萨哥拉、毕达哥拉斯、苏格拉底、柏拉图、亚里士多德、斯多葛和欧利根;中世纪哲学家罗吉尔·培根及其《大著作》(Opus Maius);近代哲学家有培根与笛卡儿。当时,王韬在谈及这些哲学家时,只是把他们作为科学史上的人物提到的。因此,一般都没有直言他们的哲学思想。例如谈到泰利士时,只说他是"希腊天学(天文学)之最创始者","始倡言地为球体",①而没有提到他的水是万物本原的哲学思想。又如谈到笛卡儿时,也只是说他在数学上的贡献,如"合代数几何以发明直曲诸线之理"等②,而不曾谈及他的理性主义哲学思想。

不过,对苏格拉底和培根,却不是因为他们与前面提到的那些哲学家那样兼有科学家的身份,在科学上有发明创造才谈到他们,而是因为他们在哲学史上能开一代新风,并以其哲学思想直接影响了科学的发展。例如,他指出,"希腊名贤梭格拉底(按:苏格拉底)……以理学著名";此处"理学",即哲学,是明清之际传教士把西文"哲学"译为"理学"的沿用。他认为,苏格拉底提出的"以去伪存诚为格致之急务",在知识论上要以求真为目的;"训人主良知良能之说",在伦理观上主张天赋道德说,"此为希腊理学一变之始",它标志着希腊哲学的转折。③ 虽然王韬这些对苏格拉底哲学思想的表述并不十分确切,但他对其在哲学史上的贡献与影响的评价,却是很有见地的。

其次,19世纪70年代在香港办报期间,王韬撰有《英人倍根》

---

① 王韬:《西国天学源流》,见《西学辑存》,光绪庚寅刻本,第3页。
② 王韬:《西学原始考》,见《西学辑存》,光绪庚寅刻本,第32页。
③ 同上书,第10页。

（按：培根）一文，介绍了培根哲学的大旨。① 实际上，早在《西学原始考》中，他就说过："英国备根（按：培根）著《格物穷理新法》（按：《新工具》），实事求是，必考物以合理，不造理以合物。"② 这里所谓"必考物以合理"，指培根提出的从经验事实出发概括出科学原理法则的经验归纳法；所谓"不造理以合物"，指培根反对中世纪经院哲学家利用亚里士多德逻辑用先天设立的原理推演事实的三段论法。王韬认为，做到了这些，就是实事求是。而在《英人倍根》中，他更是非常推崇培根在学术上反对泥古盲从和敢于创新的精神。说："倍根，英国大臣也。……其为学也，不敢以古人之言为尽善，而务在自有所发明；其立言也不欲取法于古人，而务极乎一己所独创。其言古来载籍乃糟粕耳，深信胶守则聪明为其所囿，于是澄思渺虑，独察事物以极其理，务期于世有实济，于人有厚道。"③ 他认为培根倡导的"格物穷理新法"，是以前从未有人言及的一种崭新的思想方法；其要旨"务在实事求是"，是西方科学"后二百五年之洪范"，即指导科学的大法。因此，"西国谈格物致知之学者，咸奉其书为指归"，西方各国的各门科学所以"蒸蒸日上"，无不是"勤察事物，购求其理，祖倍根之说，参悟而出"。④ 在这里，他把西方科学的发展以及文明的进步，都看作是培根在哲学上变革思维方法的结果。

　　再次，在上海格致书院任监院（院长）期间，使格致书院成为近代中国最早传播西方哲学的重要学术机构。一个明显的事实

---

　　① 这篇文章收入《瓮牖余谈》，1873 年和 1875 年林昌彝和蔡尔康分别为该书作序，因此，这篇文章当写成于 1873 年以前。

　　② 王韬：《西学原始考》，见《西学辑存》，光绪庚寅刻本，第 31 页。

　　③ 王韬：《英人倍根》，见《瓮牖余谈》，卷二，第 44 页，岳麓书社，1988 年。

　　④ 同上书，第 45 页。

是,在王韬主持下,1885 年建立了以命题课士的考课制度。《格致书院课艺》一书,即是这一制度推行取得的成果。该书选辑了历年课试的优秀论文。透过这些论文,在一定程度上反映了书院教席曾向学员讲授过的西方哲学有关内容,以及学员学习后的心得与体会。

其中,在论及希腊哲学的论文中,提到的哲学家有毕他哥拉斯(按:毕达哥拉斯),柏拉多(按:柏拉图)、阿卢力士托尔德(按:亚里士多德)。在谈到前面两位哲学家时,只有寥寥数语的评述,而对亚里士多德,则有较为具体的介绍,甚至还列举了亚氏 16 种著作的书名。例如,有的盛赞亚里士多德是博学深思的大学问家,说:"综其平生,无一种学问不为其思虑所到"①;说他"可谓希腊格致之大家,西学之始祖"②。在这些论文作者的心目中,所谓希腊哲学,主要就是亚里士多德哲学。如把希腊哲学分为三类,即亚里士多德哲学的三个分支或部分:"一曰格致理学,乃明征天地万物形质之理",即亚氏关于万物由形式与质料两种本原构成的形而上学;"一曰性理学,乃明征人一身备有伦常之理",即亚氏的伦理学;"一曰论辩理学,乃明征人以言别是非之理",即亚氏的逻辑学。

而且,可喜的是,在这些论文中,还开始有对亚里士多德哲学的评论与批评。例如,有的称亚氏治学"较其师尤慎","必信物经目击,考证评明者始敢登载",认为亚氏"解释物性实事求是,务绝虚妄。"③这个说法遭到了王韬的批评,对此他在这个观点的旁边加了一个眉批,指出亚氏并非如此,而是常囿成说,"多以前人之

① 《格致书院课艺》(引文均出自王佐才、朱澄叙、钟天纬、瞿昂等人的课试论文),上海富强斋书局石印本,1898 年。
② 同上。
③ 同上。

说为无可疑，即据之以推新理"，说明亚氏偏重从既定之理进行演绎、推理，而非强调首先需要从经验出发。因此，王韬认为亚氏"其学不及贝氏（按：培根）"。① 有的作者在论文中明白地指斥亚里士多德，批评他"凭己之思议，著为成书，拟议天地之理，博引见闻之事，辩论纷繁，虽它心微妙，多属推测。"②例如，"其谓天地万物有四行，乃合水火气土而成（按：此为亚氏的"四元素"说）"，就"多所缺漏。"③实际上，在亚里士多德哲学中，本来就存在着先验思辨和较重经验这两个方面的矛盾。可见，有些课题论文的作者对亚里士多德哲学的评论有各执一偏的片面性。这一情况较好说明书院教席在讲授亚氏思想时，对其哲学的诸方面都均有论及，于是学员乃能对之选择、比较，进而各抒己见。

不过，从课试论文中看到，王韬及其书院对学员们着重介绍的是英国哲学，主要是近代培根和现代达尔文、斯宾塞的思想。

其中，关于培根论文的作者，都同王韬一样，对他都是推崇备至，称赞他的"新法"为"泰西格致"的发展"祛其误而辟其途"，"尤为格致家所奉为圭臬。"④他们也都强调培根学说的求实精神，说"其学大旨以格致各事必须有实在凭据者为根基，因而穷极其理，不可先悬一理为的，而考证物性以实之。"⑤有的文章还指出培根不仅要求"格致之学由万物中谨慎汇选"经验事实，"去渣滓以存精液"，而且尤其注重"更实验其所行之事而强识之，辨诬虚而

---

　　① 《格致书院课艺》（引文均出自王佐才、朱澄叙、钟天纬、瞿昂等人的课试论文），上海富强斋书局石印本，1898 年。

　　② 同上。

　　③ 同上。

　　④ 同上。

　　⑤ 同上。

归真实"。① 有的还在论文中把培根《新工具》一书的内容分为七类,并具体指明每类下面各有若干"条"(章节)。经查对原文,发现有些分类的章节数目相当准确。例如第一类"天地阐义,凡三十七条"。这里"天地阐义",可能是《新工具》副标题"解释自然的真正指南"的中译,"三十七条"是《新工具》第一卷第一章第一节到第三十七节关于人是自然的解释者、知识就是力量,以及批评旧逻辑、建立真正归纳法的论述。又如第二类"方寸对象,凡二十四条"。这里"方寸对象",显然是培根所谓"扰乱人心的假相"的中译;在《新工具》中,从 38 节到 61 节,共 24 节,便是论述这些内容的。其他各类,如"格致诸理"、"格物参谬"、"格物谬因"等,它们各自分属的章节,与培根原书的次序也大体是一致的。由此推之,王韬及其书院在当时讲授的课程中,曾经较为详细介绍了培根哲学的这些内容,否则论文中不可能出现这些现象。

在提及达尔文时,论文的作者们强调他继承了培根的求实精神,认为他"才大心细,所著之书,信以传信,疑以传疑,不敢自矜臆断。"②有的谈到达尔文的《物种起源》时,对其进化论学说进行了简要的概述,说:"其大旨谓凡植物动物种类,时有变迁,并非缔造至今一成不变,其动植物之不合宜者,渐渐澌灭;其合宜者,得以永存,此为天道自然之理"。③ 有的还在进一步阐释其中"论万物之理"时,既讲了动植物的不断变异,还指明了物种愈是变异愈趋完善的发展趋势,说"创造之始,人物皆粗,历年愈久,则变成灵

---

① 《格致书院课艺》(引文均出自王佐才、朱澄叙、钟天纬、瞿昂等人的课试论文),上海富强斋书局石印本,1898 年。
② 同上。
③ 《格致书院课艺》(引文均出自王佐才、钟天纬的课试论文),上海富强斋书局石印本,1898 年。

巧。以动物为植物之所变,而人类又为动物之所变,苟不宜于世,即不能永存。所以上古之物有为今世所无者,即此理也"。① 而且,达尔文的这种思想,都得到了作者们的肯定。例如,有的写道:"此言发前人所未发,近世儒者无不趋之,此亦可为格致绝续之人矣。"②这些介绍与评论,虽然都极为简略,但它们都是达尔文进化论思想在我国的最早传播。

还要指出的是,有一位作者在阐发达尔文的"永者永存",即"适者生存"思想时,从中引申出"万物强存弱灭之理"。③ 在达尔文的进化论中,本来没有这样的含义。这样阐发是对达尔文进化论的一种误读。因此,王韬在眉批中指出这种说法缺乏根据。他说:"达尔文谓众物繁生,义者常存,所谓义者宜也,无强存弱灭之说,似欠考据。"④不过,值得重视的是,这虽是对达尔文进化论的一种误续,但它却是作者在晚清危急形势下出于呼唤国人奋发图强、救亡图存的考虑。它对维新变法时期严复翻译达尔文进化论产生了直接的和重大的影响。

在述说斯宾塞思想时,有的论文指出,他"生平所著之书,多推论达文所述之理,使人知生活之理,灵魂之理,其书流传颇广。"⑤这里说的是,斯宾塞运用进化论思想推广去研究其他学科领域,因而有"生活之理",即《心理学原理》的问世。毫无疑问,这是符合事实的。但是,作者却没有提到斯宾塞关于社会伦理学的

---

① 《格致书院课艺》(引文均出自王佐才、钟天纬的课试论文),上海富强斋书局石印本,1898年。
② 同上。
③ 同上。
④ 同上。
⑤ 同上。

研究,更没有进一步阐明斯氏关于社会学和伦理学区别的看法。显然,这样介绍斯宾塞是不够全面的。但是,在这篇文章中,关于斯宾塞"可知者"与"不可知者"的介绍,倒有一点意思。作者首先称,斯氏"将人学而确可知者与确不可知者晰分为二",①然后指出,"其所谓确可知者,皆为万物外见之相质",即现象,而"万物之精微则确有不可知者在也"。②并且认为,这里"万物精微,本也一物,而无形无体之可见",但是,万物"皆原于此无形……之物",就是说,万物都是由这些"无形之物"化成的。因此,"此一物为本,而万物为末,明矣。"③应该说,这里作者将斯宾塞所谓"不可知者"解释为不可知万物现象的本体,是符合斯宾塞原意的。而且,作者还利用中国传统哲学的本末、精粗范畴理解本体与现象的关系,虽然这种理解是否确切另当别论,但是,作者通过这种解释使中西哲学沟通起来的努力,是十分可贵的。

三、其他有关人士对西方哲学的介绍

在王韬及其主持的格致书院传播西方哲学的同时,还有一些外国传教士与中国有关人士,使用不同的方式也谈到或介绍了一些西方哲学的思想到中国来。

首先,英国传教士慕维廉译述的《格致新法》(按:《新工具》),于1877年在《格致汇编》月刊第3、4、8、9、10期连续刊出。翌年,文字略加修改后,又在《万国公报》第504卷至第513卷上继续发表。其内容是培根《新工具》(按:该文中译为《格致新

①　《格致书院课艺》(引文均出自王佐才、钟天纬的课试论文),上海富强斋书局石印本,1898年。
②　同上。
③　同上。

机》)第一卷的简要介绍。全文共分八节。第一节介绍培根的生平与《新工具》产生的历史背景及其巨大影响；第二节介绍前37条箴言的内容，在引用"知识就是力量"的名言后指出培根的格致新法是认识自然规律，使人支配自然的惟一正确的方法；第三节介绍第38条至第61条箴言的内容，简述培根关于"四幻相"的学说；第四节叙述第62条至第70条箴言的内容，概述培根对刁滑的（按：论辩的）、不足据的（按：经验的）与从鬼神异端的（按：迷信的）哲学的批判；第五节叙述了第71条至第77条箴言的内容，从当时存在的"形迹"中指明了哲学和科学发展的不良状况；第六节叙述第78条至第91条箴言，分析哲学和科学产生错误以及错误长期存在的原因；第七节叙述第92条至第115条箴言的内容，论述了培根关于科学可望振兴的根据；第八节叙述最后15条箴言的内容，指出培根并非要建立一个新的学派，而是要引导人们进入真理的殿堂。这篇专文虽然没有进一步阐述《新工具》第二卷培根的归纳法理论，但是，通过此文却把《新工具》中第一卷的基本内容较为全面地输入进来了。

　　其次，在这前后，其他一些中外人士在介绍培根哲学的同时，还引进了一些其他西方哲学家的思想。例如，1875年，美国传教士林乐知在向中国建言时，他指出："昔英国相臣名碑根（按：培根）者，读书人也，辨明古法，易以新法而弃古法，三百年来后人宗之无有变易，洵为格致中有开必先者，近来格致之法日增一日，传遍天下，皆相臣碑根之前功也。"①这段话只是提到培根在哲学上创立的归纳法，使西方科学得到了前所未有的发展。他的言下之意是，把它输入进来，对于中国来说，是十分必要的。在当时西方

①　林乐知：《建言》，载《万国公报》，第105页，1875年。

格致之学优于中国传统学问已经成为许多人的共识的情况下,这种建言与介绍能够引导人们深入一步从思维方法的高度上去思考中西差别和对待古圣昔贤的态度。

实际上,有些中国人士就是循着这种思路开始思考西方哲学与近代西方社会发展关系的。例如,近代中国思想界的前驱郭嵩焘,即是这样。他在英国考察后,于 1877 年在《日记》中得出了这样的结论:"英国讲求实学自毕尔庚(按:培根)始。"①并且具体指出:"英国讲实学者,肇自比耕(按:培根)。始时,欧洲文字起于罗马而盛于希腊,西土言学问皆宗之。比耕亦习剌丁(按:拉丁)、希腊之学。久之,悟其所学皆虚也,无适于用实,始讲求格物致知之说,名之曰新学。当时亦无其信从者……至一千六百四十五年,始相与追求比耕之学……相距二百三四十年间,欧洲各国日趋富强,推求其源,皆学问考核之功也。"②他有感于此,进而沉痛地谴责"中国章句之儒,相习为虚骄无实之言,醉梦狂呼,顽然自至……中国之所以不能自振,岂不由是哉!"③对中西文化、哲学差别的这种强烈感受,显然是由于培根思想驱动的结果。

不但如此,在 1878 年 7 月 20 日的日记中,他还以同样的心情谈到了笛卡儿。他写道:"眉叔(按:马建忠)言:西洋徵实学问,起于法人嘎尔代希恩(按:笛卡儿),其言以为古人所言无可信者,当自信吾目之所及见,然后信之;当自信吾手足所涉历扪摩,然后信之。既自信吾目矣,乃于目所不及见,以推理测之,使与所见同;既自信吾手足矣,乃于手足所未循习者,以理推测之,使之所循习同。"④这

---

① 郭嵩焘:《郭嵩焘日记》(三),第 268 页,湖南人民出版社,1981 年。
② 同上书,第 356 页。
③ 同上书,第 789 页。
④ 同上书,第 605 页。

一段记载,相当准确地把笛卡儿提出的"普遍怀疑"原则概括出来了。从中可以看出,郭嵩焘从思维方式的高度上比较深刻地认识到了西方科学技术的发展与笛卡儿"普遍怀疑"原则的密切关系。

再次,1857年,英国传教士艾约瑟的《百拉多(按:柏拉图)传》,发表在《六合丛谈》第11号上。1886年,由他翻译的《西学略述》一书,其中有"理学"(按:哲学)一卷。在这卷译著中,在简略地介绍西方哲学的发展时,谈到了从古希腊起一直到近代戴加德(按:笛卡儿)、备根(按:培根)、罗革(按:洛克)、奈端(按:牛顿)、干德(按:康德)、雷伯尼兹(按:莱布尼茨)、休末(按:休谟)、斯宾塞等哲学家。其中介绍笛卡儿时,作者写道,"有法国人戴加德者深明算术而尤精于代数一学……默识潜摩,欲以推明了物始有之原。"① 介绍虽然极为扼要,评述更是十分肤浅,但在当时这种启蒙书籍的发行量大,因此影响倒是相当广泛。

最后,1882年,还有颜永京翻译史本宋(按:斯宾塞)著的《肄业要览》一书的出版。该书本是斯宾塞发表在《威斯敏斯特评论》1859年7月号上的一篇论文,原来的标题是:《什么是最有价值的知识?》(*What Knowledge is of most Worth?*)后来收入他的论文集《论教育》(*On Education*)中,1861年出版。

在这本书中,斯宾塞批评当时英国的学校重虚名不重实际,厚古薄今,让学生穷年累月读希腊文和罗马古文(拉丁文),而不致力研究关于国计民生的"实在之学",使学生安常袭故,屈从定论,半生刻苦求学,不终朝而尽行遗忘。因此,他不但要求把"格致"(科学)归结为最有价值的知识,而且还把学习科学视为审美训练和培养智慧、道德和宗教观念的最有益的途径。

---

① 艾约瑟:《西学略述》,卷五。

译者在序言中说,他译此书的目的是在针砭中国学术、教育的弊端。在他看来,"我中土学问之弊,固有不类而类者,虽曰以之自镜,未必尽同,然于其剔弊诸法,亦足饷我无穷。"①这里所谓"中土学问之弊",显然是指当时以八股取士的制度。这种制度使莘莘学子埋首经籍,格守古训,惟以记诵词章、工于制艺为能事,无益于国计民生,皆非"实用之学"。他指出,借鉴斯宾塞提出的"剔弊"之法,以此救正中国的学术教育,却是很有意义的。因此,他认为斯宾塞的《肄业要览》一书,"不激不随,其所论到,又确中时弊"。② 这个评论相当准确地反映了当时中国知识分子欢迎斯氏著作中民主和科学精神的理由。所以,这本书论述的内容虽非都是谈的哲学,但是它却是中国知识分子了解斯宾塞思想的开端。

第五节 西方哲学东渐史上的一段弯路

洋务运动时期是西学重新东渐后的启始阶段。由于这个时期的西学东渐是在中西关系发生变化后从实用政治目的出发,因此,对西学的选择与输入限制在应用自然科学,即声、光、化、电等自然科学领域,使西学东渐停留在器物层面。可见,洋务运动时期没有把西学作为整体加以引进。在这个意义上,这是明清之际西学东渐的一次倒退,是西方哲学东渐史上的一段弯路。这种做法带来的消极后果是十分严重的。

---

① 斯宾塞著,颜永京译:《肄业要览》,第18页,上海美华书馆本,1882年。
② 同上书,"译者序"。

一、从"中体西用"原则说起

前面谈到洋务派向西方学习与引进西学时,是依据"中体西用"原则进行的。在那里,只是阐明了洋务派提出这个原则的理由,以及在这个原则指导下输入自然科学知识的活动与成果。下面,在这个基础上,指出"中体西用"原则在中国近代以来中西文化交流过程中发挥的积极作用及其造成的消极影响。

"中体西用"是洋务派处理中西文化关系的一种文化模式,一种文化心态。它在近代以来中西文化交流过程中所起的作用是复杂的。一方面,通过近代西方自然科学知识的引进与传播,对中国社会的发展产生过一定的积极影响。这是应该加以肯定的。

首先,在思想上。由于西方实用自然科学知识的引进,打破了中国传统文化神圣不可侵犯的神话,动摇了中国封建统治阶级长期以来形成的夜郎自大、盲目排外、愚昧僵化的思想统治,给麻木不仁的上层社会以极大的触动,从而出现了旧权威凌替、思想开放的转机。特别在引进自然科学知识的过程中,一些较有现实感的洋务派从沉沉昏睡的封建古国的愚昧中惊醒过来,承认了西方列强船坚炮利,并积极加以引进与师法。这在实质上就承认了中学的不足,必须用西学来补充。这样,对自古以中学为惟一体系的中国思想界,便在事实上打开了一个缺口,为西方文化在中国传播争得了一块合法的地盘。在当时封建主义充斥的天地里,欲破启锢闭,引入若干资本主义文化,这不失为一种可能行得通的惟一途径。因为如果没有中学作为前提,"西学"便会无所依托,否则,它是难以进入中国大门的。而这个缺口被打开以后,另外一个陌生的世界便展现在他们的面前,"西学"就会顺着这个口子渗入进来。在当时的历史条件下,"中体西用"便成为中西文化交流、融合两者有可能结合的一种特定的形式。

其次,在实践上,由于西方实用自然科学的输入,还产生了一批与此有关的实际成果。例如,以自强求富为目标的军事工业和民用工业,出版、科技、学堂、留学生为内容的近代文化事业的诞生。"这些东西是封建文化和封建制度的对立物,虽然力量有限,但终究打开了缺口,促进了近代中国社会的新陈代谢。"①其中,特别是由于西方实用科学的输入,改变了中国传统的封建文化结构,导致中国近代自然科学的启蒙和建立。而且在这个输入过程中,培养和哺育了一批科学家和改革人才。前者如数学家李善兰、华蘅芳,化学家徐寿,地质学家章鸿钊,地理教育家张桐文,工程师詹天佑等;后者主要是早期改良派如冯桂芬、王韬等,他们在洋务运动中增长了才干,在逐渐觉醒的基础上从洋务派中分化出来。就是后来的维新派,有些人也是在这个过程中受到教育后进一步觉醒,才把向西方寻找真理的步伐推进到了新的阶段。

所有这些,都说明洋务运动时期以"中体西用"原则输入西方的实用自然科学知识,对于中国社会的发展,不论思想上还是实践上,都发挥了一定的积极影响,代表了一部分中国人向西方学习的一个阶梯。在资产阶级还没有在思想政治领域开拓阵地以前,以洋务派为代表在中国开展的西学东渐活动,有一定的进步意义。

但是,另一方面,还必须看到,这个时期西学输入的积极作用与影响,又是极其有限的。例如,在思想上,其影响所及主要限于

① 陈旭麓:《近代中国社会的新陈代谢》,第 116 页,上海人民出版社,1992年。

少数官僚和上层士大夫。对于绝大多数士大夫和知识分子来说，他们仍然生活在传统的思想世界里。据梁启超回忆，时到1888年以前的两年间，他先后在广州的几个大书院，如海学堂、菊坡精舍、粤秀书院和奥华书院读书，他所接受的仍然都是传统的经学词章之学，真正接触西学是在1890年跟康有为在万木草堂念书以后的事。这里反映的虽然只是广州一个地方的情形，但是，值得注意的是，广州是中国近代对外通商最早的商埠，在五口通商几十年后，这里的重要书院尚无西学的痕迹，其他地方书院的情形，就可想而知了。

如果说，前面的例子只是说明西学影响在广州的微弱，那么，下面的例子则完全可以窥见西学影响在全国微弱的全貌。据梁启超统计，江南制造局从1865年开始译印有关西学书籍，但到1895年过去了整整30年，前后只出售1.3万本。这反映了中国知识界对于西学的冷淡态度。不但西学书籍卖不出去，甚至人们还以厌恶的心情对待这些翻译和出版机构。一件众所周知的事实是，从同治初年到甲午这段时间，中国的士大夫连同文馆的门都不愿跨进。因此，这个时期的知识界，当时所谓的大儒，如朱次琦、陈丰、俞樾、黄以周等，在他们的著作里，几乎见不到西学的踪影。而同时期的日本，情形则大不相同。福评渝古在明治初期刊出有关西学的书籍，销路极佳。据说其中最畅销的书，1860年出版以后，立即销售了七万五千册。这说明西学在19世纪中叶以后，在日本知识界受到了普遍的欢迎。

1895年以前，西学不能深入中国广大知识界，并不使人感到惊异。中国幅员之辽阔，内陆之深广，加上传播媒介如报纸和杂志的缺乏，这种现象是可以得到理解的。叫人难以解释的是，生活在沿江沿海的士大夫对西学的态度。他们有条件，也有机会接触西学,却没有去接触它,这与思想上的拒斥不同。思想上的拒斥,是经过考虑和选择以后采取的行动。既然经过考虑和选择,则影响难免已经有了。而他们则不同,简直可以说是"视而不见,听而不闻"。没有思想上的接触,影响自然谈不到。因此,在洋务运动时期里,虽然西学已经重新东渐,但因西学的输入停留在器物层面,对中国广大群众的思想影响,是微乎其微的。

又如,在实践上。洋务派在推行洋务运动的过程中,始终坚持和维护现存的封建秩序之体,而当时这个"体"已经日薄西山,摇摇欲坠了。从社会发展的方向考察,本来只有坚决改变它,走出中世纪,实现现代化,中国才会有前途。然而,在中国已经被动地卷进了世界现代化的潮流以后,尽管依据"中体西用"原则引进了当时接近西方资本主义国家发展水平的科学技术,但其目的却是以此挽救和加固垂死的封建体制。由此可见,它的根本目的与世界现代化的潮流与中国社会的发展方向是背道而驰的。从这种立场出发,使它们在向西方学习与引进西学时,没有、也不可能意识到在西学中还有必须加以同时输入的部分,而是把西学的引进限制在器物的层面上。一旦西学之"用"超出这个限度,洋务派就会坚决加以拒绝和严格控制。尤其是随着社会改革向前推进,它开始仅有的一点积极作用便会消失殆尽,成为抵制西学中其他层面输入的思想工具。这样一来,便决定了洋务派通过"中体西用"引进西学的富国强兵之论,必然以失败告终。1895 年甲午战争的失败,就是蕴涵在洋务派这样引进西学的过程中。因为洋务派提出的"中体西用"为原则开始向西方学习的过程,在时间上与中国现代化从酝酿到起步的过程恰恰是同步进行的。然而,这在中国现代化历史上,却步履蹒跚地经历了将近半个世纪。如此迟缓的原因,虽然主要是中央皇权的衰败与官僚政治腐败无能,官僚经济体制缺乏效率,以及民办企业缺乏制度性保证,但是,与采用"中体西用"原则输入西学也有密切的关系。

为什么这样说呢?

二、违背了知识输入的规律

前面讲到,洋务运动时期输入的西学,主要是应用技术与自然科学知识,哲学、社会科学理论没有受到重视并全面地加以引进。这样,就把西学人为地割裂开来,单打一地输入,便违背了包括西学在内的人类知识输入的规律,从而严重地束缚了西学作用的发挥。

这里讲的西学,是指广义的文化包括物质文化和精神文化。所谓西学的输入,是指西学从以西方为输出项向以中国为输入项的流动。而在西学中是分门别类的,各种知识之间存在着客观的逻辑联系。这种逻辑联系,在从输出项到输入项的流动过程中,必然表现为一定的逻辑顺序。按照什么样的逻辑顺序输入,才是合乎知识输入的规律? 洋务运动时期的西学输入是否合乎知识输入的规律?

在回答这些问题之前,需要找到一个客观的东西作为输入知识的计量,然后对它进行分析,才能看出这个时期西学输入在数量上达到的程度及其变化的轨迹,再由此进一步判断这个时期西学输入的性质。只有这样,才能对上述问题给予实事求是的回答。

江南制造局译书馆是洋务运动时期西学输入中国的译书中心,它在不同时期的译书目录表,反映了不同时期西学输入的基本面貌。因此,利用它在这个时期提供的两个书目表,为我们解决上述问题准备了计量标准。

表一　《译书事略》　1858 年

序号	分类	已刊部数	待刊部数
1	算学测量	22	2
2	水陆兵法	15	9
3	工艺	12	9
4	天文行船	9	3
5	地理	8	0
6	汽机	7	3
7	博物学	6	4
8	年代表新闻纸	6	1
9	化学	5	1
10	地学	5	0
11	医学	2	1
12	国史	0	5
13	造船	0	3
14	交涉公法	0	2
15	零件	0	2
总计		98	45

　　这个表亦称《傅兰雅表》,基本上可以反映出1878年以前20年,即洋务运动初期西学书籍在中国翻译和出版的情况。从中可以看到,这个阶段书目中最多的是兵法工艺。水陆兵法、造船、天文行船(海军之需)、工艺、汽机、零件等七类,占已刊诸书的41%,占未刊诸书的80%。而西方已经发展起来的自然科学各科,除天算、地理外,其他输入到中国来的甚少,如重学(力学)、电学、声学、全体学(生理学和心理学)等,在上表中就不曾被列为一类。这不是说,这类书一本也没有译出,而是说,尚未把它

们作为一类设置。这些都足以说明,洋务运动初期的 20 年,西学输入的主要类目是实用知识与工程技术,以及兵法工艺。不用说作为西学核心的西方哲学只有零星的介绍,就是反映制度层面的政法等社会科学理论的译著,表中虽列有"国史"和"交涉公法"两类,但在其目下却没有刊出一部书,仅在"待刊部数"下列有几部。梁启超说过,当时"惟西政名籍,译者寥寥",即指此而言。

表二　《西学书目表》　1896 年

序号	分类	已刊部数	%
1	兵政	53	15.5
2	医学	39	11.4
3	工政	38	11
4	史志	25	7.3
5	算学	22	15.5
6	法律	13	11.4
7	化学	12	11
8	格致	11	7.3
9	全体学	11	6.4
10	西人议论	11	3.8
11	地学	9	3.5
12	船政	9	
13	矿政	9	
14	重学	8	
15	游记	8	
16	动植物	7	
17	学制	7	

序号	分类	已刊部数	%
18	农政	7	
19	天学	6	
20	图学	6	
21	报章	6	
22	光学	5	
23	商政	4	
24	声学	3	
25	汽学	3	
26	电学	3	
27	官制	1	
28	其他	18	
合计		354	

（注:类目次序按等级排列）

　　这个表是1896年制成的,但反映的却是从1878年到1895年,即洋务运动后期西学输入中国的情况。把它和前一个书目表比较一下,可以看到一个明显的变化是,在这个阶段输入的西学中,增加了格致(相当于自然科学的总类)、重学、电学、声学、光学、全体学等六类。自然科学在输入的西学中增加的比例较大。但从总的倾向看,在当时输入的各类西学中,兵政仍居首位,医学次之,工政第三。在社会科学方面,虽然增加了官制、学制、商政、议论等类,但目下列书不多。而自然科学书籍,上表六类录书41部,加上前表算学、汽学、化学、天学、地学、动植物学、医学录书共139部,占总数的39%,在西学的输入中显得十分突出。由此可见,洋务运动后期的西学输入,虽然自然科学增加了门类,社会科学著作也出现了,但西学输入占统治地位的仍是兵工和自然科学各科,西学输入的基本倾向并没有发生变化。

　　这种对西学的选择与输入,是鸦片战争后迫于列强破门而入和中国朝野震惊于西方的船坚炮利,以为西方胜过中国的地方就在于此。接着,为了制造机器,又认识到船坚炮利并不是什么"奇技淫巧",而是有一套精密的自然科学为基础,因而又着手引进西方的自然科学及其技术。但这主要的目的是为了所谓"强兵"。对于哲学社会科学则还必须以"中学为体",就是说,哲学社会科学不属于输入的范围。这种做法在它所赖以发生和存在的历史条件(强大的历史传统)和社会条件(封闭的社会状态)下,认识由表层进到里层,因而按照这种顺序输入西学是有一定理由的。但是,作为西方现代化概括的西学,却是一个由各个组成部分构成的整体。在这个整体的各个部分之间,是相互联系和相互影响、难以清楚地把它们划分开来的。其中,思想行为层面是一种文化的基本价值所在,因而不但使它现代化最难,而且在现代化过程中,它在构成现代化的诸种因素中又是最必需、最重要的,因为惟有这个层面现代化了,才能促进现代化的全面发展和实现。当然,这不等于说物质层面和制度层面的现代化不重要。实际上,制度层面的现代化虽是表层的,但它不但可以影响传统社会的结构、经济、制度的转变,而且还是一定思想行为产生和发展的基础。因此,人为地把它们割裂开来,不把西学作为一个整体加以引进,而是单打一地输入,便违背了知识输入的规律。

　　首先,因为科学知识是由立体和交叉联系建立起来的整体。西学也是这样。存在于这个整体内部的各个知识层次之间是互为前提和互相依赖的。其中,实用科学是理论自然科学建立的基础。但是,如果没有理论自然科学的指导,实用科学就不能得到正常地发展;同样,没有社会科学的发展及其行为化(社会制度)的保证,自然科学也不能得到正常的发展。特别是这里的关键在于,如果思维方式上的变革,没有哲学理论提供世界观和方法论的指导,任何其他科学的发展都要受到一定的影响。实际上,不仅整个人类知识的整体如此,就是在各门具体科学之间也是这样。因此,要是撇开这些不管,把这些带有严格整体性的复杂关系变为单向(尽管不是任意的)关系,并单打一地进行输入,必然使输入的每一个层次的西学都达不到预期的目的。中国现代化从酝酿到起步过程中,在输入西学时只是注意器物层面的输入就是这样。因为它没有考虑知识结构的逻辑联系,只是从一个实用的目的出发。结果是,土地开拓了,但没有深耕;幼苗长出来了,但缺乏精心的培育,到头来不但没有收到应当收获的果实,反而白白地浪费了几十年的时间。

其次,中国输入西学的过程和西学在西方创立的过程是不同的。创立是一个探索过程。在这个过程中,必然遇到不少困难和经历不少的弯路,一定会造成资源、才智和时间的浪费和损失。输入的过程不同。它不是创立过程的简单重复,它可以按照现有结构最合理的形式加以移植,能够避免知识创造过程中走过的弯路或歧路。因此,洋务运动时期在输入西学时,没有必要重复西学在西方创立时所经历的全部过程,或者至少可以缩短这一过程。西学输入成功与否,主要看它是否最大限度地缩短了输入项在西学创立过程中的路程,能否直接利用人类智慧的最新创造成果。这是知识输入的"移植优势"所在。作为现代化后来者的中国来讲,本来可以充分发挥这种"移植优势",以便尽快地把输出项创造的财富转化为我所有,而且在这个转化过程中借"移植优势",还可以使这类知识以加速度的形式向前发展。因此,中国可以将西方创立的西学尽快地接受过来,使它在中国现代化的过程中发挥作用，并在这个过程中得到丰富、提高和发展。但是，由于采取了单打一的输入方式，使西学在中国的输入过程比它在西方的创立过程还要曲折，由此直接影响了现代化从酝酿到起步的发展速度。

在这一方面，日本现代化进程中从整体引进西学的成功，能够给我们以有益的启示。本来，中日两国接触西方文化，开始时的情况大致是相同的。甚至在一段时间内，日本向西方学习在一定程度上是以中国作为渠道进行的。但是，到达幕末时期，特别是1868年明治维新开始，情况急剧地发生的变化。明治维新时，日本天皇向国民宣示了五条御誓文。其中第五条是："求知识于世界，大振皇国之基础。"这里，把包括西学在内的科学知识的输入工作，提高到了振兴国家基础的高度。基于这种认识和政策，使国外学术文化的输入工作得到健康的与迅速的发展。特别在输入西学时，面对现代工业和军事的挑战，他们能潜心思考，深入探求，以期从整体上把握与输入。因此，从维新变法开始，为了把西学作为一个整体进行输入，他们有计划地翻译西学各科书籍，成立了外国书籍调查所；为了全面而系统地吸收西方文明，要求驻外或外出使节考察各国制度与学术；为了把输入的西学灌输于国民，设置了义务教育制度。这些措施，使各个层面的西学能够按照它们原有的逻辑关系全面地移植过来，并且使它有计划地、稳步地与持续地发展下去。这样，通过西学的输入，很快而全面地改变了日本社会原有的知识结构，爆发出巨大的知识能量，并且充分地利用了这些知识资源，把它转化为生产力，迅速地使日本实现了现代化，使它从落后的状态一跃而为年轻的现代化国家。日本走向现代化的成功无疑是多种因素共同起作用的结果。但是，如果从文化的角度考察，西方打开中国的大门比打开日本的大门还要早十几年,然而在长期关闭的门户被打开后,在现代化进程中出现的结果却是如此悬殊。那么,这还不值得我们深思吗?

第三章　世纪之交西方哲学
重新全面东渐

（1895 年至 1915 年）

历史跨入 20 世纪的前夕,1898 年,在中国大地上卷起了维新变法的风云;进入 20 世纪后不久,1911 年,接着爆发了辛亥武昌起义。世纪之交在旧民主主义框架内发生的这两次社会变革,在中国现代化历史上,是变被动现代化为主动现代化的开端。西学重新东来后西方哲学全面东渐,就是在这个从前者向后者转变的过程中开始发生的。虽然在这个时期的前后两个阶段上,它们各有不同的社会背景,但从西方哲学东渐的全过程考察,却有共同的特点,即西学重新东来后西方哲学开始全面东渐。

第一节　社会变革的发展与西方哲学
重新全面东渐

所谓西方哲学重新全面东渐,是指鸦片战争前西学重新东来进展到具有自觉意义的西方哲学东渐;这时的西方哲学东渐与洋务运动时期的零星介绍不同,它是建立在对西方社会与西学认识的深化基础上,是在社会变革的推动下中国先进分子对西学的选择从制度文化层进展到精神文化层的结果与表现。

一、西方哲学重新全面东渐的社会条件及其推动力量

世界历史进入到 19 世纪的末叶,西方殖民主义随着后起的几个新兴强国的崛起,加紧了争夺殖民地的角逐。在这个过程中,中国连遭它们的侵略和干涉。最为明显的表现是,1894 年甲午战争的爆发与 1900 年八国联军的入侵,结果割地赔款,形势比两次鸦片战争时期相比,变得异常严峻。例如,甲午战争失败后《马关条约》的签订,在帝国主义掀起瓜分中国的浪潮中,把中国社会推进到了苦难的深渊。又如,由于《辛丑条约》的签订,中国在形式上虽然还保持着一个独立国家的名义,但实际上完全变成一个在帝国主义共管下的半封建半殖民地社会。

这些事实充分说明,由于国力衰败而酿成的严重政治危机,使中国完全处在被帝国主义列强瓜分的严重局面之中。如何从这种亡国灭种的险恶处境中解救出来,是摆在朝野上下一切有识之士面前必须加以严肃思考,并采取措施切实加以解决的历史任务。1898 年的维新变法运动,就是在这种社会条件下爆发的。虽然世纪之交前夕出现的维新变法,作为一场政治运动是失败了,但是,中国迈向现代化的社会变革步伐并没有因此停顿下来。相反,随着戊戌政变使以康有为为代表的资产阶级改良派从顶峰上跌落下来,以孙中山为代表的资产阶级革命派上升到了中国社会变革的主流地位。1911 年,在孙中山领导下举行的武昌起义,推翻了腐朽的满清皇朝,结束了中国几千年的封建专制统治。由此可见,在19 世纪末到 20 世纪初中国社会变革的过程中,它们彼此交替,各有自己的时代。具体说来,1895 年甲午战争失败后改良派替代洋务派,成为社会革命的主流;1898 年戊戌政变,特别是 1900 年义

和团运动失败后,革命派替代改良派,成为20世纪初期中国社会革命的主流。因此,它们各自代表了世纪之交中国社会变革过程中的不同阶段。

　　基于这一点,它们之间出现了分歧与争论。主要表现在政治理想上,一个主张君主立宪,一个主张民主共和。但是,这种分歧与争论,不同于洋务运动时期的"师夷"与"反师夷",也不同于维新变法时期的维新与守旧之争,而是中国正在成长中的资产阶级内部不同集团之间两种政治模式的分歧与争论。从中国社会的发展方向考察,虽然革命派代表了正确的方向,不过改良派在中国社会变革的诸多问题上,也具有某些历史的合理性。这种现象的产生,主要是因为它们不但是在同一经济基础上产生和发展起来的,而且基本上还是同时登上中国政治舞台的两个政治派别。因此,它们的政治目标和要求,都是要在中国实现资本主义现代化。而为了实现这个目标,都主张取法西方,向西方学习,特别对于引进西方的哲学社会科学,它们在认识上和实践上基本是一致的,都是推动西方哲学重新全面东渐的社会力量。

二、对西学选择从制度层面到精神层面的进展

　　搞了几十年的洋务运动,虽然随着甲午战争的失败而破产了,但它毕竟为中国的现代化迈出了艰难的一步。就是在这个过程中,中国的民族资本得到了初步发展。并在这个基础上,中国的首批民族资产阶级随之诞生了。正在成长中的民族资产阶级虽然因经济上和政治上的先天不足,力量十分单薄,但在当时外有列强环伺,内无民主可言,亡国灭种随时可能发生的形势下,特别是在连续不断遭到外来侵略势力的冲击下,有力地推动着他们中的一些人觉醒起来。正如梁启超所说:"吾国四千余年大梦之唤醒,实自

甲午战败割台湾偿二百兆以后始也"。① 这样觉醒的结果,政治上
先后有维新变法运动的兴起与辛亥革命首义的爆发。在思想上西
学东渐从制度层面向精神层面的推进,就是在这个过程中实现的。

1. 对西学制度层面的选择

在维新变法运动酝酿和推行的过程中,一些先进的知识分子
通过亲身经历或由各种媒体提供的信息,加强了对西方国家所以
致富致强状况与原因的探索,而且利用这些西学知识来重新认识
中国的处境与探索中国的前途,并以此为根据设计和提出救治中
国的有效方案。在这一方面,他们已经从这些战争失败的教训中
认识到,西方器物文化之所以优良,是因为在它们后面还有"君民
不隔"、"议院上下同心"等制度文化的支撑。他们认为,任何一种
科技工艺只有在相应的制度下才能真正发挥它的效力,而中国所
以技艺练兵不如西方,便是由中国的政教国体决定的。这种认识,
前面说过,在早期改良派那里即有所萌芽。例如郑观应,说他远涉
重洋,"日与彼都人士接交,察其习常,访其政要,考其风俗利弊得
失盛衰之由,得其治乱之原,富强之本,不尽在船坚炮利,而在议院
上下同心,教养得法"(《盛世危言》自序)。进到维新变法时期,这
种认识在改良派领袖人物那里,有了更为明白的表述。例如康有
为。他写道:"东西各国之强,皆以立宪法开国会之故。国会者,
君与国民共议一国之政法也。盖自三权鼎立之说出,以国会立
法,以法官司法,以政府行政,而人主总之。立定宪法,同受治
焉。人主为神圣,不受责任,而政府代之。东西各国,皆行此政
体,故人君与千百万之国民,合为一体,国安得不强? 吾国行专

---

① 梁启超:《戊戌政变记》,见《饮冰室合集》(6),第1页,中华书局,1989
年。

制政体，一君与大臣数人共治其国，国安得不弱？……今变行新法，固为治强之计，然臣窃谓政有本末，不先定其本，而徒从事于其末，无当也。"①

在这里，康有为通过中西政治制度的对比，阐明了西方之所以强，中国之所以弱的原因。不过，他对西方政治体制的描述，是以君主立宪为标本的。在他看来，西方各国所以富强，是由于"立宪法"、"开国会"、"三权鼎立"的结果。这是它们的富强之"本"。中国要富强起来，就必须学习这个"本"。他还以进化论为武器，通过总结近代日本崛起的经验，强调"天道后起者胜于先起也，人道后人逸于前人也"，认为"日本之步武泰西至速也，故自维新至今三十年而治艺已成"②。因此，他指出，中国只要像日本那样实行维新变法，不久的将来，也一定能"驾于英、美而逾越于俄、日"，③赶上和超过东西列强。

又如梁启超。他曾说："欧洲各国……百年以来，更新庶政，整顿百废……议政之权，逮于氓庶。故其所以立国之本末，每合于公理，而不戾于吾三代圣人平天下之义。"④梁启超的这些看法，与前面康有为的认识是完全一致的。透过这些言论，说明他们已经认识到，国家的富强，不仅在于器物工艺，还有更为重要的是国家的政治、法律制度。因此，中国要摆脱面临的危机，虽然关键在于富起来，然而要使国富兵强，则必须改革内政。为此，他们在这种

---

①　康有为：《请定立宪开国会折》，见《康有为文选》，第399—400页，上海远东出版社，1997年。

②　康有为：《日本书目志》"自序"，见《康有为全集》，第3卷，第585页，上海古籍出版社，1992年。

③　同上书，第586页。

④　梁启超：《西政丛书叙》，见《饮冰室合集》(1)，第63页，中华书局，1989年。

认识的基础上提出了一条走类似日本的"君主立宪"、"变法维新",实现资本主义现代化道路的政治主张。

基于对中西方与西学的这种认识,他们还对洋务派以"中体西用"为原则输入西学的实践进行了尖锐的批评。在维新派看来,洋务派所以失败,除了用人不当、管理不善以及作风腐败之外,与他们学习西方时舍本求末,只学其枝节,而没有学其根本,因而效益很差,或事倍功半,或徒劳而无功,关系极为密切。其中,康有为便说他们"稍言变法,而成效莫睹,徒增丧师割地之辱者,不知全变之道。或逐末而舍本,或扶东而倒西,故愈活愈梦,万变而万不当也"。① 严复甚至把洋务派这种向西方学习的做法,称为是"盗西法之虚声,而沿中土之实弊"。② 梁启超则指出:"中国向于西学,仅袭皮毛,震其技艺之片长,忽其政本之大法。"③所以,谭嗣同甚至还挖苦地写道:"中国数十年来,何尝有洋务哉? 弟就所见之轮船已耳,电线已耳,火车已耳,枪炮水雷及织布炼铁诸机器已耳。于其法度政令之美备,曾未梦见,固宜足下之云尔。凡此皆洋务之枝叶,非其根本。执枝叶而责根本之成效,何为不绝无哉?"④毫无疑问,维新派发表这些言论的目的,不外是为了实行变法扫清道路。然而从引进西学出发,他们在这里提出的一个重要问题是,既然洋务派只学了西学的皮毛与枝节,那么,西学的主干和本体是什么? 既然决定西方富强的原因不在器物技艺,而是政治学理之

---

① 康有为:《日本变政考》卷 9,见《康南海先生遗著汇刊》(十),第 234 页,宏业书局。

② 严复:《救亡决论》,载天津《直报》,1895 年 5 月 6 日至 8 日。

③ 梁启超:《上南皮张尚书书》,见《饮冰室合集》(1),第 105 页,中华书局,1989 年。

④ 谭嗣同:《报贝元微》,见《谭嗣同文选注》,第 32 页,中华书局,1981 年之

"本",那么,中国要想像西方一样富强起来,究竟应该怎样对待这个"本"?

正是在思考与解决这些问题的过程中,他们把对西方的学习从器物层面推进到了制度层面。这标志着以维新派为代表的一代先进人物对西学的选择向前推进了一步。不过,在维新运动失败前由于他们主要是从进行维新变法,建立君主立宪的政治制度着眼,因此对西学的选择,在主导倾向上还基本停留在政治法律制度层面,而对于西方的哲学社会科学的认识,尚没有达到应有的程度。这样,具有自觉意识与全面意义上的西方哲学重新全面东渐,因而便不能及时地提到日程上来。

2. 对西学精神层面的选择

百日维新作为一场政治运动,虽然很快夭折了,但是它的思想影响,并没有因为政治上的失败而告终。相反,由于其悲剧结局而强化了它对人心的震撼作用。特别是时到戊戌与辛亥之间,正值19世纪、20世纪之交,这是中国新的政治选择的重要关头。因此,随着政治大变局形势的逐步形成,作为政治变革先声的思想变革已经超前出现。就这样,在革命风雨欲来之际,一个更为宏阔的思想解放思潮勃然兴起了。

不过,这样发生的思想解放运动,首先却是在海外兴起的。因为维新运动失败后,迫于清政府的迫害与镇压,不少志士流亡海外,主要是在日本。其中除了维新派外,还有革命派。他们在这里对于西方文化的观察,与对中国传统文化的反省,较之戊戌前有了前所未有的社会文化氛围。在这样的环境中观察世界,展望未来,不仅视野开阔,而且完全可以毫不顾忌夷夏之防的罗网与"中体西用"的羁绊。这十分有利于促使他们在文化观念从封闭的心态中解放出来。例如梁启超。1899 年,梁启超在他的《三十自述》中这样写道:"戊戌九月至日本,十月与横滨商界诸同志,谋设《清议报》。自此居日本东京者一年,稍能读东文,思想为之一变。"[1]这里说的是,他到达日本后,广泛地接触了西方文化,联系刚刚经历的政治实践,使他在文化观念上开始了新的弃旧图新的尝试。一方面,戊戌政变甫过,血的教训使他认识到中国的国事如果没有民众的兴起,是办不成的。因此,他和严复一样主张"开民智",以求把广大国民改造成独立的自由之国民。为此,他提出了"新民说",以此培养"国民元气"。这也就是此后一段时间内人们不断议论的改造国民性的问题。他认为,只有从思想启蒙入手,才是解决中国问题的关键。另一方面,随着他对西方文化认识的深化,他看到了西方之所以富强,除了它的政治制度以外,还有更为根本的东西。正如他说的,西方"所以致此者,必有道德学问以为之本原"。[2]　这个"本"是什么?　在他看来,就是因为西方还有一套精细的哲学社会科学理论。基于这种认识,所以他把培根和笛卡儿称为近代西方文明的"始祖",认为通过他们在哲学上进行思维方式变革熔铸的时代精神,给西方带来了"新道德、新政治、新技术、新器物。有是数者,然后有新国家、新世界"。[3]　所以,他指出,在西学中"有形质焉,有精神焉。求形质之文明易,求精神之文明难。精神既具,则形质自生;精神不存,则形质无附"。[4]　对于这里他说的"精神"与"形质"的关系是否妥当,且不去评论,但就把西

---

①　梁启超:《三十自述》,见《饮冰室合集》(2),第18页,中华书局,1989年。

②　梁启超:《南海康先生传》,见《饮冰室合集》(1),第6页,中华书局,1989年。

③　梁启超:《近世文明初祖二大家之学说》,载《新民丛报》,第1,2号,1903年。

④　梁启超:《"国民十大元气论"叙论》,见《饮冰室合集》(1),第61页,中华书局,1989年。

学中的精神层次看得更为重要,并且主张向西方学习时,首先应该学习西方的精神文化。这些见解的提出,说明梁启超对西方社会与西学的认识前进到了一个新的层面。

在这个问题上,实际上早在维新变法期间,严复的认识在一定程度上已经接近这个水平。当时,他把西方近代的富强与哲学上思维方式的变革联系起来,认为国家富强必须以格致(科学)为基础,而西方科学的昌明,又应归功于培根在哲学上倡导的经验归纳法。他写道:西方"二百年来学运昌明,则又不得不以柏庚氏(按:培根)之摧陷廓清之功为称首。学问之士,倡其新理,事功之士,窃之为术,而有大功焉。"①意思是说,由于培根等在哲学上实现的新的思维方式和科学方法,才有牛顿等在科学上的创造和发明,西方国家也就是依靠这些成就才大踏步地发展和富强起来的。因此,他提出在向西方学习输入西学时,不能像洋务派那样,只知引进自然科学知识,那是"形下之粗迹",②而要求抓住西学的命脉所在。他认为,西学的命脉在"于学术则黜伪而崇真,于刑政则屈私而为公"。③ 前者指自然科学上新的研究方法和哲学上新的思维方式,后者指西方的民主政治制度以及反映这种制度的社会科学理论。而在引进它们时,不但不能偏废这些内容,而且还应该给予特别的关注。为此,他对洋务派处理中西文化关系的原则进行了批评,主张抛弃"中体西用"观念,坚持"体"、"用"统一不可分的原则。他写道:"体用者,即一物而言之有牛之体,则有负重之用,有马之体,则有致远之用。未闻以牛为体,

---

① 严复:《原强》,载天津《直报》,1895 年 3 月 4 日至 9 日。
② 严复:《论世变之亟》,载天津《直报》,1895 年 2 月 4 日至 5 日。
③ 同上。

以马为用也。"①他指出："中西学之为异也,如同种人之面目然,不可谓之似也。故中学有中学之体用,西学有西学之体用,分之则并立,合之则两亡。"②显然,这种"体"、"用"统一观是对"中体西用"文化观念的超越。就这样,他不但积极主张引进西方哲学,作为"鼓民力、开民智、新民德"的实践步骤,而且还比较自觉地早在维新变法期间就开始了传播西方哲学的工作。

前面梁启超对西学认识的变化,与这里严复对输入西学提出的主张,是他们对鸦片战争以来,特别是对洋务运动期间中西文化交流反省的结果。就是在这种反省中,提高了对中西文化本质的认识,并在这个基础上认为洋务运动以来输入西学的根本失误,主要在于没有看到西方各国用以致富致强的"西学西政"之所以先进,是由于其"精神文明"的发达。就是说,精神文化才是西学的实质,向西方学习,首先应该引进这个实质。只有从这里入手,才能真正找到解决中国落后面貌的关键。正如梁启超所言:"求文明而从形质入,如行死港,处处遇窒碍,而更无他路可以别通。"③又谓,"求文明而从精神入,如导大川,一清其源,则千里真泻,沛然莫之能御也。"④由此可见,他们已经不满足从政治变革的需要引进西学中的制度文化了,而是从思想启蒙的角度主张输入西学中的精神文化、哲学社会科学了。这说明他们在向西方学习的过程中进展到了一个新的高度。

---

① 严复:《与外交报主人论教育》,见《中国哲学史资料选集》(下),第412页,中华书局,1983年。
② 同上。
③ 梁启超:《"国民十大元气论"叙论》,见《饮冰室合集》(1),第62页,1989年。
④ 同上。

　　这种认识在 20 世纪初以孙中山为代表的革命派那里，更加有
了鲜明的表述。由于他们在政治上主张用资本主义的民权政治制
度取代中国的君主专制制度，因此在文化上，他们主张用自由平等
为旗帜的资产阶级民主主义观念取代封建的纲常名教为核心的文
化观念。在这种政治立场与文化观念的基础上，他们把"开民智"
与"兴民权"联系起来，认为只有"开民智"才能改变中国固有的专
制文化所造成的民众的"奴隶根性"，造就独立自由的掌握国家权
力的，从而成为国家主人的一代新国民。例如兴中会主办的《中
国旬报》，在阐明办报宗旨时就说，中国正处于行将灭亡的危急形
势之中，而形成这种局面的一个重要原因，就是民气未振，民智未
开，多数人昏昏然为奴隶而不觉醒。针对这种状况，作者写道：
"本报之宗旨，大抵以开中国人之风气识力，祛中国之萎霏颓庸，
增加中国人兴奋之热心，破中国人拘泥之旧习，而欲使中国维新之
机勃然以兴。"①在这里，可以清楚地看到，作者十分重视"开民
智"在争取民权中的重要作用，并且越来越明确地给"开明智"赋
予民主主义的含义。他们认为，中国向来的专制制度，是建立在愚
民政策之上，如果在现今时代还闭塞民智，那么，它只会造成亡
国的恶果。中国欲求兴盛，必须仿效欧美、日本先进文明之精神，
力求精进；而欲求精进，则必须发达民权；欲求发达民权，则必开通
民智。"民有智则有民，民无智则无国，智也者，民所以自主自由
自立，亦即国之所以自主自由自立者也。"②创刊稍晚于《中国旬
报》的《国民报》，在《说国民》一文中论述如何才能变奴隶为国民

---

　　① 《中国旬报宗旨》，载《中国旬报》，1900 年 1 月 25 日。
　　② 大西洋钓徒：《论世界长进之理》，载《中国旬报》，第 28 期，1900 年 11 月
16 日。

时,十分看重精神文化因素在"开民智"过程中的作用。其中论述必须摆脱"君权"和"外权"的双重压迫,中国人才能成为享有自由的国民时写道:"欲脱君权、外权的压制,则必先脱数千年来牢不可破之风俗、思想、教化、学术之压制。盖脱君权、外权之压制者,犹所谓自由之形体,若能跳出数千年来风俗、思想、教化、学术之外,乃所谓自由之精神也。"①把前面这些论述集中起来,其中提出的一个重要问题是,在进行政治变革的过程中,在意识形态领域必须对全社会进行思想启蒙,使广大群众从旧的封建传统观念的束缚下解放出来,并代之以新的民主观念以及与此相适应的新的思维方式,以保证政治革命的顺利进行与取得胜利。

从上述论述中可以看到,在辛亥首义前,革命派在从各个角度探讨如何挽救中国的危机,寻找中国社会生存与发展的道路时,特别从洋务运动与维新变法失败的教训中,他们已深深地感到了思想启蒙对于中国社会变革的重要与迫切。这些论点和主张的提出,意味着西学重新东渐以来在文化观念上一种全新的价值取向的形成。正是从这里出发,对于西方文化所要引进的重点以及对于中国传统文化必须加以扬弃的内容,和过去比较已经发生了很大变化。具体说来,主要是对西学的选择在过去输入西方制度层面的基础上,还从进行思想蒙启的需要出发,开始输入精神文化,即哲学社会科学。例如孙中山。实际上早在维新变法期间,他就曾经上书李鸿章,尖锐地批评了洋务派向西方学习"是舍本而图求末也",②没有抓住"富国"、"治国"的关键。他就是在认识到了

---

① 佚名:《说国民》,载《国民报》第二期,1901 年 6 月 10 日。
② 孙中山:《上李鸿章书》,见《孙中山全集》,第 1 卷,第 8 页,中华书局,1981 年。

西学中的这个"本"以后,不但抛弃了对清政府自我革新的幻想以及改良派"托古改制"的办法,认为"以民国之制,不可不取欧美"①,主张在观念文化上引进西方资产阶级革命时期的思想,如社会契约论、天赋人权论与进化论等以建立民主共和制的国家。从这种认识出发,革命派都积极主张向西方学习,而在向西方学习时要抓住它的核心,特别是其中作为近代西方社会走向现代化理论总结的近代哲学思想。例如邹容在《革命军》中,他没有丝毫的民族偏见与排外心理,而是以惟真理是从的开放心态承认"卢梭诸大哲的微言大义"是救治中国的"灵丹宝方"。② 所以,他为中国能读到卢梭的《民约论》、孟德斯鸠的《万法精理》、弥勒约翰的《自由之理》等,这些阐明资产阶级反对封建主义的革命原则,论证民主共和制代替封建专制合理性的著作感到庆幸。因为在他看来,这些近代西方哲学是中国进行民主革命的福音,把它们输入进来,是中国社会发展的需要。又如马君武。他认为,法国1789年革命的成功,是用唯物主义哲学武装起来的广大群众共同战斗的结果。因此,他联系中国的现实,认为"欲救黄种之厄,非大倡唯物论不可"。③ 在这里,通过百科全书派哲学在法国革命过程中的积极作用的阐明,以此论证在向西方学习时必须从制度层推向观念文化的必要性。

　　上面引述的这些对西学精神层面选择的见解,主要是在19世纪末20世纪初维新派在反思失败的教训,以及革命派准备起义的过程中提出来的。在这里,他们都以鲜明的态度把对西学的选择

　　① 孙中山:《中国革命史》,见《孙中山全集》,第4卷,新文化书社,1929年。
　　② 邹容:《革命军》,见《辛亥革命前十周年时论选集》,第1卷,下册,第652—653页,三联书社,1960年。
　　③ 马君武:《社会主义与进化论比较》,载《译书汇编》,第11号,1903年2月。

从制度层面推进到了精神层面。不过,论述还不充分,观点也不全面,只是把这个问题提出来了。这个过程的最终完成,只是经过辛亥革命到新文化运动期间,作为整体的西学开始输入,具有自觉意识和全面意义的西方哲学开始东渐,才算实现了。

三、维新派和革命派为西方哲学重新全面东渐作出的努力

在维新运动和辛亥起义的推动下,在逐步兴起的思想解放运动的高潮中,在前述对西学认识的基础上,维新派与革命派为重新全面输入西方哲学,进行了多方面的工作。

首先是维新派。

从维新变法的酝酿到推行,特别是在失败后对它的反思过程中,为了动员群众投入到变法运动中来,以及为了论证进行维新变法的合理性,他们成立学会、创设译书机构,如译书公会、大同译书局、浙江特别译书局、杭州合众译书局、东亚译书局等。尤其要提出的是,在中国传播外国文化与哲学方面作出过重大贡献的商务印书馆,就是在这种译书高潮中在上海由夏瑞芳与张元济先生创建的。此外,有些留日学生在国外也成立了此类机构;如1907年创立的译书汇编社、科学书籍译书社与湖南译书社等。所有这些译书机构,虽然在最初一段时间内由于缺乏翻译人才,出版的书籍不多,但其中严复的《天演论》及章太炎和杨广诠合译的《斯宾塞尔文集》,在当时都具有重要价值和影响。到20世纪初期,译书内容发生了重大变化,主要是哲学社会科学书籍的翻译和出版所占的比例,出现了急剧增长的趋势。其中尤以商务印书馆译的各类教科书和其他哲学社会科学书籍,在内容上都大开一代新风。

在译书风潮的推动下,为了适应西学,特别是其中西方哲学及时传播的需要,作为传播工具和主要媒介的近代期刊与报纸相继

出现了。例如期刊方面,仅留学生先后创办的便有《译书汇编》、《游学译编》、《大陆》、《湖南学生界》、《浙江潮》、《江苏》、《河南》、《云南》、《四川》、《江西》以及维新派创办的《新民丛报》等。随着这些杂志销行内陆,国内也开始出现了新型刊物,如《新世界学报》、《大陆报》、《教育世界》等的问世。又如报纸,虽然五口通商以后在沿海一些大的商埠就开始发行报纸,但直到甲午战争以前发行的多是一些教会通讯、商品消息或地方新闻,而且,它们多是由外国人主办的。甲午以后,发行地区由沿海扩大到内陆,特别在内容上还多以政治和社会问题的报道为主,其中也刊有介绍西方哲学的文章。

译书风潮、新型期刊以及报纸的出现,迅速地改变了中国人原有的知识结构,也猛烈地冲击着旧的教育制度,从而有力地促进了旧书院的改制和新型学堂的设立。尽管在洋务运动期间也创办了一些新型学堂,例如张之洞办的广雅书院与两湖书院,以及康有为的万木草堂等,但经过戊戌变法的激发,终于导致学院制度的建立,如1898年北京大学的前身京师大学堂,就是在这种社会背景下诞生的。在专业设置上也有了新的变化,不是限于机械、船政与军事等实用科学,而是新增了一些哲学社会科学的专业。1911年北京大学设立的"理学门",1914年更名为"哲学门",即是一个最好的例证。从此开始,西方哲学作为一门独立的学科进入了中国的大学课堂,而这时成立的哲学专业,便成为传播西学的重要场所。

此外,甲午战争失败后,在中国还兴起了一股留学热潮。通过这种途径培养了一些研究西方哲学的人才。所有这些,从译书机构的创立、近代期刊和报纸的出现、新型学堂的建立到留学风潮的兴起,都为西方哲学的全面重新东渐从物质条件到人才培养等各个方面做了准备。

其次是革命派。

随着资产阶级民主革命的兴起，他们从组织上和思想上着手进行革命起义的准备工作。其中，从思想准备方面说，他们通过创办报刊，编译书籍，建立了自己的思想阵地。在报刊方面，除了维新变法时期即已存在的以外，还新近创办了《民报》、《孙逸仙》、《革命军》、《黄帝魂》、《女子世界》、《中国女报》等。他们利用这些报刊传播西方哲学，用来作为进行资产阶级民主革命的理论根据。不过，由于革命派忙于组织武装起义等政治斗争，在思想舆论的准备上不像维新派那样全力以赴，但是基于他们追求真理的热情，在西方哲学研究与传播方面，还是作出了一定的努力。

要指出的是，维新派和革命派在传播西方哲学的过程中，不但传播方式基本相同，而且在传播的渠道上，都主要是通过日本间接输入的。由于甲午战争以后，出于对日本认识的变化，即认为日本引进西学取得了成功，因此，仿效日本，维新变法，成了当时爱国人士的共识。正如梁启超说的，"戊戌政变，继以庚子拳祸，清室衰微益显露。青年学子，相率求学海外；而日本以接境故，赴者尤众。壬寅、癸卯间，译述之业特盛，定期出版之杂志不下数十种，日本每一新书出，译者动数家。新思想的输入，如火如荼矣。"[1]因此，不仅青年学生东渡，而且不少维新派和革命派，为了逃避国内封建势力的迫害也多前往日本。同时，从政治上讲，当时的日本政府对待中国进步人士较为宽容，而且交通便利，一苇成航，尤其对于沿海各地青年甚至认为去日本求学较去京师还要近便。所有这些，都吸引着中国青年学生和进步人士云集日本。这样，日本便不但成

---

① 梁启超：《清代学术概论》，第71页，中华书局，1954年。

为中国留学生和进步人士最为集中的地方,而且在这里,通过日文接触和研究西方哲学,为中国培养了不少传播西方哲学的人才,使日本成为西方哲学输入到中国来的主要渠道。

下面,举个例子来加以说明。大家知道,日本近代的第一代哲学家对于哲学的研究是十分下工夫的,为此写出了不少有关哲学的著作。其中有关于哲学概论的,也有介绍西方哲学、逻辑学的。中国留日学生仅从 1902 年到 1909 年,就从这些日文著作中译出了多种书籍。

其中,有关哲学的著作是:

哲学钩玄	中江笃介著	陈鹏译	1902 年
哲学要领	井上圆了著	罗伯雅译	1902 年
妖怪百谈	井上圆了著	何琦译	1902 年
支那哲学史	远藤隆吉著	全范臣译	1902 年
哲学要领	利培尔讲,下田次郎述	蔡元培译	1903 年
哲学新发明		效愚编	1903 年
哲学原理	井上圆了著	王学来译	1903 年
哲学微言	井上圆了等著	东京游学社	1903 年
哲学泛论	藤井健治郎著	范迪吉等译	1903 年
宗教哲学	姊崎正治译	范迪吉等译	1903 年
(续哲学)妖怪百谈	井上圆了著	徐谓臣译	1903 年
印度哲学纲要	井上圆了著	汪嶔译	1903 年
培根文集	蟹江义丸著	达丈社编译	1903 年
西洋哲学史	蟹江义丸著	范迪吉等译	1903 年
西洋上古哲学史	中岛力造原编	章韩译	1903 年
哲学概论	桑木严翼著	游学会译	
哲学史要	桑木严翼著	游学会译	

有关逻辑学的著作是:

名学教科书	杨荫杭译著	文明书局版	1902 年
名学		杨荫杭译	1902 年
论理学达旨	清野勉著	林祖同译	1902 年
论理学纲要	十时弥著	田吴炤译	1903 年
论理学解剖图说		汤祖武译	1906 年
论理学通义		林可培编	1909 年
最新论理学纲要		过耀庚编	1909 年
论理学	韩述祖著		1909 年
论理学	高山林次郎著	汪荣宝译	

由于前面提到的传播方式与传播渠道,使这个时期西方哲学输入的时间,主要集中在 20 世纪的最初几年。这既是改良派失败后进行反思、也是革命派起义前进行思想准备的时候,两者从不同的目的出发汇合到一起来了。虽然在维新变法酝酿与进行期间,西方哲学也有一些输入,但形成规模重新全面东渐,却是在 20 世纪的开头几年。其中,80% 的论著,又集中问世于 1902 年、1903 年、1904 年三年中。这虽是西方哲学重新全面输入的起始阶段,但就中国新旧文化的嬗变而言,却是一个新蕾茁壮成长的阶段。

第二节 西方哲学重新全面东渐的宏观展示

在世纪之交社会变革的推动下,中国先进人士把对西学的选择,从器物层面推进到了制度层面,又在这个基础上进一步向前推进到了精神层面,从而使西学作为整体,也使西方哲学全面地在新的历史条件下重新输入进来。

为了从总体上对这个时期输入的西学与西方哲学有较为全面的了解,在具体阐述输入的西方哲学内容以前,在这一节中集中从宏观上展示与分析一下本时期西学与西方哲学输入的整体面貌。

一、翻译与出版的西学著作

　　下面,在展示本时期翻译与出版的有关西学著作时,我们仍然运用江南制造局译书馆的统计资料作为依据。在这一方面,该馆提供了两个书目统计表。

表一　东西学书录　1899 年

序号	分类	部数	%
1	工艺	65	11.4
2	农政	47	8.2
3	兵制	45	7.9
4	医学	45	7.9
5	算学	31	5.9
6	地学	29	5.4
7	史学	29	5.1
8	议论	21	3.7
9	报章	20	3.6
10	化学	18	3.1
11	植物学	15	2.6
12	格致	15	2.6
13	气学	14	2.4
14	商务	14	2.4
15	全体学	13	2.3
16	天学	12	2.1
17	理学	12	2.1
18	学校	11	1.9
19	交涉	11	1.9

序号	分类	部数	%
20	图学	11	1.9
21	矿学	10	1.7
22	政治法律	9	1.5
23	船政	9	1.5
24	重学	9	1.5
25	光学	9	1.5
26	游学	9	1.5
27	电子	7	1.2
28	声学	6	1.1
29	动学	6	1.1
30	杂书	6	1.1
31	宗教	5	0.9

（注：类目次序按等级排列）

表二 译书经眼录 1904 年

序号	分类	部数	%
1	史志	125	23.4
2	法政	70	13.1
3	学校	48	9
4	地理	46	8.6
5	哲理	34	6.4
6	兵制	32	6
7	小说	26	4.8
8	议论	23	4.3
9	理化	21	3.9

序号	分类	部数	%
10	全体学	18	3.3
11	博物	13	2.4
12	杂著	13	2.4
13	交涉	9	1.7
14	象数	9	1.7
15	卫生	9	1.7
16	矿务	6	1.1
17	体操	6	1.1
18	报章	6	1.1
19	农政	5	0.9
20	商务	3	0.6
21	测绘	3	0.6
22	宗教	3	0.6
23	游记	3	0.6
24	工艺	1	0.2
25	船政	1	0.2

（注：类目次序按等级排列）

这两个书目表，分别反映了 19 世纪末到 20 世纪初有关西学著作在中国翻译和出版的情形。如果把它们比较一下，便不难发现西方哲学输入在这个过程中从急剧增长到全面重新输入的趋势。

具体说来，在 1899 年的"东西学书录"中，自然科学各门所译书籍共 228 部，占总数的 41％，而工艺和兵制仅两类也占了总数的 19.3％。这说明，19 世纪末输入的西学和洋务运动时期比较，继兵工实用科学之后,自然科学仍然是西学输入的主流。不过,值得提出的是,西方哲学不但继续有所输入,而且把它列为西学中的一类——理学,开始出现在这个书目中。这是西方哲学重新全面东渐的重要标志。其中收录了12部书,但查内容,大部分是西方人士所著形式逻辑和方法论之类的书籍,如《辨学启蒙》、《理学须知》、《格致新知》,其余均与哲学无关,如《萃语考源》等。而且在《议论》一类中,收录了《天演论》和《斯宾塞尔文集》。可见,19世纪末西方哲学全面伊始东渐,数量不多,尚乏经典之作,而且目录分类不清,名称未当,这恰好是西方哲学重新全面输入时真实情景的写照。

进到20世纪以后的最初几年,西方哲学输入的情况发生了很大的变化。这从1904年的"译书经眼录"中可以得到有力的证明。在这里,兵部工艺之类译著的比例继续下降,仅占6.3%;自然科学各门类稍有下降,占23%;哲学、政法等类人文社会科学译书,有了大幅度的上升,在一定程度上成了西学输入的主流。其中法政一类("交涉"——国际公法等不计算在内)收录了70部,占总数的13.1%;哲理类的译书增加十分明显,收录了34部,占总数的6.4%;哲学社会科学各类译书加在一起,上升到占总数的61.5%。这说明,随着中国社会变革的迫切需要以及中国先进分子对西学认识的深化,被称为西学命脉的西方哲学重新全面东渐。

而如果把这两个表综合起来作为一个整体看,那么,不但可以看清19世纪末至20世纪初西学输入的全貌,说明随着西方哲学的重新输入,西学作为一个整体输入进来了;而且,如果再把它同洋务运动时期的西学东渐加以比较,那么,还可以清楚地看到,前一个时期输入到中国来的西学中,主要是兵法、工艺等实用科学，西学输入基本上停留在器物层面上，而到本时期，西学的引进已进到制度与精神层面，被整体地输入进来。这是中国进步人士在前一个时期西学传播走过一段弯路后，在经过总结与吸取教训的基础上，从而才把西学东渐推进到新阶段的结果。

二、期刊发表的有关西方哲学文章篇目

为了说明西方哲学确实重新全面东渐，只有把这个时期输入的西方哲学展示出来，才有可能得出具有说服力的判断。从文献形式考察，这个时期的西方哲学传播，虽然也有些著作问世，但数量不多，主要是发表在期刊上的文章。其中有译文，但多数是中国学者的论文。

这里，我们以 19 世纪末至 20 世纪初发表在期刊上的有关西方哲学的论文为根据进行分析。从 1965 年开始，上海人民出版社先后编辑出版了《中国近代期刊篇目汇编》一书，分上中下三卷六册。据编著称，这部《汇编》选编了从 1857 年到 1918 年 60 年间的近代期刊，其中着重汇编了哲学、社会科学方面的主要刊物，共计495 种，11000 余册的全部篇目。可以说，这是一部集近代期刊篇目之大成，是有一定权威性的汇编。我们查阅了 19 世纪末到 20 世纪初的所有篇目，除了从篇目名称上即能判断属于传播西方哲学的论著外，还把文中夹杂有关西方哲学内容的文章，也尽我们所知——把它们摘录出来，经过归类与整理，把其中属于维新运动与辛亥革命时期的文章，编辑列表在下面。虽然不能说这个汇编毫无遗漏，但基本上能够从整体上窥见本时期西方哲学在中国传播的主要内容和宏观面貌。

表三 西学通论

篇目名称	发表期刊与卷期	发表时间(年)	译者或作者
西学书目序列	时务报第八册	1896	梁启超
西学课程	知新报第六册	1897	京师通子
西学课程	知新报第七册	1897	京师通子
西学课程	知新报第十七册	1897	京师通子
西学丛书序		1897	梁启超
西文西学之辨(一)	实务报第五册	1897	
西文西学之辨(二)	实务报第六册	1897	
西学门经功用	国闻报9月22、23日	1898	严复
西学入门	京话报	1901	
西学入门	京话报	1901	
泰西学术思想变迁之大势	新民丛报第6号	1901	梁启超

表四 哲学与西方哲学总论

篇目名称	发表期刊与卷期	发表时间(年)	译者或作者
哲学总论	普通学报		
哲学泛论	翻译世界		楷尔黑猛
哲学纲领	浙江潮		师孔
哲学解	新民丛报		蔡元培
哲学概论	江苏		侯生
哲学源流考	鹭江报		卢阿里美
论哲学及于社会之影响	大陆报		
哲学史	翻译世界	1902	蟹江义丸
哲学史	翻译世界	1902	蟹江义丸
哲学史	翻译世界	1902	蟹江义丸
哲学史	翻译世界	1902	蟹江义丸

篇目名称	发表期刊与卷期	发表时间(年)	译者或作者
论学术之势力左右世界	新民丛报第一册	1902	梁启超
西哲之星云说及佛教之器世间论	大陆报第9期	1903	
东西十大哲学家传			
近儒学案序	广益丛报		
近儒学案序(续)	广益丛报		
欧洲哲学思潮	经世文潮	1904	
国民诐论唯心论	经世文潮	1904	
理学派别考	新民丛报		中江笃介
自然哲学:说热	政治学报		马君武
论世变之亟	直报	1895年2月4日至5日	严复
原强	直报	1895年3月4日至9日	严复
救亡决议	直报	1895年5月1日至6月18日	严复
论今日教育应以物理科学为当务之急	国闻报	1901	严复
无神论	民报第8号	1906	章太炎
讲演录	民报第6号	1906	章太炎
哲学辨惑	教育世界第55号	1903	王国维
述近世教育思想与哲学之关系	教育世界第128、129号		王国维
论近年之学术界	教育世界		王国维
论新学之输入	教育世界		王国维
奏定经学科大学文学科大学章程书后	教育世界		王国维

篇目名称	发表期刊与卷期	发表时间（年）	译者或作者
文化偏至论	河南第 7 号	1908	鲁迅
摩罗诗力说			鲁迅
破恶声论			鲁迅
对于教育方针之意见	东方杂志第 8 卷 10 号	1912.4	蔡元培

表五 古代西方哲学

篇目名称	发表期刊与卷数	发表时间（年）	译者或作者
论希腊古代学术		1902	梁启超
希腊哲学案	经济丛编第 37 期	1903	
希腊哲学案	经济丛编第 38 期	1903	
希腊哲学家各派学说纲领	大陆报 8 期	1903	
希腊哲学家各派学说纲领	大陆报 9 期	1903	
希腊哲学家各派学说纲领	大陆报 10 期	1903	
希腊学案（未完）	学译编第 8 册	1903	
希腊古代哲学史概论	浙江潮第 4 期	1903	公猛
希腊古代哲学史概论	浙江潮第 5 期	1903	公猛
希腊古代哲学史概论	浙江潮第 7 期	1903	公猛
希腊古代哲学史概论	浙江潮第 10 期	1903	公猛
希腊古代哲学史概论	广益丛报 40 号	1903	
希腊古代哲学史概论	广益丛报 41 号	1903	
希腊圣人苏格拉底传	教育世界 89 期	1904	王国维
希腊大哲学家柏拉图传	教育世界 88 期	1904	王国维
柏拉图之政治学说	广益丛报		王国维
亚里士多德之政治学说	新民丛报第 20 号	1903	梁启超
亚里士多德之政治学说	新民丛报第 21 号	1903	梁启超
希腊大哲学家雅里大德勒传	教育世界第 77 号	1904	王国维
亚里士多德之中庸说			

表六　近代西方哲学

篇目名称	发表期刊与卷数	发表时间（年）	译者或作者
培根论	东亚时报	1899	
培根论	知新报第 10 册	1899	（录东亚时报）
培根小传	教育世界第 166 号	1901	王国维
笛卡儿之怀疑论	新民丛报	1903	
霍布斯学案	清议报第 96 册	1901	梁启超
霍布斯学案	清议报第 97 册	1901	梁启超
英国哲学家霍布士小传	教育世界第 119 号	1907	王国维
斯比挪莎学案	清议报第 97 册	1901	梁启超
荷兰哲学大家斯波洛若传	教育世界第 122 号	1906	王国维
英大教育家洛克传	教育世界第 89 号	1904	王国维
洛克论主权	新民丛报 41 期	1903	
洛克论主权	新民丛报 42 期	1903	
悟性指导论	教育世界第 146 号	1907	洛克著、王国维译
悟性指导论	教育世界第 147 号	1907	洛克著、王国维译
悟性指导论	教育世界第 149 号	1907	洛克著、王国维译
悟性指导论	教育世界第 151 号	1907	洛克著、王国维译
悟性指导论	教育世界第 153 号	1907	洛克著、王国维译
悟性指导论	教育世界第 157 号	1907	洛克著、王国维译
悟性指导论	教育世界第 158 号	1907	洛克著、王国维译
悟性指导论	教育世界第 159 号	1907	洛克著、王国维译
悟性指导论(完)	教育世界第 165 号	1907	洛克著、王国维译
英国哲学家休蒙传	教育世界第 118 号	1906	王国维
近世文明初祖二大家之学说	新民丛报第 1 号	1903	梁启超
泰西近代哲学家初祖培根笛卡儿二大家学说	政艺通报第 4 期	1903	梁启超

篇目名称	发表期刊与卷数	发表时间（年）	译者或作者
泰西近代哲学家初祖培根笛卡儿二大家学说	政艺通报第 5 期	1903	梁启超
培根笛卡儿学说书后	政艺通报第 6 期	1903	梁启超
近世文明初祖二大家之学说	广益丛报第 2 号	1903	梁启超
近世文明初祖二大家之学说	广益丛报第 4 号	1903	梁启超
近世文明初祖二大家之学说	广益丛报第 5 号	1903	梁启超
民约巨子卢梭之学说	新民丛报第 4 期	1903	梁启超
民约巨子卢梭之学说	新民丛报第 11 期	1903	梁启超
卢梭学案	清议报第 98 册	1901	梁启超
卢梭学案	清议报第 99 册	1901	梁启超
卢梭学案	清议报第 100 册	1901	梁启超
法大教育家卢骚传	教育世界第 89 号	1904	王国维
卢梭民约论释叙			
民约论	译书汇编第 1 期	1900	卢梭著、杨玉梓译
民约论	译书汇编第 2 期	1901	卢梭著、杨玉梓译
民约论	译书汇编第 4 期	1901	卢梭著、杨玉梓译
民约论	译书汇编第 5 期	1901	卢梭著、杨玉梓译
民约论	译书汇编第 12 期	1901	卢梭著、杨玉梓译
民约论	译书汇编第 13 期	1901	卢梭著、杨玉梓译
民约论(完)	译书汇编	1901	卢梭著、杨玉梓译
注释卢梭氏非开化论	江苏第 1 期		
法理大家孟德斯鸠之学说	新民丛报第 2 期	1903	梁启超
法理大家孟德斯鸠之学说	新民丛报第 4 期	1903	梁启超
万法精理	译书汇编		孟德斯鸠著，译者不详
万法精理(未完)	译书汇编		孟德斯鸠著，译者不详

篇目名称	发表期刊与卷数	发表时间（年）	译者或作者
斯宾塞孟德斯鸠			
圣西门生活及学说	新民丛报第 33 期	1903	马君武
圣西门生活及学说	新民丛报第 35 期	1903	马君武
唯物论二巨子(底得娄、拉梅特利)之学说	大陆报第 3 期	1903	马君武
中国地质略论	浙江潮第 8 期	1903	鲁迅
近世第一大哲康德之学说	新民丛报第 35 期	1903	梁启超
近世第一大哲康德之学说	新民丛报第 37 期	1903	梁启超
近世第一大哲康德之学说	新民丛报第 38 期	1903	梁启超
汗德之学说	教育世界第 74 号	1904	王国维
汗德之事实及其著书	教育世界第 74 号	1904	王国维
汗德之知识论	教育世界第 74 号	1904	王国维
德国哲学家汗德传	教育世界第 126 号	1906	王国维
德国哲学家康德氏	教育世界第 81 号	1904	王国维
德国哲学家康德氏	教育世界第 120 号	1906	王国维
汗德之伦理学及宗教论	教育世界第 123 号	1906	王国维
康德美学	学报第 10 号	1908	章士钊
谢克哲学学说	学海		唐演
唯心巨子黑智儿学说	新民丛报第 27 号	1903	马君武
述黑格尔唯心论	寰球学生报第 2 期	1906	严复
德意志哲学家列传	大陆报第 2 期	1903	
答铁铮	民报 14 号	1907	章太炎

表七　现代西方哲学

篇目名称	发表期刊与卷数	发表时间(年)	译者或作者
天演论自序	国闻汇编第二册	1897	严复
天演悬疏(未完)	国闻汇编	1897	赫胥黎著、严复达旨
天演论初祖达尔文之学说及传略	选报第 13 期		梁启超
泰西达尔文学说	政艺通报第 2 期		
泰西达尔文学说	政艺通报第 8 期		
吴新中节本天演论	政艺通报第 22 期		
吴新中节本天演论	政艺通报第 23 期		
吴新中节本天演论	政艺通报第 24 期		
吴新中节本天演论	政艺通报第 25 期		
吴新中节本天演论	政艺通报第 26 期		
物竞论	译书汇编第 4 期	1901	
物竞论	译书汇编第 5 期	1901	
物竞论	译书汇编第 8 期	1901	
侯官严几道群学肄言序	华言译著编卷十四		
斯宾塞尔劝学篇	国闻汇编第 1 册	1897	斯宾塞著
斯宾塞尔文集	国闻汇编第 1 册		斯宾塞尔著、章太炎等译
斯宾塞尔文集(续)	国闻汇编第 2 册		斯宾塞尔著、章太炎等译
斯宾塞尔文集(续)	昌言报第 3 册		斯宾塞尔著、章太炎等译
斯宾塞尔文集(续)	昌言报第 4 册		斯宾塞尔著、章太炎等译

篇目名称	发表期刊与卷数	发表时间(年)	译者或作者
斯宾塞尔文集(续)	昌言报第 5 册		斯宾塞尔著、章太炎等译
斯宾塞尔文集(续)	昌言报第 6 册		斯宾塞尔著、章太炎等译
斯宾塞尔文集(完)	昌言报第 8 册		斯宾塞尔著、章太炎等译
大哲斯宾塞传略	华业译著卷三十八	1905	
大哲斯宾塞传略	华业译著卷三十九	1905	
读斯宾塞社会平权论	江苏第 11 期		
学术进化之大要(译斯宾塞学术论)	进步杂志第 5 册		
斯宾塞尔原善恶	庸言一卷三号	1913	铙孟任
斯宾塞尔原善恶(续)	庸言一卷五号	1913	铙孟任
斯宾塞尔原善恶(续)	庸言一卷六号	1913	铙孟任
读弥勒氏之功利主义	大陆报第 21 号		
论约翰穆勒之学说	新民丛报 29 号	1903	马君武
论约翰穆勒之学说	新民丛报 30 号	1903	马君武
近代英国哲学大家斯宾塞传	教育世界第 79 号	1904	王国维
叔本华与尼采	教育世界第 84 号	1904	王国维
叔本华与尼采	教育世界第 85 号	1904	王国维
德国哲学大家叔本华传	教育世界第 84 号	1904	王国维
论叔本华之哲学及其教育学说	教育世界第 75 号	1904	王国维
德国文化大改革家尼采传	教育世界第 76 号	1904	王国维

篇目名称	发表期刊与卷数	发表时间(年)	译者或作者
论叔本华之哲学及其教育学说(完)	教育世界第 77 号	1904	王国维
尼采之学说	教育世界第 78 号	1904	王国维
尼采氏之教育观	教育世界第 77 号	1904	王国维
书叔本华遗传说后	教育世界第 79 号	1904	王国维
叔本华像赞	教育世界第 77 号	1904	王国维
尼采之学说	教育世界第 80 号	1904	王国维
社会主义与进化论比较	译书汇编 11 号	1903	马君武
社会主义之鼻祖德麻司摩儿之华严观	译书汇编 12 号	1903	马君武
德意志社会主义革命家小传	民报 2、3 号	1905	朱执信
万国社会党略史	民报 5 号	1906	宋教仁
无政府党与革命党之说明	民报 7 号	1906	叶夏生
社会主义史纲	民报 7 号	1906	廖仲恺
无政府主义与社会主义	民报 9 号	1906	廖仲恺
社会主义论	民报	1907	胡汉民
社会主义与社会政策	东方杂志 8 卷	1911	钱志修
社会主义大家马克尔之学说	新世界 2 期	1912	王缁尘
社会主义与社会政策	新世界 7 期	1912	王缁尘
脱尔斯泰伯爵之近世科学评	教育世界第 89 号	1904	王国维

对上述目录表进行分析,可以看到,19 世纪末 20 世纪初西方

哲学重新全面东渐的一些鲜明特点。

第一,推动和传播西方哲学重新全面东渐的社会力量,是刚刚登上中国政治舞台的资产阶级的各个集团,如以康有为为首的维新派和以孙中山为首的革命派。在维新变法与辛亥首义前后,他们不仅是政治革命的领导者,而且在思想文化上,也是西方哲学的积极传播者。其中,主要传播者有梁启超、严复、王国维、马君武、章太炎、蔡元培等。因此,引进和传播西方哲学,完全成为他们领导的社会变革事业的重要组成部分。这充分说明,西方哲学重新全面东渐是适应中国社会走出封建社会,迈向现代化的需要发生的,是与中国社会的进步事业联系在一起的。

第二,在西方哲学的输入过程中,一方面,从古代希腊哲学到新近诞生的现代西方哲学的各个学派,都或多或少地引进来了。而且,在当时知识饥荒、饥不择食的条件下发现什么就输入什么,因而还出现了"本末不具,派别不明,惟以多为贵"①的倾向。但是,另一方面,由于前述西方哲学东渐的性质,对其内容的输入也不是毫无选择的。例如在上表目录中,虽然也有一些介绍古代希腊哲学的文章,但传播者的着眼点却不在这里。在目录表中,除了"西学通论"外,尚有四类:(1)"哲学与西方哲学总论",34 篇;(2)"古代西方哲学",20 篇;(3)近代西方哲学,68 篇;(4)"现代西方哲学,60 篇,四类共计 182 篇,而其中近代与现代西方哲学却有162 篇,占输入总数的 2/3 以上。而在输入的近现代哲学中,培根、笛卡儿、康德在哲学上提出的一套新的思维方法与科学方法,以及达尔文的进化论、卢梭自由平等观念,又占有显著的位置。因此,应该说,传播者对西方哲学的输入,主要是从思想启蒙与

---

① 梁启超:《清代学术概论》,第 71 页,中华书局,1954 年。

服务社会变革着眼的,或者说,是为了振兴中华和社会进步,依据特定政治提出的要求进行选择的。这是西方哲学重新全面东渐时的突出优点,但是,其中也蕴涵了哲学研究中政治化倾向的萌芽。

第三,从西方哲学东渐的全过程考察,这个时期中国学者对西方哲学的认识尚处在较为粗浅的水平上。这首先表现在文献形态上,翻译和介绍性的文章占了绝大部分,深刻的论述与中肯评价的论著尚不多见。表现在内容的深度上,当时这些介绍性的文章,也是根据国外流行的哲学史书籍通过转述写出来的。即使这样,其中不少观点的表述,与被传播对象的观点还存在不小的距离。所以,对于西方哲学的消化与吸收,还难以做到。由此说明,这个时期中国学者对西方哲学的研究与传播尚处在浅层次的阶段上。这是西方哲学重新全面东渐时期的真实写照。

下面两节,一节以思潮的线索,一节以传播者为线索,通过维新变法与辛亥首义期间输入的西方哲学内容的分析,来具体地阐明上述观点。

第三节 对几个西方思潮输入内容的综合分析

下面论述的几种西方思潮,显然不是本时期西方哲学输入的重点所在。但是,在引进它们时,却也各有一些特点。有的虽然早在明清之际,如古代希腊哲学便被引进过,但在重新输入时,传播者却有了新的考虑;有的从当下社会变革的需要出发,如星云假说的引进;有的虽是刚刚开始输入,如社会主义与马克思主义,却反映了传播者对西学选择的一种值得重视的发展趋势。而且,在对其内容的传播方式上,多为散见在作者的有关论著中,没有系统的较为有分量的作品出现。因此,在这一节里把它们集中起来,通过综合性的分析与评述,作为例证,不但可以具体说明西方哲学重新全面东渐,而且,从中还能够发现一些中国学者对西方哲学进行选择的发展趋势。

一、古代希腊哲学的重新介绍

引进古代希腊哲学,并非始自戊戌和辛亥期间。明清之际西方传教士在中国宣讲基督教神学与哲学时,便介绍了一些希腊哲学家的思想,甚至还有亚里士多德逻辑学著作的翻译和出版。不过,当时他们谈论希腊哲学的目的,是为了论证基督教哲学的合理与神圣。经过几个世纪,进到19世纪末20世纪初,当中国学者以主要精力输入近代与现代西方哲学时,古代希腊哲学也不完全在他们的视野之外。因为,从吸取理论思维的经验教训与文化积累的角度考虑,这样的引进是完全必要的。因此,在输入气氛上,虽然没有像引进近代与现代西方哲学那样看重,但在文章发表的数量上,在当时输入的西方哲学中,也占有不可忽视的比例。其中,仅1903年和1904年两年间,发表有关这方面的论著,计有:《浙江潮》和《广益丛报》的《希腊古代哲学史概论》、《大陆报》的《希腊哲学家各派学说纲领》和《亚里士多德之外籀术》、《经济丛刊》和《游学译编》的《希腊学案》、《新民丛报》的《泰西学术思想变迁之大势》、《苏格拉底谈话法》与《亚里士多德之政治学说》,以及《教育世界》的《希大哲学家柏拉图传》与《希腊圣人苏格拉底》等。这些都是全篇专文介绍古代希腊哲学的,对于包含了与此有关内容的文章,都没有列出。

从这个目录中可以看到,其中虽有一些谈论某个哲学家生平或讨论某个理论观点的文章,但占据主导地位的,是对于古代希腊哲学发展过程的介绍。而且,浏览一下这些文章的内容,无论对于某个观点的阐述还是对于发展过程的概括,又多是根据其他有关国家哲学史书籍上流行观点的转述,极少通过阅读原著经过自己钻研后撰写的作品。如果说,这个时期西方哲学输入的总体水平还停留在较浅的普及性的介绍水平上,那么,对于古代希腊哲学的介绍,更为浅显一些。严格地说来,只有根据国外流行观点的转述,尚无自己的独立研究。

就是这样的文章,绝大多数还只是刊出了部分章节,有始有终论述的作品不多。不过,登载在《浙江潮》上署名公猛的《希腊古代哲学史概论》一文是个例外。这篇文章刊登在这个杂志1903年的第四、五、七、十以及十一和十二期合刊上。它不仅反映了当时其他文章对于古代希腊哲学的一般认识和评价,而且还有一些其他文章不曾把握到的内容。因此,把它介绍一下,能够看出古代希腊哲学传入中国时,中国学者对它的一般理解以及对它所持的态度。

概括起来,这篇文章有如下一些值得重视的地方。

1. 文章在具体介绍希腊各派哲学家观点前的"绪论"中,相当完整地概述了作者对于哲学史的一些基本看法。

第一,从哲学的立场出发,进而提出了哲学史的定义。作者公猛说,"哲学史者,记载昔贤于哲学上有关思想之书也。其中可分为二种:一则即其思想之详记之;一则研覈其思想发达变迁之顺序与夫因果之关系而论断之。"①在对哲学史作出这些界定后,公猛认为,根据前者,哲学史的研究只须考察哲学家的"遗篇",分析其论旨即可;根据后者则必须进行深入的钻研才能取得成绩。因为

① 公猛:《希腊古代哲学史概论》,载《浙江潮》,第4期,1903年。

哲学史上任何一种学说都不是偶然产生的;在它问世之前,必有形成这个学说的社会根源存在;在它出现以后,它必然影响后世哲学的发展。因此,哲学史家在研究哲学史时,必须"博稽当日之时势,远征古代之风俗,明辨其人之性质,深研其学说之特征与倾向。"①作者指出,他的这篇《概论》属于后者。现在看来,这种把哲学史看作只是不同哲学体系变迁和更替的表面描述的看法,当然是极其肤浅的。但是,在这种界定中,却蕴涵了值得注意的因素:一是认为社会生活条件制约着哲学观点的形成,二是认为前后出现的不同哲学体系,其间存在着因果联系,这些看法有应该肯定的地方。

第二,论述了学习和研究哲学史的意义。作者认为,既然哲学史是人类思想发展的历史,因而它与人世事变的历史有着密切的联系。但是,它对于人类来说,"尚非直接之利益也"②。原因在于,学习哲学史,只是通过"荡涤我胸襟,扩张我识力"③,使人日后"遇事不至见丸一方,失于判断;且多知道前言往行,以供我参照。因温故而知新,遂增高而继长于学术上,促其进步。"④公猛指出,学习哲学史,如果达到了上述目的,那么就可以说,虽在读古人之书,论述古人之说,离古人甚远,但却像是和他们朝夕相处如同安坐一室。在这里,作者看到了学习哲学史与学习其他具体科学不同,它不是使人得到直接的效益,而是通过"荡涤我胸襟、扩张我识力",以便高人的理论思维能力。文章虽然没有明白地这样指出,但是从作者对哲学史功能的论述中,却使人能够意识到其中蕴

---

① 公猛:《希腊古代哲学史概论》,载《浙江潮》,第4期,1903年。
② 同上。
③ 同上。
④ 同上。

涵了这种看法。

第三,提出了研究哲学史的方法。作者写道,"哲学史之研究法约有两种:一则解剖的,一则综合的。"①他对这两种方法的解释是,前者"在以精明透彻之识分剖解析其学说,而求得其主旨之所在。"②后者"在以研究之所得,互相比较,细为甄别,何者为微言,何者为伪讬,何者为大醇,何者为小疵,知其契合一贯之所在,而立数公例以统一之。"③这两种方法,实际上就是现在一般讲的分析与综合。通过分析,解剖哲学家的学说,进而领会与把握它的精神实质所在。通过综合,把他分析得到观点加以比较甄别,进一步揭示和概括贯穿于其中的基本规律。作者还认为,这两种研究方法,虽然可以相互为用,但在使用的顺序上,解剖在先,综合在后。从人的认识过程来说,这是有道理的。

作者特别强调,由于哲学是一门深邃、高远和无形即抽象的学问,有些不同的哲学理论,只是从外表上看去像是观点一致,但在实际上它们往往大相背驰。因此,要是不细细观察与研究,就会"差以毫厘,谬以千里",④为害匪浅。同时,在作者看来,还要防止"先画一成见,而强以学说箝入其中之僻习。"⑤公猛提出的这两点,一是对哲学史材料的研究要深入、全面,二是不要从主观出发。这些的确是哲学史研究中值得注意和应该克服的不良倾向。当西方哲学重新开始全面东渐时,在方法论上有如此明确的认识实在难能可贵。

---

① 公猛:《希腊古代哲学史概论》,载《浙江潮》,第 4 期,1903 年。
② 同上。
③ 同上。
④ 同上。
⑤ 同上。

2. 在具体介绍古代希腊哲学时，作者最早提出的古代希腊哲学的分期，反映了当时中国学者对古代希腊哲学发展过程的看法。

公猛认为，从哲学研究的内容上考察，古代希腊哲学可以分为两个阶段：以诡辩派即智者派出现为界限，在此以前为第一阶段，在此以后为第二阶段。前一阶段"以宇宙万有之研究为哲学之目的"，①包括依奥尼亚、意大利、埃利亚、原子论等学派。后一阶段"以人间为哲学之中心"，②包括苏格拉底、柏拉图、亚里士多德、斯多亚、伊壁鸠鲁与怀疑学派。他指出，实际上诡辩派只是一个过渡环节，因为它虽然把哲学研究从自然转入人事，然而，它却没有提出一个道义的标准或真理的原则。因此，其学说有如"彷徨于五里雾中，东西莫辨，怅怅何之。"③只是到苏格拉底，由于他提出了这种标准和原则，才可以说为古代希腊哲学开了一个新的纪元。自此以后，希腊哲学便获得了昌盛。至怀疑派出现，古代希腊哲学开始转入低潮。一般说来，仅从哲学内容上考察，这种分期能够从发展过程上把古代希腊哲学的面貌反映出来。不过，哲学的这个发展过程，原来只是古代希腊社会政治和社会文化发展过程的反映，在这一点上，作者却没有认识到。

3. 根据绪论的看法，在具体介绍各派哲学家的观点时，也有一些值得重视的特色。

第一，对于各派哲学家观点的论述，不以纯客观的介绍为满足，而是在贯注着作者主体精神评价的基础上进行。例如讲到古代希腊哲学史上的第一个哲学家泰利斯时，在指出他用"水"作为

① 公猛：《希腊古代哲学史概论》，载《浙江潮》，第 4 期，1903 年。
② 同上。
③ 同上。

世界的本原后,作者即对泰氏在关于"水"的性质以及他何以用"水"作为世界的本原进行了说明。公猛认为,"此所谓水,其意盖指液体"①;他在转述亚里士多德和近代哲学家对泰利斯以水作为世界本原的原因分析后,接着指出,此"二说皆近是,德氏(按:Thales,当时译为德黎,现译泰利斯)或有见于此而取水,亦不可知。然循何顺序,缘何方法,而能现万殊之形体为万象之本源,恐起德氏而问之,亦将无词以对也。"②然后,作者对此提出了自己的看法。他认为,当时哲学刚刚超出神话的范围,处在哲学发展萌芽阶段上的哲学家,只能用物理的眼光来观察宇宙,只知天地间虽然纷繁复杂,但必然有一个永远不变的东西贯穿于其中不可;泰利斯的"水"就是当时哲学家追寻这个东西的最早概括。在这里,作者虽然还没有认识到,泰利斯的"水"是当时人们对于水在社会生产和日常生活中极端重要性的认识和总结,但是,西方哲学尚处在萌芽时期,人们对于世界本质的认识还只能从具体事物中寻找。泰利斯把水看作是这种东西,便是当时在个别中寻找一般的最早尝试。因此,泰利斯的看法反映了哲学萌芽时期哲学家对于世界本原的探索。

第二,在介绍希腊各派哲学家观点时,不是面面俱到,而是能够抓住最能体现这些学派特点与贡献的理论输入进来。例如,米利都学派的"始基"学说,埃利亚学派的"存在"理论,赫拉克利特的"一切皆流"观点,德谟克利特的"原子"分析,普罗泰哥拉的"人者宇宙之权衡也"命题等。在介绍这些理论观点时,作者虽然没有直接引用哲学家的原著,但从作者对哲学家观点的阐释中,可以

---

① 公猛:《希腊古代哲学史概论》,载《浙江潮》,第 4 期,1903 年。
② 同上。

看到，尽管就其理解来说还是相当粗浅的，但也基本把握住了哲学家们理论的主要精神。这说明作者对于这段西方哲学史下过一定工夫钻研，在介绍时不仅忠实于他所介绍的对象，而且对希腊哲学的发展过程，在宏观上也有相当全面的理解和系统的把握。否则，要做到这一点是困难的。

第三，在介绍古代希腊哲学的发展过程时，作者不是把各个学派的观点孤立起来，而是在一定程度上能够把它们放在发展过程中进行考察，力图从中揭示不同哲学体系及其理论观点的内在联系。

这里，首先以米利都学派三位哲学家之间的关系来阐明。在公猛看来，作为这个学派奠基者的泰利斯，他以有形物，即"水"为万物之本源；然而世界上还存在"无形之生机"，它变化不定，无极无臭无声，用有形之"水"怎么能说明无形物之变化？为此，他在具体论述时又"立无形之原理，以谓如动物之活动力、感觉力、草木之生长力、空气之压力、磁石之引力等，弥纶于有机无机之二体者，其本体即神也。"[1]这样一来，虽说这种理论和今天讲的心物二元论不同，只能说是物力二元论；但是，既然以"有形之物质定为万物之本源，又指物之本体为神"[2]；作者认为，这就是泰利斯在理论上的失误。因此，米利都学派后起的哲学家亚诺芝曼德（按：Anaximader 阿拉克西曼德），为了克服泰利斯的缺点，提出了作为世界本原的东西为"无极"的观点。"无极"现在一般译为"无限者"。阿拉克西曼德认为，"无限者"，"无状，无形，无体，无性，无时不存，无时不在，既无始终，亦无涯涘。万物皆出于此，皆入

---

① 公猛：《希腊古代哲学史概论》，载《浙江潮》，第 5 期，1903 年。
② 同上。

于此。"①因为它具有干和湿两种性质,由于这两种性质的变化,便形成世界万物。这样,泰利斯的"始基"是有形之元质就被阿拉克西曼德的无形之原理代替了。作者指出,这固然是哲学上的一大进步,然而他接着提出,"无形无限之原理,决不能生有形有限之元质。"②于是,为了解决这个难题,米利都学派的最后一位哲学家亚诺芝縣尼(按:Anaximeners,阿拉克西米尼)"起而矫正之。"③他认为,世界的本原既不是"水",也不是"无极",而是既具有水的流动性,又具有"无限者"无所不在特性的"空气";它"弥漫宇宙,人禽之生命,无不赖以维持。"④因此,"空气"较之前面两者在对世界本原的认识和概括上,显然是前进了一步。然而,其中又吸取了它们的某些看法,因而这个观点又是在前面两者基础上的发展。由此可以肯定,在米利都三位哲学家的观点之间,存在着不可分割的联系。

其次,在这个阶段中先后出现的不同哲学流派的观点之间,也是这样。从米利都学派发展到毕达哥拉斯学派,它们之间在理论体系上的联系,便能说明这一点。作者认为,米利都学派三位哲学家对世界本原提出的三种观点,虽然各说不同,但"皆注重于有形之一边。"⑤即使如阿拉克西曼德的"无限者",他对它的规定性解释,"亦同为有物质者,而不可谓非有形之说明者也。"⑥不过,以某种具体物质作为世界的共同本原,这种观点是不科学的。要能真

①　公猛:《希腊古代哲学史概论》,载《浙江潮》,第 5 期,1903 年。
②　同上。
③　同上。
④　同上。
⑤　同上。
⑥　同上。

正找到世界的共同本原,必须超出以个别事物视为万物共同本原的观点,并进一步从事物的共同性中抽象出世界的本原。公猛指出,后起的毕达哥拉斯学派用"数"作为世界的本原,就是在这种探索过程中形成的认识做出的概括。因此,虽然毕达哥拉斯通过概括事物的一种属性,即"数",并把它作为世界的共同本原,否定了米利都学派运用具体事物作为世界本原的观点,但是,毕达哥拉斯学派对世界本原进行的探索,是在米利都学派探索的基础上进行的,否则,是难以前进并提出新观点的。

公猛此文在当时传播古代希腊哲学的作品中,有一定的代表性。把它以及其他有关论著同明清之际输入的内容比较,虽然没有希腊哲学原著的译介,但完全改变了原先的传播方式,即明清之际传入古代希腊哲学,完全是出于传教士宣讲基督教神学与哲学的需要,而戊戌辛亥期间却是中国学者出自对古代希腊哲学的了解而写作与介绍的,在传播的内容上也全面多了,客观多了。

二、星云假说的热心传播

与传播古代希腊哲学的出发点不同,中国有关人士把星云假说输入进来,主要是着眼于政治上进行社会变革的需要。

1755年,德国哲学家康德在《自然通史与天体理论》中提出了太阳系起源的星云假说。1796年,法国天文学家拉普拉斯在《宇宙系统论》中,在提出与康德相同假说的同时,还使用力学原理和数学方法对这个假说进行论证。从此,康德-拉普拉斯星云假说就在科学史上奠定了它的崇高地位。这一科学成就不仅在天文学上具有重要意义,而且,由于它在哲学上得到的结论,还有力地打击了形而上学的世界观。

当中国先进分子把追求真理的眼光朝向西方的时候,康德-拉普拉斯星云假说,同进化论和细胞学说等西方自然科学理论一样,强烈地吸引了他们的注意力。星云假说,就是在这种社会条件下传入进来的。

首先介绍它的,是维新运动的著名领袖康有为。

康有为(1858—1927),号长素,字广厦,生于广东南海一个理学世家中。自幼开始,跟随他的伯祖和儒学大师朱次琦读书,深受儒学特别是程朱理学的熏陶,不过,他并不拘泥于传统的经纬之策,从年轻时代起,他一方面以极大的热情熟读了中国哲学的经典,另一方面,他还"渐收西法",博览中译西学著作,积极接受西学的洗礼,充分展示了康有为早年中西均收的襟怀。特别是自朱次琦去世后,他似乎跳出了"华夷"之分的界限。从此开始,他兼摄西政西法,"自是大讲西学。"①不过,因为当时西学,特别是西方哲学输入到中国还处于重新起步阶段,市面上能买到的西学译本,多为工艺、兵法、医学之类,"于政治、哲学,毫无所及。"②因此,他对西学掌握的程度,自然谈不到有什么深入的研究。这决定了在西方哲学东渐史上,他的主要贡献不在于他传播了多少西方哲学的学说,而是作为维新运动的领袖推动了西方哲学在中国的传播。

不过,尽管如此,追求科学真理却是康有为青年时期的鲜明性格。因此,在他的著作中,充分表达了他对于探究自然秘密取得重大成就的科学家的崇拜。例如,在《诸天讲》卷二《地篇》中谈到哥白尼和牛顿时,说要为他们"尸祝而馨香之,鼓歌

---

① 梁启超:《南海康先生传》,见《饮冰室合集》(1),第64页,中华书局,1989年。

② 同上书,第62页。

而侑享之"①，给人大有佩服得五体投地的印象。尤其值得提出的是，在论述自己的哲学观点时，也介绍了一些西方思潮中的进步思想。《诸天讲》中对星云假说的论述，即是一例。据作者说，该书写于 1886 年，1926 年还在杭州天游学院宣讲过。文中在谈到星云假说时，他写道："德之韩图（按：康德）法之立拉士（按：拉普拉斯）发星云之说，谓各天体创成以前，是朦胧之尼斯体，浮游于宇宙之间，其分子互相引集，是谓星云，实则瓦斯之一大块也。"②

　　在这一段话中，虽然对星云假说的这种介绍与概括，显得十分简单与粗糙，但却抓住了这个学说的一个核心观点，即认为太阳系有一个形成过程。今天我们所看到太阳系的各个星体，都是由原始星云演变而成的。这是正确的，有意义的。而且，这种认识对于康有为建立自己的哲学体系也发生过良好的影响。康有为哲学的起点是从沿袭传统"元气"说开始的。由于他接受了星云假说理论的启示，使他在论述自己的思想与学说时，增添了新的科学内容。这主要表现在他运用星云假说论证了天体的运行，认为"星云团凡十六万，吾银河天乃十六万星云团之一也。"③加上他还接受了哥白尼"日心说"的观点，"知道地球为绕日之游星也。"④十分明显，康有为这种观点的提出，与他接受星云假说有着直接的关系。

　　在康有为之后，1896 年，严复在翻译《天演论》时，通过《按

----

① 康有为：《诸天讲》卷二，见《康南海先生遗著汇刊》（十八），第 47 页，宏业书社。

② 同上。

③ 康有为：《诸天讲》卷九，见《康南海先生遗著汇刊》（十八），第 222 页，宏业书社。

④ 康有为：《诸天讲》卷二，见《康南海先生遗著汇刊》，第 43—44 页，宏业书社。

语》也介绍了星云假说。在自然观上，严复已经超出了古代朴素唯物主义的形态，具有近代机械唯物主义的特征。原因就在于他吸取了近代西方的自然科学和哲学理论，星云假说即是其中的一个。他在论述世界是物质自身的运动时，便援引了康德-拉普拉斯星云假说。他写道："天演者，翕以聚质，辟以散力。方其用事也，物由纯而之杂，由流而之凝，由浑而之画，质力杂糅，相剂为变者也。"①这里，所谓"翕以聚质"，本是斯宾塞的一个概念。意思是说，质点由于互相的吸力，凝结成物。他借用这个概念，是为了表述星云说关于太阳系是由原始星云经过长期凝结而成的观点。关于这一点，他在另一个地方有过解释："其所谓翕以聚质者，即如日局太始，乃为星云，名涅菩刺斯，布濩六合，其质点本热至大，其抵力也多，过去吸力，继乃由通吸力收摄成珠。太阳居中，八纬外绕，各各聚质，如今是也。"②另外，他还指出，当"地吸力与原动力相抵为无"③时，事物是相对静止的，但当"抵力"过于"吸力"之时，④太空只是一团星云（Nebulos，涅菩刺斯）；后来，由于星云的质点在运动中吸收力的作用，"各各聚质"，逐渐形成了太阳和太阳系的八大行星，地球就是其中的一个。太阳坐镇中央，其他行星围绕太阳按一定轨道运转。所以，严复指出，"自哥白尼出，乃知地（球）本行星，系日而运"。⑤

　　所谓"辟以散力"，是指物体在凝结过程中，散发能量，于是

① 严复：《天演论·按语》，见《严复集》，第五册，第1327页，中华书局，1986年。
② 同上。
③ 严复：《穆勒名学部部乙篇五》夹注。
④ 同上。
⑤ 严复：《天演论·按语》，见《严复集》，第五册，第1325页，中华书局，1986年。

"质聚而为热、为光、为声、为动、未有不耗本力者。"①待其能量耗尽了,物体即归于消灭,但又不断的"翕以聚质,辟为散力",使事物由单纯而至复杂,由流动到凝固,由浑沌到分明,形成无穷无尽的物质运动。这就是太阳系形成的法则和过程。

在上述介绍和论述中,严复紧紧地抓住了吸力和斥力之间对立和统一的观点,以此说明了太阳系的形成过程。从介绍星云假说理论本身来说,由于严复能够直接阅读原著,并广泛地接触到了西方与此有关的资料,因此,他对星云假说的概括,要比其他人更为接近这个学说的本来面目。

1903年,年轻的鲁迅在其科学论文《中国地质略论》中,也谈到了星云假说。他写道:"昔德儒康德(kant)唱星云说,法儒拉布拉(按:Lapace 拉普拉斯)和之。以地球为宇宙大气体中析出之一份,回旋空间,不知历几亿几劫,疑为流质;尔后日就冷缩,外皮遂坚,是曰地壳。至其中心,议者綦众:有内部融体说,有内外固体中挟融体说。各据其理,以文其议。"②鲁迅的这篇文章是论述中国地质结构的。他从星云假说出发,论证了地球的成因以及中国地质的构造。通过这种方式,不仅介绍了康德-拉普拉斯星云假说的主要观点,而且以此为依据阐明了他对中国地质构造的看法。这在中国传播星云假说上,显得很有特点。

同年,《大陆报》第9期,发表了一篇没有署名的文章:《西哲之星云说及佛教之器世间论》。在这篇文章中,既有西方星云假说的介绍,还有对东方佛教器世理论的评论。在传播星云假说时,

---

① 严复:《天演论·按语》,见《严复集》,第五册,第1329页,中华书局,1986年。

② 鲁迅:《中国地质略论》,载《浙江潮》,第11期,1903年10月。

不仅概括地把康德与拉普拉斯的观点摆出来了，而且还提到了与他们观点迥异的哈希尔的看法。可以说，在当时传播星云假说的文章中，这是最为全面的一篇。

这里，有关对佛教学说的评论不谈，仅就介绍星云假说来说。首先，作者指出了近代西方文明的兴起与星云假说等西方自然科学成就的关系。作者指出，"近世纪以来，世界各国，教育大兴，智、德、力三者，并驾齐进。"①只有宗教例外，它却处在衰败之中。这是什么原因呢？作者认为，"窃思其主因之所在，或由宗教不能与今日文明事业相并行之故。"②因为在他看来，近代文明是建立在近代科学进步，即关于物质不灭、能量守恒与转化与进化论基础之上的，而宗教的主张恰与这些学说揭示的规律相反。因此，随着这些学说的出现，宗教理论的谬说便日益暴露出来了，从而在群众中失去了往日那样崇高地位。在介绍星云假说前，作者首先发表的这一通议论，说的虽是星云假说与近代西方文明兴起的关系，但把星云假说输入到中国来，其目的是十分明确的。

其次，作者对康德和拉普拉斯的观点分别进行了概括与介绍，如果在这个基础上把它们联系起来作为一个整体看，那么，便把星云假说全面地展现出来了。

对于康德，作者写道："创立星云说者，康德是也。彼之说曰，我等观于太阳系，现象殊奇，游星有六，卫星有九，皆在同一之轨道，且与太阳运动之方向相同。今系于彼等之间，使其运动合一之物质，存于何地？今日之前，必有生之之原因在也。唯形为此等游星之物质，始于极小极微之分子。今涉及太阳系之全圜，而弥沦之

---

① 《西哲之星云说及佛教之器世间论》，载《大陆报》，第 12 期，1903 年 8 月。
② 同上。

者,外围凝固浓厚之分子,藉引力之作用,吸收其他分子,累累簇集,成为一团。既成之后,次层外围,又生一团;渐次团结,遂为数圆体云。"①

对于拉普拉斯,作者写道:"拉婆拉司(按:拉普拉斯),又与康德相似。以太阳系与各游星之转移相同,非偶然之事。彼之说谓太阳之雾围气,弥沦于系属各游星空间之全部,始有此等现象。始以太阳为星云雾围气之中心,复率广大之雾围气,徐徐围转。其气热度极酷,迨热度渐减,收缩于中心。当分子收缩之时,全体容量,随之而减。移转之速率,则随重学之理,而渐次增加者也。外面之远心力,渐与内部之求心力相均,至移转之轮,为同质之时,始有千百小星球,分立其间,略与火星木星间小游星相似。惟疏密各殊,时或密之一部,吸收疏之一部,凝固之中心,全为极热之雾围气所包含,成为一团,遂不失云。"②

从上述对康德与拉普拉斯观点的分别介绍中,可以看到,前者着重在星云假说基本思想的概括,目的在于勾画出太阳系的整体面貌,强调太阳系的所有星体同属一物质,经过长久的生成过程后才形成的。后者则主要是对于上述观点的具体论证,即运用力学原理,通过引力和斥力的相互作用和运动,说明太阳和太阳系各星球的形成过程,以此阐明太阳系所属行星和卫星在同一轨道上与太阳按同一方向运动,"非偶然之事"。虽然不论在前者的观点概括中,还是在后者的观点论证中,有些科学概念与原理的表述,尚欠妥帖。但是,康德-拉普拉斯星云假说反复强调太阳系是一个形成过程的基本观点,却给人以深刻的印象。

---

① 《西哲之星云说及佛教之器世间论》,载《大陆报》,第12期,1903年8月。
② 同上。

　　近代中国当西方哲学重新全面东渐时,星云假说这样受到中国有关人士的关注,决不是偶然的。其中,除了传播者本人的不同思考外,还有深刻的社会原因。因为在中国的自然哲学中,有相当一部分内容是关于天的知识。但是,几千年来,对于天的看法不仅有许多错误的认识,而且由于封建统治阶级的需要,把董仲舒提出的"天不变,道亦不变"的说教,变成了中国社会中人人必须遵循的信条。因此,针对这个说教,中国学者在输入星云假说时,主要传播了其中关于宇宙形成的科学理论。这样,随着这个学说以及进化论与细胞学说等西方科学理论的传入,不仅使中国人对宇宙天体起源有了新的认识,由此推动了中国自然哲学从古代朴素唯物主义形态中脱离出来,而且,更重要的是动摇了"天不变,道亦不变"的理论根据。在这一点上,星云假说在中国与它在西方的社会影响是不同的。如果说,它在西方的作用主要表现在科学变革上,那么,近代中国把它输入进来,主要目的则是从社会变革的需要出发的。康有为写《诸天讲》,宣传星云假说,天文学问题并非其心志所在。他的意图是想通过这种介绍,提出社会改造的问题。因为在他看来,自然界的变化和发展与人类社会的变化和发展,其理相通不悖。《在变法通议》中,梁启超说过,"法何以必变,凡在天地之间者,莫不变……故夫变者,古今之公理也。"①从这里,可以窥见康有为介绍星云假说的良苦用心。

　　其他一些传播者介绍星云假说,也出于相同的立场。严复译《天演论》,借助按语推崇星云假说,其目的在于论述人类和人类社会都是遵循太阳系形成和动植物演化规律的。他在《天演论》

---

　　① 梁启超:《变法通议自序》,见《饮冰室合集》(1),第 1 页,中华书局,1989年。

自序中说:"于自强保种之事,反复三致意焉。"①这就说明,依照进化论和星云假说揭示的规律,在中国变法维新,进行社会变革,是必要的和合理的。鲁迅说,"我的文章里,也有受着严又陵的影响的。"②这里,是指他受到严复科学启蒙和科学救国的影响。他在《中国地质略论》中介绍我国的地质分布,地势发展和矿藏情况时,高歌"吾广漠美丽最可爱之中国",痛呼:"中国者,中国人之中国","不容外族之探检","不容外族之觊觎。"③从这些激昂的言词中可以看到,他在该文中论述星云假说,不仅以此从科学的角度阐明了地球的成因及其内部结构,而且还站在科学救国的高度上宣传了爱国主义精神,以此激发国人奋起救亡图存的热情。

三、社会主义与马克思主义的最早传播

当中国的先进分子踏上了向西方学习的道路,并对西方充满了憧憬的时候,西方资本主义社会的许多弊端也暴露出来了。而且,它们还不断地被社会主义者无情地加以揭露,因而使社会主义思想得到了广泛的传播。这样一来,中国的先进分子在向西方学习时,又使他们对资本主义制度产生了疑虑与保留。与此相反,中国的"大同"社会理想,却引导他们对社会主义价值理念的认同。因此,在他们改造中国社会方案的思考中,主张在吸取资本主义的精华的同时,还希望能够避免它的弊病。由此可见,中国近代早期知识分子萌生的社会理想,既有传统的价值观,又掺杂着资本主义

---

① 严复:《天演论·自序》,见《严复集》第五册,第1321页,中华书局,1986年。

② 鲁迅:《集外集·序言》,见《鲁迅全集》(七),第371页,人民文学出版社,1973年。

③ 鲁迅:《中国地质略论》,载《浙江潮》第8期,1903年10月。

的制度建构和社会主义的思想形态。社会主义思潮就是在这样的
背景和心态下开始传入中国的，而马克思主义则是作为它的重要
组成部分引起中国思想界的重视的。

　　中国人接触社会主义思潮，并非始自戊戌与辛亥时期。实际
上，早在洋务运动期间，19 世纪的 70 年代，香港的《华字日报》、
《中外新报》等报纸，便最先报道了巴黎公社的有关情况。① 特别
是江南制造局编印的《西国近事汇编》，自 1873 年至 1882 年初，在
逐周汇述西方各国的重要时事中，经常记载欧美各国的工人运动
以及共产党人的活动；在阐述中把社会主义译述为"主欧罗巴大
同"、"贫富适均"、"贫富均材之说"，把共产主义译为"廓密尼士"
或"康密尼"。② 虽然这种介绍是初步的、不系统的和不准确的，但
是，它对当时中国思想界却产生了不可忽视的影响。一个明显的
事实是，在康有为的《大同书》与严复译出的《天演论》中，都可以
发现这种影响的痕迹。特别是康有为的《大同书》，在一定的意义
上说，不过是传统大同思想与近代社会主义思潮结合的产物。

　　进入 19 世纪末 20 世纪初，社会主义思潮在中国的传播有了
一定的进展。首先，马克思、恩格斯的名字，最早出现在 1898 年由
上海广学会主办的《万国公报》上。1899 年 2 月至 5 月，该报连续
刊登了蔡尔康根据英国传教士李提摩太译自颉德《社会进化论》
部分章节写成的《大同学》一文。文中在提到马克思和恩格斯名
字的同时，还称他们讲求"安民新学"。所谓"安民新学"，即指欧
洲社会主义学说。这是迄今为止，发现中文报刊上最早出现马克

---

　　①　姜义华编：《社会主义学说在中国的初期传播》，第 1 页，复旦大学出版
社，1994 年。

　　②　同上书，第 8—18 页。

思和恩格斯的名字。

其次，在 20 世纪的最初几年，中国留日学生掀起了一股介绍社会主义学说和译介日文社会主义著作的热潮。其中，仅就翻译出版有关社会主义的著作即有：幸德秋水的《二十世纪之怪物帝国主义》、《广长舌》、《社会主义神髓》、材井知圣的《社会主义》、福井准造的《近世社会主义》、西川光次郎的《社会党》、久松义典的《近世社会主义评论》、岛田三郎的《社会主义概评》、矢野龙溪的《新社会》。这些译著促进了社会主义学说在中国的传播，在一定程度上增进了中国知识分子对社会主义的了解。

再次，除了译著外，中国学者在文章中也开始提到马克思的名字和社会主义思潮。例如梁启超 1902 年 9 月在《进化论革命者颉德之学说》中，说"麦喀士（按：马克思），日耳曼人，社会主义之泰斗"①，并指出，"麦喀士谓，今日社会之弊，在多数之弱者为小数之强者所压伏。"②又如马君武 1903 年 2 月在《社会主义与进化论比较》一文中写道："马克司（按：马克思）者，以唯物论解历史学之人也。马氏尝谓阶级斗争为历史之钥。马氏之徒，遂谓是实与达尔文言物竞之旨合。"③文章的末尾，作者还附录了圣西门、傅利叶、路易·布朗、蒲鲁东、拉萨尔、马克思等人著作的英文书目。其中马克思的著作有：《英国工人阶级状况》（按：实为恩格斯的著作）、《哲学的贫困》、《共产党宣言》、《政治经济学批判》与《资本论》。这说明当时中国知识分子对社会主义与马克思的思想开始有所了解，突出的是提到了唯物论与阶级斗争学说。

---

① 　梁启超：《进化论革命者颉德之学说》，载《新民丛报》，第 18 号，1902 年 9 月。
② 　同上。
③ 　马君武：《社会主义与进化论比较》，载《译书汇编》，第 11 号，1903 年 2 月。

　　第四,更为重要的是,以孙中山为代表的资产阶级革命派,认为他们倡导的民生主义就是马克思主义的社会主义。这虽是一种善良的误解,但是他们秉着这种信念却热情地为传播马克思主义作出了贡献。革命派在中国传播马克思主义,其目的不仅在学理的输入,重要的还在参资借鉴义。例如,朱执信撰写马克思等德意志革命家传略,即是这样。他认为,社会主义学说在德国"独昌",在政治上成为一股很大的势力,"其功实马尔克(按:马克思)、拉萨尔、必卑尔(按:倍倍尔)等尸之"。① 与此相反,德国政府"常假社会改良、劳动保护之名,以行摧陷有志者之实,阴绝社会主义之根株。其政策正与满洲之倡言立宪类似"。② 因此,他把德意志革命家小传"介绍于吾同胞","所期者数子之学说行略,溥遍于吾国人士脑中,则庶几于社会革命犹有所资也。"③传播马克思主义的这种参资借鉴动机,在当时几乎成了同盟会成员的一个共识。因此,根据这种考虑,朱执信写了《德意志社会主义革命家小传》一文。在文章中,他通过介绍马克思的生平事迹,阐明了《共产党宣言》中包括十大纲领的主要内容,以及剩余价值学说的要点。他指出,"前乎马尔克言社会主义而攻击资本者亦大有人,然能言其毒者所由来,与谋所去之道何自者,盖未有闻也。"④而自马克思主义诞生后,"马尔克素欲以阶级斗争为手段,而救此蚩蚩将饿莩之群氓。观于此十者(十大纲领),其意亦可见。"⑤因此,《共产党宣言》"既颁之,家户诵之,而其所惠于法国

----

① 朱执信:《德意志社会主义革命家小传》,载《民报》,1905 年 11 月。
② 同上。
③ 同上。
④ 同上。
⑤ 同上。

者尤深。"①从这里可以看到，马克思主义在西方社会发展过程中发挥的巨大作用，而朱执信特别点破这一点，其目的是不难明白的。

又如，廖仲恺的《社会主义史纲》与《无政府主义与社会主义》两篇文章，前者详述了近世社会主义的起源和发展演化，着重介绍了社会主义与无政府主义的分裂与斗争；后者阐明了社会主义与无政府主义的"全面异质"，指出了无政府主义的哲学根据在个人之主权，社会主义的哲学根据在于人必生长于一社会中。因此，只有改良其制驭此社会组织者，而与人自由。两者的目的虽然都是为了获得自由，但实现的手段差异很大。社会主义者利用国家，无政府主义者则废绝国家，两者"真有黑暗与光明之别矣"。②

在19世纪末20世纪初中国知识分子的视野中，无政府主义与马克思主义都属于社会主义。在同盟会的成员中，有少数人倾向无政府主义。他们既具有革命的精神，又具有追求自由、平等、博爱的理想。他们的基本主张是，强调绝对的个人自由，反对一切的政府组织形式。因为在他们看来，任何政府都会导致专制，都会造成对自由的损害。因此，为了适应自己的需要，他们成立组织，创办宣传阵地，大力在中国传播无政府主义思潮。不过，在这个过程中，也夹杂着输入了一些社会主义与马克思主义的思想。在这一方面，《天义报》做得多些。例如，1907年12月，发表在该报第13、14卷上的《经济革命与女子革命》一文，以附录的形式摘译了《共产党宣言》中关于家庭和婚姻制度的论述。文末按语写道："马氏等所主共产说，虽与无政府共产主义不同，而此所言则甚

---

① 朱执信：《德意志社会主义革命家小传》，载《民报》，1905年11月。
② 廖仲恺：《社会主义史纲》，载《民报》，1906年9月。

当。彼等之意以为资本私有制度消灭,则一切私娼之制自不复存,而此制之废,必俟经济革命以后,可谓探源之论。"①又如,1908 年 1 月,该报又刊出了恩格斯 1888 年为《共产党宣言》写的英文序言的译文,标题是《共产党宣言序言》。在这篇序言中,恩格斯概述了《共产党宣言》的产生过程和它的基本思想。这对当时人们了解《共产党宣言》是有所裨益的。编者在按语中指出,"《共产党宣言》,发明阶级斗争说,最有裨于历史。此序文所言,亦可考究当时思想之变迁。欲研究社会主义发达之历史者,均当从此入门。"②再如,该报第 16—19 卷合刊号上,还分别发表了《共产党宣言》第一章"绅士与平民"(按:今译"资产者与无产者")与《家庭、私有制和国家的起源》第二节"家庭"部分内容的译文。刘师培在为前者写的序言中说,"观此宣言所叙述,于欧洲社会变迁悉靡遗,而其要归,则在万国劳民团结,以行阶级斗争,固不易之说也。"③又说,"古今社会变更均由阶级之相竞,则对于史学发明之功甚巨,讨论史编,亦不得不奉为圭臬。"④后者附有编者识;"观于彼说,则女子欲求解放,必自经济革命始,彰彰明矣。"⑤这些说法,对于读者理解这两本著作,有一定的引导作用。

辛亥革命这一年,1911 年 8 月,上海《东方杂志》第 6 期刊出《社会主义与政策》一文。文章写道:"近世社会主义之开山,咸推德人楷尔·麦克(按:卡尔·马克思)。其《资本论》所述,意在集土地、资本于社会,以经营共和的生产事业,所谓社会主

---

①　《经济革命与女子革命》,载《天义报》,第 13、14 卷,1907 年 12 月。

②　同上。

③　刘师培:《共产党宣言》"序言",载《天义报》,16—19 卷合刊。

④　同上。

⑤　《天义报》编者:《家庭·私有制和国家的起源》,"编者识",载《天义报》。

义是也。"①同年 12 月，江亢虎针对宋教仁的《社会主义商榷》一文，在《社会》杂志上发表了《社会主义商榷案——社会主义之商榷之商榷》。在文中，他对共产主义与无政府主义、社会民主主义作了明确的区分。他指出，"共产主义乃社会主义之中坚，盖社会主义固直接缘经济之下等而发生者也……均产主义、集产主义，其方法不如共产之善，故虽以共产主义为社会主义不祧之宗可也。"②又说，"共产主义之作用，必须根本上改革现在之经济制度，而单个人私有者悉变为社会公有者。"③"至于实施则或用平和手段，由教育实业输进，以全社会大多数之同意起行；或用激烈手段，先举大革命、大罢工，俾现社会恶制度破坏无余，然后重新改造、建设，丝毫不受历史与习惯之拘束，而纯由理想实现之。二者之难易当否，颇非立谈所可决顾，近世学者多赞同后说。"④从这些言论看，江亢虎对社会主义的认识，比当时一般社会革命家要正确与全面一些。

辛亥革命之后，孙中山也热情地宣扬社会主义。1912 年 10 月中旬，15—17 日，他在上海连续发表演说，题目为《社会主义之派别及批评》。这是他宣传社会主义思想最重要的一次讲演。孙中山把社会主义分成四大派别，即共产社会主义、集产社会主义、国家社会主义、无政府社会主义。他又认为，实际上国家社会主义可归属于集产社会主义，无政府主义可归属共产社会主义。他主张中国应实行集产社会主义，指出这"实为今日惟一之

---

① 《社会主义与政策》，载《东方杂志》，第 6 期，1911 年 8 月。
② 江亢虎：《社会主义商榷之商榷》，载《社会》杂志，1911 年 12 月。
③ 同上。
④ 同上。

要图"。① 至于共产社会主义,虽为"社会主义之上乘",②然因为
它对国民首先素质的要求极高,不宜实行于现时代,而"可行于道
德知识完美之后"。③ 最后孙中山还指出,"各国社会主义学者,鉴
于将来社会革命之祸,汲汲提倡马克斯(按:马克思)之学说,主张
分配平均,求根本和平之解决,以免激烈派之实行均产主义,而肇
攘夺变乱之祸。"④对待社会主义的这种认识与态度,在一定程度
上代表了当时知识分子的普遍意识。

　　另外,1912 年,上海出版的《新世界》杂志第 1、3、5、6、8 期上,
以《理想社会主义和实行社会主义》为题,连续刊出恩格斯《社会
主义从空想到科学的发展》一书的部分内容。这是该书在中国最
早的译文。同年,该刊还登载王缁尘多篇有关社会主义的重要文
章。如《社会主义大家马尔克(按:马克思)之学说》与《社会主义
与社会政策》。在前文中,他写道:"今日社会主义之学说,磅礴郁
积,社会党之势力澎湃弥漫,能使全世界大多数之人类均栖息于是
旗帜之下,又使自有历史以来之富家豪族重足而立,侧目而视,致
此者谁乎? 德之马尔克也。"⑤因此,他认为马克思是"全世界之造
时势者",⑥称赞《共产党宣言》是"二十世纪社会革命之引导线,
大同太平新世界之原动力"。⑦ 并表示要把马克思的学说介绍给

---

　　① 孙中山:《社会主义派别及批评》,参见林代昭等编:《马克思主义在中
国——从影响的传入到传播》,第 367—387 页,清华大学出版社,1983 年。

　　② 同上。

　　③ 同上。

　　④ 同上书,第 387 页。

　　⑤ 王缁尘:《社会主义大家马尔克之学说》,载《新世界》,第 2 期,1912 年 4
月。

　　⑥ 同上。

　　⑦ 同上。

国人。在后文中,针对思想界一些人的改良主义,区分了社会主义与社会政策。他认为,"社会主义者……从根本着想废去一切之旧组织,改造一新社会,以谋人类永久之幸福者也。社会政策者,以不变现世界之政治制度经济组织,惟困其弊窦乃稍稍修改之,或补救之。"①在他看来,社会政策者至多只是"头痛医头,脚痛医脚"②,只求得"暂时之偏安",③而社会主义之改造,却如同"栋折榱倾瓦碎砖落"④之千年巨厦,"必统盘筹算去其旧而图其新。"⑤由此可见,王缁尘是把社会主义看作一种革命的学说加以输入的。

第四节　对主要传播者及其传播 西方哲学成果的评析

这一节以传播者为线索,通过对他们各自在 19 世纪末 20 世纪初西方哲学东渐过程中对于西方哲学的研究、输入动机、传播内容、传播特点以及传播影响的介绍与评述,不但可以看到这些传播者为西方哲学东渐事业作出的贡献,而且如果把它们综合起来,还可以反映本时期西方哲学东渐的基本面貌与中国学者认识西方哲学达到的程度。

一、梁启超对西方哲学的传播及其启蒙意义

在维新变法运动中,梁启超是一位著名的领导者和宣传家。

---

① 王缁尘:《社会主义与社会政策》,载《新世界》,第 7 期,1912 年 8 月。
② 同上。
③ 同上。
④ 同上。
⑤ 同上。

而且,在这个过程中,为把西方哲学传播到中国来,进行了大量卓有成效的工作。

梁启超(1873—1929),字卓如,号任公,笔名中国之新民、饮冰室主人等。广东新会人。自幼年开始接受了系统的儒学教育,1890年进广州万木草堂,从此跟随康有为学习。在这里的学习生活为他后来研究西方哲学打下了基础。不过,传播西方哲学的工作,虽然在维新运动期间即有所行动,但主要是在维新变法失败后亡命日本期间。在总结和反思维新变法失败教训的过程中,他通过顽强的自学,广泛地阅读和研究了西方哲学的各派著作,不但使他的思想有了新的升华,而且像往日在国内一样,随有所见,随即吸收,随即发表,仅在到达日本后不久的一段时间,发表有关西方哲学的论文,计有:《论希腊古代学术》、《培根学说》、《笛卡儿学说》、《霍布士学案》、《斯片挪莎(按:斯宾诺莎)学案》、《卢梭学案》、《亚里士多德之政治学说》、《近世文明初祖二大家之学说》、《法理学大家孟德斯鸠之学说》、《近世第一大哲康德之学说》、《进化论革命者颉德之学说》、《天演学初祖达尔文学说及其略传》、《乐利主义泰斗边沁之学说》、《论学术之势力左右世界》、《论新民·论私德》等。可以说,梁启超为传播西方哲学发表的论著,在当时的西方哲学传播者中,数量上是最多的,内容上是最全面的。不过,从主要倾向上看,着重介绍的却是近代西方哲学。下面,仅就其中一部分有代表性的作品,作出分析与评论。

首先,在介绍西方社会政治学说方面,梁启超先后发表过《亚里士多德之政治学说》、《法理学家孟德斯鸠之学说》、《政治学家伯伦知理之学说》与《乐利主义泰斗边沁之学说》,相当广泛地传播了西方、特别是西方近代资产阶级的国家、法权与伦理学说。这里,仅以《卢梭学案》为例,分析一下梁氏在这篇文章中介绍与吸取了一些什么思想。

　　卢梭是 18 世纪法国资产阶级的民主主义者。在《卢梭学案》中,梁启超着重宣传和论述了他的《社会契约论》。这本书是卢梭的主要著作之一。梁启超在介绍这本书时,在简要地追述了社会契约学说在西方形成和发展的过程之后,较为细致地论述了卢梭关于社会契约的理论。

　　社会契约论是西方的一种国家学说。在 17 世纪和 18 世纪的西方哲学家中,有些人都从自己的哲学立场出发,先后提出过这方面的理论。例如英国的霍布斯和洛克。卢梭的社会契约论与他们的学说有联系,但也有差别。梁启超选择卢梭的社会契约理论进行介绍,其目的在于通过卢梭提出的这个理论,说明他把 17 世纪以来近代西方哲学家论述过的自由、平等、天赋人权等学说推进到了一个突出的高度,从而使它成为 1789 年法国大革命的旗帜。梁启超在他的文章中,也同样把注意力集中在这里,使用了较多的篇幅论述卢梭的上述观点。

　　梁启超说:"欧洲古来,有阶级制度之习,一切政权教权,皆为贵族所握,平民皆视若奴隶焉。及卢梭出,以为人也者,生而有平等之权,即生而当享自由之福,此天之所以与我,无贵贱一也。"[1]卢梭正是从这种天赋人权原则出发,认为为了保障自己的自由、平等、生命和财产,同意把一部分天赋权利转让出去,并共同订立契约,组成国家。从此开始,"自定约而自守之,自立法而自遵之,故一切平等,若政府之首领及各种官吏,不过众人之奴仆,而受托以治事者耳。"[2]就是说,国家是众人订立契约的产物。在卢梭看来,

----

　　[1]　梁启超:《论学术之势力左右世界》,载《新民丛报》,第 1 号,1902 年。
　　[2]　同上。

国家产生后,各人把自己的部分权利转让出去,并不是他们自由平等权利的丧失。因为在卢梭看来,"民约之目的,决非使各人尽入于奴隶之境。"①相反,"民约云者,必人人自由,人人平等,苟使有君主庶臣之别,则无论由于君主之威力,由于臣民之好意,皆悖于事理者也。"②这是因通过订立契约产生的国家,它是全体人民最高和共同意志的体现。人民服从它,也就是服从自己的意志。因此,各人在国家生活中,虽然把部分权利转让给了代表国家的君主,虽是放弃了天赋的自由,但得到了约定的自由,并没有丧失自己的权利。由此可见,社会契约的订立与国家的产生,不是"以剥削各人之自由权为目的,实以增长竖立各人之自由权为目的。"③论述到这里,梁启超特别借用卢梭"凡弃己之自由权者,即弃其所以为人之具也"④的话,反复强调自由对于人作为人的极端重要性,声称"自由者几百权理之本也,凡百责任之原也。责任固不可弃,权理亦不可捐,而况其本原之自由权哉?"⑤从这种对卢梭思想的引申中,可以深切地体会梁启超传播《社会契约论》的用意所在。

　　根据上述观点,梁启超问道:"人人既相约为群以建设所谓政府者,则其最上之主权当何属乎?"⑥他认为,在卢梭看来,"及约之既成,则主权不在于一人之乎,而在此众人之意,而所谓公意是也。"⑦梁氏指出,卢梭的"公意"不是指少数人的欲望,也不是指

---

① 梁启超:《卢梭学案》,载《清议报》第98—100册,1901年。
② 同上。
③ 同上。
④ 同上。
⑤ 同上。
⑥ 同上。
⑦ 同上。

多数人的欲望,而是指全国所有人的共同欲望;众人根据自己的欲望,"自发起之,自改正之,自变革之,日征月迈,有进无已,夫乃谓之公意。"①因此,把这种"公意"表现出来的,就是经众人共同制定的法律。依据这些观点,本来在卢梭那里,他还主张,如果国家首脑不执行公意和法律,就破坏了契约和篡夺了众人的主权;一旦公众的主权被篡夺,他们便有权为了恢复自己的自由平等权利,起来推翻违约的国家首脑。因此,卢梭的社会契约论便成为资产阶级推翻封建贵族统治的革命理论。对于它在法国以至近代西方社会中产生的巨大影响,梁启超不仅认识到了,而且还给予了明明白白的肯定。他说,"自此说一行,欧洲学界,如平地起一霹雳,如暗界放一光明,风驰云捲,仅十余年,遂有法国大革命之事。自兹以往,欧洲列国之革命,纷纷继起,卒成今日之民权世界。民约论者,法国大革命之原动力也;法国大革命十九世纪全世界之原动力也。"②应该说,梁启超的这个评价是很高的,也是正确的。

　　然而,这种看法只是适用于抨击与批判中国的封建专制及其法律,一旦超出这个限度,由于受到他的君主立宪立场制约,便没有勇气通过介绍卢梭的社会契约进一步提出推翻中国封建帝制和建立民主共和国的问题。这充分表现了中国资产阶级的软弱性,以及由此决定了他们在吸收西方进步学说时的局限性。

　　其次,在论述近代西方文明产生的根源时,梁启超发表了《培根学说》、《笛卡儿学说》、《霍布士学案》、《斯片挪莎学案》、《近世文明初祖二大家之学说》、《天演学初祖达尔文之学说及其略传》、《进化论革命者颉德之学说》与《论学术之势力左右世界》等文章,

---

①　梁启超:《卢梭学案》,载《清议报》第98—100 册,1901 年。
②　梁启超:《论学术势力左右世界》,载《新民丛报》,第一册,1902 年。

相当系统地探讨和介绍了近代西方各派哲学家的观点,特别是认识论理论。这里,仅以《近世文明初祖二大家之学说》为例,说明梁启超对近世文明的理解以及他对近代文明产生根源的看法。

这篇文章最初发表在 1903 年《新民丛报》第一号和第二号上,后来,《广益丛报》与《政艺通报》均先后转载过。梁启超在文章中,介绍与论述了近代西方资产阶级哲学的两位开拓者,一个是经验主义的始祖、英国哲学家培根,一个是理性主义的奠基人、法国哲学家笛卡儿。梁氏把他们称为近代西方文明的开山祖,这是有道理的。因为在西方历史上,根据史学家的划分,一般把它有文字记载的历史分为"上古"、"中古"与"近代"三个时期。梁启超指出,"近代"与前两个时期的根本区别在于"学术之革新"。① 这里所谓"学术",实际上是指在新的生产力和科学发展的基础上形成的,适应近代社会发展的新的思维方法,或者说,新的哲学世界观。他认为,有了新学术,才有"新道德、新政治、新技艺、新器物。有是数者,然后有新国、新世界。"②在梁启超看来,新的思维方式的产生是西方近代文明形成的真正原因。这种看法不仅大大超过了洋务派对西学的认识,也是在维新变法失败前没有认识到的。梁氏指出,正是由于近代西方社会中实现了思维方式和观念的这个转变,才有近数百年来的神速进步与发展。那么,实现这个转变的关键人物是谁呢? 对于这个问题的回答,不在于点出他们的名字,而主要是要揭示他们在哲学上提出了什么新观念,在思维方式上实现了什么样的转变,从而使西方社会结出了近代文明的果实。

① 梁启超:《近世文明初祖二大家之学说》,载《新民丛报》,第 1、2 号,1903年。
② 同上。

在论述培根时,梁启超在简要地介绍培根对妨碍人们获得新的知识的四种"幻相"批判的基础上,较为详细地阐释了培根的经验论与归纳法。他指出,培根主张人们要获得知识,"只能就造化自然之迹而按验之,不能凭空自有所创造。"①这就是培根讲的,要认识自然,就要接近自然,而要掌握关于自然的知识,就必须进行实验,而不能像经院哲学家那样只凭主观想像。接着,梁氏具体地介绍了培根的经验归纳法。他写道:"就凡事物诸现象中,分别其常现之象及偶现之象,而求其所以然之故,是为第一著手。是故人欲求得一真理,当先即一物而频频观察,反复试验,作一所谓有无级度之表以记之。如初则有是事,次则无是事,初则达于甲之级度,次则达于乙之级度,凡如是者皆一一考验记载无所遗。积之既久,而一定理出焉矣。"②这一段话,基本上把培根归纳的步骤概括和表达出来了。在运用归纳法通过这些步骤研究某一现象,发现一个规律或定理之后,他还指出,如果把它推广去研究同类事物的一切现象,也必然有效,否则,它就不是规律。近代西方科学的迅速发展并取得了惊人成就,就是运用这个方法取得的。正如梁氏所言,"自此说出,一洗从前空想臆测之旧习,而格致实学,乃以骤兴。"③例如,牛顿万有引力和瓦特蒸汽机原理的发现,都是明显的事实。其他许多科学原理的提出,也都是运用培根归纳法的结果。所以,今天西方成为文明灿烂的世界,都是培根的功劳。这就说明,培根在哲学思维方式上进行的变革,是近代西方科学与社会繁荣的根源。

---

①　梁启超:《近世文明初祖二大家之学说》,载《新民丛报》,第1、2号,1903年。

②　同上。

③　同上。

　　但是,梁启超还指出,培根虽然提出了归纳法,却对推理和演绎方法的认识和估计不足。他认为,在这一方面建立了不朽功勋的,是笛卡儿。在论述笛卡儿哲学时,他首先介绍了笛卡儿从认识论上揭露和批判了阻碍人们取得科学知识的经院哲学,并从这里认识到,在探求真理的过程中,思想必须完全摆脱任何束缚,因为"思想之自由,真理之所以出也。"①梁氏认为,一个学者要有所创造和发展,必须"无所顾忌,无所束缚也。"②接着指出,笛卡儿正是从这种观点出发,提出了"普遍怀疑原则",并通过普遍怀疑,最终找到了他的哲学第一原理,即"我思故我在"。然后,梁氏简要地介绍了笛卡儿的理性主义方法。他说,这个方法"分为三段:一曰剖析,二曰综合,三曰计数。剖析者,谓凡遇一事物,务用心剖析之,以观其内之包容何物是也。综合者,遇诸种之思想及事物,次第逐一以总合之,使前后整齐是也。计数者,凡所观察所思想之事物,一一计算之,而不使遗忘是也。"③在谈及这三种方法的具体运用时,笛卡儿还对综合法做了进一步的说明。在这里,梁氏不像概括培根的归纳法那么准确,但他也同样肯定了这种方法对于科学发展与西方社会繁荣的重大意义。他认为"笛卡儿之学派,实一扫中世拘挛之风,骤开近世光明之幕。欧美五尺童子,所莫不钦诵。"④在西方建设近代文明的过程中,它的作用是不可估量的。由此看来,笛卡儿不愧为近代西方文明的另一位始祖。

---

①　梁启超:《近世文明初祖二大家之学说》,载《新民丛报》,第 1、2 号,1903年。

②　同上。
③　同上。
④　同上。

　　梁启超对于两位近代西方文明始祖的论述,没有到此为止;他在分别阐明了他们何以成为近代西方文明始祖的理由后,还把他们加以比较,指明了这两种哲学在西方哲学史上的发展。他认为,从表面上看去,培根强调物质,笛卡儿推崇精神,培根宣扬经验,笛卡儿主张理性;而且,自他们之后,以他们作为创立者的两派,"对峙相争,殆百余年。其间祖述之者,各有钜子。"①直到18世纪末康德哲学问世后,始"和合两派,成一纯全完备之哲学。"②不过,梁启超认为,虽然他们的学说有这些差别,但是他们对于近代世界的功劳是相同的,主要表现是"破学界之奴性"③,使人们的思维方式和观念形态从经院哲学的束缚下解放出来。

　　接着,梁启超抓住这一点,联系当时中国学界的实际,大做文章。他说,"学者之大患,莫甚于不自有其耳目,而以古人之耳目为耳目;不自有其心思,而以古人之心思为心思。"④他问道,如果这样,我们生活在世界上,"不成赘疣乎?"⑤如果这样,天生古人足已,何必再生这千百亿无耳目无心思的低等动物呢? 因此,他引用培根的话,认为无论什么大圣鸿哲说过的话,只要他没有得到实践的证明,就不屑跟从;又引用笛卡儿的话,主张无论什么大圣鸿哲说过的话,凡反诸本心觉得不是清楚明白的,就不应该相信。正是这种理论勇气和求实的学风,才使他们"摧陷千古之迷梦,卓然为一世宗也。"⑥所以说,近世西方文明实际上是他们二贤精神浇铸

---

　　①　梁启超:《近世文明初祖二大家之学说》,载《新民丛报》,第1、2号,1903年。

　　②　同上。

　　③　同上。

　　④　同上。

　　⑤　同上。

　　⑥　同上。

出来的花朵。因此,要使国家繁荣和富强,必须像培根和笛卡儿那样坚决反对"奴性",既不做中国旧学的奴隶,也不做西人新学的奴隶。"我有耳目,我物我格;我有心思,我理我穷。"①做到在观念形态上摆脱旧传统的束缚,使思维方式真正实现变革。如果还像过去那样,闭关一统,对世界发展的趋势不闻不问不研究,置身于地球激湍盘涡最为剧烈之中的中国人,"物竞天择,优胜劣败,苟不自新,何以获存?"②这些观点不仅正确、深刻,而且尖锐、鲜明,当时这样提出来,对于处在图存救亡中寻找真理的中国人来说,其震撼与推动作用是不言而喻的。

最后,在论述近代西方哲学的最高成就时,梁启超发表了《近世第一大哲康德之学说》。这篇文章于1903年先后登载在《新民丛报》的第25、第26、第28号以及46、47、48号合刊上。它是我国第一篇较为系统地论述康德哲学的作品。

在文章中,梁启超在介绍了康德的生平后,首先论述了康德哲学在西方哲学史上的地位。前面已经提到,他把康德哲学看作是由培根和笛卡儿分别开创的经验主义和理性主义的综合。在这篇文章中,他进一步指出,康德哲学"远承培根笛卡儿两统而去其蔽,近撷谦谟(按:休谟)黎菩尼士(按:莱布尼茨)之精而异其撰,下开黑格尔黑拨特二派而发其华。"③这说明,康德在西方哲学史上是处于承前启后的进程之中。而且,他还认为,康德哲学在内容上,"以良知说本性,以义务说伦理,然后砥柱狂澜,使万众知

① 梁启超:《近世文明初祖二大家之学说》,载《新民丛报》,第1、2号,1903年。

② 同上。

③ 梁启超:《近世第一大哲康德之学说》,载《新民丛报》,第25、26、28与46、47、48合刊,1903、1904年。

所趋向。"①也许就是这个原因，梁启超把康德称为近代西方的第一位伟大的哲学家。在他看来，康德不仅是德国哲学界独一无二的代表，而且还是"百世之师"，是"黑暗时代之救世主"②；他属于德国更属于世界，属于18世纪更属于整个历史。这些赞誉之词，虽然有些过于夸张，但把康德看作是西方哲学发展过程中的一个重要转折，却是符合事实的。

　　接着，梁启超论述了康德哲学的主要特点。他从剖析当时西方哲学的发展趋势入手，认为康德之前的西方哲学家，不是属于论定派（按：独断论），就是属于怀疑论。在理论上，由于这两派各自存在片面性，结果最终都没有解决认识论问题。原因在于，前者"妄扩张吾人智慧所及于过大之域，其失也夸而自欺"③；后者"妄缩减吾人智慧所及于过小之域，其失也暴而自弃。"④意思是说，无论独断论者还是怀疑论者，在人类理性的运用上都犯了错误；前者过分夸大了，后者完全贬低了。因此，梁启超指出，康德为了调和他们的观点，要求首先考察人的理性的本性；通过批判人的认识能力，以便确定人的认识范围和界限。正是因为这个缘故，康德把他的哲学称为"检点派"，即批判哲学。

　　然后，梁启超根据他认为构成康德批判哲学体系的《纯粹理性批判》与《实践理性批判》两部著作，简要地介绍了它们的主要内容，即分别论述了人类理性在理论理性和实践理性两个方面的功能和作用。

---

　　①　梁启超：《近世第一大哲康德之学说》，载《新民丛报》，第25、26、28与46、47、48合刊，1903、1904年。

　　②　同上。

　　③　同上。

　　④　同上。

对于前一本书,梁启超指出,康德认为人类理性所以能够把感觉到的东西加以整理,使之具有秩序,并形成认识、知识,就是因为它有三种作用,即"一曰视听之作用;二曰考察之作用;三曰推理之作用。"①并且,他就这三种作用的发挥过程以及通过这三种作用获得的知识的性质和人类认识能力的范围,进行了十分扼要的阐述。

谈及视听作用时,梁氏认为它的目的是整理视听得到的各种事物的印象,以及为获得知识提供材料;而要接受与整理感觉印象,还必须通过时间和空间两种形式才有可能。正如梁启超所说,"视听作用必恃彼两者,然后见其远近先后之别,否则庶物游离纷杂,而非吾之所得受。"②不过,它们"二者皆非真有,而实由我之所假定者也。"③对于康德关于感性学说的这些说法,概括不够准确,论述也较为肤浅,但也大体上把康德的主要意思表达出来了。

对于考察作用,梁氏认为它的目的是把前阶段提供的材料通过"观察庶物之现象,而求得其常循不易之公例"④,即经过对材料进行加工和思考后,从中找出规律来。然而,人们要能够进行加工和思考,本来康德还着重提出和论述了进行加工和思考的先天思维形式,即纯粹概念或范畴。但是,这个在康德认识论中具有核心意义的思想,梁启超只字未提,把它略去之后进而提出了"欲求此等公例,当凭藉所谓三大原理者以考之。"⑤并说,"考察作用

①　梁启超:《近世第一大哲康德之学说》,载《新民丛报》,第25、26、28与46、47、48合刊,1903、1904年。
②　同上。
③　同上。
④　同上。
⑤　同上。

必恃此三者,然后相引而有条理,否则庶物实兀散列,而非吾之所得想。"①对于康德的知性学说,梁启超不但没有抓住实质所在,就是他说到的这些问题,也和康德的真正观点相距甚远。这一部分本是《纯粹理性批判》的重点、精华与难点所在,然而当时梁氏对此并无认识,说明他对康德哲学的把握还停留在相当浅显的外表之上。

对于推理的作用,他说,康德认为这种作用"能检点所序列之事物,自一理进入他理,自一例进入他例,如是层累而升,以求达于极致之处。一日达此极处,则非复如前此之事物,有所凭藉,是之谓无限无倚。本原之旨义,于是乎在。"②他指出,这个"极致之处",不是前两种作用所能达到的现象界,而是"无限无倚",即本原、本相。所谓本原,是指灵魂、宇宙与神。现象界是科学的领域,本相不是人们的认识所能达到的。它是"不可思议"、不可认识的。从得出的结论来说,大体上把康德关于理性的学说模模糊糊地表达出来了,但这一部分的精髓所在,他仍然没有把握到。

本来在康德那里,从这里开始便转到哲学体系的第二部分,即《实践理性批判》。然而在梁启超这里,虽然他已接着讲到这本书,不过不像介绍《纯粹理性批判》那样全面展开,而是仅仅论述了其中关于自由的学说。

人有没有自由? 是什么样的自由? 梁启超说康德主张人有两种自由;一是五官肉体之生命,它"与空间、时间相倚。"③属于现象

---

① 梁启超:《近世第一大哲康德之学说》,载《新民丛报》,第25、26、28 与46、47、48 合刊,1903、1904 年。

② 同上。

③ 同上。

界,受必然法则支配"而不能自肆"①。一是本质的高等生命,即
"真我",它"超然立于时间空间之外,为自由活泼之一物,而非他
之所能牵缚。"②因此,本质生命不像肉体生命那样受制于自然界
的必然性。在这里,人是有自由的。由此可见,康德认为现实生活
中,没有自由可言,一切都受必然性支配,只有在那个不可认识的
本相世界,人们才能获得自由。不过,为了取得自由,必须服从
"真我",否则还会丧失"我之自由"。

　　那么,这个所谓"真我"是什么呢? 在康德看来,就是"自由意
志"。它是一种先验的道德律。它对人们提出的要求是,放弃对
现实利益的追求,而去为一种抽象的"义务"本身履行道德义务。
康德的这种观点,本是德国资产阶级试图在与封建制度的妥协中
谋求本阶级利益的一种愿望的反映,然而梁启超却认为康德的这
种伦理观是"千古之识"③,它"能挽功利主义之狂澜,卓然为了百
世师表"。④ 并根据康德的这一理论提出,"自由必与服从为缘。
国民不服从主权,必将丧失主权所赋予我之自由;人而不服从良
心,则是我所固有之绝对无上的命令不能行于我,此正我丧之自由
也。故真尊重自由者,不可不尊重良心之自由。若小人无忌惮之
自由,良心为人欲所制,真我为躯壳之我所制,则是天囚也。"⑤梁
启超在这里,借助康德的道德学说,鼓吹"自由"必须以"服从"为
前提,其目的在于为他的改良主义进行辩护。

---

　　① 梁启超:《近世第一大哲康德之学说》,载《新民丛报》,第25、26、28 与46、
47、48 合刊,1903、1904 年。
　　② 同上。
　　③ 同上。
　　④ 同上。
　　⑤ 同上。

虽然梁氏把康德作为近代西方第一大哲推荐到中国来,但从他的介绍来看,却一方面由于他并没有真正了解与把握康德哲学的实质,另一方面还由于把康德哲学和佛教唯识宗的教义加以附和比拟,因而在具体阐述康德哲学的观点时,虽然不像王国维批评的那样,十有八九是"纰缪",①但是,读过之后使人模糊不清,因而并没有在人们心目中树立起康德是近代西方第一大哲的形象。不过,从宏观上看,在介绍康德哲学的整个过程中,却抓住了科学与自由两个问题。这是正确的,有意义的。

梁启超这样广泛地把近代西方哲学与政治学说介绍到中国来,是他作为宣传家工作的主要组成部分。通过它们在中国的传播,像是在中国广大追求进步的知识分子,特别是青年知识分子面前,展现出一个色彩斑斓的崭新世界。虽然他的这些文章,不如严复的文章那般专门化,也没有章太炎的文章那么深邃,但是,由于他的文章广而博,文字通俗、华美,"笔端常带感情",因而大大加强了它的感染力量。使原来那些只埋头封建文化的人们大开了眼界,从中看到了在中国以外,还有那么多丰富、进步的知识存在。这就足以帮助他们敲碎锢铸思想的锁链,带领他们进入世界新学问的乐园,去采撷培根、笛卡儿、卢梭、孟德斯鸠、康德、达尔文等哲学营养的知识硕果。胡绳在评价梁启超引进西方哲学的这种启蒙作用时指出:"应该承认,梁启超在戊戌政变后到1903年是做了富有成效的思想启蒙工作,帮助许多原来只知道四书、五经、孔、孟、老、庄的人们(特别是青年)打开了眼界,并且从与封建文化的对比中,更看到自己民族的落后,更

①　王国维:《论近年学术界》,见《王国维先生全集》(初编),第五辑,第1824页,台湾大通书局,1976年。

强烈地燃烧起救国和革命的热情。"①有的学者也认为,在这种对比映照中,"一切夜郎自大、坐井观天、抱残守缺、因循守旧,都在这种知识和观念的宣传和介绍中不攻自破,褪去神圣的颜色,失去其不可侵犯的尊严,而受到理性的怀疑和检验。这就正是启蒙力量和启蒙的意义。"②这些说明,梁启超在20世纪初传播西方哲学的工作,影响是深远的。而且,从其主导面来说,也是积极的。

二、严复的西学翻译及其传播西方哲学的贡献

严复是我国近代著名的启蒙思想家。他的西学翻译及其对西方哲学的传播,在西方哲学东渐史上占有重要地位。

严复(1853—1921),字又陵,又字几道,福建侯官(福州)人。严复自幼聪慧,从小跟随同里黄少岩读书,奠定了旧学的扎实基础。14岁时父亲去世,由于家道贫寒,不能走科举入仕的道路,乃考入洋务派沈葆祯创办的福州船厂附设的船政学堂。他在这里学习了新式航海术,并学习了几何、微积分、动静力学等当时的最新科学知识,这为日后他钻研西方科学文化打下了牢固的基础。五年后毕业被派到军舰上实习,先后到过新加坡、马来西亚、日本及中国沿海各地,巡历海外的所见所闻,对他的思想发展产生了不可忽视的影响。

1876年,严复被派赴英国海军学校学习舰艇驾驶。这时,"洋务"已露出了破产的迹象,加之民族危机深重,这些因素都极大地刺激了他。同时,由于受到英国资本主义文明的吸引,使他开始思

---

① 胡绳:《从鸦片战争到五四运动》,下册,第691页,人民出版社,1981年。
② 李泽厚:《中国近代史论》,第429页,人民出版社,1979年。

考西方国家所以富强并横行五洲的原因。从此，他便把学习驾驶的兴趣转移到西方资产阶级的政治制度和学术文化的研究上来。就是在这个寻找西方富强根源的过程中，他以极大的热情广泛地阅读了西方哲学家，特别是近代哲学家的著作，深受其中进化论与实证论的影响。

回国后，特别是甲午战争失败后，他以极大的爱国热忱开始翻译《天演论》，以此向全国人民敲响了祖国危亡的警钟。同时，又在天津《直报》上，以《天演论》的基本观点作为立论的根据，先后发表了《原强》等多篇政论。通过这些文章，发动了对中国封建意识形态的挑战。戊戌变法失败后，他虽然没有遭到六君子那样的厄运，但也不得不离开天津，开始过着南北奔走和随处啖食的生活。就是在这个过程中，他还先后译出了亚当·斯密的《原富》、斯宾塞的《群学肄言》、约翰·穆勒的《群己权界论》、《穆勒名学》、甄克思的《社会通诠》、孟德斯鸠的《法意》与耶方斯的《名学浅说》等著作。

下面，就严复在中国传播西方哲学的主要内容，分成几个问题进行论述。

1. 达尔文进化论的传播

把达尔文的进化论输入进来，主要是从社会变革的需要考虑的。

达尔文的进化论是 19 世纪自然科学的伟大成果之一。它以大量的事实，阐明了"物竞天择，适者生存"的生物进化规律，揭示了生物与外界环境进行斗争，通过自然选择、优胜劣败的原理，奠定了生物学的基础。早在《原强》中，严复便给予它很高的评价。他说，达尔文所著《物种探原》（按：《物种起源》）一书，"自其书出，欧美二洲几于无人不读，而泰西之学术政教，为之一斐变焉。"①

　　但是,他把进化论输入到中国时,却没有翻译达尔文本人的上述正宗著作,也没有翻译把达尔文这种自然进化学说应用于人类社会,扩充到科学、哲学、宗教等领域的斯宾塞的《生物学原理》,而是翻译了赫胥黎的《进化论与伦理学》。因为在严复看来,达尔文的《物种起源》是一部纯自然科学的生物进化论,而斯宾塞把他的观点发展成为社会达尔文主义,与严复的救亡图存思想相冲突。只有赫胥黎的著作,与他深切的危机意识和中国时代处境的特殊需要相契合。同时,纯自然的淘汰理论,也与中国传统精神不相容,不像赫胥黎的书中所提倡的伦理观念切近与符合中国文化思想的基本信仰。可见,严复翻译赫胥黎的书,是站在一种危机哲学的意识基础上的进行的。

　　《天演论》原是英国生物学家赫胥黎(H. Huxley)的一篇论文。原来的篇名是《进化论与伦理学》(*Evolution and Etics*)。严复于1894 年开译,直到 1898 年 4 月才译就付梓问世。出版时严复只用了原书名的一半,即《天演论》,这充分表现了严复翻译这本书的特点。就是说,他在翻译赫胥黎的原作时,不是生搬硬套,而是从当时中国的社会实际出发,以此作为特殊的斗争手段,服务于中国新兴的资产阶级爱国运动。由于翻译这本书是出于政治而非学术的动机,因此在翻译上,它不是赫胥黎的书的忠实译本,而是有选择、有取舍、有评论、有改造,把它和解决中国的现实问题联系起来。这样一来,他在介绍《进化论》时,并不局限于赫胥黎的《天演论》一个方面,而是借着他的大量按语,把达尔文和斯宾塞的学说一并勾画出来了。例如《天演论》导言的按语,便是进化论学说在

───────

①　严复:《原强》,载天津《直报》,1895 年 3 月 4 日至 9 日。

西方发展过程的一篇扼要的介绍。因此，把原著与译著加以对照，不难发现赫胥黎有关科学方面的问题，如科学的范围、科学的价值、科学的本质及其确定性等问题，严复大部分都没有翻译。特别是原著的"导言二"、"导言三"、"论一"、"论十五"、"论十七"各段中，关于过去宇宙论与现代宇宙论的本质区别等各种见解，在严复的译著中都有意或无意地加以忽略了。严复在翻译问题上提出过"信、达、雅"三个标准，然而他在《天演论》的翻译上，却不是忠于赫胥黎原著的。实际上，严复译出的《天演论》不过是赫胥黎原著的改写或再创作。在译本中，原作者和翻译者之间的差别，几乎难以辨认了。

　　从这种译书风格出发，严复在《天演论》中着重介绍了赫胥黎捍卫的达尔文的生物进化学说。过去在《原强》中，他就介绍过达尔文《物种起源》中关于"物竞"和"天择"两篇。他写道："物竞者，物争自存也。天择者，存其宜种也。意谓民物于世，樊然并生，同食天地自然之利矣。然与接为构，民民物物，各争有以自存。其始也，种与种争，及其稍进，则群与群争。弱者常为强肉，愚者常为智役。及其有以自存而遗种也，则必强忍魁桀，趫捷巧慧，而与其一时之天时地利人事最其相宜者也"。① 现在，严复又在《天演论》中，利用赫胥黎在该书导言中描述的材料，大肆渲染自然界中物竞天择的残酷现象，并列举了许多自然界的实例，进行了详细的说明。例如，一棵树一年要结出许多种子，然而，其中只有极少数能够存活下来。这是什么原因呢？他的回答是："其独存众亡之故，虽有圣者莫能知也。然必有其所以然之理，此达氏所谓物竞者

---

① 严复：《原强》，载天津《直报》，1895 年 3 月 4 日至 9 日。

也。竞而独存,其故虽不可知,然可微拟而论之也。"①严复指出,在竞争中,能够生存的那些种子,必定在某些方面有它的优点。这些优点一代一代传下去,因而这些种子的种便得以保存下来。他认为这就是"达氏所谓天择者也"。

但是,赫胥黎在捍卫达尔文进化论的同时,他们的理论之间又存在一些区别。主要表现在,赫胥黎认为,人类的社会伦理关系不同于自然法则和生命过程。自然界没有什么道德标准,优胜劣败,弱肉强食,竞争进化。人类社会则不同,赫胥黎指出,人类具有高于动物的先天"本性",能够相亲相爱,互助互敬,不同于上述自然竞争。"社会进展意味着对宇宙过程每一步的抑制,并代之以另一种可以称为伦理的过程。"②由于这种人性,人类不同于动物,社会不同于自然,伦理学不能等同于进化论。因此,赫胥黎这本书虽是以宣传达尔文的学说为主旨,然而他使用的书名却是"进化论与伦理学"。可见在一定程度上,他把自然规律(进化论)与人类关系(伦理学)分割和对立起来了。

在这一点上,严复虽然是评述赫胥黎的著作,却并不同意他这种看法。他通过按语对他不断提出批评。例如,在赫氏的书中,有一段话:"人心常德,皆本之能相感通而后有。于是在心之中,常有物焉以为之宰,字曰天良。天良者,保群之主,所以制自营自私,不使过用以败群者也"。译就这一段话后,严复即按:"赫胥黎保群之论,可谓辨矣。然其谓群道由人心善相感而立,则有倒果为因之病,又不可不知也。盖人之由散入群,原为安利,其始正与禽兽下生等耳,初非由感通而立也。夫既以群为安利,则天演之事,将

---

① 严复:《天演论·按语》,见《严复集》,第五册,第1331页,中华书局,1986年。
② 赫胥黎:《进化论与伦理学》,第57页,科学出版社,中华书局,1973年。

使能群者存,不群者灭;善群者存,不善群者灭。善群者何？善相感通者是。然则善相感通之德,乃天择以后之事,非其始之即如是也……赫胥黎执其末以齐其本,此其言群理,所以不若斯宾塞氏之密也。"①这段话表明,在严复看来,所谓人类有"善相感通"的同情心、"天良"而相爱互助、团结、"保群",也同样都是天演的结果,而不是原因,是"末"而非"本"。人本来与禽兽生来一样,后来之所以能"由散入群",形成社会,完全由于彼此为了自己的安全利益,并不是由于开始时有与动物不同的同情心、"天良"、"善感相通"。因此,生存竞争,优胜劣败,适者生存的自然进化规律,同样适用于人类种族和社会。在这一方面,严复指出,赫胥黎的上述观点不及斯宾塞。正因为如此,他在按语中常常采用斯宾塞的观点来反驳赫胥黎,特别是用斯宾塞的普遍进化观点来强调"天演"是任何事物也不可避免的客观规律,完全适用于人类种族和社会。正像他说的,"万类之所以底于如是者,咸其自己而已,无所谓创造者也。"②他认为,天地万物并不是某神秘宗教目的论支配的结果。人之所以为"万物之灵"并不是上帝的赐予,完全是它自己奋斗的结果;其中包括人的聪明才智,也是在进化过程中大脑容量和皱纹不断增大增多的产物。所以自己必须努力奋斗,不断进化,才能生存和发展,否则就要被淘汰而归于灭亡。他不仅列举了许多植物和动物兴亡的例子来说明上述道理,而且还运用人类社会中的大量事实,反复论证了这个论断。其结论是:"'物各竞存,最宜者立',动植如是,政权也如是也。"③这些论点都是他接受斯宾塞

---

①　严复:《天演论·按语》,见《严复集》,第五册,第1347页,中华书局,1986年。

②　同上书,第1325页。

③　严复:《原强》,载天津《直报》,1895年3月4日至9日。

理论的直接表现。

　　总之,在人类社会中,人与人之间必然"竞争生存",只有"最宜者"方可以免于淘汰。根据这种思想,严复向中国人民发出警告:中国必须赶快自强,否则就要成为列强的奴仆。如果出现这种情况,那么,将是"彼常为君而我常为臣,彼常为雄而我常为雌,我耕而彼食其实,我劳而彼享其休,以战则我常居先,出令则我常居后。"①十分清楚,在这里严复是想借达尔文的进化论来阐明时代的一个中心问题:中国如能顺应"天演"的规律而进行变法维新,就会由弱变强,否则将要沦为亡国灭种而被淘汰。

　　要指出的是,虽然严复推崇斯宾塞,但他并不完全赞成斯氏的观点。原因在于,斯氏把达尔文的进化论解释社会发展时,成为社会达尔文主义的倡导者。他极力强调个体之间,种族之间的所谓自由竞争,优胜劣败,甚至主张政府不办教育,不搞福利,不管群众的健康等等,以任其淘汰,适者生存。这种殖民主义观点与严复图存救亡的爱国思想是对立的。因此,严复对这些观点不但没有着重介绍,反而选择了赫胥黎的《天演论》来"救斯宾塞任天为治之末流"②。所谓"任天为治",是指"物竞天择"的自然规律起作用,而不去积极干预它。严复对此十分不满,认为这是斯宾塞的"末流之矢",从而要用赫胥黎的"与天争胜"的观点纠正和"补救"它。因为赫氏书中宣传的,是要我们"断然理解,社会的伦理进展并不依靠模仿宇宙过程,更不在于逃避它,而是在于同它作斗争。"③在这里,严复强调人们认识这种规律后,不应自甘做劣等民族坐待灭

---

① 严复:《原强》,载天津《直报》,1895 年 3 月 4 日至 9 日。

② 严复:《天演论·自序》,见《严复集》,第五册,第 1321 页,中华书局,1986年。

③ 赫胥黎:《进化论与伦理学》,第 58 页,科学出版社,1973 年。

亡,而应该起来进行奋斗。只要依靠自己的力量,奋发图强,命运还是操在我们自己手里。反之,即使有良好的条件,如不自强奋斗,也会陷入灭亡的深渊。因此,他主张在社会进化过程中,应该掌握求存之道,才能免于灭亡。而人的力量可以征服自然,但若稍有松懈,便如荒废的良园,立即为自然所湮灭。在激烈竞争的过程中,善良优秀者倘若怠慢,也一样要遭到灭亡的命运。例如,到澳洲南部塔斯马尼亚岛垦荒的英国人,几经艰辛探险开拓,终于成功。然而后来一旦自满不群,便被当地土人所灭绝。这个事实正好间接地反映了当时中国的隐患。中国本是一处良园,中国人也是一群善良而优秀的人,但是,由于他们日久流于闭关锁国,自满自大,故步自封,便不能适应这个危机四伏的时代环境。怎么办?赫胥黎提出的救亡办法,就是所谓"人治"或"人为",也就是以伦理的办法充分发扬每个人克己的意志力,以一切保群的力量,集中起来去抵抗自然淘汰的公例,以建立一个道德崇高的社会,寻求人生最高的幸福。正是这一点,它不仅适合中国的"人定胜天"的传统信仰,而且还能满足严复救亡图存的心理要求。所以,他才选择和吸取赫胥黎的观点。就是说,他虽然不同意赫氏人性本善、社会伦理不同于自然进化的观点,但却赞成他主张人不能被动地接受自然进化,而应该与自然斗争,奋发图强。同时,他虽然同意斯宾塞认为自然进化是普遍规律,也适用于人类,但却不满意他那种"任人为治",弱肉强食的思想。在这一点上,既体现了严复与赫胥黎和斯宾塞的区别,又显示了他在传播他们的观点时,有对他们观点的改造。因此,在他的译本中,充分体现了严复强烈的民族自尊心和自信心。他对中国的前途,如对人类的前途一样,是抱着资产阶级上升时期乐观态度的。

《天演论》的翻译和出版,对于当时和在此以后一段时间内的中国思想界,影响是十分巨大的。

首先,它煽起了当时中国人救亡图存的爱国热情,推动了维新变法运动的发展。《天演论》用自然科学的许多事实,证明了生物界物竞天择、进化无已的客观规律,以达尔文主义的科学性和说服力,给当时正在涌现的资产阶级、小资产阶级知识分子提供了重要的精神食粮。例如,维新派的主要代表人物康有为、梁启超、谭嗣同等人,都曾受到进化论思想的影响,并用它来丰富和充实自己变法维新的思想内容。康有为的《孔子改制考》就是他接受了进化论思想后写成的作品。梁启超是第一个看过《天演论》译稿的人,当他得知其中的观点后,便以此撰稿,他写的大量宣传变法维新的论文,进化论是其立论的根据之一。由此可见,进化论成了维新变法的重要根据。在《天演论》的影响下,不少人便由此走上了革命的道路。正如章太炎所谓:"自严氏之书出,而物竞天择之理,厘然当于人心,中国民气为之一变。即所谓言合群言排外言排满者,固为风潮所激者多,而严氏之功,盖亦匪细。"[1]这种评价是十分公正的。

其次,也是特别重要的,它为当时追求真理的人们提供了一种观察事物,指导如何生活和斗争的观点、方法和态度。因为"晚清末年以来,中国封建社会和封建家庭加速地瓦解崩溃,一批又一批,一代又一代的不同于封建士大夫的新式青年学生和知识分子在迅速涌现,严复介绍过来的这种斗争、进化、自强、自立……的资产阶级世界观,正好符合他们踢开封建羁绊,蔑视传统权威,锻炼身体与自然界斗争(封建社会是根本不讲体育的),走进人生战场,依靠自己的力量去闯出道路来的需要。而这种观点和态度,又

---

① 章太炎:《述侯官严氏最近政见》,载《民报》,第2号,1906年。

是以所谓'科学'为根据和基础,更增强了信奉它的人们的自信心和冲破封建意识形态的力量。"①因此,当《天演论》出版后,得到了中国知识界,特别是青年学生近乎狂热的欢迎。正如胡适说的,"《天演论》出版之后,不上几年,便风行全国,竟做了中学生的读物了。读这书的人,很少能了解赫胥黎在科学史和思想史上的贡献。他们能了解的只是那'优胜劣败'的公式在国际政治上的意义。在中国屡次战败之后,在庚子辛丑大耻辱之后,这个'优胜劣败,适者生存'的公式确是一种当头棒喝,给了无数人一种绝大的刺激。几年之中,这种思想像野火一样燃烧着许多少年的心和血。'天演'、'物竞'、'淘汰'、'天择'等等术语,都渐渐成了报纸文章的熟语,渐渐成了一班爱国志士的口头禅。"②对于中国的思想界,它像一枚闪耀的信号弹,在沉寂和昏暗的静空中划出了绚烂的光彩,开启了渴求进步的知识分子探求真理的方向,影响是十分强烈的。

2. 英国经验论和归纳法的传播

在传播西方哲学的工作中,严复从一开始就能从哲学的高度来思考向西方寻找真理与输入西方学术文化的关系问题。因此,他非常重视哲学认识论的研究与介绍。因为在他看来,认识论是近代西方科学发展与哲学繁荣的关键所在。正是在这一点上,把他和洋务派输入西学的活动区别开来了。他指出,洋务派在引进西学时,只看见了"船坚炮利",而没有发现"船坚炮利"的根源。他认为,西方所以国力富强,经济政治制度所以优越于封建的中

---

① 李泽厚:《论严复》,见《中国近代思想史论》,第268页,人民出版社,1979年。

② 胡适:《四十自述》,见《胡适文集》(1),第70页,北京大学出版社,1989年。

国,根本原因在于它们有各种近代的基本理论科学,包括自然科学和社会科学作为基础和依据。而所有这些科学又都是以新的认识论——逻辑学作为指导建立起来的。正如严复所说,"富强之基,本诸格致。不本格致,将无所往而不荒虚"。① 所谓"格致"即科学。他认为近代西方科学的发展是近代西方社会富强的基础。然而科学又是怎样发展起来的? 在严复看来,是由于笛卡儿和培根在哲学上提出了一套新的思维方法的结果。因此,他不惜以极大的精力翻译了《穆勒名学》,因为穆勒在当时的学术界享有崇高的声誉,被认为是英国经验论的最大代表,而他的《名学》一书被看作是集归纳法之大成的首著。严复认为,这些才是西学的根本,中国要引进的西学,就应该首先输入这个根本。所以,当他把这本书的前半部译出后还感到不满足,接着又翻译了耶芳思的《名学浅说》,才算罢休。他使用这么大的精力从事翻译,是想把培根、洛克开创的英国经验论作为西学的命脉或核心输入进来,以便推动国人在观念形态和思维方式上实现转变。他在为《穆勒名学》正名时便说过,"本学之所以称逻辑者,以如贝根(按:培根)言,是学为一切法之法,一切学之学;明其为体之尊,为用之广,则变逻各斯为逻辑以名之。"②又说"西学之所以翔实,天函日启,民智滋开,而一切皆归于有用者,正以此耳。"③由此可见,在严复的西方哲学传播内容中,输入的重点是在认识论与方法论上。这是由他对西学命脉的认识决定的。

要注意的是,严复在介绍西方认识论时,同论述他自己的观点

---

① 严复:《救亡决论》,载天津《直报》,1895 年 4 月 17 日。

② 严复:《穆勒名学·按语》,见《严复集》,第四册,第 1028 页,中华书局,1986 年。

③ 同上书,第 1047 页。

是混杂在一起的。哪些是西方哲学家的学说,哪些是严复的观点,很难截然分开。实际上,西方哲学的论点是严复认识论的立论根据,严复的认识论是在融合英国诸哲学家观点的基础上产生的。这成为严复传播英国经验论的一大特色。

他输入与传播的西方认识论学说,主要内容如下。

第一,在认识的来源上,他接受了洛克的"白板说",提出了元知的思想。他说,"智慧之生于一本,心体为白甘,而阅历为采和,无所谓良知者矣"。① 又说,"官与物尘相接,由涅伏以达脑成觉。"②在这里,他谈到了物、心、官和阅历四样东西。物,即客观对象。心,指认识能力。他在解释"心"时说过,"目此非中文所谓五脏之内田心,亦非脑脊髓之谓,三者皆体也"。③ 这是他对穆勒提出的"心"作出的解释,同时也表达了他自己的见解。官,指感觉。阅历,是他对英文 experence(经验)的翻译。所以用这个译名,因为在他看来,阅历一词含有亲自感受外物之意,可见"阅历"者,即经历也。对于这四者的关系,严复认为人仅仅有天赋的认识能力,而没有天赋的知识,因为"心体如白甘"。所谓"白甘",这是洛克"白板"当时在中国的说法。洛克认为,人的心灵生下来像是一块白板,上面没有任何印记,意识是后天形成的。严复接受了这个观点,并且把它改造成为自己的看法。

后来,人的认识是怎样得到的呢? 穆勒在《名学》中说过,"人之得是知也,有二道焉:有径而知者,有纤而知者。径而知者谓之

① 严复:《穆勒名学·按语》,见《严复集》,第四册,第 1050 页,中华书局,1986 年。
② 严复:《天演论·按语》,见《严复集》,第五册,第 1328 页,中华书局,1986年。
③ 穆勒著、严复译:《穆勒名学·部甲篇二》"夹注"。

元知,谓之觉性;纤而知者谓之推知,谓之证悟。故元知为智慧之本始。一切知识,皆由此推。"①这段话说明,穆勒把认识区分为"元知"和"推知"。"元知"指"觉性",即感性认识,这是认识的基础,一切知识都起源于这里。"推知"是指"人具觉性,而知识从之推演"的理性认识。这二者是有区别的。穆勒强调"元知",认为它是智慧之本始。在这一点上,穆勒的观点超过了洛克。因为在洛克那里,他宣称有些科学公理不是由经验得来的,如数学公理。穆勒不同意这种违反经验论的主张。为此,他在《名学》中用了较大的篇幅对洛克进行了反驳。不过,他不是直接把洛克当作耙子,而是以批评当时英国哲学家惠威尔(whewell, 1794—1866)来克服洛克经验论的不彻底性。穆勒指出,数学公理,例如几何公理也是从经验中得到的。固然,有些公理初看起来,是从另一些公理推演出来的,但追究下去,第一个公理的前提仍然是从直接观察的材料中归纳出来或者概括出来的。例如,如果我们从来没有见过直线,我们就不可能知道使用两条直线不能合成一个方形这样一个简单的公理。

严复十分欣赏穆勒这一思想。他说,"盖呼威理(按:惠威尔)所主,谓理如形学公论(几何公理)之所标者,根于人心所同然,而无待于官骸之阅历察验者,此无异中土良知之义矣。"②由此,严复把先验论和经验论明确区分开来,提出了"勿以推知为元知,此事最关诚妄"的观点,断言知识只能出于一本。可见,在知识、认识起源问题上,他接受了洛克和穆勒的观点,强调了知识来源于感觉

---

① 穆勒著、严复译:《穆勒名学·引论》,第5页,商务印书馆,1981年。

② 严复:《穆勒名学·按语》,见《严复集》,第四册,第1049页,中华书局,1986年。

经验,批判了"良知良能"的先验论,称这些学说"皆洛克、穆勒之所屏。"①

在上述观点的基础上,严复探讨了"即物穷理"和"读书穷理"的关系,认为不是书本而是实际经验才是认识的出发点和检验认识的标准。在论述中,他还反复引用西方哲学家的观点来说明这些道理。他写道:"倍根言:'凡其事其物为两间之所有者,其理即为学者之所宜穷'……赫胥黎言:'能观物观心者,读大地原本书;徒向书册记载中求者,为读第二手书矣'。读第二手书者,不独因人作计,终当后人;且人心见解不同,常常有误,而我信之,从而误矣,此格物家所最忌者。"②对于这些说法,严复不但同意,而且给予高度评价,认为这是西方科学所以取得成就的原因所在。他指出,"诸公若问中西二学之不同,即此而是。又若问西人后出新理,何以如此之多,亦即此而是也。"③他还认为,"(西方)三百年来科学公例,所由在在见极,不可复摇者,非必理想之妙过古人也,亦以严于印证之故。"④最后,他还特别强调,"一理之明,一法之立,必验之物物事事而皆然,而后完之为不易。"⑤这些看法,基本上是以洛克的学说为蓝本,同时,也吸取了穆勒的某些论点,经过严复自己的消化后表达出来的。

第二,在认识方法上,严复接受了英国经验论的归纳法和演绎法,提出了"内籀和外籀"的理论。

---

① 穆勒著、严复译:《穆勒名学·部丙篇三》夹注,第 269 页,商务印书馆,1981 年。

② 《西学门经功用说》,见《严复集》,第一册,第 93 页,中华书局,1986 年。

③ 同上书,第 93—94 页。

④ 严复:《穆勒名学·按语》,见《严复集》,第四册,第 1053 页,中华书局,1986 年。

⑤ 严复:《救亡决论》,载天津《直报》,1895 年 4 月 17 日。

　　既然人的认识来自元知和推知两种,而其中又以元知为本,所以,严复认为,要得到知识,在即物实测的基础上,还必须通过内籀会通公例。所谓内籀,即归纳法。严复对它的解释是:"内籀西名曰 Inductive。其所以称此者,因将散见之实,统一为例,如以壶吸气,引之向里者然。"[1]又说,"如史家见桀亡、纣亡、幽、厉二世皆亡,由是知无道之主莫不亡,此内籀也"。[2] 由此得出结论:"内籀者,观化察变,见其会通,立为公例者也。"[3]把严复对内籀的这些解释概括起来,表明这种认识方法是通过观察实验得到经验材料,而后通过归纳(会通)得出一个结论,最后再用"实得之事实物情"来印证,印证不误的便是"公例"。严复使用的"公例"一词是译名,有时指规律、法则(laus),有时指公理(axision),但不论是前者还是后者,都常有必然性与普通性,即所谓"不同地而皆然,不同时而皆合。"[4]"公例必无时而不诚"。[5] 他认为,只要有了这种公例,就可以运用演绎法推论出其他知识。因此,严复指出,"生今为学,内籀之术,乃更重也","惟能此术,而后新理日出,而人伦乃有进步之期"。[6] 在他看来,西方近三百年来科学的进步和社会的繁荣,都是这样带来的。正如他对归纳法赞扬的那样,"洎有明中叶,柏庚(按:培根)起英,特嘉尔(按:笛卡儿)起法,倡为实测内籀之学,而奈端(按:牛顿)、加理列倭(按:伽里略)、哈尔维(按:哈

----

①　耶方斯著、严复译:《名学浅说》第 108 节,第 64 页,商务印书馆,1981 年。
②　严复:《论今日教育应以物理科学为当务之急》,见《严复集》第二册,第 280 页,中华书局,1986 年。
③　参见严复《〈原富〉译事例言》。
④　耶方斯著、严复译:《名学浅说》第 108 节,第 64 页,商务印书馆,1981 年。
⑤　严复:《译斯氏〈计学〉例言》,见《严复集》第一册,第 100 页,中华书局,1986 年。
⑥　耶方斯著、严复译:《名学浅说》第 108 节,第 64 页,商务印书馆,1981 年。

维)诸子,踵其学术,因之大有发明。"①

在推崇归纳法的同时,严复虽然以此清算了旧学的治学方法,批评了以心成之说为本的传统演绎法,然而却又片面地贬抑了这种方法。他说:"此术西名为 Deductive,而吾译作外籀。盖籀之为言绅绎,从公例而得所决,由原得委,若绅之向外,散万事者然,故曰外籀。"②他指出,中国的学术界向来偏重于演绎法。由于在这种方法的运用上,学者所依据的公例(公理)多是古人成训,因此,在推演上不过在不断重复古人说过的话。"持之似有故,言之似成理",③然而,由于它停留在思辨范围内向纯粹思辨讨生活,结果把古人的理论像倒水一样,从这只桶中倾向那只桶中,旧水不去,新水不来。这种倾来倾去的演绎法,在严复看来,不但于新智毫无裨益,而且给中国造成了严重后果。中国文明所以不昌,民主所以凋故,原因就在这里。正如他指出的,"此学术之所以多诬,而国计民生之所以病也……无他,其例之立根于臆造,而非实测之所会通故也。"④从这里可以看到,严复重视思维方法对于科学发展的重大作用,但是在强调归纳法的同时,对演绎法的认识却陷入了片面性。

总之,在认识论上,严复介绍了英国的经验论哲学,他自己的认识论观点,就是在吸收这些学说的基础上脱胎而形成的。在介绍中,他既介绍了唯物主义经验论和唯心主义经验论,还介绍了唯

---

① 严复:《天演论·按语》,见《严复集》,第五册,第 1385 页,中华书局,1986年。

② 耶方斯著、严复译:《名学浅说》,第 64 页,商务印书馆,1981 年。

③ 穆勒著、严复译:《穆勒名学·部乙篇四》,第 189 页,商务印书馆,1981年。

④ 严复:《穆勒名学·按语》,见《严复集》,第四册,第 1047 页,中华书局,1986 年。

心主义经验论的变种——实证主义以及介于两者之间的不可知论。在吸取中,他既接受了培根、洛克的唯物主义的传统,又受到穆勒、赫胥黎不可知论的影响。通过他的这些传播活动,不仅为当时中国人民提供了一个比较科学的认识论和方法论,使他们以此为武器冲破了千年来"师心自用"和"物强我说"的唯心主义牢笼,而且以严复提出的认识论学说为过渡环节,为后来接受马克思主义提供了一个坚实的基础。

3. 对黑格尔哲学的介绍

在传播西方哲学的过程中,严复集中主要精力输入和吸取了英国经验论各派学说,然而,其他西方国家的哲学也并非在他的视野之外。他写的《述黑格儿惟心论》即是证明。这篇文章原是1906 年应上海《寰球学生报》季刊总理李登辉之约,为"发黑氏之蕴"而写的,登载在同年七月该刊第二期上。这是我国最早介绍和研究黑格尔哲学的一篇文章,因而它在西方哲学东渐史上具有重要的历史价值。

文章题目是:《述黑格儿惟心论》。乍一看去,很容易被人认为是要系统论述黑格尔的唯心主义哲学体系。其实不然。严复这里讲的"心",是特指精神而言,因而所谓"唯心论",只是介绍和论述了构成其哲学体系一部分的"精神哲学"。正如他在文章的开头说的,"德哲黑格儿之言心也,其分为三:曰主观心,客观心,终之以无对待心。"①十分清楚,这些都是黑格尔哲学体系精神哲学部分的内容。

在论述黑格尔的主观精神时,严复写道:"主观心(subjective

---

① 严复:《述黑格儿惟心论》,载《寰球中国学生报》,第 2 期,1906 年 7 月。

mind)者,就吾一人而得之者也"。① 意思是说,黑格尔的主观精神是研究人类个体精神的。接着,他转述黑格尔的话说,"人之所以为人,唯心。"②人之不同于一般动物,在于他有精神。精神表现为知觉和自由等。但是,人是从动物进化而来的,在人刚刚脱离动物界时,"为蛮夷,为童幼,其心德未发皇也。"③后来,人怎么样获得了各种人特有的精神呢? 在这里,严复用达尔文的进化论来解释。他指出,由于天地万物都受进化规律的支配,人类精神现象也是这样。因此,人类所特有的知觉和自由等现象,都是人类进化的产物。这个进化过程,简单说来是:人在未开化时,与其他动物一样,顺其本能嗜好发展,如"饮食男女之大欲,一以为自存,一以为蕃育,有所拂逆,则祸害仇病之情生。"④后来在自由竞争中,"浸假而思理开明,是非之端稍稍发达,乃知有同类为一己之平等。"⑤经过教育,他有了思想、自由和文明观念,并且知道这些人的精神现象并非某人一身所独有,而为一切人类所共同具有。因之,"本一己之自由,推而得天下之自由,而即以天下之自由,为一己之自由之界域、之法度、之羁绁。"⑥于是,"向者禽兽自营之心德,一变而为人类爱群之心德"。⑦ 这样,黑格尔就把他对主观精神的论述过渡到客观精神去了。

严复对客观精神的论述与对主观精神的论述不同,前者详尽,后者扼要,在篇幅上两者悬殊甚大。他说,"客观心非他,人群之

---

① 严复:《述黑格儿惟心论》,载《寰球中国学生报》,第2期,1906年7月。
② 同上。
③ 同上。
④ 同上。
⑤ 同上。
⑥ 同上。
⑦ 同上。

所会合而具者也"。① 就是说,所谓客观精神,就是研究人类社会的学说。在这里,他具体考察了黑格尔关于法权、伦理、国家、民族和历史等各种社会政治学说。其中特别值得我们重视的有两点。第一,在介绍法权学说时,赞赏了黑格尔关于"公道之报复"的思想。他写道:"故诛罚之行,依于法典,非弼教也,非改良也,乃公道之报复。报复事之终也,鹄也。"②贺麟解释道:"黑格尔此处所谓'公道之报复,系指希腊神话中的'复仇的女神'(nemesis)。既指'历史的公正'、'历史的公道',亦指'理性的机巧'、'历史的辩证法',含有自作自受,自受惩罚,自己否定自己的命和天道的意思"。③ 第二,在介绍国家学说时,他赞扬了黑格尔的否定性辩证法思想。他写道:"常道新,故国常新,至诚无息,相与趋于皇极而已矣。虽然,皇极无对待,无偏倚者也,无对待无偏倚。故不可指一境以为存,举始终,统全量,庶几而见之。是故国家进化于何而极,虽圣者莫能言也……故曰无不亡之国,无不败之家。"④严复抓住黑格尔的思想这样发挥与他当时的政治主张是一致的。也正是这种原因,他才不厌其烦地详细介绍了黑格尔的客观精神学说。

　　按照计划,严复本来还要论述黑格尔精神哲学的最后一部分,即关于绝对精神的学说。但是,他却没有照计划进行。所以,他说,"所论止于主客观二心,尚有无对待心者,则未暇及也。"⑤不

---

① 严复:《述黑格儿惟心论》,载《寰球中国学生报》,第2期,1906年7月。

② 同上。

③ 贺麟:《康德黑格尔哲学东渐记》,载《中国哲学》,第二辑,第349页,三联书店,1981年。

④ 严复:《述黑格儿惟心论》,载《寰球中国学生报》,第2期,1906年7月。

⑤ 同上。

过,严复在文章结束时关于德国哲学发展过程与黑格尔哲学性质的阐述,却是值得重视的。

从前面的介绍中,可以看到,在甲午战争以后,当民族危机空前严重的时刻,严复相当系统地把西方哲学输入到中国来,企图用资产阶级的思想和文化,来解决中国的图存救亡问题,并使中国走出中世纪迈上现代化的道路。为此,他进行了大量卓有成效的思想启蒙工作。在哲学方面,他把西方哲学的自然观、认识论、发展观和逻辑学传播进来,无论其数量、深度还是社会影响,像当年蔡元培估计的那样,"五十年来,介绍西洋哲学的,要推侯官严复为第一。"①这个评价是实事求是的。而且,严复在吸取西方哲学和我国古代思想资料的基础上,构建了自己进化论的唯物主义哲学,开创了融合中西哲学的先河。由此可以肯定,在西方哲学东渐史上,严复建立了不巧的功绩。

三、王国维对康德、叔本华与尼采哲学的研究

20 世纪初,在西方哲学全面重新东渐的过程中,著名学者王国维对康德、叔本华与尼采哲学的研究与传播,具有值得重视的特点。

王国维(1877—1927),字静安,晚号观堂。浙江海宁人。少年时代的王国维,像当时其他知识分子一样,也是苦读八股和古今诗词,希望将来在仕途上赢得一官半职。但是,1894 年甲午战争爆发了。这一年他 17 岁,目睹国势陵替,在民族危亡之际的觉醒中,开始"弃帖括",留心时务,向往新学,认为中国"今日所最亟者

---

① 蔡元培:《五十年来中国之哲学》,载申报馆《最近之五十年》,1923 年 12 月。

在授世界最进步之学问。"①1898 年, 在维新变法运动的高潮中, 他进了上海《时务报》社担任校对和司书, 开始多方面地接触西学。在这里, 他还有机会在罗振玉主办的"东方学社"中, 跟随日本人藤田丰八、田冈佐代治学习日文、英文以及数学等自然科学, 为他后来研究西方哲学打下了坚实的学术基础。1900 年底赴日留学, 1901 年夏因病返国。自此开始, 一边在上海为罗振玉主编《教育世界》杂志, 一边潜心研究西方哲学和美学。他的大量译稿与有关西方哲学的文章, 多是在这段时间内写成, 并发表在这个刊物上的。其中, 有关西方哲学的译稿有《哲学概论》(桑木严翼著)、《叔本华之遗传说》(叔本华著)、《灵魂三变》(尼采著)、《辨学》(耶方斯著)、《叔本华之思考论》(叔本华著)、《悟性指导论》(洛克著); 论文有《论近年之学术界》、《汗德(按:康德)像赞》、《汗德之哲学说》、《汗德之知识论》、《汗德之伦理学及宗教论》、《叔本华像赞》、《叔本华之哲学及其教育学》、《叔本华与尼采》、《尼采氏之教育观》、《脱尔斯泰伯爵之近世科学评》。除此之外, 还分别刊出苏格拉底、柏拉图、亚里士多德、培根、霍布斯、洛克、休谟、斯宾诺莎、卢骚、康德、叔本华、尼采与斯宾塞的小传。② 从这个篇目可以看到, 王国维接触到的西方哲学的面是相当宽泛的。不过, 他潜心研究并热情传播的, 却主要是康德、叔本华与尼采的哲学思想。

---

①　王国维:《奏定经学科大学文科大学章程书后》, 见《王国维先生全集》(初编), 第五辑, 第 1940 页, 台湾大通书局, 1976 年。

②　在这些译著与论文中, 只有《论近年之学术界》、《汗德像赞》、《叔本华之哲学及其教育》、《叔本华与尼采》署名外, 其余均未署名, 致使这些哲学文献都郁湮不彰。时到 20 世纪的 90 年代, 有的学者经过深入的考证, 很有根据地认定其他论著也是王国维的作品。详见佛雏较辑《王国维哲学美学论文辑佚》一书, 华东师范大学出版社, 1993 年出版。

1. 关于康德哲学的研究与介绍

在《汗德像赞》中,王国维把康德称为高挂天空的太阳和翱翔云霄的丹凤,甚是推崇和赞誉康德及其哲学。因此,他在研究德国哲学时,发表有关康德哲学的文章也最多。通过这些文章,几乎接触到了康德哲学的各个方面。

首先,在《汗德之哲学说》中,概述了康德哲学的特点及其体系的构成。王国维指出,康德哲学"所以超绝于众者,在其包容启蒙期哲学(谓十八世纪之哲学)之思想,而又加以哲学之新问题及新方法。"[①]在他看来,由于康德哲学在西方哲学的发展过程中处于一个极其重要的转折与发展时期,他不但综合地吸取了近代以来经验主义和理性主义各派的理论成果,还针对它们已经暴露的局限性,如经验主义发展为怀疑论、理性主义发展为独断论,提出了把哲学向前推进的新问题,即"先天综合判断何以可能"与新方法,即通过理性批判发现人类在知、情、意三个领域中的先天形式,以此运用到经验上去,使之具有普遍性和必然性。王国维认为,这就是"汗德哲学之特色。"[②]康德的批判哲学体系,由《纯粹理性批判》、《实践理性批判》与《判断力批判》构成,就是通过对理性作用的系统研究建立起来的。文字不多,但在一定程度上把康德哲学的特色及其整体面貌相当准确地概括出来了。

其次,《汗德之知识论》,从题目看去,便知是论述认识论学说的。文章较长,分为10个部分,通过对《纯粹理性批判》的阐释,相当全面地分析与评价了康德的认识论思想。其中二、三两部分

---

① 王国维:《汗德之哲学》,载《教育世界》,第74号5月,1904年。
② 同上。

介绍先验感性论,突出地阐述了作为感性直观形式的时间与空间。认为"空间者外感之形式,时间者内感之形式",①有了它们,"则知识之但由二者决定。"②就是说,时间与空间是感性认识获得普遍必然性的保证。

三、四、五、六、七部分介绍先验悟性论,集中阐明了作为纯粹思维形式的范畴学说。这本是《纯粹理性批判》中最有价值的部分,也是全书最为晦涩难懂的部分。为了把康德范畴论的真谛揭示出来,并让读者真正能够理解,从论述中可以看到,王国维为此进行了极大的努力。在这里,他依据原著的顺序,在找到并列出纯粹概念——范畴表后,使用了较大的篇幅通过对范畴的先验演绎,论述了"范畴如何而造经验之对象";③就是说,范畴是主观的东西,感性材料是客观的东西,把范畴运用到感性材料上去,不但产生了认识对象,而且这样产生的知识一定具有普遍性与必然性。

在这些部分的论述中,不论感性认识还是悟性认识,都突出地谈到了康德的唯心主义先验论。在王国维看来,康德把知识分为先天的与后天的,认为它们都是知识。不过,先天的知识具有普遍性与必然性,这是它优越于后天知识的地方。而所谓先天知识,是指由时间与空间构成的感性直观形式和由因果性等范畴构成的悟性思维形式。人们要认识事物,获得知识,都必须运用感性形式接受材料和运用悟性形式整理材料,才有可能。原因在于,感性形式和悟性形式是不依赖于经验,相反,它们倒是使经验成为可能,即使经验成为知识所依赖的条件。在论述的过程中,王国维把康德

---

① 王国维《汗德之知识论》,载《教育世界》,第74号5月,1904年。
② 同上。
③ 同上。

的唯心主义先验论与康德之前西方哲学中的唯物主义经验论对立起来,认为唯心主义先验论是康德认识论的精华所在。虽然他没有指出这种观点和旧唯物主义经验论比较起来,它的深刻与进步在什么地方,但是,把它们对立起来,认为这是认识论学说上的前进,实际上就揭露了旧唯物主义经验性的局限性,即它只是从客体对主体的限制方面消极被动地反映外界事物,而康德的唯心主义先验论则明明白白地体现了主体能动性原则。尽管论述时王国维的认识还不是十分明朗的,但能够抓住这一点提出问题与思考问题,是正确的和有意义的。

九、十两部分介绍先验辩证论,通过对理性心理学、理性宇宙论与理性神学的批判,证明人们的认识不能超出感性经验的领域。人们只有"现象"的知识,没有"物自身"的知识。所谓"物自身",即人们追求认识的绝对理念,即灵魂、世界和上帝。不过,虽然它们不能被人们认识,但可以对它们进行思维。正如王国维所言,它们"虽不能为知识之对象,然吾人不能不思之"。① 从上面的论述中可以看到,当他对康德的认识论加以总结时,在一定程度上他肯定了康德的二元论和不可知论。

而且,王国维还把康德的上述主张与休谟的怀疑论进行比较,认为两者的差别"只在程度,而不在性质。"②因为在他看来,在认识论上虽然休谟否定了科学知识的普遍必然性,康德肯定了科学知识的普遍性与必然性,但是,休谟对经验之外的事物不予置究,与康德对"物自身"坚持不可认识是相同的。的确,休谟与康德的

---

① 王国维:《汗德之知识论》,载《教育世界》,第74号5月,1904年。
② 王国维:《叔本华之哲学及其教育学说》,载《教育世界》,第75号,1904年。

认识论有相同的一面,在这一点上,王国维的看法是正确的。可是,要指出的是,休谟的不可知论是狭隘的经验论发展的必然结果,而康德的不可知论则是企图克服经验论与理性论片面性而又没有克服的产物。因此,从哲学发展的本质考察,虽然两者都是不可知论,但是它们却是哲学发展过程中不同阶段的表现。

除此以外,在《汗德之伦理学及宗教论》中,还分别介绍了《实践理性批判》与《理性范围内之宗教》。由此可见,王国维对康德哲学的研究与传播,不但接触到了其哲学体系的主要部分,而且在评述康德的哲学观点时,概括准确,重点突出,论述深入,在当时传播康德哲学的文章中,可称佼佼者。因此,他才敢于批评《新民丛报》上有关康德哲学的文章,“其纰缪十且八九也。”[1]

2. 关于叔本华哲学的研究与介绍

虽然王国维对康德及其哲学极为推崇,但是某些问题上他仍然持批判态度。例如,对于康德“物自身”不可知的观点,一般地说,他是赞成的,然而即使如此,他也提出了质疑与保留。正是这种态度,使他更为亲近与倾向于叔本华及其哲学。这是出于他对叔氏哲学的评估。在《叔本华之哲学及其教育学说》中,他写道:“自希腊以来,至于汗德之生,二千余年哲学上之进步几何?自汗德以降,至于今百有余年,哲学上之进步几何?其有绍述汗德之说而正其误谬,以组织完全之哲学系统者,叔本华一人而已矣。”[2]这段话认为,叔本华虽然自命为康德的嫡嗣,但是,他在继承康德哲学,从其出发来建立自己的哲学体系时,却纠正了康德哲学中的一

① 王国维:《论近年之学术界》,见《王国维先生全集》(初编),第五辑,第1824页,台湾大通书局,1976年。

② 王国维:《叔本华之哲学及其教育学说》,载《教育世界》,第75号,1904年。

些"误谬"。在王国维看来,当时能够做到这一点的,仅叔本华一人而已。可见,他是一位比康德更为高明的哲学家。

　　具体说来,叔本华继承康德的观念,认为世界就是我们的观念,世界万物都是由充足理由原理决定的。这个原理是我们的认识"形式"。我们所以能够认识外物,原因在于这个形式的存在。但是,进入这个形式而为我们所知的,不是"物自身",仅现象而已。"物自身"是否最终不可知呢? 正是在这一点上,产生了叔本华与康德之间的分歧。叔本华认为,如果说,"物之自身"我不得而知,但"我之自身"是可得而知的;而"我之自身"是"物之自身"的一部分,通过"我之自身"可以推知"物之自身"也是可知的。因为"我之自身"出现于直观中时,显然是时间和空间中的一物,与其他万物毫无差别。叔本华指出,"我之自身"就是意志,而意志与身体是一个东西,不能看作两个东西。所以,叔本华说,"身体者可谓之意志之客观化",①就是说,意志是进入智力形式中的东西。这样一来,在观察我时,是从两个方面进行的,而在观察物时,则是从一个方面,即只是在智力形式中进行的。因此,"物之自身"就不得而知了。不过,通过"我之自身"可以认识,进而推知世界万物既然与"我之自身"一样都是意志,那么,"物之自身"也就同样是可以认识的。由此可见,叔本华在这里用一切都是意志的一元论,纠正了康德的二元论,克服了他的不可知论,从而把自己的哲学体系建立起来了。王国维指出,从上面的介绍中可以看到,康德与叔本华之间的不同主要表现在,前者认为经验世界具有超绝的观念性与经验的实在性,而后者却认为一切事物都具有经验

―――――――――――

　　① 王国维:《叔本华之哲学及其教育学说》,载《教育世界》,第 75 号,1904年。

的观念性与超绝的实在性。在这一点上，王国维赞成叔本华的
看法。

从这里出发，王国维开始紧随叔本华，宣扬起他的唯意志论来
了。叔本华认为，既然意志是我们人类的本性，那么，由此推论，它
同时也是世界万物的本质。他说，这从生物与人类进化的过程的
经验事实，就足以得到证明。植物上逐日光，下趋土浆；低等动物
好乐恶苦，饮食男女，婴儿坠地呱呱而啼、饥瞿而索；凡此种种事
实，都是受意志的支配，为意志起作用的结果。总之，在叔本华看
来，不仅人有意志，动物也有意志，植物也有意志，一切都是由意志
决定的。这就是叔本华的唯意志论。

王国维还指出，叔本华认为意志之所以为意志，它的根本特性
在于它具有"生存欲望"或"生活欲望"，意志即表现为欲望。对于
人来说，欲望是无穷无尽的，由于"目之所观，耳之所闻，手足所
触，心之所思，无往而不与吾人之利害相关。"①因此，欲望永远得
不到满足，因而使得人类永远处于"满足与空乏，希望与恐怖"的
矛盾和痛苦之中。② 王国维问道：人类处在这个"桎梏之世界
中"③，能够得到救济或解脱吗？为此，王国维接着介绍了叔本华
提出的两种解脱人类痛苦的途径或办法。

一是美学的解脱。美学所以能解脱人类的痛苦，按叔本华的
说法，是因为艺术能使人的存在本身从意志的奴役状态下获得自
由和解放。在审美活动中，艺术作品作为物，它作为审美活动的对
象，不是别的东西，它只是这类事物的形式。既然如此，那么，它与

---

① 王国维：《叔本华之哲学及其教育学说》，载《教育世界》，第75号，1904
年。

② 同上。

③ 同上。

我们是没有任何利害关系的。因此,我在欣赏艺术作品时,作为审美活动的主体,也不是什么特别之我,而是一个完全没有任何欲望的我。这样一来,在审美活动中,就不会有任何私人利益掺杂其中。所以,人类在艺术观赏的过程中,便能够变成与个人利害关系毫无关系的纯粹旁观者,而不因产生欲望的执著使之浮沉于生命的苦海。只不过从艺术欣赏中解脱痛苦,仅仅是暂时的,而非长久的解脱。如果人们要取得永远的解脱,则依靠美学是不够的。因为艺术的力量仍不足以彻底否定生存欲望。只要欲望存在,现世的苦恼、挫折与痛苦,仍会继续产生。

因此,要完全摆脱痛苦,不仅要否定自己的一切生存欲望,而且,还要否定一切生物的生存欲望。所谓善恶与否,全在看他否定生存欲望的程度来判断。人生的最高目标在于生存意志的完全灭绝,叔本华把这种境界称之为进入了佛教所说的涅槃之境。他认为,要进入这种境界,惟一的办法是依靠伦理学的解脱,这是人类解脱痛苦的第二个途径。王国维把叔本华这种悲观主义称之为博爱主义或克己主义,并宣扬这是叔本华伦理学的最高理想。

3. 关于康德、叔本华与尼采的比较研究

在谈到康德与叔本华的关系时,王国维说过:"汗德之学说,仅破坏的而非建设的。彼憬然于形而上学之不可能,而欲以知识论易形而上学,故其说仅可谓之哲学之批评,未可谓之真正之哲学也。叔氏始由汗德之知识论出,而建设形而上学,复与美学、伦理学以完全之系统。然则,视叔氏为汗德之后继者,宁视汗德为叔氏之前驱者为要也。"①通过这一段评述,王国维从知识论和主意论

① 王国维:《叔本华之哲学及其教育学说》,载《教育世界》,第 75 号,1904年。

两个方面,揭示了康德和叔本华哲学之间的关系,断言前者为破坏者,后者为建设者。关于这两个方面的具体论述,前面介绍康德与叔本华哲学的具体内容时,已经讲过了。所以,这里不再赘述。

下面,着重介绍王国维对叔本华与尼采哲学关系的论述。他的《叔本华与尼采》这篇文章,就是围绕这个问题的研究展开的。因为曾经有人说,开始时的尼采是叔本华的崇拜者,但是,后来的尼采却是叔本华的反对者。王国维认为,事实并非如此。比较他们二人的学说,"以意志为人性之根本也同。然一则以意志之灭绝为其伦理学上之理想,一则反是;一则由意志同一之假说而唱绝对之博爱主义,一则唱绝对之个人主义。"①这些话是说,叔本华与尼采的共同之处,都是以"意志为人性之根本"。他们的不同之处,一是尼采不同意叔本华的意志灭寂说,二是尼采不同意叔本华"由意志同一之假说而唱绝对之博爱主义",而主张"唱绝对之个人主义",并以此提出了"超人"学说。在这种情况下,能不能说尼采背师呢? 王国维的看法是:"自吾人观之,尼采之学说全本于叔氏。其第一期之说,即美术时代之说,其全负于叔氏固可勿论;第二期之说亦不过发挥叔氏之直观主义;其末期之说虽若与叔氏相反对,然要之不外以叔氏之美学上之天才论应用于伦理学而已。"②

一般说来,尼采作为一个哲学家,可以把他的哲学思想发展过程分为三个时期。王国维同意这种看法,并就这三个时期分析了尼采与叔本华之间的联系。在第一和第二个时期中,尼采写了不少著作。如《悲剧的起源》、《朝霞》和《愉快的智慧》。从这些书

---

① 王国维:《叔本华与尼采》,载《教育世界》,第 85 号,1904 年。
② 同上。

的内容来看,尼采的哲学是深受叔本华影响的。这是事实,也已经为人接受。只是第二个时期,即从 1883 年到 1888 年,从尼采的《查拉图斯拉如是说》等著作中反映出他力求摆脱前辈思想的影响,独立地创建自己的哲学体系。但是,在王国维看来,这种情况也丝毫没有改变尼采对于叔本华学说的师承关系。他指出,叔本华认为,我们的知识没有不受充足理由支配的,惟独美术是个例外。他把它称作是一种摆脱了充足理由约束的"观物之道"的方法。尼采把叔本华的这种观点推广到伦理实践上,认为道德律对于个人,与充足理由律对于天才是一样的。因为在叔本华那里,最高的知识是超绝知识的法则,而在尼采这里,最高的道德是超绝道德之法则。因此,尼采由知识的无限制说,进而提出了意志的无限制说。他在《查拉图斯拉如是说》的第一部中,讲到精神的三种变形时说过,精神变为骆驼,由骆驼变为狮子,再由狮子变为赤子。狮子不能做到的,为什么赤子能做到? 尼采认为,这是因为赤子是"万事之源泉也,游戏之状态也,自转之轮也,第一之运动也,神圣之自尊也。"①王国维指出,尼采的这种看法,使人想起了叔本华的天才论。在他看来,"天才者,不失其赤子之心者也……故赤子能感也,能思也,能教也……彼之智力盛于意志而已,即彼之智力之作用远过于意志之所需要而已。故自某方面观之,凡赤子皆天才也。又凡天才,自某点观之皆赤子也。"②从这里,王国维发现了尼采的"超人"神话与"强力意志"的思想渊源,原来是来自叔本华的天才论。所以,在尼采第三期与叔本华的关系上,他得出的结论是,尼采"效叔本华之天才,而说超人,效叔本华之放弃充足理由

---

① 王国维:《叔本华与尼采》,载《教育世界》,第 85 号,1904 年。
② 同上。

之原则,而放弃道德。高视阔步而姿其意志之游戏,宇宙之内,有智、意之优于彼,或足以束缚彼之智、意者,彼之所不喜也。故彼二人者,其执无神论同也,其唱意志自由论同也。"①由此可见,他们的学说在表现上虽有某些差别,但在性质上却是一样的。总之,在王国维看来,叔本华与尼采,"性行相似","智力之伟大相似,意志之强烈相似。"②提出这种看法的根据是充足的。

这些,就是王国维在 20 世纪的最初几年里传播康德、叔本华与尼采哲学的主要内容。从他的介绍与论述中可以看到,他的西方哲学研究与传播,有两个鲜明特点。

第一,他对康德、叔本华与尼采哲学的介绍和论述,都是通过对这些哲学家著作的深入钻研,以这些哲学家的著作为依据进行的。因此,他不但能够抓住他们的主要哲学思想,如康德的批判哲学与先验论,叔本华的唯意志论与解脱说,尼采的"超人"与"强力意志",并且还相当准确地把这些思想阐述与概括出来了。特别是在介绍过程中,他更以理性的思辨态度对这些思想进行了相当深刻的剖析与评论。因此,他在传播这些哲学家的思想时,并不是无分析的全盘接受,而是有批评与改造。例如,他虽然推崇康德,但对他的"物自体"不可知的观点却提出了质疑。又如,尽管他几乎倾倒在叔本华面前,但对他的"性质好尚得自父、知力程度来自母"的观点,却提出了批评,认为"皆得自两亲,而不能有所分属。"③由此可见,王国维不但是最早把这几位德国哲学家及学说输入中国的学者之一,而且,他对这些哲学家及其思想的认识与把

---

① 王国维:《叔本华与尼采》,载《教育世界》,第 85 号,1904 年。
② 同上。
③ 王国维:《书叔本华遗传说后》,见《王国维先生全集》(初编)第五辑,第 1789 页,台湾大通书局,1976 年。

握,在当时来说,也是最为全面和深刻的。正如蔡元培指出的,他对上述哲学家学说的介绍是透彻与扼要的,证明"他对于哲学的观察,也不是同时代人所能及的。①"所有这些,都是王国维深入钻研哲学家原著的结果。

第二,他在研究与传播西方哲学的过程中,主要从学术上着眼进行评述与吸收。正如他说,"欲学术之发达,必视学术为目的,而不视为手段"。② 在这一点上,他与同时代的梁启超不同。梁氏主要是从政治上着眼研究与输入。这不但表现在王国维对康德、叔本华与尼采哲学的论述上,更主要的是,当他接受了这些德国哲学家的思想之后,便把它们运用到自己的学术研究上去,从而使他在美学、文学,特别是在史学领域,都取得了重大的成就。在这里,没有必要谈他的这些学术成果。但是,必须指出,王国维在这些学术领域中取得的成功,与他研究与吸取德国哲学的有关思想有着重大的关系。正如有的学者分析的那样,王国维"所以取得这些成果,完全在于他接受了当时西方资产阶级意识形态——从哲学理论到文艺作品的熏陶,特别是经过严格的自然科学方法论的训练。他研究过西方哲学和社会学,翻译过形式逻辑书籍,所有这些才使他能突破传统封建史学的方法,对中国古史能具有一种新眼光和新看法,使他的学术成果不但大不同于乾嘉考据之类,而且也比同时的革命派人物如章太炎要深刻和新颖。"③这些评价是符合

---

① 蔡元培:《五十年来中国之哲学》,原载申报馆"最近之五十年",1923 年12 月。

② 王国维:《论近年之学术界》,见《王国维先生全集》(初编),第五辑,第1824 页,台湾大通书局,1976 年。

③ 李泽厚:《梁启超王国维简论》,见《中国近代思想史论》,第437 页,人民出版社,1979 年。

事实的,也是正确的。

四、马君武传播西方哲学的贡献

在中国近代史上,马君武是一位重要人物。他在追随孙中山革命的过程中,对于清末民初的理论宣传与教育工作,都曾经做出过多方面的贡献。传播西方哲学,是其中重要的一项。

马君武(1881—1939),字厚山,留学日本时改字君武,后以字行。广西临桂人。自幼好读历史和古人文集,十三四岁时即能做通篇八股文章。1898年维新变法期间,马君武17岁考入桂林"体用"学校。然因在日记中评论朝政,甚至涉及西太后软禁光绪之事,被迫离开后,先后到广州丕崇学院与上海震旦学院学习法文,开始接触西方哲学。1901年冬,君武东渡日本。开始一段时间内,他一边协助梁启超主持《新民丛报》的编辑工作,一边研究西方哲学,并发表了一系列有关西方哲学的文章。如《新派生物学(即天演学)家小史》、《斯宾塞女权篇》、《唯心派巨子黑智儿(按:黑格尔)学说》、《弥勒·约翰之学说》、《圣西门的生活及其学说(佛礼儿学说附)》、《唯物论二巨子底得娄(按:狄德罗)、拉梅特里(按:拉梅特利)之学说)》、《社会主义之鼻祖德麻司摩儿(按:托马斯·莫尔)之华严界观》、《社会主义与进化论比较》等。在这以后,虽然也偶有关于西方哲学的论著问世,例如1916摘要译出了《赫克尔一元论哲学》。但是,他在中国传播西方哲学,主要是在1903年前后。当时,从主导思想倾向来说,无疑属于维新派。但是,他在传播西方哲学时,却显示了他与梁启超的一些区别。这首先表现在1903年发表在《大陆》杂志第二期上的《唯物论二巨子(底得娄、拉梅特里)之学说》中。

这篇文章发表时,他没有署名。只是在同年《译书汇编》第二期上,马君武在他的《社会主义与进化论比较》中说,"予著有《唯物论二巨子学说》,登《大陆报》第二期",①才知道这篇文章为马君武所作。在这篇篇幅不长的论文中,他扼要地介绍了 18 世纪法国百科全书派两位主要哲学家狄德罗和拉梅特利的哲学观点,认为他们是欧洲两位伟大的唯物主义哲学家。实际上,介绍唯物主义哲学并非始自马君武。例如,梁启超在此之前就先后写过有关培根和斯宾诺莎的文章。但是,马君武却比梁启超介绍唯物论的文章要高出一筹。这不是说,他的文章在阐发唯物论观点时有什么特别的深刻之处,相反,他的这篇文章谈到狄德罗与拉梅特利的唯物论观点时,是相当零碎与片面的,论述也显得很是粗浅。他的高明之处在于,突出地把唯物论、无神论与法国大革命联系起来,阐明了唯物论与无神论对于 1789 年革命取得胜利的重大意义。而且,还联系中国的社会现实,大声疾呼:"欲救黄种之厄,非大倡唯物论不可。"②这些观点都是十分正确的。在西方哲学重新全面东渐之时能这样提出问题,更是难能可贵的。

　　在文章中,马君武是这样论证的:在他看来,革命前的法国像欧洲其他国家一样,由于在意识形态领域受到宗教神学的绝对控制,使广大受其毒害的群众,"不能冲决罗网而为所欲为。其智识常昏而不明,社会腐败而不知改,同胞困苦而不知救,贸贸然苟活于世界,而不能为一豪举,不能尽一义务。"③这些话是说,生活在宗教神学统治下的老百姓,因毒害太深,愚昧无知而不能觉醒。那么,后来是什么力量唤起了他们的觉悟,并动员他们投身到推翻法

---

① 马君武:《社会主义与进化论比较》,载《绎书汇编》,第 11 号,1903 年。
② 同上。
③ 马君武:《唯物论二巨子(底得娄、拉梅特里)之学说》,载《大陆》杂志,第 2 期,1903 年 1 月。

国封建专制的革命行列中去的？马君武指出,在动员群众起来革命的过程中,孟德斯鸠的《万法精理》与卢梭的《民约论》,固然都立下了不朽的功勋,但是,法国百科全书派的唯物论哲学,更应该为它树立"绝大一纪念碑也"。① 因为要使在宗教控制下的群众觉醒,并拿起武器投入革命行列,"必破宗教之迁说,除愚朦之习见,而后见理既真,卓然独行,流万人之血而不顾,犯一世之怒而不恤,惟知有真理真福,而不知其他。"②以狄德罗为代表的百科全书派,都是战斗的无神论者,正是通过他们的著作,使广大群众摆脱了愚昧,懂得了一个人应该"堂堂正正,独往独来,图全群之幸福,冲一切之罗网,扫一切之蔽障,除一切之罪恶。"③法国 1789 年大革命的成功,就是用唯物论哲学所武装起来的广大群众共同战斗的结果。因此,马君武最后说,"伟矣哉,唯物论之功乎？董通（按:Dowtun 丹东）之徒之共和事业,无一不自唯物论来也。"④由此可见,法国革命的胜利是与法国百科全书派思想的指导分不开的。这些观点的提出,比维新派对唯物论的估计,要深刻得多。这也是他所以重视唯物论传播的原因所在。

但是,马君武也不是不输入唯心主义哲学,只是介绍的角度不同罢了。在这一方面,他于 1903 年在《新民丛报》第 27 期发表的《唯心派巨子黑智儿学说》,可以得到证明。这篇文章共分五节,他在相当详尽地介绍了黑格尔的生平之后,着重对其学风、绝对唯心论、逻辑学与历史哲学进行了评述。

---

① 马君武:《唯物论二巨子（底得娄、拉梅特里）之学说》,载《大陆》杂志,第 2 期,1903 年 1 月。

② 同上。

③ 同上。

④ 同上。

在其"黑智儿之学风"部分,他首先指出,当黑格尔哲学诞生时,德国的哲学舞台为谢林哲学所占领。然而,"瑞林格(按:谢林)之哲学,似自然近理,然无确实证据,多不合于规则,其失在无科学。无科学,故易流为狡猾武断。"①马君武的这种看法,虽有贬低谢林哲学的倾向,但他的目的是为了说明黑格尔哲学在整个哲学史上的贡献。他写道:"至黑智儿出,而哲学之面目一变。扫除旧说之误,而以规则证明之,以论理法救正瑞林格之失;脱瑞林格之范围,而自标新义,以宇宙之实象征真理。呜呼! 黑智儿之大名,雷轰于哲学界,放大异彩,固自有其真价值在焉,非偶然也。"②从这一段话来看,由于黑格尔哲学超越了谢林哲学,所以他在西方哲学史上,地位是很高的。

那么,黑格尔"扫除旧说之误",超出谢林哲学的地方在哪里? 在回答这个问题之前,马君武阐明了近代西方哲学战线上的形势及其特点。他认为,不管是唯心论还是唯物论,它们虽相互独立,但所有这些派别都有一个共同的地方,即"徒托虚言而无实证",③就是说,这些学派是在缺乏科学论证的基础上建立起来的,因此,立论空泛,论证不合逻辑,一般不为人们所接受。马君武指出,正是在这一方面,黑格尔哲学使人为之耳目一新。他写道:"黑氏以主观 Subjekect 与客观 Objekect 无差别,故心思与事物亦无差别。究而论之,心之与物一而已。内界外界皆真实,皆非真实,而自相等。"④在马君武看来,这是过去笛卡儿与斯宾诺莎不敢提出,而谢

---

① 马君武:《唯心派巨子黑智儿学说》,载《新民丛报》,第 27 号,1903 年 3 月。
② 同上。
③ 同上。
④ 同上。

林虽然提出,但是,他的观点和黑格尔却是有很大差别的。不过,从表面上看去,马君武的这段话恰恰是谢林的思想,而非黑格尔的观点。马君武这样做是想从这里出发,把黑格尔关于世界本原的观点概括出来,以便指明黑格尔对谢林的超越。在这个问题上,黑格尔提出了"绝对精神"或"宇宙精神"这些概念,而这些概念又是直接改造谢林观点的产物。谢林认为,在一切有条件的、相对的主体和客体之上,存在一个派生这一切的"绝对"。他说,"这种更高的东西本身就既不能是主体,也不能是客体,更不能同时是这两者,而只能是绝对的同一性。"①他对这个"绝对"的解释是:它不是某种物质与精神之间的中性的东西,而是一种非人的不自觉的精神力量和派生万物的精神实体,万物都依赖于它而存在并存在于它之中的"绝对理性"或"宇宙精神"。在它之中,主体和客体、思维与存在、意志和自然都融合为一,没有差别,"绝对同一",既不是主体,也不是客体,而是"主体客体的绝对无差别"。由此可见,马君武前面那段话只是表述了谢林的观点。的确,黑格尔哲学就是从这里出发的。不过,当他从这里出发以后又认为,如果在"绝对"中主体和客体不存在任何差别和对立,那么,"绝对"的运动和发展就会得不到解释。因此,黑格尔开始对谢林哲学进行改造,把他的"绝对同一"改造成为逻辑的"绝对精神"。他指出,"绝对精神"既是主体,又是客体,是主体与客体的辩证统一。这样一来,就把康德开创的,经过谢林发展的唯心主义原则推进到了它的顶峰。在这一点上,马君武对黑格尔和谢林在哲学上出发点的区别,以及黑格尔超越谢林哲学的真正所在,显然是缺乏认识的。

　　但是,在具体解释时,马君武却朦胧地接触到了黑格尔哲学的

---

　　①　谢林:《先验唯心论体系》,第250页,商务印书馆,1976年。

特色。正是在这一点上，使他对黑格尔哲学的传播引起人们的重视。他指出，刚一听到黑格尔关于主体和客体同一的说法时，不仅使人感到惊异，而且还会有人提出："虚想之物"与"实有之物"，两者是截然相反的，怎么又说它们相同，这岂不是自相矛盾么？为此，马君武列举黑格尔举出过的一些例子来加以说明。他指出，在黑格尔看来，哲学上的同与不同，不像口袋里有一百元钱与思想中有一百元钱的不同一样。哲学是"必要 necessary，而且永存 eternal 之学也"①，不是现实生活中的某些例子所能解释的。例如，"我思'无物' Non-existence，'无物'则固无物也，然'无物'一语，在我思中则已明明成为一物矣。'无物'本无物，而既在人之思想中，则明明一物。然此固明明一思也，故思之与物无所差别。"②这是什么原因呢？马君武运用黑格尔的一个著名命题"相反者相同"来进行论证。他说，本来"有"与"无"是迥然不同的，但是在黑格尔看来，相反者是物质上的事，而相同即存在于相反之中。因为物不能自有，它必须通过人的思想而成为"有"。思想中的"有"，并不是实际存在的"有"；这样的"有"与"无"是没有区别的，因之"有"也即是"无"。由此可见，"相反者相同"。马君武还指出，在黑格尔那里，认为这种例子在现实生活中是比比皆是的。因此，他断言，正是黑格尔的这种论证，才"一洗旧有之陈论"，③使他的哲学超出了他的前人。不过，马君武又指出这种观点并不是黑格尔的创造，因为早在古代希腊哲学中，赫拉克利特就提出过"是即非是"的命题，黑格尔的上述命题，不过是通过逻辑的形式把赫拉克

---

① 马君武：《唯心派巨子黑智儿学说》，载《新民丛报》，第 27 号，1903 年。
② 同上。
③ 同上。

利特的命题作了进一步的论证而已。从马君武的这些论述中,可以看到,他对黑格尔哲学体系中包含的辩证法思想,认识上虽然还十分模糊,分析也显得比较肤浅,但他认为这是黑格尔哲学中有价值的东西。这是应该加以肯定的。

对于黑格尔"相反者相同"命题中的辩证法思想,马君武在《黑智儿之论理学》部分还举出了一些例子来进一步加以说明。其中一个例子是:"物与非物为一"。马君武指出,刚一听到这个说法,也许有人会捧腹大笑,甚至有的非难指责。因为在这些人看来,如果说,"物与非物为一",那么,"居室也,产业也,天气也,城市也,日体也,法律也,心意也,虚空也,皆无差别乎?"① 对此,黑格尔的解释是,因为所有这些东西,都有一个共同的属性,即它们都可以被人们所利用。所以,它们是相同的。接着,也许有人要问:世界上的东西有的有用,有的无用,这又是什么原因呢? 黑格尔的回答是,哲学的目的在于,使人摆脱一切有限的规定,超出有物无物的特殊区别,以便进入一个理想的境界,因而在现实中才有物的"有用"与"无用"的区别。在这里还可以看到,虽然马君武在介绍黑格尔的《逻辑学》时,不但没有把黑格尔辩证法的主要思想介绍出来,甚至连辩证法这个概念也不曾提到。但是,通过上面一些命题的提出与分析,却说明他已经朦朦胧胧地认识到诸如"相反者相同"与"物与非物为一"等命题,是黑格尔哲学中有价值的内容。尽管在认识上还十分肤浅,但它却是我国学者对黑格尔辩证法认识的一个起点。

最后,在其"黑智儿之历史哲学"部分,马君武着重介绍了黑格尔关于国家、国民和个人以及它们之间的关系的学说。他指出,所有这三者在黑格尔那里,都是不同时代的代表。因此,它们的产

---

① 马君武:《唯心派巨子黑智儿学说》,载《新民丛报》,第 27 号,1903 年。

生和形式，不同的时代有不同的表现。他写道："由国民而成国家，非骤成也。初由一家族为一部落，由一部落为一种族，由一种族为一国家，是理想之事实也。"①在这里，同样表现了马君武从黑格尔历史哲学中寻找有价值的东西，即用发展的观点来说明国家、民族等历史现象。正是从这种观点出发，所以，黑格尔把古今世界之历史分为四个时期：一为东方古国发达之期，这是理想发达之婴儿时代；二为希腊发达期，这是理想发达之少年时代；三为罗马发达之期，这是理想发达之成人时代；四为条顿人种发达之期，这是理想发达之老年时代。这些介绍也只是接触到了黑格尔历史哲学的表层，不过，其中却触及到了黑格尔的历史感。因此，马君武以此强调了黑格尔的一个思想，即研究历史时，"不可不知其三面，一正面，二反面，三反面之反面。经此三面，人群之真事乃可见。"②这里所谓三面，实际上黑格尔关于肯定、否定、否定之否定三段式在中国的最早翻译。虽然他对这条辩证法的基本规律没有作更多的解释，然而，他提出在历史研究中，必须以此作为指导思想，才能认识和把握历史的发展规律。这是有意义的。

　　总的来说，马君武的这篇文章，在介绍黑格尔哲学时，还显得十分浅显，不少概括与表述离黑格尔的真正观点还有一定的距离。但是，正像贺麟先生说的，虽然有这些问题，但它不但是我国介绍黑格尔哲学最早的一篇，而且，它基本上是根据当时有关外文资料进行客观介绍的。因此，"这篇文章在我国介绍黑格尔哲学的历史上是有学术价值的。"③

---

①　马君武：《唯心派巨子黑智儿学说》，载《新民丛报》，第 27 号，1903 年。

②　同上。

③　贺麟：《康德黑格尔哲学东渐记》，载《中国哲学》第二辑，第 359 页，三联书店，1980 年。

同一年,马君武在《新民丛报》上还发表了《弥勒约翰之学说》与《圣西门的生活及其学说(佛礼儿(按:傅利叶)之学说附)》等论文。他在前一篇文章中着重介绍了穆勒关于"自由"、"女权"和哲学等理论观点。

约翰·穆勒(1806—1873)是英国实证主义的最早代表之一,也是19世纪英国影响最大的哲学家之一。他的一些著作,如《自由论》和《逻辑体系》,在此之前,已由严复和马君武分别翻译并以不同的版本问世了。严复在他的一些文章中,也不断介绍过穆勒的一些观点。但是,在中国系统地把穆勒的学说传播过来,则要推马君武这篇文章为最早。同严复一样,他选择输入穆勒的这些学说,都是从中国当时的社会需要出发的。这一点从他的文章中,时时抓住一些与中国社会现实有关的问题发表的议论,便能看得出来。例如,他在谈到欧美人士的伦理观时,说他们一重视生命,二重视自由,并且认为自由与生命不可须臾相离。所以,自由与生命的关系比财产与生命的关系显得更为重要。欧美人士重视自由,由此可以想见。接着,他便大发感慨:"中国文明开化,既历五千年,而中国人至今犹茫然不知自由是何意味。"[①]他指出,其中轻薄者如罗兰夫人所说的,借自由之名,以为罪恶;有的谨厚者则鳃鳃然防自由之有流弊,相戒不敢复道,甚至诋毁自由为异端,诋倡导自由的人为妖人。凡此种种,都是不了解自由真实含义的缘故。就是有些达人名士谈论自由,也仅仅是宣传有限的自由,对于无限的自由则是任何人都不敢触及的禁区。他指出,这种看法是难以表达自由真正含义的。马君武的这一番议论,在当时中国封建专制的高压下,其胆量之大,认识之深刻,不能不

---

① 马君武:《弥勒约翰之学说》,载《新民丛报》,第29号,1903年4月。

令人敬佩。

在介绍穆勒的"自由"学说时，马君武着重提出，穆勒把自由分为两大类，一为无界限的自由，包括思想自由（言论及著作自由附之）、择业自由、结社自由，三者为世人所必须保有，而不可压制，不可放弃。二为有界限的自由，即谓个人的行为如果完全自由，毫无界限，势必为害于同群的人。而界限的设立，或重德制，我为形制，全以不犯害他人的准则。到此，马君武得到的结论是，"自由者，依己之则，图己之益，我不侵犯他人，他人也不得侵犯我也。人既各有身体，各有心理，各有志气，必各有法则焉，以图其身体、心理、志气之发达安宁，固不受他人之干涉压制也。"①

在具体介绍这两种自由时，马君武对于后者没有多说，只是用了较大的篇幅论述了前者。他指出，在穆勒看来，人的思想在没有说出来以前，别人是不知道的。因此，如果只有思想自由，不把这些思想通过议论或著作发表出来，这种思想自由是毫无意义的。一个无思想的人，"必无自由之议论及著述"，②这种人胸怀畏惧之心，对于他人之事，他从不议论，就是关系他自己的事，"亦茫然不问其事之合于己身之气质与否，又不思何者可以致己于发达兴盛之域，以得最高最良之地位。"③他只是茫无目的，惟风俗习惯是从。因此到头来，他的心境和个性，必然受到极大的压制与摧残，以致在日常生活中，"亦不辨何者为乐，何者为辱。"④穆勒认为，这种人实际上已经丧失了天赋自由。所以，要坚持思想自由，就必须

---

①　马君武：《弥勒约翰之学说》，载《新民丛报》，第 29 号，1903 年 4 月。
②　同上。
③　同上。
④　同上。

敢于发表议论和著述。这对国家和社会发展来说,是至关重要的。正如他指出的,"文明之国家必奖励人民议论著作,而不加以一毫之压制。人民之议论及著述既勃兴,则其国家之兴也勃焉。"①反之,如果是一个专制政府,则必然压制人民的议论和著述,其结果对于人民来说,只能养成"尽有卑屈奴隶之资格,噤口结舌,不敢议论,垂头丧气,不敢著作。"②而对于国家来说,"则其国之事业不兴,政俗守旧,日趋败坏,是致弱之道也"。③ "不待敌国异种之来侵袭,而其国为己亡,其国人为己死矣。"④穆勒指出,虽然行为自由是有限的,但"不可误会此意,而立一定之规矩以束缚世人之行为。"⑤因为一个人有一个人的个性,世界最切忌的就是利用传统扼杀人的个性发展,贬低人的价值。他认为,这种做法实际上是把人看成机器,而"机器者,死物也,依一定之式而不能自变。"⑥人则不同,"人之精神,当似一树。春日既阳,生长发达,自由无碍,如其内力之所向,其生机活泼而不滞也。⑦

　　穆勒关于自由的上述主张,是早期资产阶级启蒙思想家天赋人权学说的发展。马君武在介绍了这些主张后,即以此为武器,尖锐地批判了中国的封建专制统治。他认为,本来东亚各国,都是文明的发祥地。"其美术文艺,高宫宏寺,巍巍呼乖世间而不朽。"⑧并且,曾经成为西方诸国文明的先导。然而,现在呢?因为它们溺

---

① 马君武:《弥勒约翰之学说》,载《新民丛报》,第 29 号,1903 年 4 月。
② 同上。
③ 同上。
④ 同上。
⑤ 同上。
⑥ 同上。
⑦ 同上。
⑧ 同上。

于封建传统，一切是非皆以传统作为判断的标准，因此，"遂与自由进步相分离，其文明戛然中止。"①他指出，西方所以有今天的昌盛，中国今天所以变得如此贫弱，根本原因在于，西方人获得了自由权，而中国人却不知自由为何物。所以，最后马君武提醒国人：有了自由的观念，才会主张竞争进化。西方的进步是在竞争与进化中取得的。由此可见，"变异者，天则也。此分既变而良，彼分效之而皆良焉。此进化之公例也。"②在这里，马君武把自由与进化联系起来，认为一个国家只有在自由和竞争中，才能兴旺发达。这种警示，对于当时国人的心灵是很有震撼作用的。

以上这些，是马君武1903年前后传播西方哲学的主要内容。自此之后，特别是辛亥革命以后，像他在《诗文集》自序中说的，由于主要把学到的理论知识运用到建设国家的社会实践中去，因而很少这样从事理论研究与宣传了。仅就前面介绍他传播西方哲学的工作来说，虽然在数量上不及梁启超，在深度上不如严复，但在他的文章中，也有区别于梁、严二氏的特点。主要表现是，他在传播西方哲学时，有高阔的理论视野与崭新的角度。例如，他介绍法国百科全书派，主要着眼于唯物论对于法国革命作用的肯定；论述黑格尔哲学，主要侧重其辩证法的输入。这些内容，都是西方哲学的精华。他选择这些内容并把它们输入时，由于能够紧紧联系中国思想界的现实，从中国社会提出的要求去引进与消化，这不仅使他在社会变革过程中能够与时俱进，而且对于辛亥革命后马君武为刚刚诞生的共和国各项大政方针的设计与抉择，也产生了重大的影响。

---

①　马君武：《弥勒约翰之学说》，载《新民丛报》，第29号，1903年4月。

②　同上。

五、章太炎传播西方哲学的特点

在西方哲学东渐史上,章太炎以他传播西方哲学的特点,留下了不可缺少的一页。

章太炎(1869—1936),字枚叔,后改名炳麟。浙江余姚人。谈到他的西方哲学传播特点,必须从他研究西方哲学的动机与研究过程说起。

早年,章太炎跟随著名朴学大师俞樾学习经学。甲午中国战败后,在民族危亡的刺激下,他把兴趣转到西方资产阶级的各种理论与学说的研究上来。在叙述他的这种思想转变时,他说过:"读郑所南、王船山两先生的书,全是那些保卫汉种的话,民族思想渐渐发达。但两先生的话,却没有什么学理。自从甲午以后,略看东西各国的书籍,才有学理收拾进来。"①由此可见,在他看来,西方这些资产阶级的理论要高于中国的传统思想。因此,在他大量阅读了这类书籍后,深信要振兴中华,非用这些西方观念来改造中国人的观念不可。在这种思想指导下,他毅然走出书斋,投入维新救国的行列。维新变法运动失败后,1899 年,他应邀第一次到日本。同年秋天返国后,他把过去以及在日本接受的西方进化论、社会学,以及机械唯物论等学说,作为一种观察社会的方法,于 1900 年编辑出版了《訄书》。1902 年,他再次赴日。同年 7 月返国后,他避居乡里,贪婪地钻研了从日本带回来的各种西方书籍,特别是用西方的社会政治理论,如民主、共和、天赋人权等学说。他用这些理论作为指导来清理他的改良主义思想。并在这个基础上,对《訄书》进行了大规模的修订、调整与删革。1903 年,章太炎在上

---

① 章太炎:《演说录》,载《民报》,第 6 号,1906 年 7 月 15 日。

海应聘到蔡元培主办的爱国学社任教。由于他常常在课堂上讲述明清兴废史,并为邹容《革命军》作序,因而触怒了清廷。结果在租界与邹容同时被捕,羁押西监达三年之久。1906年获释后,他第三次到了日本。在这里,他参加了同盟会,并且担任了《民报》的总编辑和发行人。要着重指出的是,在这个过程中,他更是继续深入研究西方哲学。他说,"既出狱,东走日本,尽瘁光复之业。鞅掌余闲,旁览彼土所译希腊、德意志哲人之书,时有概述"。① 所谓希腊和德意志哲人,前者指柏拉图与亚里士多德,后者指康德、叔本华和尼采。他把这些哲学家的思想和佛教唯识宗的观点融合在一起,建立了一整套社会政治思想和哲学体系。

　　上面的叙述说明,章太炎研究与接受西方哲学,是和他的政治生涯及其哲学体系的创建密切联系在一起的。依据章太炎自己的说法,自甲午风云开始与西方哲学打交道,前后共有20年的时间。在前10年中,随着政治上从资产阶级改良派发展为资产阶级革命派,他在思想上完成了对于以进化论、社会学为主体的近代西学的摄取。1902年经过删革的《訄书》便是这种摄取工作完成的体现。后10年,他在对西方哲学的摄取上进入到了高一级的程度。就是在这个基础上,他把叔本华、尼采的唯意志主义同中国传统的佛、庄思想融合起来,建立了自己独特的思想体系。《齐物论释》的"重定"就是这个体系的标志。无论是在《訄书》中还是在《齐物论释》中,无论在谈进化论时还是在论述他的"依自不依他"的观点时,他都无不摘引西方哲学家的著作与学说来进行阐释与论证。正是这个原因,便决定了章太炎传播西方哲学的第一

---

① 章太炎:《自述思想变迁之迹》,见《章太炎选集》,第588页,上海人民出版社,1981年。

个特点,即:由于在他的思想发展过程中,不同时期研究与接受了不同倾向的西方哲学。因此,他对西方哲学的传播,没有一个固定的目标或重点,也不曾出版过专门介绍西方哲学的论著,而只是为了宣传和论述自己观点的需要,大量地引证与论述了西方哲学诸多学派的理论与学说。所以,虽然没有专门传播西方哲学的作品问世,但通过上述方式却广泛地传播了西方哲学的内容。

例如,在他修订后的《訄书》中,章太炎大量地运用他研究过的各种西方学说,特别是用西方哲学学说,如培根、洛克、卢梭、斯宾塞、达尔文等人的观点来为自己说话。仅就其中引证的进化论来说,西方天文、地质学方面的进化观念,达尔文、拉马克的生物进化论,斯宾塞、吉尔斯的社会进化论,都统统被他引证、比较和悉心衡量。如果说,《訄书》的最初版本在努力吸收西方资产阶级的进化论,用来研究我国的传统学术,那么,修订后的《訄书》则已经运用各种中外先进学说,特别是西方哲学作为自己立论的根据了。

又如,他对诸子的研究,其所以立论新颖,给人以启迪,除了因为他有深厚的国学根底,能旁征博引外,还因为他善于吸收西方资产阶级的各派哲学学说,用来广泛比较与深入解释中国的九流十家的缘故。因此,他运用这些西方哲学来评价诸子时,使他对诸子的研究时时闪烁着真知灼见。而且,他就是通过这种方式广泛地传播了西方哲学。正如侯外庐先生说的,章太炎在中国传播的西方哲学,"在古代则谈及希腊的埃利亚学派、斯多葛学派,以及苏格拉底、柏拉图、亚里士多德、依壁鸠鲁等。在近代则举凡康德、费希特、黑格尔、叔本华、尼采、培根、休谟、巴克莱、莱布尼兹、穆勒、达尔文、赫胥黎,斯宾塞尔、笛加尔以及斯宾诺莎等人的著作几乎无不称引。"①这个估计是符合事实的。正是这个原因，所以，章太炎虽然没有专门介绍西方哲学的文章，但是，通过这种方式不但广泛地传播了西方哲学，而且还使他的著作以古实的文笔表达了西方哲学的新思想。

第二个特点是，章太炎在研究与传播西方哲学时，不是单纯的客观介绍，而是充满了理性的解剖。因此，在论述与评价西方哲学时，他不仅能够全面地把握和准确地把哲学家的观点概括出来，而且还有热情的赞誉与中肯的批评，充分体现了章氏研究与传播西方哲学的学术气息和启蒙深度。

这里，用他1906年发表在《民报》上的《无神论》一文为例进行说明。《无神论》是章太炎的哲学著作之一。在这篇文章中，他指出，"欲使众生平等，不得不先破神教。"②这表明，当时章氏已经意识到破除神道迷信，对于实现民主革命是必要的思想准备。因此，他着重剖析与批评了两种有神论，然后还逐一批评了三种变相的上帝存在论，即斯宾诺莎的上帝即自然说，哈特曼的上帝为"下意识"说和康德的上帝不可知说。

就他对斯宾诺莎观点的分析看。他首先介绍说，"近世斯比诺莎（按：斯宾诺莎）所立泛神之说，以为万物皆有本质，本质即神。其发见于外者，一为思想，一为面积。凡有思想者无不具有面积，凡有面积者无不具有思想。是故世界流转，非神之使为流转，实神之自体流转。离于世界，更无他神，若离于神，亦无世界。此世界中，一事一物虽有生灭，而本体则不生灭。万物相支，喻为帝网，互相牵掣，动不自由。乃至三千大千世界，一粒飞沙，头数悉皆

① 侯外庐：《近代中国思想学说史》下卷，第861页，人民出版社，1947年。
② 章太炎：《无神论》，载《民报》，第8号，1906年8月。

为前定,故世必无真自由者。"①这段话的意思是说,斯宾诺莎认为,万物都有实体,实体就是神。它表现出两种属性,一为思维,二为广延。凡能思维者,都无不具有广延;凡是有广延的东西,都无不能够思维。因此,世界的运动和变化,不是来自神的力量,其原因就在自身。在这个世界中,千差万别的事物,都是实体的样式,即实体存在的状态,它们是能生能灭的。但实体本身是不生不灭的。同时,在这个世界中,万事万物是互相作用和互相制约的,一切都受必然性支配。因此,宇宙中的一切事物,都是由先在的原因决定的,脱离必然性的自由是不存在的。在章太炎阐述斯宾诺莎哲学表述某些概念时,虽然有些不够准确的地方,但是,他却相当简洁地把斯氏哲学的主要观点表达出来了。这说明章太炎对斯宾诺莎哲学的理解达到了相当全面的程度。

接着,他对斯氏通过泛神论来否定上帝存在的观点进行了评论。一方面,章太炎认为,"不立一神,而以神为寓于万物",②这是把上帝等同于物质自然界,实质上就是对上帝存在的否定。他指出,这种泛神论的观点在当时欧洲神权的黑暗统治下,它无疑是无神论的先声和启蒙。正如他形容的那样,"发蒙叫旦,如鸡后鸣,瞻顾东方,渐有精色",③其意义是重大的。另一方面,他又认为,这种观点在逻辑上是矛盾的。因为"神之称号,遮非神而为言;既曰泛神,则神名亦不必立。此又待于刊落者也。"④在章太炎看来,凡是对神的肯定,就是对无神论的排斥。既然斯宾诺莎主张无神论,又何必采取泛神论的形式呢? 在他看来,神的名称和非神是对

---

① 章太炎:《无神论》,载《民报》,第 8 号,1906 年 8 月。
② 同上。
③ 同上。
④ 同上。

立的；若是泛神，则万物皆神，这就无所对立。所以，要说万物皆神，这就等于说无神。因此，他提出，坚持无神论就应该把任何神的名称放在"刊落"之列。章太炎的这种主张，显然是缺乏历史主义观点的。

再就他对哈特曼观点的分析看。他说，"赫尔图门（接：哈特曼）之说，以为神即精神。精神者，包有心物，能生心物。此则介于一神、泛神二论之间。"①哈特曼（1842—1906）是德国唯心主义哲学家。他认为宇宙的本质是"下意识"。而章太炎在这里，却把"下意识"称之为"精神"。在哈特曼看来，"下意识"有两重属性，即意志和理性。当盲目的意志压倒了理性，"下意识"就表现为现实世界。这是一个充满罪恶和不幸的世界。当理性克服了意志，意志便复归于"下意识"。到达这个时候，它才是一个充满善和幸福的未来天国。哲学的任务便是要引导人们"自我休养"，以培养"下意识"的道德。章太炎把哈特曼这种精神即神的观点概括为"精神者，包有心物，能生心物"。就是说，他把客观世界看作是一种实在，但它的雏形是藏于"下意识"之中，并由"下意识"所产生。这种说法是不完全确切的。特别是，一旦当他最后把这种观点归结为介于一神论与泛神论之间的二元论时，就和哈特曼的观点不同了。因为哈特曼的"下意识"的本质意义，只是以意志和理性结合为内容的具体的一元之绝对，并明白说过，物质是意识产生的。

值得重视的是，章太炎指出，这种观点在逻辑上也是说不通的。他责问道，"所谓包有者，比于囊橐耶？且比于种子耶？"②意

① 章太炎：《无神论》，载《民报》，第 8 号，1906 年 8 月。
② 同上。

思是说,哈特曼所说的"包有",是比作口袋还是比作种子? 他又问道,若比之口袋,那么口袋中的物,本来在先就有的,便不是口袋所产生的;若比之于种子,认为干茎和花果都为种子所包,所以才能生出干茎和花果等。他认为,这也难以自圆其说。因为"种子本是干茎华实所成,先业所引,复生干茎花实;若种子非干茎花实所成者,必不能生干茎花实。此则神亦心物所成,先业所引,复生心物,一是心物当在神先矣。"①由此可见,不是神生心物,倒是心物生神。所以,这种说法也是没有道理的。总之,哈特曼的辨解是不能成立的。

最后,就他对康德观点的分析看。在这里,章太炎只是着眼于康德哲学的结论,以及对这些结论的批评,而没有具体介绍康德得到其结论的过程和论据。他指出,在康德看来,"神之有无,超越认识范围之外,故不得执神为有,也不得拨神为无。"②在认识领域内,或者说在科学领域内,康德是否定上帝存在的。不过,他的否定方法与一般无神论者不一样,而是通过他的不可知论来实现的。康德认为人对于一个事实的认识,既要依靠经验,又要依靠人的先天认识能力。因此,人的认识范围既受经验的制约,又受人的认识能力的制约。按照康德的观点,人的认识由于依赖于经验,因而只能认识相对的东西,即"现象",上帝作为"物自体",它虽然是人类理性所追求的东西,但它却属于绝对的东西,经验既不提供关于它的材料,人的认识能力也不能提供任何对它的先天知识。因此,上帝不是人的认识对象。人们既不能肯定有神,也不能断言没有神。上帝存在与否的问题,是人的认识

---

① 章太炎:《无神论》,载《民报》,第 8 号,1906 年 8 月。
② 同上。

能力不能解决的。就这样，康德通过划定人的认识范围否定了上帝的存在。

章太炎认为，康德的这种做法是"千虑一失"，①并借用佛学的说法，从自性分别、计度分别与随念分别三个方面指出和论证了康德"失"之所在。其中，对第二方面即计度分别的论证，是从经验的逻辑角度出发的，因而值得重视。在章太炎看来,，神的存在既不是由"见量"（因明术语，指感觉器官对外界的直接反映），也不是由"自证"（佛家术语，指不靠外表因素而由自我直接领悟），而是由"比量"（因明术语，指形式逻辑的推理）得知的。正如他说的，"凡见量，自证之所无，而比量又不合于论理者，虚撰其名，是谓'无质独影'。"②就是说，通过感觉器官或自我的直接领悟，都不能得知神的存在，而在推理上又不合逻辑；如果只是假设的一个名称，那么，这也只是表明它只有影子而没有形体，不能由"见量"、"自证"得之，而"比量"又违背逻辑。这有点像有人自称其前身是山中之石，未生之前，超越认识范围之外，既不能通过"见量"和"自证"认识，也没有他人佐证，要是以此运用"比量"推之而认识，那也只能是"直拨为无"。③

应当指出，章太炎对康德运用不可知论来否定上帝的观点，批评它为康德哲学中的"千虑一失"，是不够全面的。因为他完全没有考虑到这种做法在当时德国的历史条件下的进步意义。但是，他却没有和当时中国其他传播康德哲学的人那样片面地推崇康德，认为康德用不可知论的办法来否定上帝的理论本身是完全正

① 章太炎：《无神论》，载《民报》，第 8 号，1906 年 8 月。
② 同上。
③ 同上。

确的,而是看到了这是康德哲学中的一个失误。这种态度反映了章太炎对康德批判哲学认识论的认识与把握程度,说明他比维新派具有更多的理性批判精神。

第三个特点是,由于章太炎既对中国哲学有深刻的领悟,又对西方哲学也有较为全面的研究,因此,他在进行哲学研究的过程中,能够熟练地运用中国哲学去解读西方哲学,又用西方哲学来解释中国哲学,并在对它们进行比较和消化的基础上,有选择地吸取西方哲学的某些观点融化在自己的哲学体系中,使之成为自己哲学的有机构成因素。

这里,以他提出的"真如"概念为例,来说明他如何运用西方哲学来解读中国哲学概念的。"真如"是章太炎用来概括世界本体的一个概念。他说,"《成唯识论》云:真如即是唯识实性,以识之识性不可言状,故强名之曰如。"①他在诠释"真如"的含义时,把它和柏拉图的"理念"和康德的"物自体"分别进行了比较,阐明了它们的异同。

在将"真如"和"理念"对比时,章太炎指出,"柏拉图所谓伊跌耶者,亦往往近其区域。佛家以为正智所缘,乃为真如;柏拉图以为明了智识之对境为伊跌耶。其比例亦多相类。"②

"伊跌耶"是"idea"的音译,现在一般译为"理念"。这是柏拉图哲学的一个基本概念。在柏拉图那里,"理念"是指事物的共性,它是事物的原型。柏拉图认为,"理念"存在于现实世界之外,只有它的存在才是真实的存在;感性世界的一切现象,由于它们变

---

① 章太炎:《辨性·自注》,见《章太炎文选》,第 393 页,上海远东出版社,1996 年。

② 章太炎:《建立宗教论》,载《民报》,第 9 号,1906 年 11 月 15 日。

化无常,因而都是不真实的。

章太炎指出,在这一点上,"理念"和"真如"是十分接近的。他说,只有"真如"才能代表真实的存在,而"一切形相皆无实体,以有转变,非不可坏,故说无实。"①把不断变化的一切事物都宣布为非真实的存在,这是"真如"与"理念"相同的第一点。

还有一点相同。柏拉图认为,理念不仅绝对不能自感性得知,而且,它远远超出一般所说的悟性所理解的范围,人们仅能通过哲学的刻苦努力去追寻。章太炎称,这一认识途经与把握"真如"的途经是十分相近的。

但是,章太炎讲的"真如"与柏拉图说的"理念"又有重大的区别。表现在:柏拉图认为,理念世界与现实世界是两个世界,前者高于后者,也先于后者。章太炎则认为,理念世界就存在于现实世界之中,在现实世界之外并没有一个独立的理念世界。因此,他断言,柏拉图所说的理念世界乃是"悬想"出来的,是"本无而强施为有"的。

柏拉图还认为,现实世界的一个个具体事物,是"分有"了理念而产生的。因此,它是理念与非理念的统一。对此,章太炎也表示不同意。他指出,"如柏拉图可谓善说伊趺耶矣,然其谓一切个体之存在,非即伊趺耶,亦非离伊趺耶。伊趺耶是有,而非此则为非有,彼个体者,则兼有与非有。夫有与非有之不可得兼,犹水火相灭,青与非青之不相容也。伊趺耶既是实有,以何因缘不偏一切世界,而令世界尚留非有? 复以何等因缘,令此有者能现景于非有而调合之,以为有及非有? 若云此实有者,本在非有以外,则此非

---

① 章太炎:《齐物论释定本》,见《章太炎全集》(六),第114页,上海人民出版社,1986年。

有亦在实有以外。既有非有,可与实有相对立,则虽暂名为非有,而终不得不认其为有,其名与实,适相反矣。"①在这一段话里,章太炎通过反复辩驳,说明了不应该把理念看成游离于个体之外或高踞于个体之上的纯粹抽象的东西,并明确指出,既然承认理念是惟一的实体,为本体,那么就不得在"非有"的名义下给另一个本体留下存在的余地,否则便陷入了二元论。

章太炎就是在这种相互对比中,糅合和吸取中外许多有影响的重要哲学派别的理论,构建了一个充满矛盾的思辨哲学体系。大家知道,章太炎的哲学思想有一个发展过程。早期在《訄书》中,有较多机械唯物论的因素。但是,他的哲学成熟期,却以主观唯心主义为主要特征。章太炎哲学的这个发展过程,在认识论上是从休谟的怀疑论走向康德先验论的过程。他虽然批评过经验论的局限性,认为从感觉出发,结果并不能认识事物的本质,而只能获得孤立的表面现象。但是,他却错误地提出,要认识事物的本质,心中必须要有"原型观念"来组织、联系、伴随感觉材料。正如他说的,"如人见三饭颗,若只缘印象者,感觉以后,当惟生饭颗、饭颗、饭颗之想,必不得生'三饭颗'之想。今有三饭颗之想者……必有原型观念,在其事前;必有综合作用,在其事后……虽然,此犹感觉以后事也。而当其初感觉时,亦有悟性为其助伴。"②这段话的意思是说,要认识三颗饭粒,必先有"三"这个"原型观念"来综合感觉。在他看来,"言科学者,不能舍因果律。因果非物,乃原型观念之一端。"③因果律不在事物,而是一种"原型观

①　章太炎:《建立宗教论》,载《民报》,第 10 号,1906 年 11 月 15 日。
②　章太炎:《四惑论》,载《民报》,第 22 号,1908 年 7 月 10 日。
③　同上。

念"。要认识事物,感觉只有在依赖"原型观念"的综合才有可能。由此可见,这种"原型观念"的思想,显然是接受康德"先验统觉"的产物。

　　正是从这里出发,他便走上了"境由心造"的佛学唯心主义道路。例如,当他解释佛学把一切有形的色相和无形的法尘称为幻见幻想的观点时,他就利用他接受的西方哲学中的有关学说来替他说话了。最明显的事实是,他认为康德所说的"十二范畴"完全是佛教的"相分"之理,叔本华所说的"世界成立全由意志盲动",也和佛教"十二缘生"相通。除此之外,他还特别运用费希特的主观唯心论来证明大乘"以众生为我"的观点。因为费希特从"自我"出发,提出了"自我建立自身"、"自我建立非我"和"自我与非我的统一"等三条原理,认为"自我"创造一切,在"自我"之外没有其他事物的独立存在。这种观点正好适合章太炎的需要。因此,他写道:"吷息特(按:费希特)之言曰:'由单一律观之,我惟是我;由矛盾律观之,我所谓我,即彼之他,我所谓他,即他之我;由充足律观之,无所谓他,即惟是我。此以度脱众生为念者,不执单一律中之我,而未尝尽断充足律中之我,则以随顺法性,人人自证有我,不得举依他幻有之性,而一时顿空是也。"①

　　在这里,章太炎借用康德的先验论和费希特的唯我论,反复要说明的是要为革命的道德确立新的哲学基础。因为"末俗之沉沦"和"民德之堕废","皆以我见缠缚"。② 所以,"非说无生,则不能去畏死心;非破我所,则不能去拜金心;非谈平等,则不能去

---

① 章太炎:《人无我论》,载《民报》,第 11 号,1907 年 1 月 25 日。
② 章太炎:《建立宗教论》,载《民报》,第 10 号,1906 年 11 月 15 日。

奴隶心；非示众生皆佛，则不能去退屈心；非举三轮清净，则不能去德色心。"①在他看来，个人的主观努力，对于人们摆脱物欲的束缚，是不可缺少的条件。也正是这个原因，他还特别推崇尼采的"超人"学说。他指出，"尼采所谓超人，庶几相近（但不可取尼采贵族之说），排除生死，旁若无人，布衣麻鞵，径行独往，上无政党猥贱之操，下作恧夫奋矜之气，以此揭橥，庶于中国前途有益。"②由此可见，章太炎否定物质世界，宣扬主观唯心论，认为凭借个人的主观力量，是取得革命胜利的保证。这是章太炎建立他的哲学体系的真实目的。

应该承认，这种思想在当时的历史条件下，是具有一定进步意义的。在革命的过程中，没有那种卓厉敢死，不畏牺牲，独立无前的气概，要想取得革命成功是难以想像的。但是，这种主观唯心论所激起的狂热是不能持久的，用主观精神去指导革命，终归是要失败的。辛亥革命的历史已经证明了这一点。然而，这种情况的出现并非偶然。这是由于近代中国资产阶级革命不像近代西方资产阶级那样，是在落后的生产力以及由此产生的落后的科学技术的基础上进行的。因此，当时的中国哲学家，包括章太炎在内，他们的思想不像西方资产阶级哲学家那样，与当时的自然科学有着密切的内在联系，因此他们提出的哲学观点缺乏物质基础和科学基础；章太炎的哲学体系就是这种落后的物质和科学基础以及炽热的革命激情混合的产物。这是近代中国哲学发展过程中值得重视的一个教训。

---

①　章太炎：《建立宗教论》，载《民报》，第 10 号，1906 年 11 月 15 日。
②　章太炎：《答铁铮》，见《章太炎全集》（四），第 375 页，上海人民出版社1985 年。

六、蔡元培对康德哲学的研究与吸收

蔡元培是中国近代一位著名的革命家和教育家。同时,他在传播西方哲学,特别是研究与运用康德哲学方面,更是作出了积极的贡献。

蔡元培(1868—1940),字子民,号鹤卿。浙江绍兴人。他27岁中进士,授职翰林院为编修。在这之前,他接受的教育完全是传统的。然而,即使在这个时候,蔡元培也从来不是一个死守八股传统的学究。在他的书斋中,挂有"都无作官意,惟有读书声"十个大字,便是证明。虽然身居翰林院,但他却热心新学,并以极大的热情广泛地涉猎了这类新书。如反映改良思想的《盛世危言》,反映外国历史及现状的《适可斋记言》与反映近代自然科学的《电学源流》等。这些新书像一扇扇窗户,从这里他听到了时代前进的脚步声,感受到了资本主义的近代文明。

甲午中国战败后,特别是维新变法失败后,他大踏步地走出传统思想的象牙塔,并从总结变法失败的教训中,他认为变法失败的主要原因,是维新派没有注意培养革新人才。因此他提出,要拯救中国,使中国由贫弱变富强,必须使用科学知识来改造社会和政治,而西方文明则是使国家实现近代化,拯救祖国的惟一出路。这既是他提出教育救国的社会理想的出发点,也是他决心向西方寻求真理的强大动力。正是基于这些原因,他在弃官归里从事一段教育工作后,乃于年过40毅然决定赴德国留学。在这里,头一年他在柏林一边学习德语,一边编译书籍;后三年在莱比锡大学听冯德教授的哲学史与心理学、福恺尔教授的哲学、兰普来教授的文明史与司罗马的美术史等课程。除此以外,只要时间不冲突,文学、人类学等许多课程,他都不放过机会去听。在德国前后四年,他在

把主要精力研究哲学的同时,还冷静地清理自己过去接受的传统观念。这段时间的读书生活,对他以后开创中国教育事业的新局面,引导他投身民主革命,都具有重要意义。辛亥革命后,蔡元培自欧洲返国,出任民国教育总长。不久,因袁世凯篡权不满其专制独裁,乃辞职再度赴德留学。他两度旅欧学习,前后共八年之久,加之多半生活在德、法两国,大量阅读了西方历史上特别是近代资产阶级革命过程中的哲学著作和其他有关文献,使他对于德、法两国的思想、文化、宗教、教育精神及教育制度,有了更为深刻的认识,并从文艺复兴以后的社会进步和文化科学繁荣中,深切感受到了这些思想和观念对于西方社会发展的巨大作用。

他在中国传播西方哲学,主要是在辛亥革命前后。20 世纪初,主要是一般的哲学启蒙宣传,先后译有德国科培尔在日本讲的《哲学要领》与日本井上圆了所著的《妖怪学讲义》①。并撰有《哲学解》一文,以笔名"蔡崔廎"刊登在《新民丛报》上。传播西方哲学则主要是在辛亥革命后论述自己的哲学、科学、教育思想时分别谈到;虽然提到的西方哲学的内容与范围相当广泛,但给人以突出的印象,却是康德及其哲学。

蔡元培研究与运用康德哲学比较集中的文章,有 1912 年发表在《东方杂志》上的《对于教育方针之意见》,以及稍后先后刊登在《北京大学日刊》上的《哲学与科学》与《美学的进化》等。从这些文章中可以看到,蔡元培在论述自己的哲学、教育、科学思想时,其立论的根据都是经过消化后的康德哲学。通过这种方式,相当全面地传播了康德哲学。

---

① 《哲学要领》与《妖怪学讲义》均由商务印书馆先后于 1903 年和 1906 年出版。

首先,概括地介绍了康德的批判哲学体系

蔡元培写道,"康德的哲学,是批评论。他著《纯粹理性批评》,评定人类和知识的性质。又著《实践理性批评》,评定人类意志的性质。前的说现象世界的必然性,后的说本体界的自由性。这两种性质怎么能调和呢? 依康德见解,人类的感情是有普遍性与自由性,有结合纯粹理性与实践理性的作用。由快不快的感情起美不美的判断,所以他又著《判断力批评》一书。"①

这一段话,相当精练地概括了康德批判哲学体系的建立及其批判哲学体系的构成。虽然他在论述中没有具体阐明康德何以建立这种哲学体系的根据,但是,从他的概括中可以看到,他对康德哲学的批判本质的理解及其哲学精华所在的看法。18 世纪末,在康德从事哲学活动和建立他的哲学体系的时候,一方面,由于经验主义和理性主义各自片面的发展,不但不能适应科学的发展,相反,经验论发展到休谟那里,他用怀疑论否定和破坏了科学的基础,理性主义发展到沃尔夫那里,他用僵死的形而上学体系,把上帝、灵魂之类的东西看作认识对象,从而混淆了科学和信仰的界限。康德哲学就是在经验主义和理性主义由于片面发展陷入泥潭的理论背景下产生的。康德是近代科学的信徒。他相信科学和需要科学,为了挽救科学被怀疑论破坏了的哲学基础,他要为科学的普遍必然性提出论证。这便成了康德《纯粹理性批判》的主要问题;但是,在科学领域,即现象界,这里的一切都受因果性的支配,无自由可言。

然而,另一方面康德又是近代德国资产阶级的哲学家,他推崇

---

① 蔡元培:《美学的进化》,1921 年 2 月 19 日在湖南的第三次讲演,原载《北京大学日刊》第 711 号,1921 年 2 月 19 日。

法国革命的原则。在这一方面,他是卢梭的信徒,认为自由与平等是人作为人的不可放弃的权力。然而,他又是当时软弱的德国资产阶级哲学家,认为在当时德国的社会条件下,自由只是理想,在现实中是不能实现的。为了阐明这些观点,康德又写了《实践理性批判》。

可是,按照当时占统治地位的形而上的学思维方法,要科学则一切受必然性制约,无自由可言;要自由则必须排斥必然性,否则,就会无科学可言。康德与此不同。他既要科学,也要自由,两者都不放弃。然而当时的康德,思想上却并没有完全摆脱形而上学的束缚,还不能解决自由与科学的关系问题。于是,他把两者放在两个不同领域,使"现象"和"物自体"对立起来,认为在前一个领域可以获得科学知识,在后一个领域,虽然人的认识不能达到,但是,它作为人类追求的理想,在这里自由是存在的。于是,在康德哲学中便出现了两个世界,即现象世界与"物自体"世界。

为了把这两个被割裂的世界统一起来,康德通过对人类情感的研究,认为审美判断可以使它们沟通,从而达到现象和"物自体"的统一。这就是康德在《判断力批判》中所要论述的。所以,蔡元培在用两句极为简洁的话把前面两者的实质概括出来后,指出在康德那里,最后运用人类的感性,即通过审美活动,在割裂之后,又把它们统一起来了。因为在艺术创作中,人类可以海阔天空地放纵感情,因此,在这一方面,人类是自由的;然而,当它成为一种艺术作品时,又是有规律可循的,是普遍必然的。由此可见,批判哲学体系反映了康德对科学、自由的理想,或者说,体现了他对真、善、美的追求。蔡元培介绍康德批判哲学体系时对它的概括,说明他对康德批判哲学的基本精神是有认识的。

其次,论述了康德对科学知识性质的看法

　　这个问题是他在阐明哲学与科学的关系时论述的。因此,在具体谈到康德对科学知识的看法前,蔡元培还追述了以往哲学家对哲学与科学关系的观点。他说,哲学与科学,虽然都是有体系的学说,但是在过去,科学却是包容在哲学之中。在西方,不仅古代的柏拉图和亚里士多德是这样,就是到了近代,从培根、笛卡儿、霍布斯、洛克到沃尔夫,也都是这样。正如蔡氏指出的,"今日所谓科学者,悉包于哲学中焉"。① 他指出,只是到了康德,这种情况才开始发生变化。他写道,"至康德作《纯粹理性批评》,别人之认识为先天后天二类:先天者,出于固有,后天者,本于经验;前者为感想,而后者为分析法;前者构成玄学(即哲学),而后者构成科学。于是哲学与科学,始有画然之界限。"②

　　在这里,蔡元培极力推崇康德,把他看作是解决哲学与科学关系的转折点。在这一方面应该看到,通过介绍康德的观点,他的目的是要把科学从中国当时占统治地位的宋明理学的束缚下解放出来。关于这一点,联系他在《对于教育方针之意见》中谈到两个世界的区别时就能明白。在那里,康德认为,以直观为其方法应该当属于哲学,而以经验分析为其方法的,则应当属于科学。哲学与科学应当界限分明,不能混同。康德正是通过划分两个世界以及哲学与科学的研究方法不同,从而划清了哲学与科学的界限。毫无疑问,康德的这种观点是不正确的。但是,蔡元培借助康德的这种看法,真正用意在于使科学从儒学的束缚下独立出来。这在当时的历史条件下,对于科学的发展是有进步意义的。

――――――――――

　　① 蔡元培:《哲学与科学》,载《北京大学日刊》,第 1 卷,第 1 号,1919 年 1 月。

　　② 同上。

　　问题只是,蔡氏在介绍康德的思想时,有些理解和概括是不够确切的。一个表现是,他认为科学,主要是指自然科学长期被包容在哲学之中。这是事实。但是,科学从哲学中分离出来,却是随着自然科学和人类思维的发展逐步实现的,并非只是到了康德才得以完成。另一个表现是,康德在《纯粹理性批判》中区分了两种知识的性质,一种是由人的认识能力提供的,即所谓先天知识,它具有普遍必然性,却没有实在性,只能构成知识的形式。一种是从经验中得到的,即所谓后天知识,它具有实在性,却没有普遍必然性,只能构成知识的内容。康德认为真正的科学知识就是由先天知识和后天知识二者构成的。他还指出,这样形成的知识只回答了数学和自然科学(物理学)何以可能,即科学何以成为科学的问题。对于哲学何以可能的问题,则要到"物自体"中才能解决。这本是康德为了论证科学何以可能以及旧的形而上学体系作为科学何以不能的问题,但是,蔡元培却认为康德说的先天知识构成哲学,后天知识构成科学,这种看法显然误解了康德的观点。

　　再次,阐明了康德的美学思想

　　在论述康德的美学思想之前,蔡元培像论述科学与哲学的关系那样,追溯了美学思想在西方的发展过程。他认为,无论在中国还是在西方,美学思想的萌芽是很早的。从西方来说,从古代希腊的柏拉图、亚里士多德,文艺复兴时期的达·芬奇、培尔培亚,到资产阶级革命时期的波埃罗、褒尔克,都曾从不同的方面提出过某些美学思想或理论。但是,蔡元培指出,以上列举的哲学家,虽然他们的思想中都有关于美学的看法,但都附属在哲学或美术著作中。因此,不但没有美学的专门著述,甚至连美学这个专门名词也还没有使用。只是到1750年,德国鲍格登的《爱斯推替克》(Aesthetlca)问世后,情况才有所变化。不过,在蔡元培看来,真正对美学有重大贡献的,还要首推康德的《判断力批判》了。

在介绍《判断力批判》时,蔡元培写道:这本书"分究竟论美论二部,美论上说明美的快感是超脱的,与呵末同。他说官能上适与不适,实用上良与不良,道德上善与不善,都是用一个目的作标准。美感是没有目的,不过主观上认为有合目的性,所以超脱。因为超脱,与个人的利害没有关系,所以普遍。他分析美与高的性质,也比褒尔克进一步。他说高有大与强两种,起初感不为快,因自感小弱的原故。后来渐渐消去小弱的见,自觉与至大至强为一体,自然转为快感了。他的重要主张,就是无论美与高,完全属于主观,完全由主观上写象力与认识力的调和,与经验上的客观无涉。所以必然而且普遍,与数学一样。"①在这一段话中,蔡元培实际上只是着重介绍了《判断力批判》中"审美判断力的分析"部分关于"美的分析"与"崇高的分析"两个观点。

在谈到康德对美的看法时,蔡元培没有像康德那样,从质、量、关系和样式四个方面,而只是从关系一个方面进行了分析。在这一点上,他认为通过审美得到的快感,与感官上得到的适与不适,实用上的好与坏和道德上的善与不善不同;通过后面几种方式得到的快感是以一个目的为标准来衡量的;通过审美活动得到的快感与不快感与此不同,它不带有任何目的。就是说,当人们感知审美对象时,不能掺杂任何目的于其中。因此,这样得到快感是超脱的。正因为它不涉及个人利害关系,所以,它又具有普遍性。

蔡元培所以特别强调这一点,是因为审美活动具有这种普遍性,所以它在社会生活中能够发挥重大作用。在他看来,美感的普

---

①　蔡元培:《美学的进化》,1921年2月19日,在湖南的第三次讲演,原载《北京大学日刊》,第811号,1921年2月19日。

遍性,可以破人我彼此的偏见,以此综合科学与自由,使之达到最高统一的精神境界。后来,他提出了"以美育代宗教"的主张,认为人受美感的熏陶,能够超出利害关系的束缚,融合划分人我的偏见,保持永久和平的心境,就是因为美具有普遍性,而"决无人我差别之见能参入其中"的缘故。① 例如,食物如果一个人吃,不能兼饱他人之腹;衣服穿在我身上,不能兼温他人之身。而美则不然。比如北京中山公园的花石,埃及的金字塔,等等,则"人人得而赏之",②"我游之,人亦游之。"③在这里,蔡元培看到了艺术既来源于生活,又高于生活;美的概念是对现实生活的抽象,具有相对独立性和普遍性。这些思想都是可取的。但是,他把美感的相对独立性加以夸大和神秘化,认为"决无人我差别",完全超越现实世界,而"与造物为友",进入了所谓"实体世界",这则是唯心主义观点了。

对于讲到"崇高"与"壮美"时,蔡元培的介绍较为简单,只是在指出"崇高"有"大与强",即"数学的崇高"与"力学的崇高"后,仅仅概述了"崇高"使人获得快感的过程。关于这一点,这里就不论述了。

上述论述康德思想的几个方面,就是蔡元培所推崇并把它介绍到中国来的主要内容。其中,在阐释康德建立的哲学体系时,蔡元培充分肯定了康德哲学的批判性质;在阐明康德为科学的普遍性提出的论证时,蔡元培指出了康德在认识论上为科学的真理提供的论证的合理性;在分析康德关于美的概念的性质时,蔡元培充

---

① 蔡元培:《以美育代宗教说》,载《新青年》,第3卷,第6号,1917年3月。
② 同上。
③ 同上。

分估计到了美学在社会生活中的巨大作用。他就是在这个介绍与论述的过程中，把自己的社会理想表达出来的。无论是由他介绍的康德的哲学思想，还是通过介绍康德哲学表达自己的社会理想，都适应了当时中国社会发展的需要。

关于这一点，考察一下蔡元培在这些思想指导下的社会实践，对于当时中国社会发展发挥的作用，就可以得到证明。

从蔡元培的著作中可以看到，在他接受了这些进步观念之后，便把它直接地吸收过来，并在消化的基础上，用来作为自己提出和论证某项实践活动的根据。当然，所谓直接地吸收过来，是在经过他的改造与扬弃之后。在这一方面，他的社会实践活动受到康德哲学的影响之深是一眼便能看得出来的。这里，仅以他的《对于教育方针之意见》为例进行说明。

辛亥革命后，共和政体确立了。在这个新旧交替之际，教育方针是否应该随之改变，各方面的意见颇多。蔡元培既已身负教育总长的重任，首先一项工作就是制定新政权的教育方针。为此，他于1912年元月向全国公布发表了他《对于教育方针之意见》。在这个文献中，一方面，他尖锐地批判了清朝封建教育宗旨的陈旧与腐朽，认为"忠君与共和政体不合，尊孔与信教自由相违，"①决定彻底废弃旧的教育方针。另一方面，他又提出了适应新时代要培养的全面发展的人才的教育方针，即对学生进行军民教育、实利主义教育、公民道德教育、世界观教育和美感教育五个方面的教育方针。

在论述这五种教育时，他认为它们的目的虽然各不相同，但是，也有它们的共同之处，即前三者都是从属于政治的，通过这三

---

① 蔡元培：《对于教育方针之意见》，载《东方杂志》，第8卷，第10号，1912年4月。

种教育实现政治目的,因此,它们是政治的工具;后两者是超政治的,即这两者是作为实现最高理想的手段,因此,它们将不受政治的拘束。接着,蔡元培还把这五种教育分别放在两个世界中进行考察。认为前三者属于现象世界的教育;进行这三种教育,使受教育者以追求现世幸福为目的。他指出,现世幸福是浅显的、短暂的,具有远大眼光和高深见解的人,不能以此为满足。后两者属于本体世界的教育,进行这两种教育,使人建立奋斗前进的信仰、勇气和信心。他认为,这才是教育所要追求的最终目的。

这样,在人们的面前便出现了两种教育,它分别在两个世界中实现其目的。这种对世界的划分,显然是从康德哲学那里搬来的。但是,在康德那里,由于人类认识能力的限制,"物自体"只能被人们所思维而不能被认识。虽然康德也曾企图把"现象"和"物自体"统一起来,但在认识论上,这两个世界始终是割裂的和对峙的。而在蔡元培这里,毫无疑问,关于世界被二分以及这两个世界区别的说法,都来源于康德。然而,他和康德不同。他认为所以出现两个世界,并不是人的认识能力所致,而是由于两种意识造成的。一是由于人与人的差别,即由于人的自卫能力的不平等形成的人与人之间的强弱差别;二是由于人们对于幸福的追求,即由于自存能力的不平等造成人与人之间的贫富差别。强弱与贫富的存在,使人与人之间产生种种界限;弱者与贫者追求幸福的愿望得不到满足,因而给人带来种种痛苦。蔡元培提出,由于这些原因,便把人束缚在"现象"之中,而与实体世界隔离开来了。不过,蔡元培认为,"现象"与"实体","如一纸之表里"①或者说,是"一个世

————————

① 蔡元培:《对于教育方针之意见》,载《东方杂志》第8卷,第10号,1912年4月。

界的两个方面，非截然为互相冲突之两个世界。"①在"现象"与"实体"之间没有鸿沟，相反，其间是存在通道的。这个通道就是美感教育。他说，"美感者，合美丽与尊严而言之，介乎现象世界与实体世界之间，而为之津梁。此为康德所创造，而嗣后哲学家未有反对之者也。"②在蔡元培看来，因为在现象世界中，每个人都有爱恶惊惧和喜怒哀乐之情，而这种感情是随着人的生离死别和福去福来等利害关系而变化的。美术就是以这些现象作为资料，使人除了产生美感之外，不再产生利害的杂念。例如，采莲煮豆，属于饮食的事情，一旦当它进入诗歌中，便另有一番情趣；又如，火山赤舌，大风破舟，可惊可怖。然而当它进入图画，则转化为无穷乐趣。这样一来，人们虽然生活在现象中，然不会对它厌弃，而是与美感浑然一体，忘却人我，与天地合一；如果经过美感教育使人们进入这种境界，那么，他们便实际生活在实体世界之中了。所以，从现象世界进入实体世界，"不可不用美感之教育。"③

看得出来，蔡元培提出的新政权的教育方针，是借助康德哲学的乳汁哺育出来的。虽然它蒙上了一层厚厚的面纱，但是，如果我们把它揭去，那么，透过其带有几分神秘色彩的论述，便不难发现，它强烈地反映了刚刚登上政治舞台的资产阶级要求在政治上、经济上壮大自己的力量，创建新的物质文明的愿望。

同样，1916年回国后，蔡元培在主持北京大学和中央研究院的工作过程中，也是这样。在北大，他为了适应社会变革形势的发展，通过一系列的重大改革，使它面目一新，不仅为发展当时中国

① 蔡元培：《对于教育方针之意见》，载《东方杂志》第8卷，第10号，1912年4月。
② 同上。
③ 同上。

的新文化、新思想开拓了道路,而且,还使它成为反帝反封建的
"五四"新文化运动的发源地。在中央研究院,他为了发展我国的
科学事业,振兴中华,在条件十分困难的情况下,知人善用,广聚人
才,依靠一批爱国科学家以及其他有志之士,做了大量的开创性工
作。实际上,蔡元培在北京大学和中央研究院的教育实践与科学
实践,都是他研究与吸收西方资产阶级思想和观念在中国的具体
运用。毋庸多说,他在北京大学进行改革获得的成功,以及他领导
中央研究院取得的巨大成就,都充分证明蔡元培不愧为当时中国
向西方寻求真理的先进人物。

第五节　"哲学"概念在中文中的定译
以及由此引起的争论

19世纪末20世纪初,由于社会变革的有力推动和先进分子
的共同努力,西方哲学重新全面启始东渐,并且取得了值得重视的
成绩。本章第二节到第四节的展示与陈述,即是证明。这里,只是
指出,西方"哲学"概念在中文中的正式定译,以及随着"哲学"概
念在中国的正式出现,从此开始,中国的高等学府有了哲学专
业,中国的学术文化领域有了专门的西方哲学研究。这是中国
社会起步迈向现代化早期科学文化事业与西方哲学东渐出现的
新气象。

一、"哲学"概念正式译出前的种种译法

虽然我国的哲学研究与西方一样久远,但在中国的传统学术
领域中,是以经、史、子、集划分学术门类的。因此,在19世纪末以
前,不曾创造出像西方那样一个可以统括上下古今各家各派哲学

的"哲学"概念来。然而,当明末清初中西哲学开始交流时,为西文的"哲学"概念寻找一个中文译名,不但成为进行中西哲学对话不可缺少的条件,也是人类知识发展的迫切需要。而且,当时的一些西方传教士和中国学者一道,为此也付出了不少劳动与心血。

例如,1623 年,艾儒略在介绍欧洲大学的专业与课程设置的《西学凡》中,他提出的"理科"或"理学"、"斐禄所费亚",就是西文"philosophia"在中国的最早翻译。在这里,有对这个概念的音译,即"斐禄所费亚";也有意译,即西方称为"哲学"的专业,从尊重儒学出发,他把它译成儒学在宋明时代的表现——"理学",以便易为中国士大夫接受。不过在内容上,它不再局限于宋明理学讨论的范围,而是把它扩大到西方所谓哲学包容的所有分支,即:(1)"落日加"(logica),逻辑学;(2)"费西加"(Physica),物理学或自然哲学;(3)"默达费西加"(mathematica),数学;(4)"厄第加"(Ethica),今译伦理学,但此处"厄第加"涵盖"修齐治平之学",实际上包括了伦理、经济与政治诸学科在内。由此可见,"理学"是一个十分宽泛的概念,几乎囊括了宇宙人生各个方面的知识,是所谓"大斐禄所费亚"。不过,它在六个专业中虽然具有特殊的重要地位,但把它同"道科",即神学比较起来,又不能同日而语。

又如,1628 年和 1631 年,由傅汛际译义、李之藻达辞的《寰有诠》与《名理探》先后问世了。在这两本著作中,除了也有用"理学"来翻译"philosophia"这个概念的外,还出现了用"爱知学"与"性学"进行翻译的。只是"性学"作为哲学的译名,在传教士与中国学者的著译中用得不多,倒是"爱知学"的译名,应该引起重视。在《名理探》中,对它的一个解释是:"爱知学者,西云斐禄琐费亚,

乃穷理诸学之总名。译名,则知之嗜,译义,则言知也"①;另一个
解释是:"爱知学为若何? 译名,则言知之爱;译义,则言探取凡物
之所以然,开人洞明物理之识也"②。所以值得重视,是因为在这
里,"爱知学"是严格按照希腊文 Φςλοαοφα 的词义进行翻译的。
虽然一般把它译为"爱智"而不译为"爱知",但从对哲学的理解来
说,认为它是一切知识的总汇,是所有科学的大全,这样译出也是
有道理的。

　　此外,其他有些传教士在他们的著作中,也有对西方"哲学"
的中文译法。如毕方济在《灵言蠡勺引》中,说"亚尼玛(译言灵
魂,亦言灵性)之学,于费禄苏非亚(译言格物穷理之学)中,为最
益、为最尊。"③这里的音译是"费禄苏非亚",译义为"格物穷理之
学"。又如高一志在《修身西学》中写道:"启格物穷理之学……西
洋费罗所非亚是也。"④他在《斐禄总汇》中还指出,"斐禄者何?
泰西方言所谓格物穷理是也。全语曰'斐禄所费亚'之省文"⑤。
这里更是译义完全同前面一样,而且还把音译省去一半作为书名
使用。由此可见,这些对西文"哲学"的译法,都没有超出艾儒略
用"理学"来表达的哲学观。

　　明清之际中外人士的这些译法,代表了正式译出"哲学"概念
前的一个阶段。本来,它们都可以成为继续探索的借鉴与参考。

---

　　①　傅汎际译义、李之藻达辞:《名理探》,第 7 页,原刊于 1663 年,北京三联
书店重印本,1959 年。

　　②　同上书,第 17 页。

　　③　毕方济:《灵言蠡勺引》,见徐宗泽编著:《明清间耶稣会士译著提要》,第
201 页,中华书局,1949 年。

　　④　高一志:《修身西学礼西学大旨》,见徐宗泽编著:《明清间耶稣会士译著
提要》,第 218 页,中华书局,1949 年。

　　⑤　高一志:《斐禄总汇》,北京大学藏书,上卷第 1 页。

但是,一方面由于传教士的这些著作,大多是用来讲经布道的,在当时的社会中流传的范围极其有限。另一方面,自18世纪初以来,中西文化交流被人为地打断,在闭关锁国的条件下,这些著作被视为"异端"、"邪说",也难以重刻,更无法流传下来。因此,鸦片战争后中西文化交流重新开始时,根本没有人注意或提及明清之际中西文化交流的这些成果。包括"哲学"概念的译名在内,重新开始的中西文化交流似乎一切都是从头做起的。

表现在"哲学"概念的译名上,在一段时间内的探索过程中,出现了两种不同的译法。

一是把西文"philosophia"译为"智学"。例如,1873年,德国传教士花之安在《德国学校略论》中介绍德国大学("太学院")的学科区分和课程设置时指出:"院内学问分列四种:一经学,二法学,三智学,四医学"①。其中,经学为神学,智学即哲学。又如,1892年,郑观应在《盛世危言》中谈论德国"学校规制"时,也说德国的"太学院"学分四科:"一经学,二法学,三智学,四医学"。并具体指明,"经学"是"教中之学(即是耶稣、天主之类)",而"智学"则是"格物、性理、文学语言之类"②。在这里,"智学"这个译名代表有了一种比艾儒略用"理学"译西文"哲学"概念更为广泛的哲学观。

另一种是把西文"哲学"译为当时通用的"科学"(Science)的译名"格致学"或"格学"。例如,1877年,英国人慕维廉发表在《格致汇编》上的《倍根格致新法》一文,在介绍培根的《新工具》

————————

①　花之安:《德国学校略论》,载《西政丛书》,慎记书庄,石印本,第6页,1897年。

②　郑观应:《盛世危言》第一卷,"学校"篇,见《中国近代教育文选》,第47页,人民教育出版社,1984年。

时,凡原著中的"philosophy"一词,作者都把它译为"格学"或"学"。一个例子是:"in the philosophy of Aristothe there is a great agreement",译成中文是:"众人会意在亚里斯度得之学"①,意思是对亚里士多德哲学普遍同意。另一个例子是:"the true and lawful geal of the science",译成中文为:"格学之真末"②,意思是科学的真正而合法的目标。这里的"philosophy"又被译为"格学"。

又如,在颜永京译出的《心灵学》一书中,将"philosophy","Human knowledge"、"Natural Science",一律译为"格致学"。下面只举出把"philosophy"译为"格致学"的一个例子来加以说明。原文是:"philosophy denotes the investigation and explamation of the causes of things",译文为"格致学者,阐明物质与人事之缘由"③,意思是,哲学是指对事物原因的研究和说明。这里的"philosophy"是译为"格致学"的。要指出的是,在颜永京的译法中,有把哲学与科学等同起来后,进一步把哲学融合到科学中的倾向。而且,在洋务运动期间这个译法还产生过一定的影响。

在这个探索过程中,也有些中外人士把西文中的"philosophy"译为"理学"的。例如,大约在19世纪的50年代至60年代,王韬在《西学原始考》中说,"梭公(按:苏格拉底)以理学著名",又说,"以去伪存训为格致之急务,训人主良知良能之说,此为希腊理学一变之始"。④ 显然,这里两处提到的"理学",都是指的哲学。又如,1985年,英国人艾约瑟在《西学略述》中,也是这样进行翻译的。甚至1895年严复在《天演论》中,也把希腊哲学家称为"希腊

① 慕维廉:《培根格致新法》,载《格致汇编》,第9期,第51页,1877年。
② 同上。
③ 颜永京:《心灵学·凡例》,益智书会校订本,第1页,1889年。
④ 王韬:《西学辑存·西学原始考》,光绪庚寅(1890)年刊本,第10页。

理(学)家"①等。说"天地元始、造化真宰、万物本体"的问题是"理学"探讨的"不可思议之理"②等。这些用"理学"译"哲学"的译法,从作者对其内容的阐述中可以看到,已大不同于艾儒略《西学凡》中理解的"理学"了,而是反映了一种已将各门具体科学从自身中分化出去了的哲学观。可见,这种同是用中文"理学"译西方"哲学"的译法,与明清之际用"理学"译"哲学"的译法,并无直接的继承关系。

二、西文"哲学"概念在中文中的正式定译与使用

谈起西文"哲学"概念在中文中的定译,需要从这个概念在日本的出现说起。因为它在中国的出现,并非中国学者所创造,而是取自日本人的汉字译名,或者说,是从日本引进来的。

实际上,西文"philosophy"概念最终用日本人的汉字"哲学"译出来,也有一个探索过程。早在18世纪的上半叶,高野长英在《闻见浸录》中,是用汉字"学师"来翻译的。因为在他看来,"学师"或"哲学",是一门总体之学或至要之学。但是,这个译名没有被学术界广泛采用。在日本,最早提出并使用"哲学"这个译名的,是明治初期的著名启蒙思想家西周助(1829—1897)。他是日本近代介绍和传播西方哲学的开拓者和倡导者。不过,西周本人在"哲学"概念定译之前,1861年,在为其他学者的著作写跋时,曾把"philosophy"译为"希贤学"、"希哲学"。这是他根据中国宋代周敦颐在《太极图说》中说过"圣希天,贤希圣,士希贤"的话试译的。其意是要表达哲学是希求贤哲之学。到1870年,他在《百学

① 严复:《天演论》,见《严复集》第5册,第1366页,中华书局,1986年。
② 同上书,第1380页。

连环》的演讲时,才正式提出用日文中的汉字"哲学"来翻译西文
"philosophy"。他所以正式决定使用"哲学"这个译名,并将哲学
定义为"诸学之上之学"(the science of sciences),是因为在他看
来,"凡物皆有其统辖之理,万事必受其统辖,正如国民受辖于国
王"①。从此开始,在他的著作中便这样使用了。例如,1874 年出
版的《百一新论》,即是如此。尽管他这样译出后并无意排斥继续
使用"理学"翻译法,但经井山哲次郎编撰《哲学字汇》时,由于采
纳了包括"哲学"在内西周译出的众多西方哲学术语,使它为日本
哲学界普遍采用,并在这个过程中,还使哲学与理学区分开来,理
学专指各门自然科学,哲学则是统辖一切的学问。要指出的是,
"哲学"概念的正式译出,在一定程度上,还推动了日本哲学研究
事业的发展。例如,1877 年,东京大学的开始设立"哲学科";1878
年,请美国人在这里讲哲学;1884 年,日本哲学会成立,1887 年,东
京大学《哲学杂志》诞生等。这些事实,都是明显的例证。

　　前面说过,鸦片战争后西学重新东来,翻译西文"philosophy"
为中文又提到日程上来了。而且,有些中外人士也为此进行了一
些尝试,只是在认识上还未达到西周的程度。时到 19 世纪的 80
年代,随着西周译出的"哲学"概念在日本广泛使用,才引起了中
国思想界的关注。因而才有时任中国驻日本使馆参赞黄遵宪在
1887 年撰写《日本国志》时,在"学术志"介绍东京大学法、理、文
三学部的学科设置中,说文学部分为两科,有一科是"哲学(谓讲
明道义)政治学及理财学科"②。此外,1888 年,顾厚琨在《日本

---

①　西周:《百学连环》,见《西周全集》,第 9 卷,第 145—146 页。
②　黄遵宪:《日本国志》,卷三十二,第 10 页,上海图书集成印书局,1895 年
刻本。上海古籍出版社,2001 年羊城富文斋改刻本影印本,第 340 页。

新政考》中，谈到东京大学时，同样提到了"哲学科"；1894年，黄庆澄在他的《东游日记》中，也有"哲学科"和"哲学会"的记述。据现有掌握的史料记载，这些便是西文"philosophy"在中文中的最早出现。显然，都是从日本引进的，是东西哲学交汇的重大成果。

　　而且，从此开始，有些学者在中国开始用"哲学"来替代原先提出的各种译名了。例如康有为，在1898年上奏光绪帝的《请开学校折》中，讲到德国大学设有"经学、哲学、律学（即法学）、医学四科"①，就明确以"哲学"这个译名取代过去使用过的"智学"。特别是梁启超，使这个译名广泛传播开来，并促成共同使用，实有领先之功。变法失败后他亡命日本。在这里，他创办了《清议报》与《新民丛报》，通过这些刊物发表了大量他自撰或他人评介西方哲学的文章，使"哲学"很快成了当时各种报章书刊出现频率最多的概念。在这一方面，蔡元培也功不可没。据其自述，他研究哲学，始于1897—1898年之间。这正是"哲学"概念定译后在中国传开来的肇始。从这个时候起，他不但阅读了西方与日本人撰写的不少哲学著作，译出了德国科培尔的《哲学要领》，而且还根据他对哲学的理解，撰有一篇《哲学总论》，专门论述了哲学的性质及其与其他各门自然科学的关系。他认为"哲学为统合之学"，是探究整个宇宙普遍规律的，是"以宇宙全体为目的，举其间万有万物的真理原则而考究之"；而各门自然科学，"皆不过实究宇内事物之一部分"②。因此，他把哲学与其他自然科学的关系，比喻为

---

　　①　康有为：《请开学校折》，见《康南海遗著汇刊》（十二），第16页，宏业书局印行，无印刷时间。

　　②　蔡元培：《哲学总论》，见《蔡元培全集》，第1卷，第359页，中华书局，1984年。

"中央政府与地方政府之别"①。蔡元培提出的这种哲学观,在中国近代哲学史上产生过重大影响。更为重要的是,通过他的大量使用与有力推动,西文"哲学"概念这一译名,更是被中国学术界普遍接受与广为采用。例如,当时报刊发表的有关论文或出版的有关著作,只要提到哲学时,一般都以"哲学"取代了过去使用过的各种译名;甚至严复译出的《名学浅说》付梓时,在书的最后一页,商务印书馆还专门为哲学书籍的出版刊登广告。由此可见,"哲学"这个译名在中国学术界受到重视的程度了。

还要指出的是,随着"哲学"概念译名在中国的定译以及普遍采用,更是推动了西方哲学重新全面启始东渐。从此开始,在打破了以经、史、子、集区分学科门类的中国学术传统后,在中国的一些学校里开设出了"哲学"课程,在一部分学者中把"哲学"作为专业研究的对象。最早开出课程的有南洋公学、震旦学院、复旦公学、江苏高等学堂与青州神道学堂,把"哲学"作为研究对象的学者也有一定的数量。这是中国教育界与学术界以哲学作为一门课程进行开设、以哲学作为一个专业进行研究肇始的标志。特别是,由于西方哲学的全面启始东渐,通过输入的西方进步思潮,为人们认识世界发展趋势打开了一扇扇窗户。例如,有的谈到达尔文进化论的引进时,认为"进化之说已骎骎侵入哲学领域,破坏古来之迷见,使哲学壁垒一新"②。意思是说,由于进化论的传播,大大促进了国人思想的变化。进化论是这样,引进的其他西方的进步学说,也是这样。由此又见,它对当时中国社会的变革,发挥了

---

① 蔡元培:《哲学总论》,见《蔡元培全集》,第1卷,第359页,中华书局,1984年。

② 加藤弘之述,吴建常译:《天则百话》,第5页,上海广智书局,1902年。

一定的积极作用。这是引进西方哲学的目的，也是中国社会发展的需要。

　　然而，事情总是难以像人们所希望的那样得到发展。西文"哲学"概念译名在中国学术界的出现，以及由此引起哲学研究与国人思想发生的变化，遭到一些人的反对与排斥，便是这样。一个突出的例子是，1898年京师大学堂诞生后，是否要设立哲学专业，却引起了不小的争议。本来，1902年7月12日，管学大臣张百熙在《钦定京师大学堂章程》中，明确宣布"略仿日本例"，即以日本大学的专业设置而设立。这样，创建哲学科便是不言而喻的。但是到1903年，由把持晚清大权、主张"中体西用"、掌管教育大权的张之洞主持，制定了一个关于各级学堂专业与课程设置的《学务纲要》。在这个纲要中，公然禁止大学设哲学科，而主张设经学科。因为在张之洞们看来，种种异端邪说，如自由、民权等等，都是随"哲学"概念译名的出现而引进的。正如纲要中说的，"中国今日之剽窃西学者，辄以民权、自由等字实之，变本加厉，流荡忘返"①。又如张百熙解释不设哲学专业的理由时说的，"盖哲学主开发未来，或有骛广志荒之弊"②；就是说，哲学会使人想入非非，离经叛道。这对于维护已是晚期的封建道统来说，是十分有害的。所以，为了"防士气之浮嚣，杜人心之偏宕"③，必须把它加以取缔。甚至虽然作为"中学"根本的"理学"（宋明理学）在大学中还是要开设，但他们提出，却不可把它称之为"哲学"，不能

――――――――――

　　① 《学务纲要》，见《中国近代学制史料》，第二辑（上册），第86页，华东师范大学出版社，1987年。
　　② 张百熙：《奏定办学堂析》（1903），见《中国近代学制史料》，第二辑（上册），第66页，华东师范大学出版社，1987年。
　　③ 同上。

像讲(西方)哲学那样"流为高远虚渺之空谈,以防躐等蹈空之弊"①。害怕"哲学"概念以及西方哲学研究,到了这等程度,实在可悲!

不过,文化上这种愚民误国政策,很快就被著名学者王国维看穿了。为此,他于1903年和1906年,先后撰成《哲学辨惑》与《奏定经学科大学文学科大学章程书后》两篇文章,针对上述政策与做法,首先进行了严厉的驳斥。他认为其根本错误在于"缺哲学一科"②。如果不从根本上加以改正,那么,这样培养出来的人才,"其优于咕哔帖括之学者几何?"③后果将是不堪设想的。其次,还为"哲学"概念译名在中国的出现及其在中国存在的合法性,以及引进西方哲学,开展哲学研究的必要性,进行了有胆有识的论证。他指出,有些人反对与使用"哲学"概念,是他们"骇于其名,而不察其实,遂以哲学为诟病,则名之不正之过也。"④因此,他针对张之洞们强加给"哲学"的种种罪名,如"哲学为有害之学"、"哲学为无用之学"、"外国之哲学与中国古来之学术不相容"等,引用西方哲学的学说,以及日本引进西方哲学对于日本社会发展积极意义的材料,以鲜明的态度详细地阐明与论述了"哲学非有害之学"⑤,"哲学非无益之学"⑥、"研究西洋哲学之必要"⑦与"中国现时研究

---

①　《学务纲要》,见《中国近代学制史料》,第二辑(上册),第392页,华东师范大学出版社,1987年。

②　王国维:《奏定经学科大学文学科大学章程书后》,见《王国维美论文选》,第91—93页,湖南人民出版社,1987年。

③　同上。

④　王国维:《哲学辨惑》,载《教育世界》第55号,1903年7月。

⑤　同上。

⑥　同上。

⑦　同上。

哲学之必要"等观点。① 材料丰富,论述深入,充分体现了中国学者积极开展哲学研究,以此促进社会进步的真知灼见。

从这里可以看到,围绕西文"哲学"概念译名引发的争论,绝不是一个单纯的语词翻译问题,而是和人们对"哲学"概念的引进导致西方哲学中进步思潮的大量输入,以及由此对中国社会发展可能产生影响的不同认识联系在一起的。西方哲学、主要是近、现代西方哲学,作为西方社会走向现代化的理论表现,反映了人类社会一定历史发展阶段的趋势。随着西方哲学重新全面启始东渐,如果运用其中的进步思潮进行思想启蒙,那么,便能促使国人的思维方式首先实现变革。这是中国走出中世纪、迈向现代化的起步。这是逆历史潮流而动的社会势力不愿看到的。因此,他们百般阻拦,极力排斥,是必然的。为什么京师大学堂成立后,迟到1911年清皇朝覆灭时,才能把哲学专业建立起来。而且,开始时仍然称它为"理学门",只是到1914年新文化运动的曙光将要升起时,才把"理学门"更名为"哲学门",答案也只能从西方哲学东渐对中国社会的发展可能产生积极作用中去寻找。一个"哲学"概念译名的引进尚且如此艰难,西方哲学东渐过程中出现曲折与反复,更是不可避免了。

① 王国维:《哲学辨惑》,载《教育世界》,第55号,1903年7月。

第四章　"五四"运动前后西方哲学
东渐之初步繁荣

（1915 年至 1927 年）

在中国近代史上,1919 年爆发的"五四"运动,是从旧民主主义革命向新民主主义革命的转折点。在这前后兴起的新文化运动的过程中,西方哲学不但成为西学东渐的主要对象,而且,在传播过程中出现了初步繁荣的景象。其表现是西方哲学,主要是现代西方哲学,得到了热情的传播,充分体现了当时中国思想战线上生动活泼的崭新气象。更为重要的是,马克思主义哲学在广泛传播的基础上,成为中国人民观察国家命运的工具。

第一节　新文化运动的兴起与西方哲学
东渐的初步繁荣

一、西方哲学成为西学东渐的主要对象

1911 年辛亥革命的胜利,从政治制度上以共和体制代替了封建体制。在这个过程中,资产阶级革命派对作为封建体制精神支柱的封建思想体系,虽然进行了一些批判,但是,几千年来封建体制积淀下来的旧的文化传统和社会心理,如同一块板结了的土地,

使新的体制难以把自己的根须扎进社会的深处。就是说，在总体上并没有动摇它的根基。因此，辛亥革命后的中国，尽管挂上了共和国的招牌，但封建的经济、政治和思想文化仍然在社会中占据着统治地位。

特别是在袁世凯窃取政权后，在帝国主义和封建余孽的支持与配合下，着着进逼，解散国会，废除《临时约法》，改内阁制为总统制，总统权力同皇帝一样，可以终身和世袭。在国家机构和地方政权中，也进行了向专制过渡的演变。到此为止，辛亥革命所建立起来的各项民主制度，全被袁世凯抛弃了。尤其是在文化思想领域，为了适应其政治上复辟帝制的需要，他相继发布"整饰纲纪"、"祀孔"、"读经"、"祭天"、"行孝"等宣言和命令，掀起了一股尊孔复古的逆流，企图以此扼杀维新运动以来一度兴起的资产阶级的新文化和新思想。在这种社会形势下，从辛亥革命爆发到"五四"前夕，人们的心情几乎从希望的高峰跌落到了失望的深渊。

严酷的现实把社会上的种种矛盾和病痛都充分地暴露出来了。其中，特别是辛亥革命的失败，更是促使人们不得不进一步思考，怎样在吸取辛亥革命失败的教训中，继续解决辛亥革命没有解决的中国社会的基本矛盾。就这样，在探讨如何解决社会矛盾的推动下，中国的先进分子又踏上了继续探索中国前途的征程。这是一方面。

另一方面，辛亥革命虽然失败了，但是，它也沉重地打击了封建统治，激发了人民的民主主义意识，在一定程度上提高了民族资产阶级的政治地位和社会地位。辛亥革命后，一些资产阶级革命党人号召兴办实业，成立了一些实业团体，在内地城市兴办各种企业，为中国的资本主义开辟了道路。加上1914年到1918年第一次世界大战期间，由于帝国主义国家忙于互相厮杀，减少了对中国商品倾销和资本输出,暂时放松了对中国的掠夺,为中国民族工业的发展提供了有利的条件和时机。虽然这是在半封建半殖民地的缝隙中苦苦挣扎地发展起来的,力量十分软弱,但随着经济实力的增强,为了得到政治上的地位和保证,他们都要求发动一场思想启蒙运动来为自己的发展开辟道路。

在上面这些因素的推动下,从 1915 年开始,在中国大地上掀起了一场规模巨大、时间持久的新文化运动。它以对辛亥革命后中国社会的现实认识为起点,不但反思了 19 世纪中叶以来西学东渐的曲折历程,而且还追溯到几千年历史凝结而成的文化传统,并对这种传统进行了整体性的理性批判。这是继维新时期曾经开展过的文化反思的又一次反思。

在反思过程中,中国新一代知识分子首先总结了辛亥革命失败的原因。他们提出,在西方卓有成效的东西,到了中国为什么总是全然变了模样。其思想根源何在? 在寻找对于这个问题的答案时,他们认为虽然原因很多,但从思想文化的角度考察,缺乏思想启蒙是极为关键的一环。因此,当革命派效法孟德斯鸠、卢梭、华盛顿的理想被军伐统治的丑恶现实撕成碎片后,中国的先进分子便把向西方学习的目光,在维新和辛亥时期初步全面引进西方哲学社会科学的基础上深入到文化心理层面,从中西之间的形而下的比较进到形而上的比较;通过比较认识到,辛亥革命所以不能成功,民主共和所以得而复失,主要是国民精神没有得到解放和提高,没有在进行政治革命的同时,认真进行民主共和的思想教育,深入批判旧礼教、旧文化,使民主观念深入人心,并扎下根来。所以,补上维新变法和辛亥革命已经提出,但没有完成的思想启蒙任务,便被突出地提到日程上来了。

其次,他们从辛亥革命失败的教训中,还认识到了中国传统文化对中国社会发展的阻碍作用。因此,在反思中国传统文化时,都把批判的矛头指向了旧的伦理观念及其主要代表人物孔子,提出了"打倒孔家店"的口号。因为正像陈独秀1916年所说,伦理觉悟是人的最后的觉悟。"伦理问题不解决,则政治学术,皆枝叶问题。纵一时舍旧谋新,而根本思想,未尝变更,不旋踵而仍复旧观者,此自然必然之事也。"①这种认识既是辛亥革命失败的经验总结,又是反思中国传统文化的结果。

孔子成为新文化运动的主要批判对象,联系辛亥革命后的社会背景,是不难明白的。他是中国小农社会的精神象征,是两千年来中国思想界的最大权威。他的思想、理论与学说,经过历代封建统治者的提倡和支持,不仅支配着民族的认识、思维与社会行为,而且融化浸透到国民的价值信仰、情感态度、观念意识和风俗习惯之中,与民间生活浑然一体,无所不在,成为国民文化心理结构的重要因素。新文化运动对他的批判,既是针对民国初年尊孔崇经活动而发,又是历史上批孔活动的继续与深化。它有如狂飙巨澜,无论是激烈程度还是批判的深度,都是前无古人的。不过,这个时期的批孔与过去的批孔不同,过去多着眼于政治批判,这个时期却较为注重文化批判,即把批孔上升到对孔学内在缺陷及其实质的解剖和批判,从而不但在更深的层次上揭穿了历代封建统治者尊孔和加强专制统治的内在联系,而且从孔学对人性压抑的角度剖析了孔学的实质,认为它的核心是三纲五常思想,其统治的后果是对人的个性、自由和尊严的扼杀。这种批判充分体现了以个性解放为核心的近代人文主义精神。

再次,在文化反思中,虽然具有上述反传统的品格,但更为重

---

① 陈独秀:《宪法与孔教》,载《新青年》,第2卷,第3号,1916年11月。

要的是现代价值观的重建。这主要表现在它的倡导者们高举科学
与民主两面大旗,用近代科学理性反对传统的实用理性,用近代人
文主义反对传统的仁礼禁忌,力图建立以自我为价值主体的宇宙
观与人生观,以便取代家庭为本位的传统观念。所以,民主和科学
不仅是"五四"反传统的理论根据,而且是现代价值重建的目标,
集中体现了"五四"的时代精神。

　　实际上,民主和科学并非新文化运动时期才出现在中国思想
界的。在此之前就有一些先驱者在中国提出了建立民主政治和发
展科学技术的要求,也有一些人曾为此不懈地奋斗过。不过,把科
学和民主结合起来,作为衡量一切社会现象的价值原则,合之者则
接受、信仰,反之者则摒弃、批判,却是新文化运动的倡导者首先举
起的旗帜。1915 年陈独秀就提出:"国人欲脱离蒙昧时代,羞为浅
化之民也,则急起直追,当以科学与人权并重。"[1]这里说的"人
权",即后来的"民主"所指。从此开始,民主和科学便成为新文化
运动的两面旗帜。为了民主和科学在中国的实现,陈独秀还告诫
国人,"一切政府的压迫,社会的攻击笑骂,就是断头流血,都不推
辞。"[2]在这里,陈独秀以前所未有的勇气和深度,把民主与孔教的
对立,科学与迷信的对立,看作是近代与中世纪的根本区别。这与
新文化运动以前先驱者们所阐明的民主与科学既有联系,也有所
区别。不同的方面主要是当他们用民主和科学来概括欧美近代工
业文明精神的时候,已经越出了仿效某个具体国家的具体建制的
轨迹。因此,他们不再热衷讨论民主政治与君主专制孰是孰非,而

---

[1]　陈独秀:《〈新青年〉罪案答辩》,载《新青年》,第 6 卷,第 1 号,1919 年 1
月。

[2]　同上。

是转向探索民主社会在欧洲为何可能,而在中国为什么屡遭失败。
先是戊戌,后是辛亥,这些悲剧的一再重演,根本原因在哪里? 正
是从这种思考出发,他们在向西方学习时,才全方位地从制度层面
进而楔入文化心理层面,确信没有多数国民的民主觉悟,没有一种
能赋予民主制度以真实生命力的广泛心理基础,是不可能真正建
立和组织起"西洋式的社会"、"西洋式的国家"的。因为"共和立
宪而不出于多数国民之自觉与自动,皆伪共和也,伪立宪也,政治
上装饰品也,与欧美各国之共和立宪绝非一物。"[①]为了唤起"多数
国民之自觉与自动",不仅要使他们从封建传统文化的束缚下解
放出来,还要用科学与民主精神把他们武装起来。只有这样,中国
社会的变革与进步才有希望和保证。

　　把前面的论述集中起来,无论吸取辛亥革命失败的教训,克服
封建文化传统的阻力,还是使用科学与民主精神武装广大群众,都
使西方哲学成为西学东渐的主要对象。新文化运动就是以输入和
摄取西方文化与哲学以及批判中国封建文化、哲学旧传统为开
端的。

二、新文化运动中的文化论争

　　虽然新文化运动时期西方哲学成为西学东渐的主要对象,但
是在传播过程中,究竟输入哪些西方哲学思潮到中国来,却是伴随
着新文化运动的发展,具体说来,是伴随着当时文化论争的进展而
经历了一个选择过程。

　　1. 东西文化论争与对以科学民主为中心的近现代西方哲学

---

　　① 陈独秀:《吾人最后之觉悟》,载《新青年》,第 1 卷,第 5 号,1916 年 2 月
15 日。

的选择

1915年,陈独秀创办《青年》杂志(1916年第2卷第1号开始改为《新青年》)。他在创刊号上旗帜鲜明地批判孔教,力主引进西方文化,特别是其中的哲学。接着,在比较中西文化性质优劣和回顾西学对中国社会发展推动作用的基础上,号召国人用西方的自由、平等、独立的伦理观念来代替儒家别尊卑、明贵贱的伦理观,建立真正的民主共和国。然而,以陈独秀为代表的《新青年》派输入西方文化、哲学的言论,却招来了一些人的诘难和反对。当时,由于第一次世界大战的爆发,西方资本主义社会的矛盾和危机,更加表面化和尖锐化了,使西方文明的弱点充分地暴露出来了。因此,西方思想界在精神上受到了莫大的打击,使国内一些人把寻找真理的视线转向东方,企图从东方文明中寻找精神支柱。例如有的提出:西方文明破产了,东方文明是救世的福音,以此反对引进西方文化与哲学。在这些反对者中,有的露骨地宣扬儒家传统是世界上最优秀的文化,是立国不可动摇的根本,如林纾、章鸿铭等。不过,由于他们的观点在社会上影响不大,在论争中没有多少市场。还有一些人,主要是以杜亚泉为代表的东方文化派。他们也是从东西文化的比较出发,认为东西文化都有长有短,可以实行调和,互相补充。但是,他们又宣称,这种调和"不可不以静的文化为基础",即以儒家思想为衡量是非的标准,绝不可把西方文化与学说作为"信条"。杜亚泉的这些观点在知识界颇有影响,因此引起了《新青年》派的高度重视与尖锐的批评。

第一,他们通过中西哲学的比较,认为中国的封建传统文化及其哲学,经过几千年统治阶级的加工与锤炼,已经成为一种具有巨大惰性的传统;指出中国社会要走出中世纪,建立民主共和的社会制度,必须用很大的气力对它进行清理,才有可能使广大群众在观念形态上摆脱它的束缚。如果思想上不能做到与封建的思想体系决裂，要达到社会前进的目的是难以办到的。因此，陈独秀以与它势不两立的态度表示，为了使中华民族的现在和未来不致落后于世界历史的潮流，宁可使封建的文化传统灭亡。因为在他看来，"要诚心巩固共和国体，非得将这班反对共和的伦理文化等旧思想，完全洗刷干净不可，否则不但共和政治不能进行，就是这块共和的招牌，也是挂不住的。"①这些话虽然说得有些过了头，但它却以尖锐的语言揭示了一个不可否认的事实，即封建的传统文化、哲学不但不能成为中国走出中世纪的推动力量，相反，它对中国的社会发展在很大程度上只能起阻碍作用。

第二，他们积极鼓励和主张国人向西方学习，引进西方文化、哲学。因为通过中西文化、哲学比较，认识到它们之间的差异是时代的差异，输入西方文化及其哲学是人们转变观念形态、适应中国社会发展、进行思想启蒙的需要。陈独秀认为，"近世文明，东西洋绝别有二。代表东洋文明者，曰印度，曰中国。此二种文明虽不无相异之点，而大体相同，其质量远未解脱古代文明的巢穴，名为'近世'，其实犹古之遗也。"②然后，他针对一些人宣称西洋文明"不过此时国富兵强，至于文物制度，学问思想，未必事事都比中国优越"，③不相信西洋文明比中国文明进步的论调指出：其实，"西洋文明远在中国之上。"④这样，陈独秀通过阐明中国的传统文

---

① 陈独秀：《旧思想与国体问题》，载《新青年》，第 3 卷，第 3 号，1917 年 5 月。

② 陈独秀：《法兰西人与近世文明》，载《新青年》，第 1 卷，第 2 号，1915 年 9 月。

③ 陈独秀：《近代西洋教育》，载《新青年》，第 3 卷，第 5 号，1917 年 9 月。

④ 同上。

明属于古代文明,西方文化属于现代文明,从而指明了中西两种文化的差异的性质是时代不同层次的差异。

对此,李大钊还通过东西文化具体内容的比较,论述了西方文化优于东方文化的表现。最后指出:"吾人之静的文明,精神的生活,已处于屈败之势。彼西洋之动的文明,物质的生活,虽然其自身之重累而言,不无趋于自杀之倾向,而乃临于吾侪,则实居优越之域。"[①]因此,他指出,我们中国"当虚怀若谷以迎受彼动的文明,使之变形易质于静的文明之中,而别创一生面。"[②]实际上,在这之前,不是没有人认识到了东西文化是时代的差异,但过去只有个别杰出人物的认识达到了这个程度,而进到新文化运动期间,这几乎成了当时一代先进分子的共识。

就是在这种认识的基础上,他们从推动中国社会向前发展以及唤醒国民意识的觉醒出发,不但把向西方学习的内容全面地推进了心理层面,而且,从输入"探本之论"出发,还把它视为西方现代化的理论总结,把充分体现西方文明的科学民主精神的近、现代西方哲学作为重点输入进来了。这既是西学东渐发展的必然结果,也是由当时社会形势发展以及向西方学习的任务决定的。

2."问题与主义"论战与对马克思主义哲学的选择

随着新文化运动与中国社会变革形势的向前发展,特别是1917年俄国十月社会主义革命的影响以及1919年"五四"爱国学生运动的推动,促使新文化运动队伍内部发生分化,在继续探索中国发展道路的过程中,还发生了"问题与主义"的论战。

在"五四"以前,在科学与民主旗帜下开展的新文化运动,参

---

① 李大钊:《东西文明根本之异点》,载《言治》季刊,第3册,1918年7月。
② 同上。

加者不仅包括具有初步接受了马克思主义的知识分子,还包括了具有各种信仰的资产阶级代表人物。他们组成统一战线,运用输入的西方哲学作为武器批判当时占统治地位的封建专制主义和以儒学为代表的旧的封建文化传统。但是,"五四"运动以后,中国先进分子对中国前途的探索从"五四"前提倡科学与民主落实到社会改造上来,并且在西方哲学广泛传播的过程中,马克思主义作为一种思想体系也输入进来了,因而不但给启蒙运动注入了新的血液(例如,在科学问题上引进了唯物史观;在民主问题上,从资产阶级民主向无产阶级民主过渡了),而且使其中一部分先进人物继续前进。当他们接受了马克思主义并且用来作为观察中国命运的工具时,认为只有走俄国十月革命的道路,才能正确地解决中国的前途问题。

在这一方面,李大钊的一系列文章可以得到充分体现。但是,却引起了胡适等人的反对。胡适于1917年7月发表了《多研究些问题,少谈些主义》一文,由此展开了一场以李大钊为一方和以胡适为一方的论战。在论战中,李大钊不仅论述了研究马克思主义的意义和中国走社会主义道路的必然性,而且在批判改良主义的同时,还强调了把马克思主义与中国的实际结合起来,提出了"本着主义作实际运动"的主张。① 对此,陈独秀还有具体看法。他认为接受马克思主义,"不能仅仅研究其学说,还须将其学说实际去活动,干社会的革命",②"把马克思学说当做社会革命的原动力"。③ 可见,在传播马克思主义时,他们已经不满足于一般的宣

---

① 李大钊:《再论问题与主义》,载《每周评论》,第35号,1919年8月17日。
② 陈独秀:《马克思的两大精神》,载《广东群报》,1922年5月23日。
③ 同上。

传和介绍,而要把它同解决中国革命的实际问题结合起来。历史
证明,马克思主义的传播总是同一定时代的实际任务联系在一起
的。既然对中国社会前途的探讨已经成为"五四"时期人们关注
的热点,那么在传播马克思主义时对其内容的选择,也必然以能否
对中国社会的发展做出回答为标准。这样,唯物史观在当时输入
的马克思主义哲学中被提到了主要的地位。原因在于,唯物史观
不但是马克思的两个伟大发现之一,在学理上最引人注目,而且列
宁把它应用到俄国去,取得了十月革命的伟大胜利。这对初步接
受了马克思主义的中国知识分子寻找改造社会的道路方案,是很
有吸引力的。

　　胡适提出"多研究些问题,少谈些主义"的本意,原是为了遏
止马克思主义在中国的传播,宣扬改良主义,反对中国走社会主义
道路。但是经过这场论战,却大大推动了马克思主义在中国的传
播以及它同中国社会实际的结合。其中一个主要表现是,由于以
李大钊、李达、蔡和森与瞿秋白等马克思主义者的共同努力,使在
经典著作的翻译方面,出版了《共产党宣言》、《哥达纲领批判》、
《国家与革命》等;在经典著作介绍方面,译出了荷兰郭泰的《唯物
史观解说》。尤其是他们亲自撰写的论著,如蔡和森的《社会进化
论》,瞿秋白的《社会科学概论》与李达的《现代社会学》等先后问
世,使唯物史观的传播达到了相当系统的程度。通过唯物史观的
传播,使一大批青年知识分了得到了人生观的启蒙,走上了革命的
道路。更为重要的是,还使中国革命走上了马克思列宁主义的思
想轨道。

　　这里,扼要地介绍李大钊与李达对唯物史观的传播。在唯物
史观的启蒙过程中,李大钊的《我的马克思主义观》具有开拓意
义。在这篇文章中,他在概述唯物史观大旨的基础上,突出地论述

了唯物史观在马克思学说中的地位和意义。他认为,马克思的理论体系是由历史论、经济论和政策论三部分构成的,但是,唯物史观是它的基础。他说,"离开了他特有的史观,去考察他的社会主义,简直是不可能的。"①因为只有根据唯物史观,才能对资本主义经济组织进行分析、解剖和研究,预言资本主义必然"移入"社会主义的"命运",再根据这个预见,断定阶级斗争乃是实现社会主义的手段和方法。它"如一条金线,把这三大原理从根本上联络起来"。② 在这里,他对马克思主义三个组成部分理论的理解,虽然不甚确切,但他却正确地阐明了唯物史观在这个体系中的重要地位,认为它对于研究"很复杂的社会生活全部的构造与进化,有莫大的价值"。③ 特别是他对唯物史观在社会变革中巨大作用的肯定,在当时的确起了振聋发聩的作用。

在唯物史观传播方面,李达有突出的贡献。早在1921年中国共产党建立前,他通过翻译《马克思经济学说》、《社会问题总览》与《唯物史观解说》以及他亲自撰写的一系列论文,不但较为准确地介绍了唯物史观的理论内容,而且注意到了运用唯物史观指导建党,解决中国面临的社会发展问题。1926年6月,李达还出版了《现代社会学》一书。在这部著作中,李达在原先介绍的基础上,系统地阐明了唯物史观的原理,而且在论述中较好地克服唯物史观开始传播时的一些局限性,既坚持了唯物论的原则,即运用生产力的发展说明各种社会现象,认为"人类一旦发明新的劳动手段,即能获得新的生产力,一旦获得新生产力,则必改造生产关系。

---

① 李大钊:《我的马克思主义观》,载《新青年》,第6卷,第6号,1919年9月、10月。
② 同上。
③ 同上。

生产关系的改造,即社会基础之改造,则社会之全部建筑随而根本改造",①并以此精神论述了唯物史观的原理和范畴;又坚持了唯物辩证法的原则,注意到了精神、意识对社会存在的推动作用。总之,李达在这部著作以及其他一系列论文中,紧密联系中国共产党的创建和中国革命的早期斗争,批判改良主义、无政府主义和国家主义,论证了中国革命的理论和策略。所以,他对一代马克思主义者的成长,对中国共产党的思想理论建设以及对于中国革命的早期发展,都发挥了重要的历史作用。

所有这些,都是前一阶段文化论战深入与发展的成果。从中可以看到,"五四"新文化运动时期思想启蒙的主流,已经从民主和科学的范围发展到了用马克思主义观察中国命运,用社会主义改造中国的阶段。而其首先结出的果实便是中国共产党的诞生,并由此开始在她的领导下中国人民走上了新民主主义革命的道路。从此,"资产阶级共和国让位给人民共和国"。② 这是向西方寻找真理,特别是西方哲学全面东渐后得到的一个新的认识。

三、西方哲学东渐的初步繁荣

在新文化运动的过程中,通过不同性质的文化论争,不但反映了当时思想战线上百家争鸣的生动局面,而且在它的推动下,使西学逐渐发展到"五四"时期输入的内容明显地集中到哲学领域里来了。经过中国学者的选择,西方诸多思想与学说在百家百鸣中或起或落,充分展现了百舸争流的绚丽景象,并且在广泛而热情传

---

① 李达:《社会之构造》,见《李达文集》,第 1 卷,第 246 页,人民出版社,1980 年。

② 毛泽东:《论人民民主专政》,见《毛泽东选集》,第 4 卷,第 147 页,人民出版社,1960 年。

播的基础上出现了西方哲学东渐初步繁荣的局面。

第一,传播队伍扩大了。随着社会历史的发展和传播者对西学认识的深化以及行动的自觉,为大规模地输入西方哲学奠定了坚实的思想基础。这个时期传播西方哲学的主要力量,来自两个方面:一是初步接受了马克思主义的先进代表,如李大钊、李达、瞿秋白、沈雁冰等;二是具有资产阶级民主倾向的知识分子,如胡适、范寿康、李石岑、张铭鼎、张东荪、张君劢、张颐、瞿世英等。他们出于批判传统和振兴中华的需要,在中国积极地进行了传播西方哲学的工作。其中不少是清末民初赴欧美的留学生,由于他们亲身接触到一个广阔的新世界,对中国社会的落后状况又有切身的体会,在比较中,几千年来中国的封建体制和道德传统,在他们的心目中动摇了和崩溃了。他们回国以后,从进行思想启蒙的社会需要出发,便热情地把西方哲学输入进来。其中不仅有哲学家,还有一些文学家,如鲁迅、茅盾、郭沫若、田汉等。在新文化运动中,他们都成了传播西方哲学的生力军。

第二,传播的途径多样化了。在新文化运动中,不少知识分子为了批判旧传统,宣传新思想,纷纷成立社团和出版刊物。据不完全统计,各种社团约有三四百个,新出版的期刊骤然增至四百多种。它们绝大部分以研究、介绍新思想,探索改造中国社会的途径为宗旨。为此,这些刊物通过大量刊载西方各种哲学派别的原著或介绍文章,把它们输入进来。其中,尤以《新青年》、《民铎》、《学艺》、《东方杂志》、《学衡》最为突出。特别要注意的是,随着大批留学生回来,西方哲学不但通过报刊在中国传播开来,而且还进入了高等学府的课堂。同时,中国一些学术团体和大学,如讲学社、北京大学等,还先后邀请欧美著名哲学家如杜威、罗素和杜里舒来华讲学,直接把他们的哲学观点介绍给中国人民。这些讲学活动对于推动西方哲学在中国的广泛传播,产生了一定的积极作用。

第三,传播的数量增加了,内容全面了。由于传播队伍的扩大与传播途径的增多,特别是传播者学术素质的提高,使这个时期西方哲学东渐的数量大大增加,传播的内容全面与深化了。例如,翻译与自撰的西方哲学史著作,即有:

哲学史	[美]杜威著	刘伯明译	泰东图书馆	1920 年
西洋哲学史	[美]顾西曼著	瞿世英译	商务印书馆	1922 年
西洋哲学史纲要	[德]余伯威著	张秉洁译	永明印书局	1922 年
欧洲思想史大纲	[日]金子筑水著	林科堂译	商务印书馆	1924 年
欧洲思想大观	[日]金子筑水著	蒋桑汉译	泰东图书馆	1925 年
西洋哲学概论	[奥]耶路撒冷著	陈延陵译	商务印书馆	1926 年
西洋古代中古哲 学史大纲	刘经庶述		中华书局	1922 年
西洋哲学史	黄忏华编		商务印书馆	1922 年
西洋哲学概论	王平陵编译		泰东图书馆	1924 年
哲学的故乡	陈筑山著		中华书局	1925 年
希腊哲学史	何子恒著		中华书局	1926 年
基督教哲学	赵紫辰著		中华基督教文社	1926 年

通过这些著作,以及其他专著和论文,几乎从古代希腊到当时西方流行的一些主要哲学流派,都或多或少地输入进来了。不过,其中给人印象最深的都是马克思、恩格斯的马克思主义哲学,康德的批判哲学、尼采的唯意志论、杜威的实用主义、罗素的科学哲学、柏格森的生命哲学与杜里舒的生机主义等近现代西方哲学。这说明,在全面传播中又有相对的集中,主要是现代西方哲学在输入的西方哲学中占据了绝对的支配地位。如果说,近代以来西方哲学的发展,是从德国古典哲学出发,进到现代西方的科学主义和人本

主义哲学,那么,五四新文化运动时期西方哲学在中国的传播,则是一个倒流的过程,即首先输入现代西方哲学,然后才是康德哲学等近代与古代西方哲学。这是由当时中国社会的具体条件,传播者的理论素养与认识水平,以及中西两种文化接触撞击的历史逻辑诸种条件决定的。

下面,或者以传播对象的线索,或者以传播者为线索,分节阐明当时输入的西方哲学内容。从中将会看到,新文化运动时期西方哲学东渐热烈而壮观的景象,以及中国学者对西方哲学研究取得的进展。不过,为了介绍和论述的方便,还是从近代西方哲学讲到现代西方哲学。

第二节　康德哲学的热烈传播

积极地输入康德哲学,并把它在中国广泛地传播开来,是新文化运动时期西方哲学东渐繁荣景象的重要表现之一。

一、康德哲学传播的热烈景象

早在维新变法时期,康德哲学便由梁启超和王国维把它输入进来了。后来,章太炎和蔡元培在他们的著作中,也不断地论述过。但总的说来,他们对康德哲学的传播还是初步的和零碎的。

新文化运动兴起后,康德哲学在中国的传播进展到了一个较为全面的阶段。研究与介绍康德哲学的学者多了,输入的内容几乎接触到了康德批判哲学体系的各个方面。在当时传播的西方哲学诸学派或哲学家中,是较为突出的一位。张颐先生1924年回国见到这种情景时,曾经大有感慨地说过:"余自欧洲归抵沪上时,所遇友朋皆侈谈康德,不及黑格尔,竟言认识论,蔑视形上学"。① 这就是当时康德哲学在中国传播热烈气氛的真实写照。

究其原因,贺麟认为,"这情形大概是和五四运动开创的民主和科学精神相联系,因为康德的知识论是和科学有关的,要讲科学的认识论就要涉及康德的知识论。另外康德的意志自由,讲实践理性,这就必然同民主自由相关,因此,这时期传播和介绍康德哲学是学术理论界的中心内容。"②可见,五四运动前后,康德哲学作为思想启蒙的武器,成为西方哲学在中国传播的一个热点,不是偶然的。

传播中的热烈气氛,从论著的纷纷问世,即能看到。1915 年 5月,宗之櫆先后译出《康德唯心论哲学大意》和《康德空间唯心论》,在《晨报》副刊上发表;1920 年沈甘霖的《康德的教育意见》和南昌的《哲学的改造和现代的康德哲学》分别在《上海周刊》和《学灯》上刊出;1922 年王中君的《康德的认识论和马克思的认识论》、切生的《康德与爱因斯坦》在《今日》和《东方杂志》相继发表。同年,德国学者卡尔·福尔伦德(Karl Vorlander)的《康德传》由马克思学说研究会成员商章孙和罗章龙合译后由中华书局出版。虽然如海涅说的那样,康德一生的经历是十分简单的,但这本书却以通俗和生动的语言,既详细描写了康德的生平经历,还充分展现了康德一生的事业及其在哲学上的贡献。可以说,它是在康德著作尚未译成中文前帮助中国读者正确理解康德哲学的一本入门之作,在当时传播康德哲学的过程中曾经起过很好的作用。这

---

① 张颐:《读克洛那、张君劢、瞿菊农、贺麟诸先生黑格尔逝世百年纪念论文》,载《大公报》"文学副刊",第 207 期,1931 年 12 月 28 日。
② 贺麟:《康德黑格尔哲学东渐记》,见《中国哲学》,第二辑,第 336 页,三联书店,1982 年。

一年,德国现代哲学家杜里舒来华讲学。他除了介绍自己的生机主义哲学外,还以《康德以前的认识论与康德之学术》为题发表演讲,其中系统地论述了康德的认识论及其在西方哲学史上的意义,对于帮助中国听众了解康德哲学无疑有一定的推动作用。

时到 1924 年,张颐先生回国后担任了北京大学哲学系系主任。由于他的组织与推动,康德哲学的传播更是得到了明显的进展。1924 年 4 月 22 日,康德诞辰 200 周年,《学灯》和《晨报》副刊,均开辟专栏刊出康德肖像和纪念文章。前者登载胡嘉的《康德学说与我们对康德氏生辰纪念之感想》以及张东荪的《康德杂谈》。胡文从纪念动机说到康德的学说,张文拉拉杂杂地罗列了康德的一些琐事,也为康德诞辰增添了几分热烈气氛。《晨报》刊出甘蛰仙的《康德纪念与东原纪念》和《康德在唯心论史上地位》两文,对于康德哲学给予了很高的评价。经过一番准备,同年的《学艺》和 1925 年的《民铎》杂志,均以纪念康德诞辰 200 周年的名义,用"康德专号"的形式发表了中国当时一些著名学者的论文,把康德哲学在中国的传播工作推进到了高潮。在这两个专号上,其中《学艺》六卷五号上的文章目录如下:

1. 云庄:康德诞生二百周年纪念号弁言
2. 张铭鼎:康德学说的渊源与影响
3. 范寿康:康德知识论概说
4. 张心沛:康德先验演绎论之中心问题
5. 罗鸿诏:康德伦理学说略述
6. 虞山:康德道德哲学概要
7. 张心沛:康德之目的论
8. 陈掖:康德之历史哲学
9. 虞山:康德审美哲学概况

10. 陶汇曾：康德之法律哲学

11. 萨本炎：康德与社会主义

12. 范阳：康德之永久和平论

13. 虞山：康德之教育论

14. 余祥森：康德之宗教论

15. 张永祺：康德与自然科学

16. 张贞文：康德之天体论

17. 周昌寿：康德之运动论

18. 范阳：康德传

19. 范阳：康德年表

1925 年《民铎》第六卷四号上的文章目录如下：

1. 吴致觉：康德哲学的批评

2. 余文伟：康德哲学之批评

3. 胡嘉：《纯粹理性批评》梗概

4. 杨文杞：《实践理性批评》梗概

5. 叶启芳：康德范畴论及其及批评

6. 吕澂：康德之美学思想

7. 张铭鼎：康德批判哲学之形式说

8. 杨文杞：康德之形式的合理主义

9. 彭基相：批评主义的概念

10. 任白涛：康德的和平论

11. 朱经农：康德与杜威

12. 杜威（彭基相译）：二百年后之康德

13. 胡嘉：康德传

14. H·C：康德年谱

15. 康德之著述及关于康德研究之参考书

综观两个专号的文章内容，不难发现它们各有不同的特点。首先，虽然都企图全面地和系统地介绍康德哲学的理论观点，但

《学艺》的着眼点不在每篇论文的全面,而是需要把刊出的整个文章综合起来,通过全体才能体现出来。因此,就其中的单篇文章说,篇幅较为简短,论述的问题相对集中,一般一篇文章只涉及康德哲学体系的一个方面。从篇目看去,即一目了然。而《民铎》的文章则不同,它以概括和综述为主,有的一篇文章即谈及康德哲学的各个方面,即使不涉及整个体系也要对某个方面有全面的论述。因此这些文章的篇幅较长,内容宽泛。其次,作者在论述康德的哲学时,《学艺》以客观的介绍为主,辅之以一定的评论与批评,《民铎》则以评论和批评为主,辅之以客观的介绍。因此,需要把它们综合起来进行分析,才能看出这个时期传播康德哲学的特色以及中国学者把握康德哲学达到的程度。不过,选择其中有代表性的学者及其代表性的文章进行评介,在一定程度上也能达到这几个目的。

二、甘蛰仙等论康德在哲学史上的位置

为什么一个已经故去二百年的西方哲学家,在中国得到如此隆重的纪念? 这主要是由中国学术界对他在哲学史上的地位的看法决定的。在这一方面,不仅翻译了国外有关学者的文章,如杜威的《二百年后之康德》,杜里舒的《康德与近代哲学潮流》以及桑木严翼的《康德与现代哲学》,而且中国学者也撰写了不少论文,如甘蛰仙的《康德在唯心论史上的位置》与《康德纪念与东原纪念》,云庄的《康德诞生二百周年纪念号弁言》、张铭鼎的《康德学说的渊源与影响》、切生的《康德与爱因斯坦》和朱经农的《康德与杜威》等。

在这些文章中,学者们围绕着康德在哲学史上的地位从不同的角度进行了论述。例如甘蛰仙在追溯了唯心论在西方的发展过程后指出,"康氏哲学之成功,在认识论方面,而其在哲学界所引

起之影响,则波及道德论本体论方面者均钜。"①究其原因,在他看来,不仅是由于康德的三大批判"持论阔通",②而且他提出的"为义务而尽义务"的精神,更是"深契于吾人之心"。③ 又如云庄认为,康德在哲学上进行的变革与哥白尼在天文学上进行的变革一样,都占有极其重要的地位。因此,他赞扬康德的三大批判,"实在可以称为万世不朽的著作,"④断言"他的学说的影响煞是宏大,直有规定后代哲学发达针路的力量。知识方面固然如是,就是精神生活的全部也没有不以康德各划一新时期。"⑤再如张铭鼎。他从哲学的发展过程考察,具体地阐明了康德哲学的贡献。他认为康德远承柏拉图和亚里士多德,近继莱布尼茨、休谟与卢梭,虽然他对过去的哲学有继承,但是主要是通过改造和创新,使哲学得到了发展。例如在认识论上,他对独断论和怀疑论的批判,便属于这种性质。因此,他指出,由于康德能以革命的胆略综合过去的各派学说,所以,他的学说在西方哲学史上不但"是一个承先启后的大关键",⑥而且还把西方哲学推进到了一个新的阶段,并由此对后起的哲学产生了重大的影响。这种影响有如杜威讲的那样,"不但影响了他自己的本国,并且也影响了世界。"⑦

这些看法的提出,从中国学者来说,多半来自杜里舒的讲演和

---

① 甘蛰仙:《康德在唯心论史上的位置》,载《晨报副刊》,1924 年 88 号,1924 年 4 月 22 日。

② 同上。

③ 同上。

④ 云庄:《康德诞生二百周年纪念号弁言》,载《学艺》,第 6 卷,第 5 号,1924 年。

⑤ 同上。

⑥ 张铭鼎:《康德学说的渊源与影响》,载《学艺》,第 6 卷,第 5 号,1924 年。

⑦ 杜威:《二百年后的康德》,载《民铎》,第 6 卷,第 4 号,1925 年。

一般流行的哲学史著作,但对康德哲学在西方哲学史上的贡献及其地位,在宏观把握上是基本符合西方哲学发展实际的。有的学者还指出,这种"表示敬慕大哲的微忧",①实际上是中国学术进步的反映。

三、张铭鼎论康德哲学的根本精神

康德从认识、意志和情感三个方面建立起来的批判哲学体系,其中有没有一个贯彻始终的根本精神或根本思想?张铭鼎的《康德批判哲学的形式说》,回答了这个问题。

张铭鼎是这个时期研究康德哲学有成就的代表之一。他认为,康德的哲学体系有一个始终不容忽视的中心思想,"就是康氏所拳拳致意的理性主义。他要根据着理性主义,将从前一切学说加以评价,以便从科学、道德、艺术三大文化领域中,得建设出一个确实的基础而完成其批判的精神。所以他最注重的东西,就是理性。换句话说,也就是要从普遍妥当性(Allgemeigultigkeit)与必然性(Notwendigkeit)中,为先天综合的判断树立一个确实的根据来。"②作者指出,由于康德认为,我们意识的对象所产生的方式,不外形式和质料两个方面;然而从理性本身应用于一般来说,前者因综合作用所产生出来的对象更为重要,因此,康德在知识、道德和审美三大领域中,其间贯穿始终的东西是形式主义。为此,张铭鼎就康德形式学说的建立、功能、内容以及"形式说的补救",分别进行了介绍和评论。

---

① 云庄:《康德诞生二百周年纪念号弁言》,载《学艺》,第6卷,第5号,1924年。

② 张铭鼎:《康德批判哲学之形式说》,载《民铎》,第6卷,第4号,1925年。

　　康德为什么要提出关于"形式"的学说呢？张氏写道："在西洋哲学史上，无论是知识哲学，道德哲学，或是审美哲学，都经过了唯理论和经验论一番割据与争执，各是其所是，各非其所非，因而没有什么普遍的标准同必然的原则。康氏因不满意以上二说起见，遂欲于二说之间，建设一个新概念，树立一种新方法。这种新方法，在他讲起来，就是批判论。而这个新概念，在我看起来，就是形式说。"①康德根据逻辑法则，通过对人类先天认识能力的研究，找到了具有普遍必然性的形式，并以此作为他的批判哲学的出发点。康德的形式说，就是这样建立起来的。

　　作者指出，康德为了进一步找到存在于知识、道德和审美中的普遍形式，他站在理性主义的立场上，企图以普遍必然性作为认识一切的标准，并在此基础上提出了"先天综合判断何以可能"这个问题；而这个问题表现在三大批判里，是要回答知识、意志和情感在什么条件下能够先天地为我们有所建立？张铭鼎认为，康德通过他预想的真正知识的构成，必然包容普遍性与必然性，而知识的这两种性质均来自先天而不是由于经验。康德通过对认识作用的考察，断言认识的形式不可不经过直观形式，以收纳感性方面所得到的刺激而排列于时间与空间的形式之内；不可不经过悟性的形式，以综合直观于范畴的形式之内，从而建立起在知识领域的先天形式，即时间和空间为纯粹直观形式，以及范畴为纯粹悟性形式。

　　同样，康德在道德领域，通过预想到意志有绝对自由的分析，认为在意志活动方面所能先天地树立的法则，也仅限于形式。由于它必须具有普遍必然性，因此，它只能求之于内，而不能求之于

---

① 　张铭鼎：《康德批判哲学之形式说》，载《民铎》，第6卷，第4号，1925年。

外,即只有在我们的意志活动中,才能发现普遍的道德形式。他认
为在康德看来,"各人应做那种能成为普遍法则的行为"①就是意
志活动所表现出来的道德形式。由于作为道德形式的意志是理
性综合的结晶,除了意志之外,没有其他任何事物能决定道德形
式,因此,它是绝对自由的,建立在意志之上的道德,也必然普遍
地为人类所遵循和服从。它在形式上所以为无上命令,原因就
在这里。

在审美活动中,康德认为对于美的鉴定,"也是出于我们主观
的作用,只有我们人类的主观,才能感到美的快感。"②因为在他看
来,具有普遍的审美判断,只能限于美的形式;通过美的形式对
于对象给予我们的快感所下的判断,"一人以为如是,人人也必
以为如是。"③康德根据这些理由,用趣味判断阐明了美的普
遍性。

对于"形式"的作用,张铭鼎指出,由于在康德那里,把主观和
客观截然二分,认为客观只能提供质料,而质料是杂乱的零碎的,
为了把它们加以整理和统一起见,必须要有能够进行整理和统一
的纯粹形式。"以其整理与统一的关系而言,实在是具有认识一
般的性质和普遍于一切的作用,可以随意应用于任何对象。"④这
是因为人心的综合作用是相互一致的,不论他们所具有的感觉怎
样千差万别,一旦经过先天形式的整理,决没有不同的道理。"总
之,康氏的形式说:所树立于知识论里面的,是自然界必然的关系;
所树立于道德里面的,是实在界自由的规范;一是出于自然法的形

① 张铭鼎:《康德批判哲学之形式说》,载《民铎》,第6卷,第4号,1925年。
② 同上。
③ 同上。
④ 同上。

式,一是出于命令的形式,而从这二者互相对立的情形之中,寻出二者综合的关系,本诸知识力与意志力互相调和的作用,在自然界上向着目的的观念而行,这就是康德第三批判里所论的审美的判断。他所谓的审美的判断,是离开质料而专论形式;这种形式,就是主观方面以求适合于目的的一种关系。这就是康氏所谓真善美三界里的形式说的意义。"①

由于康德以形式贯穿其哲学体系的始终,使他的哲学带有极端主义的倾向,因此有些理论便不能自圆其说。张铭鼎指出,对于这种情形,康德也有所察觉,并采取了一些办法进行补救。例如,在认识论上,在知识的形式之外,设立了一个"假定"的前提,即"物自体"的存在,用来补救他在知识论中没有提及的;在伦理学上,于道德的形式之外,设立了一种"信仰"的要求,即意志自由、灵魂不朽和上帝存在,以维持他的道德基础;在美学中,于审美的形式之外,提出了一种"排斥"的主张,即在纯粹的美以外,区别出一种不纯粹的美来,以牢牢守住他在审美论上关于形式说的主张。

最后,作者把康德这三种形式的功能归结为主观的作用。他写道:"康氏之所谓主观的作用,换句话说,就是康氏所谓'我'的表现,他所以假定'我'的原因,也就是因为我们意识上的统一作用而起,我们的意识,就是统一我们内心的作用。所以,他就以'我思'的形式的同一性,做他的知识论上立足的根据,而藉以认识一切有质料方面的存在。不独如此,他于说明实践理性的优越(Primat der praktische Vernunft)和美感的超个人性时,也和知识论一样,以'先验的自我'(Transzendentale Ego)的形式做根据,而藉以认识道德与审美的真正价值。"①可见，"我思"是形式的最后根据，形式体现主体的能动作用，原因就在这里。张铭鼎提到了这一点，是很有意义的。不过，他对"我思"在康德哲学的实质及其功能，却没有做出进一步的阐释。

如果说，张铭鼎通过康德关于"形式"内容与功能的考察，大体阐明了康德哲学中"形式"的重要性及其在哲学史上的变革，那么，前面引证的这段话则初步接触到了康德批判哲学的精神所在。尽管在这里，他始终没有揭示"我思"这个概念的实质，但他已经意识到这是康德批判哲学中的"伟大之点，也就是他对于知识、道德、艺术三大文化领域的一大贡献。"②在康德哲学传播的这个阶段上对康德哲学的认识能达到这个程度，是十分宝贵的。

四、范寿康论康德的知识论

认识论是当时中国学者研究和传播康德哲学的主要问题。围绕这个问题，传播者从各个角度发表了不少论文。一般来说，这些文章大多还停留在对康德认识论的表层描述上，有些观点的概括与表述离康德的真正观点还有一定的距离。不过，其中也有概括准确、论述深刻的作品，如范寿康的《康德知识哲学概说》。

在这篇文章中，作者首先指出，康德的知识论虽受沃尔夫和休谟的影响，但他"对于唯理说及经验说同表一种不满之感。照他的见解，单是理论的作用并不能形成我们所谈的知识，而只是由外界

---

① 张铭鼎：《康德批判哲学之形式说》，载《民铎》，第6卷，第4号，1925年。
② 同上。

与事物也不能构成我们所求的知识的。"①因此,为了解决这个问题,康德把知识分为形式和材料两种因素;认为材料是经验所予的,是后天的,形式是心性所本具有的,是先天的。在这个问题上,洛克只承认前者,莱布尼茨只承认后者。"康德则站在两者之间而独辟一种新的见地",②认为"无形式,则材料就无规则,就无秩序,就无统一。无材料,则形式也就难免空虚,难免茫漠,难免糊涂。"③具体说来,有材料而无形式,这是经验论的主张;没有形式的知识则没有普遍性与必然性,而"没有含客观的普遍性与必然性的知识不能称为真正的知识。"④有形式而无材料,这是唯理论的主张;没有材料,毫不容纳后天要素,"考其所得不外是空虚,"⑤而"不能授与我们以关于实在的知识,"⑥也不能称为真正的知识。因此,必须把这两种要素结合起来,才有可能得到真正的科学知识。

问题是,如何结合?范寿康指出,"解决这个问题可以说就是解决知识论的问题。而康德为了解决这个问题起见,把知识的要素分为形式与材料两种,而后对于形式与材料的关系一一加以说明。对于材料与以统一的是形式,而研究这形式究竟为什么的就是他们的知识论。一言以蔽之,他所谓知识论要旨在于'知的理性之形式究竟是什么'这个问题罢了。"⑦作者的这些阐释,相当客观地把康德如何创建其知识论的出发点准确地表达出来了。

接着,作者就康德提出的知识形式以及它综合统一材料的过

---

① 范寿康:《康德知识哲学概说》,载《学艺》,第6卷,第5号,1924年。
② 同上。
③ 同上。
④ 同上。
⑤ 同上。
⑥ 同上。
⑦ 同上。

程,进行了较为详细的论述。形式的作用是什么? 在康德看来,由
于科学知识由材料与形式二者构成,材料来自经验,而要接受来自
外界的感性材料,并使之成为感性直观,必须要有接受这些感性经
验的直观形式,而要对感性直观进行整理和综合,使之成为知识,
还必须要有整理和统一感性直观的思维形式。直观形式是时间与
空间,思维形式是因果性与必然性等纯粹概念、范畴。在这样指明
后,范寿康即对康德的时空与范畴学说,诸如它们的来源、本性、作
用、适用范围,以及使用纯粹概念加工感性材料的过程,进行了相
当全面的阐释。

　　其中,尤以关于知识形式根源与认识对象的论述值得重视。
作者指出,在直观形式和思维形式综合材料的过程中,经过三重综
合,一个知识才能在主观上得以完成。但是,要最后真正完成,还
得有一种更为重要的作用贯穿于整个综合过程之中。对此,范寿
康指出,"此地所谓统一的作用,与其说他是个人意识范围内所行
的作用,毋宁说他是横在意识之共通的根底的作用。换言之,我们
不得不说是:在个人的经验的意识之根底上更有共通的意识,而这
一种共通的意识,当作既成的结果,出现在个人的经验的意识之范
围内。这一种共通的意识就是康德在《形而上学序说》中所谓一
般意识(Bewuβtein überhapt),也就是《纯粹理性批判》中所谓为知
识先天的条件之统一作用(Tranzedental Apperception)或我。这一
种我,由知识论上看来,乃是所以使我们的意识的成立之共通的先
天的条件;详细说来,乃是所以做个人的经验的意识中的统一作用
之根底者。"①这个问题的实质是什么? 虽然作者在这里还没有明
明白白地揭示出来,但他把这个问题这样突出出来,是十分有意义

---

　　① 范寿康:《康德知识哲学概说》,载《学艺》,第6卷,第5号,1924年。

的。原因在于,康德提出这个问题,是为了为科学知识的真理性找
到一个绝对可靠的基础;然而在他看来,科学知识总是以整体的形
态表现出来的,就是说,它不是分散的孤立的表象的并列或组合,
而是有机的统一体。在构成这些知识的因素中,不仅有先天的形
式要素,还有后天的感觉要素;就是在先天的要素中,也还有直观
形式与思维形式的不同。所有这些因素在什么共同的基础上或在
什么共同的条件下联结起来成为科学知识呢? 康德通过对于人类
理性本身和人类认识能力的解剖和研究,认为从直观到想像,再上
升为概念的过程中,主体不仅需要与直观、想像和概念相应的认识
能力,而且在这个前进系列中,在前者必须以在后者为条件,而所
有这三者又必须以一个最高的条件为条件,才能保证从直观到想
像到概念的前进运动,才能把它们综合统一在一个意识中,形成对
于一个对象的认识或经验。这个东西就是作者说的"一般意识",
或者说"先验统觉"。它在人类意识的共同根底处,并成为人类诸
种能力的基础和根源。在这里,范寿康接触到了康德知识论的核
心和特色所在。

与这个问题相联系,作者还认为康德在认识与对象的关系问
题上提出了新的观点。因为在此之前,西方哲学家一般认为认识
不过是外界事物的影像,而康德却一反过去"认识顺从对象"颠倒
而为"对象依照认识",宣称我们认识的自然界是由我们悟性的作
用所产生的。"所以,自然界的法则决不是由外界给与我们的内
心的,却是我们内心所授与于自然界者。立法者不是外物,乃是自
我。这样,自然界是由我们与以因果律等法则后始能成立,所以在
自然界的全范围内因果律等法则没有不适用的。[1] 这便是康德

---

① 范寿康:《康德知识哲学概说》,载《学艺》,第 6 卷,第 5 号,1924 年。

"人为自然立法的思想。"

在这两点上，不能说作者对于康德的观点都说清楚了。但是，他把这些问题作为康德认识论中的重要问题加以突出的强调与论述，认为这是康德认识论的主要贡献，是正确的。可以说，这篇文章在当时传播康德哲学的文章中是最有理论深度的。

五、吕澂等论康德的美学思想

美学思想是康德批判哲学体系第三部分中的主要内容，因而也受到了中国学者的关注。不过，在这一方面，文章不多，只有吕澂的《康德的美学思想》与虞山的《康德审美哲学概论》两篇，而且，篇幅都不长。然而，它们都以提纲挈领和短小精悍的形式，相当简练地把康德的美学思想概括出来了。

首先，它们都论述了美学思想在康德批判哲学体系中的地位。虞山认为，康德的知识论研究自然界的法则，道德论研究本体界的规范。具体说来，"自然界专讲事物的'是'的情形——现实的情形"；①在这里，一切都受必然性支配。"道德界则专讲事物'应该是'的状态——理想的状态"；②在这里，意志是自由的。然而，在康德看来，人们的思想常常要求使其理想能在自然界或者说在现实中得到实现。因此，必须把这两个世界重新统一起来。为此，康德"乃于二者之中间另置判断力的境界。这就是他的第三批判的问题。"③因为在康德那里，"悟性是由局部的（关系的或有条件的）统一而行使作用，理性是由无条件的观念而行使作用，而判断

---

① 虞山：《康德审美哲学概说》，载《学艺》，第 6 卷，第 5 号，1924 年。
② 同上。
③ 同上。

力则由在自然界上的目的的观念而行使作用,判断力所行的统一是在具有目的的动作上的统一。"①就是说,只有判断力的统一,由于它是"吾人决断特殊事物对于一般概念、法则、原理等关系之能力",②一方面,它与自然界有联系,另一方面,又与本体界有联系,所以,它才能把二者沟通起来。这些看法虽然都没有进一步展开论述,但也大体上把康德"不甘心局居于二元论而努力向着一元论进行"的思想表达出来了。③

其次,还具体地阐明了康德关于审美判断的思想。在这个问题上,虞山谈得较为详细。他指出,所谓审美判断,在康德那里,不是表示客观事物的性质的,而是在某一事物使我们的想像力与悟性调和起来,并在相互协作时所得的那种判断。这种判断的实现,可以在上述两种能力调和协作的活动过程中,由我们所得到的快感体现出来。因此,所谓美的事物,不外是给我们以快感的事物而已。然而,审美判断与其他感官上断定某物为快感的判断,例如味觉所感到某物为快感的判断是不同的。虞山指出,按康德的见解,审美上的判断和感官上的判断虽然是主观的,但审美判断具有普遍性;就是说,"我们对于一物而断定其为美的时候,其所以为美是人人一同应该承认的。"④而感官上的快感则不是这样。那么,审美判断为什么能够具有普遍性呢?康德的回答:"因为审美的判断上所表示的快感为主观的,而同时却单为一物的形式(Form)的唤起的缘故。详言之,一物的形式适合于我们的想像力与悟性的作用,而凡是人类既具有同样的想像力与悟性,所以该物的形式

① 虞山:《康德审美哲学概说》,载《学艺》,第6卷,第5号,1924年。
② 吕澂:《康德之美学思想》,载《民铎》,第6卷,第4号,1925年。
③ 虞山:《康德审美哲学概说》,载《学艺》,第6卷,第5号,1924年。
④ 同上。

也就不得不适合于人人所同具有的想像力与悟性了。这样,形式的及主观的二者与普遍的合成一起,这是康德的哲学上的一贯的思想,这也就是他的审美论的根柢。"①总之,"美的事物乃是由事物的形式而与我们以快感的东西。"②它是主观的,又是形式的。由此,康德给美下了一个定义,即:"把只由其形式(就是不由于概念的媒介,也不浮起目的的想念之那种目的的适合)而不与利益的观念相结合的快感来普遍地及必然地授与我们的就是美。"③十分清楚,作者没有像康德那样从质、量、关系和样式四个方面对美进行分析,但通过上面的论述,却也抓住了康德美学思想的根本特点。

　　上面介绍的,是新文化运动时期输入康德哲学的一部分内容。这里没有提到的,如康德的伦理思想,自然哲学,甚至那些常常被人忽视的康德的社会政治学说,如宗教、历史、教育、国家、法权观点,在一定程度上也都有所论及。在当时传播的各个西方哲学家的思想中,康德是较为全面的一位。不过,在这些文章中,认识论又是中国学者传播康德哲学的主要问题。这既反映了中国学者对康德哲学的认识和理解,也适应了新文化运动中进行科学启蒙的需要。正如当时有的学者提出的那样,康德在哲学史上的贡献是多方面的,但他在哲学上的成功主要是"在认识论方面。"④甚至有的还说,只赖《纯粹理性批判》一书,康德就"推倒了以前在哲学上极有势力的那种形而上学,于是以后的哲学问题乃以实体的研究转而为知

---

①　虞山:《康德审美哲学概说》,载《学艺》,第6卷,第5号,1924年。

②　同上。

③　同上。

④　甘蛰仙:《康德在唯心论史上之位置》,载《晨报副刊》,1924年88号。

识的研究。"①这些都足以说明,推崇和引进康德的认识论,在于求得科学知识,以便推动中国社会的发展。这正是新文化运动精神的体现。

第三节 张颐对黑格尔伦理学说的研究

虽然黑格尔哲学早在西方哲学重新全面东渐时期,便已经有文章介绍过,但是,不用说它在中国的传播与它在西方其他国家的传播相比要晚得多,就是把它同康德哲学在中国的传播比较起来,仅就新文化运动时期来说,数量上少得多,传播气氛上也沉寂得多。正像张颐先生看到的那样,到达这个时期,知道黑格尔哲学的人少而又少。从 1917 年到 1927 年的 10 年里,报刊上发表有关黑格尔的文章屈指可数,只有 1921 年瞿世英在《时事新报》上的《黑格尔》、1923 年张云飞在《东方杂志》上的《黑格尔学说概要》、1924 年张颐在《学艺》上的 *Hegel's Ethical Teaching*(黑格尔伦理学)以及 1926 年高一涵在《中大季刊》上的《黑格尔的政治思想》等寥寥几篇。究其原因,主要是因为黑格尔哲学不像康德哲学中的认识论与伦理学那样,容易引人注意,加上他的晦涩的逻辑和笨拙的语言,读起来很是困难,使人感到望而生畏。

不过,在这个时期中张颐先生对黑格尔伦理学说的研究,却取得了具有重大意义的成果,在西方哲学东渐史上留下了深远的影响。

张颐(1887—1969),字真如,四川叙永人。早年就读于永宁

---

① 云庄:《康德诞生二百周年纪念号弁言》,载《学艺》,第 6 卷,第 5 号,1924年。

中学堂,受业师熏陶,加入了同盟会。1908年,张颐以优异的成绩考入四川省高等学堂,与黄复生、熊克武等革命志士组成革命团体"乙辛学社",成为同盟会在当地的核心。1911年辛亥革命期间,投入四川保路爱国斗争。1913年,他考取官费留学。先赴美国密西根大学攻读文学、教育和哲学;在此期间,他对康德和黑格尔哲学最感兴趣,并进行了深入和独创性的研究。1919年,在先后取得文学学士和教育学硕士之后,经过对黑格尔伦理学的集中研究撰成《黑格尔伦理学》一文,通过答辩获得哲学博士学位。同年9月,张颐转赴英国牛津大学,师从开尔德(E. Carid)、约阿欧(Joachim)和史密斯(E. Smith)等教授,继续黑格尔伦理学说研究,并取得重大进展。在此期间,他曾会晤因编辑出版《黑格尔全集》和研究黑格尔哲学而著名的德国哲学家拉松博士。在欧美研究西方哲学前后10年,使他成为我国著名的黑格尔哲学专家和英国皇家学会会员。1924年回国后担任北京大学教授、哲学系主任,主讲康德哲学和黑格尔哲学,成为"我国现代介绍和研究西方哲学特别是黑格尔哲学的重要代表人物之一。"①

　　下面,着重阐述张颐本时期中对黑格尔伦理学说的研究及其成果。

一、研究黑格尔伦理学说的起点

　　在研究黑格尔哲学的过程中,张颐有趣地注意到,所有黑格尔的重要著作,从来没有一本冠以《伦理学》或《道德学》的名称。虽然在他的早期著作中有一本《伦理体系》,然而那是一本既没有完成,他生前也未出版的著作。因此,局外人很容易提出一个黑格尔

---

① 贺麟:《张颐论黑格尔》"译序",第3页,四川大学出版社,2000年。

是否有伦理学的问题。而在张颐看来,篇目名称上没有,不等于黑格尔没有伦理学说。相反,黑格尔不但有伦理学说,而且,"他对伦理学的论述是如此透彻和有独创性。"①

问题只是,这些伦理思想在黑格尔那里,"不是呈现为一个单一的部分,而是混合着或分散于心理学、经济学、政治学、法学、美学、宗教学和思辨哲学的论述中"。② 张颐认为,黑格尔伦理学中出现的这一现象,"是不可避免的。"③因为对黑格尔来说,"对伦理学的基本论述不能够与对生活的其他部分的论述分离开。也就是说,人类经验的全部过程都必须考虑到,因为它们对人类的自我实现都是同样重要的。一方面,个人必须以自然存在和社会合作为基础;另一方面,同一个人作为精神存在,期待着与绝对精神——神性、上帝、天国、道、梵、随你叫他什么——的某种统一。由此观点看来,一篇伦理学专论一方面必须深入到日常领域——自然的和社会的生活,另一方面又必须超出日常范围,进入绝对精神的王国,进入审美凝视、沉思和纯粹的思辨活动中。"④这样一来,伦理的东西便"不能同伦理下的与伦理上的东西或者伦理前的与伦理后的东西分离开来。"⑤所以,黑格尔伦理学说的观点及其对它们的论述,便散见于他的许多论文或著作之中。

研究黑格尔的伦理学说,就必须通过深入的探索,把其中同其他问题纠缠在一起的伦理观点分别清理出来,在分别阐述各篇中

---

① 张颐:《黑格尔的伦理学说》,见《张颐论黑格尔》,第 11 页,四川大学出版社,2000 年。
② 同上。
③ 同上。
④ 同上书,第 11—12 页。
⑤ 同上书,第 12 页。

包含的这些观点的基础上，把这些观点综合起来进行论述，才能对其伦理学说作出整体性判断，对它的价值作出批评性的评价，使之得到升华与发展。在这一方面，西方有些学者曾经开展了一些研究，并有若干成果问世。如莫里斯（G. Morris）的《黑格尔的历史哲学》中，有一部分内容是对《法哲学》的解释；斯特里特（M. Sterrett）译出的《黑格尔的伦理学》中附有介绍性的说明；瓦莱士（W. Wallace）译出的《精神哲学》的"译者前言"中，采用了黑格尔《伦理体系》的材料，雷伯思（H. Reyburn）同一论题的著作，阐释了黑格尔的《精神哲学》与《法哲学》。不过，张颐指出，"就我所知，到目前为止，还没有专门论述贯穿在黑格尔的各种著作中的伦理学说和对其价值作出批评性评价的著作。"[1]因此，张颐决定，在西方学者研究的基础上，他要通过自己的研究，一方面，"鸟瞰黑格尔的伦理学说从早期到成熟期的全部发展"；[2]另一方面，更进一步，"对他的学说的价值作出批评性的评价，而不只是单纯的解释。"[3]这是张颐对自己研究黑格尔伦理学说提出来的要求，也是他研究这个论题的打算或起点。

　　根据这些要求，张颐在全面理解与把握黑格尔哲学体系各个部分的基础上，分阶段地开展了艰苦的研究。首先，在美国密西根大学时期，从 1918 年至 1919 年 6 月，集中研究了黑格尔的《精神哲学》与《法哲学》中的伦理思想，撰成《黑格尔的伦理学说——其发展、意义与局限》一文。接着，在英国牛津大学时期，1919 年 9 月至 1923 年，继续上述课题的研究，集中钻研了黑格尔的《论自然

　　①　张颐：《黑格尔的伦理学说》，见《张颐论黑格尔》，第 10 页，四川大学出版社，2000 年。
　　②　同上。
　　③　同上。

法的科学研究方法》、《伦理体系》、《精神现象学》、《哲学入门》、《精神哲学》与《法哲学》,并根据这些论著中提供的材料和观点对前述论文进行了较大补充和修改,增加了许多新的内容。原文系用英文写出。标题是:*The Develoment, Signilicance and Some limitations of Hegel's etieal Teaching*,译成中文为:《黑格尔的伦理学说——发展、意义及其局限》。张颐先生回国后,在《学艺》杂志的第六卷第 1 期至第 3 期以及第 6 期上连续刊出后,于 1925 年由商务印书馆出版,1926 年还再版过一次,可惜长时间没有译成中文问世。

二、关于《黑格尔的伦理学说》一书

根据上述思路与态度,张颐撰成《黑格尔的伦理学说——其发展、意义与局限》一书。这是"他对有关材料进行耐心而透彻研究的成果,也是对我们能自由使用的有意义的论据及其相互联系深思熟虑的成果。"①全书共有九章,可以把它们分为两个部分:前五章是黑格尔伦理学说内容的阐述,后四章是对黑格尔伦理学说的评述。

首先,在前五章中,作者以时间先后为顺序,分别考察了黑格尔论述伦理学说的有关论文和著作。一方面,勾勒了从 1802 年到 1821 年黑格尔的伦理思想从早期到成熟的发展过程;另一方面,运用通畅与明白的语言阐明了黑格尔在这些论著中提出的伦理学说的主张与观点。

其中,在《论自然法的科学研究方法》中,张颐认为黑格尔主张把伦理哲学"建立在活生生的民族生活的完满的全体性

---

① 史密斯:《黑格尔的伦理学说》"序",见《张颐论黑格尔》,第 7 页,四川大学出版社,2000 年。

之上",①并粗略地描述了他的绝对伦理。在《伦理体系》中,以综合的方式发展了前面提出的观点,并通过一个三段式,即"自然伦理"—"放肆或侵犯"—"绝对伦理"表达出来。在《精神现象学》中,黑格尔"试图展开和展现精神的发展步骤……并指出从最低级的感性确定性到最高级的绝对知识的解放和升华的道路。"②不过,张颐在这里,只是着重阐明了体现客观精神领域三个环节,即"伦理"—"教化"—"道德"中的伦理观点。在《哲学入门》与《哲学百科全书》中,前者指出了黑格尔表达的意志理论,后者确立了伦理学在黑格尔哲学体系中的准确位置;具体说来,伦理生活是精神的体现,而精神是在由群体关系提供的社会环境中起作用,因此,"伦理精神的范围是在主观精神与绝对精神之间。"③最后,在《客观精神》与《法哲学》中,依据客观精神发展的三个阶段,即"抽象法"(所有权—契约—违法或犯罪)—"道德"(目的与责任—意图与福利—善与良心)—"伦理"(家庭—市民社会—国家),具体地阐发黑格尔在这几个环节中的伦理学说。

　　张颐指出,"客观精神的讨论引向了绝对精神的领域,绝对精神是伦理体系的基础。对于人类精神的更大范围的生活来说,伦理生活是有机的;对于绝对和永恒的精神的生活与工作来说,伦理生活也是有机的,并且是依赖于绝对的和永恒的精神作为它的内容。它们的区别在形式上,而其内容是相同的。"④这种带有结论性的看法,说明张颐是忠实于黑格尔思想的。最明显的事实是,他

　　① 张颐:《黑格尔的伦理学说》,见《张颐论黑格尔》,第21页,四川大学出版社,2000年。
　　② 同上书,第36页。
　　③ 同上书,第59页。
　　④ 同上书,第84页。

肯定了黑格尔的伦理学说与其绝对唯心主义体系内在联系的合理性。但是,他十分了解黑格尔进行哲学思考的背景和环境,了解黑格尔伦理学基础的广度和深度,了解黑格尔思辨眼光涉猎的广阔领域。因此,他在阐释黑格尔的伦理思想时,在黑格尔的著作与学说中能够自由驰骋,做到论述深入、概括准确、重点突出,真实而全面地把黑格尔的伦理学说清晰地展现在世人面前。

其次,在后四章中,是张颐对黑格尔伦理学说的评论。如果说,前面在叙述黑格尔的伦理学说时,作者主要是邀请黑格尔自己说话,即运用自己的语言把黑格尔的思想表达出来,那么进展到现在,则主要是由张颐对黑格尔学说的又评又论了。在这一方面,主要阐明了下列几点。

一是阐明了黑格尔伦理学说的形而上学基础。

张颐认为,在黑格尔那里,"任何科学都不能独立于形而上学而被论述。"[1]因此,他在阐述自己的伦理思想时,"常常用他的形而上学原则作为其伦理主张的基础。"[2]张颐指出,这对于黑格尔来说,"完全是对的。"[3]因为一种伦理理论要成为完全恰当的理论,必须要有一种形而上学的基础。就是说,"一种正确的伦理理想必须在一种形而上学体系中找到其正当理由,得到解释。"[4]如果获得了这个基础,那么,在伦理理论的形成过程中,形而上学就会给它施加巨大的影响:第一,在伦理理论的形成与选择过程中,为其提供必需的原则;第二,通过对宇宙构成的理解和对终

---

① 张颐:《黑格尔的伦理学说》,见《张颐论黑格尔》,第121页,四川大学出版社,2000年。
② 同上。
③ 同上。
④ 同上书,第122页。

极实在本性的洞见,可以使人联想到某种可能的新伦理秩序,可以唤起人的更高尚的精神性的渴望,通过这种方法,"就会形成某种新的人生观,逐渐形成一种更真实的生活态度,得到一种正确的生活方式"①;第三,当这种伦理学说诞生后,通过对其真理性的证明,就会使它因此而得到巩固,成为强有力的和经久不衰的理论。黑格尔就是基于这种认识,自觉地把他的哲学体系作为基础运用到其伦理学的研究与论述上去,使他的伦理学说达到了了:(1)实在与合理的统一,或理念与现实的统一;(2)内部与外部的统一,或主观与客观的统一。

二是把黑格尔伦理学说的一般特征概括出来了。

张颐指出,"贯穿于黑格尔伦理学说的最显著的特征是道德伦理与现实的统一,"②诸如合理的东西与实在的东西的统一,理想的东西与现实的东西的统一,以及意志和自由的唯理智论、自由意志自我实现的辩证展现等。由于在阐述黑格尔的伦理学说时,对于这一特征的具体表现都有较为详细的论及,所以张颐进到整体评论时没有展开与发挥,倒是多方面地说明了黑格尔伦理学上述特征形成的原因。

在张颐看来,黑格尔伦理学说的上述特征,不是任意的或无理由地提出来的,而是有其深厚根源的。从黑格尔道德哲学追求的目标说,他"不是创造乌托邦,像那些人可能想像的那样,而是分析权利、义务和道德的现存体系,以便为它们提供可理解的和能以某种方式证明是正当的理由。"③就像在《法哲学》中他

① 张颐:《黑格尔的伦理学说》,见《张颐论黑格尔》,第123页,四川大学出版社,2000年。
② 同上书,第88页。
③ 同上。

明白说明的那样。他的这部伦理学著作的目的,"不是想设计理想社会和道德秩序,而是想理解和解释存在的现实,即指出现存形式中的合理的方面,从而尽力使人们适应现实。"①所以,他才提出了那个"合理的就是实在的,而实在的就是合理的"著名命题。黑格尔的哲学伦理学说,便是他的道德哲学追求目标的体现。

从理论上说,是以他的形而上学主张为根据的。在这一方面,"黑格尔主张实在性与理想性没有什么区别,以致实在性就是指某种东西的表现符合它的本质特征,或者某种东西与它的概念相符。"②就是说,理想性不是在实在性之外,不是与实在性无关的东西,相反,理想性的概念正是在于它是现实的,或实在性的真理。所以,在黑格尔的伦理学说中,理想与现实,合理与实在才这样高度地统一起来了。

从理论渊源上说,黑格尔接受了希腊文化的影响,不过,值得重视的是,张颐还特别从欧洲历史发展状况中提出了一个现实的原因。他写道,"德国曾被拿破仑征服。解放战争只是成功地摆脱了法国的枷锁,德国仍然缺乏民族统一、民族实力和民族智慧。对自由生活的模糊的渴望,伴随而来的浮夸的热情和瞬时间的冲动,在黑格尔看来都无济于事。他确信只有形成一个强大的、统一的、由贤明统治的国家,才能拯救日耳曼民族。也就是说,民族的、理念的、精神的自由除了借助于现实立即建立起制度化的生活以外,是不可能实现的。"③这一段话提出的见解,对于正确理解黑格

---

① 张颐:《黑格尔的伦理学说》,见《张颐论黑格尔》,第88页,四川大学出版社,2000年。

② 同上书,第88—89页。

③ 同上书,第90页。

尔的伦理学说,以致黑格尔哲学体系的形成及其本质,都具有重要的意义。

三是消除了一些人对黑格尔伦理学说的误解。

黑格尔的上述论著出版后,由于他在伦理学说中主张实在与合理、理想与现实的统一或一致,因而招来社会上一些人对他的责难。例如有的因此谴责他的这种观点是把现存的社会制度看成是最终的社会制度,宣称如果像黑格尔这样接受或崇拜"现实主义",那么对于道德进步来说,将是毁灭性的。然而在张颐看来,显然这是对黑格尔伦理学说的误解。因为从黑格尔"自己的话中可以很明白地看到,他绝没有假定或暗指过道德的停滞",①相反,在他的《精神哲学》与《法哲学》中阐明的观点却是,由于"任何特殊民族或时代的制度化的生活受到地理环境和暂时条件的限制",因此,"作为有限的或受到限制的东西,每个民族或时代必须经过辩证过程。在这个辩证过程中,每个民族或时代能够且实际上必须通过相互的调解,为促进道德和伦理生活以及为促进人类的一般文化的共同财富作出贡献,而且每个民族或时代都不能独自希望达到完善和终点。"②张颐认为,这不仅是黑格尔在其早期著作中重点地论述过的主张,而且实际上也是他的始终坚持的观点,即"认为只有通过现实理念才能实现,而这是与'崇拜现存的实在性'完全不同的。"③因此,张颐指出,"上面对黑格尔的责难不可能是公正的。"④

---

① 张颐:《黑格尔的伦理学说》,见《张颐论黑格尔》,第90页,四川大学出版社,2000年。

② 同上。

③ 同上。

④ 同上书,第90—91页。

又如,还是因为前面的主张,有人指责黑格尔忽视了"在现存世界中存在许多不合理的和不能令人满意的甚至确实就是坏的东西。"①但是,张颐认为,在黑格尔的伦理学说中,"被认为是实在的东西必须对它的概念来说是真实的,而不仅仅是在短暂的现象中显现出来的实在或具有实在的(与想像相对的)存在。"②具体说来,"各种事物根据真理的程度或它们对各自的概念的符合程度而不同,因此就产生了实在性的程度,更确切些说是对概念的符合性。只有真正实在的东西才是完全合理的。实在性是与整体有关的合理性。合理性的暗示和迹象在自然形式和可理解的事物中,同样在人的思想、行为、关系、制度和创造物中随处可见。但是这并不意味着各种完全不同的实在的细节都同样合理。"③由此可见,黑格尔并没有忽视指责他的社会现象。张颐指出,只是说明这一点,就"足以挫钝上述批判的锋芒。"④

四是批评了黑格尔伦理学说的局限性。

张颐虽然推崇黑格尔及其哲学,但是论述其伦理学说时,却既不盲从也不无根据地进行批评。因此,他对黑格尔伦理学说的介绍与阐述,始终采取了批判的态度,严肃地指出了它的局限,深刻地论述了"它在哪些方面是不能令人满意的。"⑤

例如在介绍绝对伦理部分把国家的社会等级分为三个以及它们各自享受的伦理地位后,张颐指出,"然而,在黑格尔看来,绝对

① 张颐:《黑格尔的伦理学说》,见《张颐论黑格尔》,第91页,四川大学出版社,2000年。
② 同上。
③ 同上。
④ 同上。
⑤ 同上书,第13页。

伦理只是在第一等级——自由人——的平等中才得到实现。市民阶级符合相对的伦理性,而农民只具有无机的伦理性。在这方面,黑格尔是很不公正的。"①原因在于,市民和农民辛勤地为国家整体的物质需要和满足进行劳动、履行职责、创造财产和财富,可是,他们这种为国家增强实力的伦理行为却没有得到足够的估计。张颐认为,虽然不同的等级为国家所作贡献的重要性会出现某些差别,"但是,就所有等级都发挥了必不可少的功能而言,任何等级的伦理价值都绝不能否认。而且,开始坚持认为绝对伦理是存在于整个国家中的和整个国家具有的遍及所有等级的精神,然后又只把绝对伦理放在第一等级,这在逻辑上是自相矛盾的。"②

　　除此以外,张颐还批评了黑格尔伦理学说中绝对精神对个人精神的压抑,及其民族主义与文化霸权主义的倾向,甚至对其辩证法也进行了辩证,认为他没有把伦理学中的特殊辩证法与其体现绝对精神的一般辩证法区分开来等。所有这些批评都是以事实作为根据,在具体分析的基础上进行的。因此,都是很有说服力的。这样的批评是十分公正的,也是哲学发展十分需要的。因为通过这种批评,把黑格尔伦理学说永恒的东西与由于其来源的特殊环境而形成的,几乎是偶然的,即使还没有死亡但确实是垂死的东西区分开来了。所以,这种批评是对黑格尔进行哲学创作时留下的理论困难与教训的反思与总结,又是通过自己的进一步研究对这些困难与教训的克服与扬弃,从而使黑格尔的"哲学进展了。"③史

---

　　①　张颐:《黑格尔的伦理学说》,见《张颐论黑格尔》,第23页,四川大学出版社,2000年。
　　②　同上书,第24页。
　　③　史密斯:《黑格尔的伦理学说》序,见《张颐论黑格尔》,第8页,四川大学出版社,2000年。

密斯指出,这是张颐对哲学发展作出的贡献。

三、一个值得思考的问题

张颐的《黑格尔的伦理学说》一书,是中国学者研究黑格尔哲学撰写与出版的第一部专著。当它依据英文原作在中国问世时,英国的史密斯教授(A. Smith)为之作序。史氏在序中,不但充分肯定了这项研究取得的成就,认为它"介绍的是西方关于人类行为与生活高水平的思想",①因此,它对张颐的同胞来说,"应该是有效益的"。② 而且,他还特别指出,"这部著作很可能促进东西方的相互了解,而这种相互了解的发展与巩固是大家都期望看到的。"③从中反映了一位西方学者对张颐研究成果的高度赞扬与对发展中西哲学交流的殷切期望。1926 年,墨铿惹教授(S. Mekenizie)看到该书后在美国芝加哥大学的《国际伦理杂志》上发表了对张著的书评。在评论中,对于《黑格尔的伦理学说》一书的出版极表欢迎,并表示要大力把它推荐给西方哲学界。因为在他看来,读过这本书后可以消除一些西方人对黑格尔伦理学说以致整个黑格尔哲学体系的许多误解。1927 年,德国莱比锡大学的一份杂志,发表了习尔熙教授(E. Hirsch)的书评;习氏虽非哲学专家,但却撰文对张著加以评说,这反映了它对西方学术界的影响。特别是 1928 年,以编辑与出版《黑格尔全集》而闻名的拉松博士(Georg Lasson),在柏林的《康德研究》第 33 卷上论述张颐的著作时,认为他对黑格尔的评价,要比许多德国人中肯与公允。例

---

① 史密斯:《黑格尔的伦理学说》"序",见《张颐论黑格尔》,第 8 页,四川大学出版社,2000 年。
② 同上。
③ 同上书,第 7 页。

如,哲学史家费歇尔教授著作中出现的弊病,在这本书中就没有。除此以外,其他一些西方学者虽然不曾写出书评,如美国即有数位教授写信给作者,特别是英国的哲学史专家看过该书后,1926年致信张颐,声明因忙于行政管理事务,无暇细细阅读撰写评论文章,但以这种方式也表述了对该书内容极其热情的欢迎态度。

　　一部中国学者研究黑格尔的著作,这样受到国际哲学界的广泛关注与积极评价,这在西方哲学东渐史上是极其罕见的。问题是,出版后国内学术界对它的反应怎样呢? 1931年张颐回忆当时的情况谓:"自发表后,在欧美尚得有回声",①然而"在国内,直如空谷足音,无响应者。所言究有当否,数年以来,无人道及。"②甚至有一位密西根大学的同窗,因是学教育的,张颐以为他"于哲学当不无兴趣",③因而以该书一册相赠。但是后来他听说,这位同学"一执吾书,甫开卷即成寐,因之每于午膳后小憩时,辄手是册,用以催眠。"④张颐曾经问道,这是否是"学界同人咸以为毫无价值,不足置议者欤?"⑤或者进一步问:研究黑格尔哲学有什么意义? 这些的确是值得认真思考的问题。如果说,这种现象在新文化运动时期的出现是由当时黑格尔哲学研究与传播的沉寂决定的,那么,在此以后西方哲学东渐的过程中,又是怎样的呢? 一个明显的事实是,张颐这本具有重要学术价值的著作,长时间一直未能译成中文在他的祖国出版。1991年6月,贺麟辞世前夕不忘此

①　张颐:《读克洛那、张君劢、瞿菊农、贺麟诸先生黑格尔逝世百年纪念论文》,见《张颐论黑格尔》,第154页,四川大学出版社,2000年。
②　同上。
③　同上。
④　同上。
⑤　同上。

事。他写道,"我相信,《黑格尔的伦理学说》在今天仍然是具有独特价值的,它的翻译出版必将对我国的黑格尔哲学研究,特别是其伦理学说、政治学说的研究,产生积极的推动作用。"[1]在他的催促与帮助下,由张桂权翻译,于20世纪的最后一年由四川大学出版社付梓同读者见面了。不过,从撰写成书到译成中文出版,已经过去半个多世纪了,其学术价值长时期没有得到充分的发挥,更为重要的是,这一现象的产生在西方哲学东渐史上留下的教训,更值得进一步思考和总结。

第四节 尼采哲学与五四思想启蒙

五四时期,尼采的唯意志论在新文化运动中被广泛用来进行思想启蒙,给当时知识界留下了深刻的影响。

一、传播中的一个热点

在新文化运动的进行过程中,尼采的唯意志论备受知识界的广泛关注,并成为当时西方哲学传播过程中的一个热点。

实际上,从1902年梁启超在其《进化论革命者颉德之学说》中,第一次把尼采介绍到中国后,便不断地引起中国知识分子对他的重视与研究。例如前一章论述过的王国维,1904年前后在谈到从探讨人生问题出发研究尼采哲学时,便指出过他不但推崇尼采,而且还开展了对尼采哲学的多方面研究。又如这一节将要论述的,1907年与1908年间,正在日本留学的鲁迅,面对中国积弱不

---

① 贺麟:《黑格尔的伦理学说》"译序",见《张颐论黑格尔》,第5页,四川大学出版社,2000年。

振的景况,一颗年轻的心被尼采哲学深深地打动了,因而连连撰文热情地称颂尼采,赞扬他是尊重自我,主张个性解放的"个人主义之至雄桀者"。① 不过,这些都是通过日本这个渠道由旅日学者输入的。

新文化运动的帷幕掀开后,尼采哲学在中国的传播进展到了一个新的时期。其中一个表现是,1915 年,不仅有谢无量《德国大哲学者尼采之略传及学说》对尼采的全面介绍,而且更为重要的是,新文化运动的领袖人物一再援引尼采思想,以此启发和引导青年一代投入到思想启蒙运动的洪流中去。例如陈独秀。这一年他在《青年杂志》的发刊词《敬告青年》中,运用尼采关于奴隶道德与贵族道德的观点,开展了对封建意识形态的批判。1916 年 2 月,他又在《人生意义》一文中,依据尼采的思想热情地向青年们提出,要像尼采那样,"主张尊重个人的意志,发挥个人的天才,成功一个大艺术家,大事业家,叫做寻常人以上的'超人',才算是人生目的;什么仁义道德,都是骗人的鬼话。"②又如李大钊。也是这一年,他在《介绍哲人尼杰(按:尼采)》中,对尼采的哲学观点作出概括后指出:"其说颇能起衰振敝,而于吾最拘形式,重因袭,囚锢于奴隶道德之国,尤足以鼓舞青年之精神,奋发国民之勇气。"③从这些言论中,不但可以看到新文化运动中尼采的唯意志主义在中国受到的重视程度,而且,由于他们的大力号召,知识界对尼采哲学的传播就这样热烈地开展起来。

最为热闹的是五四运动爆发的 1919 年。年初,傅斯年在

---

① 鲁迅:《文化偏至论》,见《鲁迅全集》第 1 卷,第 48 页,人民文学出版社,1973 年。

② 陈独秀:《人生意义》,载《新青年》,第 1 卷,第 6 号,1916 年。

③ 李大钊:《介绍哲人尼杰》,载《晨钟报》,1916 年 8 月 22 日。

《随感录》中认为,"尼采说基督教就是偶像。尼采是位极端破坏偶像家。"①五四运动发生时,他甚至号召青年提着灯笼沿街去找"超人",拿起棍子沿街去打"魔鬼"。同年9月,田汉在《少年中国》1卷3期上详细介绍了尼采的处女作《悲剧之发生》。其中,他特别强调尼采关于"人生越苦恼,所以我等越要有坚固的意志"去进行战斗的精神。② 这时,郭沫若在其著名长诗《匪徒颂》中,称尼采为"倡导超人哲学的疯癫","欺神灭像"的"革命的匪徒",并为他三呼万岁。③ 还是这个时候,尼采的著作首次被译出后同中国读者见面了。这就是茅盾译的《新偶像》与《市场之蝇》,它们是尼采《查拉图斯特拉如是说》中最富于批判性的两章。在译者序言中,茅盾盛赞"尼采是大文豪,他的笔是锋快的。骇人的话,常见的。就他的《查拉图斯特拉如是说》看,又算是文学中少有的书。"④

　　如果说,1919年尼采哲学的传播主要表现在气氛的热烈上,那么,进到1920年则是学术成果收获的季节了。首先要提到的是,鲁迅在此前后的几年中通过一些文章中的论述,把对尼采的研究推进了一步,而且在1920年的5月,把他译的《察拉图斯忒拉的绪言》发表在《新潮》2卷4期上。其次是8月《民铎》杂志"尼采专号"的问世。在这个专号上,刊出的文章有:

1. 尼采传　　　　　　　　　　　　　白山
2. 尼采之一生及其思想　　　　　[英]Miigge 著　符译

---

① 傅斯年:《随感录(四)》,载《新潮》,第1卷,第5号,1919年。

② 田汉:《说尼采的悲剧之发生》,载《少年中国》第1卷,第3期,1919年。

③ 郭沫若:《匪徒颂》,见《郭沫若全集》文学编,第1卷,第114页,人民文学出版社,1982年。

④ 茅盾:《译者序言》,载《解放与改造》,第1卷,第6期,1919年。

3. 自己与自身之人类(译自《人类的　　　尼采著　　　刘文超译
　　过于人类的》第九部)

4. 查拉图斯特拉的绪言　　　　　　　　尼采著　　　张叔丹译

5. 尼采思想之批判　　　　　　　　　　李石岑

6. 尼采学说之真价　　　　　　　　　　S. T. W

7. 超人和伟人　　　　　　　　　　　　朱侣云

8. 尼采之著述及关于尼采研究的参考书　李石岑

　　在这些文章中,有尼采的原著,有对尼采思想的介绍,有对尼采误解的澄清,更有对尼采思想的评价。可以说,集中体现了当时中国思想界引进尼采哲学进行思想启蒙的拳拳思考,以及传播中取得的学术成绩。

　　与此同时,其他一些有分量的文章也相继发表了。如茅盾的《尼采的学说》与范寿康的《最近哲学之趋势》中,对尼采哲学都有全面热情的阐释与深入而中肯的评论。例如后者,在阐明尼采唯意志论的内容与特点时,作者写道:“当时的现实思潮,都以现实为外部的,物质的,机械的。尼采则不然,他以现实为内部的,精神的,意力的。对于生活的否定他主张肯定;对于外力的物力他主张内部的精神;对于社会国家民众的力量他主张个人的意力。他以为我们应该使内部的活力充足,来打破人生的悲痛。又以为我们应该将一切束缚粉碎来逍遥于自由的世界。他对于死的文明,物质的文明,失了生气的道德宗教都取极端反对的态度。建立宏大自由的人生,发展精神的能力,就是他的二大志望”;①在揭示尼采“超人”学说内涵时,作者指出,“超人云者,就是具绝大意力者;最彻底的现实肯定者;最高尚的人格者;最自由者”;②在评估尼采哲

----

①　范寿康:《最近哲学之趋势》,载《民铎》,第2卷,第3号,1920年。

②　同上。

学时,作者认为"肯定现实生活,发展意志力量,是尼采的根本思想",虽然其中大有缺点,如偏重物质的意欲,但"他的哲学是有生气有毅力的学问"。① 这些分析与论述,较为准确地把尼采哲学的基本精神概括出来了,在一定程度上代表了中国知识界对尼采哲学的评价。它们对于引导广大青年正确地接受尼采思想的启蒙具有积极的作用。

自此以后,尼采哲学的传播逐渐转向学理的省思,特别因一批传播者转向马克思主义,因此,发表有关尼采哲学的论著减少了一些。在整个 20 年代的中后期,除了郭沫若把他根据德文翻译的《查拉图斯特拉如是说》第一部的全部与第二部的部分章节,分期发表在《创造周报》上时附有《雅言与自力——告我爱读〈查拉图司屈拉〉的友人》一文,包寿眉刊登在《时事新报·学灯》上的《尼采知识论浅测》、李石岑的《爵之皈依》与朱秋梅《权力意志说》分别登载在《时事新报·学灯》上等几篇文章是专文谈及尼采哲学外,其余谈到尼采哲学的内容数量不多,且都是夹杂在作者阐述其他问题的论著中。如胡适的《五十年来之世界哲学》、郭沫若的《论中德文化书(信札)》与郑振铎的《十九世纪的德国文学》,都是这样。

虽然如此,但是我们认为,不能因此否认尼采唯意志论的传播在新文化运动中是一个热点。因为从前面列举的事实中可以看到,当时尼采哲学的传播者,既有哲学家,又有文学家;既有著名教授,又有青年学生;既有马克思主义者,又有系统接受过西方教育的进步学者。可以说,传播队伍强大。而且,他们在传播过程中,主要是直接阅读尼采的原作,在亲自翻译与深入钻研的基础撰上

---

① 范寿康:《最近哲学之趋势》,载《民铎》,第 2 卷,第 3 号,1920 年。

写论文,通过当时具有重要影响的媒体,如《新青年》、《民铎》与《新潮》等发表出来。因此,传播气氛热烈,传播规模空前,产生了惊世骇俗的效果。特别由于它的传播者多为思想界与学术界的领袖,给当时的知识界留下的影响更是非同凡响,在一定程度上反映了新文化运动中思想文化上的生动活泼气象。

　　究其原因,首先是由当时中国知识分子所处的政治、经济,特别是文化的客观环境决定的。五四时期尼采哲学的传播者,都是站在新文化运动前线的进步知识分子。他们面对辛亥革命后的中国社会的现状,看到封建王朝虽然被推翻了,但是,中国社会的政治、经济与文化,并没有发生根本性的变化,特别使他们感到忧虑的是,广大群众还紧紧地束缚在旧的封建的传统观念之中。在他们看来,中国并不缺乏先知先觉者,而是没有一个相应的成熟的社会群体的出现与支持。而如果没有这种群体的出现与支持,后果就会像陈独秀指出的那样:没有多数国民的自觉与自动,立宪是伪立宪,共和是伪共和,不过是政治上的装饰品罢了。因此,他们在思考与探索如何把中国社会继续向前推进的时候,首先提到日程上的工作是把曾经没有得到革命派所重视的思想启蒙工作承担起来。在着手进行这项工作时,他们从洋务派、维新派与革命派不断遭到失败的教训中认识到:时代的当务之急,不是船坚炮利,不是黄金黑铁,也不是议会党政,而是民主革命思想的启蒙。换句话说,不是外在的物质,而是内在的精神,才是中国社会前进的关键所在。他们指出,要在世界上生存,首先要培植人才,而这种人才必须是具有个性和能够充分发挥主观能动性的人。因此,推崇和引进尼采的唯意志论哲学,便成为他们选择用来进行思想启蒙的内容。正如瞿秋白所言:"这种发展个性,思想自由,打破传统的呼声,客观上在当时还有相当的革命意义。"①这说明,尼采唯意志论的引进恰恰适应了新文化运动进行思想启蒙,改造国民性的需要。

其次,尼采哲学中有被用来进行思想启蒙的积极内容。尼采生活在西方资产阶级物质文明和精神文明日益出现危机的时代;在这个过程中,对于这种危机除了马克思主义者对它进行了揭露与批判外,还引起了其他一些感觉敏锐的知识分子对它的思考。尼采就是其中的一个。在他创建的唯意志主义哲学体系中,他以诗人的气质,优美的文体和长于直觉的洞见,提出了"强力意志"、"超人"与"重估一切价值"等一系列全新的命题和思想,对欧洲的现代文明进行了尖锐的批判。在批判中,他站在非理性主义的立场上,歌颂人类生命的尊严,高扬主体的能动作用,特别受到中国传播者的欢迎。例如,"尼采反基督,颇合'五四'知识分子反孔孟;尼采非道德,颇合'五四'知识分子反对封建礼教;尼采呼唤超人,挑战众数,颇合'五四'强烈的个性解放要求;尼采鄙弃弱者,颇合当时中国普遍流行的进化争存的理论与落后挨打的教训(……);尼采攻击历史教育的弊端在于忽略当下人生,颇合'五四'知识分子对提倡读经复古的国粹派的反驳",②等等。一句话,尼采哲学中有被用来进行思想启蒙的积极内容。在这一点上,当时中国学者引进尼采哲学,思想上是明确的,行动上是自觉的。引证一段李石岑评价尼采哲学的一段话,便足以得到证明。他说:"吾国人素以粘液质为他国人所轻觑,即乏进取之勇气,复少创造之能力,乃徒以卑屈之懦性,进而为习惯上之顺氓。此在国家言

---

① 瞿秋白:《鲁迅杂感选集》"序言",见《瞿秋白文集》(二),第983页,中国人民大学出版社,1953年。

② 郜元宝:《尼采在中国》"编选者序",第1页,上海,三联书店,2001年。

之,养此顺㫄,为金钱之虚掷,若在种族言之,诞此顺㫄,为精力之
浪费。愚以为欲救济此种粘液质之顺㫄,或即在……尼采思想
欤?"①李石岑这里讲的"粘液质",与鲁迅说的"国民性"有同样的
含义。他们把疗治中国人劣根性的希望寄托在尼采哲学上,这是
对尼采唯意志论具有启蒙意义的肯定。新文化运动中广大学者正
是根据这种认识引进尼采哲学,以此唤醒还处在沉睡中的群众。
因此,输入和传播尼采哲学,便成为新文化运动中进行思想启蒙的
一个重要方面。

二、鲁迅接受尼采哲学影响的特点

从表面上看去,除了译著外,鲁迅始终没有一篇文章或一本著
作,是专门介绍或论述尼采及其哲学的。但是,鲁迅与尼采思想上
的联系,具体说来,尼采哲学对鲁迅的影响却是公认的事实,也是
西方哲学东渐史必须加以阐明的。

鲁迅接受尼采哲学的影响,有其十分坚实的思想基础。早年,
他在当时社会所讪笑不齿的洋学堂接受了维新思想的精神洗礼,
树立了社会必然进化发展、人类必须奋发自强的信念。到日本留
学后,为了避免更多的人像他父亲那样被误诊而死,他选择了"救
人"的医学专业。然而,这个时期的日本,现代西方的各种思潮在
社会上早已传播开来。其中,特别是"尼采思想,乃至德意志哲
学,在日本学术界是磅礴着的。"②尼采对于近代以来西方文明的
批判及其对于新的理想的执著追求,深深地吸引了鲁迅的注意。

---

① 李石岑:《尼采思想之批判》,载《民铎》,第 2 卷,第 1 号,1920 年 8 月。
② 郭沫若:《鲁迅与王国维》,见《郭沫若全集》文学编,第 20 卷,第 305 页,
人民文学出版社,1992 年。

不过,鲁迅接受尼采思想的影响,在不同的时期有不同的选择。其中1907年与1908年在日本期间,在这里,他先后发表了《文化偏至论》、《摩罗诗力说》与《破恶声论》等文章。透过这些文章,反映了尼采哲学对鲁迅早期的深刻影响。从中可以看到,他当时不是把尼采思想作为一个完整的体系来加以研究和接受,而是从中选择了引起自己思想共鸣的部分,然后按照自己的理解与需要在探索中国前途的过程中,以此为依据来提出他的救国之道。

首先,使鲁迅倾倒的,是尼采对近代以来西方文明的批判。他指出,在尼采看来,工业的发展虽然带来了经济的繁荣,但是,却使西方社会中滋生了浅薄的乐观主义,导致人们一味追求财富,崇拜金钱,满足于物质享受,鄙弃高尚的精神生活;在这种社会条件下培养出来的现代人是畸形的,因此,现代文明的整个倾向应当受到谴责,一切传统的价值应当重新估计。至于民主政治,它不但是统治阶级软弱的表现,更为严重的是,由此助长了愚弱的多数,压抑了少数强者,扼杀了天才。鲁迅赞同尼采对资本主义社会日趋平庸与停滞的这种指责,还接受了尼采关于物质文明阻碍精神文明的观点。正是在尼采的上述思想影响下,他回顾与总结了19世纪下半叶以来向西方学习的历程,并借助尼采对西方文明的批判进一步批判了西方物质文明与政治制度在当时中国社会中的变形。他认为,引进西方的物质文明是必要的,但不应该对它采取盲目崇拜的态度。如果"言非同西方之理弗道,事非合西方之术弗行",①"皇皇焉欲进欧西之物而代之",②那么,其后果将是:"诸凡事物,

---

① 鲁迅:《文化偏至论》,见《鲁迅全集》,第1卷,第38页,人民文学出版社,1973年。

② 同上书,第53页。

无不质化,灵明日以亏蚀,旨趣流于平庸,人惟客观之物质世界之趋,而主观之内面精神,乃舍置不之一省。重其外,放其内,取其质,遗其神,林林众生,物欲来蔽,社会憔悴,进步以停,于是一切诈伪罪恶运动,蔑弗乘之而萌,使性灵之光,愈益就于黯淡。"①这样发展下去,洋务运动以来社会变革屡遭失败的事实说明,中国将是没有前途的。因此,他主张"将已立准则,慎施去取",②吸取西方文明中适合于中国具体情况的好的部分。然而他看到,在中国社会的现实中,所谓"竞言武事"、"制造商估、立宪国会",③不过是以文明的美名掩盖各种利己的打算罢了,而在"宝赤菽以为玄珠"的盲目无知中,④则更隐伏着巨大的危险。对于近代以来社会变革过程中提出的这些方案,鲁迅感到只是对它进行一般的揭露指责已经不能解决问题了,认为必须求得一种彻底的、根本的解决。

就是在这种情况下,尼采对近代西方文明的批判以及近代以来中国社会变革失败的现实使鲁迅认识到,中国社会的出路和革命的关键,既不是发展铁路矿产,积累财富,也不是由多数决定是非,实行民主政治,而是"首在立人",⑤在于具有独立见解、意志坚强的个性产生,在于"精神界战士"的出现。就是说,救国必先救人、立人,而救人、立人则必先进行思想启蒙。因此,他毅然弃医弄文,决心投身到思想启蒙运动中去。因为他"觉得医学并非一件紧要事,凡是愚弱的国民,即使体格如何健全,如何茁壮,也只能做

---

① 鲁迅:《文化偏至论》,见《鲁迅全集》,第1卷,第49页,人民文学出版社,1973年。
② 同上书,第40—41页。
③ 同上书,第39页。
④ 同上书,第41页。
⑤ 同上书,第54页。

毫无意义的示从的材料和看客,病死多少不必以为不幸的。所以我们的第一要著,是在改变他们的精神。"①他指出,如果通过思想启蒙,把广大群众(主要是农民)从落后、愚昧、麻木、被动的处境状态中解放出来了,那么,则"国人之自觉至,个人张,沙聚之帮由是转为人国。"②这样一来,"人国既建,乃始雄厉无前,屹然独见于天下。"③这是青年鲁迅的政治理想。他提出的国民性问题就是建立在这种思想基础之上的。在这里,他不是从经济上与政治上去寻找中国的出路,而是把希望寄托在广大群众的精神解放上,充分显示了作为启蒙思想家的鲁迅接受尼采思想影响的特点。

其次,鲁迅在充分肯定尼采唯意志哲学在西方社会中产生意义的同时,还从中有选择地吸取了"超人"学说。他指出,19世纪的末叶,西方的思想界发生了很大的变化。主要表现是,当时的一些"大士哲人",在批判近代以来西方文明"通蔽"与"黯暗"的同时,开始提出新的思想,建构新的学说,"于是淬焉兴作,会为大潮,以反动破坏充其精神,以获新生为其希望,专向旧有之文明,而加以捭击扫荡",④由此产生了以尼采唯意志论为代表的哲学思潮。鲁迅把它在西方社会中的出现,看作是未来新思想的征兆与未来新生活的前驱。这样看待尼采及其唯意志论哲学,正确与否显然值得进一步研究。但是,鲁迅在这里,是从思想启蒙的角度去审视尼采哲学,以便从中撷取进行思想启蒙时可资利用的

---

① 鲁迅:《呐喊·自序》,见《鲁迅全集》,第1卷,第417页,人民文学出版社,1981年。
② 鲁迅:《文化偏至论》,见《鲁迅全集》,第1卷,第53页,人民文学出版社,1973年。
③ 同上。
④ 同上书,第45页。

因素。

在鲁迅看来，"超人"学说就是尼采唯意志论的集中体现。他说，"如尼伕（按：尼采）、伊勃生（按：易卜生）诸人，皆据其所信，力抗时俗，示主观倾向之极致"。① 又说，"尼伕之所希冀，则意力绝世，几近神明之超人也"。② 在这里，他把尼采对意志的过分强调，视为对黑暗现实的不绝反抗，是对坚强个性的执著追求。不仅如此，他还认为，包括尼采唯意志论在内的新理想主义，"崇奉主观"，"张皇意力"，其功劳之伟大犹如洪水期的诺亚方舟，改变了旧有的理想，使精神成为人类生活的最高准则，也使超群绝伦的意志力成为人性中的最高价值。③

从对尼采唯意志论的这种认识和评价出发，鲁迅遵照"立人"之"道术，乃必尊个性而张精神"的原则，④以尼采"超人"学说为根据，主张在进行思想启蒙时，必须"掊物质而张灵明，任个人而排众数"。⑤ 所谓"张灵明"，是要发扬人的内在的主观能动精神和坚强的意志力，做到"勇猛奋斗"，"虽屡蹶屡僵，终得现其理想"。⑥ 这种人是人类中的强者。鲁迅认为，尼采理想中的"超人"便是这样的忤众不慑的强者。所谓"任个人"，是要发扬个性和个人的独创精神，反对无视个人的特点。这种人是人类中的个人主义者。鲁迅指出，尼采就是"个人主义之至雄桀者"。⑦ 由此

---

① 　鲁迅：《文化偏至论》，见《鲁迅全集》，第 1 卷，第 50 页，人民文学出版社，1973 年。

② 　同上书，第 51 页。

③ 　同上书，第 50 页。

④ 　同上书，第 54 页。

⑤ 　同上书，第 41 页。

⑥ 　同上书，第 51 页。

⑦ 　同上书，第 48 页。

可见,鲁迅通过这种方式接受了尼采关于"超人"学说的影响,并且和尼采一样,把人类的命运和国家的前途寄托于"超人"的诞生。因为在他看来,"惟超人出,世乃太平,尚不能然,则在英哲"。[1] 在这里,他把人的精神世界的变革看作是解决社会问题的最佳手段,同样表现了作为启蒙思想家的鲁迅接受尼采哲学影响的特点。

进到"五四"时期,由于辛亥革命,特别第二次革命失败后的黑暗现实,迫使鲁迅把早年"我以我血荐轩辕"火一样的热情,积淀在对国家前途冷静而深沉的探索中。一方面,他深深感到,国民性的问题并没有解决,思想启蒙必须继续进行。然而另一方面,他又看到广大青年在社会革命中显示的力量,使他改变了早年期望少数天才的理想,因而把眼光转移到整整一代青年身上。因此,从这个时候鲁迅的许多"随感"中可以看到,当他接受了尼采关于创造者总是要破坏的思想以后,认为人类的进步也总是孕育在对旧的偶像的破坏之中,旧偶像破坏得越彻底,社会就会越进步。就是从这种认识与反帝反封建的时代需要出发,他特别强调了彻底破坏旧传统的反抗精神,并用尼采反偶像的精神鼓励青年向旧社会、旧势力抗争。例如,他把尼采等称为"近来偶像破坏的大人物",[2]赞扬他们"不单是破坏,而且是扫除,是大呼猛进,将碍脚的旧轨道不论整条或碎片一扫而空"。[3] 而且,他还看到,由于中国的传统积习太深,即使是小改小革也要付出沉重的代价。因此,他又指出在中国立志做一个偶像的破坏者,就必须像尼采那样不怕

---

[1] 鲁迅:《文化偏至论》,见《鲁迅全集》,第1卷,第49页,人民文学出版社,1973年。

[2] 鲁迅:《随感录四十六》,载《新青年》,第6卷,第2号,1919年2月。

[3] 鲁迅:《再论雷峰塔的倒掉》,载《语丝》周刊,第15期,1925年2月。

孤立，既不理会偶像保护者的恭维，也不在乎偶像崇拜者的嘲骂。

鲁迅这样赞扬尼采的反偶像，又这样肯定他的无畏精神和独立意志，却没有涉及或深究他所反对的具体内容。不过，这并不妨碍他对尼采反叛精神的吸取，相反，这种只是取其精神的接受，倒是给他在应用过程中得到了更大的自由。这也是作为启蒙思想家的鲁迅接受尼采思想影响的特点。

要指出的是，上述特点说明，鲁迅接受尼采思想影响的过程，同时也是鲁迅改造尼采哲学的过程。例如，鲁迅肯定了尼采对近代西方文明反物质、轻个人的批判，并用来作为他否定封建宗教意识形态的根据。但是，他吸取的只是尼采的反叛精神，在各自批判与否定的具体内容上，却是很不一样的。又如，鲁迅在接受尼采的超人学说时，促使他去寻求一种坚强的、充实的人性，以用来改造中国落后愚昧的国民性。因此，鲁迅心目中的"超人"，虽是少数先觉者，但他们的任务却是在于广泛唤起群众的自觉和心声。这和尼采力图巩固少数人对多数人的统治，也是截然不同的。这样的例子很多，几乎贯穿在鲁迅接受尼采思想影响的各个方面。从鲁迅接受尼采思想影响的这些特点可以清楚地看到，他是怀着一股对尼采的特殊热情，才在批判吸取尼采哲学的同时对它增添了进步的内容。鲁迅正是这样，"把尼采学说中某些有用部分加以吸收改造来充实和阐明自己的观点的。从当时的历史环境和鲁迅思想发展本身的规律来看，尼采对鲁迅思想影响的主要方面应该说是积极的。"①

---

① 乐黛云：《尼采与中国现代文学》，载《北京大学学报》，1980 年第 3 期，第26 页。

三、茅盾对尼采哲学的全面论述

茅盾同鲁迅一样,都是著名的文学家。然而他在年轻时,对于西方哲学有着浓厚的兴趣,阅读过相当数量的西方哲学家的著作,特别是尼采的著作。"五四"时期,他不但翻译过尼采《查拉图斯特拉如是说》中的部分章节,而且在当时发表的文章中,还大量地引证过尼采的学说。特别是1920年,他在《学生》杂志第7卷第1号至第4号上连续刊出的《尼采的学说》,更是这个时期全面论述尼采哲学的一篇重要论文。全文共分七个部分:1.引;2.尼采传略及其著作;3.尼采的道德论(上);4.尼采的道德论(下);5.进化论者尼采;6.社会学者尼采;7.结论。从这些标题可知,其目的是要把尼采思想全面地推荐给中国读者。

这篇文章在当时所以重要,原因如下。

第一,作者正确地指出了对待尼采哲学的态度。从茅盾的自述中知道,通过英译本他阅读尼采的著作后感到,尼采思想就其全部而言充满着矛盾,就是他的任何一部著作也是这样。因此他指出,"读尼采的著作,应当处处留心,时常用批评的眼光去看他;切不可被他犀利骇人的文字所动。"①实际上,他的这篇文章便是依据这种态度写成的。正如茅盾所说,"这篇的主意,便是要评评尼采的学说,果然有优点呀,在何处? 果然有缺点呀,又在何处?"②可见,所谓"评评",是指采取分析的态度,既要看到优点,又不忽视缺点,更不能用优点否定缺点,也不要以缺点遮盖优点。在这里,他还特别针对当时国内外有的人把德国发动第一次世界大战

---

① 茅盾:《尼采的学说》,载《学生》杂志,第7卷,第1号,1920年。
② 同上。

的责任推到尼采身上的说法提醒人们注意:"究竟是尼采的学说害人呢? 还是德人误解了尼采学说的害处呢?"①虽然文章中他没有直接回答这个问题,但是透过文章字里行间传出的信息告诉我们,他认为有些人之所以产生这些看法,原因在于他们对尼采哲学的精神实质缺乏认识,以致误解了尼采的学说。作者关于正确对待尼采哲学上述态度的提示,对于纠正当时一些人对尼采哲学的误解,引导人们正确接受尼采哲学,是有重要意义的。

　　第二,在论述中,作者一方面紧紧扣住他所生活的时代脉搏,挖掘和弘扬尼采哲学中积极向上的因素,另一方面也指出和批评它在理论上的失误。

　　例如,在论述尼采的道德学说时,从其道德观点的提出到道德分类的分析,茅盾认为,"他的道德论是极有革命性的"。② 具体表现在,尼采"把哲学上的一切学说,社会上一切信条,一切人生观道德观,从新称量过,从新把他们的价值估定。这便是尼采思想卓绝的地方。"③在茅盾看来,仅就这一点而论,便足以把向来认为是绝对真理的东西动摇了。因此,他指出,"对于尼采道德起源说是可以承认的,而且应当借过来做摧毁历史传统的桎梏的旧道德的利器,从新估定价值,创造一种新道德来。"④但是,同时他又认为,虽然尼采提倡创造的和主动的道德,反对保守的和被动的道德,然而他却过分地强调了人类的向上性,武断地排斥了道德观的下降趋势,从而把所谓"主者道德"和"奴者道德"完全对立起来了。茅盾声明,在这一点上,他是不能承认的。

_____

① 茅盾:《尼采的学说》,载《学生》杂志,第7卷,第2号,1920年。
② 同上。
③ 同上书,第3号。
④ 同上。

又如,在论述尼采的进化学说时,一方面提出,尼采看到了他生活的那个时代欧洲社会中出现的种种弊端,"认为社会中的种种暮气衰象都是因为价值病象的缘故。所以,第一欲重新估定价值。"①但是,这不是轻而易举能够做到的。靠谁去完成这个任务呢? 靠神。上帝死了。尼采提出,能够实现这个宏愿的人,不在天上而在地上,就是他心目中的"超人"。茅盾指出,"超人主义者便是尼采的进化论。"②不过,尼采虽是进化论者,但他与其他的进化论者不同。在过去的进化论者心目中,"动物是像机械的,周旋四顾,不过为满足饥饿的欲望,饥饿欲望一满足,也就熙熙自乐了。"③从这种观点出发,机械的进化论者主张适者生存。尼采却不同。他认为动物不是机械的,而是像自身安装了电池一般,是主动的和创造的。因此,对于"适者生存",他表示反对。他说,这要看环境如何? 如果环境是卑贱的和污秽的,那么,适于他生存而留下来的只能是劣种。所以,人类为了前进,必须改造和变更这个环境。茅盾指出,"尼采所说的重新估定一切价值,就是这个意思。"④因此,在尼采那里,重新估定一切价值,不仅是"超人"的产婆,而且还是达到真理的方法。它对于唤醒沉睡在谷底的人们具有重要意义,因而他给予它以充分的肯定。不过,论述到这里时,他又指出,虽然尼采的进化论比机械的进化论前进了一步,然而他并非完全同意;原因在于,这时他站到克鲁泡特金"互助论"的立场去了,并以此开展了对尼采进化论的批评。

总之,茅盾的这篇重要文章,在全面论述的过程中有客观的介

---

① 　茅盾:《尼采的学说》,载《学生》杂志,第 7 卷,第 3 号,1920 年。
② 　同上。
③ 　同上书,第 4 号。
④ 　同上。

绍,有充满热情的评述;在介绍中,以尼采的原作为根据,在评述中,处处着眼于进行思想启蒙。因此,这篇文章虽然出自文学家的手笔,但思维方式却是哲学家的。

四、李石岑对尼采哲学的客观评论

李石岑首先声明,他只是尼采哲学的说明者,而不是尼采哲学的主张者。他认为,虽然尼采哲学中并非没有可议之处,但是他看到它在中国传播过程中的种种遭遇,却感到十分不满。因为在他看来,尼采哲学不但不是"詈之、骂之、非议之"的对象,相反,它足以成为疗治"粘液质"或"国民性"的药方。因此,作为尼采哲学的说明者,为了"使国人尽白尼采之真相",以"解世人之惑",①纠正一些人强加在尼采头上的不实之词,李石岑认为自己有责任拿起笔来,"不烦言辩",②通过对尼采哲学的客观评论,为尼采哲学讲几句公道话。

接着,李石岑指出,在指责尼采的言论中,最为严厉的一条是,宣称"德意志与各国宣战,全出于尼采之暗示",③以此断言他是发动第一次世界大战的罪魁祸首。李石岑没有直接回答这个问题,而是借用杜威在《德意志哲学与政治》中论述的观点否定了这种指责。杜威认为,近代德国的思想全来自康德一派哲学家,后经费希特与黑格尔诸辈,"本康德之意旨,以发国家无上命令之学说。"④他指出,如果说,德国帝国主义发动这次战争与这种思想有关,那么,就应该看到德意志帝国主义的形成,完全是康德之后国

① 李石岑:《尼采思想之批判》,载《民铎》,第2卷,第1号,1922年。
② 同上。
③ 同上。
④ 同上。

家绝对说播下的种子,而不能由尼采来承担这个责任。因此,李石岑写道:"今日世间一般人所忖度,以尼采之哲学为欧战之原因者,皆不过浅薄皮相之见解而已。"①实际上,杜威的解释是否完全正确尚且存疑,作者借用杜威的论点来否定尼采为欧战的祸首,也谈不上是十分有力的根据,但是,作者这样做的目的是要推倒一些人对尼采的指责,则是清清楚楚的。

在李石岑看来,尼采哲学这样被人误解是有原因的。一方面,"由于欧战勃发以后,英法诸国之批评家,急于目前危难之解除,而忽于哲学者冷静之观察"所致,②另一方面,尼采思想也有被人误解的因素。对此,作者进行了详细的阐释。把这些因素概括起来,主要是:1. 尼采一生的思想结晶集中体现在《查拉图斯特拉如是说》中,而该书却以箴言来表达,难以表现尼采思想的伟大与真谛;2. 尼采的思想过于热烈,对于人生的探讨过于直接;3. 尼采每句话的反面都包含有个人生活的体验,没有生活体验的人难以理解;4. 尼采著作中的不少句子存在着矛盾的地方。这些分析与归纳,是符合尼采著作及其思想特点的,对于人们正确理解和接受尼采学说有一定的帮助。

从这种态度出发,李石岑在论述尼采哲学的具体内容时,紧紧地抓住其中常常被人误解的论题,如强力意志、进化学说、超人思想、重新估定一切价值以及认识论上的非理性主义等,都力求进行客观的评论。而在评论时,作者又常常把它与另一个哲学家与此有关的观点进行对比,使人更能清晰地理解尼采的思想。

---

① 李石岑:《尼采思想之批判》,载《民铎》,第 2 卷,第 1 号,1922 年。
② 同上。

　　例如，在评论"权力意志"时，把它和叔本华的"生存意志"联系起来，认为尼采的这个思想虽然来自叔本华，但两者之间存在重大区别。李石岑指出，在叔本华那里，作为世界本质的"生存意志"，被"视若吾人之身体"，"在'生活意志'内部，有对于杂多与进化之欲望"。①然而，叔本华却以厌世的气质，宣称"生存意志"是人生一切痛苦的根源，得出了否定"生存意志"的结论。而在尼采这里，则主张为了达到人类生活的高潮，只能依靠自我一切力的解放。这个所谓"力"，并非物理学上的力，而是一种企图用内在的意志去实现力的作用。所以，尼采把它称为"权力意志"。他说，"权力意志者，生生不已，自强不息之活动也；以人类之心喻之，即欲表示权力之不断之欲求也。"②他认为，尼采对这种状态不用"精神"概括而用"意志"一语表述，是因为"意志"最能"表现自内涌出的力"。③ 而"权力一词，则含有战斗与征服之性质，故权力意志者，为活力，为有生命之力，为自治之力，同时复为生长、征服、创造之力也。凡一切现象、运动、法则，皆不过权力意志之征候而已。"④作者对"权力意志"的这些揭示与概括，都较为正确地表达了尼采思想的真实主张。

　　又如，在评论进化学说时，李石岑认为，尼采在这个问题上的观点虽然受到达尔文的影响，但是，他们两人的进化论又是很不相同的。在达尔文那里，他"以生存竞争，适者生存，自然淘汰，为进化之要件"；⑤而在尼采这里，"则谓生存竞争，仅图生命之保存，而

①　李石岑：《尼采思想之批判》，载《民铎》，第2卷，第1号，1922年。
②　同上。
③　同上。
④　李石岑：《尼采思想之批判》，载《民铎》，第2卷，第1、2号，1922年。
⑤　同上。

吾人生活之理想的开展,乃在不断之征服与创造,以达力感之高潮;若仅图生命之保持,乃为无意义之尤者。"①因为在他看来,所谓"适者生存",此无异于说强者征服弱者,然而在实际生活中根据尼采的经验,"强者未必常居优势之地位,弱者未必常居劣败之地位。"②所谓"自然淘汰",问题就更多了。主要是,达尔文过重地看待外部环境,形成了受动的生活,忽视了内部的创造力。这是机械的顺应,而在尼采看来,由于他"融合目的与活动为一,而以进化亦归之权力意志",③因此,"谓生物进化,乃权力意志通于生物而起之活用,非仅为机械的变化,乃严密的统一与绵延之变化也,其变化自内涌出,常贯彻于富创造性之力,故进化乃可能。是则非受外围之影响,乃使役外围也。故尼采之进化,固为权力意志,同时亦为生活进行。"④由此可见,"达尔文进化说,乃为生命保存而进化;尼采进化说,乃为进化而进化,盖生命自身亦上之进化之途也。"⑤这些分析与概括,在把两者的进化学说作出区别的基础上,也把各自的理论特色反映出来了。

对于其他一些论题,李石岑也这样进行了评论。其中,对尼采的思想在详细的阐释后还有一些准确的归纳。关于"超人"学说,就是一个最佳的例证。什么是"超人"?按照作者的理解,尼采的"超人"说,虽与达尔文进化论有联系,然达尔文只注意生物学的事实,为生命的保存而进化;尼采讲进化,却是为进化而进化。他不接受生物学的说明,即使使用过"由猿猴而人类进化"的语言,

---

① 李石岑:《尼采思想之批判》,载《民铎》,第 2 卷,第 1、2 号,1922 年。
② 同上。
③ 同上。
④ 同上。
⑤ 同上。

亦不过作为象征而已。尼采提出的"超人",亦是进化的象征,是生命过程中的标志。对此,作者写道;"超人者,人类进化之象征也,超人为人类之解放,可以指示权力意志之自由之进化;惟超人非终极目的,不过生命进行——进化——之途上之指标而已;超人一度产生,换言之,生活一度归于自由,则人类之生活,即发强烈之光辉,而一切美善强大,悉由是涌出,故人类以超人而意义益明。"①这些对尼采"超人"学说精神实质的深刻揭示与准确概括,对于纠正一些人在这个问题上产生对尼采的误解,是很有意义的。

李石岑前面评论的这些问题,以及文章中这样评论的其他一些问题,对于纠正一些人对于尼采的误解,引导人们正确地理解和接受尼采哲学,在当时都发挥了一定的积极作用。不仅如此,作者在文章的最后,还特别强调了尼采哲学的价值,以及把它引进到中国来对于医治国民性有可能发挥的积极作用。本节第一题引证他的那段语重心长的话,就是经过对尼采哲学的深入研究、经过深思熟虑的思考后提出来的。因此,我们认为李石岑的这篇文章,在评论尼采哲学时,态度客观,分析深入,评价公允;在思考引进尼采哲学到中国来的意义时,情真意切,用心良苦,在"尼采专号"上不愧为一篇有分量的作品。

五、S. T. W 评价"超人"学说价值的角度

尼采哲学在西方哲学史上的主要价值是什么? 五四时期有些中国学者对这个问题开展过一些研究。其中,朱侣云的《超人与伟人》一文,把尼采的"超人"与马洛克的"伟人"进行比较,以鲜明肯定的态度回答了上述问题。署名 S. T. W 的作者,在《尼采学说

---

① 李石岑:《尼采思想之批判》,载《民铎》,第 2 卷,第 1、2 号,1922 年。

之真价》中,通过"超人"学说对于西方哲学史发生的革命性变化的阐明,也以这种角度热情地回答了上述问题。

S. T. W 指出,如果把现代西方哲学同在此之前的西方哲学进行比较,那么,就会发现有一个截然不同的地方,"即往代之哲学,可概括为理性派,或理论派,或抽象派,而现代之哲学,则可称之为生命派,或行为派,或具体派。"①两者判若鸿沟的不同之点在于,前者为消极的和主静的,沉醉在理性的束缚之中而不能自拔;后者为积极的和主动的,挣脱了理性之藩篱而直奔生命之根本。于是现代的西方思想界,发生了一种剧烈的革命。其代表有詹姆士的实用主义,柏格森的直觉主义与倭伊铿的精神生活主义。然而追溯它们的源流,却都与旷世狂才尼采有着"最深密之因果关系。"②主要表现在,在此之前的近代西方哲学,由于过分强调理性的统一,从而压抑了人类个体本能和智慧的发挥。进到现代,尼采与它们相反。他提出的非理性主义,特别是"超人"学说,把人类个体的才能与活动的作用提到了前所未有的高度,从而在西方哲学史上发生了革命性的变化。

作者正是从这种认识出发,通过尼采"超人"学说价值的揭示,进一步阐明与肯定了它在西方哲学史上的意义。

S. T. W 认为,要理解"超人"的价值,还得联系他的"权力意志"学说,因为"超人"发端于"权力意志"。他指出,在尼采看来,"宇宙之生命为不断之创造,故吾人直接之内的经验,为创造的自己之表现,为创造之活动。宇宙间所有一切之现象、运动、法则均为内的事件。换言之,即权力意志之征候。"③由此可见,所谓"权

---

① S. T. W:《尼采学说之真价》,载《民铎》,第 2 卷,第 1 号,1922 年。
② 同上。
③ 同上。

力意志",乃是"自吾人之内部涌出,含有战斗、征服之性质,乃一生长、成熟、创造之活力也。此力刻刻进化,刻刻创造,自觅环境之敌而征服之。"①由于尼采这样看重意志,因此,他必然肯定现世生活,并以积极的战斗和征服的态度来处置人生问题,而对一切有碍这种实现和发展的旧信条、旧习惯、旧思想,则不惮振其铁锤将它们彻底打破。尼采的"超人"便是基于他对"权力意志"的这种理解提出来的。正如作者所说,尼采承认"人生权力意志,有不断之战斗与征服与创造,必然产生超越人类之超人。"②

在论述"超人"学说时,作者认为,它的提出虽然受到过达尔文进化论的影响,但是,在理论内容与主张上,它们两者是不同的。进化论者主张人类的生存以保全自己为目的,而"超人"学说宣称除了这一点外,还有人生的其他欲求;进化论主张生物进化由环境决定,而"超人"学说宣称生物进化是生物"节节与环境宣战"的结果。③ 而且,在尼采看来,生物进化到了人类,是否发展到顶点呢?尼采指出,"今日之人类,不过动物与超人之间一通道。以人类不断之努力,决可预期超人之出现。"④由此可见,"超人"的提出,原来不过是尼采的一个假设与理想。这种理想不外是为了满足权力意志之本能而进行不断的战斗、征服与创造。所以,宇宙间无论植物动物还是人类,都由这种本能充溢着与支配着。如若"超人"一旦诞生,它便"惟以自己之真理创造自己之道德,自己强烈生命之燃烧,即得创造进化不已之生活,故超人为新道德之创造者,为最

---

① S. T. W:《尼采学说之真价》,载《民铎》,第 2 卷,第 1 号,1922 年。
② 同上。
③ 同上。
④ 同上。

高自由之立法者。"①

随着以"超人"学说为代表的尼采哲学的出现,在西方哲学发展过程中发生了革命性的变化。作者指出,在尼采的"超人"学说中,虽然存在不少流弊,例如把它"用之于政治,自为贵族政治,用之于国际,自为强权主义",②但是,这对于"尼采学说本身之真价,无稍损益。"③因为就尼采的整个哲学体系来说,它是以下述事实为出发点建构起来的,即:"为人类将来之进化计,非为人类目前褊浅之利益计也;为世界全体之人类计,非为局部的一民族一国家计也。"因此④,从这个角度去评价尼采"超人"学说的价值,就应该肯定他"实开晚近哲学之先河","实可称现代哲学之先驱者。"⑤然而有些人不明白尼采哲学的真相及其在西方哲学史上的价值,进而误解了尼采及其哲学,因此,"吾人最宜审晰而明辨之。"⑥

第五节 柏格森生命哲学的研究与输入

在新文化运动时期,柏格森是一位活跃在西方哲学舞台上的著名生命哲学家。本来,他同倭伊铿都是中国学术界邀请来华讲学的对象,然因故未能成行。不过,这个时期他的生命哲学在中国的传播,并没有因此受到影响。

---

① S. T. W:《尼采学说之真价》,载《民铎》,第 2 卷,第 1 号,1922 年。
② 同上。
③ 同上。
④ 同上。
⑤ 同上。
⑥ 同上。

一、"柏格森号"问世前后

在《近五十年中国思想史》中，郭湛波提到杜威在中国的讲学时，说他"不只把詹姆士介绍过来，同时把柏格森的思想也介绍过来。"①实际上，1919 年五四时期杜威开始在中国宣讲实用主义前，有些中国学者便着手引进柏格森的生命哲学了。例如，早在1914 年 10 月，钱志修在《东方杂志》上发表的《布洛逊（按：柏格森）哲学之批评》一文；又如，1918 年 2 月，刘叔雅在《新青年》上刊出的《柏格森之哲学》，都是很好的说明。特别是在此期间，陈独秀与李大钊虽然没有专文论及柏格森的生命哲学，但他们在《新青年》上发表的一系列文章中，反复论述了引进柏格森哲学的积极意义，有力地推动了它在中国的传播。

不过，杜威在中国的讲学，由于他的宣传与鼓动，确实扩大了柏格森在中国知识分子中的影响。因此，五四运动后研究与传播柏格森哲学的温度渐渐有些升腾起来。一个表现是，柏格森的一些重要著作，如《创化论》与《物质与意识》由张东荪翻译、《形而上学序说》由陈正宇翻译，都先后出版了。另一个表现是，介绍柏格森生命哲学的文章，也增多了起来。其中主要有：范寿康的《柏格森之时空观》、唐君毅的《柏格森哲学与倭伊铿哲学之比较》、方珣的《柏格森生之哲学》、吴康的《柏格森传》、张君劢的《法国哲学家柏格森谈话记》，等等。

柏格森著作的出版以及上述文章的发表，更是有力地推动了柏格森生命哲学在中国的传播。1922 年《民铎》"柏格森号"的出版，是一个最好的例证。在这个专号上刊出的文章如下。

---

① 郭湛波：《近五十年中国思想史》，第 378—379 页，北平人文书店，1924 年。

1. 严既澄：柏格森传

　　——《时间与自由意志》概略

2. 李石岑：柏格森哲学之解释与批判

3. 张东荪：柏格森哲学与罗素的批评

4. 李石岑：柏格森之著述与关于柏格森研究之参考书

5. 蔡元培：柏格森玄学导论

6. 柯一岑：柏格森精神能力说

7. 吕澂：柏格森哲学与唯识

8. 梁漱溟：唯识家与柏格森

9. 杨正宇：柏格森哲学与现代之要求

10. 瞿世英：柏格森与现代哲学之趋势

11. 范寿康：直觉主义之地位

这期"柏格森号"出版后，茅盾于 1922 年 1 月 17 日在《民国日报·觉悟》上以《介绍〈民铎〉的"柏格森号"》为题，热情地向读者进行了推荐。据茅盾说，在专号出版以前，由于早有预告，因此对于那些留心现代哲学的读者来说，简直"都已望眼欲穿了"。[1]现在，它正式同读者见面了。他读了一遍，"感到非常的满意。"[2]所以，他又特别郑重地把它推荐给读者。在这个专号上，如果从内容上分析，正像茅盾归纳的那样，其中有说明柏氏学说全盘面目的，有说明柏格森哲学与现代哲学之关系的，有专讲柏格森一部著作的，也有把它同中国哲学进行比较的。总之，通过这个专号，相当全面地把柏格森生命哲学展现在广大中国读者面前了。

在这之后的一段时间内，中国学者对柏格森哲学的研究与传

---

[1]　茅盾：《介绍〈民铎〉的"柏格森号"》，见《茅盾全集》，第 14 卷，第 313 页，人民文学出版社，1984 年。

[2]　同上。

播,仍然保持了一定的热情。如柏格森的其他一些著作以及国外学者研究伯格森哲学的一些成果,都先后在中国得到了翻译与出版。前者如胡国诠的《心力》、潘梓年的《时间与意志自由》,后者如汤敏的《柏格森》、刘延陵的《柏格森变之哲学》与张开元的《柏格森的变易之哲学》。在这个基础上,中国学者对柏格森生命哲学的研究也在一定程度上有所深化。如朱谦之与李石岑的《论柏格森哲学》、陈正谟的《柏格森哲学之批评》、卫勤的《柏格森与教育》与冯友兰的《柏格森哲学方法》等,都充分体现了当时中国学者研究柏格森生命哲学达到的水平。

在这些文章中,有的以客观的介绍为主,并辅之以一定的评述;有的则着重纠正读者对于柏格森哲学的误解,以引导读者正确地领会与接受柏格森哲学。不过,值得指出的是,不管采取哪种形式表达,他们都是从自己当时所属的学派立场出发,把它作为西方的进步思潮加以引进的。在这些学者中,主要代表有张东荪、李石岑、瞿世英。

二、从陈独秀与李大钊的推崇说起

新文化运动初期,这个运动的领导者,"新青年派"的领袖陈独秀和李大钊,虽然都不是研究西方哲学的专门学者,但为了进行思想启蒙,为了起衰振弊鼓舞青年之精神,奋发国民之勇气,以图社会之革新,从一开始就在他们的一些文章中推崇与引证柏格森的生命哲学了。

例如陈独秀。他在《青年杂志》发刊词《敬告青年》这篇铿锵有力、热情洋溢的文章中,先后两次引证了柏格森的生命哲学。首先,陈独秀运用他的"创造进化论"思想作为批判封建主义、塑造自主人格与进取人生观的精神资源。因此在新文化运动中,陈独秀号召广大青年树立起自主的而非奴隶的、进步的而非保守的、进取的而非退隐的、实利的而非虚文的新型人生观,因而他认为,在这一方面,柏格森强调源于"生命冲动"的创造进化、主张生命的本质在于不断克服成为阻碍的物质而跃进至自由之境的观点,对于青年树立新的人生观,具有直接的启示作用。其次,他还指出,柏格森的生命哲学,"虽不以现时物质文明为美备"①,但他对现实生活的关切,对价值理性和人生意义的追求,以及对抽象思辨的反叛,却与穆尔、孔德的实证主义是一脉相承的。在这里,陈独秀显然误解了生命哲学的归旨。因为它虽然同实证主义一样反对由黑格尔集其大成的理性主义传统,但是,实证主义偏重工具理性,却是生命哲学所反对的。这尽管表明陈独秀对西方哲学各派之间的关系缺乏全面的了解,但他的真正目的在于撷取生命哲学的思想以资实用,希望以此达到废弃旧的封建传统和改变现状的目的,却是最清楚不过的。

又如李大钊,更是注意吸纳柏格森创化哲学的精粹,作为反对封建主义、激励国人自强向上的助力。早在《青年杂志》创刊的前一个月,他就在《甲寅》杂志发表的《厌世心与自觉心》中,首次论述了柏格森。他指出,我们人类的行为虽然部分地受到境遇的制约,但境遇的形成却不是无然而至,而是离不开人的参与。因此,身处逆境的中华民族之青年,应该奋起抗争,冲破黑暗的现实,以便迎来美好的未来。他认为,这是社会进化的普遍法则。从这种认识出发,李大钊进一步指出,柏格森关于自由意志、生命冲动、创造进化的学说,恰好能够启迪新时代青年的"自觉心"。因为它对于我们超脱困境,另辟新境,治疗"灰冷自放"、妄自菲薄的"厌世

---

① 陈独秀:《敬告青年》,载《青年》杂志,第1卷,第1号,1915年9月。

心"，是一副最好的药剂。①

　　在论述中，李大钊特别推崇柏格森把意识的绵延看作是时间的本质、是生命之流的观点，并以此用来告诫国人重视现实与今天，纠正国人守旧与怀古的思想。例如，他将柏格森意识绵延犹如滚动的雪球的比喻，用来阐释历史文化的发展，批判消极颓废的人生观，倡导"奋兴鼓舞的历史观、乐天努力的人生观"②；认为如果这样，那么，我们就无须发思古之幽情，不会说"世道日衰"的丧气话，而会"对于现在及将来抱乐观的希望……人类的知识，随着时代的发展，不断地扩大，不断地增加。一切今的，都胜于古的，优于古的……我们惟有讴歌现代，颂祷今人，以今世为未来新时代的基础，而以乐天的精神，尽其承受古人，启发来者的责任"③。显然李大钊这里倡导的，是五四时代精神的萌芽。

　　毫无疑问，陈独秀和李大钊在新文化运动掀开序幕时，这样谈论与推崇柏格森生命哲学的意义，不在于他们对生命哲学的论述达到了何种深刻的程度，而是通过他们的引证与颂扬，有力地推动了生命哲学在中国的传播。

三、张东荪的柏格森著作翻译与思想批评

　　新文化运动时期柏格森生命哲学在中国的传播过程中，张东荪是一位重要传播者。

　　首先表现在他对柏格森著作的翻译与出版上。这是当时张氏极为关注的一项工作。1917 年，柏格森的《创化论》由他译出后刊

---

　　① 李大钊：《厌世心与自觉心》，载《甲寅》杂志，第 1 卷，第 8 号，1915 年 8月。

　　② 同上。

　　③ 同上。

登在 1918 年的《时事新报》上,连载达三月之久。1919 年,他把它集中起来以单行本的形式由商务印书馆出版。接着,他翻译柏格森的另一本名著《物质与记忆》,于 1922 年纳入尚志会的丛书问世。汤化龙在为《创化论》作序时,称柏格森的生命哲学既能够"焕发精神"、"医我民族",为中国人提供了除旧布新的"原动之力"①,又可以成为中西文交流的通道,说它"而为东西思想接触之介,渐为东西文明贯通之渠"②。这是柏格森著作在中国最早问世的译本,它对国人全面了解柏氏生命哲学提供了最基本的条件。特别值得一提的是,张东荪在翻译这些著作时,在严复提倡的"信"与"雅"之外,为了真正实现"达"的目的,他还采用了"译释"的手法。对此,他的解释是,"吾今独于此二趋向外,另取其一,曰专以达为主。有时为达故,虽稍亏于信雅,亦非所计,因名曰译释。③"因为在他看来,译书的目的并不是要从内容到形式忠实地传达原著,而是要使读者领悟原著的精义所在,所以,在"达"与"信"之间,"宁重达而轻信"④。正如他所强调的那样,"人之读是书者,本求知其所诠之理,非玩其所撰之文(但文学书又当别论)。故义理之显豁较诸语气之相肖,尤为重且要也。⑤"这种翻译西方哲学著作手法的提出,对于读者正确领会书中的思想真谛,具有直接的帮助。

其次,他撰文论述哲学界对柏格森生命哲学的误解与批评。自生命哲学输入后,中国哲学界对它的评论不完全一致,至于国际

①　汤化龙:《创化论·序》,第 2 页,商务印书馆,1922 年。
②　同上书,第 5 页。
③　张东荪:《创化论·译序》,第 5 页,商务印书馆,1922 年。
④　同上。
⑤　同上。

哲学界更是自它诞生后，便有各种看法与批评。有鉴于此，1922年张东荪在《民铎》杂志发表了《柏格森哲学与罗素的批评》。不过实际上，他的主要目的不在于谈论柏格森哲学本身，而在于着重纠正对它的误解，以便引导人们正确地领会柏格森生命哲学精神实质。正如他在文章开头开宗明义表示的那样。他说，"论柏格森哲学的佳作自然很多，也不用我来画蛇添足。所以我想拿罗素批评柏格森的话来研究一下，或则是大家所未说过的。①"因此，张东荪在文章中针对罗素的三本著作、特别是他在中国所讲的《哲学问题》中对柏格森哲学的批评，根据他研究后理解的柏格森哲学，对罗素的批评有的进行了反批评，有的则是对柏格森的进一步批评。主要是，他根据柏氏关于时间的看法，罗素以此断言柏格森反对"进化"，以及罗素由于不满"直觉"而宣称柏格森是神秘主义者，运用柏氏著作中的许多材料，就这两个问题进行了较为深入的阐释。最后，他得出的结论是："一、我对于罗素之柏氏哲学的总批评认为对于柏氏不生影响；二、我对于罗素之柏氏哲学的零碎批评认为有些对于柏氏很可矫正与补足；三、我以为罗柏二人的学说相同处甚多，且重要点皆相同。"②

　　这篇文章的意义，不在于张东荪的反批评或进一步的批评本身正确到何种程度；实际上，罗素对于柏格森哲学的态度，有些批评并非没有道理，而张氏对罗氏批评的评价也并不完全正确。但是，不管是罗素对柏氏哲学的批评还是张东荪对于罗素的批评，都是从自己的哲学立场出发的。因此，其中的合理成分只能取决于

---

　　① 　张东荪：《柏格森哲学与罗素的批评》，载《民铎》，第 3 卷，第 1 号，1921年。

　　② 　同上。

他们各自的哲学观点以及理解和把握对方哲学的深刻程度来决定。值得重视的是,这种对待外国哲学的深入钻研,自由探讨,冷静分析的态度。有了这种态度,就有了取得正确结论的前提。

四、李石岑对柏格森哲学的解释

在新文化运动时期传播柏格森生命哲学的学者中,李石岑不仅主持出版了"柏格森专号",而且,他亲自撰写的《柏格森哲学之解释与批判》一文,在专号所有的文章中,也是一篇颇有分量的文章。

作者首先指出,柏格森撰有《时间与自由意志》、《物质与记忆》与《创造的进化》三大著作。有人说,《创造的进化》才是他的哲学代表作。然而在李石岑看来,"柏氏哲学之神髓,全贯注于《时间与自由意志》一书。"[1]因此,要了解柏格森哲学,应该首先介绍和阐明他的这部著作。

他认为,"《时间与自由意志》一书中所研究之主要问题,为自由意志之问题。"[2]柏格森所以研究这个问题,是由于他不满意于决定论。因为决定论只能对无生命的物质作出解释,而不能解释我们人类的意识现象。那么,人类意识的本质是什么呢? 柏格森认为,"惟绵延一语足以当之。"[3]所谓"绵延"(Durce,Durable),作者把柏格森对这个问题的解释概括为,它是"吾人意识之真相。如闻邻家之犬声,忽联想客至,忽怀旧友,忽念故乡,意识界刻刻变化增进,无刹那静止。故意识界以内,纯为质的问题,而非量的问题,纯为时间的问题,而非空间的问题。"[4]在这里,实际上论述到

---

[1] 李石岑:《柏格森哲学之解释与批判》,载《民铎》,第5卷,第1号,1921年。
[2] 同上。
[3] 同上。
[4] 同上。

了柏格森对于宇宙本质的观点。不过,李石岑并没有把柏格森的观点准确和清晰地概括出来。然而后来他在总结这个观点时,倒是抓住了要领。他指出,"柏格森哲学所以肯定意志自由者,以意志从自我出发,从自我之全体出发,换言之,即从自我之全人格出发,"①因此,他所主张的自由论,把自我的一切思想感情和自我全体的动作浑然融会在一起。这就是所谓"直观的自由论",柏格森的"直观哲学"就是在这个基础上建立起来的。

接着,他还以"时间"、"意识"与"本能"三个概念为线索,把柏格森在《时间与自由意志》以及其他有关著作中的观点联系起来进行了分析。

李石岑认为,"时间"这个概念在柏格森哲学中占有极其重要的地位,即使把它看作是他的哲学的出发点,也没有什么不可以。不过,他对时间的解释与我们在日常生活中所讲的时间是不同的。接着,他把柏格森关于时间的观点作出了如下的概括:"息息变化,息息增长,无数可数,无量可量,但可内观自证,由直觉而得。由直觉而自得之时,是谓时之真义,是谓绵延。"②在这里,他在一定程度上把"时间"和"绵延"两个概念融合或等同起来了,并以此解释了宇宙本质、自由意志和创造进化等一系列生命哲学论题。

对于"意识",作者指出,各派哲学家说法不一;在柏格森那里,"惟意识为性质的,变化的,绵延的。"③他在说明意识绵延的内容时,认为只有"记忆"才能胜任。因为意识的根底即在记忆,

---

① 李石岑:《柏格森哲学之解释与批判》,载《民铎》,第5卷,第1号,1921年。

② 同上。

③ 同上。

无记忆则过去、现在与未来不能发生联系,而意识所以为意识,也将不能显现。原因在于,记忆的职责即在保留过去的事实,而保留过去,也就是保留现在,保留现在,也即是保留未来,保留永劫。因此,在这个意义上,因时间绵延,记忆绵延,故有意识绵延。

作者还指出,柏格森进一步把记忆分为两种,一种是独立不做外物者为纯粹记忆,二是与前者对立者为纯粹知觉。纯粹记忆即精神而非物质;纯粹知觉为瞬时之直接特象,不为过去记忆所染,因此它即是物质而非精神。把二者联系起来的接触点为普通知觉,它包含物质和精神两个方面,以此为界,"上行为意识界(精神界),下行为物质界。意识界向上自由之世界也,物质界宿命下向之世界也。"①李石岑认为,柏格森在这里,他提出的和纯粹记忆对立的纯粹知觉这个假说,目的是为了说明精神和物质具有各自不同的倾向,并以此阐明了它们各自不同的功能。但是,通过普通知觉,又使它们相互渗透。所以"精神与物质,实自同一之根源而来。不过所谓根源者乃精神主之,乃绵延不绝之意识主之。"②这样,就把柏格森的唯心主义实质揭露出来了。

在谈到"本能"时,作者指出,这个概念在柏格森哲学中也占有重要位置。什么是"本能"呢?李石岑认为,在柏格森那里,"广义言之,固为意识之产物,狭义言之,亦为无意识之产物。"③但是,由于"蔽于理知之故",④不能发挥本能的作用。因此,一方

① 李石岑:《柏格森哲学之解释与批判》,载《民铎》,第 3 卷,第 1 号,1921年。

② 同上。

③ 同上。

④ 同上。

面要排除理智的障碍,另一方面,还应该宣传本能的价值。在他看来,本能的价值主要表现在,它"具有一种横向无前之冲动者也。质言之,即'生之冲动'"。①柏格森就是用这个"生之冲动"的概念,不仅解释了生命的进化,而且还以此排斥了机械论和目的论。

论述到这里,李石岑认为,时间、意识、本能是柏格森哲学的主要之点,它们分别是《时间与自由意志》、《物质与记忆》、《创造进化论》论述的主题。因此,"三者皆为阐明直觉哲学主要之著作。"②不过,他又指出"其主要原理,悉含蕴于第一著作《时间与自由意志》中。由时间发挥绵延之性质,由意识阐扬心物之关系,由本能规定直觉的方法,皆于首著发其端,于后二著集其成,正可见柏格森哲学,早已组成一种系统。"③

这些,就是李石岑对柏格森生命作出的介绍和解释。十分清楚,他所以抓住这些内容进行论述,是由他的自由主义立场决定的,而他对这些内容的阐明是这样明快与简洁,说明他对柏格森生命哲学的研究,是下了一番工夫的。

五、瞿世英论柏格森对现代哲学的影响

在传播柏格森哲学的文章中,瞿世英的《柏格森与现代哲学的趋势》,显得很有特色。

首先开篇突出地强调了研究柏格森哲学的必要性。他写道,"柏格森在现代思想界占了一个极重要的位置,为哲学开了一个

---

① 李石岑:《柏格森哲学之解释与批判》,载《民铎》,第 3 卷,第 1 号,1921年。

② 同上。

③ 同上。

新纪元,为哲学找了一种新根据——指他以生物学为'创化说'的根据而言。给我们以一种自由的、发展的、创造的、自动的新宇宙观与人生观,而打破机械观与究竟观。"①基于对柏格森哲学的这种认识与评价,所以瞿世英指出,"这种哲学是极有影响人生的。"②也正是因为这个原因,把它输入进来,在新文化运动中进行思想启蒙时必然发挥积极作用。

接着,作者并没有具体阐明柏格森生命哲学的具体内容,而是用极其精练的语言把柏格森的基本理论主张及其哲学的实质揭示出来了。他的概括是:"柏格森以为宇宙自身亦是转化(Becoming)无已。宇宙的历程即是真的时间中之创造的进化。我们的知识须靠直觉(Intuition)得来,而不能靠理知来分析。此直觉即生之本质;理知是从他来的。所以柏格森的哲学中,'生之概念'极为重要。他的哲学亦可称之为生之哲学。他以为生命即是实体……实体不是物,也不是心,就是生命的创造。存在即是生存。生命靠着记忆去保存过去以创造未来。而最重要的就是时间。时间即是实体的意义之所在。"③

然而,瞿世英根据这个概括指出,因此,哲学的责任就是要阐明生的意义,而柏格森对于现代西方哲学的影响,也主要表现在这一方面。他认为:现代西方哲学在它的发展过程中,已经出现了四种趋势:自然主义、唯心论、实验主义与实在论。柏格森哲学与它们都有密切的联系,并对它们产生过重大的影响。

例如,它同自然主义的关系。在作者看来,自然主义以科学为

---

① 瞿世英:《柏林森与现代哲学的趋势》,载《民铎》,第 3 卷,第 1 号,1921年。
② 同上。
③ 同上。

根据,而柏格森不仅对科学,而且他本人即是科学家。不过,他认为科学不是哲学,因为柏格森讲过,科学是用理知得来的,哲学却是用直觉得来的。由于理知只是对事物进行分析,说明不了生命问题,只有利用同情、本能的直觉,才能从事物的全体上进行把握。因此,可以说柏格森承认科学,只是不承认科学的结果可以成为哲学。

又如,它同实验主义的关系。作者认为,"柏格森自己就是个实验主义者。"①因为实验主义在认识论上反对理性主义,柏格森则认为理性只是行为的工具,理知是思想的。而他提出的"直觉"不是思想,只能生活在事实里面。在这一点上,他同詹姆士的观点是一致的。詹氏主张"意识之流",柏格森说心的经验和流水一般,生命就是不断的流,而且两者在生命问题上也是相同的。实用主义以生命为中心,注重人力,注重人生,主张改良主义和自由意志,而柏格森也是生命哲学,主张自我不断创造,反对机械论和目的论。

由此可见,柏格森哲学不但在现代西方哲学中占有重要位置,它还深深地影响了现代西方哲学的发展趋势。这些,都是因为它看重生命与人生的缘故。看得出来,瞿世英这样引介柏格森的生命哲学,与李石岑的自由主义学派思路是相同的。

六、冯友兰对柏格森哲学方法的评述

在传播柏森哲学的文章中,有些是以评述为主的。例如冯友兰的《柏格森的哲学方法》、杨正宇的《柏格森哲学与现代之要求》和朱谦之的《论柏格森哲学》,都是这样。它们的共同特点是,都是在深入钻研柏格森著作的基础上,通过作者的理解和消化,进而

---

①　瞿世英:《柏林森与现代哲学的趋势》,载《民铎》,第 3 卷,第 1 号,1921年。

抓住柏格森哲学中的某一个问题展开论述；在论述中，有分析有吸取，在吸取中消化。不过，这种消化和吸取，又是由作者所属的学派立场决定的。

这里，只是介绍一下冯友兰的文章。1922 年 2 月，冯氏的《柏格森的哲学方法》一文，发表在《新潮》杂志第 3 卷第 1 号上。文章的中心是评述柏格森的哲学方法。不过，为了说明柏氏提出的哲学方法不是偶然的，作者首先回顾了西方哲学的历史。他写道："自从希腊苏格拉底柏拉图以来，哲学家就讲：凡天下之'物'，它的要素（Essence）是真的，现象（Appearance）是假的。一个'物'的定义，就包含他的要素；要素一定真，所以定义也一定真。我们要知道一个'物'的定义，不管那定义是什么，我们就可以说那'物'是一定如此了。"①冯友兰认为，这种观点就是西方哲学史认识论上的智识主义，即理性主义的主张。他指出，这种观点本来是有益无害的。但是，本来是为了达到一定目的的方法，后来由于习惯却变成了达到目的的障碍。因为我们要把这个"物"，为了使它能够表达出来，就必须把我们对这个"物"变成概念和定义。然而，这个概念是那个活东西的死影子，如果认为这个概念是什么，那个东西也是什么，那么，这个概念便转变成为人们再去认识活东西的障碍。西方理性主义的片面发展的结果即持这种主张，而柏格森的"直觉"主义方法就是在批判它的过程中提出来的。所以，这个方法提出的意义是不能完全否定的。

什么是直觉主义方法呢？据冯友兰的解释，第一，它必定是"知觉"，"亲知"，即是对于对象的直接感知；第二，而"亲知"又有两种感知事物的法子，一是围绕在事物的外面，二是钻到那物的里

---

① 冯友兰：《柏格森的哲学方法》，载《新潮》，第 3 卷，第 1 号，1922 年。

面去。不过在柏格森看来,前者只能把握相对,后者才能得到绝对。因此,真正的方法是第二种。这种方法是真正的直觉主义方法。只有这种方法才能认识和把握事物的全貌。这是因为,"把我自己置于那个动的里面,那么就可以经验绝对的动了。这个经验,也不因我站的地方而异,因我就在那个动的里头;也不因我的说法而异,因为我不用记号去翻译他,只求得到他的本来面目。"①这就是当时已经在西方流行的非理性主义的认识方法。冯友兰把柏格森提出的这个认识方法与理性主义方法对立起来,既指出了由于理性主义的片面发展所带来的后果,又肯定了"直觉"主义在认识过程中的作用。这种看法是有一定道理的。

柏格森的直觉主义认识方法诞生后,在学术界引起了一些人的误解甚至受到攻击,因此,冯友兰在阐释了柏氏的上述认识方法后,还发表了他对它的看法。他指出,"直觉是分析以后的事,主张直觉的,只反对以分析为究竟,并不反对分析。若以为主张直觉,便是不要分析,便为大错。"②因为在他看来,像他在文章中举例说明的那样,把一篇文章当字与字之和看,固然不能领会作者的兴趣情感;然而要领会作者的兴趣情感,总需从认字入手,这是谁也不能否认的。他写道,"从前陈介石先生说:老子所以主张废孝慈者,是因为孝慈尚且不可;不是主张不孝不慈。孝尚不可,何况不孝? 慈尚不可,何况不慈? 我以为柏格森之攻击分析,也可作如是观。他是反对知识主义之以分析为究竟,不是反对分析;分析尚且不可,何况不分析?"③可见,攻击柏格森反对分析的人,实在是

① 冯友兰:《柏格森的哲学方法》,载《新潮》,第3卷,第1号,1922年。
② 同上。
③ 同上。

冤枉了他。这样作出回应,是十分机智的。

七、梁漱溟对柏格森哲学的比较研究

把柏格森哲学同唯识家进行比较研究的文章,除了梁漱溟的外,还有吕澂的《柏格森哲学与唯识》。梁漱溟文章的题目是《唯识家与柏格森》,发表在1922年《民铎》第3卷第1号的"柏格森专号"上。

当时,从法国传来的一些消息,有的说柏格森说过他的哲学得之于佛法,有的认为柏格森的生命之说与唯识家的"藏法"相同。针对这些说法,梁漱溟把唯识家与柏格森的生命哲学联系起来进行了比较研究。

为了使这种比较研究得到正确的结论,梁漱溟指出,必须要有一个正确的方法。他认为,大凡一家的学问都在整体上边,不在部分的片断上边;在其方法上边,不在其理论上边。因此,在进行比较研究时,应"拿两家的整体看,拿两家的方法上看。"①如果从这两点上去分析与比较唯识家与柏格森的生命哲学,那么就会发现,它们是不同的。首先表现在,两家使用的方法不同。梁氏指出,"柏格森的方法排理知而用'直觉',而唯识家却排直觉而用理智。"②具体说来,唯识家在讲知识的时候,只承认"现量"和"比量",而这两个概念与柏格森的"直觉"都是不相同的。因为唯识家的"现量",除了非寻常的以外,在寻常人那里,是指"前五识的现量",即心理学上的所谓感觉。而柏格森所说的"直觉"有两种,一种是"附于感觉的直觉",一种是"超于理智的直觉",柏格森主

---

① 梁漱溟:《唯识家与柏格森》,载《民铎》,第3卷,第1号,1922年。
② 同上。

张的"直觉"主要是指后面一种。这不仅不是"现量"，就是前一种直觉也与它有区别。因此，它们是不同的。

那么，"直觉"是不是"比量"呢？梁氏认为也不是。因为唯识家所说的"比量"就是我们所说的"理智"；虽然它所得到的概念很像直觉所得到的意思，然而在实际上它们是不相同的。主要表现在，"直觉"所得到的是一种本能的得到，即初度一次得到，而且是"圆满具足，无少无缺"，①而"比量"得到的却要多次，逐步分明，这是全非本能的。可见，它们是有差别的。而且，作者还进一步指出，"不单他作用的时候有如此的不同，而作用后所得的，我们看去也全不一样，'比量'所得的是'干燥的概念'，例如'三角形'的概念是也；而直觉所得到的是'含情的意味'，例如'壮美'是也。即同是一个'花'，在理智概念中的'花'，与直觉意味中的'花'，也全然两样了。所以就这一点看去，'比量'同'直觉'这两个东西也是绝不会相同的。"②由此梁氏断言，"直觉"这个东西是唯识家所不承认的。至于柏格森说他的学问有得于佛家的，然而在梁漱溟看来，"柏氏是很难于佛家有所得的。因为大乘唯识教等都没有传到西方，而小乘教的方法也是唯识家一路，不会对于柏氏于方法上有什么启发。至于理论呢，小乘是不谈形而上学的，与柏氏也没有什么接触的地方。"③因此，他看不到柏氏有什么得力于佛家！

在这里，梁漱溟只是从方法上进行了比较。他谈论这个问题的目的，是要提醒人们注意到柏格森哲学与唯识家的根本不同之处，不要被一些似是而非的现象模糊了。通过上述两者方法的比

---

① 梁漱溟：《唯识家与柏格森》，载《民铎》，第3卷，第1号，1922年。
② 同上。
③ 同上。

较,不仅达到了梁漱溟的目的,而且它对正确理解与接受柏格森的生命哲学,也有一定的帮助。

第六节　杜威来华与实用主义哲学的传播

实用主义是现代西方哲学中的一个重要流派。以杜威来华为契机,使它在中国的传播成为新文化运动时期西方哲学东渐的一个热点,既反映了中国思想界对科学、民主等价值理想与伦理精神的追求,也体现了中国文化界放眼世界、广纳新知、全面吸收人类先进文化的开放精神。传播过程中出现的热烈景象,以及它对当时思想界的影响,都成为新文化运动的有机组成部分。

一、杜威来华及其在中国的讲演

实用主义在中国的传播,并非始自新文化运动。实际上,早在1906年,留日学生张东荪与蓝公武等人在他们创办的《教育》杂志的创刊号上,便译载了詹姆士的《心理学悬论》(即《心理学原理》),又在第二期上刊登了张东荪的《真理论》一文,介绍了詹姆士等实用主义哲学家的观点。这是中国学者最早传播实用主义的文章。时至1915年,陈独秀在《敬告青年》一文中,称赞西方自有"实利主义"与"实验哲学"以来,"举凡政治之所营,教育之所期,文学技术之所风向,万马奔驰,无不齐集于厚生利用之一途。一切虚文空想无裨于现实,生活中吐弃殆尽"。[①] 不过,直到1919年前,它在中国思想界并没有掀起大的波澜。只是随着杜威来华以及一批中国学者对实用主义的热情宣传,使它在中国的传播急速

---

① 陈独秀:《敬告青年》,载《青年》杂志,第1卷,第1号,1915年9月。

地形成热潮。

　　1919 年 4 月 30 日，实用主义大师杜威（Dewey，1859—1952），应北大、尚志会、新学会、南京高师与江苏省教育会等的邀请到达上海，开始了他在中国的讲学活动。直到 1921 年 7 月 11 日离去，他前后在中国呆了两年零两个多月。在此期间他的足迹遍及上海、北京、天津、奉天、直隶、山西、山东、江苏、江西、浙江、福建、湖南与湖北等 14 个省市，给中国各界人士做了大小演讲 200 次以上。其中，具有重要影响的演说，有：《美国之民治的发展》、《现代教育的趋势》、《社会哲学与政治哲学》、《教育哲学》、《伦理演讲》、《现代的三个哲学家》。

　　杜威的这些演讲，受到了当时中国知识界的热烈欢迎。一个引人注目的现象是，他的演讲记录稿充斥报端，载于杂志，可以说是堪称连篇累牍。例如《晨报》、《新青年》、《新潮》、《每周评论》、《国民日报·觉悟》、《时事新报·学灯》、《东方杂志》、《新中国》、《新教育》、《新学报》、《新空气》、《政法学报》等报刊都及时地、大量地刊登过杜威的演讲稿。其中仅以《晨报》来说，杜威在北京的五大系列讲座，在南京进行的三大系列讲座，全为它所收录，甚至一些短小的演说也加以刊载，在杜威旅华两年多的时间里，他的全部重要演说都由《晨报》刊载出来了。有的连载数日，有的则连载数十日，一时间，杜威及其在中国的演说成为舆论界关注的焦点。与此同时，杜威的演说稿结集出版发行。例如，1920 年 8 月，《晨报》社将杜威在北京举行的五个系列讲座辑为《杜威五大演讲》向全国发行。到杜威离华时，该书又多次印刷，堪称出版史上的奇迹。除此以外，这一时期还出版了《杜威三大演讲》、《杜威在华演讲集》、《杜威罗素演讲录合刊》等多种杜威演讲稿。

通过这些讲演,杜威全面地在中国传播了西方文化与哲学,特别是系统地阐明了实用主义哲学、政治学、教育学与伦理学的观点。把其讲演的内容归纳起来,主要如下。

1. 论西方哲学史上的四个哲学派别与现代三位哲学家

在北京演讲期间,杜威有《思想之派别》与《现代的三个哲学家》的演说。

前者介绍和评述了西方哲学史上的四个派别,即以亚里士多德为代表的系统派、以笛卡儿为代表的理性派、以洛克为代表的经验派和实验派。其中,杜威在概述实验主义哲学时,在分析了实验主义产生的背景与思想渊源后,对它的观点与思想方法作出了如下的概括:实验派"将经验看作生活,将知识看作生活的工具",主张"利用过去的经验推测将来,使吾人有知识的系统的行为,应付环境"。[①] 因此,实验派特别注重的思想方法是,第一,先观察;第二,下推论,从已知推知未知,从过去推知未来,这些靠的是经验;第三,采取行动。最后,杜威指出,"古来多少学理,都是些纸上空谈,又有多少行为,都是些茫无意识……所以实验的方法,是世间人类幸福惟一的保障"。[②] 在这里,杜威在介绍了西方哲学流派之后,毫不掩饰地表达了对自己一派哲学的肯定与偏爱,并最终举起了实用主义哲学的大旗。要指出的是,西方哲学史上重要的哲学流派远不止上述四派,杜威的这种选择未必准确,他对这些流派的评述也未必允当。但通过他的介绍,对正处在思想启蒙中的中国思想界认识西方哲学的宏观面貌与实用主义在西方哲学中的地

---

① 杜威:《杜威五大演讲·思想之派别》,第74—75页,晨报社印行,1926年。

② 同上书,第84页。

位,是很有帮助的。

后者是根据讲学社等学术团体的希望,请他在罗素来华讲学前介绍一下罗素及其哲学。但是,杜威演讲中,并没有只是介绍罗素而是将其与实用主义的奠基人詹姆士和生命哲学的创始人柏格森一并加以评述。最后,还阐明了三位现代哲学家在哲学上的贡献。詹姆斯是"主张靠得住的将来。这个将来是活动的,可以伸缩的,由我们自由创造的。"[①]柏格森是他的直觉论,即"对于自己创造的将来有一种新的感觉。这个感觉绝不是推理计算可以得到的,而在我们有一种信仰,往前奋进"。[②] 而"罗素主张广大的、普遍的、不偏于个人的知识,补救直觉的不足,使人类往前奋进时有一种指示"。[③]

2. 论教育哲学

杜威在华的演说中,教育问题是其反复阐明的论题,先后讲了20多次,从教育的意义、性质、儿童教育、学校教育、社会教育、课程教育,到教学方法、教材等,都进行了极为详尽的论述。

不过,其中突出强调的观点有三。

第一,教育即是生活。这是杜威教育思想的出发点。他认为,从表面看来,教育好像是一种奢侈品,不是必要的;其实不然,教育和人的生活有着极大的密切的关系。因为在他看来,"没有教育即不能生活,所以我们可以说:教育即是生活(Education is life)"。[④] 无论什么人,教育一天都不能离开,离开了教育就同离

---

① 杜威:《杜威五大演讲·现代的三个哲学家》,第55页,晨报社印行,1926年。

② 同上。

③ 同上书,第56页。

④ 杜威著,刘伯明译:《教育哲学》,第3—4页,上海泰东图书局,1920年。

开了生活一样。

第二,教育即是生长。这是杜威从教育改造的意义上提出的一个论断。对此他的解释是,从生理方面说,"无论什么生物,凡是有生命的,都能生长;所以生长就是生命之表现。我们可以说生长即是生命(Growth is life),生命即能生长(life is growth)。"①因为"无论什么生物,一切有机体,都是利用环境,改造环境,增加他自己的生命。"②从知识方面说,人通过教育和练习,获得知识,发展能力,能够更好地利用和和改造环境。从道德方面说,儿童固有的慈爱,不过是一种冲动和盲目的;只有经过教育和训练,才能逐渐了解慈爱的意义,懂得对什么人用什么爱,或为有规则的慈爱。在这里,杜威还特别强调了"继续改造"的重要性。他认为通过"继续改造",能够使人的经验比从前更加丰富,人的能力一步一步发展起来,有更大的操纵和驾驶事物的能力。这样一来,又可以把"教育即是生长"转换为另外一个教育命题:"教育是经验继续的改造",意思是说,通过教育一方面能操纵经验,另一方面能使经验日益丰富。

第三,学校即是社会。杜威认为,学校教育与社会教育是有区别的。表现在:(1)社会教育是活的,学校教育是死的;(2)社会教育是实用的知识,学校教育是书本的知识;(3)社会教育是有兴趣的,学校教育是无兴趣的。不过,学校是社会生活的一部分,要使学生将来能过社会的生活,必须先将学校变成社会。特别是学校在对学生进行教育的过程中,要使学生养成一种人品,能对社会有益,成为社会有用的一分子。这种道德包括三个部分:知识、感情

---

① 杜威著,刘伯明译:《教育哲学》,第36页,上海泰东图书局,1920年。
② 同上书,第37页。

和能力。因此,学校教育开设的学科,如语言、文字、算学、历史、地理、物理、化学,不仅要使学生懂得学到的知识对社会的重要,还要使学生学到的知识能增进社会的团结,使学生得到训练,具有参与社会生活的实践能力。

　　3. 论伦理道德

　　杜威是实用主义伦理学派的主要代表。在《伦理演讲》的最初几次,着重论述了道德的一般概念,如什么是道德,道德的性质,道德的目的,道德中变与不变的因素等。其中在阐释道德的性质时,杜威认为:"道德就是学,就是生长(Growth)。"①学是古圣今贤传下来的或发明的教训,所以道德并非强制的造作。他又指出,"生长并不专指肉体,最要紧的是精神的观念的知识能力的生长",②因此,"教育程序即道德生长的程序"。③ 而且,道德既然是生长的,所以人不应该照老样子去做。因为"社会的情形天天不同,道德所以适时宜,便应该求新经验新观念的生长",④所以,从来没有僵化的道德。不过,在他看来,虽然如此,道德中还有一些不变的或称为基本原则的东西,即:第一,道德应承担生长或发展的责任;第二,道德应尊崇公益,谋最大多数人的最大幸福;第三,重视道德,尤其在变革的时代。

　　在后来的几次讲演中,杜威着重阐述了道德与人与本能、道德与情感、道德与罪行的观点。最后还对东西方的伦理观进行了比较,并指明了民主制度的真义。在说明东西方伦理的差异时,他认为有三点值得注意:第一,"东方思想更切实更健全,西方

---

①　杜威:《杜威五大讲演》,第400页,北京晨报社,1922年。
②　同上。
③　同上。
④　同上。

思想更抽象更属智理的";①第二,"西方伦理根据个性,东方伦理根据家庭";②第三,"西方伦理尊重个人权利,东方伦理蔑视个人权利"。③ 在谈及民主制度的真义时,重点介绍了西方的自由、平等、博爱。他说:"法国大革命有三种大义,就是自由、平等和博爱。自由属于个性的发展,博爱属于社性的发展即养成互助、互爱、共同合作和他种社会的责任心。平等好像键环,将个性发展和社会责任连成一片"。④ 他认为,这是形成民主制度优越性的原因所在。

4. 论社会政治哲学

在杜威的"五大讲演"中,社会政治哲学的宣传占有很大的比重,中国知识界对此也十分重视。在这些演说中,他论述的问题很多,如社会政治学是解决社会政治问题的工具、进化是零买的、社会冲突是人群与人群之间的冲突、民主社会必须要有共同生活、国家经济生活既要鼓励自由竞争,又不可完全放任、国家政府应该有权威、但掌握权力的人不能滥用权力、思想自由是人类文明进步的重要原因等。但其中谈得最多的却是下述两个问题。

一是民主主义。杜威在政治上是一个民主主义者。他主张"平民政治",实行"民主主义"。他特别强调要有思想自由。他写道:"知识思想的自由……实在是人类文明进步所必需的。"又说:"凡是独裁政治,对于思想自由和发表思想的自由,都是很怕的……没有这些自由,则独裁政治可以安然过去,不会变动。所以我们可反证争得这些自由,便可帮助我们打破独

---

① 杜威:《杜威五大讲演》,第448页,北京晨报社,1922年。
② 同上书,第449页。
③ 同上。
④ 同上书,第450页。

裁政治的制度。"①在宣传这个主张时,他还特别强调无论是正确的还是错误的思想,都不是用强制的办法所能阻遏的,只有承认思想和言论自由,才能让新鲜的创见有良好的生长环境,而错误的也可以在讨论中得到纠正。

二是社会改良主义。杜威主张社会的进步应该靠改良来实现。他说,"现在世界上无论何处,都在那里高谈再造世界,改造社会。但是要再造改造的,都是零的,不是整的,如学校、实业、家庭、经济、思想、政治,都是一件件的,不是整块的。所以进化是零买来的"。② 在社会发展问题上,杜威要求以现行制度为基础实行一点一滴的改良。他把这种逐步缓慢的发展确定为进化的基本特征。他在回答有人问他社会改造应从何处下手时,还进一步指出:"我的答案必说应该从一事一事上下手,如家庭、学校、地方政府、中央政府,没有一种不应该改的。在这个时候,大家只有各做各的事,那种笼统的议论是最容易被人利用的,是没有用的。社会上的事闭口就是全对,或开口就是全不对,要知道进化不是忽然打天上掉下来的,是零零碎碎东一块西一块集合凑拢起来的。"③

杜威在这些演说中宣传的思想,虽然包含了一些消极的成分,但总的来说,它同当时新文化运动的主题是吻合的。因此,这些演讲和思想不但受到了中国知识界的热烈欢迎,引起了他们进一步研究的极大兴趣,而且对于五四时期民主与科学思潮的传播,也作

① 杜威:《社会哲学与政治哲学》,载《新青年》,第8卷,第1号,1920年9月。

② 杜威:《杜威五大演讲·社会哲学与政治哲学》,第14页,北京晨报社,1926年。

③ 同上。

出了重要贡献。

二、胡适对实用主义哲学的全面传播

提起实用主义在中国的热烈传播及其广泛影响,便必然想到胡适在这个过程中所起的重要作用。

胡适(1891—1962),字适之,安徽绩溪人。1910 年于上海中国大学毕业后赴美进康乃尔大学留学,先习农科,后改读文科。1915 年转入哥伦比亚大学哲学系研究部,师从杜威。在哥大近两年的学习,杜威的耳提面命,使胡适系统地研究和接受了实用主义学说,成为他的一名忠实信徒。1917 年回国后任北京大学教授,并参与《新青年》杂志的编辑工作。五四运动期间,他热情提倡新文学,积极宣传实用主义,成为新文化运动的代表人物之一。其中一个突出表现是,联合杜氏在华弟子促成杜威来华讲学。与此同时,为了使中国知识界在杜威到来之前对实用主义有一个初步的认识,他于 1919 年春在《新青年》、《新教育》上发表了多篇介绍与评价实用主义及杜威学说的文章。如《实验主义》、《杜威哲学的根本观念》、《杜威论思想》、《杜威的教育哲学》等。后来,这些文章收入《胡适文存》第 1 集第 2 卷时,都成为长篇文章《实验主义》的不同组成部分。这篇文章虽然以阐释杜威哲学为主,但实际上包括了他对整个实用主义哲学流派的评介。这是胡适传播实用主义哲学的代表作。

在这篇文章的一、二、三、四部分,胡适在概述了实用主义的两个根本观念,即"科学实验的态度"和"历史的态度"后,简要地介绍了皮尔士、詹姆士的思想,其中用较大篇幅阐释了实用主义的存在论、真理论与方法论。在论述实在论时,主要分析了詹姆士对我们之外的物质世界的看法。胡适指出:如何看待实在,实验主义和

以往唯物主义哲学家是根本不同的。以往哲学家认为客观实在是永远固定不变的,而詹姆士等实验主义哲学家则认为"实在是常常变的,是常常加添的,常常由我们自己改造的"。① 他还指出,这种看法认为"实在是我们自己改造过的实在。这个实在里面含有无数人造的分子。实在是一个很服从的女孩子,她百依百顺的由我们替她涂沫起来,装扮起来。'实在好比一块大理石到了我们手里,由我们雕成什么像。'宇宙是经过我们自己创造的工夫的。"②在传播真理论时也主要是以詹姆士作为代表。他在指出了詹姆士等人的真理观同以往哲学家"符合论"的真理观区别后,着重阐述了实用主义关于"历史的真理论"与真理是工具的看法。胡适介绍说,所谓"历史的真理论",是因为这种真理论注重真理如何发生,如何得来以及如何成为公认的真理。在他们看来,"真理并不是天上掉下来的,也不是人胎里带来的。真理原来是人造的,是为了人造的,是人造出来供人用的,是因为他们大有用处所以才给他们'真理'的美名的。"③所以,詹姆士称真理为工具。他说,"凡真理都是我们能消化受用的;能考验的,能用旁证证明的,能稽核查实的。凡假的观念都是不能如此的。"④对此,胡适还进一步加以引申,认为真理所以成为公认的真理,是因为真理具有摆渡、做媒婆的本事;不曾帮人摆过渡,替人做过媒,这种真理是从来没有用的,因此真理的证实是在于一种满意摆渡作用。

---

①　胡适:《实验主义》,见《胡适精品选·问题与主义》,第 297 页,光明日报出版社,1998 年。

②　同上书,第 298 页。

③　胡适:《实验主义》,见《胡适精品选·问题与主义》,第 294 页,光明日报出版社,1998 年。

④　同上书,第 293 页。

接着,在文章的五、六、七部分,胡适着重阐明了杜威学说的主要观点。其中在第五部分中,评介了杜威哲学的根本观念。胡适指出,杜威对经验的重新建构是其哲学的根本观念所在。

胡适的解释是,杜威对经验理论的重新建构,是建立在对传统经验论的分析和批判的基础上的。他写道:"杜威说近代哲学的根本大错误就是不曾懂得'经验'(Experience)究竟是个什么东西。一切理性派和经验派的争论,唯心唯实的争论,都只是由于不曾懂得什么叫做经验。"①胡适依据杜威对以往经验论的分析,指出它们不懂经验的五个方面的表现后,认为对传统经验的分析是杜威哲学革命的根本理由,并且正是从这里出发站在与以往哲学不同的角度,利用近代生物进化论的成果,给经验赋予了新的含义。在这里,胡适转述了杜威的观点:"他说经验就是生活;生活不是在虚空里面的,乃是在一个环境里面的,乃是由于这个环境的。"②又说,"我们人手里的大问题,是:怎样对付外面的变迁才可使这些变迁朝着能于我们将来的活动有益的一个方向走。外境的势力虽然也有帮助我们的地方,但是人的生活决不是笼着于太太平平地坐享环境的供养。人不能不奋斗;不能不利用环境直接供给我们的助力,把来间接造成别种变迁。生活的进行全在能管理环境。生活的活动必须把周围的变迁一一变换过;必须使有害的势力变成无害的势力;必须使无害的势力变成帮助我们的势力。"③

在胡适看来,杜威在这里把经验看作是对付未来、预料未来、

---

① 胡适:《实验主义》,见《胡适精品选·问题与主义》,第301页,光明日报出版社,1998年。

② 同上书,第302页。

③ 同上。

联络未来的事,经验是向前的,不是回想的;是推理的,不是完全堆积的;是主动的,不是静止的,也不是被动的;是创造的思维活动,不是详细的记忆账簿,经验乃是一个有孕的妇人;经验乃是现在的里面怀着将来的活动,经验不仅是知识,经验还是一种应用的工具,是用来推测未来的一种"应付的行为"。胡适认为,杜威赋予经验的这些新含义,是他的哲学的根本观点。如果把它的内容概括起来,便有三个方面:第一,经验就是生活,生活就是对付人类周围的环境;第二,在这种应付环境的行为之中,思想的作用更为重要;一切有意识的行为都含有思想的作用,思想乃是应付环境的工具;第三,真正的哲学必须抛弃从前的"哲学家的问题",必须变成解决"人的问题"的方法。

在第六部分中,胡适介绍了杜威哲学的思想方法。胡适一再强调,"实验主义自然也是一种主义,但实验主义只是一个方法,只是一个研究问题的方法。"[①]又说,"杜威先生不曾给我们一些特别问题的特别主张……他只给我们一个哲学方法,使人们用这个方法去解决我们自己的特别问题。"[②]

谈到这个方法的具体内容时,胡适写道:杜威的"哲学方法总名叫做'实验主义',分开来可作两步说。(1)历史的方法——'祖孙的方法'。他从来不把一个制度或学说看作一个孤立的东西,总把他看作一个中段:一头是他所以发生的原因,一头是他自己发生的结果。上头有他的祖父,下面有他的子孙。握住了这两头,他再也逃不出去了! 这个方法的应用,一方面是很忠厚宽恕的,因为他处处指出一个制度或学说所以发生的原因,指出它的历史背景,

---

① 胡适:《实验主义》,载《新青年》,第6卷,第3号,1919年4月。
② 同上。

故能了解他在历史上占的地位或价值,故不致有过分的苛责。一方面,这个方法又是严厉的,是带有革命性质的,因为他处处拿一个学说或制度发生的结果来评判他本身的价值,故最公平、又最厉害。这种方法是一切带有评判精神运动的一个重要武器。(2)实验的方法——实验的方法至少注意三件事:一、从具体的事实与境地入手;二、一切学说理想,一切知识,都只是待证的假设,并非天经地义;三、一切学说与理想都须用实行来试验过;实验是真理的惟一试金石。"①

与此"两步说"相联系,胡适还根据杜威的《我们怎样思想》介绍了他的"思想五步说"。他写道,"杜威论思想,分作五步说:(一)疑难的境地;(二)指定疑难之点究竟在什么地方;(三)假定种种解决疑难的方法;(四)把每种假定的所涵结果,一一想出来,看哪一个假定能够解决这个困难;(五)证实这种解决使人信用,或证明这种解决的谬误,使人不信用。"②而且,胡适还进一步揭示了"思想五步说"的具体含义。他指出,人本来是像动物那样按照本能或习惯性动作应付环境的;当他在应付环境的过程中感觉到困难时,便针对具体疑难问题,从头脑中自发地涌出"暗示"(亦即"假设")并且选择一种"假设"指导行动。如果使人获得了克服困难的"满意"、"有用"和"成功"的心理体会,那么,"假设"便被证实为"真理";与此同时,"思想过程结束,个人再按照本能或习惯性动作一般地应付环境。因此,胡适强调在"思想五步法"中,"假设"是承上启下的关键。一方面,"假设"是自然涌上来,如潮

---

① 胡适:《实验主义》,载《新青年》,第6卷,第3号,1919年4月。
② 胡适:《实验主义》,见《胡适精品选·问题与主义》,第306—307页,光明日报出版社,1998年。

水一样,压制不住的。他若不来时,随你怎么搔头抓耳,费尽心血,都不中用。另一方面,"假设"的真不真,全靠它能发生它所应该发生的效果,全靠它解释事实能不能满意。

从上面的介绍可以看到,胡适对实用主义的中心兴趣所在。在他的心目中,实用主义的基本意义仅在其方法论的一面,而不是一种"学说"或"哲理"。胡适对杜威哲学的方法有好些大同小异的概括,而被他视为定论并为人们熟知的一个说法是"大胆的假设,小心的求证"十个字。胡适竭力宣传杜威的哲学思想,但真正有影响的,仍是他这简要的"十字真言"。甚至包括熊十力在内,都认为在五四运动前后,适之先生提倡科学方法,此甚紧要。

总之,对自己这篇介绍实用主义的文章,胡适是颇为满意的。实际上,从中可以看到,他的理解与概括,也大体上把实用主义,特别是杜威学说的基本精神反映出来了。而且,通过他输入的实用主义哲学,对于新文化运动中打破封建文化专制主义,击退复古逆流,更新观念,解放思想,都起到了积极的作用。

三、陶行知对杜威教育思想的传播

教育思想在杜威的哲学体系中,是一个重要的组成部分。杜威在华讲学期间,曾经就教育问题发表过多次演讲。他的一些关于教育思想的著作,如《思维与教学》、《民本主义与教育》都被翻译过来。中国学者对杜威教育思想的传播极为重视,其中陶行知是最为得力的一位。

陶行知(1891—1946),安徽歙县人。1914 年赴美留学。1915年获得伊利诺伊大学政治学硕士学位,随后转入哥伦比亚大学师范学院攻读教育,师从杜威和孟禄。1917 年获该院"都市学务总监资格文凭"。回国后应聘到南京高等师范学校任教,主讲教育学、教育行政和教育统计课程。杜威在华讲学前后,他先后发表了《试验主义之教育方法》、《试验主义与新教育》、《介绍杜威先生的教育学说》、《试验教育的实施》与《新教育》等文章,相当系统地介绍了杜威的教育哲学思想。

1."教育是继续经验的改造"

"教育"是什么东西?陶行知在《新教育》中阐明了杜威关于这个问题的思想。他写道:"照杜威先生说,教育是继续经验的改造。我们个人受了周围的影响,常常有变化,或是变好,或是变坏。教育的作用,是使人天天改造,天天进步,天天往好的路上走;就是要用新的学理,新的方法,来改造学生的经验。"①

要理解这段话,关键在于何谓"经验"。陶行知的解释是:在实用主义哲学中,经验即是生活,而生活即是应付人生周围的境地,即是改变人们所接触的事物,使有害的变为无害的,使无害的变为有益的。这种活动是人生难免的。通过这种活动对人进行教育,使人不断增添新的经验,即是"学"了一种学问。如果把每次得到的经验和已有的经验合拢来,便起了一种重新组织的作用。这种重新组织过的经验,又可以用来作为以后经验的参考资料和应用工具。如此递进,永远不足。这就足以说明,"教育的作用,是使人天天改造,天天进步,天天往好的路上走;就是要用新的学理,新的方法,来改造学生的经验。"②

因此,这对于学生来说,既然学校是一个小社会,就应该懂得他们的责任,既是"学",又是"生"。所谓"学",就是要自己主动

----

① 陶行知:《新教育》,载《教育潮》,第1卷,第4期,1919年9月。
② 同上。

地去学,不要只是坐而受教,不要先生说什么,自己也说什么,如同留声机器一样。所谓"生",是指生活或生存。学生所学的是人生之道。不过,人生之道有高尚的和卑下的,有全面的和片面的,有永久的和一时的,有精神的和形式的。我们要求学生的,是高尚的、完全的、精神的、永久继续的生活,把学生引导到最高尚的、最完备的、最永久的和最有精神的地位,这就是好学生。

2. "教育即生活","学校即社会"

在杜威的教育哲学中,还提出了与"教育是继续经验的改造"有密切联系的两个思想,即"教育即生活"与"学校即社会"。

陶行知介绍说,在杜威看来,生活就是教育,生活就是教材,生活就是学习;学校则不仅仅是学习功课的场所,而是一种社会组织,在这个意义上,学校即是社会。不仅如此,基于这种主张,杜威对传统学校的经验教育进行了批判。他指出,在传统学校里,课堂里的桌椅按几何图型一行一行地排列着,很少有给儿童进行活动的余地。这种做法只是给儿童提供了一种"静听"的方式,它意味着学生只能被动的接受,意味着教师把早已准备好的现成教材给学生,用尽可以少的时间去获得尽可能多的东西。杜威认为,这种与生活隔离的学校生活,是教育上的最大浪费。

从这里可以看到,杜威的实用主义哲学是与他的教育思想紧密联系在一起的。他一生的努力,在某种意义上就是要把他的实用哲学应用到他的教育理论上去。正如他在《民主主义与教育》中所表述的那样,如果把哲学看作必然有影响于人的行为,把教育看作塑造人的理智的和情感的倾向的过程,那么,我们就可以给哲学下一个新的定义,即:"哲学乃是教育的最一般方面的理论",而"教育乃是使哲学上的各种观点具体化并受到检验的实验室"。显然,杜威的实用主义教育思想是建立在他的实用主义哲学和

"自然经验论"的基础之上的。不过,他的经验论与传统的经验主义不同;在杜威的经验论中,引进了以生物学为基础的心理学上的概念,对经验的性质做了新的表述。他认为经验是人的有机体与环境相互作用的结果。所谓相互作用,是说有机体与环境的关系不仅是被动地适应环境,而且也对环境起着作用。其结果,环境中所造成的变化,又反过来对有机体及其活动起作用。因此,在杜威看来,知识来自于行动中,来自于人的机体与环境的相互作用的过程之中。这样的"经验"像一条红线贯穿在他的全部教育思想中,成了他的教育思想的认识论基础。

要指出的是,陶行知接受与传播了杜威关于"教育即生活"的思想,但是在自己的实践中却没有停留在杜威的观点上。因为在他从事教育实践的活动中,逐步醒悟到:杜威那套在美国曾经起过一些进步作用的教育理论,在中国这块半封建半殖民地的土地上是行不通的,要是硬搬硬抄,是不会有什么好结果的。因此,他决定把杜威关于"生活即教育"的思想"翻了半个筋头",使自己的教育理论建立在唯物论的深厚根基之上,提出了"生活教育"、"根据生活而教育"、"为生活而教育"的崭新观点。

所谓"生活教育",是指"活的教育"。陶氏认为,就像生物在春光之下,受了滋养,能一天一天生长、进步,"一天新似一天。"[1]因此,在对儿童进行教育时,首先应该承认他们是活的,并根据儿童心理进行教育,即按照儿童的特点与接受能力去教育。其次,"活动教育",是要用活人去教活人,在教员和学生之间建立亲密的关系,互相学习,互相影响,共同进步。在这个过程中,教员要用活的东西去教学生,用新时代的最新知识去武装学生。再次,"活

---

[1] 陶行知:《试验主义之教育方法》,载《金陵光》,第9卷,第4期,1918年4月。

的教育",是要赶上时代的变化,跟随"时势变迁"进行教育。文化的进步,没有止境,世界环境与物质的变化,也是如此。所以,"活的教育,就是要与时俱进。"①

所谓"根据生活而教育"是指在进行活的教育过程中,首先必须依据活的教育的要求设计一个目的和计划,然后按照这个计划去做。因此办教育的人,要会设计,这是十分重要的。其次,要依据设计、计划去找出实现的方法。就是说,只有找到了方法与步骤去实现,设计和计划才是活的,否则,它们便是死东西。

3. 实验主义的教育方法

陶行知十分赞赏杜威实验主义的教育方法,说"欧美之所以进步敏捷者,以有试验方法故"。② 反之,中国的教育所以落后,原因在于没有一种实验的方法。因此,在他看来,如果中国要想建立新的教育,那么,就必须遵循"试验的方法"。

什么是实验的方法呢? 首先,陶行知根据杜威的教育思想中的教育方法,把它归纳四个方面。第一,提倡试验的心理学。因为教育与教学上的进步,都有赖于心理学的试验。所以必须提倡试验的心理学,使教员和学生都有试验的机会。第二,设立试验的学校。在办学的过程中,应挑选几个学校作为试验点。通过试验学校,审视现行的教育管理、课程设置以及教学方法等问题。这是推行新教育必不可少的工作。第三,应用统计法。研究教育的人,必须有一个操纵事实的工具,这就是教育上的统计法。它是辅助试验的一种工具,研究教育的人必须加以利用。第四,注意试验的教学方法。这种方法的主要之点,在于怎样培养学生的独立思考

① 陶行知:《试验主义之教育方法》,载《金陵光》,第9卷,第4期,1918年4月。
② 同上。

能力。

对于这第四点,陶行知把杜威的五种科学认识方法运用到教学上,对它作出了进一步的解释。他写道:"这种实验的教学法,按照杜威先生的意思,第一,要使学生对一个问题处在疑难的地位;第二,要使学生审查所遇到的究竟是什么疑难;第三,要使学生想出种种解决疑难的方法;第四,要使学生推测各种解决方法的效果;第五,要使学生以最有成效的方法加以试用;第六,要使学生审查试用的效果,究竟能否解决这个疑难;第七,要使学生印证试用的方法,是否屡试屡验的。"①而且,后来陶行知在《教育与科学方法》一文中,还对这一方法进行了通俗的说明。他认为,能解决我们问题的,惟有科学的方法。什么是科学的方法呢? 他指出,科学的方法是有步骤的,是有线索的。第一步要觉得有困难,如牛顿看见苹果落地,别人不知看了几千百次,都没有觉得有困难,惟有牛顿觉得有困难,所以他发现了地球的吸引力。教育方面也是如此,有的人上课看不出有什么问题,学风之坏也不注意,所以就不会有困难。第二步要晓得困难的所在,就是要找出困难之点来。如果一个人坐在那里发脾汗,是觉得有困难了,用什么方法来解决这个困难,这就是跳到第三步,从此想个方法来解决。有的画符放在辫子里,有的请巫婆,有的到庙里烧香祷告,有的请医生,有的吃金鸡纳霜。有了这些法子然后再去选择,这就达到了第四步,自以为是巫婆的,法子好就去试一试;不能解决之后,再用其他法子,最后惟有吃金鸡纳霜渐渐的好了,但此刻还不能骤下"金鸡纳霜能治脾汗"的断语,因为焉知不是吃饭时吃了别的东西吃好了呢? 所以

① 陶行知:《试验教育的实施》,载《时报·教育周刊·世界教育新思潮》,第 8 号,1919 年 4 月 14 日。

必须实验一番,这就到了第五步了,如在同一情形之下,无论中外男女、老幼吃了都是灵的,那么,金鸡纳霜能治脾汗就不会错的。在陶行知看来,学生掌握了这种方法,就能解放大脑和双手,充分发挥思考和创造的功能。

毫无疑问,五四时期的陶行知,显然是杜威教育理论的忠实信徒。通过他的大力宣传,的确扩大了杜威教育理论在中国的影响。不过,在接受杜威的教育思想时,他却批判地继承了其中的合理因素。特别是在他的教育实践中,更有自己的探索和创造,并为中国教育事业的发展作出了重要贡献。

四、蒋梦麟对杜威伦理学说的传播

伦理学说是杜威在华讲学的重要内容之一。在传播杜威伦理学说的中国学者中,必须提到蒋梦麟。

蒋梦麟(1884—1964),字兆贤,浙江余姚人。1908 年赴美留学前曾就读于上海南洋公学,到美国后先进加利福尼亚大学农学院,后转入该校社会科学院。1912 年毕业,接着进入哥伦比亚大学研究院,师从杜威研究教育,1917 年取得博士学位。同年 6 月回国。曾任《新教育》主编,北大代理校长、校长。杜威在华讲学期间,他在传播杜威伦理学说方面,先后在《新教育》与《星期评论》上,发表了《杜威之伦理学》与《实验主义理想主义与物质主义》等文章。虽然他传播杜威伦理学说的文字并不多,但在论述的过程中把西方伦理学说同中国的伦理学说进行比较,却显得很有特色。在这些文章中,主要是在上述前一篇文章中,他介绍与评论了下述观点。

1. 杜威在西洋伦理学界的位置

在文章中,蒋梦麟指出,伦理学是讲人与人相互交往的道理,研究这门学问的必要,就在于许多人聚集在一起,结合成为一个社会。而社会的问题是十分复杂的,人和人相互交往的景况也是十分复杂的。生活在这个复杂的社会中,为了"求一个较为简单的法儿,提纲挈领,把头绪整理清楚,以便我们做人应用",①于是便产生了这门学问。不过,伦理学既然是讲社会中做人的道理,就必然和社会的发展趋势相一致,由此决定了"伦理学是进化的,不是固执不动的"。② 所以,要知道杜威在西方伦理学界的位置及其对于伦理学的主张,就必须了解在他之前的西方伦理学说。

据蒋梦麟介绍,"欧洲近世的伦理学,照杜威看来,可分两种。"③一是"存心"学说。它认为"我们判断善恶,不是从行为的结果为判断,是从存心善处下断语。只要存心善良,我们就称是善。其能否有好结果,是另一个问题。"④这派学说以康德为代表。一是"结果"学说。它认为"我们判断善恶,若从存心上说起,他所存的心,我们实在捉摸不到。若从他的行为上观察,我们就可以知道他所行为是善或是恶。"⑤这派学说以英国的功利主义为代表。总之,前者主张"善是内心的。善是德性,德性是内的";后者主张"善是外的。行为是一种经验,经验是外的。"⑥

作者指出,在杜威看来,无论主"存心"说,还是主"结果"说,都有对的,也都有错的。就是说,他们都有片面性,主要表现是,前者只注重发念的一方面,后者只注重行为的一方面。为了克服这

----

① 蒋梦麟:《杜威之伦理学》,载《新教育》,第1卷,第3期,1919年4月。
② 同上。
③ 同上。
④ 同上。
⑤ 同上。
⑥ 同上。

些片面性,杜威写道:"照我们普通的经验看来,有时候觉得两说都不差,我们有时候能把一件事情,在两方面都讲得通。我们知道其中不免有误解处。两方面共同的差处,是在两方面都把自动的一桩事(Voluntary)分作两段。这一面叫他是内的(Inner),那一面叫他是外的(outer)。这一面叫他是用意(Motive),那一面叫做是结果(End),实在只是一件事……徒有用意,不发现于事实上,不管他成功不成功,这不是真用意,就不是一个自动的动作。从他方面看来,无用意的结果,不是自己要的,不是自己选择的,也不是自己用力得来的,这和自动的动作完全没有关系。内和外分,外和内离,就没有自动(或道德)的性质了。内和外分,就成为幻想,外和内离,便是侥幸。"① 在引证了杜威的这段话后,蒋梦麟认为,杜威在这里表达的思想有两点值得注意。一点是道德是自动的动作,不是被动的。自动的动作和道德是一种东西。不是自动的动作就不是道德。另一点是,这自动的动作无内外之分,只有先后之别。由此可见,"存心"派与"结果"派,都只是从用意与结局的先后而集结的。正是从这里出发,作者最后才把杜威伦理学说的主张概括出来了。即:"杜威讲伦理学,是从两方面看。一方面是心理,一方面是社会";"心理是方法,社会是实质"。② 通过这种概括,大体上把杜威伦理学说的基本特点反映出来了。

2. 道德教育问题

在文章中,蒋梦麟对于杜威伦理学说的内容,没有进行具体的介绍,倒是花了较大的篇幅阐述了杜威关于道德教育的几个问题。

他指出,杜威讲的道德教育主要是指学校的道德教育。在介

---

① 蒋梦麟:《杜威之伦理学》,载《新教育》,第 1 卷,第 3 期,1919 年 4 月。
② 同上。

绍时,他首先认为,杜威的学校道德教育是以社会的需要为出发点的。因为杜威说过,"学校对于社会的责任,好像工厂对于社会的责任。譬如一家织布厂制造布匹,要先考察社会的需要。知道社会的需要后,照这需要去造各种样儿的布……学校教学生,亦要先考察社会的需要。知道了这个需要,然后教他。"①特别还因为现在社会上的各种罪恶,并不是制造这些罪恶的人不知道道德的意义,也不是他们不了解道德的普通名词,在杜威看来,究其原因是这些人不知道社会的需要与社会的意义,不了解人生与人生的意义。

在谈到学校在进行道德教育时,杜威还强调不能把它同其他课程的教授分离开来。因为"道德"一词,不是指人生的一个特别区域,也不是特别的一段生活。蒋梦麟指出,在杜威的目光中,"各种功课,都有道德的价值,都是道德教育。"②例如,手工课就不是专教手工,也不是只增长手工知识,而是要培养学生养成群性的习惯;地理课是要使学生认识物质环境与人群的密切关系;历史课是通过讲清社会的来历,使学生了解各种社会形态的意义,知道社会如何发达,如何衰落,所有这些,都是社会价值的体现。所以,学校的各门课程都具有道德教育的意义。

接着,蒋梦麟介绍了杜威从两方面阐明了学校进行道德教育的内容和要求。从社会方面说,是要考虑社会的需要,并根据这个需求,把学生培养成有社会知识——知道社会种种行动、种种社会组织的意义、社会能力——知道社会群体的趋势和势力、社会兴趣——对社会事业有种种兴趣的人。因此,就要使学校生活成为

---

① 蒋梦麟:《杜威之伦理学》,载《新教育》,第1卷,第3期,1919年4月。
② 同上。

一种社会生活,学校课程的设置、管理、训练都要同社会结合起来,使学生自觉地知道自己与这个世界的密切关系。

从心理方面说,就是教育的方法问题。因为社会价值对于儿童的理解力是十分抽象的东西。如果不把这抽象的名词变成具体的。那么,儿童是无法理解与接受的。这就需要有适当的方法。杜威认为,儿童的行为都是出于儿童固有的天性和动作,学校的责任就是要把儿童的这种天性与动作引导到有益的地方去,把他们培养成为有用的人。为此,第一,学校设置的课程要从儿童的实际情况出发,才能收到好的效果。第二,要培养儿童具有行为的能力。我们讲道德不是说有好心便罢了。我们还要有能力把这好心推行到实际上去。这样才算有道德的人。第三,要培养儿童的智力,即判断力,使儿童能判断事情的轻重、缓急与好坏。这需要通过实际的磨炼才能达到。最后,还要培养儿童具有慈悲心和同情心。

在阐明了这些后,蒋氏还语重心长地指出,为了把学生培养成有能力、有判断力和有感情的品性的人,各类学校都应记住杜威的几句话。第一句:能力,判断力与品性是不能用压抑的办法养成的。有道德教育价值的抑制力,包含在引导力里边。第二句:学校开设的各门功课,从方法上讲,主要看它是否为培养学生上述能力所需要。第三句:培养学生的慈悲心与同情心是绝对必要的,而为了培养学生的这种感情,学校必须注重美化环境,使学生接受美感的影响。

前面在介绍杜威伦理学说的主张时,虽然没有阐述它的具体内容,但通过蒋梦麟对这个问题的阐明,对于杜威伦理学说的一般主张及其特点,却可以得到较为清晰的了解。特别是在阐释中,他还把他论述杜威的观点与中国的有关思想家的伦理学说进行比较,更是能够使人加深对杜威伦理学说的印象。这是蒋氏传播杜威伦理学说的一大特点。例如,他在谈到以康德为代表的主"存心说"时,认为这种主张"和董仲舒'正其义不谋其利,明其道不计其功'相似";①在讲到以边沁与斯宾塞为代表的主"结果说"时,认为这种主张和庄子在说法上虽有不同,但庄子的意思是,仁义和不仁义,他不管,凡乱天下的都是不好;而边沁和斯宾塞的意思是,用意好不好,他不管,凡有害于社会的都是不好。在这一点上,他们都是相同的。尤其是在阐明杜威的伦理学说时,蒋梦麟还将他与王阳明进行了相当详细的比较,不但指出了他们的相同之处,即:"阳明和杜威同是主张知行合一派",②而且,还具体地分析了他们的不同之处,即阳明相信良知,而杜威不迷信这个;阳明的知行合一是从心理一方面考察的,而杜威则从心理与社会两方面考察的。经过这种比较,的确能够帮助人们加深对于杜威伦理学说基本特点的理解。

五、张东荪评实用主义在中国的传播

在新文化运动时期传播实用主义哲学的文章中,1923年张东荪发表在《东方杂志》第20卷第15、16期上的《唯用论在现代哲学上的真正地位》一文,以它独特的理论视角值得重视。

这篇文章产生在新文化运动的后期。当时,实用主义哲学经过杜威及其弟子胡适等的热情传播,在思想界已经产生了广泛的影响。这个时候张东荪之所以发表这篇文章,自有他的深刻考虑。从题目上看来,张东荪的目的似乎是要阐明实用主义在现代哲学

---

① 蒋梦麟:《杜威之伦理学》,载《新教育》,第1卷,第3期,1919年4月。
② 同上。

思潮中的真正地位。然而通读全文后,觉得作者虽然在文章中也接触到了这方面的内容,但重点却不在这里,而是针对新文化运动时期实用主义在中国传播过程中出现的一些现象,如在阐明实用主义的理论内容时,只强调它的方法论;在评价实用主义的学说时,只注意其积极的一面;在论述实用主义哲学家时,只提到杜威一人,希望以此通过对它的全面评论来加以纠正。我们认为,这才是张东荪文章的真正用意所在。

因此,他在文章中,首先,不仅阐明了实用主义哲学的方法论,而且还介绍了它的认识论与本体论。他认为,认识论"是唯用论根本上的所托命的,极精微深奥,读起来可令人一击三叹";①方法论"是由这种认识而成的一种态度或脾气";②而本体论则"只是这种认识论的一个伸足而已"。③ 因为在张东荪看来,实用主义的方法是它出于研究真理标准产生的,所以,方法论是建立在它的认识论基础之上的。正是从这里出发,在颇为详细地阐明了实用主义的认识论后,还进一步介绍了它的方法论与本体论。而且,在阐释这些理论学说时,不仅引证了杜威的观点,还充分运用了詹姆士与席勒的有关材料,从而使实用主义哲学以整体的面貌呈现出来。

要指出的是,张东荪担心这样进行全面论述会造成分散与杂乱,所以,他根据自己对实用主义的理解与把握,还对它的精髓所在作出了如下概括:"一、唯用论认惟一的存在只是经验,经验以外任何皆没有;主观客观与心物都是经验以内的,由经验分化的。

---

① 张东荪:《唯用论在现代哲学上的真正地位》,载《东方杂志》,第25卷,第16期,1923年。
② 同上。
③ 同上。

二、经验的原始材料即所谓所与,只是浑沌。这种浑沌并没有何等绝对客观的实在性,乃是真伪杂淆的……三、对于所与而加工,便是把所与拉进内而为内在的存在……所以对于所与愈加工,便是使其愈真,愈真便是愈实在。真理是正在发展的,本体亦是正在发展的……四、宇宙的本体不在我们以外,我们不能对着本体而静观。我们自身,换言之,即经验自身,就是本体……五、我们的自我实现就是即知即行,即智即情……六、心既然是即知即行,所以不是一个本体只是用。七、真即是实在,则伪便是非实在。真伪只是一个价值化的历程。"①

无论前面对实用主义哲学的全面展示,还是这里对实用主义哲学画龙点睛式的概括,对于国人全面认识和深刻理解实用主义,都是很有引导作用的。

其次,在文章的后半部分,张东荪不但充分肯定了"唯用论在现代哲学上很少取得优厚的地位",②指出与纠正了一些人对实用主义哲学的误解,而且还认为实用主义哲学中也存在一些"非修正不可的地方",③并在批评的基础上进而对它加以修正。

在作者看来,实用主义哲学中存在的相对主义、人本主义、感觉主义与心理主义,就都是必须改正或完全抛弃的东西。以感觉主义来说。他指出,实用主义既然认为经验是惟一的存在,而其经验又是以直接经验为其惟一的来源。因此,在研究认识过程时,它就"势必把概念、范畴、理性,都追溯其原始的来源于官觉印象。"④

---

① 张东荪:《唯用论在现代哲学上的真正地位》,载《东方杂志》,第25卷,第16期,1923年。
② 同上。
③ 同上。
④ 同上。

例如有人说,德国的生活费用很低廉,为了证实这句话的真伪,便非亲自到德国去,用眼看、用耳听,即非亲自证验一下不可。他问道,如果这样,那么,"生物学的细胞、物理学的电子,亦非经过官觉的证实不可"吗?[①] 其余,对于相对主义、人本主义与心理主义,也都这样进行了分析和批评。而且,他还指出,实际上在其发展过程中,有些实用主义哲学家也有所察觉,并为此进行过一些挽救的努力,不过都不彻底。因此,针对实用主义哲学家纠正上述问题不彻底的地方,张东荪从总体上提出了他的修正方案,即:"所与只是浑沌,本是不错。所以我们绝不可以纯粹所与为本体。所与必加以构造,于是成了所谓意谓。但意谓不是主观的兴味,乃有理论的客观性。换言之,即是方式,即是关系。不过却不是静的与既成的,乃是可变的。所以价值只是自身实现。真理的构造便是实在的构造。"[②]

　　后来,张东荪把这篇文章略加修改,以《唯用论》为题收进《新哲学论丛》中。总之,这篇文章在论述实用主义哲学时,不像胡适那样,只是集中杜威哲学的输入,只是偏重其方法论的引进,而是系统地考察了实用主义产生、发展与演变的过程,认为杜威只是实用主义发展过程中重要的一位,此外还有詹姆士、席勒等;认为实用主义哲学在内容上除了方法论以外,还有本体论、认识论等,都应该一道加以输入与研究。而且,还根据他对实用主义哲学的认识,在全面介绍与深刻剖析的基础上,对其精髓所在作出了精到的概括。因此,当这篇文章问世后,有的学者把它与胡适的《实验主

---

　　① 　张东荪:《唯用论在现代哲学上的真正地位》,载《东方杂志》,第25卷,第16期,1923年。

　　② 　同上。

义》进行比较,认为就文章的深度与准确而言,谁个精到,谁个粗谬,是一望而知的。

第七节 罗素来华及其分析哲学的传播

继杜威之后来华讲学的西方哲学家,是英国的分析哲学大师罗素。

在他尚未踏上中国的土地前,知识界为他的到来营造了极其热烈的气氛。原因正如《改造》杂志编者指出的,在听罗素的"讲演之前,却不可不先把他的思想略略认一认门径",①认为这就像一个人去一个国家先得找到入境之路一样。因此,中国各大报刊都以醒目的标题纷纷报道了罗素将要来华讲学的消息。在这些报道中,对罗素的学术成就给予了极高的评价,对其来华讲学寄予了殷切的期望。如《申报》1920 年 7 月 11 日披露这条消息时,称罗素是大数学家转为大哲学家,是当今世界的四大哲学家之一。1920 年 10 月《新青年》第 8 卷第 2 号的封面上刊出了罗素 1914 年的肖像,编者注明他是"就快来到中国底世界的大哲学家"。特别是在此前后的一段时间内,一些具有重要影响的刊物还大量地介绍了罗素的生平与思想,刊出了他的不少被译成中文的论著。如 1920 年 10 月《新青年》第 8 卷第 2 号与第 3 号,为了帮助读者了解罗素,使用主要篇幅登出一些中国著名学者对罗素哲学思想的介绍与评论。与此同时,其他一些报刊,如《改造》、《民铎》、《东方杂志》、《新潮》等,也都集中地进行了大量的宣传,而 1920 年 3 月杜威在其以《现代三个哲学家》为题的演讲中对罗素的介绍与

---

① 《改造》杂志编者:《罗素介绍》,载《改造》杂志,第 3 卷,第 2 号,1920 年。

推崇,更以其权威性提高了罗素在中国知识界的声誉。就这样,通过这些宣传与报道,使罗素来华讲学引起了广大知识分子的关注与重视,为他的讲学取得成功准备了良好的思想条件与社会环境。

一、罗素在华的五大讲座

应尚志会、北京大学、新学会、中国公学等单位的邀请,罗素于1920年9月12日抵达上海,开始了他在中国8个多月的讲学活动。

罗素(Bertrand Russll,1876—1970),早年就读于剑桥大学,学习数学和哲学。他在哲学领域的贡献,主要是积极地提倡逻辑分析方法在哲学研究中的运用,由此开创了分析哲学的传统。然而,他的学术研究没有局限于数学与哲学,在其他方面,如科学、政治、教育、道德、宗教等领域也都有不少著述,并取得了许多重要成果。而且,在学术研究之外,他还积极参加社会活动。所以,来华之前的罗素就是一个具有世界性影响的著名哲学家。

到达中国后,他在上海、南京、杭州、北京、保定、长沙等地进行了一系列演讲。在这些报告中,不仅系统地阐明了由他开创的分析哲学的理论与学说,还通俗地介绍了当时欧洲的一些新兴的科学理论,如爱因斯坦的相对论与各种社会思潮。其中,最重要的是他在北京的五大系列讲座,即:"哲学问题"、"心的分析"、"物的分析"、"数学逻辑"与"社会结构学"。在这些讲演中,前四讲的主题均是哲学的,而其中"数学逻辑"讲的是分析的方法和技巧,其余"哲学问题"、"心的分析"与"物的分析",则是罗素运用逻辑的方法处理具体哲学问题的具体表现。在这些讲座中,罗素向中国人宣传了什么样的学说与观点呢?

1."哲学问题"

要注意的是,早在 1912 年罗素便出版过一部名为《哲学问题》的著作。来华后在北京讲演中的"哲学问题",并不是以前者为蓝本进行概括性论述的产物。如果把两者加以比较,就会发现其差别。一、它们在篇章目录上有明显的差异。前者共 15 章,章章有标题,且标题不同;后者共 12 讲,只有 7 个标题,有的一个标题即含蕴 3 讲或 4 讲。二、两者的主题,即要阐明的哲学问题也不完全相同。前者要解决的是一个如何从现象过渡到实在的问题,而罗素在论述这个问题时是站在新实在论的哲学立场上进行的;后者只是一个"哲学概论"性的综述,或者说是罗素当时对自己主张的哲学思想的一个概述,而这时他已经站到"中立一元论"的哲学立场上来了。

正是因为罗素的哲学思想发生了这种变化,所以他在北京"哲学问题"的演说中,首先否定了 1912 年著作中承认过的实在或实体的存在,提出了物体都是由事素组成的哲学主张。

他在阐明这些观点时,为了便于说明问题,是从他眼前的一张桌子讲起的。他指出,面前的这张桌子,对于周围的人来说,虽然都可以看得见,但是仔细地追究起来,却可以说没有谁看过这样的桌子。原因在于,各人看这桌子的角度或观点是不一样的,所以,他们各自看到的桌子的形状与颜色也是不一样的。从这边看去的人看见的是这种颜色,从那边看去的人看见的,由于反光的缘故,桌子又出现了另外的颜色。而在漆黑一团的情况下,就会使人根本不知道桌子到底是什么颜色了。同样,桌子的形状也是这样,随着观察角度的不同与距离的不同,也会呈现出不同的形状。罗素在这里对桌子描绘的种种现象,是观察者都能直接观察到的。这些被观察者直接观看到的种种现象就叫做现象的桌子。问题是,这些不同现象的桌子是不同的桌子,还是同一张桌子所呈现的不同外观？用哲学的术语表达就是，我们所看到的桌子是桌子的现象，而桌子的现象是否是由桌子的实体表现出来的呢？

在对桌子进行了这样的分析后，罗素接着指出，从前的科学和哲学都认为作为实体的桌子是有的，但是与所看见的现象不一样。然而近来的科学和哲学却认为桌子就是这些所看到的现象，在现象之外再没有什么实体之类的东西。所以，现在再也用不着去假定那些看不到、听不见、摸不着的实体之类的东西了。毫无疑问，罗素是赞成后一种观点的。因为在他看来，在现象以外是否存在物质实体，他本人不敢断言，也没有人能够断言；人们所能做到的，只是依据自己的所知来下断语，那些无法确知的东西则暂且存疑。因此，既不要硬说"现象"之外没有"实体"，也不要硬说世界的本原是心或是物，而只能在可证实的范围内将世界归纳为既非心也非物的"实在的东西"。① 这"实在的东西"，他称之为"事素"。并从这里出发，他得到了如下结论：无论什么东西，它的根本，都是由暂时的"现象"（appearance）和"事素"（event）造成的；不是由一些永远的现象和事实造成的，也并不是由虚无缥缈不可思议的一些玄想造成的，而是从现在新物理的方法，按照论理（Logic）而组成的一个有系统的东西。② 显然，这种观点既不是唯物论的，也不是唯心论的，而是他的"中立一元论"。因为依据他的看法，所谓本质，不过是把种种暂时的现象放在一起，按照逻辑法则组成的一个东西，传统哲学中的本质是没有的。罗素在这里，试图通过他的这种观点的阐明，以此引导中国听众依据现代科学提供的材料和方

---

① 罗素：《哲学问题》，见成平编《罗素·勃拉克讲演合刊·哲学问题》，第12页，北京新知书社，1921年。

② 同上书，第24—26页。

法去认识大千世界。虽然由于他跳不出传统经验论的圈子,承认我们感知到的不仅仅是自己的感觉,它就是客观世界本身,因而在世界本原问题上,他无法给中国人以一个正确的答案。但是,罗素在论述自己观点的过程中,提出要推倒玄想,超越常识,并以现代科学的成果作为基础,采用现代科学的方法研究哲学问题,却与新文化运动时期中国知识界推崇科学的进步心态是相通的。

其次,接下来,罗素在"哲学问题"的三、四、五、六讲中,对唯心主义哲学进行了系统批判。他指出,唯心论虽然有五花八门的表现形态,但从方法论上考察却只有三个派别,即:一,以巴克莱为代表的主观唯心论;二,以黑格尔为代表的绝对唯心论;三,以柏格森为代表的神秘唯心论。而且,他在批判这些唯心论时,也主要是从方法论着眼的。例如,在批判巴克莱的主观唯心论时,他认为巴克莱使用的方法,不是演绎法而是科学方法,因为他主张从经验现象入手,对经验现象进行分析,而不是凭自己的理念进行推演。但是,罗素指出,巴克莱在对经验进行分析时,认为凡存在于经验现象之内的就一定是在内心的,然而当他这样分析下去违背生活常识时又超出经验求助于上帝的帮助。这样,显然违背了逻辑分析法。他不但这样批判了黑格尔与柏格森,而且,从批判过程中他的真正目的看来,是要确立和张扬自己的逻辑方法,以此推广科学精神。

再次,在后面几讲中,主要是运用分析方法来处理传统哲学中的一些问题,如因果关系,知识与谬误等。在他看来,传统哲学在这些问题上的观点,都急需要加以修正。例如在因果问题上,从精确科学的角度考察,传统的因果律理论已经陷入到了如下的两难境地:如果因果是连续的,那么,把因与果两个点连接起来,结果便成了一点,从而也就无所谓因与果;而如果因果不是连续的,那么,把因与果两个点分开,中间便出现了空点,从而使可能有其他的事情在空点上发生。这样一来,因果关系也就无法确定了。罗素指出,当科学在总体上还只能满足定性研究的时候,因果律本身尽管含混,也还是有用的。但是,一旦科学发展到可以全面进行定量研究的时候,因果律便成过时的东西了。因为以往所确认的因果关系其实并不具有逻辑关系,也就是说,因果之间并没有必然联系,而只是一种或然关系,至多也只能在粗浅的科学这一层面上应用。他问道:既然因果观念不适用于发展程度高的科学,那么,在这些科学中我们以什么原理来代替因果观念呢? 罗素认为,在这样的科学中应该运用微分方程式来处理和解决相关的问题。他指出,用函数关系来处理和解决物体之间的关系问题,要远比含混不清的因果观念准确得多。

从上面的介绍中可以清楚地看到,罗素的"哲学问题"系列讲座,虽然论述了不少哲学问题,但从开篇到结语,却是突出地强调了科学方法在哲学领域中的运用,而其宣扬的科学方法即是他的逻辑分析法。他这样高扬科学方法与科学态度,显然是十分符合五四精神需要的。

2."心的分析"、"物的分析"与"数学逻辑"

如果说,"哲学问题"的系列讲座是罗素哲学的概论,那么,接着讲的"心的分析"、"物的分析"与"数学逻辑",则不过是"哲学问题"系列讲座的专题性深入罢了。因此,这里没有必要重述它们的具体内容。但是,要指出的是,罗素在分析中有一个显著的特点,就是都把论述的哲学问题与当时科学发展过程中取得的最新成果联系起来。例如,在"心的分析"中,结合心理学,主要是讲佛洛伊德的精神分析学说的成果对相关的哲学范畴进行了分析和论证;在"物的分析"中,运用物理学、主要是爱因斯坦的相对论的成果对物理世界的哲学问题进行了分析与论证;在"数学逻辑"中,更是以数理逻辑的成果阐明了数理逻辑的六个基本推论原理以及它的互换定律、联合定律与分配定律。毫无疑问,罗素论述过程中提出的一些观点,都有进一步讨论的余地。但是,通过上述科学理论的传播以及罗素对这些科学理论进行的哲学分析,对于当时中国思想界正在进行的科学启蒙,是有推动作用的。

3."社会结构学"

早在讲"哲学问题"时,罗素曾经预告,他将要讲的"社会结构学",是要"用客观的态度来观察社会,把社会的结构看做与物理上的公律完全相同。"①在正式演讲的开场白中,他又表示,"这个题目的本旨,不像从前所谓'社会改造原理'指示人以社会应该如何改造,而是用科学的态度研究社会的结构,有什么自然的公律在内。"②依据这种想法,罗素在"社会结构学"中,主要分析与论述了实业制度对整个社会结构性影响与人类社会在工业大生产时代的发展趋势。

其中在第一讲"今日世界紊乱的原因"中,罗素就是把"社会的问题"完全归结为"科学的问题"进行探讨的。他认为,社会现象与物理现象是同类的东西,因此,他的研究是要从纷繁复杂的社会现象中找出"自然的公律"来。在这里,就像物理学家发现了"物理世界"存在的"能"与"力"一样,他揭示了存在于社会之中的各种"动力"。他指出,当今世界发展的最强大动力,一是工业大生产,二是民族主义。而在工业大生产中,又有资本主义与共产

---

① 罗素:《哲学问题》,见成平编《罗素·勃拉克讲演合刊·哲学问题》,第166页,北京新知书社,1921年。

② 同上。

主义两种形式,在民族主义中也有帝国主义与自决主义两种形式。他认为,正是这"四种原动力"的相互冲突与较量,因而出现了"小国反对大国","劳动界反对资本家",造成了天下大乱。而且,在人类无法驾驭这些"动力"之前,世界仍将继续大乱。

在第二讲"实业主义之固有的趋势"中,罗素用"物理家的方法"研究"政治经济的原动力",指出在没有外力阻挡的条件下,工业大生产将会显示其下述的趋势:一、它将"使社会有机化";二、它要求普及教育;三、它因教育的普及促进政治民主化;四、它将摧毁传统农业社会的婚姻家庭制度;五、传统宗教逐渐走向衰微;六、在改变了财产制度后太看重生产的方法,而忘记了生产这些商品的目的。

在第三讲"实业主义和私有制度"中,罗素认为,前述那种盲目生产,不顾目的"暂时的趋势",是由私有制及其相应的商业心理造成的。在他看来,私有制度虽然不是工业大生产的产物,而是在古远的历史上形成的,但是,由于它们在现代社会中的结合,给社会发展带来了严重的后果。不过,他在历数"私有制度"的罪行后主张为了免除资本家的压制,主张将所有的资本统统归社会所有,不过在如何去达到这个目标时,他却劝导世人尽量避免"阶级战争"。

最后两讲是"实业制度国家主义互相影响"与"评判社会制度好坏标准",前者阐明了民族主义同私有制度一样,也会扭曲工业大生产的"自然趋势",后者论述了一种好的社会制度的标准是:"第一,社会里人民的幸福;第二,社会以后再进步的机会"。① 全

---

① 罗素因突然病倒,这一讲没有当众宣讲,而由赵元任将讲稿译出,公之于世。

面地考察罗素这些关于社会问题的演讲,他是从全球的角度论述和预测工业大生产的趋势的,这些问题不但在西方社会中有迫切的意义,而且,它们对于帮助中国人了解西方社会与国际大势,也是有意义的。只是他在这次讲演中,对于当时中国知识界提出的一些有关社会的问题,却采取了回避的态度。

所有这些讲演的内容,通过当时各种报刊,不但及时地进行了报道,而且新知书店还把它们汇编起来结集出版了。除了上述五大系列讲座外,罗素在华的其他一些演讲,如"社会改造原理"、"教育效用"、"教育问题"、"爱因斯坦引力新说"、"布尔塞维克与世界政治"、"布尔塞维克底思想"、"未开发国之工业"、"宗教的要素及其价值"与"中国到自由之路",以及他的一些论文和著作,如《我们所能做的》、《社会主义与自由主义》、《布尔什维克主义》、《自然与人》、《意谓的意谓》、《民主与革命》、《哲学问题》、《哲学中的科学方法》、《社会改造原理》与《战时的正义》,都在这段时间内被译成中文,使罗素哲学在中国的知识分子中传播开来。

而当时中国思想界对于罗素的讲学及其论著在中国的译介,都表现了热情欢迎的态度。例如,罗素的每一次演讲都吸引了许多听众,最多的一次竟达三千多人。据罗素回忆,听众的"求知欲非常强烈,他们聆听演说时就像饥饿者面对盛宴一样。"[1]"不仅上层知识分子读他的书,听他的演讲,而且他的理论通过各种渠道对社会上广大群众也有所影响。他们第一次听到一个英国贵族批判英帝国主义,第一次发现一个外国人以中国人民的观点(不管对不对)考虑中国问题。"[2]这是令国人耳目一新的事情。特别是为

---

[1]　转引自孙实《罗素》,第 120 页,台北名人出版社,1981 年。
[2]　胡作玄:《罗素》,见《西方著名哲学家评传》,第 8 卷,第 447 页。

了更好地理解与接受罗素的哲学思想，北京大学在傅铜教授的倡议下还成立了"罗素学说研究会"，不定期地开会交流学习和研究罗素哲学的心得体会。与此同时，为了配合罗素的讲演活动，北京大学编辑与发行了《罗素季刊》。它和《北京大学日刊》一样，都是当时传播与研究罗素哲学思想的重要阵地。

二、张申府以传播罗素哲学为己任

在中国，研究罗素哲学的学者不少，然张申府却是他们中以传播罗素哲学为己任者。

张申府（1893—1986），名崧年，字申府，后以字行。河北献县人。1913 年考入北京大学预科，学习了一年数学进入本科时就读于哲学门。然而，他对数学与哲学一样，都有浓厚的兴趣。因此，当他踏进哲学领域后仍然念念不忘数学，正像他后来说的，当时"我所学的是兼乎数学与哲学的，也是介乎数学与哲学的，是数学与哲学之间的东西。"[①]张申府学术生命中形成的这一特色，是与罗素的深刻影响分不开的。因为就是在这个时候，他先后阅读了罗素的《我们关于外在世界的知识》与《哲学问题》两部著作；书中提出的理论主张，不但满足了张申府对数学和哲学同样追求的愿望，而且，罗素运用数学的方法或数理逻辑的方法处理和解决哲学问题的观点，更是启发他从中找到了把两者融会贯通起来的契合点，使他自此走上了醉心罗素哲学研究的道路，并以在中国传播罗素哲学为己任。

首先，为促成罗素来华讲学进行了多方面的努力。1917 年，张申府北大毕业后留校任教，为学生讲授逻辑和数学，同时还担任

---

① 张申府：《所思》，第 85 页，中国文史出版社，1993 年。

《新青年》的编委。1920 年罗素来华,不像杜威那样,有其众多在华弟子的盛情邀请与热心推动;而罗素虽然在学术上有很高的声誉,还有先他来华的杜威的举荐,但如果没有张申府的积极推荐与郑重介绍,为邀请其来华准备了良好的社会氛围,也是难以成行的。在这一点上,张申府进行了多方面的工作。这里只指出一点,即从舆论上为邀请罗素来华做好了充分的准备。当时,《新青年》和《每周评论》都是新文化运动中在社会上很有影响的刊物。为了促成罗素来华讲学,从 1918 年至 1920 年罗素来华前,张申府仅在《新青年》杂志上,先后刊出他推荐和介绍罗素的有关论文,就有:《罗素与人口问题》(1919 年 3 月,第 7 卷第 4 号)、《罗素》(1920 年 10 月,第 8 卷第 2 号)、《罗素的人生观》(1920 年 10 月,第 8 卷第 2 号)、《梦与事实》(1920 年 10 月,第 8 卷第 2 号)、《民主与革命》(1920 年 10、11 月,第 8 卷第 2、3 号)、《试编罗素既刊著作目录》(1920 年 11、12 月,第 8 卷第 3、4 号)。其中,1920 年 10 月出版的《新青年》第 8 卷第 2 号,是由张申府负责编辑,可以说是不叫"专号"的"罗素专号"。这在当时是十分引人注目的。这些文章,有的译自罗素的,有的是自撰的。通过这些文章的有力宣传,使国人知道了罗素在国际哲学界的贡献与地位,明白了罗素来华讲学的重要意义,为邀请罗素来华形成了热烈欢迎的气氛。

　　其次,帮助国人接受罗素哲学从思想上进行了引导。这项工作主要是通过张申府发表的有关文章来完成的。在这一方面,除了前面已经提到刊载在《新青年》上的那些外,还译有罗素的《我们所能做的》、《社会改造原理》最后一章,以及《哲学价值》,分别刊登在 1919 年的《每周评论》与《北京晨报》上。除此以外,1920 年 9 月在《东方杂志》第 17 卷第 18 号上,还刊有自撰的《老罗素》一文。在这些文章中,有两篇应该引起重视。

一篇是《试编罗素既刊著作目录》。这是为了全面介绍罗素在学术上的成就与贡献，从英美报刊杂志上进行广泛搜集汇编而成的。在这个目录中，实际上除了列有罗素的专著 14 部、小册子 4 本、论文 76 篇、书评 38 篇以及信函 4 件的篇目外，还对罗素一些论著的内容和版本也做了介绍。其搜集罗素论著目录的完备程度，甚至使罗素本人感到吃惊。到京后罗素邀请张申府喝"下午茶"，在邀请函中称"你所编的目录非常的准确与详细"，并多次对他的朋友说，张申府对他的著作发表情况比他还要清楚。这个目录是罗素学术成果的文献体现。它以直观的形式展现了罗素在哲学等学术领域为人类进步事业已经做出的贡献。

另一篇是《罗素》。这是一篇全面介绍罗素的文章。因此，其中既有罗素家庭、出身、学历、为人品格的叙述，还有罗素关于数学、哲学、逻辑、社会、政治、伦理、心理与宗教研究及其成果的评估。不过，在这样对罗素进行全面介绍时，又有两个重点。

第一，突出地强调了罗素在哲学研究中提出的逻辑分析方法。张申府指出，罗素的哲学叫"逻辑原子论"或"绝对多元论"，它在现代西方哲学界，是"要算最有影响的。"[1]然而在他看来，任何一种新的哲学，大凡总有一种新的方法。张申府认为，罗素也是这样。对此，他写道："罗素是现代世界至极伟大的数理哲学家，是于近世科学思想的发展上开一新时期的一种最高妙的新学（即数理逻辑[名学]，也叫记号逻辑或逻辑斯谛科）很有创发而且集大成的。本着数学之批判的研究，他在哲学里也成立了一种新方法。"[2]他还指出，罗素的学术研究涉及许多领域，但对他进行研究

---

① 张申府：《罗素的人生观》，载《新青年》，第 8 卷，第 2 号，1920 年 10 月。
② 同上。

时,"最可注意的就是他所抱持的科学精神。他是最能实行科学法的……读他的书而忽略了这个必是心盲"。① 在这里,张申府确实抓住了罗素哲学思想的本质特征。只有从此出发,才有可能真正找到一条理解和接受罗素哲学的门径。

第二,突出地宣传了罗素政治活动的进步性。张申府认为,罗素是一位有影响的哲学家,也是一位著名的社会活动家。他不但关心与研究社会政治问题,而且主张社会改革,特别是在第一次世界大战期间,他"大唱和平论,不抗主义、反抗战争,论英国外交之谬。一九一六年竟因作小册子替因良心上不肯当兵而得罪的人辩护,被政府所加罪。"②例如,由此他被审定有罪,判以 61 天的徒刑。又如剑桥大学三一学院,也因此把他在该校的教席革掉了,甚至政府还阻止他按约前去哈佛大学讲授数理逻辑。然而张申府指出,所有这一切不但没有使罗素屈服与退却,反而使"他的勇气却越发旺起来,他的智慧之光越发亮起来,他的头脑越发冷静心越发热起来,他的学者的良心也越显露出来,他的改革论越发盛起来,他的主张越加公正起来,他的感化力也一天比一天更大起来。"③这样,英国政府慌了手脚,遂通过军事当局把他控制起来后,还"把他下狱六个月。"④张申府认为,这"也不过使他的意志更坚固一番,使他的见解更透彻一层罢了。所以现在罗素已完全成了光明磊落的根本改造论者,世界改造的指导者。"⑤作者列举的这些富有感染力的事实,对于国人认识罗素政治的进步性是很有说服力的。

---

① 张申府:《罗素的人生观》,载《新青年》,第 8 卷,第 2 号,1920 年 10 月。
② 同上。
③ 同上。
④ 同上。
⑤ 同上。

　　第三,在引进和传播罗素哲学的过程中,张申府密切地注视着传播中的进展情况,一旦发现对罗素思想的误解,他即毫不犹豫地依据他对罗素思想的理解对它加以纠正。一个最能说明这一点的例子是,比罗素先到中国的杜威在讲学的过程中偶有对罗素哲学的评价,这对中国知识界认识罗素是有帮助的。然而,张申府对他的某些说法生怕引起误解,因此进行了公开的澄清。发表在《新青年》第8卷第2号上有他翻译罗素的一篇《梦与事实》,文前附有张申府的一篇短文《罗素的人生观》,就是这样的作品。他写道:"前晚杜威讲罗素的哲学,引到他说人在宇宙间的微细的几句话,听者好像是很感趣味似的。但杜威因此说罗素失望悲观"。①写到这里,张申府针对这种说法指出,"其实罗素是要'伦理中立',……澄心观礼,切实求个真是,物物见出本来面目,还他本来地位。伦理的字样,价值的判断,是加上去的。说什么悲观乐观,失望得望。罗素一般哲学更是如此的。"②

　　另外,他还针对"杜威那晚又曾说罗素哲学是贵族的"说法,③认为这也很容易使人误会。为此,张申府为罗素进行了充分的辩护。他说,"我们并不是因以为贵族不好民主好,不肯加他那个称号,若如此便也是与罗素学违离;我们只是因为这类字样都与他的哲学不相应。"④因为在张申府看来,罗素的哲学是一种"新实在论"或叫"解析的实在论",而"现代的实在论是元学里的民主精神",⑤特别是他的哲学方法"是易知易能,很靠得住的科学法,并

---

①　张申府:《罗素的人生观》,载《新青年》,第8卷,第2号,1920年10月。
②　同上。
③　同上。
④　同上。
⑤　同上。

没有把握不可靠的直观悬想法,也说不上贵族的。若说罗素哲学重视理性,这也要看理性地位究竟何如,究竟是不是少有的,就令不说这个与贵族不贵族实不相干,但以现世世俗之见,批判一切,究非'究元'所宜。"①

对于实用主义大师杜威的某些看法,年轻的张申府敢于这样陈辞申述,对于传播中其他人的一些误解,他更是勇于大胆纠正。这体现了他保证罗素哲学正确传播的使命感,也反映了他理解与把握罗素哲学达到的深度。

总之,新文化运动时期促成罗素来华讲学及其分析哲学在中国一定范围内的传播,张申府为此作出了重要贡献。而在罗素哲学研究方面,他是当时中国哲学界最早翻译罗素著作、介绍罗素哲学思想的少数几人之一,"罗素"的中文译名即是由张申府首次翻译并被一直沿用至今;特别从其编撰的罗素著作目录及其介绍罗素时对罗素哲学思想的把握看,正像郭湛波肯定的那样:"中国研究罗素思想最有心得、介绍最力的,就是张申府先生。"②这个评价是有根据的。

三、王星拱等对罗素哲学方法的介绍

虽然张申府在介绍罗素时强调了数理逻辑方法在其哲学中的重要性,但是对它的具体内容却没有进一步撰文阐明。在这一方面,当时其他一些学者发表的文章,如王星拱的《罗素的逻辑和宇宙观之概说》(1920年10月《新青年》第8卷第2号)、杨端六的《罗素之哲学研究法》(1920年10月《东方杂志》第17卷第20

---

① 张申府:《罗素的人生观》,载《新青年》,第8卷,第2号,1920年10月。
② 郭湛波:《近五十年中国思想史》,第377页,北平人文书店,1936年。

号）、钱穆的《读罗素哲学问题论逻辑》（《学灯》1922 年 10 月 7
日）与坚瓠的《罗素之科学观》（1922 年 11 月《东方杂志》第 17 卷
第 22 号）等，却把张申府提出的论点具体地展开和论述了。

　　在西方哲学史上，对于科学知识的可靠性问题，许多哲学家进
行过孜孜探索。罗素继承了这个传统。他在"哲学问题"的讲演
中，一开始提出的便是这个问题："世上是否有一个确切的知识而
为有理解力的人所深信不疑？"①在罗素看来，这种知识是存在的，
问题只是如何才能求得。他认为这只能依赖于哲学，而哲学上所
以能解决这一问题，关键又在于研究方法。中国学者产生对于罗
素哲学的浓厚兴趣，也与对于这一问题的探索有着密切的关系。
所以，杨端六看了罗素运用科学方法研究哲学的讲义后，就摘其要
旨，撰成《罗素之哲学研究法》，在杂志上发表出来，对它进行大力
推荐。在这篇文章中，杨端六介绍说，罗素认为在他之前，西方哲
学史上研究哲学的方法有两种："一由于宗教及伦理之观念，二由
于科学之观念"。② 前者如柏拉图、斯宾诺莎、黑格尔诸家，后者如
莱布尼茨、洛克、休谟诸家，而亚里士多德、笛卡儿、巴克莱、康德则
兼有上述两种倾向。在罗素看来，虽然前者从宗教与伦理的观念
出发进行研究，"虽亦有裨于哲学，而自全体言之，实为哲学进步
之阻碍"，③并举出宇宙与善恶两个例子，证明后最终给予了否定。
不过，罗素虽然主张以科学的方法研究哲学，但他的科学方法与斯
宾塞的科学方法不同，因为后者的方法仍然带有宗教与伦理的

---

　　① 罗素：《哲学问题》，见《罗素勃拉克讲演合刊》，第 2 页，北京大学新知书
店，1921 年。
　　② 杨端六：《罗素哲学研究方法》，载《东方杂志》，第 17 卷，第 20 页，1920 年
10 月。
　　③ 同上。

臭味。

接着,杨端六把罗素主张以科学方法研究哲学的理由,以及这个方法的大旨作出了如下概括:"科学所以较有进步者,以其所得真理为一部分的而不必为全体的,是以后之学者能以此一部分之真理为基础,再进而研究之。哲学在今日以前则不然,其研究所得之结果都构成一束,非全体正确,则全体不正确,由是后人欲研究哲学,非每次从新做起不可,盖前人之事业毫无所裨故也。科学的哲学,即在仿照各种科学方法,一部一部证明其确实。而其研究方法,为分析而非统合。"①

然而,这个"分析而非统合"的方法,究竟是什么方法,杨端六的文章也未作出进一步的交代。倒是潘公展在介绍罗素关于"哲学问题"的演讲时,略略有个提示。他指出,罗素"在哲学方面,以数理为根据,应用科学方法于哲学之中,尤为发人所未发。"②另外,他还谈到杜威在介绍罗素时,也有明确的表述。他指出,"照罗素讲……哲学是纯粹无所为的、属于静想的,关于宇宙真际的知识……科学中只有数学最纯粹正确,故数学的方法,便是哲学的方法。"③特别是王星拱,他根据罗素1914年在《我们关于外部世界的知识》中说过"只要是真正的哲学问题,都可以归结为逻辑的问题"的话指出,"依罗素的意思,哲学之精髓就是逻辑;逻辑和算学一样,是专门研究形式——关系——的学术"。④ 在他看来,因为

① 杨端六:《罗素哲学研究方法》,载《东方杂志》,第17卷,第20页,1920年10月。
② 潘公展:《罗素哲学问题》,载《东方杂志》第17卷,第34号,1921年11月。
③ 同上。
④ 王星拱:《罗素的逻辑与宇宙观之概说》,载《新青年》,第8卷,第2号,1920年10月。

在罗素那里,哲学的任务主要是对科学陈述进行逻辑分析,分析、检查它们在化繁为简的逻辑简化过程中是否完全符合逻辑法则,有没有因为逻辑混乱而造成错误,以保证科学体系的逻辑严密性与正确性。这种关于哲学任务和目标的新观点,首先是由罗素提出来的。因为20世纪初以来,现代逻辑取得了突飞猛进的进展,在把它用来处理传统哲学中的某些问题时,罗素看到它已经取得了惊人的结果。因此,从此开始在他的哲学研究中,不仅推崇逻辑方法,而且还主张以逻辑分析取代哲学研究。

不过,罗素主张的逻辑,既不是亚里士多德以来的传统形式逻辑,也不同于黑格尔实质上等于宇宙本体论的逻辑。王星拱在他的文章中接着具体地介绍了罗素关于旧逻辑在解决哲学问题时出现的谬误进行的分析,指出了罗素在探寻知识的确实性时对于传统逻辑范围的超越。传统逻辑,特别是中世纪的经院哲学,把一切命题都被归结为主谓形式的命题,然而罗素认为,由于存在世界不仅包括了许多事物的性质,也包括了它们的许多关系,例如大小、高低、内外、上下、左右、前后等,都表示两个或两个以上不同事物之间的关系;对于这些关系,形式逻辑的主谓形式显然包容不了。于是,罗素把数学中的函数和变项引入逻辑,认为只有数理逻辑函项和变项,才能表达这一类关于关系的命题。因此,他以数理逻辑补充和代替了传统逻辑,并把它运用到哲学的研究中来。

王星拱还指出,根据罗素的思想,"逻辑的机能,就是分析。"①为了有效地进行逻辑分析,罗素把逻辑命题分为三种形式:基本命题,基本命题的真值函数和概括。基本命题就是原子命题。它的

---

① 　王星拱:《罗素的逻辑与宇宙观之概说》,载《新青年》,第8卷,第2号,1920年10月。

基本特点是,它在逻辑上不依赖于任何其他命题,是独立存在的,它所陈述的就是原子事实。真值函数(真理函数)是将原子命题加以逻辑运算而构成的否定命题和复合命题(或分子命题)。而概括则是把原子命题或真值函数加以运算而成的。概括命题的真假值在真值函数命题中一样,也取决于原子命题的真假值。

在罗素看来,一切科学知识都是由一系列命题构成的。一切知识的内容尽管各不相同,但它们都是由上述三种类型的命题形式表述的。这种命题形式是固定的,不受其内容影响。因此,人们只要掌握了一切原子事实,就可以用逻辑运算的方法构造出人类的全部知识来。换句话说,只要把所有的基本命题统统列举出来,那便是对整个世界完整的描述了,就可以穷尽真理了。正如罗素在《我们关于外部世界的知识》中说的,"如果我们认识了所有的原子事实,并且也认识到除我们所知道了的以外再也没有其他原子事实了,那时我们在理论上就能通过逻辑推出一切其他的真理。"①罗素认为,运用逻辑分析方法使科学命题简单、清晰、明确,通过这些基本命题就可以构造出关于整个世界的知识体系,而这同时也意味着可以用原子命题所陈述的原子事实构造整个世界。

因为罗素认为,一切科学的概念和命题所表现的事物,最后都可以分割为原始的经验,而这种经验是最简单的、彼此独立的、不可分割的。这种被描绘为原子状态的经验被称为原子事实。罗素对它的解释是,所谓原子事实是指表示颜色、声音、气味、滋味等事物的性质以及大小、长短等事物的关系。他写道:"存在世界由具有许多性质和关系的许多事物组成。对存在世界的完善描写,不

---

① 罗素:《我们关于外部世界的知识》,见《现代西方资产阶级哲学论著选辑》,第239页,商务印书馆,1982年。

仅需要列举事物的名目,而且需要谈到它们的全部性质和关系。我们不仅得知道此物、彼物和他物,而且还得知道哪个红,哪个黄,哪个早在哪个,在另两个当中哪个是哪个等等。当我说一个'事实'时,我指的不是世界上的一个简单事物;我指的是:某物具有某种性质或某些事物具有某种关系。譬如,我不把拿破仑称作事实,而是把他有野心或他娶了约瑟芬叫作事实。"①罗素指出,世界上的一切都是由这种"原子事实"构成的。他的所谓"存在世界由具有许多性质和关系的许多事物组成",就是世界是由原子事实组成的。换句话说,就是由红黄、冷热、香甜等感觉性质及大小、高低、好坏等关系所构成。罗素认为,原子事实不是指具体的事物,而是指这些感觉的"事实"。并且提出,无论是每一个具体事物还是整个世界,都是由原子事实构成的。

　　不过,罗素没有停留在这种经验论的观点上,而是在此基础上进一步提出,只有将代表经验事实的词同特定的逻辑形式结合起来,才能构成命题、判断、推理等知识体系。罗素说,在逻辑上表述原子事实的命题叫原子命题,如"这是红的","这个在那个之前",这些是二元关系的例子;还有三元,四元……等关系,如"甲把乙给丙",便是三元之间的三元关系。每一个原子命题应该被肯定或否定,只能凭经验知道。由此可见,原子事实是我们通过知觉得到的最清楚最明确的知识,是构成知识大厦的砖石,而原子命题则是逻辑的基本单位。如果对它进行分析,所得到的只能是概念或词,而不再是命题,那么,这就是因为原子命题只是简单的单独事件的逻辑表示。因此,罗素指出,任何复合命题都是由原子命题组

---

① 罗素:《我们关于外部世界的知识》,见《现代西方资产阶级哲学论著选辑》,第235—236页,商务印书馆,1982年。

成,原子事实与原子命题存在对应关系,通过基本命题运用逻辑分析方法可以得到整个世界的知识体系。

实际上,罗素的"逻辑原子论"或"绝对多元论",就是这样进行逻辑分析产生的。据罗素说,在英国以布拉德雷为代表的新黑格尔主义者主张内在关系说,认为每一个关系的根据在于其相互项的本性,即两项之间的每一种关系主要表示了两项的内在性质,并由关系的这种内在性质,能够推知整个实在与其他部分和整体的关系。因此,如果完全知道任何一部分的性质,也就完全知道了整体和其他每一部分的性质。由此可见,必然导致一元论。因为根据这种内在关系说,认为在认识主体与认识对象这个二项关系中,也有一种相互联系、渗透、转化的性质,宣称主体的性质要渗入客体,客体的性质要进入主体,此即"思维与存在的同一性"。这样一来,他们便把存在纳入精神的范畴,由此便导致一元论。但是,罗素在数学的研究中却看到,关系可以分为很多种类,他最感兴趣的是数学中常用的关系,如不对称关系。其逻辑形式是 A 大于 B。这种关系既不表明 A 与 B 有任何共同性质,也与 A 和 B 各自的本性无关。这种关系是内在论无法解释的。因为内在关系论认为,关系可以进一步分解成相互相关的各项及其性质,因此,关系不是实的。罗素却相反,认为在不对称关系中,关系与该自身的性质无关,关系本身就是不可分解的终极项。所以王星拱在谈到罗素的这个看法时也指出,在罗素看来,逻辑分法"之第一步,就是承认关系之实在"。① 正是从这里出发,罗素坚决捍卫关系的实在性。不过,这种实在性不是指关系像实际事物一样存在,而是

---

① 王星拱:《罗素的逻辑与宇宙观之概说》,载《新青年》,第 8 卷,第 3 号,1920 年 10 月。

指分析中的终极性和不可简约性。就是说,所谓外在关系的实在
性不过是指明很多类型的关系在逻辑上是一个独立的类别,不可
能列入传统的主—谓逻辑中去。这就说明,这种外在关系学说中
包括了心与物对立的二元论观点,并因此导致罗素主张多元论。
由此可见,逻辑原子主义不过是罗素把他的多元论思想加以严密
的逻辑处理和发挥的表现罢了。

　　在王星拱的文章中,除了上述内容外还阐明了罗素从逻辑分
析出发形成的宇宙观的特点,即(1)多元;(2)人类渺小;(3)惟
实;(4)中立及其表现。总的来说,从中国学者的这些介绍中可以
发现,罗素通过他提出的逻辑原子主义及其哲学的研究方法,以其
特有的形式取消了哲学的基本问题;或者说,把哲学的基本问题看
成是逻辑分析和逻辑原子的不同表现,而把精神—物质何者为第
一性的问题视为没有意义的。显然,这是值得商榷的。但是,罗素
是英国经验主义哲学的继承者和复兴者。他追求科学知识的确实
性,不仅第一个提出、应用和证明分析方法是适当的哲学方法,而
且,他还是现代分析法的最主要的实践者。这种理论和实践,给传
统哲学以巨大的冲击和影响。中国学者所以重视并积极把它输入
进来,反映了当时中国社会发展过程中的一种希望,就是要以此推
动和促进中国科学和社会的繁荣和发展。因此,尽管罗素提出的
理论和学说对于中国人来说是十分陌生的,但是,中国学者对它却
不但表现了极大的热情,而且在传播罗素的科学方法上也作出了
一定的努力,上述成果即是证明。

四、高一涵等对罗素社会哲学的评介

　　在社会、政治、历史、教育与宗教领域,罗素都有过深入的哲学
思考,发表过不少论文和著作,提出过许多具有重要影响的理论主

张。罗素在华的演讲过程中,这些方面的内容也是一个重点。仅属于这类内容的演说,就有:

社会改造原理	1920 年 10 月 15 日	上海
教育之效用	1920 年 10 月 16 日	上海
教育问题	1920 年 10 月 19 日	杭州
布尔塞维克与世界政治	1920 年 10 月 26、27 日	长沙
布尔塞维克底思想	1920 年 11 月 19 日	北京
未开放国之工业	1920 年 12 月 10 日	北京
宗教的要素及其价值	1921 年 1 月 6 日	北京
社会结构学	1921 年 1—3 月	北京
教育问题	1921 年 3 月	保定
中国到自由之路	1921 年 7 月 6 日	北京

透过这个演讲题目表,足以说明罗素对社会政治学说在中国传播的重视。同样,中国学者对罗素哲学思想中这些内容的输入也十分关注。这无论从他们把罗素论著翻译过来,还是自撰有关论著的发表,都能充分反映出来。在这一方面,有关罗素论著的翻译有:

我们所能作的	赤译	每周评论17、18、28 等期	1919
社会改造原理	余家菊译	晨报社	1920
罗素政治理想	刘国钧等译	中华书局	1920
到自由之路	雁冰等译	新青年出版社	1920
社会主义与自由主义	愈之等译	东方杂志 17 卷 8 号	1920
《政治理想》摘要	程铸新译	改造 3 卷 2 号	1920
《向自由之路》摘要	傅铜等译	改造 3 卷 2 号	1920
1920 年俄国苏维埃政权	刘麟生等译	改造 3 卷 2 号	1920
战时的正义	太朴译	共学社	1921
宗教的要素及其价值	莘田译	哲学一期	1921

罗素的布尔塞维克批评	陈伯隽译	评论之评论一卷二号	1921
布尔塞维克主义	何思源译	新潮 3 卷二号	1922
工业文明之将来	高佩珉译	上海太平书局	1923
中国之问题	赵文锐译	中华书局	1924
教育与人生原叙	李太年译	民铎 9 卷 1 号	1927

中国学者亲自撰写介绍罗素社会政治学说的文章有:

罗素的社会哲学	高一涵	新青年 7 卷 5 号	1920
和罗素先生的谈话	杨端六	东方杂志 17 卷 22 号	1920
从罗素先生的临别赠言中所见的"以政治主配经济政策"	费觉天	评论之评论 1 卷 4 号	1921
罗素的基督教观念批评	赵紫辰	生命一卷 7 期	1921
罗素的基督教观念批评(二)	王克私	生命一卷 11 期	1921
罗素的基督教批评(三)	付灵生	生命一卷 11 期	1921
批评罗素的《宗教的要素及其价值》	徐庆誉	哲学 6 期	1922
评罗素的社会主义观	瞿秋白	新青年季刊一期	1923
罗素与字林西报	张太雷	响导 84 期	1924

其中,中国译出的罗素论著都是他在第一次世界大战爆发后新发表的。从中可以看到罗素在这次战争的影响下形成的社会政治的基本观点。

首先,在《社会改造原理》中,罗素提出的政治哲学的一个信念,认为冲动比有意识的目的更能主宰人类的生活。在这里,他把冲动分为两类:一类是占有的冲动,一类是创造的冲动。前者如衣食、货物等,一个人有了以后别人不能有的,这是占有的冲动;后者如科学家发明新理论、新学说,不是个人私有,而是为了大众,这是创造的冲动。有意义的生活大多是建立在创造的冲动上。罗素指出,政府、战争和贫穷是占有冲动的具体表现。在他看来,社会上的组织是由于鼓励人去做占有的冲动,而压抑或摧残创造性的冲动,因此,他主张创造自由的发挥应该是政治经济改革的基本原则。

其次,第一次世界大战爆发后在思考社会问题的改造时,他在《自由之路》等著作中,通过对马克思主义的社会主义,巴枯宁的无政府主义和工团主义比较之后,宣称他赞成基尔特社会主义,即改良主义。从这种基本立场出发,他认为中国的当务之处是发展实业,兴办教育,而不是进行阶级斗争走社会主义。因为在他看来,"无政府主义、工团主义和基尔特社会主义,都是为已经发达的实业设想,都是为实业主义的习性设想。所以在一个实业未发达的国家,不能叫他们倾向社会主义的第一步。"①

再次,1917年俄国十月革命取得成功后,1920年罗素随英国工党代表团访问了苏联。回国后通过讲演和文章,介绍了他对苏联革命的观感。在这里,有他对俄国十月革命进步意义的肯定,也有他对它的批评;批评中暴露了他的改良主义思想与列宁领导下俄国革命实践的冲突。例如,他反对暴力革命;认为在苏维埃制度下,没有民主,没有个人自由,没有独立思想等。而且,这些看法在中国讲学的过程中也有不同程度的流露,因而受到了一些接受了马克思唯物史观的中国人的批评。

另外,在中国学者自撰的文章中,除了把罗素上述提出的社会政治观点进一步展开外,还从当时思想启蒙的需要出发,较多地介绍了他的民主思想和个性解放的主张。例如,张申府指出,"罗素的政治学说、社会学说与他的数学学说、哲学学说通是一贯的。他最重视个人、个人的自由、小团体的自治,与他哲学里的重视个体

① 罗素:《罗素五大讲座·社会结构学》,第12页,北京新知书社,1921年。

与主张绝对多元,实不为无关。"①又如杨端六也认为,罗素"讲社会原理,无处不以启发人类的自由思想为职务。譬如他论到各国的社会改造,都不甚满意。这并不是他只喜欢英国的办法,实在是他酷好自由。所以对于拘束自由的手段,总是不赞成的。"②再如后来郭湛波在评价罗素来华讲学时,认为他"在社会思想方面,却很激烈,近于民主",③并引证杜威的话来加以说明:"罗素说,人类怕思想比怕世界上什么事情都利害,比怕死,怕死亡还要利害。思想是倔强的,革新的,破坏的,可怕的;思想对于特殊的权力,已成的制度,适意的习惯,是无情的;思想是无政府,无法律,不怕权威的,思想是伟大的,敏捷的,自由的,是世界的光明,是人类的最大荣耀。"④

特别是高一涵在他的《罗素的社会哲学》中,把自由同罗素主张的社会政治制度联系起来,进行了有一定理论深度的论述。高一涵认为,罗素的政治哲学是个人主义的。他写道:"讲个人主义的社会政治哲学家第一个重要条件便是自由,都想把国家社会权力范围缩小到最小限度,单靠自由一个方法来做成个人创造的自主的进步的能力的工具。罗素也是这样。所以他说,'政府和法律本来是为限制自由而设的,但是自由实在是政治的产物中很大的东西'。"⑤接着高一涵指出,"罗素社会政治的理想制度第一在能使个个人都能自由去发展他的创造的冲动;他把自由看作取得

---

① 张申府:《罗素》,载《新青年》,第8卷,第2号,1920年10月。

② 杨端六:《和罗素先生的谈话》,载《东方杂志》,第17卷,第22号,1920年11月。

③ 郭湛波:《近五十年中国思想史》,第377页,北平人文书店,1936年。

④ 同上书,第378—379页。

⑤ 高一涵:《罗素的社会哲学》,载《新青年》,第7卷,第5号,1920年3月。

政治的条件经济的条件最适当的物事,最反对那种消极的自由,说消极的自由一点建设的意味都没有。"①不过,在高一涵看来,罗素的理想的政治并不是主张"乌托邦",而是要为政治运动指出一个正确的方向。所以,罗素根据判断政治运动方向的两个原理,他希望人类不是单要有许多物质上的好东西,而是要有更多的自由,更多的自主,更多的创造机会,更多的享乐机遇,更多的自发的协同,和更少的不自由的服从。高一涵还认为,知道了罗素上述理想的社会政治制度的抽象目标,并不一定明白他的政治哲学的真相。因此,作者接着介绍了罗素关于国家、国际关系、财产、教育、婚姻等的具体主张,从而使罗素提出的理想的社会政治制度具体化了,也使他的自由学说建立在坚实的社会制度的基础之上了。

第八节　杜里舒来华及其生机哲学的传播

在杜威和罗素离开中国后不久,第三位来华讲学的西方哲学家是德国的生机哲学家杜里舒。

一、邀请杜里舒来华的考虑与期望

杜里舒来华讲学,是由北京讲学社出面邀请的。据张君劢说,讲学社本来打算邀请倭伊铿,但因倭氏年事已高,在可能代替倭氏来华的欧洲大陆哲学家中,虽然除了杜里舒以外,还有那托甫和胡塞尔,但杜氏年纪不过五十,而且他是搞生物学出身转而从事哲学研究的,故其哲学的科学根底甚深。正是这一点被中国思想界看

---

① 高一涵:《罗素的社会哲学》,载《新青年》,第 7 卷,第 5 号,1920 年 3 月。

中了,因为这恰与"中国今天好求证于科学之趋向相合",①能满足他们求科学于世界的愿望。所以,杜里舒便成为最适合的人选替代倭伊铿来华。

正是出于这种考虑,中国学术界不但对杜里舒来华表达了热情欢迎的态度,而且还像张君劢说的那样,"吾深望以实验科学而兼哲学之杜里舒氏为我国学术界开一天地也",②因而寄予了深切的期望。

例如,在杜里舒尚未踏上中国的土地前,就开始介绍他的哲学。这就是1922年7月费鸿年发表的《生机论》一文。这篇文章像是一篇欢迎辞,作者一开篇便向读者宣布:"德国生物学的哲学家杜里舒氏定于10月来华。"③又说,他是"从生物学的研究进而为现代第一流哲学家。"④接着作者就生机论学说的发展过程以及杜里舒在这派学说中所作出的贡献,进行了相当全面的论述。最后指出,"生机论虽有无数派别,最新者为杜里舒,而用这种证明最合理者为杜氏的生机论。近世生机论者除杜氏之外如柏格森、赖因干、孟脱高茂,都各树一旌分道而归,便是要说到正流的新生机论,多是推杜氏为代表。杜氏学说虽亦不无论难之点,总可算是现代生机论的大成。"⑤杜里舒虽未到,但通过这篇文章却使中国读者对他的哲学的主要特点有了较为清晰的概念,这就为杜里舒的讲学活动和中国人接受他的学说奠定了思想基础。

---

① 张君劢:《德国哲学家杜里舒东来之报告及其哲学大略》,载《改造》,第4卷,第6号,1921年。

② 同上。

③ 费鸿年:《生机论》,见辽宁大学哲学系编《中国现代哲学史资料汇编续集》(4),第32页,1984年。

④ 同上。

⑤ 同上书,第40页。

　　杜里舒到达上海的当天,署名 Y. C 的先生在《学灯》上致辞:
"欢迎杜里舒教授和爱因斯坦博士"。① 同时,一方面表示了对杜
氏在中国讲学活动的殷切希望,另一方面,还要求中国学者利用这
个机会开展对杜里舒哲学的研究,以便为生物学和哲学的发展和
繁荣作出更大的贡献。

　　事实正是这样。杜里舒到达中国后,学术界在一定范围内的
确开展了对杜里舒生机论的研究与传播,其主要标志是 1923 年 4
月 25 日,《东方杂志》第 20 卷第 8 号"杜里舒号"的问世。在这个
专号的扉页上,刊有杜氏和张君劢与瞿世英的合影、杜里舒为《东
方杂志》的题词,以及 1922 年 10 月 15 日在上海卡尔顿饭店由东
南大学、同济大学、江苏讲学社与中国公学共同举行欢迎宴会上的
照片。杜氏在中国讲学活动的热烈气氛,由此可以窥之一斑。特
别是在这个专号上,通过一组介绍与论述杜里舒生机论的文章,把
杜里舒在中国的讲学活动推进到了高潮。在这些文章中,有中国
学者介绍与评述杜里舒哲学的论文,也有杜里舒亲自为这个专号
撰写的专文。从目录上看,有:

　　1. 乔峰:生机主义

　　2. 杜里舒:近代心理学中之非自觉及下自觉问题(张君劢译)

　　3. 费鸿年:杜里舒学说概观

　　4. 瞿世英:杜里舒学说的研究

　　5. 张君劢:关于杜里舒与罗素两家心理学之感想

　　6. 秉志:杜里舒生机哲学论

　　7. 菊农:杜里舒与现代精神

　　8. 杜里舒:生机论的概念(宏严译)

---

　　① 杜里舒与爱因斯坦同船抵沪,都受到热烈欢迎。

9. 费鸿年:杜里舒的著作

从内容上考察,这些文章分别就杜里舒生机哲学的思想渊源、形成过程、哲学体系的内容、理论贡献,以及它同现代化科学发展的联系等论题,都有较为系统的介绍和论述。这对于引导中国读者了解杜里舒及其学说,扩大杜里舒生机论在中国知识分子中的影响,都具有不可忽视的作用。

二、杜里舒在华的主题讲演

1922年10月14日,杜里舒(Hans Drisch, 1867—1941)乘日本三岛丸号到达上海后,先后在上海、南京和杭州等地讲学。演说的内容除了宣传康德哲学之外,主要是系统地介绍和论述他的生机论哲学体系,以及这个体系的有关部分。这些讲演稿经过整理,大都收集在《杜里舒讲演录》中,其中有分为十二讲的《生机体之哲学》、《生命问题上之科学与哲学》与《国家哲学》等。除此之外,他还在《东方杂志》的"杜里舒号"上发表了《生机论的概念》与《近代心理学中之非自觉及下自觉问题》两篇文章,阐释了其生机论哲学中的一些观点。通过这些演讲和文章,直接地向中国知识分子介绍了他的哲学思想。

不过,在这些演讲和文章中,尤以《生机论之哲学》最为重要。这是他在中国传播其学说的主题演说,因此值得重视。在这篇报告中,杜里舒开宗明义地指出:"我要同诸位讲的,是关于生命问题;不过我讲生命问题,不是依照纯粹的生物学去解决,乃是用哲学的见地来讨论的,故名为生机哲学。"[①]在他看来,生机论的主要

[①] 杜里舒:《生机体之哲学》,见辽宁大学哲学系编《中国现代哲学史资料汇编续集》(4),第53页,1984年。

问题,不是考究生物的形成生长历程是不是有目的,而是"要问这种历程的由来,是无机科学上已经知道的因子经了特别配置而来呢,还是由于生命自己有一种'自主律'的结果呢?"①经过他的研究,认为运用机械论的目的论解释不了生物生命的历程,因为生物存在一种特别的"生命历程的自动律",只有运用动的目的论才能把它说明清楚。并且通过这种阐明,由此引导到"生机论"上来了。

然后,他就生物的构造、生物体的形成、生物的复生现象、生物与环境、生物与物质的关系等问题,具体地阐述了他的生机哲学的理论主张。其中给人印象深刻的,是杜里舒运用自己亲自进行实验取得成功的事实,提出和论证的生物体的复生现象。他认为,生物体的起点是胚胎,幼胎任何生物的形成,例如海胆,都必然经过胚胎、幼胎幼子变为海胆的过程。然而对于这个发展过程,在胚胎学上,最早有些生物学家的解释是,"以为一雌精内皆有一具体而微之小动物在里面,为人目所不能见,后来形成的大动物,即由此极小的动物发达成的"。② 后来,有些生物学家则"以为动物不过是由一个细胞,由简单而复杂,逐渐发达成的,卵内并没有什么具体而微的极小动物,预先存在里面。"③杜里舒指出,"这两种学说,孰是孰非,确是胚胎学上一个重要的争论问题。"④

到1882年,德国生物学家外司曼(Weismann)独自创立了一种新的胚胎学说。他认为,"细胞核内有一机器;细胞分裂由一而

① 杜里舒:《生机论的概念》,见辽宁大学哲学系编《中国现代哲学史资料汇编续集》(4),第70页,1984年。
② 杜里舒:《生机体之哲学》,见辽宁大学哲学系编《中国现代哲学史资料汇编续集》(4),第55页,1984年。
③ 同上。
④ 同上。

二而四而八时,则此每个细胞,即占原细胞核内机器的1/8,一个生物全体的各种机关,亦均占原机器的几分之几,都有一定的。"①在杜里舒看来,这派学说是机械论,而前面说生物是由一个细胞从简单到复杂逐渐分裂发达而成说,则叫做发生学说。

然而,基于自己亲自对海胆进行实验得到的结果,杜里舒又指出,它们都不能解释生物的复生现象。以外司曼的机械论来说。"例如蚯蚓去其头或尾,仍可复生一头或尾,依照机械学说,生物全体各种机关是占原机器几分之几,而且都有一定,那么,失去一头或尾,怎么又可复生一头或尾呢?"②他认为,机械论对此显然是无能为力的。如果偏要勉强进行解释,那么,它必然不免自相刺谬。在杜里舒看来,生物的复生现象,"是因为细胞内有复生能力,如去其一部机关,则此能力即出而补充之。"③不仅有生命的物体如此,无生命的物质也是这样。"譬此磁石,断之为二,或断之为四,而这每段磁石,都仍有两极。"④这是他通过对海胆的实验得出的结论。在实验中他看到,当把一个海胆细胞分裂为二后,每个细胞养之仍可生活,且依旧仍可分裂发达;当把一个海胆细胞一分为四,如"去其一个细胞,或两个,或三个,都依旧可以发达成一完胎;不过体积只有原来的3/4,2/4,1/4罢了。又拿分裂至16个时的卵,设法去掉15个,只余1/16,亦可成一完胎,形体虽是很小,却不缺少任何一部分。"⑤由此可以证明,生物体的发育不是机械

---

① 杜里舒:《生机论的概念》,见辽宁大学哲学系编《中国现代哲学史资料汇编续集》(4),第70页,1984年。

② 同上。

③ 同上书,第56页。

④ 同上。

⑤ 同上。

的,而是存在复生现象。就这样,杜里舒把生物学上的这种现象升华为一种哲学理论,提出了他的生机哲学的基本概念。主要是:"一个细胞,逐渐分裂充分发达其可能,而成一生物,叫做复杂的平等可能系。一部分细胞,合成一团体分裂发达,结果依然发达成一完全成机体的,叫做单一的平等可能系。至于一群细胞之所以能发达成一生物,则是因为各个细胞互相谐和的原因,故又叫协和的平等可能系。"①然后,他就这些基本概念的内容进行了细致的解释,从而把生物的复生现象及其哲学意义全面地展示出来了。

三、张君劢关于杜里舒与罗素两家心理学之比较

杜里舒在华讲学期间,以及在此前后,中国学者根据他们对杜里舒哲学的研究与理解,先后发表了一些介绍与评论性的文章与著作。在这些传播杜里舒哲学的学者中,张君劢,瞿世英与费鸿年是主要的几位。其中如张君劢。不仅由于他的努力,促成了杜里舒访华,杜氏来华后的讲学过程中担任了口头翻译,而且还先后撰有《德国哲学家杜里舒东来之报告及其哲学大略》与《关于杜里舒与罗素两家心理学之感想》两篇文章,介绍与评述了杜里舒的哲学思想。

在这些文章中,前者叙述了邀请杜里舒来华讲学的经过,概述了杜氏哲学的大略,强调了其哲学的核心是生物的自主性。后者则是关于杜里舒与罗素两家心理学说的比较。不过,它不只是加以简单的比较,而是首先把它们放在英德两大哲学传统的发展过程中加以考察后加以比较的。

---

① 杜里舒:《生机体之哲学》,见辽宁大学哲学系编《中国现代哲学史资料汇编续集》(4),第58页,1984年。

在张君劢看来,近代以来欧美哲学的潮流主要有两派,一是以德国哲学为代表,它"偏于唯心或理性主义";[①]二是以英国哲学为代表,它"偏于唯实或经验主义"。[②] 杜里舒和罗素分别继承了德英两派的哲学传统。因此,张君劢指出,要想知道杜罗二氏的心理学说,并进一步对它们加以比较,还必须知道他们各自哲学学说的大概。于是,张君劢接着还分别考察了杜罗二氏哲学学说的具体内容,并对它们作出了如下比较:"杜罗两氏之异同,即英德哲学之异同也。一言全体而一言特子;一言秩序在我自觉中,一言关系之在外;一言心物两界绝然二物,一言心物绝对之异同,同为中立质料;此两家之所以异也。然则亦有同者在乎? 曰,两家皆注重论理的元素,一求之于直观,一求之于关系中;两家皆欲使哲学进于科学的,一则以无可疑之我知为出发处,一则以在外之关系为根据;两家皆为主智主义者,故于哲学中摈除准直问题,以求理智之纯洁,而免于人事之以意高下,此两家之所以同也。"[③]

在对杜罗二氏哲学进行了上述比较的基础上,张君劢使用主要篇幅相当详细地从"心物两界之性质"、"心理元素之多寡"、"内省外观之得失"、"思想心理之赞否"与"非自觉之言论"五个方面,分别阐明了他们心理学上的不同观点,并且通过比较,最后得出了如下的结论:"杜里舒:一,以吾心之体验为出发点;二,心物为两界故反对心物平行主义;三,思想由内发;四,心理学方法在内省;五,思想运行之公例,除联想而外,有限制动因,有定向;六,以灵魂及非自觉为最后之根据;七,全书之论调为综合的。罗素:一,以感

---

①　张君劢:《关于杜里舒与罗素两家心理学之感想》,载《东方杂志》,第20卷,第8号,1923年4月。

②　同上。

③　同上。

觉为出发点；二，心物二者同以中立质料组合而成；三，思想由习惯而成；四，心理学之方法除由念旧关系而来之意象外，可以外观得之；五，思想运行，曰习惯，曰联想，二者由念旧而来，然可推本于物理的原因；六，对杜氏第六点主张持反对态度；七，全书论调为分析的。总之，杜氏之书，其所研究者曰思想之元素，曰思想如何运行，故其所求者则思想之公例。罗氏反之，以分析为目的，且欲以行为说明心理"。①

最后，张君劢指出，在心理学上，杜罗二氏的主张，实际上是内省外观的两个极端。因此他表示，要是有人问他这两派的孰是孰非，他"以中国人好调和和不彻底之态度答曰：两派之言皆是也。人之于世，不外内外，不外心物；主唯心主义者曰，一切皆由心造，一切必为心所知，而后能有所谓物，故曰唯心主义是也；唯物主义曰，苟无外界之觉，则知识何自而来？惟与外物接，乃能有经验，故曰唯物主义是也。推此心物之争于心理学之研究，则两方之各有理由，正与此同，何也？人即有推理之力，然一日之间，口必有言语，手足必有动作，故以言语与习惯解释在内之心，自然有相当之证据；反之，既有感觉，吾心从而综合之，于是有概念，有是非之可辨，判断之可下。更有天才绝特者，文艺学术上，有出人意表之发明，则言语习惯，不足以尽之，惟有求之于在内之心，故曰两派之言皆是也。"②

张君劢的这篇文章，虽然论述的内容是杜里舒与罗素两家心理学比较，但他把它们放在近代以来德英两大哲学传统中进行考

---

① 张君劢：《关于杜里舒与罗素两家心理学之感想》，载《东方杂志》，第20卷，第8号，1923年4月。

② 同上。

察,因此,透过作者的分析与概括,既加深了对这两大哲学传统的
认识,对杜罗二氏的哲学特点也能获得清晰的印象。而且,在阐释
和比较杜罗两家心理学的过程中,分析相当深入,概括也相当准
确,说明作者对其论述的对象在钻研上下了一番工夫。

四、瞿世英论生机论与时代精神的关系

如果从论述杜里舒哲学的深度来说,则要提到瞿世英了。这
集中体现在他的《杜里舒哲学之研究》和《杜里舒与现代精神》两
篇文章中。这些作品不是以客观介绍为主,而是通过作者对杜里
舒著作的钻研,就杜里舒哲学中的一个核心问题,即生机论,对它
在杜里舒整个哲学体系中的地位、它提出的根据、论证的过程、理
论贡献以及它与现代科学的关系,进行了充分体现作者主体精神
的论述,从而使两者融会在一起,有分析、有评价,文章显得很有
深度。

·　　瞿世英指出,生物学是与认识论和本体论有密切关系的。对
于生物现象是用机械论解释,还是用生机论解释,这就是杜里舒提
出的问题。在作者看来,"杜氏的问题是生物学上的根本问题,亦
是哲学上的根本问题。"[1]他问道,"生物之全体是否像机器一般
的,换言之,是否是物理化学可得而解释的,或者还是生机主义
的?"[2]在这个问题上,几十年来一直被机械论所支配。杜里舒通
过实验得到的三个证据,"证明生物不是机器而是自主的。"[3]杜里
舒的生机主义,就是以这些科学实验的成果为根据建立起来的。

――――――――――

① 瞿世英:《杜里舒哲学研究》,载《东方杂志》,第 20 卷,第 8 号,1923 年 4
月。
② 同上。
③ 同上。

它的第一义为生物不是机械的,它的第二义为生物自主,"即生活因(隐德莱希)而自身发展之谓。推而言之,即自由也;即依自身之则律约束而发展也。"[1]这就是作者对杜里舒哲学的核心问题的总结与概括。

特别值得重视的是,瞿世英还把它与当时的时代精神联系起来,以此阐明了它对于社会历史领域产生的深刻影响。在19世纪,由于物理化学发达,生物学深受它的影响,认为生物机体的构成如机械一样,生物现象纯粹是物质原子的结合,而其结合又是由外力而成的。作者指出,"这种主张势必认为有生物与无生物相同,若再推到人生上,那就更危险了。人生岂不机械化了么?如若人生果然是机械的,确然也只有安于机械的人生观了。"[2]但是,在作者看来,这是消极的与被动的人生观,与新文化运动中提出的个性解放与人格独立的启蒙精神是不相容的。因此,瞿世英过去读到柏格森批评机械论的话时,曾经为他赞赏不止;现在杜里舒又使用科学的证据打倒了机械论,对于这个哲学上的伟大贡献,更是令他拍案叫绝,兴奋不已。

为什么呢? 在瞿先生看来,代表时代精神的哲学家,他们的思想必然适合和反映时代发展的需要。他认为,在西方由于前一段时期物理化学发展,机械论盛行,即使是达尔文的进化论,对于生物现象的全体也不能完全作出解释,要是再把它推广于去解释人生问题,则更是危险的事情。他指出,"现在西洋人生之悲哀与烦闷实在是机械主义之当然结果……机械主

---

① 瞿世英:《杜里舒哲学研究》,载《东方杂志》,第20卷,第8号,1923年4月。

② 瞿世英:《杜里舒与现代精神》,载《东方杂志》,第20卷,第8号,1923年。

义固然是西洋文化之一特征,而排斥机械主义亦正是时代精神的表现。"①在这一方面,柏格森的直觉主义、詹姆士的实用主义,以及欧根的新唯心主义,都可以说是当时西方时代精神的体现。虽然杜里舒的生机主义,在某些方面与前述哲学的学说有所区别,但在根本点上都是一脉相承的。特别是,他提出的生活自主律和反对机械论的观点,更是与他们哲学的基本倾向是一致的。因此,作者认为,对于杜里舒哲学,同样应该"承认他是现代精神的产物,是现代精神的代表。"②在这里,瞿世英把杜里舒、詹姆士与柏格森等相提并论,宣称前者的生机论和后者的实用主义与直觉主义的贡献,在哲学上是一样的,都是他那个时代的精神体现。实际上,这种评价本来也反映了这些哲学的基本特征,但在较大的程度上却是新文化运动时期进行思想启蒙的需要。

正是从对杜里舒哲学的这种认识与评价出发,作者根据他所处的时代联系实际发表议论了。因为在瞿世英看来,"哲学的效用就是要养成适当的人生态度,为人生观寻求一合理的根据。"③如果运用机械论解释人生,便会认为人生亦受机械律所支配,无所谓发展,更无所谓创新。这种视人生为机器的人生观,完全否定了人类的兴趣和理想。照此看来,人生还有什么希望呢? 恰恰相反,作者认为这简直是人生的悲哀、黑暗和堕落。既然机械论不能解释人生的意义,杜里舒从科学上把它打倒了,仅就这一点而论,他受到包括瞿先生在内的所有新文化运动的参加者的竭诚欢迎,是理所当然的。而且,不仅如此,杜里舒还创立了生机论。

---

① 瞿世英:《杜里舒与现代精神》,载《东方杂志》,第20卷,第8号,1923年。
② 同上。
③ 同上。

作者认为,"我们在生机主义的根据上,很可以建设生机主义的人生观。"①因为生机主义证明了,每一个细胞都可以发展成为全体,所以,每一个体在宇宙中,每一个人在社会里,都可以对于全体作出贡献。特别是由于生机论者主张生活自由,因而意志自由是可能的。正是因为这些原因,作者才得出结论:"宇宙间什么都可以否认,惟独人格不能否认"。② 瞿世英认为,有了生机主义,就可以说明人生的目的和意义了。因为在他看来,宇宙的发展过程是超人格的完成,而人生的目的和意义就在于把小己的人格贡献给"超人格"。所谓"超人格",实际是人类理想的实现。作者特别指明这一点,联系当时正在进行的思想启蒙,其目的是不难明白的。

五、费鸿年对杜里舒哲学的全面介绍

在传播杜里舒生机主义哲学的过程中,费鸿年在杜氏来华前撰有《生机论》一文;杜氏在华期间,译出了杜氏的《生命问题上之科学与哲学》,发表了《杜里舒学说概观》与《杜里舒的著作》等文章;而且在杜氏离华后的1924年,把有关文章汇集起来,还出版了《杜里舒及其学说》一书。这些论著的一个共同特点,都是在于把杜里舒的生机主义哲学介绍给中国的知识界。

这里,仅以《杜里舒学说概观》为例进行说明。写作这篇论文的目的,正如费鸿年说的,只是"简略地把杜氏学说的主要论点,列举数项聊作研究杜氏哲学的导论。"③因此,文章的要求是全面而概括,以便帮助读者对杜里舒哲学的全貌有所认识。从这个要

---

① 瞿世英:《杜里舒与现代精神》,载《东方杂志》,第20卷,第8号,1923年。
② 同上。
③ 费鸿年:《杜里舒学说概观》,载《东方杂志》,第20卷,第8号,1923年4月。

求出发，作者在文章中分别就杜里舒学说的由来、他的哲学方法、生机主义、秩序论、实在论等论题进行了有重点的介绍与论述。

作者提出，杜里舒本是研究生物学的。在这之前的50年的生物学的发展过程中，生物学是被机械论占据统治地位的。所谓机械论，实际上是用物理化学的作用来说明生物的进化。然而，杜里舒通过一系列实验，特别是海胆胚胎实验，却发现机械论解释不了他在实验中所得到的生物进化的新事实。因此，后来他专门开展了对生命自主律的研究。通过研究得到的成果，一方面以此为依据提出了生机论的学说，另一方面又以此为武器批评和否定了机械论。这样，他便从生物学的研究进展到哲学的研究。他的《生机论的由来及概念》一书，便是这一研究成果的结晶。自这本书问世后，杜里舒专门从事哲学研究，并先后出版了《生机哲学》、《秩序论》、《身体与灵魂》、《实在论》与《知与思》等著作，从而建立了一个以生机论为标志的哲学体系。作者在总结杜氏在这样建立的这个哲学体系时认为，"杜氏由生物学而转入哲学者，我敢断之曰由于生物自主律。因此自主律而使杜氏由机械论转入生机论，再从生机哲学建立论理学及形而上学，成一大系统。故杜氏学说，实是一生物学上的哲学。"[①]

接下来，费鸿年就这个哲学体系的主要内容，如生机主义、秩序论与实在论，进行了概括性的介绍。

在谈及生机主义时，费鸿年指出，在杜里舒看来，凡是生物不仅都有其复杂的整型，而且还有其统一的全体。所以，生物在它的发展过程中，既有为建立这个全体的因素，还有因损伤这个全体而

---

① 费鸿年：《杜里舒学说概观》，载《东方杂志》，第20卷，第8号，1923年4月。

为恢复其为全体的因素。"这几种生物趋向全体的性质,就是生物的目的论。"①但是,对于这种目的论该怎么进行解释,便成为理论生物学上的中心问题。在这个问题上,主张机械论的,宣称这种生物的目的不过是物理化学历程的结果;而主张生机论的,则认为生物都有自己的自主律。杜里舒通过实验,从生物学上找到了生机论的三个、即从实验发生学上、从遗传及发生学上以及从行为生理上最新的立论根据,从而论述了生物有机体的特殊规律,认为"支配这种因果律的因子,就是超时间空间的隐德莱希。"②

在提及秩序论时,作者指出,杜里舒把生物趋向全体性,扩充到宇宙的全体性,认为在宇宙中心定有它完全的秩序。这种秩序便是一般秩序论、自然秩序论、宇宙秩序论和灵魂秩序论等分别研究构成的。

在论及实在论时,作者指出,虽然杜里舒从我知主义出发建构了他的哲学体系,但是,如果只从逻辑上去说明自然的、灵魂的和伦理意识的本体,那么,显然是不够确切的。因此,杜里舒为了解决这个问题,便由秩序论进到形而上学。因为"形而上学专求万物的绝对性。"③并且,从道德、事实关系和灵魂三个事实中探讨了这种绝对性。

在阐明了上述论题后,费鸿年对杜里舒哲学进行了总结与概括。他写道:"总观上述,杜里舒的哲学系统,以生机论起,以实在论终。其最主要特点即从生物的秩序扩充到宇宙的秩序,以我知

---

① 费鸿年:《杜里舒学说概观》,载《东方杂志》,第 20 卷,第 8 号,1923 年 4 月。

② 同上。

③ 同上。

的方法推测万物的关系。所以他的哲学根底,还在生物学。若举其独创的见解,有以下几项:一,'以原始知'的秩序概念为中心;二,'复杂程度'的层次应用;三,未开展的可开展的概念;四,时,变移,自己,灵魂的说明方法,五,自然对象当作间接的,同时又像独立的对象;六,自然转化的可能形式;七,以伦理归入论理学;八,以积叠、进化两概念加入历史哲学;九,形而上学的开始方法;十,死在哲学上的地位;十一,哲学出发点的生机哲学;十二,排斥心身并行论的方法。[①]

　　总之,不论前面对于生机哲学具体内容的介绍,还是这一段抽象概括,都把杜里舒哲学体系的基本面貌客观地勾画出来了,对于人们接受杜氏哲学或进一步研究杜氏哲学,都是必不可少的基础性工作。

第九节　西方哲学东渐与中国社会迈向现代化

　　从第二章到这一章,本书阐明了从林则徐、魏源到曾国藩、李鸿章,以"师夷长技"与"中体西用"为原则引进西学器物层面的实践,还论述了从康有为、梁启超到陈独秀、李大钊输入西学时从制度文化到精神文化的推进,说明几代中国进步人士在探寻中国社会出路的过程中,对于西学的选择经历了一个由浅入深逐步拓展与渐次深入的过程。问题是,在向西方学习与引进西学的过程中,他们为什么要这样一次又一次地向前推进? 为了回答这个问题,必须具体说明西方哲学在西学中的地位及其对中国社会迈向现代

---

① 费鸿年:《杜里舒学说概观》,载《东方杂志》,第 20 卷,第 8 号,1923 年 4 月。

化的积极意义。

一、西方哲学在西学中的核心地位

说来也简单:中国先进分子所以要把输入的西学从一个层面推进到另一个层面,原因之一,是因为西方哲学在西学中具有核心的地位。这种认识是他们在寻找中国社会前途与向西方学习的实践过程中取得的。

例如,最早黄远生在《新旧思想的冲突》中写道:"自西方文化输入以来,新旧之冲突,莫甚于今日……盖在昔日,仅有制造或政法制度之争者,而在今日已成为思想上之争。此犹两军相攻,渐逼本垒,最后胜负,且夕朝布。识者方忧恐悲危,以为国之大厉,实乃吾进化之效。非有昔日之野蛮战争,今日何由得至本垒。盖吾人须知,新旧异同,其要点本不在枪炮工艺以及政法制度等等,若是者犹滴滴之水,青青之叶,非其本源所在。本源所在,在其思想。"①黄远生这一番对中西新旧之争的描述,不仅阐明了中国向西方学习,由"形而下"向"形而上"层面的拓展,"犹两军相攻,渐逼本垒",而且更为值得重视的是,以十分鲜明的态度指出了西学的核心,即"本源所在,在其思想"。而这里所谓"思想",具体说来,就是以民主和科学观念为核心的近现代西方哲学。

1916 年,陈独秀在其《吾人之最后觉悟》中,对西方哲学在西学中的核心地位,还有更为简洁的概括。他写道:"欧洲输入之文化,与吾华之固有之文化,其根本性质极端相反。数百年来,吾国

---

① 黄远生:《新旧思想的冲突》,见《远生遗著》,第 154—155 页,商务印书馆,1984 年。

扰扰不安之象，其由此两种文化相触接相冲突者，盖十居八九。凡经一次冲突，国民即受一次觉悟……最初促吾人觉悟者为学术，相形见绌，举国所知矣；其次为政治，年来政象所证明，已有不恡守缺抱残之势。继今以往，国人所怀疑莫决者，当为伦理问题。此而不能觉悟，则前之所谓觉悟者，非彻底之觉悟，盖犹在惝恍迷离之景。吾敢断言曰：伦理的觉悟，为吾人最后觉悟之最后觉悟。"①陈独秀上述看法的特点，是把对西学选择的进展与中国人的觉悟程度的进步联系起来，并把它们归结为一个从学术、政治到伦理的深化过程，并通过这个过程的推进，清晰地把体现伦理觉悟的西方哲学在西学中的核心地位形象地揭示出来了。

经过"五四"运动的洗礼，梁启超对上述认识有了更为准确的表述。他写道："近五十年来，中国人渐渐知道自己的不足了。这点子觉悟，一面算是学问进步的原因，一面也算是学问进步的结果。第一期，先从器物上感觉不足，这种感觉，从鸦片战争后渐渐发动，到同治年间借了外国兵来平内乱，于是曾国藩、李鸿章一班人，很觉得外国的船坚炮利，确是我们所不及，对于这方面的事项，觉得有舍己从人的必要，于是福建船政学堂、上海制造局等渐次设立起来……第二期，是从制度上感觉不足。自从和日本打了一个败仗下来，国内有心人，真像睡梦中着了一个霹雳，因想道，堂堂中国为什么衰败到这步田地，就为的是政制不良，所以拿'维新变法'，做一面大旗，在社会上开始运动，那急先锋就是康有为、梁启超一班人……第三期，便是从文化根本上感觉不足。第二期所经过时期，比较的很长——从甲午战役起到民国六七年间上……革

①　陈独秀：《吾人最后之觉悟》，载《新青年》杂志，第 1 卷，第 6 号，1916 年 2 月。

命成功将近十年,所希望的件件都落空,渐渐有点废然思返,觉得社会文化是整套的,要拿旧心理运用新制度,决计不可能,渐渐要求全人格的觉醒。"①在这一段话中,梁启超在论述中国人对西学的选择过程时,与陈独秀的分析思路基本一致。不过,在对这个过程的概括时,梁启超使用"器物"、"制度"、"文化"概念,要比陈独秀的"学术"、"政治"、"伦理"概念确切多了。特别是,他从总结洋务运动以来引进西学的教训中,认识到"社会文化是整套的",要想使社会中的多数人实现"全人格的觉醒",不但要把西学作为整体加以引进,而在引进时还要把其中的精神文化,即哲学社会科学首先输入进来,因为这是实现"全人格的觉醒"的关键所在。

通过这几个例子,反映了中国先进分子对西学认识的深化与西学作为一个文化系统在中国的依次展开,说明在西学的三个层面中,器物是外层,是最活跃的因素;制度是中层,是最权威的因素;心理是里层,是整个文化系统的灵魂,从而阐明了在西学的构成中,西方哲学处于核心地位。这是中国进步人士在西学输入的过程中逐步认识到的,也是他们所以在输入过程中不断向前推进的原因之一。西方哲学在西学中的这种核心地位,是由这种哲学的性质或本质决定的。因此,为了真正了解这一点,对于西方哲学的性质必须要有正确的与全面的认识。

这里讲的西方哲学,主要是指近代的与现代的西方哲学。就前者而言,它是随着西方近代生产力的萌芽和发展,在近代科学的火焰冲破了中世纪的浓雾,使古代西方哲学在逐步摆脱蒙昧主义羁绊,走上现代化的历程后产生的。近代的欧洲,以社会化的大生

———————
① 梁启超:《五十年中国进化概论》,见《梁启超文选》(下),第553—554页,中国广播电视出版社,1992年。

产为背景,以资本主义的生产关系为基础,在打破了地理分割的界线,加强了与世界各地区各民族之间联系的条件下,迅速地荡涤了小农经济的狭隘意识,在物质文明和精神文明两个方面都获得了突飞猛进的发展。其中,随着西方社会的转型,西方哲学从中世纪进入了近代,实现了从朴素形态到科学形态的飞跃。因此,在从培根、笛卡儿到德国古典哲学这个时期内的西方哲学中,各派哲学家都在不同程度上以其独特的方式倡导哲学的理性精神(主要表现为人文精神),并以此为出发点,为人的行动及全部现实生活制定了一次被称为认识论的重要变革。在这种哲学中,尽管存在着不可避免的局限性,但在总体上,它是西方社会现代化的理论概括,具有鲜明的现代化特征。例如,从明末清初输入的"格致学",到晚清引进的"进化论";从孙中山提出的三民主义理论基础,到共产党人作为革命和建设指导思想的直接理论来源。虽然它们各自有不同的性质和影响力,但都是肇始于近代西方社会"走出中世纪,迈向现代化"的发展过程,都不同程度地体现了人类社会一定发展阶段上的时代精神。由于它是西方资产阶级上升时期的理论表现,因而容易得到人们对它的肯定。

对于现代西方哲学,一段不短的时期内它在我国的命运,是众所周知的。毫无疑问,自19世纪末叶以来,随着西方社会从自由资本主义逐步走向垄断资本主义,西方资产阶级失去了往日的进步性与革命性。但是,这只是一种总的发展趋势。在这以后的一百多年中,西方社会的演变是多方位的,社会发展过程中出现的情况是复杂的。"在某些情况下,资本主义也仍然具有较大的生命力,不承认这一点,就难以解释这一时期西方社会生产力和科学技术仍然迅速发展,甚至出现了革命性的进步的事实。正因为如此,也不宜简单地把现代资产阶级整个地都归结为腐朽没落的反动阶级。"①原因在于,在现代西方社会中,即使在同一个国家中的资产阶级内部,不但存在着不同的阶层,而且其中有的阶层可能还有某些进步的要求。这种状况反映在现代西方哲学中,除了存在对抗历史潮流、反对马克思主义的一面以外,在社会历史观方面还有某些论证社会进步可能的一面。例如,揭露资本主义社会的弊端,反对法西斯主义,批判当权的资产阶级中的反动阶层等;尤其在不少情况下,还有的用哲学来论证那些没有明显的或直接的阶级利益关系的问题,例如语言问题、逻辑问题和科学方法论问题。

因此,必须承认,在马克思主义哲学产生以后,其他现代西方哲学并没有停止发展。这突出地表现在思维方式上它对近代西方哲学的超越。大家知道,近代西方哲学在取得重大进步的同时,也隐含了不少严重的缺陷与矛盾。例如,它虽然倡导理性,却最后走到了极端,导致对理性的迷信。又如,它将主客、心物分离开来,由此经过二元论变成了独断论和怀疑论,并因这种分裂使人不是沦为一架机器,就是成了形而上学体系中的一个环节,严重地压抑了人的主体性和创造性,等等。所以,从19世纪以来,"随着西方社会各方面的剧变,特别是现代自然科学的发展对作为这种思维方式的认识基础的经典自然科学的超越,这种思维方式的片面性和矛盾显得特别突出了。它必然被新的哲学思维方式所取代,这意味着西方哲学的发展必然出现新的转型。19世纪中叶马克思主义的产生在哲学上实现的革命变革是这种转型的突出表现。而从那时以来西方一系列一反近代哲学发展方向创新的哲学流派(即

---

①　刘放桐:《西方哲学的近现代化转型与马克思主义哲学和当代中国哲学的发展道路》,载《天津社会科学》,1996年,第3期,第5页。

通常所说的现代西方哲学)的出现在不同程度上也同样是这种转型的表现"。①

在这里,马克思主义哲学的诞生是对近代西方哲学的超越,不会有人表示怀疑。然而,其他现代西方哲学是否也具有超越意义,则不尽然了。在我看来,在不少现代西方哲学流派的理论中,的确存在着种种片面、谬误乃至腐朽的东西。但如果从哲学走向把两者加以比较,便不难发现现代西方哲学超越近代西方哲学的地方了。这集中体现在思维方式的超越上。例如,它们继承康德对传统哲学的批判,进一步否定了建立无所不包的哲学体系的企图;它们进一步强调主体的能动性,以便克服康德的不彻底性;它们对人类的非理性的精神活动进行了多方面的多层次的研究,试图揭示与人类精神活动有关的研究(社会历史与心理学科)和自然研究之间的区别,制定与自然科学方法论不同的精神科学方法论;它们都要求重新认识人的存在及其活动的价值和意义,强调要把人作为完整的人,把人看作目的而不视为手段,等等。

要指出的是,这种超越在西方哲学的发展过程中,是一种具有相当普遍意义的理论思维方式的转型,即有关哲学研究的对象、方法和目的等方面的基本观念的重大变革。这在人本主义和科学主义等思潮中都有鲜明的反映。所以,"总的说来,他们的哲学的确也更能体现这一时期西方社会的政治、经济和文化发展的状况,特别是科学技术的迅速发展所导致的各种问题,因而具有重大的进步意义。"②

---

① 刘放桐:《西方哲学的近现代化转型与马克思主义哲学和当代中国哲学的发展道路》,载《天津社会科学》,1996 年,第 3 期,第 11—12 页。
② 同上书,第 12 页。

只要肯定了这一点,再也不用举出现代西方哲学家的具体学说来加以证明,就可以断言现代西方哲学对近代西方哲学的超越是全面的。因此,我们认为,无论近代西方哲学还是现代西方哲学,不但是西方社会走向现代化的理论总结,在西学中处于核心地位,而且,在西方社会迈向现代化的过程中发挥了先导的作用,是西方社会实现现代化必须具备的思想条件。于是接着的问题是,把它输入到中国来,在中国社会迈向现代化的过程中,它是否也能够发挥这种作用?

二、引进西方哲学对于中国现代化的积极意义

在这个问题上,长期以来,一直存在着不同的认识。在我们看来,西方哲学,主要是近代与现代西方哲学,作为西方社会现代化过程中社会实践的总结和人类历史一定发展阶段上的精神产品,对于中国"走出中世纪、迈向现代化",具有多方面的积极意义。这些积极意义,就是西方哲学东渐对中国现代化事业本来可以而且应当发挥的积极作用。中国先进分子在引进西学时,所以一而再地向前推进,这是他们的真正的着眼点,或者说,是更为根本的原因所在。具体说来,这些积极意义主要表现如下。

1. 认识世界的发展潮流与现代化模式的选择

现代化事业是一项伟大而复杂的系统工程。其中,现代化道路的选择,对于现代化的顺利开展及其目标的实现是极为关键的一环。如果这种选择是正确的,那么,它就能够使现代化事业走上健康发展的道路,现代化进行过程中经济、政治和文化的变迁,就会按照它自身的规律相互协调地向前发展,从而可以避免和减少现代化进程中的弯路和曲折。也只有这样,才能把广大人民群众的现代化建设积极性调动起来,以克服现代化过程中的阻力和困

难,使现代化的目标得以顺利实现。

现代化道路的选择,实质上是一个现代化建设的模式问题。在不同国家走向现代化的过程中,的确存在着各种不同模式的选择。选择正确与否,决不是由哪位思想家灵机一动构思出来的,也不是哪位政治家照搬某种国外模式就可以决定的。从根本上说,主要看它是否符合一定社会经济基础——生产力水平、生产方式、生产关系以及各种政治、经济结构的发展,即是否符合社会发展的规律。大家知道,自晚清以来,中国的仁人志士就走上了艰苦探索中国现代化的道路。在长期的探索过程中,曾经有过改良派走日本式君主立宪现代化、国民党人走欧美资本主义现代化、共产党人一定时期内走苏俄式社会主义现代化等不同模式的选择。这些选择虽然各自都有一定的理由,但从最终的实践结果来看,不是以失败告终就是长期处在困难和曲折之中。根本原因是这些现代化模式,没有把世界历史潮流的发展趋势同中国社会发展的实际情况结合起来,使它既符合世界历史发展的规律,又能反映中国社会发展的特殊性。因此,现代化模式选择正确与否,实际上取决于对于世界发展规律性以及中国国情的认识和把握。

但是,不论对于前者还是后者,要取得对它们的正确认识和把握,都不是一件容易的事情。特别是在那闭关锁国的历史条件下,更是难以办到。例如,为什么长期以来,中国的社会变革始终在抄袭外国与回归传统中摇摆,时断时续,杂乱无章,无论理论上还是实践上都没有找到中国特色的发展模式。重要原因之一,就是对世界发展潮流缺乏正确的认识。正是在探索中国社会发展的前途与现代化模式时,恰恰是西方哲学起了不可忽视的作用。因为随着近代中国的国门被打开和卷进世界现代化潮流后,西方哲学作为社会发展一定阶段上时代精神的体现,为中国先进分子认识中国社会从世界观上提供了一个参考系,不但从中明白了西方社会所以强盛的原因和中国所以衰败的必然,激发起中国人挽救民族危亡、反对西方列强侵略者的热情,还从中看到了社会发展的方向,促使中国人民为了国家的富强奋起直追,通过向西方学习,决心融入世界现代化潮流中去。有的学者指出:"固步自封,不跳出自家的文化圈子,通过强烈的反差去思量自身,中华文明将难以找到进入现代形态的入口。"①实际上,上述各种模式的选择既是西方哲学启迪下进行选择的结果,而且从一种选择转到另一种选择,也是对西方哲学,尤其是随着对于马克思主义哲学关于社会发展规律认识和把握的进展而变化的。因此,才有从日本式君主立宪到欧美式资本主义再到苏俄式社会主义等不同现代化模式的选择和发展。就是最后进展到有中国特色社会主义现代化模式上来,也是由于对于马克思主义从偏颇的理解到科学地把握的结果。实践证明,只有这个模式才把中国的现代化引导到健康发展、经济起飞和体制转轨的新阶段,并为 21 世纪中华腾飞奠定了坚实的基础。然而这个模式的提出和选择,从世界文明和世界历史的广阔背景考察,它也是融会中西、综合创新、直接继承马克思主义,根本扬弃苏联僵化模式的"左"的教条主义的产物。显然,这其中便体现了西方哲学对它形成的积极意义。

2. 思想启蒙与现代化运动的顺利发展

现代化又是一场全面而深刻的社会变革。不但任务艰巨和复杂,而且在进行过程中,还必然遇到来自各个方面和各种力量的干扰和抗拒,因而需要解决一系列极其繁杂甚至是料想不到

---

① 庞朴等:《序〈海外中国研究〉丛书》,见《中国的现代化》,第 2 页,江苏人民出版社,1988 年。

的困难和问题。为了尽量排除前进道路上的障碍,减少阻力,为现代化运动的顺利进行奠定牢固的思想基础,为现代化建设提供它所需要的社会环境和文化氛围,对全社会开展现代化思想启蒙,是绝对不可或缺的。因为通过现代化的动员规模,新的机制创建以及确定有效的发展速度,从而深刻影响现代化的进展和面貌。

思想启蒙对现代化的意义,一是表现在它对现代化的启动具有一种先导作用,以便为现代化的顺利进行开拓道路。在这一方面,主要是能使一批有识之士认识社会发展潮流,探索现代化发展规律,确定现代化模式,从而自觉地承担起领导社会变革的历史重任;使国人从旧的思想观念下解放出来,从而勇敢地投身到社会变革的洪流中去,以便推动现代化的全面启动,并迅速地走上现代化的道路。

另一个表现是,思想启蒙还具有为现代化实践的各个方面提供理论指导,以便为现代化的顺利开展奠定强有力的思想保证。一般说来,在现代化的进程中,都要经历生产工具和生活器具、管理制度和各种体制,以及文化传统和思维方式等三个方面的变革。由于人在这三个层面中都是决定性的因素,因此,人的观念的调整和文化格局的变化,对于其他方面或层面来说,不但显得逻辑在先,而且也显得格外重要。因为只有作为现代化主体的人在自身观念上得到了调整,即随着冲破旧的传统束缚,代之以新的思想观念、知识价值、思维方式,并建立起整个新的文化格局,才能为现代化的顺利启动和健康发展提供思想保证。这是思想启蒙在现代化过程中的导向作用。它对经济、政治和社会的现代化,都将会产生直接的影响。

因此,在东西各国现代化的过程中,都十分重视思想启蒙。而在思想启蒙中,哲学启蒙又是根本的,甚至在一定意义上,所谓思想启蒙,实质上就是哲学启蒙。不过,为了进行哲学启蒙,必须以一种能够反映现代化时代精神的哲学的出现为前提。然而,当我国踏上现代化道路的时候,由于社会发展阶段原因的制约,还没有产生与此相适应的新的哲学,所以才有西方哲学东渐的出现。因为西方哲学作为西方现代化实践的理论概括,它对于现代化的顺利开展具有建设性的功能。例如,在现代化经济建设中推行市场经济。这种经济不同于封闭的自然经济和单一的计划经济的特点之一,在于它把产品当做商品,并通过市场加以实现。换句话说,通过市场进行商品交换是市场经济的本质特征。为了使这种交换得到正常进行,必须肯定自由、平等和公平竞争等项原则,进而倡导作为这些原则思想基础的理性。而这些正是近、现代西方哲学所提出并反复加以论述的。其余,如"五四"新文化运动中提倡的"科学"和"民主"两种精神,也是近、现代西方哲学所提出并竭力加以论证的。所以,有选择地引进和借鉴西方哲学中的有关成果,用以进行现代化思想启蒙,对于保证中国现代化的顺利开展无疑具有积极意义。

3. 现代化主体的培养与现代化目标的全面实现

现代化更是一项需要亿万人民群众参与的伟大事业。要顺利地、成功地和全面地达到现代化的目标,决定性的因素是多方面的,但其中关键还在于现代化主体的出现及其素质。在一定的意义上,可以说没有主体素质的现代化就不会有现代化的全面实现。

这是因为,现代化作为人类社会发展的一个重要阶段,其目的是要从传统农业社会转变为现代工业社会。这种社会的全面转型是一场极其深刻和复杂的社会变革。不用说现代化目标的全面实现取决于现代化主体的出现及其素质,就是任何一个领域的现代化,离开了现代化主体素质的保证,也是难以实现的。关于这一点,国内外早就有些人认识到了。例如,在反思维新变法和辛亥革命失败的教训时,陈独秀认为即使进行了为现代化提供政治前提的革命,但如果它不是建立在广大群众充分自觉的基础上,那么,是难以组织和建立起像西方那样的现代国家的。因为在他看来:"所谓立宪政体,所谓国民政治,果然实现与否,纯然以多数国民对于政治自觉其居于主人的主动的地位为惟一根本之条件。"①如果"共和立宪而不出于多数国民之自觉与自动,皆伪共和也,伪立宪也"。② 就是说,由于政治现代化所需要的主体素质尚未成熟,虽然辛亥革命推翻了封建帝制,但现代国家并不一定能建立并维持下去。事实正是这样。革命派效法孟德斯鸠、卢梭和华盛顿的理想,为什么一次次被军阀政治的丑恶现实所粉碎? 在西方卓有成效的东西,为什么在当时的中国却变了模样。细想起来,都是因为现代化主体的绝大多数尚不具备政治现代化所需要的素质的缘故。其余,如经济现代化,也是这样。例如,为了进行现代化经济建设,引进国外作为现代化显著标志的科学技术,移植先进国家卓有成效的工业管理方式,开始以为只要这样,就能使国家富强起来,从而使自己跻身于先进国家的行列。对此,有的国外学者指出:"如果一个国家的人民缺乏一种能赋予这些制度以真实生命力的广泛的现代心理基础,如果执行和运用这些现代制度的人,自身还没有从心理、思想、态度和行为方式上都经历一个向现代化的

---

① 陈独秀:《吾人最后之觉悟》,载《新青年》,第 1 卷,第 6 号,1916 年 2 月 15 日。
② 同上。

转变,失败和畸型发展的结果是不可避免的。再完善的现代制度和管理方式,再先进的技术工艺,也会在一群传统人的手中变成废纸一堆。"①联系中国走向现代化过程中出现的种种曲折,例如晚清洋务运动经济现代化尝试的失败,与经济现代化所需要的现代化主体的素质关系密切。因为对于国外先进的科学技术,生产设备、管理方式等引进后必须消化,才能为我所用。移植不单是为了模仿、仿造,更重要的是为了借鉴、创造。能否在引进后得到消化,在移植后实现再创造,这都取决于主体的素质。只有当主体具备了适应经济现代化建设所需要的素质,它才有可能持续、稳定地得到发展,并保证最终取得胜利。孙中山和鲁迅所以提出进行心理建设和改造国民性都与从这点出发考虑问题有关。可见,现代化主体的素质是经济现代化的重要条件。如果说,仅就经济现代化或者只是政治现代化,都要依赖于现代化主体的出现及其素质,那么,现代化目标的全面实现,更要依赖于现代化主体的出现及其素质,便是不言而喻的。特别需要指出的是,这些素质不仅现代化的领导者首先应该具备,而且也是对全社会提出的。没有社会中绝大多数人的现代化,现代化目标的全面实现是难以想像的。

所以如此,从根本上说,是因为现代化主要是人的现代化。只有人普遍地实现了全面现代化,才会有社会现代化的全面实现。而人的现代化即体现为人的现代化素质。社会的现代化实际上不过是主体现代化素质的外在表现,是主体素质的产物。例如,现代化的生产力,是征服自然力的主体能力现代化的表现;现代化的政治制度,是人的高度民主意识、参与意识和现代化政治态度的表

---

① 英格尔斯:《人的现代化》,第4页,四川人民出版社,1985年。

现；现代化的社会风尚，是主体人格现代化的表现。因此，在中国现代化的过程中，培养和提高主体的现代化素质，具有十分迫切的意义。

那么，现代化主体应该具备哪些素质呢？从现代化目标全面实现的任务出发，它对现代化主体素质提出的要求是多方面的，不过其中主要是指人的文化心态、心理特征、价值观念、思维能力、政治态度、道德修养和思想境界等。这些能力或素质达到的水平，可以反映出社会现代化的发展程度。因而培养和提高主体这些素质，显得特别重要。而提高主体这些素质的主要途径是社会实践，但是，通过哲学启蒙，使主体首先获得思想解放，从而实现价值观念、行为模式、思维方式、情感意向等主体状态的现代化，也是不可忽视的。问题只是在我国，基于走上现代化道路时的社会性质和文化背景，中国传统哲学不能全面承担起这个历史重任。在这种条件下，通过引进西方哲学，推动传统哲学的变革，并借鉴其中能够体现现代化时代精神的有关成果，在全社会进行思想启蒙，使现代化主体从中世纪封建依附制度和等级制度下解放出来，使知识分子能够自由思想，使广大群众能够自由创造，从而使人的聪明才智和主动精神得到充分和有效的发挥，以培养和提高现代化所需要的这种素质。由此可见，借鉴西方哲学对于中国现代化目标的全面实现，是有积极作用的。

借鉴西方哲学对中国现代化的作用，上述三方面不是各自孤立的，而是紧密结合、相互联系的。如果当西方哲学东渐开始时，这种作用还不能很快被人们清楚地认识到的话，那么，经过一个多世纪的实践，神州大地今天不论哪个领域发生的巨大变化，都不难发现它烙下了深深痕迹。这种无可辩驳的事实，充分证明了西方哲学东渐对中国现代化的积极意义。问题只是，这些积极作用在中国迈向现代化的过程中,是否得到了正常的与充分的发挥? 这是另外一个问题,在本书的下卷中将在适当的地方加以论述和回答。

第五章　20世纪三四十年代西方
哲学东渐的全面推进

（1927年至1949年）

　　从1927年"四一二"政变，到1949年10月1日中华人民共和国成立，是中国变被动现代化为主动现代化、为现代化提供政治前提的关键时刻。在这个过程中，虽然中国社会在山重水复中曲折前进，但广大学者对社会前途的探索与西方哲学东渐工作，不但没有因此停顿下来，相反，在"五四"时期取得初步繁荣的基础上，他们以强烈的历史责任感，把它同促进民族精神的进一步觉醒，推动中国社会走向现代化的伟大事业结合起来，全面地把西方哲学东渐向前推进了一步。

第一节　在历史的山重水复中全面
推进西方哲学东渐事业

　　在具体阐明广大中国爱国学者在艰苦条件下，全面推进西方哲学东渐取得的理论成果前，有必要首先交代一下当时他们是在怎样的社会历史条件下开展这项工作的。

一、在历史的山重水复中对中国现代化前途的继续探索

本来,从1924年开始的北伐战争,是一项在新的历史条件下继续辛亥革命没有完成的事业。目的在于通过国共两党合作进行的这场战争,实现国家的独立和统一,以此为中国走向现代化提供政治前提。但是,到1927年当北伐战争节节胜利的时候,却因"四一二"政变,致使1924年建立起来的统一战线遭到破裂。从此开始,在中国现代化前途的问题上,形成了以共产党与国民党为代表的两条现代化道路的斗争,并且随着阶级矛盾和民族矛盾的变化与发展,使中国社会处于急剧的变动之中。

首先,1927年,蒋介石通过政变篡夺了北伐战争的胜利果实,在中国建立了以他为首的新军阀统治。为了巩固这种统治,他配合军事上对根据地的"围剿",在意识形态领域实行文化专制主义,对进步思想和进步文化工作者发动了残酷的文化"围剿"。由此在这以后的10年中,中国社会先后经历了由北伐战争转变为土地革命战争,以及由"围剿"和"反围剿"的国内战争转变为全民抗日的艰难过程。

接着,1937年7月7日,日本帝国主义发动了对卢沟桥中国驻军的进攻,从此开始,一场伟大的全民抗日战争爆发了。在抗日战争期间,国共两党重新建立了统一战线。中国人民抗击日本帝国主义的战争是极其残酷的,整个抗战的过程是极其艰苦的。但是,由于全国人民的共同努力,经过8年的浴血奋战,在付出了极大的牺牲之后,终于在1945年8月打败了日本侵略者,取得了抗日战争的伟大胜利。

然而,中国社会中长期存在的两大基本矛盾,即帝国主义与中华民族的矛盾以及封建主义与人民大众的矛盾,并没有得到解决。

因此,随着这些矛盾的发展,以蒋介石为代表的国民党政权在美帝国主义的支持下,1946年终于发动了对共产党武装力量的全面进攻,把中国重新推向内战的血泊之中。这就是决定中国人民命运和中国社会前途的第三次国内战争。中国共产党领导人民群众,经过三年的殊死拼搏,终于推翻了以国民党政权为代表的帝国主义、封建主义和官僚资本主义的反动统治,于1949年10月建立了中华人民共和国。从此,中国社会进入了一个崭新的历史时期。

上述过程说明,从1927年"四一二"政变到1949年新中国成立,中国社会是在山重水复中曲折而艰难地发展的。尽管社会矛盾非常尖锐,经济条件异常困难,西方哲学东渐的工作极为艰苦,但是,中国广大爱国学者坚信,新文化运动时期掀起的"科学"与"民主"思潮,已经在神州大地上传播和扩展开来,这个思潮反映的社会发展趋势是不可逆转的。在这种形势下,虽然他们眼看轰轰烈烈的大革命的失败以及斗争形势的严峻,的确深感焦急与忧虑。然而,他们对中国现代化前途的探索与奋斗,并没有因此失去信心或松弛下来。相反,在这种社会急剧变动的过程中,面对民族危机的加剧以及斗争形势的复杂,更加激发起他们强烈的历史责任感,从而把对中国社会前途的探索推进到了一个新的阶段。20世纪30年代以后,在意识形态领域中发生的关于社会性质、中国社会历史分期、现代化、唯物辩证法以及本位文化的争论,便是这种探索在新的历史条件下的反映。下面,仅就其中有代表性的争论及其对这个时期西方哲学东渐的推动作用,简要地加以介绍与分析。

第一,关于"现代化"问题的争论

1933年7月,上海《申报月刊》以"中国现代化问题"为题,刊出创刊周年纪念特大号。编者在"前言"中指出,这次讨论是在世界经济危机导致中国国民经济衰落和东北四省丧失的背景形势下举行的。作者写道:"须知今后中国,若于生产方面,再不赶快顺着'现代化'的方向进展,不特无以'足兵',抑且无以'足食'。我们整个的民族,将难逃渐归淘汰、万劫不复的厄运。现在我们特地提出这几十年来,尚无确实有效方法去应付的问题,作一个公开的讨论。"①这里,虽然指明了中国社会发展过程中形势的严峻,但是,他们并不悲观,也不气馁。这从他们提出当时需要急迫解决的问题,就能看得出来。编者在提出问题时,把新文化运动以来我国思想界讨论过的诸如东西方文化观、东方化与西方化、打倒封建军阀与帝国主义、走资本主义道路还是走社会主义道路、振兴民族等问题,都统统归到中国现代化一个问题下面,然后问道:(1)中国现代化的障碍是什么? 为了促进中国的现代化,需要几个什么先决条件? (2)中国现代化当采取哪一个方式,个人主义的或社会主义的,以及实现这个方式的步骤怎样? 参加讨论者,多是当时学术界的知名人士,如陶孟和、樊仲云、吴泽霖、金仲华等先生。在讨论过程中,他们对现代化问题虽然尚无统一的认识,但是,其中有一个观点占了上风,就是都认为在中国今后的社会发展过程中,应"着重经济的改造与生产力的提高"。② 这是中国思想界对中国社会发展取得的一个新的认识。从中可以看到,它与20世纪20年代东西文化论争的思想相联系,但不同的是,它已经不是停留在东西文化抽象的空洞的争辩上,而是面对国家

① 《申报月刊》编者:《中国现代化问题》,载《申报月刊》,第2卷,第7号,1933年。

② 同上。

和民族的危亡,具体地提出了必须采取切实步骤赶快"现代化"的发展问题。实际上,这场讨论可以说是中国知识界对复杂尖锐的社会矛盾和极端严重的民族危机作出的思想回应。通过上述看法的提出,说明中国思想界对世界潮流发展趋势的认识,有了进一步的提高。

第二,中国文化出路的争论

1935 年初,陶希圣等 10 位教授联合发表了一个《中国本位文化建设宣言》,借"文化建设"之名,反对和阻挠国外进步思想的输入与传播,由此引起了一场全国性关于中国文化出路的热烈讨论。实际上,这场争论不只是中国文化的重建问题,而是从这里引出中国的出路,即社会发展道路问题的大争论。在争论过程中,站在"本位文化"对立面的是陈序经的"全盘西化论"。但这种观点刚一亮出旗帜,就遭到各方面的批评和责难,不久便昙花一现地再无人提起它了。倒是讨论过程中提出的两个观点引起了整个中国思想界的重视。一是它不同于"五四"时期那样对文化问题进行的争论,认为好的就是绝对的好,坏的就是绝对的坏,而是主张不论对待中国文化,还是对待西方文化都要采取具体分析的态度;正是通过这样的讨论使"本位论"与"西化论"逐步接近起来,最后形成一种新的认识,即用"现代化"来取代"西方化"或"中国化"等概念。二是在具体分析中还认识到,中西文明的不同是农业经济文明与现代工业化的不同,使中西文化比较从文化层面扩大到经济层面。其中,给人印象最深的是把"西化"改变为"现代化"的看法的提出,更是引起了哲学界的广泛关注。正如冯友兰当时所说:"这表示,一般人已经觉得以前所谓西洋文化之所以是优越的,并不是因为它是西洋的,而是因为它是近代底现代底。我们近两百年所以吃亏,并不是因为我们的文化是中国底,而是因为我们的文化是中古底。这一觉悟是很大底。"①虽然这种认识早在新文化运动时期就有人提出过,但到这个时期已被中国思想界,以至"一般人"所普遍接受,这一觉悟的确是"很大底"。这是他们对世界潮流与中国社会发展方向认识深化的具体表现。

　　这些讨论或争论,虽是在知识界中进行的,但它在一定意义上,却是国内对中国现代化前途实现的强烈愿望在文化思想上的真实反映。透过这些论争,从中可以看到,中国人,特别是其中的一切进步力量对世界形势及其发展趋势,以及对中国国情与出路的认识,都达到了一个新的高度。尤其可贵的是,还把这种认识或觉悟变为行动。进入20世纪30年代,尤其是抗日战争全面爆发后,看到大片国土丧失,民族危亡迫在眉睫,在强烈的使命感驱使下,他们认为,抗日战争是关乎中华民族生死存亡的关键,也是关乎中国现代化前途的关键。因此,他们进一步提出,为了争取民族独立,振兴中华,在全民抗战打败日本帝国主义的过程中,必须从政治、经济、文化等方面进行现代化因素的积累,以便变被动现代化为主动现代化,使中国在抗战胜利后顺利地走上现代化建设的道路。实际上,中国人民在抗日战争时期,在极为艰苦的条件下,以坚强的意志和特有的智慧,确实从各个方面为中国现代化因素的积累,给变被动社会现代化为主动社会现代化提供了极为有利的条件。例如,在政治上,为了发动全民族抵抗日本侵略者,国民党政权在全国人民的强烈要求下,在某些方面采取了一些开放民主的姿态,如给各派政治势力以合法的地位,减少了对政权机构、新闻舆论的控制,从而在一段时间内出现了朝民主化发展的趋势。在经济上,虽然因为日本帝国主义的侵略,给中国本来微弱的生产

①　冯友兰:《新事论》,见《冯友兰集》,第247页,群言出版社,1993年。

力破坏极大,但是,中国人民为了抗击日本侵略者,为了保存战后社会发展的基础,克服重重困难,努力生产,不论国民党统治的大后方还是共产党领导的根据地,都为继续维持并增强经济现代化因素的积累,作出了重要的贡献。尤其是文化上,在复兴中华的爱国主义思想推动下,全国上下在八年的艰苦奋斗中,不论自然科学、社会科学,还是培养人才、教育工作等,在所有这些方面现代化因素的积累,都大大超过了以往任何年代。本时期的西方哲学东渐,就是在这种认识与觉悟的基础上开展,并在上述现代化因素的积累过程中全面向前推进的。

二、在促进民族精神全面觉醒中对西方哲学东渐提出的新要求

引进西方哲学,近代以来,本来就是适应中国社会走向现代化发生的文化现象。问题只是,具体到 20 世纪的三四十年代,在积累现代化因素,抗击日本侵略者的过程中,中国社会的发展对当时的西方哲学东渐提出的要求是什么?

在回答这个问题时,中国学者首先认为,一个国家,一个民族,要实现现代化,必须以民族的独立为前提。否则,其他什么都是难以谈得上的。一个明显的事实是,鸦片战争后,虽然中国被动地卷进了现代化的过程,但是,从一开始为什么就呈现出被动的局面。在他们看来,主要是由于国家在不少领域被帝国主义所控制,不能完全独立。可见,中国要实现现代化,特别是在当时日本帝国主义者大举进犯的历史条件下,当务之急是打败日本侵略者,进而改变帝国主义勾结中国封建与官僚资本势力统治中国的现状,争取民族的完全独立,才能使社会现代化由被动变为主动,使中国真正走上现代化建设的道路。

不过,要达到上述目的,却又必须依靠全国人民的精神觉醒程度,首先是民族独立意识的真正全面的觉醒。因为在这民族危亡的严峻时刻,只有全国人民精神振奋起来,民族独立意识在他们的心中扎下根来,并逐渐形成全民族的共同意识,才有可能使他们自觉地投入到抗日救亡的伟大洪流中去,通过英勇奋斗,打败侵略者,使国家从危机中解脱出来,争得民族的生存与独立。然而在这一方面,自鸦片战争以来,虽然民族独立意识在不断增强,但从全国绝大多数人来说,并没有成为全民族的共同意识。因此,思想上最大限度地唤醒全国人民的民族独立意识,既是现代化文化因素的积累,也是当时中国社会发展对西方哲学东渐提出的任务。

当着手这项工作时,中国学者从总结新文化运动的得失入手,认为"五四"时期开展的启蒙运动,虽然在形式上有过轰轰烈烈的壮观景象,对国人从传统观念束缚下解放出来也产生过一定的积极作用,但是,这种作用的发挥却不理想。正如胡绳指出的,"五四的启蒙运动并未完全成功,因此最近有人提出要开始一个新的启蒙运动来完成,来推进前一阶段的未了的工作。"①因为在他看来,进入20世纪30年代以后,随着文化上现代化因素积累与抗击日本侵略者形势的出现,思想战线上不但要继续完成新文化运动未竟的事业,而且从前面的分析看到,当时中国的社会发展对新形势下的思想战线还提出了更高的要求。因此,只有开展一个更大规模的新的启蒙运动,才能唤醒全国人民的民族独立意识,以此为打败日本侵略者提供思想保证,并为中国顺利走向现代化提供政治前提准备条件。

---

① 胡绳:《启蒙运动》,载《自修大学》,第1卷,第2期,第11号,1937年。

实际上,广大中国学者也是这样认识的。这对于马克思主义者来说,自不用多说。因为像列宁说的那样,没有革命的理论,就没有革命的运动。因此,他们不但看重思想启蒙在社会发展过程中的先导作用,而且还把唤醒国人民族独立意识的任务与世界反法西斯的斗争结合起来,认为在这艰苦的岁月中,"革命理论的研究和发挥,遂成为中国每个进步思想家的切身任务"。① 并且指出,在进行新的思想启蒙时,除了大力引进马克思主义哲学外,还要继续积极输入包括西方哲学在内的其他西方进步思潮。其他广大爱国学者,也是从这种认识出发来看待他们从事的西方哲学东渐工作的。例如贺麟。1931 年"九一八"事变以后,他说他所以把黑格尔哲学在中国传播开来,"与其说是个人的兴趣,毋宁说是基于对时代的认识。"②对此,他的解释是:"我们所处的时代与黑格尔的时代——都是政治方面,正当强邻压境,国内四分五裂,人心涣散颓丧的时代。学术方面,正当开明运动之后;文艺方面,正当浪漫文艺运动之后——因此很有些相同。黑格尔的学说于解决时代的问题,实有足资我们借鉴的地方。而黑格尔之有内容、有生命、有历史感的逻辑——分析矛盾、调和矛盾、征服冲突的逻辑,及其重民族历史文化,重自求超越有限的精神生活的思想,实足振聋起顽,唤醒对于民族精神的自觉与鼓舞,对于民族性与民族文化的发展,使吾人既不舍己骛外,也不固步自封,但知依一定之理则,以自求超拔,自求发展,而臻于理想之域。"③在这里,他把民族危机

---

① 何干之:《新启蒙运动与哲学家》,载《国民周刊》,第 1 卷,第 13 期,1937年。

② 贺麟:《康德黑格尔哲学东渐记》,见《中国哲学》,第 2 辑,第 377 页,三联书店。

③ 贺麟:《黑格尔学述》"后序",第 200 页,商务印书馆,1936 年。

的解脱,国家的振兴,集中到促进民族精神的全面觉醒上来,认为只有完成了这一步,才能为中国现代化的前途开辟道路。由此,他把自己从事的西方哲学研究同寻求国家的美好未来结合起来,希望通过自己的学术成果来振奋和激发国人的爱国热情。抗日战争全面爆发后,他更是把这项工作具体化为挖掘中国面临危机的根源和寻找复兴中华的精神条件。贺麟的上述认识,代表了广大爱国学者的心声:就是要在自己的学术研究中,着意从世界观的高度去寻求解决中华民族的现代化问题。

总之,无论唤起民族精神的觉醒,还是"我们要现代化,对于西洋哲学的认识,遂有一种特殊的需要。"①正是基于中国社会发展与思想战线这种实际的"特殊需要",中国学者认为,它对当时西方哲学东渐事业提出的新的要求有两条。

第一,要把西方哲学家的重要著作及其学说系统地输入进来,经过深入的研究把取得的理论成果在社会中广泛传播开来,使它们在继续开展的思想启蒙,进一步唤醒民族精神觉醒的过程中发挥更大的积极作用。对此,有的学者写道:"系统地搬运先进国家历史上进步思想的重大工作——我们对于古代罗马的,16世纪到19世纪的英、德、法、俄的一切哲学、经济、政治等思潮,应不断输入。那些都是民族兴盛时期之怒发思想。我们应尽量介绍和翻译赫拉克利特、伊壁鸠鲁、培根、霍布士、笛卡儿、斯宾诺莎、拉梅特利、狄德罗、费尔巴哈、卢骚、福禄特尔、黑格尔、普列汉诺夫等等的主要著作或全集。然而我们不仅单纯的输入,主要还须加以综合的理论研究和深刻的历史检讨,俾能充分发挥其中心精神,借以形成新的历史思想运动之丰富的源泉,同时也即可以继续和扩大五

---

① 李长之:《西洋哲学史》"序",第2页,正中书局,1940年。

四运动的精神。"①有的学者还指出，"西方哲人，不论是启蒙运动的先驱者培根、霍布斯、笛卡儿、斯宾诺莎，不论是法兰西的唯物论者狄德罗、拉梅特利，或是德意志古典哲学者康德、黑格尔，以至近代哲人卡尔、恩格斯、伊里奇，他们各人的思想体系及其学说的演变，更需要我们全国各派的思想家的专门的研究与学习。"②在上述两位学者的这些话里，既阐明了当时引进与研究西方哲学的具体内容及其重点，也指明了当时引进与研究西方哲学的目的所在。

第二，在认真钻研与积极消化的基础上，努力开展中西哲学会通，在实现中国传统哲学变革、创建反映中国社会前进的当代哲学形态的同时，还要为人类哲学事业的繁荣和发展作出贡献。正如贺麟所言，"今后中国哲学的发展，有赖于对于西洋哲学的吸收和融会，同时中国哲学家也有复兴中国文化，发扬中国哲学，以贡献于全世界人类的责任。"③又如艾思奇等指出，必须把输入的马克思主义哲学的原理，"应用于中国社会实际生活的各个方面"，④以便"推进伟大的战斗，造成这一战斗顺利进行的条件，并完成这种战斗的胜利"。⑤ 或者用李达的话来说，要"完成民族解放大业，就必须用科学的宇宙观和历史观，把精神武装起来，用科学的方法去认识新生的社会现象，去解决实践中所遭遇的新问题，借以指导我

---

① 林一新：《中国思想发展的回顾及其前途》，载《文化建设》，第 10 卷，第 4 号，1935 年。

② 何干之：《新启蒙运动与哲学家》，载《国民周刊》，第 1 卷，第 13 期，1937 年。

③ 贺麟：《近代唯心论简释》"代序"，第 2 页，独立出版社，1942 年。

④ 艾思奇：《论现在中国所需要的哲学》，载《读书生活》，第 2 卷，第 2 期，1935 年。

⑤ 何干之：《新启蒙运动与哲学家》，载《国民周刊》，第 1 卷，第 13 期，1937 年。

们的实践".① 一句话,就是要把马克思主义的普遍真理与中国革命的具体实践结合起来,在指导中国民族解放的过程中,使马克思主义中国化,从而发展马克思主义。因此,他们一致认为,本时期的西方哲学东渐不能以系统输入和广泛传播为满足,而必须在这个基础上进行精细的研究,特别是开展中西哲学的比较与会通研究,通过中西哲学的冲突与碰撞,在变革中国传统哲学,提高中国传统哲学的层次,建构反映中国社会前进的新的哲学的同时,还要促进西方哲学的研究向前发展,以此为人类哲学事业的共同进步作出贡献。

　　如果把这两条集中起来,就是要求不论在西方哲学的学术研究方面,还是理论成果积极作用的发挥方面,都要在"五四"时期西方哲学东渐取得初步繁荣的基础上,全面地把它向前推进一步。

三、为全面推进西方哲学东渐事业作出的努力

　　为了保证上述要求成为现实,中国学者在开展西方哲学东渐工作时,首先认为在中西哲学交流过程中,一定要处理好中西文化关系,确立正确的文化观念。为此,他们对近代以来在西方文化挑战下出现的种种不健康的文化心态,如"中体西用"、"本位文化"与"全盘西化"等的片面性,进行了严肃的批评。并在批评的同时,对西方哲学和中国哲学进行了双重的反省。通过反省,既反对了"西化派"只知浮浅芜杂地贩卖,也反对了"国粹派"的盲目自大、抱残守缺;既主张承受中国文化的遗产,也主张承受西洋文化

---

① 李达:《社会学大纲》,第四版"序",见《李达文集》,第2卷,第7页,人民出版社,1981年。

的遗产;既不要狭义的中国文化,也不要狭义的西洋文化。总之,既希望"西洋哲学中国化",也希望"中国哲学世界化",认为只有这样,才能创造和建立中国有体有用的活文化与反映时代精神的新哲学。在这种认识的基础上,毛泽东通过文化上"古今中西"论争的历史总结,提出了建设"民族的科学的大众的文化"方针,认为要建设新文化,必须批判地吸取外来文化和中国的传统文化。他说:"对于外国文化,排外主义的方针是错误的,应当尽量地吸收进步的外国文化,以为发展中国新文化的借镜;盲目搬用的方针也是错误的,应当以中国人民的实际需要为基础,批判地吸收外国文化……对于中国古代文化,同样,既不是一概排斥,也不是盲目搬用,而是批判地接收它,以利于推进中国的新文化。"①这些处理中外文化关系原则的提出,对于全面推进西方哲学东渐,具有重要意义。

其次,还提出了完成上述任务必须具备的精神状态。因为一方面,当时中国社会发展对西方哲学东渐提出的要求,本来就是很高的,然而另一方面,这项工作却是在连年的战争环境与经济极端困难的条件下进行的,因此,更是加倍地增加了它的困难程度。如果从事西方哲学研究的广大学者,不用一种新的精神状态投入这项事业,要全面完成上述任务是难以想像的。为此,他们明确地提出了完成任务应该具备的精神条件。这就是陈康在把他译注的柏拉图《巴曼尼德斯篇》出版时表达的:"如果中国学者研究西方哲学的作品,能使欧美的专门学者以不通中文为恨(这决非原则不可能的事,成否只在人为!),甚至因此欲学习中文,那时中国人在

---

① 毛泽东:《论联合政府》,见《毛泽东选集》,第 2 卷,第 1107 页,人民出版社,1953 年。

学术方面的能力始昭著于世界。"①陈康这一席有胆有识的话,既提出了中国学者研究西方哲学时应该具有的精神状态,即要有勇于攀登国际西方哲学学术研究高峰的气概,也指明了中国学者研究西方哲学的学术标准,即要使西方学者感到以不通中文为恨。在这里,不但明白地表达了中国学者高标准地完成上述历史任务的崇高愿望,而且充分反映了当时几代从事西方哲学研究的学者学术上的自信心与民族自豪感。

在上述文化观念与精神状态的激励下,把广大中国学者以炽热的爱国热情和高度的历史责任感汇合到西方哲学东渐的队伍来了。在这些学者中,有些本来就是新文化运动时期西方哲学的重要传播者,如李达、胡适、张东荪、张君劢、张申府、李石岑、瞿世英、冯友兰、梁漱溟、范寿康、张铭鼎、张颐、方东美、唐君毅等,还有一批新近从欧美等地留学研究西方哲学回来的年轻学者,如贺麟、金岳霖、汤用彤、朱谦之、黄子通、韦卓民、艾思奇、沈志远、朱光潜、冯文潜、洪谦、陈康、牟宗三、吴康、陈铨、郑昕、任华、全增嘏、徐怀启、谢幼伟、熊伟、严群,杨一之等。他们在有关社会力量的推动下,为全面推进西方哲学东渐事业作出了多方面的努力。

第一,为了推进包括西方哲学研究在内的社会科学事业的向前发展,1930年中国社会科学家联盟、1936年中国哲学会、1938年延安新哲学会先后成立了。在它们的分别领导下,有组织、有计划地积极开展了内容丰富、形式多样的学术活动。其中,全国性的哲学年会在中国哲学会的领导下,于1934年10月,1935年4月、1936年4月在北平,1937年1月在南京,1940年8月在昆明,1943年9月在重庆分别举行了。除此以外,中国哲学会的各个地方分

---

① 陈康:《巴曼尼德斯篇》"译者序",第10页,商务印书馆,1982年。

会,也不定期地举办各种学术交流。如1944年昆明分会即开展过两次,1947年北平分会还邀请美国康乃尔大学的柏特(A. Burtt)教授来华讲学,在北京大学、清华大学与燕京大学分别讲述了"美国哲学之趋势"等论题。在这些学术活动中,报告与交流有关西方哲学研究的成果,都占据了很大的比重。

第二,为了给学者提供发表学术成果的园地,促进西方哲学交流与传播,1936年4月在第二届哲学讨论会上,把1927年问世的中国第一份哲学专业杂志《哲学评论》的主办权,由尚志会转给中国哲学会;1941年在中国哲学会之下设立了以贺麟为主任的"西洋哲学名著编译会"。通过前者以及散布在各地的期刊,对于交流与传播西方哲学研究的成果发挥了重要作用。尤其是后者,将编译与研究结合起来,在经济极端困难的条件下,短短几年内,翻译和出版的西方哲学原著,有32部之多。① 其中,涌现出不少高水平的译著,如陈康的《巴曼尼德斯篇》、贺麟的《致知篇》、谢幼伟的《忠的哲学》与樊南星的《近代哲学的精神》,等等。同时,它还举办各种编译讲演讨论会,交流翻译与研究西方哲学的经验。仅1944年上半年,便先后请汤用彤讲"关于佛经的翻译"、陈摩之讲"亚里士多德本质论发展的痕迹"、吴宓讲"我个人对翻译的经验和理论"、郑昕讲"康德范畴论的体用"。

第三,为了深入地研究与广泛地传播西方哲学,从不同角度出发编辑出版"丛书",是采取的一项重要举措。在这一方面,除了中国哲学会主编的《中国哲学丛书》外,还有徐蔚南与张东荪分别主编的《ABC丛书》与《哲学丛书》。前者为通俗性读物,其中介绍西方哲学的著作,有《哲学ABC》、《人生观ABC》、《西洋哲学

---

① 于良华:《第一个中国哲学会》,载《哲学研究》,1989年第3期。

ABC》与《精神分析学 ABC》；后者全是学术性著作，目的在于"把西方文化泉渊的哲学作真面目的介绍，同时对于将来如何形成新文化亦想略略加以指示"。① 这套丛书共有两卷，上卷 8 册，可以视为哲学概论，下卷 8 册，则完全是阐述西方哲学史上有影响的哲学家。由于这些丛书的问世，不仅大大开阔了国人的西方哲学视野，而且也促进了学者们对于西方哲学的认识与研究。

前面提到的这些，显然只是该时期为全面推进西方哲学东渐作出努力的一部分。然而从中却可以强烈地感受到，中国学者在战争环境与经济困难条件下，是以怎样一种精神状态在从事这一工作的。除了广大马克思主义学者外，当时的西南联大的哲学系便是这样研究西方哲学、开展中西哲学交流的缩影。当年在这里，汇集了一批来自北大、清华与南开的著名教授，如汤用彤、贺麟、陈康、金岳霖、冯友兰、郑昕、冯文潜、洪谦等。"他们都是从 1920 年以后去欧美留学，是最早几批在西方专门学习哲学的学者。出国前他们都有深厚的国学基础，在国外接受了严格的哲学训练，回国后想以西方哲学的精神推进中国哲学的发展，或是将西方哲学介绍进中国来，或是用西方哲学的方法整理研究中国哲学，为中西哲学的交汇融合作出贡献。"②正是由于他们的呕心沥血、殚精竭虑与辛勤耕耘，不但全面推进了西方哲学东渐事业，而且，通过他们的学术成果，也为国人民族独立意识的觉醒与抗日战争的胜利、为文化上现代化因素的积累与领导中国现代化政治力量的选择，都作出了重大贡献，从而使 20 世纪三四十年代的西方哲学东渐成为

---

① 张东荪：《哲学丛书缘起》，见《价值哲学》封页，世界书局，1934 年。
② 汪子嵩：《学术需要自由——纪念西南联大 65 周年》，见《亚里士多德·理性·自由》，第 525 页，河北大学出版社，2003 年。

西方哲学东渐史上的一个黄金时期。

　　下面，分节从西方哲学原著与国外研究西方哲学成果的翻译、研究论文的发表与著作的出版，以及中西哲学会通研究等方面阐明该时期西方哲学东渐取得的成果与进展。

第二节　西方哲学家著作的翻译和出版

　　把西方哲学发展过程中哲学家有代表的著作翻译过来，是西方哲学东渐的一项基础性工作，也是西方哲学东渐取得学术成果的重要条件。自明末清初以来，虽然有些学者在这一方面作出过一些努力，但长期以来把这项工作看作是费力不讨好的事情，因此，一直进展不大。直到 1935 年，张申府在谈到关其桐译就的笛卡儿《方法谈》时还说，"现在中国是怎样受着西洋文明的影响，但是真正知道西洋文明的却实在不多。许多人谈西洋文明，差不多都是隔靴搔痒。"[①]他认为，造成这种现象的原因之一，是"西洋的许多名经巨典没有翻译到中国来"。[②] 尽管这种情况到"五四"时期略有好转，"但可惜，一则所译常常不是名著，再则翻译好的，尤其稀罕"。[③] 因此，在把西方哲学家有代表性的著作译成中文出版方面实在不能让人感到满意，主要是它严重制约了西方哲学东渐的深入发展。

　　进到 20 世纪 30 年代，这种状况得到了明显的改变。因为随着一批留学欧美学习西方哲学的青年学者的回国，无论对翻译重

---

①　张申府：《笛卡儿方法谈》，载《清华学报》，第 11 卷，第 1 号，1936 年。
②　同上。
③　同上。

要性的认识,还是翻译力量的条件,都具备了全面开展这项工作的可能性。因此,通过广大学者的共同努力,西方哲学发展过程中一些有代表性的著作,都有选择地在这个时期翻译与出版了。

一、古代希腊哲学家著作的翻译与出版

本书第一章说过,早在明清之际,李之藻和傅泛际合作,就把亚里士多德的《名理探》与《寰有诠》翻译过来了。然而,自此以后,随着李之藻"身殁而后,即趋势微……不惟亚氏之学不显,《名理探》、《寰有诠》二者亦复传者甚尠。方今士大夫知之藻书者寥寥可数,即亚里士多德之名,虽有闻而掩耳却走者。"①亚里士多德著作的翻译尚且如此,其他希腊哲学著作的翻译景况就可想而知了。只是时至1924年,吴献书根据《牛津柏拉图古典原著》,把其中的《理想国》译出后由商务印书馆出版了。从此,情况开始发生变化。不过取得成果,主要是在20世纪30年代以后。

1. 杨伯恺翻译和出版的赫拉克利特、德谟克利特和伊壁鸠鲁的著作残篇

人们都知道,大多数古代希腊哲学家的著作都没有被保存或流传下来,有些也只是留下了一些断篇残文。上述三位希腊哲学家的情况便是这样。后来,经人收集和整理,到20世纪由法国学者梭罗文把它译成法文,分别编辑成《赫拉克利特哲学思想集》、《德谟克利特哲学道德集》与《学说与格言》出版。杨伯恺根据这些本子进行翻译,1933年和1934年由辛垦书店出版同中国读者见面了。

在赫拉克利特的《哲学思想集》中,收集了赫氏著作的残篇

---

① 　向达:《亚里士多德伦理学》"译者序",第2页,商务印书馆,1933年。

135 条,以及历史上有关记载他的生平、思想和评论的文献资料,经过归类整理,一同刊出。通过这些材料,可以直接了解赫拉克利特哲学思想的基本面貌。而且,透过书中法文与中文译者的译言与附录,借助这些学者对赫拉克利特的解释,"可以把握真的赫拉克利特。"①

在德谟克利特《哲学道德集》里,其中 224 条格言,是了解与研究德氏哲学的第一手材料。梭罗文的序言与导言,反映了历代西方学者对德氏的理解和评价,可以帮助读者加深对德氏哲学的认识与把握。

在《学说与格言》中,通过伊壁鸠鲁的三封信,其中给希罗多特的,论述原子论;给比多克勒斯的,论述天文学;给墨勒色的,论述生活行为。还有两组格言,共 121 条。杨伯恺认为,这些"都是历史上极为宝贵的文献。他的全部哲学思想,都可于此中得之。"②

总之,这些古代希腊哲学家原著在中国的首次出版,尽管是断篇残文,在翻译与表述上也颇多訾点,但它们对于中国读者接受古代希腊哲学思想与全面了解希腊哲学,是有一定意义的。

2. 柏拉图著作的翻译和出版

在古代希腊哲学家的著作中,经历了两千年而能保存和流传下来的,实属不多。在这一方面,柏拉图是个幸运者。牛津大学所刻包括四十三篇对话的《柏拉图全集》,即是一个证明。不过,对它进行翻译并在中国传播开来,虽然早在 1924 年 10 月,即有吴献

---

① 波多野:《泽勒儿底赫拉克利特解释》,见《哲学思想集》,第 170 页,辛垦书店,1933 年。

② 杨伯恺:《学说与格言》"译者序",辛垦书店,1934 年。

书译出的《理想国》问世，但真正起步却是进到20世纪30年代以后。一个表现是，1933年3月，张师竹根据英文译本译出、由张东荪改译的《柏拉图对话六种》，作为尚志学会的丛书，交由商务印书馆出版了。该书收录了欧雪佛洛（Euthpnro）、辩诉（Apologia）、克利托（Crito）、菲独（Phaedo）、普洛他过拉（Protagoras）、曼诺（Meno）等篇对话。另一个表现是，1934年3月，中央大学两位教授郭斌苏和景昌极翻译、清华大学吴宓教授校对的《柏拉图五大对话》，由南京国立编译馆付梓问世了。在它的五篇对话中，有三篇与前者相同，即《自辨篇》、《克利陀篇》与《斐都篇》，另外两篇是：《筵话篇》（Symposium）与《斐德罗篇》（Phaedrus）。书中附有郭斌苏写的《导言》与《柏拉图之埃提论》，以及景昌极写的《柏拉图理型说略评》。从中可以看到，译者选择这五篇对话作为在中国输入柏拉图哲学的考虑。在他们看来，柏拉图的哲学体系是建立在他的理念论之上的，因此，上述五篇对话都是为了理解这一主题而被选择的。同时，在翻译的基础上，还就这一主题进行了深入的研究，书中附录的几篇论文，可以视为译者探索的成果。它们对于读者认识柏拉图哲学的基本精神有一定的引导作用。

更为重要的一个表现是，1944年陈康《巴曼尼德斯篇》独树一帜的翻译和出版。这是他应贺麟主持的"西洋哲学名著编译会"的要求而译出的。

在所有的柏拉图的对话中，《巴曼尼德斯篇》是最难读的一篇。在过去，有些哲学家认为柏拉图的哲学是一个完整的体系，以《国家篇》的思想为中心，因此，凡是与这篇著作思想不符的，便不予以重视，以致有人还怀疑《巴曼尼德斯篇》是伪作。自19世纪末以来，西方一些学者从古文字学等方面进行了大量的研究，基本上考订出柏拉图近三十篇对话写作的先后次序，并一致认为，《国家篇》属于他的中期著作,只能代表他的前期思想。而在这之后问世的《巴曼尼德斯篇》、《泰阿泰德篇》、《哲人篇》、《蒂迈欧篇》等重要著作,才代表了柏拉图的后期思想。这样,就发生了他的后期思想和前期思想有什么不同的问题,其中关键在于如何解释《巴曼尼德斯篇》第二部分的内容。在这一部分里,柏拉图陈述了八组互相反对的悬拟推论。对此,从古代开始就已出现两种不同的解释。一种说它们只是作形式逻辑的训练。另一种是形而上学的解释,说它是新柏拉图学派的"否定神学"。近代学者也各自提出新说。例如,A. E. Taglor 努力从中寻求柏拉图哲学和毕达哥拉斯"数"的哲学关系;而 F. N. Corford 则认为它主要是辨别字的歧义。各说都有一定的道理,分歧长期得不到解决。

　　《巴曼尼德斯篇》是陈康最喜爱的一篇对话。无论从西方哲学研究的角度还是从当时围绕解决柏拉图对话所产生的分歧的现实需要出发,他都深深地感到有必要和应该在中国翻译出来。正像他说的那样:"欲使后之来者辨别柏拉图哲学中的精华与糟粕,以资研究问题时的借鉴,因此译《巴曼尼德斯篇》。"①经过多年深入和细致的研究,陈康不但把这篇难度很大的对话译成中文同中国读者见面了,而且通过他独具风格的注释,对于中外哲学史研究中关于这篇对话中存在的种种困难的理论问题,提出了他的解释和看法,使这篇对话研究的学术水平达到了一个新的高度。

　　陈康认为,"柏拉图的著作几乎每篇是一个谜,或每篇至少包含了一个谜;然而《巴曼尼德斯篇》乃是一切谜中最大的一个。"②如果只是把这个"谈话"迻译为中文,不加解释,最好的结

---

① 柏拉图著、陈康译注:《巴曼尼德斯篇》"序",第 7 页,商务印书馆,1982 年。
② 同上。

果是介绍了一个希腊的谜,甚至还有可能为这篇"谈话"增添一些不能卒读的人。这样把它翻译出来,翻译的目的是不可能达到的。因此,陈康决定,"翻译以外必加注释"。① 他认为,这样做的目的不只是为了那些畏谜退缩的人,尤其是为了那些猜这个谜的人;而后面一种人对于这篇对话已经有过种种不同的解释,为了通过这个注释对他们的解释再作出解释,说明哪些是同意的,哪些是反对的,特别是后者,要能说服对方,这决不是使用一些空泛的言论所能奏效的。所以,他指出,"最适合于上述工作的性质的,不是数十万言纵横不羁的长篇论文,乃是一条一条各自独立、然而不失其集腋成裘效果的注释。"②这就要求这样的译本,不仅是原作忠实的和准确的翻译,而且还能对作者论述的问题作出解释和提出自己的看法,以扩充读者的眼界,从中找到对于问题的解答。只有做到了这些,才能称得上是一个有学术价值的译本。

为此,陈康在《巴曼尼德斯篇》的注释中,"力求避免文字解释的零碎狭隘和义理解释的空中楼阁;它的主要目标乃是以古文字学为基础建设一个哲学的解释,由解释一字一句以解释一节一段,由解释一节一段以解释全篇的内容,由解释全篇的内容以解释全篇'谈话'在柏拉图整个思想中的位置。解释哲学著作唯有'哲学的解释'始能胜任;但这种解释必以原著的内容为依归,不能借题发挥,叙述自己的思想,它必采用古文字学校勘、释义、考证等等方法。"③因此,为了达到上述目的,陈康在解释原著的同时,还分别从文字的校勘,词句的义释,历史的考证,义理的研究(包括论证

---

① 柏拉图著、陈康译注:《巴曼尼德斯篇》"序",第 7 页,商务印书馆,1982年。
② 同上书,第 8 页。
③ 同上书,第 12 页。

步骤的分析,思想源流的探求,论证内容的评价）等几个方面,进行了详细的注释。结果是,"各项中分量的多寡恰巧和排列的次序相当。"①其中文字的改动最少。陈康指出,理想的校戡是在流传的读法中,寻出字句的意义来,不在多作"揣测"。词句的解释一项,除包括原文中困难字句的解释外,还包括关于翻译的解说,即为何译成如此这般。历史的考证中有几条过分冗长,不能纳入注中。于是陈康把它们拉出来,独立成篇,作为书的附录。此外,还有几条归入另一篇短文中,单独发表。义理的研究是注释中的中心部分,它所占的篇幅也最长。其中论证步骤的分析,是引导初读《巴曼尼德斯篇》的思想路线;思想源流的探求是供研究希腊哲学史的人参考应用;论证内容的评价是为研究哲学问题作为借鉴。所有这些内容合并在一起,都是为了"辅助后之来者了解《巴曼尼德斯篇》。"②因此,确切地说,这个译本是注释本。在内容上注释的部分比翻译原作的部分多出九倍,由此创造了我国传播外国哲学著作独树一帜的翻译风格。

　　《巴曼尼德斯篇》在中国的翻译和出版,不仅实现了陈康本人注释这部著作的崇高愿望,而且,通过他的注释,解决了柏拉图哲学研究中长期得不到解决的问题。这是该时期西方哲学东渐取得的一个重要成果,正如贺麟在评述该书的出版时指出的,它"于介绍西洋哲学名著方面,尤开一纪元。"③不但充分表现了中国学者在柏拉图研究领域达到的水平及其为西方哲学的研究作出的贡献,而且由此还激发起不少人研究希腊哲学的兴趣。甚至到1982

---

① 柏拉图著、陈康译注:《巴曼尼德斯篇》"序",第 13 页,商务印书馆,1982年。

② 同上。

③ 贺麟:《当代中国哲学》,第 40 页,重庆胜利出版社,1947 年。

年,这个译本由商务印书馆再版后,"许多哲学史工作者和中、青年哲学家都为它的严密论证、深邃分析和观点新颖所吸引,视为楷模,对哲学史研究起了很好的促进作用。"①

3. 亚里士多德著作的翻译与出版

亚里士多德的著作是最早译成中文的。在经过几个世纪的沉寂之后,时至 20 世纪 30 年代,为了纪念"西洋大哲之学传入中土,及中国西学先进逝世三百年",②翻译亚里士多德著作的工作又重新起步了。主要表现是,由吴宓推荐,由向达与夏崇璞译出的《亚里士多德伦理学》以及由吴颂皋与吴旭初译出的《政治学》,于1933 年和 1934 年分别由商务印书馆出版了。

亚里士多德的伦理学著作,流传下来的有三种:一是大伦理学(Great Ethics),共两卷,仅为提要,是为初学者所作;二是尤明伦理学(Endemiam Ethics),凡十卷,为亚氏弟子尤明所编;三是尼各马克伦理学(Nicomachean Ethics),凡十卷,为亚氏弟子尼各马克所编。后两种是为具有较高哲学修养的人所作。向达与夏崇璞的译本属于第二种。吴宓提出,在这几本伦理学中,"据近人考证,较第二种为确实,亚氏于他书中常引用之。其行文体裁,既为一种笔记,故常杂乱无统系,然细读之,则条理井然,义均有归。"③书中第一卷前有吴宓的"校者识",它提纲挈领地论述了亚里士多德伦理学的主旨和内容;书后附有汤用彤翻译英人 Wallace 的《亚里士多德哲学大纲》。两相映照,可以成为引导读者接受亚氏伦理学说的阶梯。

---

① 汪子嵩:《研究希腊哲学的楷模》,载《读书》杂志,1989 年第 10 期。
② 向达:《亚里士多德伦理学》"译者序",第 2 页,商务印书馆,1933 年。
③ 吴宓:《亚里士多德伦理学》"校者识",商务印书馆,1933 年。

二、17 世纪至 18 世纪西方哲学家著作的翻译与出版

把近代西方社会走出中世纪、迈向现代化起步时期,即 17 世纪至 18 世纪哲学家的著作翻译过来,虽然早在世纪之初就有王国维译出洛克的《人类理解论》部分章节问世,但全面地开展这项工作,也是这时期才开始的。其中,作出了成绩的,应该首推关其桐。

1. 关其桐翻译的英法哲学家著作

关其桐(1904—1973),笔名关文运,曾用名关子、邹如山等。山西平定人。1931 年毕业于北京大学英语系,后来相继在中华教育基金会董事会编辑委员会、中德学会救济总署工作。20 世纪 30 年代由他翻译的 17 世纪西方哲学家的著作,有:

新工具	[英]培根著	商务印书馆	1934 年
崇学论	[英]培根著	商务印书馆	1938 年
巴克莱哲学对话篇	[英]巴克莱著	商务印书馆	1934 年
视觉新论	[英]巴克莱著	商务印书馆	1935 年
人类知识原理	[英]巴克莱著	商务印书馆	1936 年
人类理解论(一二册)	[英]洛克著	商务印书馆	1938 年
人类理解研究	[英]休谟著	商务印书馆	1936 年
方法论	[法]笛卡儿著	商务印书馆	1935 年
哲学原理	[法]笛卡儿著	商务印书馆	1935 年
沉思集	[法]笛卡儿著	商务印书馆	1935 年

这些译著都是由中华教育文化基金会董事会编译委员会编辑出版的。除笛卡儿的著作是英文转译的外,其余均是根据原版译出。从上述书目可以看到,它们都是 17 世纪英国资产阶级革命时期在哲学上提出的主要思想,有经验主义的,也有理性主义的,都是近代西方文明兴起时西方资产阶级革命精神在哲学

上的体现。在出版时,所有这些译著都附有作者的传记或译者的序言,约略提示或论述了该书作者在该书中提出的主要观点,用以帮助读者理解原作。不能说这些译本没有可议之处,但译者忠于原著,态度认真,其中有的还得到了当时学术界的肯定。例如,张申府认为,笛卡儿《方法论》即"不失为一个很好的译本。"①

2. 杨伯恺翻译的法国哲学家著作

在这个时期中,杨伯恺除了前面提到译出的那些古代希腊哲学家的断篇残文外,还翻译了18世纪法国"百科全书派"几位哲学家的著作,有:

精神论	爱尔维修著	辛垦书店	1933年
哲学原理	狄德罗著	辛垦书店	1934年
自然之体系	霍尔巴赫著	辛垦书店	1933年
认识论起源	孔狄亚克著	辛垦书店	1934年

在这些著作中,百科全书派领袖狄德罗的《哲学原理》一书,系从法文全集译出,其中有《达兰贝尔之梦》、《哲学家与元帅夫人对话》、《伟大原则的导论》、《自然的解释》与《物质与运动》等五个单篇。狄德罗的这些论著以及其他哲学家被译成中文的这些著作,都是作者的主要代表作。如果对杨伯恺的这些译著与前面关其桐的译著进一步加以考察与比较,那么,就会发现:关氏的译著反映的是17世纪英国资产阶级革命时期的主要成果,而杨氏的译著则是18世纪法国资产阶级革命在观念形态上进行变革的表现。从译文来说,后者颇为粗糙,不过译者配合这些著作的出版撰写了一些相关的论文,分别介绍了这些哲学家的理论观点,在一定程度

---

① 张申府:《笛卡儿方法论》,载《清华学报》,第11卷,第1号,1936年。

上弥补了译著译文的缺点。

3. 其他学者翻译的西方哲学家著作

除了上述两位学者外,其他一些学者译出西方 17 世纪至 18 世纪哲学家的著作,还有:

新工具	[英]培根著	沈因明译	辛垦书店	1932 年
培根道德哲学论文集	[英]培根著	张荫桐译	中国文化服务社	1944 年
人类悟性论（上、下）	[英]洛克著	邓均吾译	辛垦书店	1934 年
人之悟性论	[英]休谟著	伍建光译	商务印书馆	1933 年
伦理学	[荷]斯宾诺莎著	伍建光译	商务印书馆	1933 年
致知篇	[荷]斯宾诺莎著	贺麟译	商务印书馆	1942 年
论知性之改进	[荷]斯宾诺莎著	刘荣煦译	人文书店	1943 年
形而上学序论	[德]莱布尼茨著	陈德荣译	商务印书馆	1937 年
民约论	[法]卢梭著	卫惠林译	作家书屋	1944 年
人—机器	[法]拉梅特利著	任白戈译	辛垦书店	1933 年

上面这些著作,从时间上说,有 17 世纪的,也有 18 世纪的,从内容上说,有经验主义哲学的,还有理性主义哲学的。其中除个别是重译的外,绝大部分是新译出版的。可以说,这个书目是关其桐和杨伯恺上述译著的补充。把它们综合起来,17 世纪至 18 世纪英法资产阶级革命时期创立的一些哲学思想都基本上包容进去了。特别应该看到,这些著作都是西方社会迈向现代化起步时期

在哲学形态上的反映和总结。它们一方面是批判封建专制制度的锐利武器，另一方面它们又是西方社会迈向现代化的先导。其中，既有西方哲学家创建这些哲学理论时取得成功的经验和喜悦，在理论上也留下了大量的失误和教训。从中吸取有益的经验，避免他们出现过的失误，对于中国继续进行思想启蒙，显然具有重要的现实意义。

三、德国古典哲学家著作的翻译与出版

在本时期西方哲学东渐的过程中，德国古典哲学是一个取得了丰硕成果的领域。其中，译出的德国古典哲学家的著作，即有：

纯粹理性的批判	康德著	胡仁源译	商务印书馆	1935 年
实践理性批判	康德著	张铭鼎译	商务印书馆	1936 年
道德形而上学探本	康德著	唐钺译	商务印书馆	1939 年
优美感觉与崇高感觉	康德著	关其桐译	商务印书馆	1940 年
菲希特讲演全集	费希特著	臧渤鲸译	文通书局	1942 年
菲希特对德意志国民讲演	费希特著	张君劢	再生杂志社	1932 年
菲希特告德意志国民书摘译	费希特著	臧渤鲸译	新中国文化出版社	1940 年
知识学基础	费希特著	程始仁译	商务印书馆	1936 年
人的天职	费希特著	樊南星等译	商务印书馆	1947 年
论理学	黑格尔著	张铭鼎译	世界书局	1935 年
逻辑学大纲	黑格尔著	周谷城译	正理出版社	1934 年

历史哲学	黑格尔著	王造时译	商务印书馆	1936 年
德国宗教与哲学史	海涅著	辛人译	辛垦书店	1936 年
将来哲学的根本问题	费尔巴哈著	柳若水译	辛垦书店	1936 年
未来哲学之根本原则	费尔巴哈著	林伊文译	辛垦书店	1936 年
黑格尔哲学之批判	费尔巴哈著	柳若水译	辛垦书店	1935 年

在这些译著中,有些值得提出来加以说明的地方。

首先,关于康德的著作。1935 年 2 月,由胡仁源翻译,使用《纯粹理性的批判》的书名,商务印书馆作为汉译世界名著出版了。翻看全书,译者没有交代他根据什么版本译出。但从内容上考察,却是来自 1787 年该书第二版的译文。因此,它不像有些译本那样,把修订前第一版的有关内容,把它们放在书中与此相关的部分一块译出,并注明它们是 1781 年第一版的原文。这样,第一版原有的一些内容,例如在"纯粹概念先验演绎"中论述的三重综合,在这个译本中便完全没有反映。这对全面理解康德的批判哲学思想有一定的影响。特别是由于《纯粹理性批判》本身思想艰深,语言晦涩,译本在不少地方都没有把康德著作中的哲学观念准确地表达出来。不过,这是康德著作在中国问世的第一个译本,加上运用白话文译出,对于中国读者直接接受康德哲学,还是有一定帮助的。

1936 年,由张铭鼎翻译的《实践理性批判》,也由商务印书馆作为汉译世界名著问世了。出版时译者声明:"译本系以一九二八年须米特(R. Schmidt)出版的版本为依据,而以一九零六年福南德尔(K. Vorlader)的本子为参考。此外,如遇文字间有出入时,则须参考其他版本。"①张铭鼎是当时研究康德哲学颇有心得的学者。早在20世纪20年代,他先后发表的有关康德哲学的论文,可以说,代表了当时中国学者研究康德哲学达到的水平。因此经过他反复推敲译出的《实践理性批判》,从概念的定译到内容的论述,都较为准确地体现了康德的思想。

其次,在黑格尔的著作中,有一本是由历史学家周谷城译出的。1930年春到中山大学任教后,出于研究中国社会历史与革命理论的需要,促使他从《资本论》的学习上溯到黑格尔逻辑问题的研究。为此,他一有空便到图书馆寻找有关黑格尔的书。据他说,在一段时间内,他先后读过文德尔班的《哲学史教程》,认为"其中述黑格尔哲学较详";②读过瓦拉士英译《黑格尔逻辑大纲》,即《小逻辑》,深为黑格尔的辩证法所吸引;还浏览过麦塔加的《黑格尔辩证法研究》和《黑格尔逻辑述评》,感到文字简明流畅,曾想选择其中一本译成中文。但是,后来他想,"译他人的研究之作,远不如译黑格尔本人之作重要。"③因此,他决定首先把哈里士的英译《黑格尔逻辑大纲》翻译出来,然而又将瓦拉士的英译《黑格尔逻辑》进行翻译。前者译完,后者译了一半,因与几位进步教授演讲马列主义,遭到学校当局的疑忌,被迫离开中大使这项工作搁置下来。不过,他并不因此罢休,而是于1933年把已经译就的《逻辑学大纲》交由正理报社出版了。这是我国翻译黑格尔《逻辑学》最早的本子。另外,《小逻辑》译稿十二万字,也曾托艾思奇主编的《思维月刊》代为分期发表。然因该杂志被迫停刊,译文虽然未能

①　张铭鼎:《实践理性批判》"译者序",第1页,商务印书馆,1936年。

②　周谷城、贺麟:《现代西方哲学讲演集》"序",第2页,上海人民出版社,1984年。

③　同上。

发表,但从中却体现了中国学者传播黑格尔哲学的执著精神。

　　再次,在费尔巴哈的著作中,柳若水译的《将来哲学的根本问题》与林伊文译的《未来哲学的根本问题》,均译自费尔巴哈的同一著作,即后来通译的《未来哲学原理》,加上柳若水译的《黑格尔哲学之批判》,实际上只有两篇。但是,这两篇著作却是费尔巴哈哲学发展过程中的几个里程碑。前者 1839 年发表,标志着作者完全割断了与唯心主义的联系,成为一个唯物主义者了。后者 1843 年问世,费尔巴哈在书中系统地阐明了自己的唯物主义思想。因此,它们在费尔巴哈的著作中所占的比例虽小,但通过这两篇作品却完全可以窥见费尔巴哈哲学思想的基本面貌。这样选择对于费尔巴哈哲学在中国的起始传播,是很有意义的。

四、现代西方哲学家著作的翻译与出版

　　五四新文化运动时期,在思想启蒙的推动下,现代西方哲学成为在中国传播的热点。进入 20 世纪 30 年代以后,在继续探索中国现代化道路的过程中,更是使现代西方哲学发展到了系统传播的阶段。首先一个表现就是,现代西方哲学家的著作大量地被翻译过来。其中,除了马克思主义哲学外,其他各派哲学家的著作被译出的,有:

实证主义概观	〔法〕孔德著	肖赣译	商务印书馆	1938 年
穆勒自传	〔英〕穆勒著	郭大力译	商务印书馆	1935 年
穆勒自传	〔英〕穆勒著	周北骏译	商务印书馆	1935 年
实用主义	〔英〕穆勒著	唐钺译	商务印书馆	1936 年
斯宾塞尔哲学言	〔英〕斯宾塞尔著	铰孟任译	京华印书馆	1931 年
方法与结果	〔英〕赫胥黎著	谭辅之译	辛垦书店	1934 年
悲观论集	〔德〕叔本华著	肖赣译	商务印书馆	1934 年

意志自由论	[德]叔本华著	张本权译	商务印书馆	1937年
教育家之叔本华	[德]尼采著	杨伯苓译述	商务印书馆	1945年
查拉图司屈拉钞	[德]尼采著	郭沫若译	创造社	1928年
扎拉图土特拉如是说	[德]尼采著	肖赣译	商务印书馆	1936年
苏鲁支语录	[德]尼采著	梵澄译	生活书店	1936年
查拉杜斯屈拉如是说	[德]尼采著	雷白韦译	中华书局	1940年
查拉杜斯屈拉如是说	[德]尼采著	楚图南译	交通书局	1947年
尼采自传	[德]尼采著	梵澄译	良友图书公司	1935年
朝霞	[德]尼采著	梵澄译	商务印书馆	1935年
快乐的知识	[德]尼采著	梵澄译	商务印书馆	1939年
看哪这人	[德]尼采著	刘恩文译	文化书店	1947年
时间与意志自由	[法]柏格森著	潘梓年译	商务印书馆	1927年
忠之哲学	[美]罗伊斯著	谢幼伟译	商务印书馆	1943年
近代哲学的精神	[美]罗伊斯著	樊南星译	商务印书馆	1945年
论人生理想	[美]詹姆士著	唐擘黄译	商务印书馆	1936年
心理学简编	[美]詹姆士著	伍况甫译	商务印书馆	1930年
论思想流	[美]詹姆士著	唐钺译	商务印书馆	1945年
论情绪	[美]詹姆士著	唐钺译	商务印书馆	1945年
思维术	[美]杜威著	刘伯明译	中华书局	1945年
思想方法	[美]杜威著	丘瑾璋译	世界书局	1935年
思维与教学	[美]杜威著	孟宪承等译	商务印书馆	1936年
道德学	[美]杜威著	余家菊译	中华书局	1935年
哲学之改造	[美]杜威著	许崇清译	商务印书馆	1933年
哲学之改造	[美]杜威著	胡适等译	商务印书馆	1934年
道德与辩证法	[美]杜威著	李书勋译	亚东图书馆	1939年

心的分析	[英]罗素著	李季译	中华书局	1947 年
算理哲学	[英]罗素著	张邦铭等译	商务印书馆	1933 年
工业文明之将来	[英]罗素著	高佩琅译	商务印书馆	1927 年
我的信仰	[英]罗素著	伍道生译	商务印书馆	1927 年
我的人生观	[英]罗素著	丘瑾璋译	正中书局	1936 年
婚姻革命	[英]罗素著	野庐译	世界学会	1930 年
婚姻与道德	[英]罗素著	李惟远译	中华书局	1935 年
婚姻与道德	[英]罗素著	程希亮译	商务印书馆	1940 年
怀疑论集	[英]罗素著	严既澄译	商务印书馆	1932 年
快乐的心理	[英]罗素著	于熙俭译	商务印书馆	1932 年
幸福之路	[英]罗素著	傅雷译	南国出版社	1947 年
科学观	[英]罗素著	王光煦等译	商务印书馆	1935 年
赞用	[英]罗素著	柯硕亭译	商务印书馆	1937 年
哲学大纲	[英]罗素著	高名凯译	正中书局	1937 年
哲学概论	[法]马利坦著	戴明我译	商务印书馆	1947 年
哲学与逻辑语法	[美]卡尔纳普著	殷福生译	商务印书馆	1946 年
我的世界观	[美]爱因斯坦著	叶蕴理译	文化生活出版社	1937 年
心与物	[英]娇德著	张君劢译	商务印书馆	1928 年
物质生命与价值	[英]娇德著	施友忠译	商务印书馆	1940 年
科学自由和和平	[英]赫胥黎著	任道远译	中华书局	1948 年

　　如果说,20 世纪 30 年代以后,马克思、恩格斯、列宁、斯大林的哲学著作,系统地在中国进行翻译和出版,那么,透过前面这个书目表,还可以说,其他现代西方哲学流派的哲学著作,也得到了相当系统的传播。其中,唯意志论、实用主义与分析哲学家的著作,在五四时期输入的基础上,仍然是引进的重点;其他哲学流派,如实证主义、经验批判论、生命哲学、新黑格尔主义、新托马斯主义、逻辑经验论等哲学家的著作,也数量不等地都有所译出。不

过,20世纪上半叶在西方广泛流行,并产生过重要影响的,以胡塞尔为代表的现象学思潮哲学家的著作,在这个译书目录中却没有发现。这是一个值得进一步研究的问题。

在这些著作的翻译者中,除了早在新文化运动时期就是有重要影响的学者,如郭沫若、胡适、张君劢、楚图南外,还涌现出一批年轻的新秀,如谢幼伟、潘梓年、徐梵澄与高名凯等。其中徐梵澄(1909—2000)值得一提。他曾先后就读于上海复旦大学西洋文学系与德国海德堡大学哲学系。早在复旦读书时,即与鲁迅结下了深厚的师生情谊。1932年回国,先后在鲁迅的支持下译出了尼采的《尼采自传》、《苏鲁支语录》、《朝霞》与《快乐的知识》。其中《苏鲁支语录》的书名还是由鲁迅定下来的。出版时,郑振铎向读者推荐说,"这部译文是梵澄先生从德文本译出的,他的译笔和尼采的作风是那样的相同,我们似不再多加赞美。"[1]这个译本,不仅当时受到哲学界的肯定,而且,"直至今日,仍为尼采研究者和翻译界视为最具尼采文风的佳品。"[2]

总之,由于这些现代西方哲学家的著作译出后在中国问世,为全面推进西方哲学东渐事业,也为中国人进一步了解西方社会与世界发展的潮流,提供了重要的条件。

第三节　国外学者研究西方哲学
成果的翻译和研究

在国外,开展西方哲学研究,已有悠久的历史了。并且,取得

---

[1]　郑振铎:《苏鲁支语录》"序言",第2页,商务印书馆,1992年。
[2]　詹志芳:《圣哲徐梵澄》,载《人物》,2000年,第11期,第58页。

了不少理论成果。有选择地把它们输入进来,从中可以了解国外
学者研究西方哲学取得的进展、他们在论著中提出的观点、研究中
使用的方法以及存在的问题等。认真地借鉴这些成果,对于扩大
与打开中国学者研究西方哲学的视野与思路,取得学术成果,推动
西方哲学东渐向前发展,都具有重要的促进作用。因此,在把西方
哲学家著作翻译过来的同时,中国学者还积极地开展了国外学者
研究西方哲学理论成果的输入工作。

　　这样的理论成果,有的运用论文发表,有的撰成著作出版。但
不管前者还是后者,又都有综合性研究与专题性研究两种形式。
下面,仅以输入的著作为例进行评述。

一、综合性研究著作的译介

　　所谓综合性研究,主要是指对哲学发展过程的研究,即哲学史
研究。其中,有对全过程的通史研究,还有对某一阶段的断代史研
究。本时期引进国外学者的这种著作,有:

思想自由史	〔英〕柏雷著	罗志希译	商务印书馆	1927 年
欧洲思想大观	〔日〕金子筑水著		泰东书局	1928 年
欧洲哲学史(上)	〔德〕韦伯著	徐炳昶译	北京朴社	1927 年
哲学的故事	〔美〕杜兰著	詹文浒译	上海青年协会书局	1929 年
欧洲哲学史	〔美〕马尔文著	付子东译	上海神州国光社	1930 年
哲学及社会问题	〔美〕杜兰著	王捷三译	南京书局	1931 年
古今大哲学家之生活与思想	〔美〕杜兰著	杨荫鸿等译	上海开明书店	1933 年
西洋哲学史	〔美〕洛挈斯著	詹文浒译	上海新中国书局	1933 年
西洋哲学史	〔德〕韦伯著	詹文浒译	上海世界书局	1933 年
欧洲哲学史(下)	〔德〕韦伯著	徐炳昶译	北京朴社	1935 年

欧洲思想史	[日]金子马治著	胡雪译	商务印书馆	1935 年
哲学思想之史的考察	[美]恩德曼著	征农译	上海读书店	1936 年
西洋哲学史	[日]秋泽修二著	熊得三等译	上海生活书店	1937 年
西洋哲学史（上、下）	[美]梯利著	陈正谟译	商务印书馆	1938 年
西洋哲学史简编	[苏]薛格洛夫著	王子野译	新华书店	1943 年
世界哲学名著提要(全)	[英]穆勒等著	查坑等译	上海世界书局	1928 年
世界十大思想家底名著解题	[希腊]柏拉图等著	王凌世等译	上海星光书局	1931 年
希腊哲学	[美]梯利著	罗忠恕译	华西大学文学院	1942 年
批评的希腊哲学史	[美]斯塔斯著	庆泽彭译	商务印书馆	1931 年
中古哲学与文明	[德]乌尔夫著	庆泽彭译	商务印书馆	1934 年
中古文化与土林哲学	[德]乌尔夫著	赵尔谦译	上海光启学会	1935 年
近代思想导论	[英]娇德著	肖赣译	商务印书馆	1934 年
近代唯物论	[日]森宏一著	寇松如译	上海进化书局	1937 年
近代哲学史	[苏]德波林著	林一新译	上海黎明书局	1934 年
法国十八世纪思想史	[法]雷维不鲁尔著	彭基相译	上海新月书店	1939 年
波兰学术简史	[波]柯德著			
十九世纪欧洲思想史(上、下)	[英]木尔兹著	任光建译	商务印书馆	1931 年
朗格唯物论史（上、下）	[德]朗格著	李石岑等译	中华书局	1936 年

现代思潮　　［日］桑木严翼著　　南庶熙译　　商务印书馆　　1933 年

现代哲学引论　［英］娇德著　　张崧年译　　商务印书馆　　1928 年

　　在这些著作中,有相当一部分是通史性的。它们多是国外哲学界广泛流行的作品,具有内容全面,语言通俗的特点。它们在国外早已受到学术界的关注。因此,把它们输入进来,对于人们形成对西方哲学发展过程的全面认识,由此进一步把握西方哲学的发展规律,都具有重要作用。而且,其中大部分在学术上都能体现这种价值,如德国韦伯的《欧洲哲学史》与美国梯利的《西洋哲学史》。

　　而在断代史的作品中,有些在通史的基础上,在内容上既有进一步的展开,还有较为明显的深化。例如梯利的《希腊哲学》。虽然在希腊哲学的论述上,并没有提出什么新颖与独到的见解,但它系统而简明地阐明了希腊哲学的发展过程,特别是把希腊哲学、知识与行为问题、思想系统形成、伦理思想运动和宗教运动等五个时期进行分析,反映了西方哲学界对古代希腊哲学占统治地位的观点,对于中国学者研究希腊哲学有一定的参考价值。还有,作者在该书导论中提出的一些看法,如哲学史的意义、研究哲学史的方法以及哲学史的价值等,都有一定的启发作用。

　　例如,在谈到哲学史的研究方法时,作者认为,对于这种哲学体系,应力求把哲学家本人的观点忠实地叙述出来;一个体系的传递、变化、补充,或被后代思想的替代,或将其错误与矛盾加以修正,都足以引起新的哲学的开展。因此,"哲学史家,应具有公正的客观的研究态度,力求不将自己哲学的学说,加入讨论之中……也不应以现代的观点,去批评古人的得失,若把希腊的宇宙观,拿来与现今的学说比较,诚然是很幼稚的,素朴的,不免于简陋之讥。如果就他们当时的观点来看,他们是最初要求了解宇宙的人,不能不说是一件开纪元的事。"①但是,客观的叙述不等于对它们不加评论。例如,"一种思想的系统,当就其目的及其历史的地位,并与其前后的思想比较,及启发这种思想的前因,与乎引起这种思想所引起的结果,及其发展的情况,而定其价值时,我们研究哲学史,应当用历史的批判的方法。"②

又如,在谈到哲学史研究的价值时,作者指出,除了通过哲学史可以使人了解各个时代的哲学主张外,"哲学史也是培养哲学的思索最好的基础,把人类哲学的经验,由简而繁的思想组织研究起来,很可以培养人冥索的能力,也可由探讨前人的思想,辅助我们构成自己的宇宙观与人生观。"③

事实上,梯利的《希腊哲学》就是为了实现上述目的而运用这种方法撰写的。虽然在内容的论述上并无多少深邃的观点,但它对于希腊哲学的整体面貌及其发展过程中各派学说特点的概括,都较为全面地反映了希腊哲学及其发展过程的本来面貌。其中,特别是他对希腊哲学发展线索的论述,便是一个极佳的例证。他写道:"希腊哲学以探讨宇宙的本质为开端,最初对于外界的自然发生兴趣,自然哲学之发生,渐次倾向于内,而探究人的生活。最初的问题,是由何谓自然,而推及何谓人? 其后的问题,是由何谓人,而推及何谓自然。此种由注意于自然而特别注意人类,引起对于人类心理,及人类行为之研究,于是发生逻辑、伦理、心理学、诗学等科学,其后更特别注意到伦理问题。如何谓之善? 人生的目的及归属为何? 伦理问题成为思想的主流,逻辑与玄学变成辅助

---

① 梯利著,罗忠恕译:《希腊哲学》,第2页,华西大学文学院,1942年。
② 同上。
③ 同上书,第3页。

解决伦理问题的科学，最后以神学问题为中心，而研究神性如何，神与人的关系如何？故希腊哲学以宗教始，以宗教终。"①又如，对于智者派之前的所谓自然哲学发展阶段特点的归纳，也是这样。作者认为，这个时期的希腊哲学，它所集中研究的对象是自然界，有明显的自然主义倾向；它认为自然界具有生命，有物活论的倾向；它以探寻万物的本质为主旨，有本体论的倾向；它主张以单一的原理解释万物，有一元论的倾向；它迷信人类心智有解决宇宙问题的可能，还有独断论的倾向。这些概括，都相当准确地揭示与反映了希腊自然哲学阶段各个学派共同的理论特色，给人以深刻的印象。

又如雷维不鲁尔的《法国十八世纪思想史》。这是当时流行的有关法国哲学史中具有较高学术水平的一本。正如瞿世英在为中译本出版时写的"序"中说的，它"是一本哲学家的哲学史"。②意思是说，它真实地写出了法国18世纪的哲学发展过程，并在论述哲学家的观点时较好地揭示了这个时期法国哲学发展的规律。他还认为，书中研究与论述的几位哲学家，都是法国也是欧洲思想界代表主潮的人物，通过阐明他们的哲学思想，在一定程度上可以帮助读者认识整个欧洲哲学思想的进展。因此，读这本书，还"是了解当代哲学的极好准备。"③加上译者彭基相留学法国专攻哲学，对法国哲学有较深切的领悟，因此，这个译本通过流畅的语言，相当熟练地把原作的基本精神表达出来了，不愧为传播近代法国哲学的优秀译本。

---

① 梯利著，罗忠恕译：《希腊哲学》，第9—10页，华西大学文学院，1942年。
② 瞿世英：《法国十八世纪思想史》，"瞿序"，第3页，上海新月书店，1939年。
③ 同上。

值得一提的是,在这些断代史著作中,前苏联学者德波林的《近代哲学史》,是运用唯物史观的观点写成的。在内容上,虽然它以近代西方哲学为对象,但是,实际上它只是论述了近代经验论哲学从培根到休谟的发展过程,而唯理论哲学则根本没有列入它的研究范围。因此,这本书只能说是一本阐述近代经验论哲学及其发展过程的著作。不过在书中,作者以唯物史观为指导,不仅以此剖析了几位经验主义哲学家的思想,而且还阐明了马克思主义经典作家对他们扬弃,揭示了经验论哲学和辩证唯物论在理论上的联系与区别。这对于中国学者以唯物史观为指导进行西方哲学史研究,是有启发意义的。

二、专题性研究著作的译介

在专题性研究的著作中,又有对西方哲学中某个论题以及对西方哲学发展过程中某个哲学家的专题研究两种。本时期输入国外学者的此类著作,有:

希腊的生活观	[英]狄更生著	彭基相译	商务印书馆	1934 年
亚里士多德	[美]杜兰著	詹文浒译	上海青年协会书局	1929 年
厄比鸠底乐生哲学	[德]施密特著	郑君哲译	商务印书馆	1936 年
佛兰西斯·培根	[美]杜伦著	詹文浒译	上海青年协会书局	1929 年
霍布士	[英]塔勒尔	刘衡如译	中华书局	1931 年
斯宾诺莎哲学批判	[苏]米丁著	卢心远译	辛垦书店	1936 年
康德的辩证法	[苏]德波林著	程始仁译	亚东图书馆	1929 年
从康德平和主义到思想问题	[日]朝永三十郎著	任白涛译	启志书局	1930 年
康德哲学	[英]林塞著	彭基相译	商务印书馆	1935 年

康德与现代哲学	[日]桑木严翼著	余又荪译	商务印书馆	1935年
斐希特的辩证法	[苏]德波林著	程始仁译	亚东图书馆	1929年
斐希特生平及其哲学	[英]阿丹逊著	江天骥译	独立出版社	1942年
黑格尔之历史哲学	[德]莱尔著	张铭鼎译	民智书局	1933年
黑格尔底辩证法	[苏]德波林著	任白戈译	民友书局	1935年
黑格尔	[英]凯尔德著	贺麟译	商务印书馆	1936年
黑格尔哲学入门	[日]甘粕石介著	沈因明译	辛垦书店	1936年
黑格尔学述	[美]罗伊土著	贺麟译	商务印书馆	1936年
费尔巴赫底哲学	[德]约德尔著	林伊文译	商务印书馆	1937年
进化思想十二讲	[日]小粟度太郎著	胡行之译	开明书店	1933年
叔本华	[美]杜伦著	詹文浒译	青年协会书局	1929年
尼采哲学与法西斯主义之批判	[苏]勃伦蒂涅尔著	段落夫译	潮锋出版社	1938年
近代哲学与柏格森之谜妄	[美]额略第著	刘正谟等译	商务印书馆	1931年
近代哲学精神	[美]罗伊斯著	樊星南译	商务印书馆	1946年

在这些著作中,研究德国古典哲学的论题占据了突出的位置。而且,其中有些学术的见解颇具启发意义。

首先,在研究康德的著中,苏联学者德波林的《康德的辩证法》,开宗名义,是论述康德辩证法思想的。然而在这个问题上,不少人心目中对于康德哲学中是否存在辩证法,不是十分清晰的。程始仁把德波林这本著作翻译过来,对于人们了解康德的辩证法思想,显然具有一定的促进作用。在译者看来,"要研究唯物论,必先研究唯物论的辩证法;要研究唯物论的辩证法,就得研究海格尔(按:黑格尔)的唯心辩证法;要研究海格尔的唯心辩证法,就不得不探讨康德哲学中所含的此种辩证的种子。"①而在研究康德辩证法时,所以引进德波林这本著作,是因为"德氏是现代唯物论辩证法的首屈一指的大家,他的研究的结果,很能给我们研究唯物辩证法指示一个新的途径。"②出于这种考虑,程始仁选择翻译了德波林的前述著作。

在这本书中,作者对于康德哲学中的辩证法思想,的确作出了深入的挖掘与简洁的概括。例如,对于康德的前批判时期,作者抓住了宇宙自然发生说,阐述了"生与灭互为条件,消灭同时就是发生"的观点。又如,对于康德的批判时期,则着重康德的认识论与伦理学说,通过其中关于情感与理性、分析与综合、物自体与现象、感性与悟性、悟性与理性、有限与无限、自然与文化、形式的德谟克拉西与事实的德谟克拉西、市民社会与社会主义等对立统一关系的分析,阐明了康德的辩证法思想,从而较好地使读者看清了康德哲学中的辩证法思想。

与德波林的论题稍有不同,桑木严翼的《康德与现代哲学》,主要论述了康德对现代哲学发展产生的影响。作者是当时日本的著名哲学家,曾留学于英美德法等国,对于康德哲学的研究有其独到之处。西方哲学大规模地输入到日本来,是明治维新以后的事,不过,到19世纪末,已经出现了高潮。正是这个时候,桑木"是系统地介绍西洋哲学于日本,并努力普及哲学知识于日本思想界的主要人物。"③他在书的"原序"中指出,"本书固不敢以博引旁征,与世之精深研究者比美;但亦不甘自认为仅属平易

---

①　德波林著,程始仁译:《康德的辩证法》"译者序",第1—2页,亚东图书馆,1929年。

②　同上书,第2页。

③　余又荪:《康德与现代哲学》"译者序",第2页,商务印书馆,1935年。

简明之解说书。"①因为他要在这本书中,一方面说明康德哲学的大要,另一方面还要阐明康德哲学为什么在现在还具有重要意义,以此论述他对批判哲学精神的看法。因此,在这本书中,对于前者,论述了康德哲学的产生、发展、理性批判方法,以及康德关于知识、道德、文化诸问题的基本观点;对于后者,则阐述了康德批判哲学对现代哲学的启迪与影响,特别是对新康德主义及现代许多哲学流派的产生和发展的推动作用。可以说,这是日本学者研究康德哲学具有较高水平的一本著作。正如余又荪在"译者序"中指出的,"本书关于叙释康德哲学本身之处,至为精确明晰。文笔也极为流利,有似开尔德的《康德的批判哲学》一书。初学者读之,对康德的哲学可得一正确明晰的观念。关于物自体及文化问题,著者更有其特殊之考察与解释。本书通篇的立论,特别注意于阐明康德哲学与现代哲学的关系。这都是本书的特色。"②这个评价是有根据的。

　　其次,在研究黑格尔哲学的著作中,美国学者鲁一士的《黑格尔学述》与英国学者凯尔德的《黑格尔》,是贺麟选择它们作为介绍黑格尔哲学的桥梁而译出的。因为在贺麟看来,这两本书代表了英、美等国学者运用民主自由思想研究黑格尔哲学的成果。读过之后,不仅使人可以避免黑格尔哲学原著的艰深晦涩,还可以防止介绍黑格尔本人晚年保守的倾向。正如贺麟当年说的;"我个人对黑格尔哲学感兴趣,可以说大半是此两书引起的……我所以喜欢这两种谈黑格尔哲学的书,即因为这几种书既不抽象附会,又

---

①　桑木严翼著:余又荪译:《康德与现代哲学》"原序",第1页,商务印书馆,1935年。

②　余又荪:《康德与现代哲学》"译者序",第1—2页,商务印书馆,1935年。

不呆板乏味,而著者又皆不负荷黑氏哲学,有独立思想,在哲学史上占有相当地位的哲学家。而且他们皆将全部哲学史烂熟胸中,明了黑格尔的时代、背景、个性,将全部思想,融合于心,而能以批评的眼光,自己的词句,流畅的文字表达出来。"①输入这种著作,对于读者了解黑格尔哲学,以及对于中国学者进行黑格尔哲学研究,都有帮助。

再次,在研究费尔巴哈哲学的著作中,由林伊文翻译的《费尔巴赫底哲学》一书,值得重视。该书作者是德国著名哲学家约德尔(F. Jodl, 1848—1914)。他曾先后执教于布拉格和维也纳两所大学。在这个过程中,他广泛搜集了费尔巴哈未刊出的论著、信札,经过整理后编入由他和波林共同编辑的《费尔巴哈全集》新版中。《费尔巴赫底哲学》就是他出版全集后撰成的。书出版后,德国《文学导报》对它的评价是:"这本书写得切实,深刻,扼要而贯串,而且处处联系到当时的思想潮流。没有联系这种潮流,我们就难以理解费尔巴哈哲学。"②

毫无疑问,约德尔当时对费尔巴哈哲学的研究,在国外有一定的权威性。他在这本书中,分别就费尔巴哈哲学的出发点、本体论、认识论等几个问题进行了较为详细的论述。从中可以看到,它不是以介绍为主,而是着眼于对于内容的评论。例如,在谈到费尔巴哈哲学的出发点时,本来是要说明他怎样从黑格尔哲学中走出来,然后在批判黑格尔唯心主义的基础上开创和建立自己哲学的。但是,作者阐述这个问题时,却没有摆出多少具体材料,也没有把费尔巴哈同黑格尔对立起来,而是把他们联系起来,在阐述德国哲

---

① 贺麟:《凯尔德〈黑格尔〉译序》,第 2 页,商务印书馆,1936 年。

② 林伊文:《费尔巴赫底哲学》"译者序",第 156 页,商务印书馆,1937 年。

学的发展过程中进行论述的。因为在约德尔看来,"无论哪种思想,即算天才的思想罢,都不是现成地从天上掉下来的;无论那种哲学,都不是离开历史境况,不依赖于其逻辑前提而在真空当中发生出来的。在哲学方面,同在自然科学和技术方面一样,每一辈和每一个人底一生的问题,都是前人劳作基础上面才有可能。"① 从这种认识出发,作者认为,费尔巴哈这颗华美而明亮的珍珠,其结晶所在的母体却是接受康德哲学发展,以及集唯心主义之大成的黑格尔体系。因为从费尔巴哈的哲学中可以发现,他的一些最重要最根本的命题,都是作为黑格尔哲学的否定而生长起来的。这主要表现在,黑格尔哲学的中心概念,即"绝对精神",被费尔巴哈当作简单的射影放置到外围去了;而"自然"在黑格尔哲学里只是精神自己的外化,如今却成为费尔巴哈哲学的中心概念和精神生活的主宰了。作者对于这些观点的论述,虽然是依据费尔巴哈的思想发展过程展开的,可是约德尔却没有引用费尔巴哈的原文,而是经过他的理解和消化后,把费尔巴哈的思想通过他的概括与运用自己的语言把它表达出来的。从中可以看到,由于作者对费尔巴哈的著作钻研深入,认识全面,对其哲学的精神实质的把握达到了一定的深度。因此,在论述中,不但概括准确,表达清晰,较好地体现了费尔巴哈哲学的真实面貌,而且,在消化与提炼的基础上,在概括与论述中还使费尔巴哈的思想得到了升华。

第四节　中国学者研究西方哲学发表的论文

论文是西方哲学东渐过程中最为重要的一种传播形式。学者

---

① 约德尔著,林伊文译:《费尔巴赫的哲学》,第1页,商务印书馆,1937年。

们在进行西方哲学研究时,脑海中一旦爆出火花,随即写出来,可长可短,便可拿去发表。这是西方哲学研究学术成果的一种表现。而且,它传播迅速,容易在社会生活中产生广泛影响。由于它具有这些优点,因此,在西方哲学东渐的过程中,不但是学者们采用最早,也是使用最多的一种传播形式。特别是进入20世纪30年代以后,由于传播阵地的大量开拓,运用论文形式传播西方哲学,更是受到广大学者的高度重视。这样一来,在本时期中国学者研究西方哲学取得的成果中,发表的论文数量相当突出,在全面推进西方哲学东渐事业中发挥的作用也较为显著。

一、陈康等研究古代希腊哲学的论文

对于古代希腊罗马哲学的研究,在本时期西方哲学东渐的过程中要比新文化运动时期重视多了。原因在于,在前一个时期广泛引进现代西方哲学的基础上,中国学者感到只有搞清了它们的思想渊源,才能获得对它的深刻理解与真切领悟。因为在他们看来,"人类的思想,并不是从天上掉下来,而是经过极久长的人类思想学术之历史的演进而获得的。作为人类思想之结晶的现代哲学,自然不是例外,它也是二三千年哲学思潮发展的产物。"①就是说,古代希腊罗马哲学是近代和现代西方哲学的思想理论渊源,近代的与现代的一切哲学思潮的种子,都可以在古代希腊罗马哲学中找到。因此,庆泽彭认为,"要研究西洋思想,对于希腊哲学,非先有一个相当的认识不可。"②沈志远也指出,"对于希腊哲学的慎

---

① 沈志远:《古希腊哲学的两个时期》,载《学艺》,第4卷,第4号,1933年。
② 庆泽彭:《批判的希腊哲学史》,"译者序",第1页,商务印书馆,1933年。

重的探讨,就成为研究现代思潮之必要的先决条件。"①

　　在认识提高的基础上,有些学者把精力投向这个领域,通过辛勤耕耘,取得了不少成果。其中,仅发表有关希腊罗马哲学的论文,据初步统计,从 1927 年到 1949 年共有 111 篇。② 从内容上考察,有的是阐明古代希腊哲学发展过程的,但更多的却是论述希腊哲学中某个论题或某个哲学家的。其中有些学者的论文,在当时就获得了学术界的好评。如沈志远的《古希腊哲学的两个时期》,陈康的《柏拉图〈曼诺篇〉中的认识论》,《柏拉图认识论中的主体与对象》,《论柏拉图的〈巴门民〉德斯篇》等,姚璋的《赫拉克利特的哲学述要》,吴康的《苏格拉底哲学思想》,郭斌和的《柏拉图之埃提论》与严群的《亚里士多德之政治哲学》等。通过这些论文的发表,在加深对于古代希腊罗马哲学理解的基础上还相当深入地阐明了它在哪些方面成为近代与现代西方哲学的理论渊源。这里,只是举出陈康发表的有关论文为例进行说明。

　　陈康(1902—1992),又名陈忠寰,江苏扬州人。早年就读于南京中央大学。1929 年赴英国伦敦大学深造。1930 年到德国,首先师从著名学者尤尼乌斯·斯田采尔(Julius Stezel)学习希腊哲学,后来主要师从批判本体论创始人尼古拉·哈特曼(Nicolai Hatmann),并在他的指导下撰成《亚里士多德'分离'问题》(Das chorismos Problem Dei Aristoteles)一文,取得博士学位。1940 年底回国后,相继担任西南联大、北京大学、中央大学与同济大学等校教授,1948 年秋赴台湾任台湾大学教授。在这段时间内,除了讲课、培

---

① 　沈志远:《古希腊哲学的两个时期》,载《学艺》,第 4 卷,第 4 号,1933 年。
② 　四川大学哲学系与复旦大学哲学系编:《全国主要报刊哲学论文资料索引》,第 160—166 页,商务印书馆,1989 年。

养研究生,以及独树一帜地把柏拉图的《巴曼尼德斯篇》进行了注释外,他还集中对柏拉图与亚里士多德哲学开展了创造性的研究,留下了至今仍有重要影响的理论成果。

　　在介绍陈康的这些成果前,有必要提示一下他的哲学史研究方法。研究哲学史,可以使用各种不同的方法。但是,在陈康看来,在哲学史的研究中,个别结论不是主要的。它们可能随着认识的提高而改变。主要的是方法,它是比较固定的。因此,选择和运用什么方法进行哲学史研究,必须引起高度的重视。在这里,他批评了他早年读过的一些思想史中运用的方法,如"在自己的意见上挂起前人的招牌"("仲尼墨瞿俱道尧舜")、或"用前人的言论来增高自己的意见的价值"("六经为我注脚"),或"用从半空中飞下来的结论作推论的前提"("道曰式,曰能……")。① 同时,他还尖锐地指出,"自从五四以来,念外国书的人日多,才华超迈绝伦、不甘略受拘束的人士喜欢将糖酒油盐酱醋姜倾注于一锅,用烹调'大杂烩'的办法来表达自己集古今中外思想大成的玄学体系。"②对此,陈康进行了颇为激烈的嘲讽,认为这些方法对于哲学史的研究工作,不可能带来任何益处。

　　对于他自己研究哲学史采用的方法,陈康的概括是:他的论文"里的每一结论,无论肯定与否定,皆从论证推来。论证皆循步骤,不作跳跃式的进行。分析务必求其精详,以免混淆和遗漏。无论分析、推论或下结论,皆以其对象为依归,各有它的客观基础。不作广泛空洞的断语,更避免玄虚到使人不能捉摸其意义的冥想

---

　　① 陈康:《陈康哲学论文集》"作者自序",第 2 页,台北联经出版事业公司,1985 年。

　　② 同上。

来'饰智惊愚'。研究前人思想时，一切皆以此人著作为根据，不以其与事理或有不符，加以曲解（不混逻辑与历史为一谈）。研究问题时，皆以事物的实况为准，不顾及任何被认为圣经贤训。总之，人我不混，物我分清。一切皆取决于研究的对象，不自作聪明，随意论断。"①不难看出，陈康概括的上述方法，是以德国为代表的欧洲大陆研究古典哲学的传统方法，也是西方研究哲学史取得进展的重要方法之一。运用这种方法进行哲学史研究，需要深厚的学识基础和严肃认真的治学态度。陈康研究古代希腊哲学取得的成果，都是运用这种方法进行研究的产物与体现。

例如，他对柏拉图哲学中一些长期得不到解决的困难问题提出的见解，特别是他对《巴曼尼得斯篇》第二部分内容的解释。在过去，对于柏拉图在这里陈述的八组互相反对的悬拟推论，向来存在两种不同的看法，近代学者也各自提出过新说。经过长期而深入的研究后，陈康认为，柏拉图在《巴曼尼得斯篇》第二部分中提出了一种新的理论——范畴论。它的基本思想是：如果最普遍的范畴——One 和 Being 可以相互结合，那么，它们便可以和一系列相反的范畴，如"一"和"多"，"部分"和"整体"，"运动"和"静止"，"异"和"同"，"类似"和"不类似"，"等"和"不等"，"过去"、"现在"和"未来"相结合，并且既是理性的知识，又是感性的对象。相反，如果 One 和 Being 不是相互结合，而是相互分离的，那么，它们和所有这些相反范畴都不能结合，只能是否定的，什么也不是，既不是知识的对象，也不是感觉的对象。陈康的解释可以和柏拉图后期对话中的许多重要思想联系起来，互相印证。最明显的是

① 陈康：《陈康哲学论文集》"作者自序"，第3页，台北联经出版事业公司，1985年。

被认为和《巴曼尼得斯篇》写作时间很接近的《哲人篇》中所讲的"通种论"。在那里,柏拉图论证了六个最普遍的、相反的、种——Being 和 not—Being、"动"和"静"、"同"和"异"是彼此相通,互相联系的。

又如,现在大多数学者都认为,柏拉图在后期对话中所讲的辩证法(Dialectic)已经和《国家篇》中将 Dialectic 当作最高智慧——哲学有所不同。后期对话中讲 Dialectic,主要讲的是"分"(division)和"合"(collection)的方法;而要进行分析和综合,必须根据对象的"同"和"异"。所以,柏拉图在后期对话中特别注重"同"和"异",甚至在《蒂迈欧篇》的自然哲学中,也说自然世界是由"同"和"异"两个环组合起来的。这些范畴显然不是柏拉图在《费都篇》和《国家篇》中的 Theory of Ideas 中所说的 idea。他原来只承认有伦理观念的善、美、正义、节制的 idea,承认数学上的"等"、"大"、"小"等的 idea,也提到自然物如火、人、马,以及人造物如床、梭子等的 idea。但这些 idea 本身是单一的、绝对的,"美之相"便是完全的美,不能包含有丝毫的丑;它只是理性的认识,不能是感觉的对象。柏拉图后期对话中的范畴不是这样的 idea,也不是现实的具体事物,它们既是理性的知识,也是感觉的对象。那么,它们是什么呢?柏拉图并没有说明。但在《泰阿泰德篇》中透露了一点消息。他说,在我们作一个判断时,除了由感觉直接得到的知觉外,还需要用 logos,将他们组合起来,才能成为判断。

因此,我们看到这些范畴就是将 Sense-data 组织成为判断的概念。实际上,它们就是后来康德在《纯粹理性批判》中讲的时间、空间以及十二个先验范畴。当然,柏拉图不可能有康德那样高的认识,但在西方哲学史上最初注意到这些范畴,并且提出来研究讨论的,应该说是始自柏拉图的《巴曼尼得斯篇》。继他之后,亚里士多德在《Metaphysica》△卷，即所谓"哲学辞典"中讨论了三十个范畴，柏拉图所讲的范畴几乎都包括在内，并且发展了；在那里，后来康德所讲的空间、时间和十二个范畴，几乎都可以找到它们的原始形态。陈康提出来的上述看法，真实地揭示了柏拉图哲学的本来面貌，使长期争论中存在的问题得到了圆满的解决，也阐明了其中的某些因素对近代哲学产生的影响。

不过，在陈康运用他的哲学史研究方法研究希腊哲学取得的成果中，最为突出的要数他对柏拉图与亚里士多德关系问题的解决。过去在这个问题上，一般人都夸大了亚氏"我爱我师，我更爱真理"的说法，拾起一些亚氏表面上对柏氏的批评，便断言他们两人在哲学上是根本对立的。陈康根据他对希腊哲学原著的独到的研究，对此提出了与一般流行的看法不同的观点。

关于这一点，主要体现在他对"分离"（Chorismos）问题的研究上。问题的出现在于，柏拉图所说的 idea（或 eidos，陈康译为"相"或"形"）和具体事物是不是分离的。过去，欧美研究柏拉图哲学的学者都认为，柏氏是主张"相"和具体事物是分离的，即宣称它与个别事物相隔而独立自存。他的根据一是亚里士多德的记载；亚氏说过主张 idea 的人们，认为在具体事物之外（这里用的是 para）还有另外一类事物，它们和具体事物相同。不过，它们是永恒的。二是亚里士多德对"分离"的批评与修正；亚氏认为 Form（eidos）是在事物之中。因此，自古代开始的传统说法，都认为柏拉图的 idea 和具体事物是分离。并由此得出结论，宣称在"分离"问题上，柏亚二氏水火不相容。实际上，这个问题不是一个单纯的"分离"问题，而是作为普遍共相的 idea 和具体事物实质有什么不同以及处于什么关系的问题，也就是一般和个别的关系问题。在柏拉图和亚里士多德之间发生的这个问题，到中世纪哲学发展过程中有唯名论和唯实论之间的争论,一直到近现代西方哲学也还以这样或那样的方式围绕这个问题进行争论。所以,它是西方哲学史上一个贯彻始终的基本问题。

经过精深的研究,在解决柏拉图哲学研究中存在的问题的基础上,陈康进一步指出,柏拉图的"相"除了作为模型这一点外,柏氏从未主张与事物分离。就拿《巴曼尼得斯篇》第一部分中少年苏格拉底的"相论"来说,在这里,表面地看去柏拉图似乎将 idea 看成和具体事物一样独立存在的,将它们物体化了。所以,idea 和具体事物是互相分离的,它们之间有空间的距离。然而,在陈康看来,就在这篇对话以及《哲人篇》中,柏氏即通过"通种论"("种"即"相"之别名)指出"种"或"相"之联合构成个别事物,并非个别事物分有了分离了独立自存的"相"。特别是在《费都篇》和《国家篇》中,那里的"相论"都是目的论的,具体事物以同名的"相"(美的事物以"美之相")为目的和理想,它们二者只是完善和不完善的区别,只有程度上的距离而没有空间上的距离。所以,这样的 idea 和具体事物并不是空间上分离的。

陈康的这个结论,和近代与现代西方许多学者的意见是相反的,例如,F. M. Cornford、W. D. Ross、W. K. C. Ctuthriie 等人都认为,柏拉图的 idea 和具体事物是相互分离的。他们的主要论据是:既然柏拉图在《费都篇》中主张回忆说(anamnesis),认为灵魂在出生以前,和具体事物接触以前,已经先认识了 idea,可见 idea 和具体事物是互相分离的。它们是以时间上的在先去证明二者的分离。问题在于:时间上的距离是不是等于或一定导致空间上的分离呢? 按照亚里士多德关于"在先"的分析,不但有时间上的在先,而且还有逻辑上的在先。说 idea 逻辑上在先,不是比说它和具体事物在空间上分离更为合理一些吗? 当然,柏拉图自己在当时还不可能意识到有这些不同形式的分离的。然而,也不能因此便肯定它们之间是分离的。

对于说到亚氏对柏拉图的批评,在陈康看来,那并非是对柏氏而发,而只是对他们学园中的某些人。这可以从这个原始的"分离"问题到亚里士多德哲学中分化成为许多方面的分离问题,如Substance 和属性的分离,Substance 范畴和其他范畴的分离,事物和它的属性的分离,作为 essewce 的 eidos 和事物的分离,genus 和species 的分离,以及它们和 the most unirersals 的分离等。并且,通过对这些不同分离形式的具体分析,陈康为人们理解亚里士多德的 ontology 思想提供了明白清楚的线索。

根据上面这样细致的分析与论证,陈康得到一个结论:在"分离"问题上,亚里士多德实为柏拉图的继承者,而绝不是反对者。就这样,不但有理有据地纠正了长期以来对于柏拉图和亚里士多德关系的错误看法,而且还清晰地阐明了希腊哲学从柏拉图到亚里士多德的发展过程。因此,当年贺麟便给予了高度的评价。他指出,通过这些成果,使陈康成为"中国哲学界钻进希腊文原著的宝藏里,直打通了从柏拉图到亚里士多德的哲学的第一人。"[①]这个评价形象而又准确地反映了陈康先生研究希腊哲学的特点及其在西方哲学东渐史上的贡献。

二、金岳霖等研究休谟与斯宾诺莎哲学的论文

西方 17 世纪至 18 世纪的经验派与理性派哲学,是近代西方文明兴起时期在观念形态上的集中体现,是西方开辟通往现代化道路时的理论总结。对于这一点,维新变法期间梁启超把经验派

---

① 贺麟:《当代中国哲学》,第 39 页,重庆胜利出版社,1947 年。

的奠基人培根和理性派的奠基人笛卡儿称为近代西方文明的始祖,表明他对此是有认识的。但是,由培根和笛卡儿建立起来的以认识论为核心的近代西方哲学提出了一些什么新原理、新学说与新观念,都由于认识上的模糊,理解上的肤浅,不但没有把它们阐述清楚,甚至加以准确的叙述,也深感力不从心。经过新文化运动的洗礼,随着研究西方哲的学者的增加及其学术水平的提高,这个问题在本时期的西方哲学东渐过程中,不但突出地提出来了,而且通过各种形式,取得了明显的进展。首先一个表现是,大量论文的问世。据初步统计,从1927年到1949年,发表有关17世纪至18世纪经验论与理性论的论文,共有112篇。①

　　总的说来,这些论文都是中国学者对于近代西方社会走出中世纪、迈向现代化早期在哲学上提出的新原理、新学说与新观念的系统阐述。例如,为了批判经院哲学与蒙昧主义,有培根"幻相"与笛卡儿"普遍怀疑"原则的提出;为了论证政治上资本主义代替封建专制的必然性,有"社会契约"与"天赋人权"学说的提倡;为了发展生产力,认识世界和改造世界,有认识论与方法论的研究;为了使人从神学的束缚下解放出来,有对于人类理性与知识价值的推崇,等等。理解是消化的前提,而理解与消化的程度,便决定了传播与吸收的水平。为了使引进的这些新原理、新学说与新观念在唤醒民族精神进一步觉醒的过程发挥出更大的积极作用,中国学者是全力以赴的。因此,在这些论文中,对蒙昧观念的批判,对人类理性的推崇,对科学知识价值的赞扬,对科学方法的强调,给人以十分深刻的印象。不过,在传播的重点上与过去略有不同;

---

① 四川大学哲学系与复旦大学系编:《全国主要报刊哲学论文资料索引》,第171—178页,商务印书馆,1989年。

过去谈论多的是培根与笛卡儿，现在，阐释休谟与斯宾诺莎哲学的论文多了起来。

先说休谟。为了传播休谟哲学，1928 年 6 月，诞生不久的《哲学评论》便刊出了"休谟专号"。对此，当时有的人提出质疑，张东荪在答复时说明了所以采取这一行动的理由。他认为，"哲学的第一步必是揭穿常识的矛盾与浑昧"，[①]只有驳倒了常识，方能消除人们对于哲学的误解。"不经过这一阶梯决不能入哲学的莹奥"。[②] 在他看来，近代哲学中笛卡儿提出的"普遍怀疑"原则，是这一工作的开始，可惜他自己没有发挥这种精神，后来经过洛克、巴克莱，发展到休谟，才得以完善。张东荪指出，"我想哲学评论第一提出休谟或许有见于此。认为哲学的入门当以拨开常识为着手……所以不能不首先提出休谟示中国人初学西洋哲学以正当门径。"[③]同时，他还认为，哲学不过是一种精神，即俗话说的"追根究底"的精神。这种精神在他看来，实际上是一种方法。而在方法中，有建设的，也有破坏的。康德属于前者，休谟属于后者。张东荪指出：他们"虽一建设一破坏，在哲学潮流的全体上是始终相待相成与相辅相合，而不可分散的，然而就这种追根到底的精神来看，却是破坏方面比较上表现得更明显些。所以为示例的便利计，先拿休谟比拿康德来得好些。"[④]这些说法是否能够成为出版"休谟专号"的理由，在这里没有必要对它进行评论，然而，其中却深深地反映出一种期望与追求，即为了得到真理性的知识、科学知

---

① 张东荪：《休谟哲学与近代科学》，载《哲学评论》，第 2 卷，第 2 号，1928年。

② 同上。

③ 同上。

④ 同上。

识,必须提倡怀疑精神,必须批判蒙昧观念。这是唤醒民族精神全面觉醒绝对不可缺少的。

再说斯宾诺莎。1932年,斯宾诺莎诞生300周年。在中国学者看来,斯氏是一位"震赫古今之大哲人,其思想在当下掀起绝大狂潮,其影响在后世继续百世不替,而其人格恰与其学说相符,堪为人类之师表"。① 因此,中国哲学界借纪念这位哲学巨人诞辰的机会,在这一年的前后围绕介绍和评价斯宾诺莎哲学及其人格,也颇为热闹地忙碌了一阵子。从中透露的信息表明,仍然是对于科学知识的追求与对民主精神的期望。

不论出版"专号",还是通过诞辰纪念等形式,本时期中国学者发表有关上述两位哲学家的论文,有:

休谟知识论的批评	金岳霖	哲学评论	第2卷1号	1928年6月
从洛克到休谟	黄子通	哲学评论	第2卷1号	1928年6月
赫胥黎论休谟哲学	瞿菊农	哲学评论	第2卷1号	1928年6月
休谟哲学与近代思潮	张东荪	哲学评论	第2卷1号	1928年6月
休谟与近代心理学	陆志韦	哲学评论	第2卷1号	1928年6月
与休谟时空理论之批评	施友忠	大公报"世界思潮"		1932年8月6日
大卫·休谟	中书君	大公报"世界思潮"		1932年11月5日
休谟之经验论的现象主义与勒鲁费之观念的现象主义	王骏声	中山文化教育馆季刊	第3卷3号	1936年7月
休谟认识论研究	罗鸿诏	东方杂志	第34卷13号	1937年7月

① 蓝铁军:《斯宾诺莎本体学说述评》,载《世界动态》,第1卷,第2号,1936年12月。

休谟人性论	刘燕谷	读书通讯	第 126 期	1947 年
笛卡儿与斯宾诺莎哲学之比较	严群	再生杂志	第 1 卷 3、4 号	1932 年 7、8 月
斯宾诺莎与奥登论学书札	贺麟译	大公报"文学副刊"	第 25 期	1932 年 11 月 14 日
大哲学家斯宾诺莎诞生三百年纪念	贺麟	大公报文学副刊	第 25 期	1932 年 11 月 21 日
斯宾诺莎的生平及其学说大旨	贺麟	大公报文学副刊	第 255 期	1932 年 11 月 21 日
斯宾诺莎论数与形与神书		大公报"世界思潮"	第 13 期	1932 年 11 月 26 日
斯宾诺莎三百年诞生纪念	季同	大公报"世界思潮"	第 13 期	1932 年 11 月 26 日
斯宾诺莎之政治哲学	张君劢	再生杂志	第 1 卷 7 号	1932 年 11 月
关于洛克斯宾诺莎达尔文	编者	读书杂志	第 2 卷 11、12 号	1932 年
斯宾诺莎与庄子	季同	大公报"世界思潮"	第 21 期	1933 年 1 月 19 日
斯宾诺莎的生平及其学说大旨	贺麟	大公报"文学副刊"	第 264 期	1933 年 1 月 23 日
A sketch of Spinoza's Metaphysical Theory		清华周刊	第 38 卷 12 号	1933 年 1 月
斯宾诺莎哲学新评价	蒋经三	中山文化教育馆季刊	第 2 卷 4 号	1935 年 10 月
斯宾诺莎本体学说述评	蓝铁年	世界动态	第 1 卷第 2 号	1936 年 12 月
斯宾诺莎著政治论	刘燕谷	读书通讯	第 145 期	1947 年

透过这些论文,说明发表休谟与斯宾诺莎哲学的文章,在本时期传播经验论与理性论的过程中,不但数量上较为突出,而且更为

重要的是,在内容上,通过对这两位哲学家思想的阐述,在原先输入培根与笛卡儿的基础上,使经验论与理性论哲学中提出的新思想、新学说,较为系统地传播进来了。特别是在这些论文中,还有些论述充分,观点深刻,材料丰富的作品。如金岳霖的《休谟知识论的批评》、罗鸿诏《休谟认识论研究》、贺麟的《斯宾诺莎的生平及其学说大旨》、蓝铁年的《斯宾诺莎本体学说述评》,更是深化了人们对经验论与理性论哲学的认识。同时,有的学者在文章中还采用纵横比较的方法进行研究,如在经验论哲学的研究中,黄子通的《从洛克到休谟》比较,又如在理性论哲学的研究中,严群的《笛卡儿与斯宾诺莎哲学之比较》;虽然在比较中还显得有些生硬,但这种探索精神在西方哲学东渐史上是难能可贵的。总之,它们为经验论与理性论的全面东渐作出了贡献。

三、谢幼伟论述经验论与理性论的特点

进入20世纪40年代以后,发表有关经验论与理性论的论文明显地少了一些。但在这些论文中,谢幼伟在对经验论与理性论的论述中,却有一些值得重视的特点。这个时候,他发表的此类论文,有:

笛卡儿学说要旨	思想与时代第28期	1943年11月
培根的方法论	思想与时代第29期	1943年12月
莱布尼茨之玄元论要旨	思想与时代第3期	1945年2月
巴克莱生平及其思想	读书通讯第126号	1947年

在这些论文中,有阐释经验主义的,还有阐述理性主义的。有意思的是,其中从培根到巴克莱,从笛卡儿到莱布尼茨,恰好是经验主义与理性主义发展过程中最重要阶段的一头一尾;选择这些哲学家的思想进行论述,首先把这两个学派的逻辑发展过程清晰

地呈现出来。而且在这样论述时,还有一些鲜明的特点。

首先,输入目的明确

谢幼伟选择上述几位哲学家作为他介绍经验论与理性论哲学的对象,针对性是十分清楚的。其中最主要的是,为了更好地理解现代西方哲学。因为自五四以来,现代西方哲学纷至沓来,但他看到在引进这些哲学的时候,却把它们孤立起来,忽略了其理论渊源、特别是它们与近代西方哲学联系的追溯。他指出,现代西方哲学是由近代西方哲学发展而来,要深刻认识现代西方哲学,必须全面了解近代西方哲学。他说,"现代哲学有一种以数学为模楷的倾向。此一倾向,渊源所自,实以十七世纪法国哲学家笛卡儿为首创。笛卡儿本有近代哲学鼻祖之称,若自其以数学为哲学模楷之主张言,则今日哲学似仍受笛氏学说之影响而无疑。本文之作,在将笛氏学说,握要叙述,为读者理解现代哲学之一助。"①他介绍笛卡儿学说的目的是这样,选择其他几位哲学家也有这样的考虑。例如,在论述莱布尼茨时,他写道:"由文艺复兴以至启蒙运动,莱氏为其间之一过渡哲人。一方面,彼充分表现文艺复兴期中之科学精神,一方面彼又为启蒙运动之创始者。与斯宾诺莎比,斯氏哲学似尚为传统思想所束缚,而莱氏则已冲破传统思想之藩篱。故在某一意义上,莱氏哲学实最能代表近代哲学之精神者……本文之作目的,在将莱氏哲学作一简单明确之叙述,为读者理解近代哲学思潮之一助。"②十分清楚,作者在这里介绍莱布尼茨,加深理解近代哲学的目的,最终目的还是为了真正认识和把握现代西方哲学。

---

① 谢幼伟:《笛卡儿学说要旨》,载《思想与时代》,第28期,1943年。
② 谢幼伟:《莱布尼茨之玄元论要旨》,载《思想与时代》,第40期,1945年。

同时,也是为了促进国人进一步从传统思维方式的束缚下解放出来,以便更好地适应科学与社会发展的需要。为此,他写道:"一感于国人治学,不求进步,不求创造与发明。非为古人注释,尽其考据解说之能事,即为西人传译,尽其介绍模仿之能事。谋百尺竿头,再进一步者,少有其人。此则培根所提出之进步观念足以药之也。二感于国人治学,成见甚深。入主出奴,各以所学,相非相足。曰教育救国也,曰经济救国也,曰工业救国也,曰道德救国也,各发为一偏之论,以耸人耳目。是皆所谓有偶像为障者。此则培根之偶像说足以药之也。三感于国人治学,不重方法,虽专治科学者,亦常不知有科学方法或逻辑之一事。方法训练,至为缺乏。谈科学而不知有方法,难有创造与发明之可言,西人之谈科学者,多归功于培根之方法。现代科学实得力于培根方法之指示……感想甚多,未能尽言,培根之所以教训吾人者,读者或能于此一文自得之也。"①这一段话,既指出了科学研究中受到旧的思维方式束缚的表现及其带来的消极后果,还以培根哲学为例,阐明了引进经验论与理性论哲学,对于促进思维方式实现变革的积极意义。情真意切,充分反映了谢幼伟研究西方哲学的使命感。

其次,介绍内容集中

谢幼伟从其提出输入近代西方哲学的目的和对近代西方哲学的认识出发,在他的所有文章中,并不着眼于经验主义和理性主义两个学派特点及其区别的阐明,而是把它们作为近代西方文明的共同体现,一是突出了对其理论背景的分析,以便使人更好地理解它作为理论渊源怎样影响了现代西方哲学;二是集中地介绍了它的认识论与方法论问题,以便使人更好地吸取其中的积极内容,作

① 谢幼伟:《培根之方法论》,载《思想与时代》,第29期,1943年。

为推动思维方式变革的有效因素。这里只论述后者。

作者认为,"英哲培根与法哲笛卡儿同有近代哲学鼻祖之称。笛氏以方法名,培根亦以方法名。笛氏方法为大陆理性派植坚固基础,培根方法亦为英伦经验派首开其端。"①在这样肯定后,他还进一步指出,"所谓培根之思想,实即培根的方法。培根在哲学上及科学上之贡献,乃在其方法。述其方法,等于述其哲学。"②又说,笛卡儿"在哲学上之贡献,或为其方法,而不在其哲学。故欲明瞭笛氏哲学,当先明瞭其方法。"③根据这些看法,谢幼伟在文章中分别具体而细致地阐明了培根经验归纳法与笛卡儿理性演绎法的内容;实际上,他对巴克莱经验论与莱布尼茨单子论的论述,也是依据这种思路进行的。在这里,可以看到作者研究与领悟经验论与理性论哲学的深刻程度。正是有了这份功夫,所以谢幼伟在论述这些哲学家的认识论与方法论观点时,内容集中,分析细致,富于启发,对于国人从传统观念下解放出来,具有重要的促进作用。

再次,批评态度中肯

在所有文章中,谢幼伟对他所介绍的哲学家的理论观点,既不站在被其介绍对象的立场上完全不加分析地给以肯定,也不以旁观者的身份完全客观地进行转述,而是从他对当时科学和哲学发展水平的理解出发,有满腔热情的赞扬和肯定,也有态度中肯的揭露和批评。对于前者,在论述输入经验论与理性论哲学的目的时,实际上都谈到了。所以这里仅以后者来加以说明。

---

①　谢幼伟:《培根之方法论》,载《思想与时代》,第 29 期,1943 年。
②　谢幼伟:《笛卡儿学说要旨》,载《思想与时代》,第 28 期,1943 年。
③　谢幼伟:《培根之方法论》,载《思想与时代》,第 29 期,1943 年。

其中,在阐明了培根的方法论后,他接着指出:"关于培根方法,以现代眼光视之,自有可论之处。如培根过于重视归纳,而忽视演绎。此揆诸现代科学,实不相符。现代科学不惟重视演绎,且有以演绎为主之趋势,此从数学在现代科学上所占之地位,可以见之。此其一。次则,培根方法但注意于正面或反面事例之搜集,有忽视悬拟或假设之嫌。实则,现代科学,极重悬拟。无悬拟,则事例之搜集或观察,往往无从下手。此其二。又次则,培根追求事物形式或原因之说,亦为现代科学所放弃。现代科学对于事物,不再追求其形式或原因,但追求事物间相关之变化。此其三。若是之批评,虽可以为正确,然自培根之时代言,则不定为培根病。"[1]

又如,在论述了笛卡儿哲学后,他又指出,"其说可议之处甚多",[2]简单说来,主要有:(1)笛氏"我思故我在"的大前提,实在有问题;(2)假定笛氏我在之说无误,然而由我在也难以证明上帝之存在;(3)即使假定上帝存在,然而由上帝的存在,也未必能证明宇宙万物之真实;(4)就是假定宇宙万物真实,然而心与物之间之关系,仍然是笛氏哲学体系中的困难所在。谢幼伟在这里,不仅阐明了这些困难的表现,而且还从理论上分析了产生这些困难的原因。

再如,在论述了莱布尼茨的单子论后,他更是严肃地指出:(1)"莱氏所提出之玄元论,并不足以解答其哲学上之问题,亦即所谓真全体与真部分之调和问题";(2)"莱氏之预定和谐说,亦不足以解决身心关系之问题";(3)"莱氏关于神之存在论证,固有问题,然其最有问题者,实为神与创造的玄元之关系。"同样,在这

① 谢幼伟:《培根之方法论》,载《思想与时代》,第29期,1943年。
② 谢幼伟:《笛卡儿学说要旨》,载《思想与时代》,第28期,1943年。

里,作者不但发现了莱氏哲学中存在的这些问题,而且也深刻揭示了产生这些问题的根源。

四、张颐与贺麟等研究黑格尔哲学的论文

五四以来,马克思主义哲学在中国得到了广泛的传播,并在社会生活中发挥了重大的影响。为了加深对马克思主义哲学的理解,人们还提出了深刻认识与全面把握其理论渊源的要求,加上德国古典哲学本身的理论成就及其对现代西方哲学产生的复杂影响,因此,在本时期西方哲学东渐的过程中,中国学者对它开展了相当系统的研究。

不过,五四时期康德哲学的热烈传播进入本时期,已被黑格尔哲学更为热烈的传播取代了。1931 年,黑格尔逝世一百周年,中国不少著名学者纷纷撰文纪念。1933 年,《哲学评论》第 5 卷第 1 期还以"黑格尔号"的形式刊登了瞿世英、张君劢、贺麟、朱光潜、姚宝贤等人的论文。这是中国最早最为集中介绍和传播黑格尔哲学的专刊。在它的推动下,在相当一段时间内,有关黑格尔哲学的文章不断出现在当时出版的学术刊物上。据初步统计,从 1927 年到 1949 年,全国报刊发表有关德国古典哲学的论文,共计 178 篇,而其中阐述黑格尔哲学的论文,即有 105 篇,占了总数的一半多。① 这些论文虽然涉及黑格尔哲学的各个方面,但传播的中心却是他的辩证法。在这一方面,有几位学者的成果值得重视。

首先是张颐。他为了"共图明瞭黑氏哲学的真谛",②以便把

---

① 四川大学哲学系与复旦大学哲学系编:《全国主要报刊哲学论文资料索引》,第 178—187 页,商务印书馆,1989 年。

② 张颐:《读克洛那、张君劢、瞿菊农、贺麟诸先生黑格尔逝世百年纪念论文》,载《大公报》,文学副刊,第 207 期,1931 年 12 月 28 日。

黑格尔哲学正确地在中国传播开来,不仅做了许多组织工作,还因为对于黑格尔哲学的一些不同理解,与张君劢发生了一场不小的争论。在争论的过程中,他先后发表了《关于黑格尔答张君劢先生》、《与张君劢先生讨论黑格尔哲学之经过》以及与此有关的《黑格尔与宗教》等3篇文章。通过这些文章阐述了他对黑格尔哲学中一些基本问题的观点。

例如,以黑格尔《逻辑学》中范畴之间的关系来说。在这个问题上,张君劢认为宇宙产生之初,仅有所谓"凡有"在,无其"所以",更无"概念",后面这些范畴是"创造"出来的。由此,张君劢提出,黑格尔《逻辑学》中的范畴"凡有"在先,"所以"(本质)次之,"概念"居后;如果说它们同时并存,那么,就不应该有先后的排列。因此,他断言:"黑氏逻辑之范畴,亦视为有时间先后之别。"①张颐认为,这种看法,"与黑格尔哲学之意旨大相刺谬"。②因为在他看来,黑格尔的《逻辑学》"乃展示纯粹思想与宇宙本体之成一系统,其内容有若干方面,此若干方面同属一体,故相维相当,绝不分离;且以有一绝对理意或至理为之中坚,弥纶全体,磅礴万殊,故各部分及其纲维,脉络贯通,形成有机合一。自其极抽象、极简单方面起,依其结构上各部分互相衔接,相反相成之关系,次第演进,自然达其最高范畴。'然此最高范畴时在推演上虽最后出现,而在理论上及实际上则为最根本。'以其为一切思维范畴宇宙情态之'基础'与'根据',宇宙万有皆'从之出'故也。黑氏有言曰:'最初者乃最末,最末者乃最初,此之谓也'。③ 张颐在对

---

① 张颐:《读克洛那、张君劢、瞿菊农、贺麟诸先生黑格尔逝世百年纪念论文》,载《大公报》,文学副刊,第207期,1931年12月28日。
② 同上。
③ 同上。

《逻辑学》诸范畴之间的关系从总体上作出了上述概括后,还进一步指出,"各范畴有简单与繁杂,抽象与充实之等差,而无时间上先后之区别。其表现于自然世界及精神生活也,是为亘古今、无间断、无始终之表现。盖既有本体,即有表现,特表现有充分与不充分之等差耳;非初无世界,遂暂缺表现,其后造成世界,乃有表现也。约言之,宇宙本体及其诸范畴之本身,无时间性,其在自然世界及精神生活之表现中,乃有时间性者也。盖此二者,得其感召,向慕有力,目的遂定。其目的即在于力求完善,使其表现本体及其诸范畴所形成之纯理系统,达于充分圆满之境界。"①不用再举出更多的例子,通过这两段话,从中即可看到张颐使用极其简洁的语言,原汁原味地把黑格尔《逻辑学》中诸范畴之间辩证关系的观点,真实地揭示并精确地概括出来了,充分反映了作者对黑格尔哲学研究的深度。

其次是贺麟。在本时期中,他发表专题论述黑格尔哲学的论文,主要有:《朱熹与黑格尔太极说之比较观》、《黑格尔》、《黑格尔之为人及其学说概要》、《鲁一士〈黑格尔学述〉译序》与《对黑格尔哲学系统的看法》等。通过这些论文,突出地阐明了黑格尔哲学如下内容。

第一,强调了黑格尔提出的关于逻辑与历史一致的原则,也就是恩格斯提出的他的思维方式的巨大历史感。例如,在《黑格尔学述》译序中,他指出,"如果史学与哲学间的隔阂不至太甚,当然不难产生以历史为基础的新哲学。而且若果以根据纯正的哲学眼光以治史学,则史学中不难得新收获。黑格尔哲学就是以历史为

---

① 张颐:《关于黑格尔哲学答张君劢先生》,载《大公报》文学副刊,第216—219期,1932年2月25日—3月14日。

基础的系统。他认为哲学就是世界历史给予吾人的教训。因此他的见解和他的方法实有足资吾人借鉴之处。太史公所谓'究天人之际,通古今之变,成一家之言',这可以说是描写黑格尔哲学的最好最恰当不过的话。"①而且,他还在《论道德进化》中引证詹姆士的话,把黑格尔关于这个问题的观点进一步概括为"逻辑与历史或逻辑上的矛盾进展与人文进化的平行论",因为在他看来,"黑格尔的事实是逻辑的必然性,而他的逻辑是符合人类文化变迁演化的事实的。"②

　　第二,突出了黑格尔的辩证法思想,特别是关于矛盾观点的传播。贺麟认为,"黑格尔哲学最大的特点就是他那彻始彻终贯注全系统谨严精到的哲学方法——这就是他的矛盾法(dialectical method)。"③在具体论述时,他着重阐明了三个观点。(1)黑格尔的矛盾法是一种矛盾的实在观。就是认为,"凡非真实的东西,必是不合理的,自相矛盾的。凡是真实的东西是合理的,必是整个的,圆满合一的"④(2)黑格尔的矛盾法又是一种矛盾的真理观。意思是说,"真理是包含有相反的两面的全体,须用正反相映的方式才能表达出来"。⑤像鲁一士解释的那样,真理的本性是矛盾的,而不是说真理是相互矛盾或相互冲突。(3)黑格尔的矛盾还是一种矛盾的辩难法。它与哲学史上的诡辩不同,它合于逻辑,目的在于追求真理,主要用在"分析意识生活,观察实际现象的矛盾点上面。他只是指出好东西有坏的方面在,或我中有人,分中有

---

①　贺麟:《鲁一士〈黑格尔学述〉译序》,第2页,商务印书馆,1936年。
②　同上书,第6页。
③　同上书,第9页。
④　同上书,第10页。
⑤　同上书,第12页。

合,苦中有乐,死中有生的矛盾之理在,而非求解除或调和此矛盾的综合一贯之总原则……这是黑格尔的矛盾法的特色,也是黑格尔对于矛盾法空前的妙用。"[1]

再次是沈志远(1902—1965)。1931 年,他从莫斯科回国后,在这个时期内,除了撰有《黑格尔与辩证法》一书外,还先后发表了《黑格尔哲学的精髓》、《黑格尔与康德》、《从康德到黑格尔》、《黑格尔哲学之时代》与《近代哲学中的辩证法史之发展》等论文。他在这些论文中,虽然也是围绕黑格尔的辩证法展开的,但是在着眼点上与其他传播者稍有不同。在他看来,当时的中国哲学界谈论辩证法可谓热闹一时,但大多是介绍成熟的辩证法,即马克思主义的唯物辩证法,而对它在未完成以前的历史发展,却没有给予必要的研究与传播。他认为,从"学术立场上说,这一步功夫却是极端重要的。"[2]原因在于,"辩证法学说本身是辩证的"。[3] 它有今天的形态,乃是经过了长期的历史演变和哲学家长期认识、总结出来的。因此,从古代到现代的许多大哲学家的哲学体系中,都孕育了不少辩证法的胚胎或因素。为了"彻底理解现代辩证法,对于辩证法本身的辩证过程做一番深刻的研究,自然是绝对必要的。换句话说,要精确地理解唯物辩证法,对于辩证法之史的发展就必须有一个相当明确的认识"。[4] 否则,是难以办到的。

为此,沈志远在积极介绍黑格尔辩证法内容的同时,还以极大的热情撰成《近代哲学中的辩证法史之发展》一文。在这篇论文

---

① 贺麟:《鲁一士〈黑格尔学述〉译序》,第 16 页,商务印书馆,1936 年。

② 沈志远:《近代哲学中的辩证法史之发展》,载《中山文化教育馆季刊》,第 1 卷,第 2 期,1934 年。

③ 同上。

④ 同上。

中,他分别介绍和论述了笛卡儿、斯宾诺莎、康德、费希特、谢林与黑格尔等哲学家思想中的辩证法观点。这就是他对马克思主义唯物辩证法产生前近代西方辩证法历史的追溯,而其中在论述黑格尔辩证法的时候,他认为当时西方哲学东渐过程中有关它的文字已经够多了,所以,他没有在具体内容上多费笔墨,而是着重阐明了黑格尔辩证法和他的上述前辈比较特别具有的新的地方,以及它对马克思主义唯物辩证法产生的意义等。这是沈志远传播黑格尔辩证法的鲜明特点。这样研究,对于深化黑格尔哲学辩证法的认识,以及认识它对马克思辩证法产生所起的作用,确有一定的意义。

五、郑昕等研究康德与费尔巴哈哲学的论文

虽然本时期在研究德国古典哲学的过程中,黑格尔哲学的传播占据了中心的位置,但中国学者对其他德国古典哲学家、特别是对康德哲学的研究,仍然劲头不减。例如,发表有关康德哲学的论文,便有 41 篇。① 而且,在这些论文中,如郑昕的《康德的知识论》、周辅成的《康德的审美思想》、黄子通的《康德的本体论》与牟宗三的《传统逻辑与康德的范畴》,都有值得重视的地方。

例如,前述郑昕的文章。这是作者在燕京大学一次讲演的基础上经过修改、补充后发表的。在这篇文章中,本来是以论述康德的知识论为主旨,然而,作者却没有只是进行客观的介绍,而是把主要精力放在对康德知识论的评价上。从这种态度出发,郑昕指出,虽然康德是德国唯心论唱开台戏的人,研究德国唯心论的基础不能不从研究这位开山大师开始,因为他的哲学基础也就是德国

---

①　四川大学哲学系与复旦大学哲学系编:《全国主要报刊哲学论文资料索引》,第178—187页,商务印书馆,1989年。

唯心论的基础。不过,作者还认为,"我们固不必像柯亨(Cohen)之过于尊荣康德,好像斐希特(按:费希特)、谢林、黑格尔都在开倒车,我们似乎也不必像克若纳(Kronen)五体投地拜倒黑格尔,而将康德降级成了开路小都头的模样。"①作者对新康德主义者柯亨与新黑格尔主义者克若纳的批评,实际上是对这两个流派对康德与黑格尔哲学采取片面倾向的否定。他认为正确的态度应该是,既不过分抬高也不无端地贬损,而是实事求是地进行具体分析。研究康德时这种态度的提出,对于正确地阐明与评价康德哲学,是有重要意义的。

在具体论述康德知识论的内容时,郑昕选择了一些容易引起混乱或难以被人理解的概念、观点进行辨析。例如"先验"这个概念,在《纯粹理性批判》中,是个十分重要的范畴,然而却遭到不少人的误解。对此,他首先引证康德在《未来形而上学导论》中的话进行解释。说"先验云者……并不是超越一切经验,而为'逻辑的'先于经验,使经验认识可能。② 然后,郑昕指出,"这是先验最确当的解释"。③ 接着,他以"先验"与"迹先"的区别与联系为例,对康德的解释作出了他的解释。郑昕认为,"迹先"与"先验"虽有密切联系,然而"迹先"并不就是"先验"。因为"先验乃是问题的方向之趋向迹先。在先验里,认识始被决定为迹先。不是'每个迹先认识'为先验,只是'认识的可能性'为先验。只迹先认识的认识,'迹先的运用到经验的对象叫作先验。'不是迹先即是先验,而迹先可能性的条件才为先验。"④这个解释虽然不甚通俗,但只

---

① 　郑昕:《康德的知识论》,载《大陆杂志》,第 2 卷,第 1 期,1932 年。

② 　同上。

③ 　同上。

④ 　同上。

要根据郑昕的论述细细地思索一下，是不难明白的。其他如先验方法、时空论、范畴论、范畴的先验演绎、原理论等，在论述中也都有不少独到与深刻之处。在这些方面与发表的其他同类文章比较，都深入了一步。

又如周辅成的文章。他看到，过去在康德哲学的传播过程中，"很惋惜中国尚不曾有介绍康德美学的文字"，①因此，他自告奋勇地写了《康德的审美哲学》这篇论文。在过去介绍康德哲学的文章中，虽然不能说"尚不曾有"，但的确数量不多。现在，他不但写了，而且还同时把它分别在《申报月刊》和《大公报》副刊"现代思潮"上刊登出来，这种传播康德哲学的热情态度，应该受到称赞。

在文章中，周辅成对康德审美哲学的论述分为两个部分：（1）判断力与悟性和理性的关系；（2）审美的判断之批判。前者阐明了康德出版《纯粹理性批判》和《实践理性批判》以后，为什么还要写出《判断力批判》，论述了它在康德哲学体系中的重要性及其位置；后者概括地分析了康德的美学思想，如美的定义、优美与壮美、壮美中力学壮美和数学壮美，以及审美判断的演绎等，相当全面地把康德《判断力批判》这本书中的主要观点概括出来了。这篇文章是以客观地介绍康德的美学思想为目的，因此在文章中，通过作者的提炼与归纳，相当准确地把康德的美学思想再现出来了。可以说，"这是我国对康德美学思想最早较有水平的文章。"②

除此以外，在研究德国古典哲学的论文中，费尔巴哈哲学的传

---

①　周辅成：《康德的审美哲学》，载《大公报》，"现代思潮"，1932年5月7日。

②　贺麟：《康德黑格尔哲学东渐记》，载《中国哲学》，第2辑，第364页，三联书店，1980年。

播,值得注意。因为在西方哲学东渐的过程中,在此以前除了间或有的文章中提到过费尔巴哈的名字外,几乎不曾有过介绍或论述他的哲学的文字。现在,不但有了专文,而且还显示了一定重视的程度。主要原因是,随着马克思主义哲学的系统输入,费尔巴哈哲学作为它的主要理论来源的输入,必然受到中国哲学界的关注。正如《大公报》"世界思潮"在《纪念佛耶巴赫(按:费尔巴哈)》中说的,"这几年来由于马克思的《佛耶巴赫论纲》与恩格斯的《佛耶巴赫论》,佛耶巴赫的名字,在中国是已很流行了。今年九月十三日又值他六十周年的忌辰。马克思的辩证法的唯物论本可说是把黑格尔的辩证法与佛耶巴赫的唯物论结合改进而成的……对于这一点,佛耶巴赫确实有很大的贡献。"①这说明,费尔巴哈哲学输入到中国来,是最近几年随着马克思主义哲学的传播而出现的。而且,"费尔巴哈在哲学史上所占的地位,这几年凡研究哲学的人,都已知道。"②这又说明,他的哲学思想虽然传入的时间不久,但是,对于费尔巴哈哲学的传播不但受到重视,而且,在传播中已经取得了不少成果。其中,仅发表的论文,即有:

费尔巴哈的思想系统	李石岑	东方杂志	第 23 卷 13 号	1930 年
纪念佛耶巴赫		大公报世界思潮	第 4 期	1932 年
费尔巴哈的唯物论	宋成大	清华周刊	第 42 卷 8 号	1934 年
黑格尔与费尔巴哈	威灵	行建周刊	第 6 卷 2 期	1935 年
费尔巴哈的"将来哲学底根本问题"	皮仲和	研究与批判	第 1 卷 1 号	1935 年
费乐巴哈的生平著作及思想	卢文迪	新中华	第 1 卷 18 号	1937 年

---

① 《大公报》"世界思潮":《纪念佛耶巴赫》,第 4 期,1932 年 2 月。
② 约特尔:《费尔巴哈的哲学》,第 155 页,商务印书馆,1937 年。

　　本时期是费尔巴哈哲学传播的起步阶段。因此，这些文章的共同特点都是以客观地介绍费尔巴哈哲学为主。但是，在内容上，它们又有不同的侧重点。有的着眼于费尔巴哈生平及其思想发展过程的阐述，有的突出了费尔巴哈哲学体系及其构成的论述，有的集中在费尔巴哈唯物主义观点的阐明，有的则从德国古典哲学的发展过程入手，分析他同黑格尔哲学与马克思主义哲学之间的关系及其在哲学上的贡献与局限性。如果把它们综合起来，那么就可以说，它们对于费尔巴哈哲学的传播，显然是相当全面的。

　　另外，这些文章还有一个共同特点，即它们对于费尔巴哈哲学的介绍或论述，基本上都是依据马克思、恩格斯与列宁在《费尔巴哈提纲》、《费尔巴哈论》和《哲学笔记》中有关费尔巴哈的观点进行的。例如，在评价费尔巴哈哲学时，一方面，给予了费尔巴哈在哲学上作出的贡献以充分的肯定。有的认为他是当时一位"勇敢的坚决的站在时代先锋的思想家。"[1]有的写道，"马克思之克服黑格尔的唯心论，实赖于费尔巴哈的影响。不但如此，马克思之能扬弃黑格尔哲学体系中的思辨色彩而完成其唯物的辩证的世界观，也只有在费尔巴哈的精神影响下，才有可能。"[2]因此，他们都一致指出，费尔巴哈哲学不但在学术界有不可磨灭的功绩，甚至在取得了十月革命胜利后的俄国，马克思主义者在批判唯心论的时候，也往往援引费尔巴哈的著作。另一方面，还指出了费尔巴哈哲学的局限性，诸如作为他的哲学出发点的人的抽象性、上半截唯心主义以及对待黑格尔哲学缺乏辩证观点等。其余，对费尔巴哈哲学产

---

[1]　卢文迪：《费尔巴哈生平著作及其思想》，载《新中华》，第 1 卷，第 18 号，1933 年。

[2]　同上。

生的根源及其发展过程的分析,对其哲学内容的具体阐述上,也都是这样。不难看出,所有这些看法都是马克思主义哲学创始人在他们的有关著作中提出来的。现在,中国学者几乎都毫无保留地接受过来,因此,在介绍与论述费尔巴哈哲学的过程中,思路与观点基本上是一致的。

六、唐君毅等对现代西方哲学的综合研究

　　基于唤起民族精神的进一步觉醒,以及进行新的思想启蒙的需要,因此,在本时期西方哲学东渐过程中,输入现代西方哲学更是受到中国哲学界的特殊关注。纷纷发表论文,就是一个生动的体现。据不完全统计,从1927年到1949年,报刊登载中国学者有关现代西方哲学的论文(不包括译文),其中传播马克思主义哲学的,有73篇,介绍其他现代西方哲学流派的,有245篇,①这个数字在本时期以论文形式输入的西方哲学中所占的比例,显然是十分突出的。不过,更加值得重视的不是这些数字,而是透过这些论文,反映出西方哲学东渐过程中发生的一些新变化。

　　总的说来,本时期的西方哲学东渐是五四新文化运动时期西方哲学东渐的继续和发展,中国学者西方哲学的研究与传播,基本上是沿着前者的思路进行的。因此,五四时期得到热情传播的,如马克思主义哲学、实用主义、科学哲学、唯意志论、生命哲学、实证主义,仍然是西方哲学输入的主流。但是,原先传播过程中相当显眼的无政府主义与基尔特社会主义,进入本时期后,却沉寂下来。特别是基尔特社会主义,可以说已经无声无息了。这反映了一部

---

　　① 四川大学哲学系与复旦大学哲学系编:《全国主要报刊哲学论文资料索引》,第1—6页,第191—215页,商务印书馆,1989年。

分中国传播者对西方哲学关注与选择的转移。

而且,通过这些论文,还可以看到在现代西方哲学领域中,中国学者研究取得的进展,主要表现如下。

一是20世纪初以来产生的一些其他西方哲学流派,也开始输入进来。其中,增加最多的是科学哲学诸派,除了五四时期积极引进的罗素分析哲学外,逻辑实证论、维也纳学派、维特根斯坦与怀特海哲学,都不但开始了传播,而且在本时期输入有关现代西方哲学的论文中,还给人以十分醒目的印象。例如洪谦专题论述维也纳学派的论文,便发表了六篇。除此以外,胡塞尔的现象学、存在主义、精神分析学说,也都开始受到中国学者的注意与研究了。例如胡塞尔的现象学,不但有学者在他们综合性著述中谈到,而且还有杨人楩的《现象学概论》专文介绍了这个学派。

二是对现代西方哲学的发展趋势及其表现,不但给予了高度的关注,而且,有些学者对它进行综合性研究发表的论文,值得提出来加以介绍。

其中,倪青原发表在《学原》1947年第1卷第3、4期上的《现代西洋哲学之趋势》一文,具有代表性。在这篇文章中,作者首先认为,现代西方哲学研究的内容,"涉及形上学,知识论,及价值论等宇宙人生大问题",[①]而在这样对它们研究的过程中,先后涌现出了德国唯心论、实用论(包括柏格森主义)、新唯实论、逻辑经验论、辩证唯物论、人格论、现象学与新自然主义八个学派。倪青原指出,他的这种归纳并不严格,因为在这些学派的哲学体系中,交互错综的现象,"屡见不鲜",[②]甚至"派中分派,系下分

---

① 倪青原:《现代西洋哲学之趋势》,载《学原》,第1卷,第3期,1947年。
② 同上。

系之情形,更属层出不穷。"①而他所以要这样归类,只是为了评述的方便。

　　然后,作者根据上述分类,分别阐明了各派哲学的产生及其理论主张。如在论述逻辑经验论时,既分析了其得以形成的哲学与科学背景,认为"此派哲学,导源于一部分数学大师之从事清除了幻想与芜杂之推理。"②并在相当详细地阐述维特根斯坦和罗素在《逻辑经验论通论》中提出的逻辑经验论观点的基础上,还对这个学派的主要特点,作出了如下的概括:"在以逻辑分析,剖析语言,及对意义问题,作有系统的研讨。此派与过去的经验论,唯实论、实用论,及实证论等派别,颇有相通之点,如均同意于:(1)尊重经验之事实;(2)尊重思想自由与开明;(3)尊重尝试与实验之态度,不避错误;(4)均愿在一未完成的世界中,追求真理与完全。"③对于其他各派哲学的产生及其哲学观点,也都这样一一阐明了。这是对现代西方哲学一种全景式的论述。可惜的是,对于这个全景却缺少应有的概括,因此,难以形成全景的概念。

　　在这一方面,唐君毅刊登在《新中华》1935年第3卷第24期上的《二十世纪西洋哲学之一般的特质》一文,得到了较好的补充。在这篇文章的开头,对于孕育于19世纪末成熟于20世纪的现代西方哲学派别,虽然作者也有与倪青原一样大同小异的分类,但他表示:"不想对这些异路扬镳的哲学,加以叙述或批评;也不想找出二十世纪哲学必然向往的未来之势。我只是要从二十世纪三十年来各派哲学家的主张中找出几点共同性,作为二十世纪哲

---

① 倪青原:《现代西洋哲学之趋势》,载《学原》,第1卷,第3期,1947年。
② 同上。
③ 同上。

学一般的特质而略加说明。"①依据这个计划与研究,唐君毅认为西方20世纪各派哲学具有如下共同特质:(1)与科学接近;(2)注意价值问题;(3)宇宙论中的多元论与进化论;(4)认识论中的实在论;(5)价值论中的客观主义。他指出,这些特质,也"可以说是二十世纪各派哲学所共同努力的方向。"②

接着,唐君毅就这五大特质的现代西方哲学中的表现,一一加以解说。在阐释各派"与科学接近"时,作者认为,早在17世纪、18世纪,哲学家同时多为科学家,而科学家也同时多极富于哲学思想。只是进入19世纪后,因科学愈分愈细,科学家不能兼营哲学思辨,哲学家也不能同时进行科学实验,因而出现了哲学与科学对峙的局面:"科学家大有以为宇宙全体即可以在显微镜下看出之势,哲学家也不免以为他额上的皱纹即世界秩序的象征。"③不过,时到19世纪后,科学家与哲学家都相互觉悟了。正如赫克尔说的,"科学无哲学,则见树不见林,哲学无科学,则见林不见树。"唐君毅认为,这两句话,是哲学家与科学家共同觉悟的表现。因此,"到了二十世纪,哲学与科学的关系便愈弄愈密……几乎没有一派哲学家不把他的哲学与科学打成一片"。④ 他在举出大量事例加以证明后,并将各派哲学在与科学"接近"的过程中,对于"科学概念的确定"、"科学假设的批判"与"科学结论的融贯"三个方面研究取得的成绩,进行了简要然而却是清晰的论述。

在阐释"注重价值问题"时,作者指出,重视价值,本是古代希

---

① 唐君毅:《二十世纪西洋哲学之一般的特质》,载《新中华》,第3卷,第24期,1935年。

② 同上。

③ 同上。

④ 同上。

腊哲学的传统,可是在近代,"认识论形上学的问题却取价值问题而代之。"①不过,在 20 世纪中,价值哲学在哲学中的地位,与近代相比,情况却大不相同了。例如在德国,新康德主义继承康德实践理性批判精神,主张哲学应该是价值哲学,倭伊铿高呼精神生活的重要,举起了反抗漠视人生价值的自然主义和主知主义旗帜;虎塞尔(按:胡塞尔)的精力虽然偏在逻辑问题研究,但他的 276 页的纯粹现象学一书,却特别论述了价值问题,并且受其影响,席勒与海德格尔分别把现象学方法运用到宗教哲学和人生哲学上去。又如在英国,新黑格尔主义者鲍桑葵、布拉德雷重视价值问题不用说,就是新实在论派的怀特海、亚历山大,虽然都以形而上学家而出名,但怀特海却把宇宙根本视为价值实现的历程,认为科学并无颠扑不破的理论根据;亚历山大更是把价值视作第三性,以与科学家所谓第一性广袤与第二性色声对立起来。只有罗素主张哲学不应讨论价值问题,而要严守所谓道德中立。"但是他的社会改造原理,何尝没有他价值哲学的根据?"②其余,如法国的柏格森,他的一切哲学著作的目的,最后都不外在于肯定生命价值而已;至于美国詹姆士、杜威的哲学,根本上就是人本主义的,而罗哀斯霍金的哲学,更是主张价值中心论。就是苏俄、意大利的哲学,也都在"向价值问题的重视一方走去。"③由此可见,价值问题在现代西方哲学中受到重视的程度。

　　论述到这里,唐君毅指出,上述两项特质,是 20 世纪西方哲学共同着重的两个方面,而其余三项,则是从 20 世纪西方哲学家在

---

　　① 唐君毅:《二十世纪西洋哲学之一般的特质》,载《新中华》,第 3 卷,第 24 期,1935 年。

　　② 同上。

　　③ 同上。

各个哲学部门中倾向于那一派来说的。因此,作者依据哲学分为宇宙论、认识论与价值论几个部门,接着相当全面地阐述了西方20世纪哲学家在这些部门中不同倾向的派别及其理论表现。最后还指出:"宇宙论之问题除一元多元进化非进化问题外,通常认为尚有唯心唯物之问题、宇宙结构之问题及其他;认识论之问题除实在论观念论之问题外,通常尚认为有认识之限度问题,认识之起源问题及其他;价值论之问题除主观客观之问题外,尚有价值之种类问题,价值间之关系问题及其他。"①由于作者觉得,在这些问题上,"很难找出一定的趋向,"②因此没有展开论述。不过,透过这篇文章可以看到,作者对20世纪西方哲学家研究的问题及其取得的理论成果,都相当熟悉。所以,通过这样的介绍与论述,对于读者从宏观上认识现代西方哲学,是很有积极作用的。

七、陈铨宣扬唯意志论的消极因素

抗日战争时期,陈铨(1903—1969)与林同济一道,在昆明创办了一个名为《战国策》的杂志。从1940年开始,他在这个刊物上发表了《叔本华的贡献》、《叔本华与红楼梦》、《尼采的思想》、《尼采的政治思想》与《论英雄崇拜》等文章。在这些文章中,他宣扬了唯意志论哲学中的一些消极因素。

其中,叔本华与尼采的天才论,是陈铨宣扬的一个重点。在他所有谈论叔本华和尼采的文章中,几乎都离不开这个题目。例如,对尼采"超人"学说的解释,尤其值得注意。在这个问题上,陈铨

---

① 唐君毅:《二十世纪西洋哲学之一般的特质》,载《新中华》,第3卷,第24期,1935年。

② 同上。

发现国内外都有不同的理解。而在他看来,尼采的"超人",既不是某些人想像中的人类进化到某个阶段的生物,也不像有些人把它说得那样无限神奇。按照他的解释,它包含四种含义,即(1)是理想的人物,是天才;(2)是人类的领袖;(3)是社会上的改革家;(4)是勇敢的战士。在解释"超人"何以是天才时,陈铨写道:"照尼采的看法,社会的进步,是要靠天才来领导。没有天才,人类的一切活动,就会陷于停带的状态。十九世纪科学的研究,和平民政治的提倡,使一般的趋势,只求平等,不求提高,因此对于天才,无形中施以极大的压迫,使他们不能发展。尼采恨极了平庸,恨极了平等,他不要禽兽鸟儿的人生,他要精彩壮烈丰富进步的人生。对于人类的幸福,他要求的不是'量'乃是'质'。千万的群众,不及一位天才,厨房生活一百年,不及天国中活一日。历史的演进,最后的目的,就在产生天才。人类的目的,就是在产生少数出类拔萃的人物。世界最大的问题,就是这样可以产生天才,使天才能够发展。只要天才能够产生发展,人生就有意义,就有希望。"①在这一段话里,说"超人"是尼采理想中的人物,这符合尼采本人赋予它的意义。但是,通过陈铨这一通解释,给它强加了一些本来没有的含义,有的不仅是夸大了其中的消极因素,而且还有一些是作者塞进去的私货。

　另外,尼采的社会政治学说,也是陈铨加以吹捧和利用的。在这个问题上,他首先提出:国家是否有存在的意义?民主政治是不是政治上最理想的形式?在生存竞争的世界中,战争是政治上最重要的事件,应当鼓励还是消弛?陈铨指出,"尼采对于这几方面

---

① 陈铨:《尼采的思想》,载《战国策》,第7期,1940年7月。

的问题,都有他斩钉截铁的答复。"①

　　在说明尼采对这些问题的回答时,他宣称尼采是从他的"超人"与天才论出发的。他认为,尼采心目中理想的社会,是强者征服弱者,智者支配愚者,让超人和天才有绝对发展的自由;如果使弱者愚者得到充分发展,世界就会停滞。基于这种立场,尼采反对现存国家的存在。因为在他看来,现在的国家保护平庸,守旧,腐化,只有愚者和弱者才能得到发展。但是尼采也不像无政府主义者那样反对一切国家。陈铨指出,"假如有一种新的国家组织,超人能够独裁,这一种国家,是力量意志的象征,尼采也没有理由不接受。"②同样,对于民主政治和社会主义,陈铨认为,尼采也没有好感。"因为平民政治和社会主义,都是注意群众,要求平等,尼采却认为人类进步,不在群众,人类力量在根本上是不平等的,因此他们的义务权利,也就永远不能平等。"③陈铨认为,正是从这里出发,尼采视群众为天才活动的工具。如果不让天才来领导群众,而让群众来压迫天才,那么,人类的前途就不会有什么希望。

　　与上述看法相联系,所以,尼采对于战争采取了赞成与支持的态度。陈铨的解释是:从广义来说,"尼采认为人生宇宙,充满了冲突的元素,社会与个人,外物与内心,内心与内心,无处不是战场,无处不是战争。一个伟大人物,全靠这一些战争,来磨炼他的意志,训练他自己驾驭自己的能力。"④从狭义来说,"因为战争可以使人类进化。自然是进化的。它摧残弱者、病者和没有征服环境不能适合环境的生物。它使强者、健康者和有征服环境适合环

---

①　陈铨:《尼采的政治思想》,载《战国策》,第9期,1940年9月。

②　同上。

③　同上。

④　同上。

境能力的生物,继续生存。"①总之,在尼采心目中,"战争最大的意义,就是淘汰平庸的分子,创造有意义的生活。"②毫无疑问,在尼采关于战争的学说中,有陈铨宣扬的这种倾向或消极面。但是,在传播时对这种观点不加分析,不指出他针对什么背景而发;反而不但加以大肆渲染,而且还加油添醋。这样一来,经过如此打扮后的尼采,俨然成了一个战争狂人,更为值得重视的是这种宣扬在社会上产生的消极影响。这是西方哲学东渐过程中少见的,这是有违引进西方哲学宗旨的。

陈铨这样散播唯意志论消极因素的做法,受到学术界,特别是马克思主义者的严肃批评。例如,针对陈铨贩运尼采"超人"学说中的糟粕,把英雄人物神秘化、宗教化的错误,胡绳写道:"谢谢这些'德国思想'的康伯度!这套玩意儿我们用不着。国货的'民可使由之,不可使知之'的思想已经被埋葬了,舶来的尼采的超人思想与英雄观念,也没有人领教。汪精卫就曾想做这样的英雄,他高喊反共,高喊和平,想违背群众的意志而改变历史的道路。但是对不起,群众唾弃了他。群众爱护与拥护他们的真正的英雄,不是因为英雄神秘不可知,而是因为英雄的呼声与行动,清清楚楚地就已与群众的呼声、群众的行动一致"。③ 这意思是说,英雄人物只有与人民群众联系在一起,才能大有作为,否则将一事无成。这种批评是正确的。除此以外,陈铨宣扬唯意志论中的其他一些消极因素,也同样都得到了这种揭露与批评,这对于引导人们正确地认识与接受叔本华与尼采哲学,是有直接帮助的。

---

① 陈铨:《尼采的政治思想》,载《战国策》,第 9 期,1940 年 9 月。
② 同上。
③ 胡绳:《论英雄与英雄主义》,载《全民抗战》,第 148 期,1940 年 11 月 30 日。

第五节 研究古代希腊哲学著作的评析

由于西方哲学家著作以及国外学者研究西方哲学成果的大量译出,并在大量发表论文的基础上,中国学者热情地开展了对西方哲学的专题性和综合性研究,使西方哲学在中国得到了相当系统的传播。这是学术研究进展中的一种必然趋势,也是本时期全面推进西方哲学东渐的一个主要表现。而且,这些形式的研究既能反映学术研究的进展,其成果也能体现这一门学科在学术上达到的水平。因此,它受到了中国学者的特别重视。

在文献形式上,这种专题性与综合性研究成果,主要通过著作的出版问世。从研究对象上考察,专题性研究主要是指西方哲学发展过程中某个学派、思潮,某个学说、论题,或某个哲学家等的研究;而综合性研究主要是对西方哲学发展过程的探索,包括对西方哲学发展全过程以及发展过程中某一阶段的研究;前者表现为通史性的,后者表现为断代史性的。进行这样的研究,虽然早在"五四"时期便有一些小册子问世了,但进到本时期,由于广大学者深入钻研和共同努力,不论专题性的还是综合性的研究都收获了一批重要成果。这是中国学者为西方哲学东渐事业作出的新贡献。而且,其中有些著作在西方哲学东渐史上留下了深刻的影响。

下面,用五、六、七、八共四节的篇幅,在全面展示的基础上,分别评述其中一部分有代表性的著作。

这一节,首先论述研究古代希腊哲学的著作。古代希腊哲学,属于人类思想史上的童年时期。开展对这段哲学史的研究,将会发现人类哲学最初变化的历程,特别在其"多种多样的形式中,差

不多可以找到以后各种世界观的胚胎和发生过程"。① 因此，虽然
在时间上它已经成为遥远的过去，但进行这项研究却"可以说是
探本求源，有助于我们今天对许多问题的研究和理解"。② 因此，
同样受到了一部分中国学者的重视。除了前面提到陈康先生取得
的成就外，本时期中国学者出版的专题性著作，有：

希腊三哲	朱公振编著	世界书局	1930 年
希腊三大哲学家	李石岑著	商务印书馆	1931 年
苏格拉底	黄方刚著	商务印书馆	1934 年
柏拉图	严群著	世界书局	1934 年
亚里士多德之伦理思想	严群著	商务印书馆	1932 年
亚里士多德	范寿康著	商务印书馆	1933 年

在这些著作中，下列几位学者的作品，值得重视。

一、李石岑探讨希腊三位哲学家的视角

同是论述希腊三位哲学家，朱公振的《希腊三哲》，对象是苏
格拉底、柏拉图与亚里士多德，阐明了希腊哲学从胚胎、确立、组
织、转变到衰落的发展进程。而李石岑的《希腊三大哲学家》则不
但对象不同，而且阐明的哲学论题也有变化。

李石岑（1892—1934），原名邦潘，字石岑，后以字行。湖南
醴陵人。1912 年东渡日本留学，1920 年毕业于东京高等师范学
校。回国后在上海主编《时事新报》副刊《学灯》，并同时主编
《民铎》杂志。1921 年进商务印书馆任编辑，并与周予同主编革
新后的《教育杂志》；在此期间，还先后在东南大学、上海大学、
大夏大学、复旦大学、光华大学等校讲学。1928 年辞去商务印

---

① 恩格斯：《自然辩证法》，第 26 页，人民出版社，1959 年。
② 汪子嵩：《希腊哲学史》，第 1 卷，第 8 页，人民出版社，1988 年。

书馆的职务,李石岑再度出国留学,在法、德等国研究哲学两年多,1930年底回国后,担任中国公学、暨南大学、中山大学、大夏大学等校教授。李石岑一生学术活动主要在哲学和教育两个方面。他在哲学上的一个突出方面是热情地在中国传播西方哲学。

在《希腊三大哲学家》中,李石岑指出,翻看以往的西方哲学史著作,尽是记载着一些哲学家的问题,很少记载有人的问题。但是,哲学的发展,却总是朝着人的问题的方向发展。所谓哲学家的问题,是指本体、实体及其他如天赋观念、抽象观念等等;从这种角度讲古代希腊哲学史,必然像朱公振那样,把苏格拉底、柏拉图与亚里士多德作为它的柱石。不过这种讲法,有些哲学问题不但没有得到解决,反而使人陷入迷魂阵不能自拔。所谓人的问题,是指一切与我们生活上发生关系的东西,都是属于人的范围之内。例如,我们何以会变成人类,何以要变成更好的人类,这就不能不想到变化的问题、进化的问题。又如,人类具有一些什么感觉,什么是我们看见的客观世界,这就不能不想到感觉的问题、主观的问题。再如,人类本身如何组织而成,人与人有些什么关系,这就不能不想到唯物的问题、功利的问题。从这种角度讲古代希腊哲学,必然把赫拉克利特、普罗泰哥拉和德谟克利特作为它的始祖。因为,"在西方哲学史中提出变化的问题、进化的问题最早的,是赫拉克利特士(按:赫拉克利特),提出感觉的问题、主观的问题最早的,是普罗泰哥拉,提出唯物的问题、幸福的问题最早而最有势力的,是德谟克利特士(按:德谟克利特)"。① 李石岑认为,他们三人的哲学要高于苏格拉底、柏拉图和亚里士多德,只有他们才是希

_____

① 李石岑:《希腊三大哲学家》,第2页,商务印书馆,1931年。

腊哲学的真正开山祖。而且，"他们三人所提出的问题，现在已经结成了许多鲜明的果实"。① 因此，无论从追溯西方哲学的渊源，以及它们对后来西方哲学发展产生的影响，还是从当时进行新的思想启蒙的需要出发，都应首先介绍他们三位哲学家的观点。

谈到李石岑所以采取这种角度传播古代希腊哲学时，郭大力指出，这与他研究整个西方哲学的态度有关。五四以来，李石岑一直从事把尼采开创的新浪漫主义哲学，即非理性主义哲学输入到中国来。非理性主义认为，"生命居于第一位，世间一切仅居于第二位，充实生命是第一目的，充实世间乃是手段。神是人造的，国是人造的，科学也是人造的。"②因此，当这种具有强烈的兴奋的和富有刺激性的哲学引进中国以后，"伴随五四运动以来的民族自觉运动，引出了一种个人自觉的运动。"③但是，这种运动的影响始终没有超出知识群。"知识阶级如要继续进行其单独的运动，则不仅在事实上不可能，并且为理论上所不许。把知识阶级本身的自觉运动扩大，酿成一个全民众的自觉运动，是现代中国知识阶级最大的一个任务，甚至就说是他们唯一的任务，亦未尝不可"。④这就有必要进行新的思想启蒙运动。通过启蒙"使全中国人都兴奋起来，都认识生命的价值，都成为有力量的人"。⑤ 由此可见，这项工作具有十分重要的意义。实际上，李石岑早在五四新文化运动中便把尼采、柏格森和杜里舒哲学输入到中国来，就都是为此目的而采取的具体行动。但是，他传播的这些非理性主义哲学在西

---

① 李石岑：《希腊三大哲学家》，第2页，商务印书馆，1931年。
② 郭大力：《希腊三大哲学家》"序言"，第7页，商务印书馆，1931年。
③ 同上书，第8页。
④ 同上书，第10页。
⑤ 同上书，第12页。

方哲学史上是怎样演变而来的,当时却没有作出必要的交代。因此,进入本时期在开展新的启蒙时,他觉得有必要把它阐述清楚,从思想渊源上对这个问题作出进一步的阐释。

运用上述视角,即是从人的问题而不是从哲学家的问题出发研究古代希腊哲学。李石岑在这样进行研究的过程中,不但研究的对象从苏格拉底、柏拉图和亚里士多德转移到赫拉克利特、普罗泰哥拉和德谟克利特,而且在论述中提出了一些颇有启迪意义的观点。其中,使人最感兴趣的有两点。

第一,通过三位哲学家思想的分析,作者用一条新的线索把希腊哲学发展过程的宏观面貌勾画出来了。李石岑写道:"希腊哲学始于客观世界之本质之研究,最初是客观的,其次是转到主观的。最初的问题,是'怎样叫宇宙',其次的问题,是怎样叫'人生',最后的问题,是'宇宙与人生之系统的说明'。因此,希腊哲学可以分成三个时期:即宇宙研究时期,人生研究时期,系统研究时期。在这三个时期中,每一个时期都有一个重要的代表。"[①]这些代表是谁? 对此,李石岑依据他的研究视角提出了与传统完全不同的看法。

具体说来,在宇宙研究时期,哲学家主要在于探讨宇宙的自然现象。米利都学派与毕达哥拉斯学派,都在这个时期对自然现象提出过自己的见解。但是,前者"并没有什么表见,不过知道用概念的思索,以摆脱旧的神话的解释而已。"[②]后者,虽然用"数"说明了万物的原理,然而这种观点与原子论有密切的联系,所以,应该把它归入第三个时期。在这个时期中,只有赫拉克利特,因为他

---

① 李石岑:《希腊三大哲学家》,第5页,商务印书馆,1931年。
② 同上。

提出了变化的问题,于是引起了对变化的反驳而有埃利亚学派,以及由对变化的说明而有折中派的出现。所以,在这个时期中,只有赫拉克利特,才是真正的代表。

在人生研究时期,"专注重人生问题之解释,盖由向外研究一转而为向内研究,此时期研究之问题,殆以认识乃道德之问题的主眼。"①开展这个问题研究的有哥尔吉亚、普罗狄谷、普罗泰哥拉与苏格拉底等。不过,其中最重要者是普罗泰哥拉,而不是苏格拉底。后者虽然属于这个时期,但他的思想不是这个时期的正宗。这个时期哲学的最大特色是智识之怀疑的批评研究,而苏格拉底是不具备这个特色的。他不仅没有,而且还朝着相反的方向提倡所谓普遍的知识论。所以,"在这个时期中,苏格拉底是无足轻重的。"②

到系统的研究时期,"专注重哲学时期中心问题之组织。此期乃集前二期之大成,对于宇宙与人生方面,均予以圆满之解释。"③李石岑指出,对于宇宙方面取唯物的和机械的解释,对于人生方面取感觉论和幸福论的解释,将前两个的重要学说冶为一炉的哲学家是德谟克利特而非柏拉图或亚里士多德。他认为,德谟克利特的原子论是这个时期的哲学代表,本来勿庸多说,然而有些人却把柏拉图与亚里士多德视为这个时期的代表,他纠正说,"其实这是错误……因为柏拉图另开一个唯心论的系统,而希腊哲学自从达雷士(按:泰利斯)一直到德谟克利特士并没有唯心论,试问在系统研究时期,拿什么做系统? 所谓系统研究,乃是将达雷士

① 李石岑:《希腊三大哲学家》,第6页,商务印书馆,1931年。
② 同上书,第7页。
③ 同上书,第8页。

传下来的系统,作一个系统的研究,但达雷士传下来的系统是唯物的,试问如何好接上一个柏拉图? 若是亚里士多德的学说,乃是柏拉图思想之绍述,其不能摆脱唯心论可知。"①在作者提出的这种看法中,虽然对于苏、柏、亚氏有些贬损,对于赫、普、德氏有所拔高,但通过这个角度不但用从一个新的线索把希腊哲学的发展过程展现出来了,而且更为主要的是突出了这个发展过程对于思想启蒙的意义。

第二,通过古代希腊三位哲学家思想发展的论述,阐明了它们与现代西方哲学各种思潮、特别是与非理性主义在思想上的联系。李石岑指出,"这三种体系,分途发展,在近代都结成很美丽的果实。而三种体系之合流,成为近代的新浪漫哲学。"②具体说来,"赫拉克利特士的哲学虽以火为万物之基础,但其目光所注射,乃在阐明变化本身"。③ 他指出,赫氏之变化哲学,一方面成为黑格尔的辩证哲学,一方面又成为达尔文的进化哲学,在现代则发展成为柏格森的直觉哲学。而普罗泰哥拉的感觉哲学,则成为近代初期洛克、休谟的经验论、康德的主观论,以及最近孔德、斯宾塞的实证论、詹姆士实用主义的出发点。对于德谟克利特网罗众说建立的原子论,更不仅影响了近代的霍布士、杜兰德、狄德罗、马克思的唯物论,甚至对于莱布尼茨的唯心论也产生过重大的作用。总之,在上述三大哲学家的直接影响下,不仅产生了近代和现代的进化论、感觉论和唯物论三大思潮,而且由于这"三种思潮之融合,遂产生新浪漫哲学",④即以尼采柏格森为代表的非理性主义、人本

①　李石岑:《希腊三大哲学家》,第 9 页,商务印书馆,1931 年。
②　同上书,第 22 页。
③　同上。
④　同上书,第 120 页。

主义哲学。

由此可见,同是对古代希腊三位哲学家的研究,由于对象不同,论述的视角不同,因而得到了一些跟传统看法不同的结论。虽然其中存在一些值得进一步研究的地方,但作者提出的新观点对于推动古代希腊哲学的研究,是有意义的。

二、黄方刚论苏格拉底哲学的转折性

苏格拉底是古代希腊的一位重要哲学家。他的重要性不表现在像柏拉图或亚里士多德那样建构了庞大的哲学体系,而是他在希腊哲学的发展过程中开辟了新的方向。这是引起中国学者重视对他进行研究的主要原因。通过研究发表了一些论文,有的哲学史也有对他的专题论述。不过,值得重视的还是1934年东北大学黄方刚问世的《苏格拉底》一书。

该书是一本研究苏格拉底哲学的专著。在内容上,并不着重于介绍苏氏的哲学思想;真正论述其哲学思想的篇幅只占全书的1/4,其余3/4全在阐明苏格拉底哲学的转折性。因此,书中着力全面地介绍了苏氏哲学形成的希腊文化背景和苏氏个人生平及其为人品格。因为在黄方刚看来,研究一个哲学家的思想,总得"问这个人的遗传性怎样,他的环境是怎样,与他所得的训练是怎样。遗传性可以说是个人的,环境可以说是社会的,而训练乃一部分个人的一部分社会的,实乃是个人与社会的结晶。"①他认为,要了解苏格拉底哲学何以具有转折性特点,就只能从他面临的文化背景和个人所接受的教育的联系中去寻找,才有可能得到清晰的说明。

首先,黄方刚认为,苏格拉底哲学的转折性是希腊文化的产

---

① 黄方刚:《苏格拉底》,第1页,商务印书馆,1934年。

物。在这里,他所指的文化具有广泛的意义。具体说来,包括社会状况,政治组织、艺术和思想四个方面。苏氏哲学的转折性是这些因素综合的产物。因此,在这本书中,详细地考察了苏格拉底之前与他生活的那个时期上述各种因素的具体表现及其对苏氏哲学产生的影响。例如,在阐述希腊哲学发展到苏格拉底面临的问题后,作者便具体论述了苏氏哲学在理论上何以具有转折性的根源。他指出,"希腊人自泰利斯起都想解决自然的问题,于是有了原子论的诞生。他们的自然哲学发达到这个程度实在不能往上进了。"①因为"当时的哲学家还不够科学化,他们的方法还是重在冥想,单靠冥想如何得到正确的自然知识呢?②"继起的哲学家只好走上别的道路去寻找哲学问题的解决。最后到达苏格拉底的时候,由于学派林立,莫衷一是,于是引起了一些人对知识可能性的怀疑。然而,"这一下怀疑就开辟了一条生路,使得人们从研究自然界而折回来研究人生,这真是人类的一大觉悟!使人们明白他们以前所做的是什么事?有什么意义?有什么用途?于是转来推究人生的意义,来解决人生的问题。"③就是在追寻与解决这些问题的过程中,使苏格拉底哲学具有了转折性特点。

其次,作者写道:"还有一个原因,亦就是当时自然哲学已破产了,所以破产还是因为发达得无可发达的缘故。有思想的人,如苏格拉底,见了自然哲学的破产,同时又无能力去恢复原来的门面,未免要问破产的缘故,这样子的推求会推到一切知识的源泉来的。总之,我们可以胆大地说,当时的大思想家因为不得志于

---

① 黄方刚:《苏格拉底》,第43页,商务印书馆,1934年。
② 同上书,第44页。
③ 同上。

'物',所以'反诸求心';因为自然哲学那条路走不通了,自然要问走不通的缘故,于是乎问到那条路的起点了,这起点就是知识自身,亦就是自己的心了。"①由此,黄方刚得到结论是:在开辟和形成希腊哲学转折性这一点上,虽然苏格拉底"不是开辟这条生路的惟一的人,然而他确是里面的一个人,又是一个重要的人。"②

这些论述说明,作者从形成苏格拉底哲学的社会历史、文化背景出发,进一步相当详细地阐明了苏氏哲学的转折性特点及其在古代希腊哲学史上的地位,这是黄方刚《苏格拉底》一书最为下工夫的地方。尽管在论述苏格拉底哲学本身方面尚感欠缺,但作者重点阐述的论题对于认识苏格拉底哲学与希腊哲学的发展,都是有意义的。

三、严群的柏拉图与亚里士多德著述

中国学者开展柏拉图与亚里士多德的专题研究,本时期是真正起步的阶段。论著不多,且多为普及性的启蒙读物。不过,其中严群的《柏拉图》与《亚里士多德伦理思想》,值得提出来加以介绍。

严群(1907—1985),福建闽侯人。严复侄孙。1927年中学毕业后进入福建协和大学,1929年转入燕京大学哲学系,1931年毕业后到研究院深造。1935年赴美国哥伦比亚大学研究院学习,1938年改入耶鲁大学古典语文系专攻希腊文和拉丁文。1939年回国后历任燕京大学、浙江大学与杭州大学教授,讲授希腊哲学史等课程。

在学术上,严群毕生以研究以及在中国传播古代希腊哲学为

---

① 黄方刚:《苏格拉底》,第49页,商务印书馆,1934年。
② 同上书,第94页。

主。20世纪30年代,他先后撰写与出版的《柏拉图》与《亚里士多德伦理思想》是其中的两种。前者是为"哲学丛书"编写的一本介绍柏拉图哲学的通俗读物。书中从柏拉图的生平到著述,从学说背景到哲学观点,从早期思想的形成到晚年思想的变化,都有简洁与清晰的论述。它对于初学者进入柏拉图哲学的殿堂,具有一定的引导作用。

后者基本上是以亚里士多德《伦理学》的结构为线索,分为10章即绪论、人生之最高目的、道德与中庸、理智、自被动行为与德志、论诸德、公道、友爱、快乐和结论,分别进行了叙述。本书原是作者的读书笔记,经过整理和修订,最后成为一本论述亚里士多德伦理思想的专著。在谈到此书的写作时,严群写道,"兹篇结构,力求为原书相近,故分章讲述,十之七八依原书次序;至于节目,则由著者以己意参酌原书而立。前所以便学者与原书并读,以收相辅相成之效;后所以便亚氏伦理系统益见严整,俾学者易于提纲挈领,然后更求深造。"①还指出,"著者此书,就广义言,乃介绍亚氏伦理之作;就狭义言,实即伦理学一书之诠述也。于亚氏学说之全体,先具相当之认识,然专就伦理学一书述之、诠之。每有所述,必引译原书为证。"②由此可见,这本书的主要目的在于以亚里士多德《伦理学》为依据,把亚氏的伦理思想阐释出来。就此而论,作者确定的这项任务,相当圆满地完成了。正如张东荪在"序"中所说,"严君此作乃精读亚书之结果。以多年之力篡辑而成。此一卷与原著并读,必可了然无遗。"③可以说,这是严著的价值所在。

---

①　严群:《亚里士多德伦理思想》,第2页,商务印书馆,1932年。
②　同上书,第1页。
③　张东荪:《亚里士多德伦理思想》"序二",第2页,商务印书馆,1932年。

第六节　研究近代西方哲学著作的评析

相对说来,本时期在全面推进西方哲学东渐的过程中,如果把研究近代西方哲学与研究古代希腊哲学比较一下,那么,不难发现前者取得的成就更为明显一些。在这个领域中,涌现了一批在西方哲学东渐史上具有重要影响的著名学者,出版了一批具有重要学术价值的著作。其中,尤以研究 18 世纪末至 19 世纪初德国古典哲学取得的成就最为突出。这些著作是:

笛卡儿斯宾诺莎莱布尼茨	施友忠著	世界书局	1934 年
洛克巴克莱休谟	郭本道著	世界书局	1934 年
康德	范寿康著	商务印书馆	1933 年
康德	南庶熙著	世界书局	1934 年
康德学述	郑昕著	商务印书馆	1946 年
德国三大哲人处国难时之态度	贺麟著	独立出版社	1940 年
黑格尔与辩证法	沈志远著	笔耕堂书店	1932 年
黑格尔主义与孔德主义	朱谦之著	民智书局	1932 年
黑格尔的历史哲学	朱谦之著	商务印书馆	1936 年
黑格尔	郭本道著	世界书局	1934 年
黑格尔(其生活其哲学及其影响)	任卓宣著	辛垦书局	1935 年

下面,选择其中一部分有代表性的著作进行评述。

一、汤用彤讲授理性主义与经验主义哲学的贡献

虽然上述书目中没有提供汤用彤研究西方哲学的任何信息,但是论及近代西方哲学在中国传播时,却必须首先肯定他研究理性主义与经验主义哲学的贡献。

汤用彤(1899—1964),字锡予,湖北黄梅人。辛亥革命前后,

求学于北京顺天学堂及清华学堂。1917年毕业,赴美国留学,主要在哈佛大学研究院攻哲学与梵文,1922年获哲学硕士学位。回国后,历任东南大学、南开大学、中央大学与北京大学教授、哲学系主任、文学院院长等职。1947年被选为当时的中央研究院院士。

汤用彤是一位学贯中、西、印的学术大师。他在中、西、印文化与哲学思想研究上,都有独到的造诣。仅就西方哲学领域来说,虽然生前只发表了《亚里士多德哲学大纲》与《希腊之宗教》两篇译文和一篇《叔本华之天才主义》的论文,但是,他在大学执教数十年内关于《哲学概论》、《西洋哲学史》,特别是在《欧洲大陆理性主义》和《英国经验主义》的课堂讲授中,对于西方哲学思想的研究与传播,却为西方哲学东渐以及西方哲学研究人才的培养,建立了丰功伟绩。只是这些成果,除了《哲学概论》有北京大学出版社刊印出来供学生使用的"讲授大纲",以及上面提到的几篇论文外,其余全部内容都深藏在汤用彤容纳百川的脑海里,或存在于听过他的课的学生的笔记本中。因此,为了使这些成果能为国人了解,并发挥它对现代学术的积极影响,当年听过汤用彤课的杨祖陶教授等,借助自己与汪子嵩等人的听课笔记,经过反复校订与补遗,整理出《欧洲大陆理性主义》和《英国经验主义》两篇专文,并连同其他有关西方哲学的论著,通过《汤用彤全集》第5卷公布于世,从而使人从中可以较为全面地窥见汤用彤在西方哲学研究领域的建树。

这里,只是谈谈《英国经验主义》与《欧洲大陆理性主义》。汤用彤指出,"在康德以前,欧洲的哲学,一为英国的经验主义,一为大陆的理性主义"。[①] 他在课堂上对这两个学派的系统讲授,实际

---

① 汤用彤:《欧洲大陆理性主义》,见《汤用彤全集》,第5卷,第355页,河北人民出版社,1998年。

上是他对近代西方哲学有代表性思潮与哲学家在中国的全面介绍与评述。

在《英国经验主义》中,他认为这个思潮的主要代表"是指洛克、贝克莱和休谟三个人的哲学"。[1] 他们与大陆理性主义哲学家气魄很大、都是哲学系统的创造者不同;他们的共同特点是头脑很清楚,思想很敏锐,长于分析,对任何问题都要详尽地、透彻地追问到最后才会罢休。而在学说的性质上,他们又都是自由主义者、经验主义者与主观主义者。并且在阐明了这些特点的表现之后,使用了大量的篇幅通过对洛克《人类理智论》、贝克莱《人类知识原理》、休谟《人性论》与《人类理解研究》的详细解读,分别深刻地论述了各自经验主义哲学的特点以及各自不同的贡献,指明了这个学派的发展大势。就是:"由于他们在知识论上是主观主义者,所以他们使知识论发生了很重要的、不可解决的问题。因为洛克知识论上的主观主义,贝克莱就走到主观唯心主义,休谟就堕落到怀疑主义,最后才有康德出来解决休谟的困难。"[2]

在《欧洲大陆理性主义》中,在"导言"中界定了真正的理性主义与阐明了理性主义产生的背景后,作者使用八章的篇幅依据笛卡儿的著作,通过对"方法问题"、"心理学的分析"、"心灵论"、"物质论"、"身心或心物关系"、"关于上帝的概念"与"真理与谬误问题"等论题的阐释,透彻而又系统地论述了笛卡儿的理性主义学说。并在揭露他的哲学遭到一些人反对的同时,还指明了它给后世哲学的重大影响,不但认为"因为有了他的哲

---

①　汤用彤:《英国经验主义》,见《汤用彤全集》,第 5 卷,第 441 页,河北人民出版社,1998 年。

②　同上书,第 442—443 页。

学,才有了以后斯宾诺莎、莱布尼茨、洛克、休谟、贝克莱等人的哲学的产生",①而且还就二元论、物质理论与理性主义对后世产生的影响,进行了十分有理论深度的分析。例如,谈到理性主义的影响时,他指出:"理性的先天知识的问题,是由笛卡儿到斯宾诺莎、莱布尼茨的最重要的思想,也是关乎形而上学的原因与经验的原因的问题。这也是理性主义,经过经验主义的批判而到康德,从而深深地影响了康德的问题。"②

从对理性主义与经验主义哲学这种极有品位的讲授中可以看到,汤用彤是把它作为一种客观的对象,即作为一门客观的学问进行科学的研究和探讨的。主要特点如下。

第一,对讲述的理性派与经验派诸家哲学思想,要求以哲学家的原著为根据。一般说来,他绝不按照他人的转述——哪怕是西方著名哲学家的著作来安排教学内容,而是严格地按照所讲哲学家本人的主要著作(一种或两种,视具体情况而定),因而这种讲授在某种意义上几乎可以看作是哲学家原著的导读。它不但充分显示了汤用彤的讲课有根有据,客观真实,可信可靠的鲜明风格,而且还仿佛看到了他在要求听讲者亲自前去读原著,并在阅读的过程中检验与判定他所讲的是否正确,是否真实可信。

第二,讲授时虽然严格按照原著,但绝不是"照本宣科",而是在通盘把握哲学家的思想和有关方面(如有关时代思潮、科学发展、同时的或先后的哲学家思想等等)的关系的基础上,运用西方传统的分析和推理方法,再现原著的本质内容和逻辑线索,使讲述

---

① 汤用彤:《欧洲大陆理性主义》,见《汤用彤全集》,第5卷,第464页,河北人民出版社,1998年。

② 同上书,第407页。

内容达到本质的、整体意义上的客观真实性。这与他在讲授中，重视方法，长于分析，有着直接的关系。例如，在一进入笛卡儿哲学时，就设有一章"心理学分析"，对笛卡儿所使用的思想、感性、想像等心理学名称进行分析，使之一方面辨明它们在笛卡儿哲学中与现代的不同的意义，另一方面揭示它们在其哲学中的各种用法和含义。又如，在讲了笛卡儿关于心灵和物质的观点后，在论述其心物关系学说前，汤用彤插进一个总结，指出笛卡儿哲学整个为二元论所笼罩，并从其心物二元的总根子里分析了心物关系上的六种二元对立，即：外物与心理，观念与心理，感性、想像与观念，灵魂与生命，意志与纯粹思维，物质与运动。通过这样细致入微的分析，使笛卡儿二元论的本质内容真实而又清晰地展现出来了。

　　第三，在讲授理性派和经验派哲学时，只对这些学说本身进行理论的分析与阐述，而不言其"用"，无论是"今用"还是"中用"。原因从其对"中国轻视应用，故无科学"观点的驳斥中可以得到说明。他认为，"欧西科学远出希腊，其动机实在理论之兴趣。亚里士多德集一时科学之大成，顾其立言之旨，悉为哲理之讨论……希腊哲学发达而科学亦兴，我国几无哲学（指知识论、本质论言。人生哲学本诸实用兴趣，故中国有之），故亦无科学。"①这段话的意思是说，是理论的兴趣推动着古希腊哲学的发展，因而"哲理之讨论"本身即体现着一种最纯粹的理论兴趣。所以，在汤用彤看来，通过讲授或论著培养和发展这种理论兴趣，就是哲学本身固有的"用"。要是舍此而求其他的用，那便是本末倒置、画蛇添足、埋没真理了。

---

　　① 汤用彤：《评近人之文化研究》，见《汤用彤全集》，第5卷，第274页，河北人民出版社，1998年。

总之,汤先生留下包括理性论和经验论在内有关西方哲学的讲授提纲、课堂笔记等等,都体现了一代学术大师对待、研究与传授西方哲学的真知灼见。这是西方哲学东渐史上的重要文献。它们不仅为我国西方哲学的学科建立和发展作出了重要贡献,而且"至今仍保持着其固有的价值,对于今人传授和研究西方哲学依然大有裨益。"①

二、施友忠等理性论与经验论著作的优点

在前面列出的书目中,有一本施友忠的《笛卡儿斯宾诺莎莱布尼茨》与一本郭本道的《洛克巴克莱休谟》。它们都是为世界书局主编的《哲学丛书》而撰写和出版的。前者论述了三位理性主义哲学家的哲学思想;通过笛卡儿、斯宾诺莎和莱布尼茨学说的分析,阐明了西方理性主义从它产生到其发展至逻辑顶点的一个过程。后者论述了三位经验主义哲学家的哲学思想;不过,它不是从一般认为经验主义的创始人培根讲起,而是把培根提出的经验主义原则加以系统化的洛克作为起点。由于洛克经验论的二重性,既可以通向彻底的唯物主义,也可以走向彻底的唯心主义;在这里,作者只是分析了后面的一个方向,即经过巴克莱到休谟发展到它的逻辑顶点的一个过程。从书中作者的写作思路看得出来,它们主要不是把这个阶段认识论上代表两种倾向的派别的发展规律揭示出来,而是只就它们作为当时西方哲学发展过程中的两个主要派别的基本观点介绍给中国读者。因此,作者的着眼点都在于通俗而全面地阐述这两派的哲学学说。

---

① 杨祖陶:《西哲东渐的宗师——汤用彤先生追忆》,载《学术月刊》,2001年,第4期,第87页。

用这个标准衡量这两部著作,它们共同具有的优点是不难发现的。首先,两位作者分别对理性论和经验论两个学派发展过程中的三位哲学家,以及构成这些哲学家哲学体系的各个组成部分,如本体论、认识论、伦理学、逻辑学等,虽然侧重点各有不同,但都一一分析到了。无疑这是相当全面的。其次,在论述中,对于不同哲学家观点或概念的解释,基本上都是作者运用自己的语言表达的,而且在论述过程中,概括准确,比喻形象,从而大大减轻了读者理解和接受理性论与经验论哲学的难度。特别是在这样通俗的表述中还有不少精彩的分析。例如,施友忠对笛卡儿"普遍怀疑"原则以及笛氏从这个原则出发进行推演建立其体系过程的揭示,就都较好地反映了笛卡儿理性主义思维方式的特点及其主要理论观点的实质。

然而,对于理性论与经验论在这个过程中的发展规律,作者们也不是没有探索。例如,施友忠书中结尾处对于理性主义三位哲学家观点的比较,便初步接触到了这个问题。特别是郭本道,在对洛克、巴克莱和休谟三位经验主义哲学家观点分析的基础上,在指明了它们观点之间的相互联系后,还有一段颇为精彩的归纳。他写道:"经验派的开山大师洛克,将心理学的方法,应用到知识论上去,说明知识的起源。在洛克学说本身之中,原本有许多矛盾,未能将经验的道路走到家。巴克莱将洛克的缺点指出,打破洛克的抽象意象之说,以感觉经验说明一切自然现象,可谓将经验主义的精神发挥光大了。可惜终以精宗教辩护之故,又创造出不可经验的上帝与不能经验的心灵;由经验的思想,转变成一个主观的唯心论者。后来又受柏拉图之影响,更远离了经验主义的阵线,转向于理性派。由此故知巴克莱虽对于经验主义有贡献,然它未能竟其大功。自巴克莱到休谟,才将经验派的道路走尽,才将经验派的价值完全表现出来,同时亦将经验派的缺点暴露无遗。自休谟以后,中世纪的经验派的遗迹,不复留存。然休谟所倡的经验学说亦成为绝路了。"①这一段总结性的话,相当准确地指明了洛克、巴克莱与休谟各自经验论的特点、贡献及其内在矛盾,在一定程度上阐明了经验主义哲学在他们三位哲学家之间的发展线索,充分显示了作者把握经验论哲学的功力。

三、范寿康等对康德哲学的通俗解说

20世纪30年代,在传播康德哲学的作品中有两本《康德》,分别属于《百科小丛书》与《哲学丛书》中的一种。前书的作者为范寿康,后书的作者是南庶熙。它们的共同特点是全面而通俗,出版的目的在于把艰深的康德哲学通过这种形式普及到一般读者中去。

在这些方面,两本《康德》虽然各有优点,但范寿康的《康德》,尤其值得称道。首先从全面性来说。只要翻阅一下该书的目录,即不难明白。从康德的生平、性格、教授生涯、著述经历、学术思想,到其哲学体系的各个组成部分,如知识论、道德论、审美论、宗教论、法律论等,都一一进行了极为简洁的介绍。可以说,从生平到思想,都无不阐述到了。不过,值得提出的是,在全面介绍中并非泛泛而论,而是根据作者对康德哲学的理解,突出地强调了认识论在其体系中的重要性。不仅在篇幅上占了全书的三分之一,而且还特别集中地阐述了康德认识论中提出的新观点,即作者已经意识到通过"人为自然立法"这个口号体现的主体能动性原则。

其次从通俗性来说。康德哲学的晦涩难懂,在西方哲学家中

---

① 郭本道:《洛克巴克莱休谟》,第95—96页,世界书局,1934年。

是十分著名的。因此,把康德哲学通俗而又准确地表达出来,实在是一件极其困难的工作。在这一点上,范寿康的努力取得了相当的成功。他在这本书中,几乎没有引证康德著作的一句原话,在它根据"百科小丛书"要求篇幅不能过长的叙述中,却把康德其人其哲学的全貌展现出来了。而且,语言通俗,文风质朴,表述生动,易为一般读者理解和接受。例如,该书第 58 页对康德认识论上提出的"哥白尼式革命"的论述,就是一个极好的证明。要取得这个成功,没有对于康德哲学的深入研究是难以办到的。特别是,虽说它以普及康德哲学为目的,但其中不乏作者长期研究康德哲学形成的深刻体会。例如,该书总结中关于康德哲学三个优点和三个缺点的归纳,便是一个集中的体现。因此,这本书不仅在中国对于普及康德哲学产生了积极的作用,就其取得的学术价值,也是不能忽视的。

四、郑昕及其《康德学述》

进到 20 世纪 40 年代,在康德哲学研究中,具有重要学术价值的著作问世了。这就是郑昕的《康德学述》。

郑昕(1905—1974),原名弟壁,别名汝珍。安徽卢江人。早年在安庆和天津读书,1924 年进南开大学哲学系学习。1927 年赴德国,先入柏林大学,后转至耶拿大学。在这里,他在新康德主义大师鲍赫的指导下研究康德哲学。1933 年回国后,一直任教于北京大学哲学系。在中国,一提起郑昕,有些人便会把他和康德哲学联系起来。这是因为,他为康德哲学在中国的传播贡献了毕生的精力。

早在 20 世纪 30 年代,郑昕从德国回来后,即开始讲授康德哲学。他在课堂上轮翻讲授《纯粹理性批判》、《实践理性批判》与

《判断力批判》,历时30年。据听过他的课的学生回忆,先生在课堂上总是满腔热诚,"令人萦怀难忘。甚至可以说,他的态度近乎虔诚。"①因此,深受学生的热烈欢迎。抗日战争爆发后,面对当时的国内形势,有些苦闷的青年为了寻求思想上的慰藉,渴望知识,郑昕讲授康德哲学的课堂更是热闹起来。后来,他在讲课之余,仰面沉思,随想随写,把"平日随己之所好,心之所记,一笔之于书,剪裁成文",②并先后发表在《学术季刊》上。在他看来,这些文章只能看作是《纯粹理性批判》一书的提要与诠释。他指出,康德哲学传到中国来虽然已有一些时间了,但是,从学术研究的深度和促进哲学发展的角度考察,却"犹为一未耕之园地,吾人但求会悟而得其真,然后再视有无'新'哲学途径;……故虽了无创意,亦汇集问世,以利初学。"③特别是他还认为,康德哲学并非哲学史上的陈言,它所批判的玄学(即指误用理性,使人妄谈本体,妄立绝对,以之为知识之对象的玄学),"也非已经死去的玄学。士生今日,固然有权力广立新论,以博众誉,却也不妨从好学深思的'古人'得到许多教诲。"④而且,更为重要的是,"康德哲学是哲学的不可动摇的'常识',你得先走进他的哲学里去,再谋超过他,才可能是'新'哲学。如果未睹康德的门墙,即折转方向,标新立异,则必然的要走康德以前的哲学的旧路。"⑤为了使上述思考变为现实,郑昕一头扎进康德哲学的大海,连续好几个月,设身处地,深思熟虑,反复推敲。由于长期钻研之勤、掌握康德著作工夫之深,使他对于

---

①　齐良骥:《康德学述》,"重印感言",第2页,商务印书馆,1984年。
②　郑昕:《康德学述》,第1页,商务印书馆,1984年。
③　同上。
④　同上书,第59页。
⑤　同上。

康德哲学的精髓,了如指掌。因此,虽然康德哲学博大精深,著作行文艰涩,但郑昕运用自己的语言撰成的《康德学述》一书,却以它深刻的分析与精练的概括等特有的风貌,成为中国学者研究康德哲学过程中最早出现的不朽篇章。

这本书是由两个"代序"、"康德对玄学之批评"、"康德论知识"以及"附录:真理与实在"构成。其中"代序二:从希腊、文艺复兴,说到康德的唯心论",可以视为本书的真正绪论;它本是为康德诞辰二百周年发表在《中央日报》上的纪念文章。作者首先指出,"一个伟大的思想家,对于人类的文化思想发展说,总是承先启后的。承先,不是将过去的学问成绩,一一积累起来,而是按着一定的原则,将以往的成绩,加以改造和再创,成为一种崭新的学问;惟如此方能启发后昆,表示他在历史上划时代的意义。康德便是这样睥睨古人,下开百世的思想家。"[①]在这里,表达了作者对康德哲学在西方哲学史的地位以及纪念他的意义的看法。这是作者《康德学述》全书立论的出发点以及在书中反复加以演奏的主旋律。在论述中,郑昕从西方哲学发展过程中康德提出和解决的问题以及他在哲学上实行的变革出发,阐明了康德哲学的理论渊源与发展方向,揭示了康德哲学在西方哲学史上的过渡性特征,以此肯定了康德哲学的历史功绩和地位。论述高度概括,通过画龙点睛的手法把康德哲学的精髓以形象和鲜明的归纳,给人以十分清晰而深刻的印象,为读者阅读原著和进一步研究康德哲学指明了方向。

附录"真理与实在",是作者 1935 年提交中国哲学会第一届年会的论文。会后,发表在《哲学评论》上。它的主旨在于讨论真

---

① 郑昕:《康德学述》,第 9 页,商务印书馆,1984 年。

理和实在以及它们之间的关系。在这个问题上,作者认为,唯理论和经验论各执一端,长期争论,得不到解决。康德哲学首先的一个贡献就在这里。郑昕写道:"康德的理论哲学,总括起来说,便是:怎样将不说理的感觉,安放在概念系统、范畴系统里,使其成为合节奏的知识。知识与对象,在康德,是不能对全的;知识是关于对象的知识。对象,是知识的对象。知识与对象的连锁,正可启发真理与实在的连锁。"①书中对康德论知识部分的分析,就是为解决这个问题进行的具体论证。而且在这个基础上,作者还就真理和实在的问题进一步提出了自己的看法。因此,一方面哲学史是作者提出与论述自己观点的材料与根据,另一方面,这篇文章又是改造哲学史诸多材料的产物,是研究康德哲学的成果在理论上的升华。可见,在内容上它和书的正文之间有着密切的联系。

　　"康德对玄学的批评"和"康德论知识"是书中作者论述康德哲学的主体部分,它们占去《康德学述》全书篇幅的六分之五。从内容上考察,虽然这两个部分也涉及到《实践理性批判》与《判断力批判》,但基本上是作者研究《纯粹理性批判》成果的集中体现。前者是该书"先验辩证论"的分析与概括,后者为该书"先验感性论"与"先验分析论"的论述与归纳。不过,两者在前后次序的安排上,郑昕把康德原书的顺序颠倒过来了。在《纯粹理性批判》中,"先验感性论"和"先验分析论"在前,"先验辩证论"在后;而在《康德学述》中,"康德对玄学的批评"在前,"康德论知识"在后。本来,康德对旧形而上学的批判是从他的知识论立场出发的,不了解"先验感性论"和"先验分析论",便不能了解康德的知识论;而不把握这些,也难以把握"先验辩证论",即不能明白康德对

---

① 郑昕:《康德学述》,第223页,商务印书馆,1984年。

旧形而上学批判的真义所在。然而在书中，郑昕却"假定"读者对于康德的知识论有了基本的了解，才这样在论述的次序上把它们颠倒过来。通过这种颠倒，按照郑昕的意图，实际上表明了他力图改造康德哲学的一种倾向。因为在康德那里，先讲知识论，后开展对形而上学的批判，是为了说明从科学领域向道德领域过渡的必然性，以此证明实践理性高于理论理性。而在郑昕这里，则通过对旧形而上学的批判，揭示了康德在西方哲学史上进行变革的伟大意义，从而突出了康德哲学承先启后的实质。

　　在"康德对玄学的批评"中，郑昕指出，康德站在他的知识论的立场上，驳倒了理性派玄学，即旧形而上学。而康德的成功，是通过严格的区分现象和物如（按：物自体）实现的。康德认为，它们不是程度上的差别，而是类的分别；物如不能渗入现象，它不是现象里面或现象后面的东西。"它的量，不倚于我们的直观。它的质，不倚于我们的感觉。它的本质和因果，没有时间的决定，它的必然性，不靠我们认识的方式。"①因此，它不是认识的对象，人们不能对它获得知识。理性派玄学的产生，原因就是它不知道现象与物如的区别，误把物如当成认识对象，因而出现先验幻相。"此先验的幻象给物如一种外貌，好像物如是现象，是可认识的对象，引诱人类的理性去认识此假对象。"②康德称这些假对象为"理念"或"先验的理念"。由经验的方向往上追溯，这样的理念有三个：一、心理的理念，二、宇宙的理念，三、上帝的理念。对这三个理念进行研究，分别形成三种玄学：一、理性心理学；二、理性宇宙论；三、理性神学。郑昕指出，"康德《纯粹理性批导》之'先验辩证篇'

---

① 郑昕：《康德学述》，第17页，商务印书馆，1984年。
② 同上书，第18页。

的任务,即揭开幻象,证明玄学之为假学问是可能的、玄学之为真学问是不可能的。"①为此,康德对上述三种假学问进行了尖锐的批判,分别论证了它们作为真学问的不可能性。

在论述康德对玄学的批判过程中,郑昕对"理念"作出的诠释,值得注意。他写道,"康德之以物如为理念,实为他在哲学上的丰功伟绩。"②具体说来,它虽不是知识的对象,但它对于人们获得知识却不是没有作用的。首先,理念作为经验的极限和目的,是经验企图努力达到,而又永远达不到的。因此,一方面它推动着经验推广自己,向此高不可攀的目标迈进。在不断推广经验的过程中,这个目标永远摆在面前,使知识的各个部门渐渐融于一个知识的整体。另一方面,由于它作为目标经验永远不能达到,因而经验永远处在不能停息的状态中,使经验的领域及其连续成为无限的。可见,康德的理念概念对于知识来说,它是准绳和目的,把它作为训导原则去规范知识,是十分有用的。以此用来解释《纯粹理性批判》"序言"中"我们要取消知识,为信仰留地位"这句话,就十分好理解了。郑昕指出,这句常常被人引用,而又常常被人误解的话,如果真正懂得了康德关于理念的含义,那么就不难明白。因为"他所要取消的知识,是指关于上帝的存在,心灵的不灭,意志的自由等等的假学问、假知识的;廓清了这类假知识,真正的道德学,美学,目的论才能产生。"③这个解释是很有见地的。它对于纠正一些人对康德这句话的误解,揭示康德哲学的性质,都很有意义。同时,郑昕还指出,"康德之理念,即对知识说,虽只有'消极的致用',然却有

---

① 郑昕:《康德学述》,第24页,商务印书馆,1984年。

② 同上书,第58页。

③ 同上。

'积极的意义',先验矛盾篇的'附录'及'方法论篇'即发挥此'积极的意义'"。① 只有明白了这个意义,才能真正理解康德的哲学体系以及德国古典唯心主义从康德到黑格尔的发展线索。

经过郑昕的这一颠倒,既有利于读者全面认识康德哲学的性质,也为进一步把握康德的知识论准备了必要的条件。知识论是康德批判哲学的基础;他推翻理性玄学,便是依靠他的知识论的力量。这部分的内容在《纯粹理性批判》中,是该书的精华所在;在郑昕的《康德学述》里,则更是他呕心沥血,倾注了全部身心的重点。不仅在篇幅上占去了全书的三分之二以上,而主要是在内容上,如果说,"康德对玄学的批评"是叙述"先验对象"何以是玄学的对象,那么,康德论"知识"则是在于发挥"经验对象"何以是知识的对象。这就是康德的知识论。康德希望建立的未来形而上学,便是建立在他的知识论的基础上的。郑昕研究康德哲学的功力,也几乎主要体现在他对康德知识论的消化、改造与吸收上。因此,作者对这一部分内容的论述,是全书最为精彩的篇章。

在论述时,郑昕认为,讲知识不能像中国哲学家处理"物"、"我"问题那样,一下登峰造极,入大化之境。相反,应该从分析开始,而且要一步一步地加以分析,由浅近入精微,由具体入灵空,然后返乎平实之境,这才是经验的成熟低地。在这一方面,郑昕指出,在西方哲学史上,文艺复兴以来的理性主义者如莱布尼茨,"其得在'大',其失在'妄'";②经验主义者如休谟,"其妙处在'细',在'空',然恋筌而失鱼,玩言而妄意,故支离而无主宰。"③

---

① 郑昕:《康德学述》,第59页,商务印书馆,1984年。
② 同上书,第61页。
③ 同上。

而康德与他们不同。他"摘逻辑与科学之精华,以之锤炼知识,会证知识,而不为逻辑科学所蔽,故其学平实通达,了无滞碍。"①正因为康德采取了这种态度,所以,他由经验的成熟低地出发,一步一步的递进、分析,渐渐地进到高处,并且适可而止;不能肯定或无法肯定的,便不说。这主要是指康德提出的"物如"概念;他只是在理论上把它作为知识的限制、理念与理想。这是消极的。郑昕认为,康德的哲学也不依靠形式逻辑,尽管形式逻辑的规律是思维的必要条件,但它对于知识来说,究竟不是创造的。只有他提出的先验逻辑,由于他把它运用到对象、经验与自然界上去,因而使逻辑有了内容。同时,他也不假定不说理的"经验"或"事实";他只是把它们当作"问题"、"课题"或"问号"。郑昕写道:在康德那里,"知识的责任,是将事实放在空间、时间的形式,范畴的形式里去了解,将它变成可以说明的事实——具体的描写说明事实,是经验科学的事——故康德不容许'先有物'、'绝对料'一类的假定,而是实事求是,就理论事。此理是人心中所共有之理,所共守之理,不是悬挂在外面之理。此理有客观性,即是说,有普遍的效准与必然性,经验之所以为共同之经验,知识之所以为共同之知识,端赖此在心之理。用康德的述语说,此理是'先天综合'的作用,是'先验主体'所运用之空间、时间、范畴等等。理不在外,心外无理,所谓外物之理,即吾心之所赋与者。康德在'范畴之先验演绎'篇,便是要证明这桩大道理——思想上哥白尼式的革命。"②这一段简洁、明快而精美的文字,把康德知识论的核心观点,特别是他的认识论特色,清晰地概括和突

---

① 郑昕:《康德学述》,第41页,商务印书馆,1984年。

② 同上书,第62页。

出出来了。可以说,这就是他对"时人所厚诬康德的'我'"的一种
答复。① 这里反复提到的"理",实际上是主体的认识能力;郑昕通
过对"理"在知识形成过程中作用的强调,使康德提出和论证的主
体能动性观点,给人的印象特别深刻。他紧紧地抓住这个观点不
放,说明作者对康德认识论中的这个贡献,已经有了较为明确的
认识。

在具体分析与论述康德的认识论时,郑昕指出,康德阐述他的
观点的顺序是,首先作出了现象与本体、感性与悟性、悟性与理性、
理论理性与实践理性对立等重重叠叠的"二元"假定,然后在此基
础上提出了"先天综合判断如何可能"这个总问题。他的知识论
的基本内容就是对这个问题作出的回答。郑昕认为,"这个问题
极为重要,它的成立与否,能否解答,关乎整个的'未来的玄学'或
知识论的存亡。"②这里所谓"如何可能",在郑昕看来,实际上包
含两个问题:(1)先天的综合,如何可能? 何以恃而可能? 在一个
综合的而又必然的判断里,两个概念(观念)如何可能? (2)从这
样的判断里,能否获得知识? 怎样获得知识? 此真观念之联合,
怎样能符合实际? 这个判断客观有效么? 为什么有客观有效
性? 在康德的著作中没有明显地把这两个问题分开,但在事实
上他是以第二个问题为中心(范畴的先验演绎)进行论证的。在
论述康德的知识论时,郑昕也是这样。他根据康德对这两个问
题回答的顺序,即通过时空直观形式与因果性范畴等思维形式
接受和整理感性材料,并使之形成知识的过程进行了详尽的
阐释。

---

① 郑昕:《康德学述》,第59页,商务印书馆,1984年。
② 同上书,第67页。

在论述中,深刻的分析,精练的概括,新颖的观点,比比皆是。但其中最具独到的见解,按照贺麟先生的看法,主要有三点。

"第一,着重康德的先天自我之为一切知识可能的逻辑条件或逻辑主体。有此灵空的逻辑主体,方不致于外执着一个块然的绝对的所与的物,内执着一个心理意义的,所与的气质之心。"①

"第二,他指出康德的'物如'或物自体,不是绝对独立的外物,亦不是抽去了一切性质关系所剩余的离心独立的渣滓或基质,他明白解释康德的物如为'理念'。理念是关于事物知识之主观的统一,事物的原型。"②

"第三,他坚持'心外无理'的原则,以发挥康德'可能经验的条件,同时即是可能经验对象的条件'的根本观点,认为经验中一切事物或实在,皆受逻辑主体之法则的厘定。这样一来,他便指出了由康德到黑格尔的康庄大道。他认为善用理性的理性主义(以别于误用理性的理性主义,或独断主义),由康德作谨慎的分析的开端,而到黑格尔才得到玄想的综合的美满的完成。"③

在这三条中,实际上第一条和第三条,都是论述康德提出的主体能动性原则。虽然当时郑先生尚未指明这个观点的实质,但他通过反复的强调,表明他已经充分注意到了这是康德认识论中的精华所在。关于这一点,只要引证他对"人为自然立法"思想的阐明,即能得到证明。郑昕写道:"可能经验的对象,即指自然。其条件,即普遍的自然律。可能经验的条件,即指吾心所运用的范畴,即是思想律,悟性先天的认识普遍的自然律;惟如此我们始能

---

① 贺麟:《当代中国哲学》,第36页,胜利出版社,1945年。
② 同上。
③ 同上书,第37页。

认识自然,始能有自然的规律。故曰:思想律同时是普遍的自然律。除开思想律不能说自然律;除开吾心之理,不能言外物之理。康德之名言:'悟性不从自然中求它先天的规律,而在自然前颁布它的先天的规律'。惟如此我们才能明瞭自然,——虽不能说创造自然——明瞭这个用数字及几何图形所做成的自然(伽利略),及明瞭科学书里所印的经验(柯亨)。科学书中所言之理,即吾心之理的一大例证……所谓悟性或'先验的主体',不外是自同一之我。有自同一之我,方有对象之认识。有自同一之我,方有自同一之物;有自同一之物,方有认识之对象。拿自同一之我,去'逼出'自同一之对象。空间、时间、范畴,均是'逼'的方法、形式。也是借着'逼'的作为、认识、推理等等,才'悟'到自同一的我。其始:我与物都是朦混的。其终:我清明物也清明。有我之清明,才识出物的清明,由物之清明,才察出我之清明。——是谓之'大彻大悟',也许近乎'物我同一'、'物我两忘——两化'之境了。"①这段高度概括,言简意赅,并且富于意蕴的话,是对"人为自然立法"的生动写照,它充分道出了康德提出的主体能动性对于知识与认识对象决定作用的真谛。只是贺麟指出过,郑昕"用'逼出'二字以形容由主观推出客观,自甚生动有力,但或许主观气味太重一点。其实所谓拿自同一之我去'逼出'自同一之对象,即是以我性证物性,以吾心之灵明证事物之条理的意思,而归根亦在于达到主客合一的境界。以'证'字代替'逼'字,或较为平实而减少误解。"②显然,如果这样,自是更为圆满了。

　　但总的说来,从《康德学述》中可以看到,郑昕是一位"比较朴

---

① 郑昕:《康德学述》,第62—63页,商务印书馆,1984年。
② 贺麟:《当代中国哲学》,第39页,胜利出版社,1945年。

实地深研西洋哲学,而得到深澈的观点,于绍述西洋大哲时,即已发挥出自己的哲学见解"的哲学家。① 因此,他这样写出的这本著作,是这个时期西方哲学东渐过程中收获的精品之一。

五、郭本道对黑格尔哲学的系统介绍

1934年,郭本道研究黑格尔哲学的成果《黑格尔》一书,由上海世界书局出版了。这是张东荪主编的"哲学丛书"中的一本。作者在"序言"中写道,在"近代思潮中,黑格尔的哲学实占一重要地位,无论信仰他的或反对他的,皆不能否认其价值。因近代经济政治的趋势,我国思想界,亦渐渐的对于黑格尔哲学有了兴趣。然在出版界中,对于黑格尔的哲学尚无系统的介绍。本书的目的将黑格尔哲学的整个系统及其逻辑推演的历程详细述明。"②这里,说明了当时在传播黑格尔哲学的过程中缺少系统介绍的作品,以及他在书中将要努力的方向。

根据自己这样确定的写作目标或努力方向,因此郭本道在《黑格尔》中主要是要把黑格尔哲学全面而系统地进行介绍。具体说来,书中对黑格尔的生平、理论来源、哲学体系的组成部分,都有详细的阐述。关于这一点,只要浏览一下该书的目录,便能一目了然。如果读过全书之后,那么,对于黑格尔哲学的来龙去脉,及其哲学体系各个组成部分的学说大旨,必然得到全面、系统而清晰的认识。

而且,就其中的每一个章节,也都是这样。例如,在论述黑格尔与他之前各派西方哲学的关系时,作者不仅具体地谈到了古代

---

① 贺麟:《当代中国哲学》,第39页,胜利出版社,1945年。
② 郭本道:《黑格尔》"序言",第1页,世界书局,1934年。

希腊哲学和中世纪基督教哲学对于黑格尔哲学的影响,而且还详尽地指出了近代各派西方哲学对于黑格尔哲学产生的意义。其中,在论述古代希腊哲学与黑格尔哲学的联系时,既谈到了米利都、毕达哥拉斯、柏拉图等学派,又谈到了亚里士多德以后的一些学派;在论述近代西方哲学与黑格尔哲学的联系时,既谈到了斯宾诺莎、莱布尼茨,还特别着重阐明了康德、费希特与谢林同黑格尔哲学的内在联系。通过这些介绍,不仅清楚地揭示了黑格尔与古代与近代这些众多学派在理论渊源上的继承关系,而且从中还能使人认识到,黑格尔哲学是所有这些哲学的提高和超越。

特别是在介绍黑格尔哲学体系的各个组成部分的理论内容时,更是这样。在这里,郭本道根据"哲学全书"的顺序,把黑氏哲学体系各个组成部分的观点,通过简洁的概括与生动的语言把它们全面地展现出来。其中,如第二编"论黑格尔的逻辑学",按"绝对精神"在逻辑阶段发展的三个环节,分为上、中、下三个部分,即"论有"、"论所有"、"论总念",然后把黑格尔对这些阶段上按逻辑推演出现的范畴,以及它们之间的关系,都一一进行了扼要的介绍。其余,如第三编"论自然哲学"与第四编"论精神哲学",介绍的过程也同样如此。因此,看过郭本道的这本著作后,对于黑格尔哲学作为一个百科全书式的哲学体系,一定能获得全面的印象。而且,对于其内容之丰富、论证之严密、观点显示的智慧,也都能取得清晰的认识。

不过,作者在系统介绍黑格尔哲学时,并非没有重点。相反,辩证法作为黑格尔哲学体系中的"合理内核",是郭本道在著作中耗费心血最多的地方。所以这样,是基于他对黑格尔哲学的认识。在他看来,"每一个哲学家的思想,都有他特别的方法。他的哲学方法,决定他整个的哲学系统。欲研究某一个哲学家的思想系统,必须先研究他所采取的思想方法。黑格尔的哲学系统,所以异于其他哲学系统者,乃是因为黑格尔所采用的哲学方法,与以前的思想家所采用的方法不同。"[1]他认为,"一个哲学家之所以成为一个哲学家,不是在于他得出的结论如何,乃是在于他如何得此结论;换言之,乃是在于他使用的方法如何? ……规定一个哲学家的价值,不是凭借他所得的结论,乃是看他何以证明这些结论。……由此故知,一个哲学家的精神,全在他所用的方法上。"[2]郭本道指出,黑格尔所用的方法是辩证法,"不了解黑格尔的辩证法,就得不到黑格尔哲学的要点。"[3]而"欲了解黑格尔哲学的精华所在,必须研究黑格尔的辩证法",[4]"捉住了黑格尔的辩证法,便是抓住了黑格尔哲学系统的要点。"[5]因此,作者的目的虽然是要向读者全面系统地介绍黑格尔哲学,但重点却放在他的辩证法思想上。体现在郭本道的研究中,不仅全书突出了辩证法的阐述,而且在《黑格尔》中还辟有专门一章,集中论述了黑格尔的辩证法观点。特别是,他还把书中的内容加以扩充,分别撰成《黑格尔氏之辩证法》与《对于黑格尔辩证法的几点意见》两篇论文,通过期刊传播开去,更是加强了这一内容在读者中的影响。

在论述中,郭本道从哲学研究、近代政治潮流发展趋势和近代经济学的角度,分别阐明了研究黑格尔辩证法的必要性,并在这个基础上就黑格尔辩证法的渊源、意义、内容、特点以及辩证法与黑

---

[1] 郭本道:《黑格尔》,第 34 页,世界书局,1934 年。

[2] 郭本道:《对于黑格尔辩证法的几点意见》,载《行健月刊》,第 4 卷,第 5 期,1934 年。

[3] 同上。

[4] 同上。

[5] 同上。

格尔哲学体系的关系,进行了相当深入的分析。

　　例如,谈到黑格尔辩证法的意义时,郭本道认为,以往一提到方法,总以为它是一种主观的工具,人们利用它去获得知识,因此,人们总以为这种作为工具的方法是哲学家所创造的。他还指出,在黑格尔那里,对于方法的理解却不是这样。他"以为哲学是一种绝对的学问,是对于绝对者的一种认识。我们不能去创造一种方法,来研究绝对者。我们所应有的责任,乃是发现绝对者实际进展的历程。哲学的方法,并不是我们主观的工具,他乃是宇宙整个向前推演的历程。"①因此,郭本道指出,黑格尔的辩证法与前人的辩证法是大不相同的。表现在:(1)黑格尔的辩证法乃是克服矛盾的一种历程;(2)黑格尔的辩证法乃是宇宙理性的展示;(3)黑格尔的所谓理性,并不只是主观上的一种作用,它乃是宇宙本体的要素。一方面是思想上的法则,另一方面也是支配客观世界的一种体例。

　　又如,在论述黑格尔辩证法的起点和终点的看法时,作者认为,辩证法既是理性向前推演的历程,然而,理性向前的一步一步推演,并不包含时间的成分,而只是时间上的演进。因此,黑格尔辩证法的起点与终点的关系,并不具有时间上的因果关系。他写道:"黑格尔的出发点,并不是随意选择的,乃是在逻辑上有必然性的。此种理性的必然性,迫着黑格尔使他不得不采取他所采取的出发点,作为他的辩证法的出发点。"②其中,他以"纯有"作为全部逻辑推演的开端,即是这样。因为在黑格尔的哲学体系中,一

---

①　郭本道:《黑格尔》,第44页,世界书局,1934年。
②　郭本道:《对黑格尔辩证法的几点意见》,载《行健月刊》,第4卷,第5期,1934年。

切概念,一切范畴,都是从他的出发点推演出来的。因之,在这一个出发点里,必然包容着后起的一切成分。作者指出,"一切概念之存在,必先假定有一个最抽象的概念方可。最抽象的概念,在逻辑上乃是先于一切概念的。所以逻辑的推演,必须自最抽象的概念起。因为没有最抽象的概念,其余的概念在逻辑上即不能成立。由此故知,黑格尔辩证法的出发点,必须以最抽象的概念作其出发点。"①他认为,具备这个条件的概念便只能是"存在"。由此概念往前推演,每前进一步,概念则愈具体一步,至最高概念,即为最具体的概念。"最具体的概念,即是黑格尔辩证法的最终点。在这种最高的概念之中,包含着以前的一切范畴,黑格尔谓之绝对意典。"②在"意典"范畴中,也包含着"存在"范畴。没有"意典"范畴,"存在"范畴不能成立。"存在"范畴以"意典"范畴为根据,"意典"范畴也以"存在"范畴为根据。二者互为根据,互相解释。由此可见,"出发点包含着最终点,最终点包含着出发点。"③

再如,在分析辩证法与黑格尔哲学体系的关系时,郭本道指出,"黑格尔的整个哲学系统都是建立在辩证法的根基上,辩证法是黑格尔哲学的骨架子","了解了辩证法,很容易了解他的整个哲学系统。"④因为黑格尔的全部哲学,都是由他的辩证法推演出来的结果。他的整个哲学体系,都是按照他的辩证法推演的历程产生的。具体说来,黑格尔哲学分为三个部分:第一部分是逻辑学;第二部分是自然哲学;第三部分是精神哲学。逻辑学是理性自

---

① 郭本道:《对黑格尔辩证法的几点意见》,载《行健月刊》,第4卷,第5期,1934年。
② 同上。
③ 同上。
④ 同上。

己在自己中,所以是辩证法的正;自然哲学是理性将自己放在外
界,是自己对自己,所以在辩证法上是反;精神哲学是自己面对自
己,已由外界而复归到自己,它兼有逻辑学及自然哲学的成分在
内,而为二者的统一,所以它是辩证法上的合。不但黑格尔哲学的
整个体系如此,而且在其推演过程中的每一正、每一反、每一合的
三大部分中,也无不都是这样。"由此可知,黑格尔的哲学系统,
乃是辩证法的应用……理性自己在家中展示出来,即是逻辑学;理
性出了门,到了外界,即是自然哲学;理性从外界,又回到老家,即
是精神哲学。简言之,黑格尔的辩证法,即是理性在家、出门、归回
的一个历程。"[①]所以,黑格尔的整个哲学体系,都是依靠他的辩证
法建立起来的。了解黑格尔的辩证法,是进入黑格尔哲学殿堂的
入口,也是认识和把握黑格尔哲学体系线索与精髓的关键。

　　要指出的是,作者的这种系统介绍是以通俗的语言表达出来
的。众所周知,黑格尔的哲学体系冗长、庞杂,几乎涉及到了当时
的一切知识领域,加上他使用的语言晦涩,思想艰深,没有一定的
西方哲学与自然科学基础,是难以被人理解和接受的。尤其是对
于那些习惯于使用中国传统方式进行思维的人来说,其难度更是
可想而知的。正是在这一点上,郭本道的这本著作,采用通俗的语
言与形象的比喻,对黑格尔哲学体系进行的简明精要的论述,大大
减轻了中国读者理解与接受的难度,为广泛传播黑格尔哲学进行
了有益的尝试。

　　例如,在论述黑格尔与以往哲学的关系时,特别是在解释黑格
尔如何解决康德、费希特和谢林的问题时,作者有一段生动、形象

---

① 郭本道:《对黑格尔辩证法的几点意见》,载《行健月刊》,第 4 卷,第 5 期,
1934 年。

的描述与概括,从中可以窥见一斑。他写道:"以黑格尔看来,绝对者并不是超出了自我与非自我,他乃是自我与自我打成一片的,绝对者并不是静止不变的一个实体,他也不是心与物之共同原则。心与物也并不是他的两个方面。心与物乃是绝对者自己展示自己历程中的一种阶段。这种历程乃是绝对者自身。谢林以为一切现象都是从绝对者而来的,所以他的绝对者是在一切现象以外的一个东西,黑格尔以为绝对者是一切进化历程本身,他并不仅是产生物的一个源头。心与物乃是他活动进展的一种表现。简言之,绝对者是一种进化的历程,这种向前演进是有目的的,是循一定律例的,但这种目的,这种律例并不是绝对以外的东西,他乃是绝对者本身。"[1]对谢林"绝对"与黑格尔"绝对精神"作出的这种解释,既把二者之间的区别,也把二者之间的联系清楚而准确地表述出来了。贺麟认为,这种"把黑格尔的绝对理念不是看作心物之外存在的东西,而是看作心物展示历程本身,这可以说抓住了黑格尔哲学的根本精神。"[2]

又如,在论述黑格尔逻辑推演过程的三段论式时,郭本道认为,这是对精神展示自己的一种方式,乃是宇宙进化的面貌。他指出,"此种进化的历程,乃是依着一板三眼的方式;始而正,继而反,终而合。"[3]在具体阐明了黑格尔所以采取这种方式来解决问题和这种由抽象到具体、由直接到间接的推演过程后,作者还写道,"绝对者,向前推演,并非直线的,他乃是像船迎逆风,左右摇动。一概念之后,并有相反之概念,因相反概念之来,遂有相合之

---

① 郭本道:《黑格尔》,第41—42页,世界书局,1934年。
② 贺麟:《康德黑格尔哲学东渐记》,载《中国哲学》,第2辑,第317页,三联书店,1980年。
③ 郭本道:《黑格尔》,第46页,世界书局,1934年。

概念。绝对者自己展示自己的历程,乃是正而反,反而合;合而又正,正而又反,反而又合。如此转动不已,直达到最高的概念始止。惟有凭借着这最高的概念,而一切有限的概念,才可解释。惟有凭借着这最高的范畴,而宇宙始可说明。"①这种形象的描述与简洁的概括,相当贴切地把黑格尔三段论式的思想表达出来了。在郭本道的著作中,这样的例子,可以说是俯拾皆是。

再如,在分析逻辑学中"存在"、"本质"和"概念"各篇范畴的性质以及它们之间的关系时,郭本道指出,按照黑格尔的辩证法,每一正面命题,都是内在的;每一反面命题,都是外在的;每一综合命题,都是兼有内外的。因此,"存在"论中的各个范畴,都是居于内在的。作者写道:"凡在内的范畴,皆是直接性质,所谓直接之一名词,并非指的感觉上的直接,乃是指的范畴的性质。凡是一切范畴能各自独立……彼此没有显然的连贯。例如'有'、'无'、'质'、'量'等范畴,皆不彼此相依;'有'不必以'无'而存在,'量'也不以'质'而存在,彼此之间,皆可闭关自守,老死不相往来。此种闭关自守的范畴,黑格尔叫他作直接性的。"②

到"本质"论中,其中的范畴"皆是一种互相关联的性质。此一范畴不能离他一种范畴而独立。此一范畴与彼一范畴,已成了配偶,二者皆不能各自独立。例如,'同'之与'异','因'之与'果'等,皆是互相依据,互相包容,知其一即知其余,一个来了便不能不携带其他。此种状态,黑格尔谓之媒介性。"③

进到"概念"论里面的范畴,情况又不同了。郭本道指出,"概

---

① 郭本道:《黑格尔》,第64页,世界书局,1934年。
② 同上书,第63页。
③ 同上书,第64页。

念"论中范畴的特点,是直接性的和媒介性的综合,既是内在的又是外在的。他写道:"在'有'之范畴中,一切范畴皆直接性。在'所有'范畴中,一切皆媒介性。在'总念'之范畴中,此种媒介性已泯灭,而成为一新直接性。在此种新直接性中,包含着以前的媒介性,故与'有'范畴中之直接性不同。吾人可以例表明之:'有'范畴之状态犹如甲及乙等等,甲可无乙而独立存在,乙亦可无甲而独立存在。在'所有'范畴中,甲与乙是不能分离的,甲不能无乙,而乙也不能无甲,甲与乙是两个相联的肢体,不能单独存在。在'总念'中,甲乙成为一整个之丙。丙虽为一独立自存之体,但在丙中,仍有甲乙相依为命之成分在。在'有'之范畴中,甲乙是不相交的。在'所有'范畴中,甲与乙结了婚,二者不能单独过生活。在'总念'中,甲与乙生了子,成了一整个丙。丙虽是一个独立自存的分子,但其中仍有甲与乙之成分在。所以丙之性质,非甲非乙,乃甲乙之合而生出之一新分子。"[1]

这里举出有关通俗性的例子,只是书中极少一部分。实际上,全部就是以这种通俗的表述把黑格尔艰深与晦涩的哲学思想呈现出来的。看得出来,郭本道对黑格尔哲学的钻研是下过一番工夫的。

总之,内容全面,重点突出,表述通俗,是郭著的鲜明特点。它在当时传播黑格尔哲学的过程中起了积极作用,即使在今天对于进一步全面研究黑格尔哲学,仍有一定的参考价值。

六、沈志远阐述黑格尔辩证法的重点

虽说都是看重黑格尔辩证法的引进,但在传播的重点上,沈志

---

① 郭本道:《黑格尔》,第64—65页,世界书局,1934年。

远与其他学者却有所不同。

沈志远(1902—1965),浙江萧山人。早年,曾在浙江省立一中与上海交大附中读书,1926年赴莫斯科中山大学学习。在那里多年的学习生活,他大量地阅读了马克思主义的经典著作,系统地接受了马克思主义的基本理论。1931年回国后,在上海从事教育与理论工作,翻译和撰写了不少哲学与政治经济学的著作和论文。其中,仅有关黑格尔的著作有《黑格尔与辩证法》,论文和译文有:《黑格尔哲学的精髓》、《黑格尔与康德》、《近代哲学中辩证法史之发展》、《从康德到黑格尔》与《黑格尔之时代》等。

从上面列举的这些篇目看,便知他在传播黑格尔哲学时,主要是围绕着辩证法进行的。沈志远认为,黑格尔哲学的精髓及其对哲学事业的贡献,无疑是他的辩证法。不过,由于当时书本上和杂志上介绍黑格尔辩证法的文字已经够多了,所以,再来简单地重复其辩证法内容的论述,他觉得没有这个必要。这样一来,他在传播黑格尔的辩证法时,着重指出和论述了下列几点。

第一,和他的前辈比较,黑格尔辩证法提供的新的和进步的方面

沈志远指出,"黑格尔哲学,不仅是近代哲学思潮之最广和最深的综合,而且是一切宝贵的古代思想精华之最高的汇合。辩证法这个'精灵'贯彻着德国的古典派观念论,黑格尔哲学便是这派观念论连同它的'精灵'发展底最高峰。"①因此,他在辩证法史上提出了新的观念与法则。(1)他以绝对精神为出发点,提出了一个系统的和完整的发展观。在黑格尔看来,绝对精神从来不停留

① 沈志远:《近代哲学中的辩证法之史的发展》,载《中山文化教育馆季刊》,第1卷,第2期,1934年。

在一个位置,而是不断发展着的。现实的发展就是绝对精神发展的反映。实际上,黑格尔哲学就是自然界、人类社会和精神活动的历史。这就是发展观上他比他的前人进步的地方。(2)在讲到发展时,黑格尔发现了发展的源泉在自身,这就是存在于自身的内在矛盾。正如沈志远指出的,"黑格尔认为宇宙万物自身中无不包含着对立性,由此对立性发展出来的矛盾,便是宇宙万物发展的动因。"①(3)黑格尔还发现了绝对精神发展的辩证法规律,如矛盾、否定之否定和量变质变的学说等。而且,"黑格尔把这一发展观应用于一切的现象领域,自然、社会、人类思想、道德、国家组织、宗教等等。这样就完成了他整个的辩证法底宇宙观。"②沈志远指出,所有这些内容,一方面是黑格尔吸取他的前辈哲学家思想体系中一切辩证法因素,并加以发扬、推进和补充、整理而完成的,因而在辩证法史上实现了人类思维方法的革命。然而在另一方面,"黑格尔的辩证法处处都受着他本人所代表的资产阶级狭窄的社会性底严格限制,所以它不能发展到最彻底的地方,不能发展成为真正的科学方法论。"③作者的这些看法是正确的,也是符合黑格尔辩证法实际的。

第二,阐明了黑格尔辩证法在辩证法史上的革命意义

黑格尔的辩证法是唯心的,所以有人提出,这种辩证法也有革命性吗?沈志远认为,黑格尔哲学所以采取唯心论的形式表现出来,这是由当时德国资产阶级所处的特殊历史条件决定的。但是,这并不是因此否认他的辩证法在辩证法史上具有革命意义的理

①　沈志远:《近代哲学中的辩证法之史的发展》,载《中山文化教育馆季刊》,第1卷,第2期,1934年。
②　同上。
③　同上。

由。作者指出,要理解这一点,只要把黑格尔的辩证法同形而上学的思维方式比较一下,便能完全说明问题。因为在作者看来,形而上学"认为自然是永远等于它自身的整体,它永远是循着同一个圆圈运动着,它与许多永远如此的世界物体和永远不变的有机体共同存在着。"①而黑格尔的辩证法与这种思维方式不同。它不但对形而上学的世界观进行了无情的批判,使它露出了一条条裂缝,而且如果把它们比较一下,还可以看到,黑格尔的辩证法首先是方法论上的革命。作者指出,黑格尔进行的这项革命,是高举矛盾论的大旗进行的。相反,在形而上学家那里,一遇到两种范畴的对立,便感到束手无策而陷入没有出路的境地。例如,善与恶、真理与谬误、偶然与必然等范畴之间的对立,按照他们的思维方法是完全没有办法克服和解决的。黑格尔却认为,矛盾是方法论的基本因素,它存在于一切存在物与认识中。他正是运用矛盾的观点发现了事物发展的动力,解释了事物质变和飞跃的必然性,论证了否定是事物发展不可抗拒的规律。由此可以肯定,"黑格尔之解释矛盾为认识方法论的基本原则,超绝卓越地表显了辩证逻辑底革命精神。"②其次是历史观上的革命。17世纪的英国唯物论,特别18世纪的法国唯物论者,把前面提到的形而上学观点应用到人类历史上来,把他们自己头脑中所臆想的联系,来代替客观现象之间的实际联系。他们没有看到历史过程的内在规律,没有精密地去研究这个过程的因果关系,而从目的论的观点去观察历史。沈志远指出,正是在这一点上,"黑格尔的辩证法

---

　　①　沈志远:《近代哲学中的辩证法之史的发展》,载《中山文化教育馆季刊》,第1卷,第2期,1934年。
　　②　同上。

从根本上破坏了一切历史事件的目的论的观察。因为按照黑格尔辩证法的观点,历史不是许多不相关联的和可能的偶然事件的凑定,而是一个过程。这个过程的各个环节,是由彼此不可改变的规律性所联系着的。黑格尔的辩证法对于这个过程的一切似乎是偶然的现象进行了周密的观察,揭示了这一过程的规律性。例如,他对历史发展中的目的论的否定,就足以证明这一点。在黑格尔的历史哲学看来,历史人物底明的或暗的动机,都不是历史的根本原因,而这些动机本身是由更深刻的发展动机来决定的(他认为对于这种动机尚有研究和阐明的必要)。那般历史的造作者,拿确定历史事变的先见来代替物体底实际的联系,对于这批历史的造作者,黑格尔在方法论上曾予以坚决的裁制。"①

显然,黑格尔辩证法的革命意义,不只表现在这些方面。然而,仅就这几个方面来看,黑格尔为辩证法作出的贡献,也是十分突出的。因此,不能因为他的辩证法是唯心的,因而否定它在辩证法史的革命意义。

第三,论述了黑格尔唯心辩证法对于马克思唯物辩证法产生的积极作用

沈志远指出,"现代哲学不是别的,恰恰就是辩证唯物论和唯物的辩证法。这是整个的马克思主义的宇宙观。"②然而,它不是从天上掉下来的,而是人类思想发展的结果,是人类实践和哲学发展合乎规律性的产物。问题是,黑格尔的辩证法是唯心的,它对于马克思的唯物辩证法的产生有积极作用吗?

---

① 沈志远:《黑格尔与辩证法》,第28—29页,笔耕堂书店,1932年。
② 同上书,第3页。

　　对此,沈志远回答是:不错,"黑格尔的哲学体系,是唯心论的;所以他的辩证法,也是唯心的辩证法。"①但是,他又认为,"唯物的辩证法,从历史上和逻辑上讲,都是黑格尔辩证法之直接的产物"。② 或者说,是它的直接继承和进一步的发展。因为马克思在创立唯物辩证法时,对于黑格尔的唯心辩证法不但没有简单地把它推翻或抛弃,倒是相反,在克服它的唯心主义的基础上改造了黑格尔辩证法中人为地强加给它的神秘性,继承了其辩证法中的合理成分,并使它头足倒置过来,从而使它保存在马克思的唯物辩证法中,成为它的有机组成部分。而且在论述过程中,作者还具体地阐明了马克思主义的创始人在哪些方面改造与吸取了黑格尔的辩证法。这就足以说明,在唯物辩证法这个现代哲学的创立与构建过程中,"黑格尔有异常大的功绩。更正确些说,黑格尔是创造现代化革命宇宙观底先驱者。"③

　　从这里可以看到,马克思主义哲学的创始人对待黑格尔唯心辩证法的远大眼光,既没有拘泥于黑格尔本人为普鲁士的服务态度上,也没有因为他的哲学体系是唯心的便鄙视甚至抛弃他的全部学说,而是采取辩证的态度与方法。这样对黑格尔唯心辩证法与马克思唯物辩证法的关系的揭示,也说明作者是用唯物辩证法的立场和方法看待与处理这种关系的。

　　第四,驳斥了一些人对黑格尔辩证法的抨击

　　在进行这项工作时,沈志远首先分析了德国社会中出现抨击黑格尔辩证法的社会背景。他认为,黑格尔辩证法的革命性是由

---

①　沈志远:《黑格尔与辩证法》,第 7 页,笔耕堂书店,1932 年。
②　同上书,第 10 页。
③　同上。

德国的特殊经济条件造成的。一旦这些经济条件发生变化,即在这些社会条件中新生的无产阶级登上政治舞台的时候,黑格尔的辩证法便面临两种命运。一方面,革命的无产阶级剥下了他的辩证法的神秘外衣,使它在唯物主义的基础上得到了改造,从而挽救了它的革命性。另一方面,资产阶级中有些人看到无产阶级的出现威胁着自己的时候,这个阶级中的有些学者便起来对它开展了围攻与批判。正如梅林说的,德国资产阶级是很恨黑格尔的,不过,他们所怨恨的不是黑格尔的弱点,而是他的辩证法。因为"黑格尔的辩证法的革命性,特别在历史领域中表现明显而有力;而历史领域中的革命性,是与人类革命活动最有直接的连带关系的;人类的社会矛盾,刺激和推动着人类去进行革命的活动。"①就是在这种历史条件下,当时德国社会中出现了对于黑格尔辩证法的一片讨伐声。在这些攻击黑格尔辩证法的队伍中,不仅有资产阶级学者,如叔本华、哈特曼·特伦特仑布、机会主义者伯恩施坦,而且还有新的机械论者。接着,作者分析了这些人反驳黑格尔辩证法的观点,并运用他掌握的马克思主义方法论原则,根据黑格尔辩证法的真实思想,对这些攻击进行了有一定说服力的驳斥。这对于帮助人们正确接受黑格尔的辩证法思想具有一定的意义。

上述几个方面的论述,说明沈志远在引进黑格尔的辩证法时,没有局限在黑格尔辩证法本身,而是有重点地把它放在辩证法的历史发展过程中进行考察,一方面阐明了它是西方辩证法长期发展的产物,它集中了以往辩证法之大成;它和它之前的辩证法比较,内容丰富,初步具有了近代形态。另一方面,又指明了黑格尔

----

① 沈志远:《黑格尔与辩证法》,第56页,笔耕堂书店,1932年。

辩证法的发展趋势,肯定了它同马克思主义辩证法之间在理论上的内在联系,论述了它只是辩证法发展史上的一个环节。这是在当时黑格尔辩证法基本内容传播基础上的发展。而且在传播过程中,是以唯物史观为指导进行的。例如,把黑格尔辩证法放在辩证法的发展过程中进行考察与论述;又如,对黑格尔辩证法革命意义的揭示与阐明,都是这样。这种做法,代表了当时传播黑格尔哲学的一种正确的方向。

七、贺麟钻研黑格尔哲学基本概念的功夫

贺麟(1902—1992),字自昭,四川金堂县人。1919 年秋,"五四"运动爆发后不久,进清华学堂学习,先后听过梁启超的中国哲学史和吴宓的翻译课。从这个时候开始,贺麟立志步吴宓介绍西方古典文学的后尘,要以在中国传播西方哲学为自己的终身"志业"。在美国期间,先后在奥柏林大学、芝加哥大学、哈佛大学研究院学习和研究西方哲学。并在英美新黑格尔主义者格林与鲁一士的影响下,开始研究黑格尔哲学。为了深入钻研黑格尔哲学,1930 年他到了德国。在研究的过程中,他感到要深刻理解黑格尔哲学,必须研究斯宾诺莎和康德哲学。因为在他看来,这两位哲学家的著作,是通往黑格尔哲学殿堂的必经之路。于是,他又着手研究斯宾诺莎和康德哲学。他论述斯宾诺莎身心关系的成果,曾经得到斯宾诺莎全集拉丁文及德文版编辑者格希哈特的赞赏,并因此介绍贺麟参加了国际斯宾诺莎学会。

1931 年回国担任北京大学教授,并在清华大学兼课,他多方面地开展了学术活动。其中,在传播黑格尔哲学方面,除了前面提到有关论文的发表以及国外学者研究黑格尔哲学成果的翻译外,还开始翻译《小逻辑》。虽然这本著作在 1949 年前尚未译完,但

在这个过程中他出版的《文化与人生》、《近代唯心论简释》、《当代中国哲学》与《黑格尔理则学简述》等著作,却为西方哲学东渐作出了重要贡献。

这里,只是以贺麟对《逻辑学》等中一些基本概念的阐释为例,来看看他为黑格尔哲学在中国的传播作出的努力。在他看来,要正确理解和揭示黑格尔哲学的实质,首要的一步工作是要正确阐释黑格尔哲学中的一些基本概念。因此,在相当长一段时间内,他几乎全身心地把主要精力放在这项研究工作上。这在他的有关著作中,都有充分的表现。

例如,在阐释黑格尔的"理念"时,贺麟认为,"理念是整个矛盾进展的表现,又是主客互相转化的过程"。① 就是说,理念是主客合一的,凡是理性的是实在的;理念又是理想与现实合一的,是无限与有限合一的。"理念永远借外物而烛照自己,借对象而发挥自己,所以理念是实现在客观事物中的总念,不是一个静的合一体。不是一个抽象的同一。不是已经圆满的,不待努力的。但也不是一个永远达不到的'应当'。理念在过程中实现出来,理念本身亦是一个过程,主体的过程。"②贺麟在对"理念"作出这些解释后还指出,黑格尔这些观念是正确的、合理的辩证法思想;并且特别强调,应该在黑格尔的著作中挖掘这种能动性思想,以便把死的东西变成活的东西。

又如,在阐释"异"概念发展的三个阶段的理论时,贺麟认为,"异"表现为:(1)纷歧(Verschiedenheit,亦译为"杂"),此即当下直接之异,是外在之异;(2)对立(Gegensatz),此即内在之异,即一

---

① 贺麟:《黑格尔理则学简述》,第44页,北京大学刊印,1948年。
② 同上书,第45页。

物与其反面不同;(3)矛盾(Wiederspruch),是本身的不同,是自身的不同,矛盾是永远自身矛盾。为了说明上述观点,他还举出莱布尼茨的看法来加以证明。贺麟写道:"莱布尼茨提出不同律,以为一切事物皆彼此不同。天地间没有两个完全相同毫无区别的事物。以树叶为例,天下就无两片完全同一的树叶。黑格尔则以为不但事物间彼此不同,即事物本身也自己与自己不同。比较此树叶与彼树叶之不同是外在的。自己与自己的不同,则是内在的。此即万物毕同毕异的说法。"①在贺麟看来,黑格尔所谓矛盾就是事物内部的矛盾,惟有事物自身内部的矛盾,方能推动事物向前发展。

再如,在阐释"推论"概念时,有些人认为黑格尔讨论判断时谈的是总念式的判断,但讨论推论时谈的却不是总念式的推论。对此,贺麟指出,黑格尔所谓总念式的推论,就是本体论证明。他认为,本体论证明是黑格尔的中心思想。这本来是神学家提出的问题,现在却变成了黑格尔唯心论的中心论证。他写道,"本体论证明的关键是说'凡理性的就是实在的'。这思想包含有同一,本质与存在同一,体用合一。因为体用合一,所以有一方面,就有另一方面。用对上帝信仰之真诚以证明上帝之存在。推而广之,也可说由主观之'诚',以证明客观之'物'"。② 所以,本体论证明的根本要义就是从观念证存在,从本质证存在,从理性证存在。一句话,就是从思证有。黑格尔谈本体证明,就是谈思有同一,思维和存在同一。在贺麟看来,这便是黑格尔哲学的核心问题。并且在这里,他还对康德关于本体论证明的态度,发表了他对这个问题的

① 贺麟:《黑格尔理则学简述》,第18页,北京大学刊印,1948年。
② 同上书,第38页。

看法。他认为康德在讨论二律背反时,是反对本体论证明的。康德曾经举例说,我头脑中有一百元的观念并不等于我荷包里实际有的一百元钱,以反对从"思"证"有"的观点。但是,康德从道德信仰证明上帝存在,并且是从知识可能的条件、即知识对象可能的条件去证明思有同一,这也是本体论证明的一种方式。因此,贺麟还指出,"康德在行理论衡(按:实践理性批判)中及在纯理论衡(按:纯粹理性批判)中,都证明思有同一,所以在根本上,康德对于本体论证明是有贡献的。"①

最后,在阐释"理性的机巧"观点时,贺麟特别强调了这个观点在黑格尔历史观中的重要意义。他指出,黑格尔的历史观是以理性为主宰的历史观,整个历史是一理性自身实现的过程。他的解释是,历史公道的发展借个别情欲与个别情欲斗争,在斗争中互有得失与互有损害,而普遍的理性并未牵涉其中。世界上伟大的英雄都是世界精神的工具,当其使命完成时,英雄就被理性舍弃了。故"理性的机巧"可以说是假欲济理,假恶济善,假私济公。

值得一提的是,贺麟还用黑格尔的这个观点分析了王船山的历史观。他认为,在早于黑格尔一百年前,王船山就提出了类似这种理性机巧的辩证的历史观。他写道,"船山在提示理性的机巧一观念时,都是举出秦皇、汉武、武则天、宋太祖一类黑格尔所谓果有大欲或权力意志的英雄,以作例证……他认为历史上的重大事绩如统一、开边等,皆由于'天之所启'及时已至、气已动,人只能'效之',而'非人之力也'。而且皆由于天之'假手于时君及才智之士以启其渐',换言之,英雄的伟大不过是天假借来完成历史使

① 贺麟:《黑格尔理则学简述》,第37页,北京大学刊印,1948年。

命和理性目的的工具。这与黑格尔对于英雄在历史上的地位的看法,简直如合符节。"①

　　这里介绍的,只是贺麟著作中阐释黑格尔哲学基本概念中极少的几个例子。然而从中可以看到,他对黑格尔哲学理解的深刻、论述的精到以及概括的准确。这是他研究西方哲学基本功的体现。特别是像黑格尔这样的哲学家,思想深邃,内容丰富,没有这种功夫,要想正确理解和全面把握其哲学体系,是难以办到的。正是在这一方面,贺麟通过黑格尔哲学中基本概念的深入钻研,系统地挖掘了黑格尔哲学中富有生命力的因素,因而使他论述黑格尔哲学的著作,在本时期传播黑格尔哲学的过程中作出了重要贡献。

八、朱谦之探讨黑格尔历史哲学的结晶

　　在本时期热情传播黑格尔哲学的学者中,朱谦之是应该受到重视的一位。

　　朱谦之(1899—1972),字情牵,福建福州人。1924 年北大哲学系毕业,先后任教于厦门大学与黄埔军校。1929 年赴日本留学,主要从事历史哲学研究。1931 年回国。从此开始,一边在暨南大学与中山大学从事教学工作,一边继续开展历史哲学研究。在这个过程中,为了深入研究历史哲学,他钻研了黑格尔哲学,并发表了《黑格尔的辩证法》与《黑格尔百年祭》等论文。后来,这些文章都收集在 1933 年出版的《黑格尔主义和孔德主义》这本书中。1936 年,撰成的《黑格尔的历史哲学》一书,由商务印书馆出版了。这是朱谦之长期研究黑格尔历史哲学的结晶。该书由"序

----

　　①　贺麟:《王船山的历史哲学》,见《文化与人生》,第 124 页,商务印书馆,1947 年。

论"和"本论"两大部分构成。前者从概述黑格尔的哲学体系入手,进而分析了历史哲学在黑格尔哲学体系中的地位;后者从分析黑格尔历史哲学的基本概念出发,具体地论述了黑格尔历史哲学的主要观点。

在"序论"中,朱谦之指出,黑格尔哲学,严格说来,是一种文化哲学,或是一种历史哲学。因为他的全部哲学体系都是建立在历史主义的基础之上,或者说,建立在历史的逻辑主义——辩证法——基础之上的。所以,辩证法便成为黑格尔哲学体系的基础;他的哲学体系的各个组成部分,逻辑学、自然哲学、精神哲学,都是依据辩证法的"正"、"反","合"三段式建立起来的。这样一来,一方面,"黑格尔哲学全部为辩证法之过程,换言之即全部哲学为应用史的论理主义之一种历史哲学。"①然而,另一方面,历史哲学本身在黑格尔的整个哲学中,又只占一个位置;具体说来,它"在黑格尔哲学全体系中,是属于'精神哲学'中'客观的精神'之第三部分,即'国家哲学'中的。"②这不仅是黑格尔创立他的哲学体系理论顺序的事实,而且,它也体现了黑格尔辩证法的过程。作者认为,"只有以辩证法说明黑格尔历史哲学,才能发见它的特色所在。"③

正是从这一点出发,朱谦之还指出,历史哲学在黑格尔哲学体系中实属于综合阶段。因为在讲历史哲学之先,在黑格尔的哲学体系中,已有精神现象学、逻辑学、法律哲学等主要著作出版。所以,在黑格尔的历史哲学中,可以看到上述著作思想的痕迹。"历

---

① 朱谦之:《黑格尔的历史哲学》,第11页,商务印书馆,1936年。
② 同上。
③ 同上书,第13页。

史哲学即为这些哲学主著之综合著作,即代表黑格尔哲学发展中之综合阶段。"①历史哲学中的理性观及其精神性质之抽象规定,均以精神现象学为基础;世界历史之进程和世界历史之手段,均以逻辑为基础;精神之完全具体实现的形态,均以法律哲学为基础。对于这些内容,下面分析黑格尔历史哲学思想时,便能全然明白。因此,通过这些论述,朱谦之得到的结论是:"历史哲学一方面在其哲学全体中占着特殊领域,一方面却因为接受了上面三个时期思想基础,因而成功了为其哲学发展中之综合哲学。换言之,这种综合哲学即为他的历史哲学。"②这是作者对历史哲学在黑格尔哲学体系中位置的阐明。

"本论"是全书的重点所在。目的是要在论述黑格尔历史哲学思想的基础上,加以必要的评论。

在这里,作者首先考察了黑格尔历史哲学的一些基本概念,如历史的分类,历史哲学的意义、任务与研究方法。在说到历史哲学的意义时,朱谦之的概括是:"(1)历史哲学为历史之哲学的考察;(2)历史哲学为历史之思想的哲学考察;(3)历史哲学为历史之理性的思想的哲学考察。"③一句话,历史哲学是要以哲学的见地来从事历史的研究。由此决定了它的研究方法是:"(1)以'变化的范畴'解释历史";④"(2)以永远创新的'变化的范畴'解释历史";⑤"(3)以理性之永远创新的'变化范畴'解释历史"。⑥

---

① 朱谦之:《黑格尔的历史哲学》,第 18 页,商务印书馆,1936 年。
② 同上书,第 26 页。
③ 同上,第 31 页。
④ 同上书,第 34 页。
⑤ 同上书,第 35 页。
⑥ 同上书,第 37 页。

然后,作者详尽地阐释和评论了黑格尔历史哲学的基本观点。朱谦之认为,研究黑格尔哲学,应从他的历史哲学入门。因为黑格尔的全部哲学,可以说,是一种精神的历史观,他的历史哲学的原理,是建立在精神世界之上的。世界历史即是精神的历史;说到世界时,固然包括了物理世界,但是,精神及其发展过程却是它的本质,物理世界同样被包含在世界历史之中。因此,"黑格尔全部的历史哲学,可以说就是一种'精神史观'"。[1] 它的内容包括"(1)精神史观;(2)英雄史观;(3)国家主义史观"。[2] 并就这三方面的内容进行了论述;在论述中,有对黑格尔基本观点的细致介绍,还有作者对这些观点的热情评论。

最后一章,可以视为作者对黑格尔历史哲学的总结。朱谦之指出,"黑格尔历史哲学的最大贡献,在给我们以一个动的历史观,一个基于史的论理主义——辩证法——上的动的历史观,然而他的缺点亦正在于此。"[3]在这样进行了综述评估后,因为在分析历史哲学的基本观点时,对黑格尔历史哲学的贡献曾经有过归纳,所以没有展开论述。相反,对黑格尔历史哲学的缺点,不但引证了拉森(Lasson)的批评,而且在评价拉森批评的基础还进行了新的批评。

拉森的批评是:"(1)黑格尔以为历史只是极少数民族前后连续的历史,而将其他民族,其他国家,完全置之不理,未免太随便了。(2)他所谓世界史全然只是国家的历史,但是人类历史是涉及精神之一切方面的,难道那些就不算历史吗?(3)他所分历史

---

① 朱谦之:《黑格尔的历史哲学》,第46页,商务印书馆,1936年。
② 同上。
③ 同上书,第87页。

的阶段,是依照自己所认为观念辩证法的发展而区分的,因此事实上就不免过于图式化了。"①

朱谦之对拉森的批评的评价是:"这三段的批评,没有一项不是对的。"②不过,没有到此为止,而是在某些问题上为黑格尔作出解释的基础上作出了新的评价。他认为,在拉森批评的三条中,第一条和第二条,有可以原谅的地方。例如第一条,当时所举中国、印度、波斯、犹太、埃及、希腊、罗马、日耳曼民族,已经大体上把世界史的民族包括殆尽,因此,"他不是不顾其他民族,只因其他民族还没有可以算得起'世界史的民族'的称号。"③又如第二条,因为在黑格尔的时代,只能产生国家主义的历史哲学。而在这种历史哲学中,只有把历史看成与国家、民族、精神和个人发生有机联系,认为没有国家便没有历史哲学的特色,因之,也是可以原谅的。朱谦之指出,只有第三条,"却是千真万确,事实如此,很难给黑格尔辩护。"④因为在他看来,不但黑格尔的历史哲学,就是他的全部哲学,都是依据其唯心辩证法建立起来的。而辩证法在黑格尔那里,只是一种论理主义史的论理主义,把它运用到人类历史的研究上去,它的优点是:"第一,它可以看出历史的事实是'动'的,发展的;第二,它可以看出历史的现象,是突变的,革命的;第三,它可以看出历史的发展,是合理的,必然的。"⑤然而,这种做法的缺点也不少,其中"最大的缺点,即为陷于一种图式主义,结果常常以图式为主而弃却最重要的历史事实,而且常

---

① 朱谦之:《黑格尔的历史哲学》,第87—88页,商务印书馆,1936年。
② 同上书,第88页。
③ 同上。
④ 同上书,第89页。
⑤ 同上书,第90页。

常以主观来改变历史事实。"①例如,他对中国的分析,就是鲜明的表现。这不但说明他对中国的历史知识缺乏了解,也是他的三段式人为的图式化的恶果。又如,他对日耳曼民族的看法,把它放在图式的顶点,似乎历史到了他那个时代便结束了。这显然是违背历史事实的。

整个说来,朱谦之在这本著作中,有述有评,评述结合;在阐释中,材料丰富,在评论中,观点全面,不仅把黑格尔的历史哲学展现出来了,而且就其认识与把握黑格尔历史哲学的深度来说,在当时传播黑格尔哲学的著作中,也是颇具理论特色的一本。

第七节　研究马克思主义哲学与现代西方哲学著作的评析

马克思主义哲学以它特有的生命力与战斗力,在20世纪三四十年代以整体化的形式和空前的规模在中国得到了系统的与广泛的传播。突出的表现在:曾经以上海与北平为中心出现过唯物辩证法运动的高潮。到20世纪40年代,马克思主义哲学传播的中心,虽然转到了以延安为中心的革命根据地,但还有一批生活在国民党统治区的学者,仍然先在重庆,后在南京、上海等地开展了热情的传播活动。不过,这个时候传播的特点主要是联系中国革命和民族解放的具体实践,使马克思主义中国化。在这个过程中,学者们撰写了大量介绍和论述马克思主义哲学的著作。下面,只是列出其中产生过重大影响的部分:

---

① 朱谦之:《黑格尔的历史哲学》,第90页,商务印书馆,1936年。

辩证法学说概略	张如心著	江南书店	1930 年
社会学大纲	李达著	笔耕堂书店	1937 年
现代哲学基本问题	沈志远著	大众书店	1936 年
大众哲学	艾思奇著	读书生活	1934 年
新哲学体系讲话	陈唯实著	作家出版社	1937 年
新哲学世界观	陈唯实著	作家书店	1937 年
矛盾论	毛泽东著		1937 年
实践论	毛泽东著		1937 年
辩证法唯物论入门	胡绳著	新华书局	1949 年
理性与自由	胡绳著	华夏书店	1946 年

这些著作大体上可以分为三类。

一是为了把马克思主义哲学普及到社会上去,而对其进行通俗阐明的。其中,艾思奇的《大众哲学》使用浅显的语言,解说了马克思主义哲学的基本原理和观点,使数以万计的读者受到了马克思主义哲学的启蒙教育。它不但在当时的广大青年读者中产生了极大的积极影响,而且还率先使马克思主义哲学走上了通俗化的途程。

二是为了系统地阐明和掌握马克思主义哲学的基本原理,而建构了中国化的马克思主义哲学的教材体系。这主要体现在李达的《社会学大纲》中。它是一部规模宏大、结构严谨的马克思主义哲学著作。其中,不仅全面地、准确地阐述了辩证唯物主义和历史唯物主义的基本原理,而且还以作者当时所能达到的认识水平发挥了马克思主义哲学著作的若干观点。在体系的严整与内容的深刻性方面,都是集我国传播马克思主义哲学的大成。它的问世标志着马克思主义在我国的传播进到了一个新的阶段。

三是为了运用马克思主义哲学解决中国社会发展的实际问题,并在总结实践的基础上使它得到丰富和发展的作品。如毛泽东的《实践论》和《矛盾论》。在这些著作中,一方面结合中国革命的实践,特别是反对教条主义的斗争,另一方面发扬中国传统哲学的实践理性精神和中华民族的辩证思维风格,系统地阐述了马克思主义哲学以实践为基础的认识论以及作为辩证法实质与核心的对立统一规律,构建了毛泽东哲学思想的理论体系。它们的问世,不仅为中国的革命与建设提供了中国化的马克思主义哲学世界观和方法论,而且也丰富和发展了马克思主义哲学的理论内容。

在专题性地研究其他现代西方哲学方面,也同样有不少著作问世。它们是:

个人主义哲学	毛一波著	开明书店	1929 年
超人哲学浅说	李石岑著	商务印书馆	1931 年
体验哲学浅说	李石岑著	开明书店	1931 年
道德哲学	张东荪著	中华书局	1931 年
形而上学之战线	傲人著	开明书店	1932 年
科学方法	胡明复著	商务印书馆	1933 年
进化哲学	瞿世英著	世界书局	1934 年
价值哲学	张东荪著	世界书局	1934 年
意义学	李安宅著	商务印书馆	1934 年
哲学概论	温公颐著	商务印书馆	1937 年
叔本华生平及其学说	陈铨著	独立出版社	1942 年
中西哲学思想之比较研究集	唐君毅著	正中书局	1943 年
从叔本华到尼采	陈铨著	在创出版社	1944 年
维也纳学派哲学	洪谦著	商务印书馆	1945 年
尼采传	佚君著	读者之友社	1946 年
现代哲学名著述评	谢幼伟著	正中书局	1947 年
尼采哲学之主干思想	刘思久著	永康书局	1947 年
克罗齐哲学述评	朱光潜著	正中书局	1948 年
罗素之西方文化论	张其昀著	华夏图书出版公司	1948 年

这些著作涉及唯意志论、分析哲学、进化论、生命哲学与新黑格尔主义。其中,除了唯意志论的传播有某些进展外,分析哲学与生命哲学则沉寂多了,特别是有关实用主义的著作,一本也没有出现。不过,在这些著作中,有些学者的著作值得重视。

一、张东荪的西方道德哲学研究

在开展现代西方哲学专题研究方面,张东荪的道德哲学成果,是他留下的精神财富的重要部分。

张东荪(1886—1973),字圣心,浙江钱塘人。1905 年东渡日本,进入东京帝国大学哲学系学习。辛亥革命爆发后回国。五四时期致力于新文化运动,主编《时事新报》,创办《学灯》副刊和《解放与改造》杂志,热情地介绍了西方各种社会新思潮。此后,由新闻战线转到教育岗位,相继担任中国公学、政治大学、光华大学教授。"抗战以后,他留在北平燕京大学任教,曾受过敌人的引诱与苦刑,而不变其节操,接受伪职。"①在进行教学的同时,还多方面地研究与传播西方哲学,为西方哲学东渐事业作出了重要贡献。

早在民国初年,张东荪对道德哲学便有特殊兴趣。特别是当他全面接触西方哲学后,发现西方现代哲学发展的趋势,已由认识论转到价值论,伦理道德课题成为哲学家们关注与探讨的一大重点。因此,自 20 世纪 20 年代后期开始,他系统地阅读了数十种西方伦理学的名著。在研究过程中,一方面把阅读的心得写出来,先后发表了《快乐论:其历史及其分析》、《严肃主义:其历史及其分析》等文章;另一方面,又把这些论文编辑加工印成伦理学讲义,供课堂教学之用。并在这个基础上,对它进行补充与修改,几易其

---

① 贺麟:《五十年来的中国哲学》,第 28 页,商务印书馆,2002 年。

稿,于 1931 年在中华书局出版了他的《道德哲学》一书。然而,张东荪的道德哲学研究,没有到此止步。基于教学与传播西方道德哲学的需要,1932 年与 1933 年,他的另外两本此类著作《现代伦理学》与《伦理学纲要》接连问世了。

　　在内容上,《伦理学纲要》,侧重在对西方古代与近代伦理学发展过程中产生过重大影响的学说,如柏拉图的解脱论、亚里士多德的完全论、伊壁鸠鲁的快乐论、康德的超越论进行介绍与评论。《现代伦理学》,则是对 1860 年以后西方产生与流行的各种伦理学说,如席其维克的直觉功利主义、斯宾塞的进化主义、马谛的良心说、翁特的文化主义、赫胥黎的人道制胜天行说、克鲁泡特金的互助论伦理学、马克思的伦理学的分析与阐释。而在此之前出版的《道德哲学》,却不是以时间为顺序,而是以西方道德哲学的不同派别为线索,分别论述了各派包括古代、近代与现代各种道德哲学的学说。虽然前述两本著作在它的基础上,都有所发挥与展开,然而《道德哲学》一书,不但内容最为全面,而且在张东荪研究西方道德哲学的著作中,却是最具代表性的一本。

　　在这本书中,张东荪首先为"道德哲学"正名。他指出,所以不用"伦理学",是因"旧译不切当";① 也没有用"道德学",是因"此名尚未为世人通用",② 而把它称之为"道德哲学",不但"正与西方 Moral Philosophy 相当",③ 而且他还自信这样称呼,也"较所谓'人生哲学'优胜多矣"。④ 然后,他对自己写作《道德哲学》一书提出的要求是:完全"根据原著,由著者提取要义,绝不抄袭任

---

① 　张东荪:《道德哲学》,第 17 页,中华书局,1934 年。
② 　同上。
③ 　同上。
④ 　同上。

何哲学史与伦理学史";①而在撰述时,"注意其所见之问题,藉问题之迭变以明思想之进化。"②

从上述要求或考虑出发,张东荪决定"将道德思想史与道德哲学融为一片,使读者于道德思想史中而窥见道德原理之成立、之发展、之进化"③,以使初学者学习过后,既知伦理思想史,也明伦理学。并且根据这种思路,把西方历史上存在过的伦理思想综合起来,按照学说主张整理成不同的派别或理论体系。在他看来,西方的伦理思想,虽说有数十种之多,但把它们归纳起来,不外自然主义与理性主义两大思潮。不过,在它们之下,又包括了若干派别。具体说来,属于自然主义的潮流,有快乐论、功利论与进化论,属于理性主义的潮流,有厌世论(即解脱说)、自律论、克己论、直觉论(即良心论)与完全论(即幸福论)。作者在书中,就是以此为顺序对它们分别进行了详细的介绍和评论。

这样撰成的这部著作,无疑是对西方道德哲学的宏观展示。它的鲜明特点有三。(1)用"历史的方法以讨论道德的问题。各家学说明白以后,就可以了解道德的问题;读了这书以后,伦理学史也可以不必读了。真是一举两得"。④ (2)对于西方各家伦理学的论述,"均极公允详明,批评尤为审慎,绝无'借酒浇块垒'之弊。"⑤其精要之处,在于叙述鲜明,评判精当。黄子通甚至认为,"这一点可以做现代人著书的标准"。⑥ (3)作者在阐释西方各派

---

① 张东荪:《道德哲学》"自叙",第1页,中华书局,1934年。
② 同上书,第1—2页。
③ 张东荪:《道德哲学》,第17页,中华书局,1934年。
④ 黄子通:《道德哲学》"黄序",第3页,中华书局,1934年。
⑤ 同上。
⑥ 同上。

道德思想时,还表达了自己的道德观,解决了一些西方伦理学家遇到的理论困难。例如在第七章中,张东荪"的观点不只是倾向于翁德(按:冯特),并且他自己加了一番陶镕的力量。他的优点就在于把理想论与进化论熔为一炉,并且能把现代社会学的贡献也采入道德说以内。所以……用'文化'做目标去解决道德的问题,于是个人与社会可以沟通,'常'与'变'的问题也解决了。这是何等透彻!"①

　　这些,是这部书的特点,也是它的理论贡献。这是当时西方哲学东渐过程中取得的一个具有重要价值的学术成果。不仅如此,在本时期里,通过西方哲学专题研究,张东荪还出版了《人生观ABC》、《精神分析ABC》、《价值哲学》与《认识论》等著作。像他这样从古代希腊哲学到当时产生的西方哲学,都被大力引进与传播,其涉猎之广,在西方哲学东渐史上是不多见的。特别是,从这些作品中可以看到,他显然是那个时代对西方哲学认识最全面、理解最深刻、把握最准确的学者之一。因此,他这样撰写的不少著作,成为西方哲学东渐史上的名篇佳作。就是今天,它们依然可以发挥启发智慧的作用。由此可以肯定,张东荪是当时西方哲学东渐史上取得了重要学术成就的学者之一。实际上,这也是当年中国哲学界对他的评价。例如,据郭湛波说,张东荪虽然不曾到过欧美,然而他读过的西洋典籍,"却比任何一个留学生都多",②也因此他对西方哲学的引进与传播,"方面最广,影响最大。"③又如谢幼伟所言,张东荪于西方各派哲学,"几于无所不窥,"④并且在读

---

①　黄子通:《道德哲学》"黄序",第2页,中华书局,1934年。
②　郭湛波:《近五十年中国思想史》,第184页,人文书店,1935年。
③　同上书,第183页。
④　谢幼伟:《张东荪的多元认识论及其批评》,第187页,世界书局,1934年。

过他的这些书后,称他是中国"最有希望的哲学家"。① 再如贺麟在论及张东荪的成就时,肯定他对于批评时代、指导青年,"均有其相当的贡献与劳绩。"②这些评价,是符合事实的。

二、洪谦及其《维也纳学派哲学》

维也纳学派是逻辑实证论发展过程中的一个重要阶段,把它全面地传播到中国来,主要归功于洪谦先生。

洪谦(1909—1991),安徽歙县人。青年时代曾在德国柏林大学、耶拿大学和奥地利维也纳大学学习。1934 年,他在维也纳学派创始人石里克的指导下,撰成《现代物理学的因果问题》一文,通过答辩取得博士学位。该文在海森伯测不准关系理论的基础上批评了当时流行的新康德主义的因果观。在此期间,他参加了维也纳学派。回国后,于 20 世纪 40 年代先后任教于清华大学、西南联大、武汉大学等校,并兼任牛津大学新学院研究员。

维也纳学派是 1928 年诞生的。过后不久的 1936 年,张申府在《现代哲学的主潮》一文中,把维也纳学派学说的流行作为当年三件大事中的一件,在中国学术界进行了介绍。在文章中,推荐了国外流行的有关维也纳学派的两本著作,并且指出,"它是现代哲学中最活泼最有力最有希望的派别,代表着一种极进步的见解。"③而且,还把这个学派对于哲学的看法以及在哲学上的实践归纳为两句话,即"它开始把哲学工夫看成一种解释的活动,归结

---

① 谢幼伟:《张东荪的多元认识论及其批评》,第 184 页,世界书局,1934 年。
② 贺麟:《当代中国哲学》,第 30 页,胜利出版社,1945 年。
③ 张申府:《现代哲学的主潮》,载《中山文化教育馆季刊》,第 4 卷,第 3 号,1937 年。

于把哲学作为逻辑的科学。"①但是,这篇文章只是就这个学派的一些主要代表人物、活动与著作进行了简要的介绍,对于它的主要哲学主张,却几乎不曾提及。特别是自此以后,在相当一段时间里,几乎没有人谈论这个题目了。正像洪谦说的,"这个新起的哲学流派在吾国,虽然有人认为已有'若干年的历史',但是,我们除因之认识其中若干人的生平履历和作品目录之外,一切其他方面的介绍,实在是无法谈到的。"②

洪谦回国后,"具极大的热忱,几以宣扬石里克的哲学为终身职志"。③ 他在讲课之余,发表了《维也纳学派的基本思想》、《维也纳学派与玄学问题》、《维也纳学派与现代科学》、《维也纳学派与现象学派》、《康德的先天论与现代科学》、《石里克的人生观》与《石里克和普通认识论》等一批文章,从各个方面在中国介绍了维也纳学派的逻辑经验主义。后来,为了满足国内学术界的要求,他把这些文章加以充实和整理,撰成《维也纳学派哲学》一书,1945年7月由商务印书馆出版了。这本书是作者饱含着他对维也纳学派创始人石里克的怀念和感激的深厚感情写成的。因此,尽管当时因为参考资料的缺乏给写作带来不少困难,但是,出于传播维也纳学派的责任感与对恩师的感激之情,他依靠回忆以及对这个学派学说的深切理解,几乎花了四年的时间终于使这个没有引起人们广泛注意的哲学流派在中国学术界传播开来。

这本书的内容虽然涉及维也纳学派的各个方面,但作者指出,它"所能给读者的,不在于对于维也纳学派的哲学整个的介绍或

---

① 张申府:《现代哲学的主潮》,载《中山文化教育馆季刊》,第 4 卷,第 3 号,1937 年。

② 洪谦:《维也纳学派哲学》,第 1 页,商务印书馆,1945 年。

③ 贺麟:《当代中国哲学》,第 52 页,胜利出版社,1947 年。

系统的叙述,而在于什么是这个哲学学派的理论原则和思想方法。"①就是说,阐明维也纳学派的理论原则和思想方法,就是洪谦这本书的重点所在。为此,他不仅在书中撰写了"石里克与维也纳学派的创立"与"逻辑实证论的基本思想"等章节,提纲挈领地就它的哲学基本原则进行了介绍和论述,而且为了把这个重点阐释清楚,还联系维也纳学派与此有关的其他问题,分别从不同的角度具体地加以展开与发挥。

维也纳学派,一般人又称它为逻辑实证论。确切些说,是现代经验论。洪谦指出,它"在哲学方面的贡献,在于综合马赫(阿芬那留斯)、罗素、维特根斯坦的哲学思想,以及应用现代科学如相对论、量子力学的理论根据建立了一个哲学系统。这个哲学系统我们可称为'科学的哲学系统'。"②它脱离了旧的形而上学传统,自成一种新的哲学体系。

作者认为,要了解维也纳学派的思想理论原则,只有对它提出的哲学概念、哲学任务和哲学方法有清晰的观念才有可能。在哲学史上哲学和科学往往是分不开的,科学与哲学并列,视哲学似乎也是一种知识或真理系统。但维也纳学派却认为,"哲学之所以为哲学,从其本质而言,并不在于它对实际知识或真理有所建树,仅在于它对实际知识或真理的逻辑意义能有所说明。所以哲学在原则上就不是一种关于实际的科学,而是分析科学的基本概念一种逻辑的方法。它不仅不能与科学并列,或超过科学,而且应是在科学范围内活动的一种学问。"③在他们看来,哲学不是知识,不是

---

① 洪谦:《维也纳学派哲学》,第1页,商务印书馆,1945年。
② 同上书,第42页。
③ 同上书,第42—43页。

理论,它同科学有根本的区别。只有关于经验事实的知识,没有什么在科学知识之外或之上的哲学知识。正如石里克说的,科学的任务是追求真理,哲学的任务在于发现意义。"哲学就是那种确定或发现命题意义的活动。哲学使命题得到澄清,科学使命题得到证实。"①因为无论谈论什么问题,首先总要了解命题的意义,然后才能进一步确定其真假。为了了解命题的意义,就必须超出命题。因为解释命题的命题又要解释,这样追问下去,就要超出命题。哲学要弄清命题的意义,它本身就不可能由命题组成,不可能由命题系统构成哲学体系,也没有解决哲学问题的哲学真理。否则,它本身的意义又靠什么来澄清呢? 哲学这种寻求意义的活动必须在每门科学中不断进行,科学在没有弄清意义之前,不可能获得真理。因此,哲学对科学仍具有极其重要的作用,它仍然可以而且应当称之为"科学的女王"。然而,"科学的女王"本身并不是科学。

从对于哲学概念的这种规定出发,维也纳学派还提出了他们的方法。石里克认为,既然哲学不是一种理论科学,而是一种分析科学基本命题的方法,可见哲学不过是一种活动。就是说,哲学不是事实问题,而是语言问题;它的方法是自然科学的方法,尤其是数学与物理学的方法,即逻辑分析的方法。这种方法对于一个问题并不是要它给予答案,而是分析各种答案的意思,分析语词的不同方法。因此,"它完全摈弃一切离奇的思想结构,神秘的直觉作用,以及所有感情上的信念,而代之以严密的逻辑推论,精细的实际观察,以及事实上的证据。"②石里克把他们的哲学方法分为两

---

① 石里克:《哲学的转变》,见洪谦主编:《逻辑经验主义》上卷,第9页,商务印书馆,1984年。

② 洪谦:《维也纳学派哲学》,第43页,商务印书馆,1945年。

个步骤。第一步，通过逻辑分析和语言分析，找出所要研究的问题中、语词中所使用的逻辑和语言的规则。通过这种分析就可以看出，有些语词在不同的场合下是按照不同的规则来使用的，因而具有不同的意义。对这些意义上的差别，如果不加注意，就会发生概念上的混淆和含糊不清，因而会导致矛盾，产生所谓不可解决的谜。第二步，研究这些语词在给定的一组问题或一个命题系统中应当赋予什么意义。这一步的分析方法称为知识分析方法。石里克还指出，过去的各种所谓哲学问题，如果应用上述方法进行分析，有的问题只要指出它是对我们语言的误解，那么，它就会自行消失。另外一些问题，其实并非哲学问题，而是通常的科学问题被歪曲的结果。

因此，洪谦认为，在石里克看来，"哲学的任务是分别明确的思想与含混的思想，发挥语言的作用与限制语言的乱用，确定有意义的命题与无意义的命题，辨别真的问题与假的问题，以及创立一种精确而普遍的'科学语言'"。①

通过上述洪谦对维也纳学派哲学概念与哲学方法的介绍，使这个学派特别具有的基本特征给人以鲜明与深刻的印象。正是这些思想原则和方法，决定了它对传统形而上学体系完全采取了排拒的态度。"反形而上学"是自休谟以来主观经验论者的一贯口号，是实证主义哲学的重要组成部分。不过，石里克反对"形而上学"同以往的实证主义有所区别。他们反对"形而上学"，不是因为形而上学是错误的，而是因为它的陈述是无意义的。石里克说，"经验论者对于形而上学家并不说：你说的话是错误的，而是说：'你说的话完全没有内容！'……我不懂你说的

---

① 洪谦：《维也纳学派哲学》，第4页，商务印书馆，1945年。

是什么。"①他还认为,"形而上学"的问题并不是真正的问题。在他看来,没有什么原则上不能回答的问题,没有人类知识绝对不可逾越的界限。有些问题只是在经验上不可解决(如荷马的体重问题),并非逻辑上不可解决。实际上,形而上学的问题都是似而非的问题,它看起来像一个问题,实际上只是在最后有一个问号的一串词组而已。因此,洪谦指出,在现代西方哲学中,不少哲学流派是反形而上学的,但其中反对态度最坚决和最彻底的,要算维也纳学派。

在前面论述的基础上,为了帮助国人易于理解这个重点,洪谦还用了一些专门的章节对它进行了集中的介绍,特别是评述石里克等哲学家的主要著作时,更是把维也纳学派的哲学原则和方法,加以突出的强调与阐释,使读者在把握这个重点的同时,对其理论体系的各个部分也有基本的了解。

维也纳学派作为一个科学体系,它的产生及其哲学主张,与自然科学(如相对论、量子力学、物理学方法、数理逻辑等)和逻辑科学的发展有着内在的联系。可以说,它在一定程度上反映了这些科学理论本身发展的要求。石里克和整个维也纳学派企图冲破以牛顿力学为代表的机械论,对20世纪自然科学的新成就作出了哲学说明。因此,在这个学派的哲学体系中包含了不少合理因素。如他们强调哲学与各门具体科学的区别,主张哲学要帮助各门科学把概念和命题的意义弄清楚,避免概念上的混淆和误解;他们反对离开科学和日常生活的事实进行哲学思辨,要求理论的严密性和精确性,命题要有清楚明白的意义等。因此,与中国传统哲学偏

---

① 石里克:《实证论与实在论》,见洪谦主编:《西方现代资产阶级哲学论著选辑》,第284页,商务印书馆,1982年。

重于伦理道德不同,也与过去长期传播西方哲学中的人本主义思潮不同;维也纳学派哲学的输入,实际上是把它所强调的严密的科学精神和逻辑推理精神引进来了。这种随着当代自然科学的发展而改变形式的哲学发展方向和思维方式的输入,正好既满足了中国发展科学的期望,也适应了中国哲学发展的要求。

要指出的是,这部著作的字里行间告诉人们,它是一个真正"懂"得维也纳学派哲学的学者写的。不少人都觉得,谈论外国哲学难,而要把逻辑经验主义这类外国哲学在中国传播开来就更难。原因在于,它专业性强,技术性高,除了哲学本身的必要素养之外,还要求精通数学、物理学等自然科学。否则,便难以原汁原味地把这个学派的思想真谛表达出来。而在这部书中,洪谦却把维也纳学派哲学思想中最富特色的内容,使用精练的语言,准确而又清晰地表达与概括出来了。因此,这样问世的《维也纳学派哲学》,是一部"亲切而有条理地介绍此派思想的书",①更是一部具有重要学术价值的著作。

三、谢幼伟对现代西方哲学特征的揭示

抗日战争胜利后,谢幼伟推出的一部《现代哲学名著述评》,受到了学术界的重视与赞扬。

谢幼伟(1905—1976),字佐禹,广东梅县人。东吴大学毕业后赴美国留学,在哈佛大学和康乃尔大学学习和研究哲学多年。回国后,先后担任《广州日报》、《华南日报》主笔、浙江大学哲学系教授兼系主任。他的《现代哲学名著述评》成书于抗日战争期间,1947年由正中书局出版。

---

① 贺麟:《当代中国哲学》,第53页,胜利出版社,1947年。

在从事哲学研究的过程中,谢幼伟苦下工夫,精读了一批中外著名哲学家的著作。读过后,他首先以论文的形式,分别准确地阐明了这些著作中哲学家的基本观点,精辟地论述了他们进行哲学创作的思维过程和理论特色,公允地评述了这些理论成果的贡献及其不足之处。这是对中外哲学家及其著作的个案研究。后来在这个基础上,把它们综合起来加以提炼与归纳,从中深刻地抽象出现代中西哲学的共同特征,明确地指出现代哲学的发展趋势。这是对中西现代哲学的宏观探讨。可以说,前者是后者的基础,后者是前者的升华。因此,在由这些内容形成的这本著作中,实际上是由对中外哲学著作的述评与作者对它们抽象提升两部分构成的。这里,仅以书中有关现代西方哲学的内容为对象进行论述。

首先,被评述的西方哲学家的著作有:杜威《逻辑探究的理论》、布赖斯《休谟之外界学说》、蒙耶尔《经验知识之基础》、怀黑德(按:怀特海)《思想之方法》、《教育之目的论文集》、克罗齐《实践之哲学》与亚历山大的《哲学与文学论文集》。这些著作都是现代西方一些著名哲学家的有代表性的作品。在一定程度上,它们反映了现代西方哲学的成就和发展趋势。因此,评介这些著作的内容,在书中所占的篇幅最长,也是作者极为下工夫的篇章。

例如,在评论杜威《逻辑探究的理论》中,谢幼伟在指明了这本书在现代逻辑学派中的归属后,认为该书的"基本概念在'探究'一辞。"①他写道,"所谓逻辑,自杜氏看来,即等于探究的理论"。② 具体说来:(1)"逻辑是一种进步的规律,逻辑常在进步中,没有一成不变的逻辑";(2)"逻辑的题材是决之于施术";(3)

---

① 谢幼伟:《现代哲学名著述评》,第108页,山东人民出版社,1997年。
② 同上。

"逻辑形式是设定的";(4)"逻辑是一种自然主义的理论";(5)"逻辑是一种社会的规律,逻辑生长于自然的情境中,同时也是生长于社会的环境中";(6)"逻辑是自主的"①。谢幼伟认为,"以上六点,是杜氏关于逻辑的根本主张,也是这一部书的纲领。杜氏全书即根据这六点而加以发挥。"②而且,基于这种逻辑主张,杜威提出,传统逻辑应该进行修改;在修改时还必须根据"探究"之共同的模型。

又如,在评述怀特海的著作时,首先谈到了他喜欢怀氏书的理由。谢幼伟认为,"怀氏书虽不易读,然怀氏思想之伟大,已为世人所公认。"③在他看来"现代哲人中,在哲学上真能戛戛独造,自辟蹊径,不为传统思想所束缚,而能有所树立者,舍怀氏外,恐无第二人。"④原因在于,他"不落故常,因而时有新颖独到之言,足发人深省。"⑤所以,"读怀氏之书,如入宝山,绝不空手而回。"⑥基于这种认识,谢幼伟评价了怀特海的两本书。他指出,怀氏的思想系统,自然主要表现在《历程与实在》中,但他这里绍述的《思想之方式》,却"皆发挥此一书之义蕴。"⑦而且,"自文字清晰言,实超过彼所著之其他各书。因之,未读怀氏他书者,不妨先读此书。"⑧接着,就这本书中怀特海论述"创造的冲动"与"活动"时提出的"重

---

① 谢幼伟:《现代哲学名著述评》,第 109—110 页,山东人民出版社,1997年。
② 同上书,第 139 页。
③ 同上。
④ 同上。
⑤ 同上。
⑥ 同上书,第 140 页。
⑦ 同上。
⑧ 同上。

要"、"表现"、"理解"、"观点"、"历程之形式"与"文化的宇宙"等概念,一一进行了详细的阐释。最后得到的结论是:"此书涉及问题虽广,其主要作用实在说明语言之限制,及说明语言所以影响思想者……思想之出路,或哲学之出路,即在如何摆脱语言之影响及其限制而已。此或为怀氏是书最重要之教训也。"①又在《怀黑德〈教育之目的论文集〉》中,在介绍了怀氏关于专才教育与通才教育相结合,以及教育过程有浪漫期、精密期、综合期三阶段的观点后,还感触甚深地指出,"虽其说自教育专家视之,或非绝无可议,然作者个人之观感,终觉其说之深有所见,而有吾人注意之必要也。"②

研读其他哲学家的著作,谢幼伟也是这样,有述有评,评述结合。在绍述哲学家的观点时,如从己出,亲切流畅;在评述哲学家的观点时,分析精辟,评价中肯。在同类著作中,却是少见的。

其次,在这个基础上,他还分析了现代西方哲学演变的时代背景,从中把现代西方哲学的理论特色揭示并概括出来了。

第一,主张"天人合一,或心物同源"。③ 谢幼伟认为,在西方哲学史上,"自始即以二元论为主潮。天人之分至严,心物之别至显。"④二元论始终占主导地位。然而,现代西方哲学家大都不再把心与物、天与人对立起来。相反,为了"谋天人之结合,或心物之统一"⑤,都自称是"二元论的反抗者"。⑥ 这对布拉德雷、鲍桑

———————————

① 谢幼伟:《现代哲学名著述评》,第 150—151 页,山东人民出版社,1997年。

② 同上书,第 164 页。

③ 同上书,第 38 页。

④ 同上。

⑤ 同上书,第 39 页。

⑥ 同上。

葵、鲁一士等唯心论者来说，自不足为奇，就是怀特海、杜威、罗素等人，他们的哲学观点虽有差别，但在天人合一、心物同源上，却是一致的。

第二，"为物质概念之改变"，①认为"现代哲人对传统之物质观，皆持反对态度，皆否认唯物论者之所谓物质。"②因此，"唯物论在某一意义上，已成过去。"③例如，在现代西方哲学中，"反抗物质者，唯心论者，固不必论，即非唯心论者，如前述之怀黑德、罗素、杜威诸人，亦同为物质或唯物论之反抗者"④。

第三，"认为反抗物质之结果，势必倾向心灵"。⑤ 作者指出，虽然我们不必像黑格尔那样，称一切哲学皆为唯心论，但却不能因此否定现代西方哲学"实有倾向心灵或唯心论之特征。"⑥例如，从表面上看去，新实在论似乎是唯心论的敌人，因为它以批评唯心论著称。然而，它提出的非心非物之"实际体"或"事素"，是在知觉中，是在经验中，所以，"实际乃以心为主"。⑦ 在这个意义上，它"仍为唯心论之一种，或最低限度，仍以心灵为主要"。⑧ 至于实用主义，"自其以经验为本，或以人为本之说言，则其倾向心灵，更为明显。"⑨由此可见，"现代哲学上，旗帜鲜明之唯心论者，虽不甚多，然不以唯心者自居，而其色彩仍近于唯心，或其重心仍倾向于

①　谢幼伟：《现代哲学名著述评》，第42页，山东人民出版社，1997年。
②　同上。
③　同上。
④　同上书，第43页。
⑤　同上书，第46页。
⑥　同上。
⑦　同上书，第48页。
⑧　同上书，第47页。
⑨　同上书，第48页。

心灵者,则为数颇不少。"①

第四,以价值为哲学之中心。原因在于,"以心为主之哲学,同时亦必以价值为主"②。现代西方哲学就是这样。相反,西方的传统哲学,虽非不言价值,但价值却不是它的中心。如柏拉图"善的理念",其有其无,与现象界似无关系。康德的批判哲学,在现象界中也是无道德或价值立足之地的。现代西方哲学不同。如实用主义,它的"全部学说,在某一意义上,殆可视为价值论。"③表现在,它"对一切问题之解决,悉以价值为衡。价值为实用论者解决一切问题之工具。"④新实在论虽有忽视价值的倾向,但在怀特海那里,"价值既为每一'事素'之内在的实在,而'事素'又为构成宇宙之真实成分,则宇宙之真实成分,即价值而已。"⑤所以,怀氏认为每一"事素"或"实际体"之实现,即为价值之实现。这不是价值中心之说么!

第五,"注重历史或时间"⑥。不注重历史,即不注重进化,不注重时间。例如西方传统哲学中的宇宙,常为一种永恒不变,无进化,无发展的宇宙。柏拉图的理念世界,便无进化或时间可言。康德的"自在之物",也为时间形式所不及。现代西方哲学不同。它受进化论的影响,把进化概念纳入哲学中,进而还把历史、过程、流动、时间引进本体论。例如,柏格森的生命哲学,以时间为出发点。其余,如怀特海的过程哲学、实用主义的相对真理论、亚历山大的

---

①　谢幼伟:《现代哲学名著述评》,第47页,山东人民出版社,1997年。
②　同上书,第50页。
③　同上。
④　同上。
⑤　同上书,第53页。
⑥　同上。

层创进化论,也都注重时间,具有强烈的历史感。

第六,"倾向分析,而其分析,且极精细"①。这是现代西方哲学受到科学方法及数理逻辑影响的结果。因此,在现代西方哲学中,有的主张以分析作为哲学的正确方向,有的甚至认为哲学的惟一任务,即在分析,而不是体系的建立。罗素首倡此说,而维特根斯坦及维也纳学派,更是趋于极端,认为哲学除分析之外,没有其他的事可做。而且,"主张以分析为哲学方法者,其分析常极精细",②并宣称"由分析而得之结论虽不必即为真理,然而分析正确,则结论必常正确。"③

上述六点,是谢幼伟对现代西方哲学共同特征的揭示与概括。他指出,这六点也是它不同于传统西方哲学的特殊表现。他的任务只是使用综合的方式叙述出来,以此说明现代西方哲学的发展趋势。因此,对于它是否正确,没有进行批评。不过,从中可以看到,他不但甚为熟悉当时西方哲学的状况,而且通过上述六点的概括与叙述,既阐明了现代西方哲学的本质,也反映了作者对现代西方哲学的认识与把握是相当突出的。

还要指出的是,书中通过评述中国哲学家的著作,归纳了中国哲学的特征,不过还没有论及它同现代西方哲学之间的异同。尽管中国哲学已在进步途中,但要想完全突破自身的限制,就应当借鉴现代西方哲学的优点,实现中国哲学与现代西方哲学的接轨。这是他写作这本书的真正用意所在。凡是读过本书的人,也都是能够领会到的。

①　谢幼伟:《现代哲学名著述评》,第57页,山东人民出版社,1997年。
②　同上书,第58页。
③　同上书,第59页。

因此,它"在当时应该说是较有哲学水平的一本著作"①。该书出版后,很快受到了学术界的重视与肯定。一个明显的事实是,他书中评述过的三位中国学者都写信给他,赞扬他"客观论述,回答他所提出的批评,使得他这书增添了新材料"②。又如熊十力在谈到谢幼伟研读中外哲学著作时,称他"脚踏实地,虚怀以读中西哲学之书。不为苟同,不妄立异。其评论各书,皆有精鉴,异乎以矜心浮气轻持短长者矣"③。熊氏此说,绝非溢美之词,而是对他虚心客观解读中外哲学著作的真实写照。因此,谢幼伟在博览群书后,于厚积薄发的学养滋润下付梓的这本书,"思睿而识卓,学博而量宏"④,不愧为一本有重要学术价值的著作。

四、朱光潜评克罗齐的新黑格尔主义

新黑格尔主义,是在"复兴黑格尔"的口号下,于19世纪末在英美产生并流行,20世纪上半叶在德意等国发生过重要影响的现代西方哲学的流派之一。在中国,较为系统地传播新黑格尔主义的,是著名美学家朱光潜先生。

朱光潜(1897—1986),笔名孟,安徽桐城人。早年在武昌高等师范学习。1924年出国深造,先就读于英国爱丁堡大学、伦敦大学、法国巴黎大学与斯塔斯堡大学,获文学硕士、博士学位。1933年回国后,历任北京大学、四川大学与武汉大学等校教授。

---

① 贺麟:《康德黑格尔哲学东渐记》,载《中国哲学》,第2辑,第374页,三联书店,1980年。
② 同上。
③ 熊十力:《现代哲学名著述评》"熊序",第1页,山东人民出版社,1997年。
④ 同上。

著述颇丰，其中《克罗齐哲学述评》一书，是其在中国传播西方哲学中的一种。

在引进新黑格尔主义时，朱光潜主要是通过对意大利著名的新黑格尔主义者克罗齐哲学的介绍进行的。在这一方面，20 世纪40 年代，他首先发表了一系列论文，如《克罗齐的新唯心主义》、《克罗齐的实用活动哲学》、《克罗齐》与《克罗齐的'历史学'》等。后来，他把这些文章加以整理、补充，于 1947 年撰成并出版了《克罗齐哲学述评》一书。

所以选择克罗齐哲学作为评述新黑格尔主义的对象，不是偶然的。在该书"序言"中，朱光潜写道："现代哲学的主潮不外两个：新唯心主义与新唯实主义。克罗齐是新唯心主义的代表。就欧洲近代哲学来说，主要底成就是康德黑格尔那一线相承底唯心派哲学，克罗齐是这一派的集大成者。"①因此，在朱光潜看来，介绍了克罗齐的哲学，就可以全面认识新唯心主义、即新黑格尔主义学派的主要哲学思想了。

不过，要想真正了解新黑格尔主义，又不能不对"康德以来底唯心主义作一个总检讨。"②所以，书中专门列有一章"总检讨"，探讨了新黑格尔主义的理论渊源。朱光潜认为，近代欧洲哲学自笛卡儿开始，探讨的主要问题是知识论问题，而其中心则是围绕心与物的关系展开的。无论理性主义还是经验主义，都试图根据自己的原则来作出回答。但是，它们的回答不但不能令人满意，反而陷入心物不可调和的二元论。康德正是基于他对这些答案的不满，在批判的过程中还开展了调和工作。然而，尽管康德以其巨大

---

① 朱光潜：《克罗齐哲学述评》，第 1 页，正中书局，1947 年。
② 同上。

的智慧做了非常出色的工作,但还是未能打破心与物、本体与现象的二元观,留下了"物自体"这个"大疑团",最终滑向了不可知论。黑格尔不承认心所知的世界之外另有一个本体或"物自体",而只承认心并不接受外面的任何事物,一切事物都是心所创造出来的。并从这里出发,把一切都统一到"绝对精神",从而在唯心论的基础上打破了心物二元论。

在朱光潜看来,克罗齐的新唯心主义,就是从黑格尔的唯心主义出发的。不过,他又对康德黑格尔的旧唯心主义不满,因而对它进行了不少改造和纠正的工作。(1)对康德哲学的改造。朱光潜指出,克罗齐一方面明显地接受了康德批判哲学的影响,另一方面又表现出了对康德把理性分为"纯粹理性"、"实践理性"与"判断力"的不满。为此,他纠正康德的区分,把它重新划分为心灵活动的四种形态或四个层次,即:直觉、概念、经济与伦理。(2)对黑格尔泛逻辑主义的消除。在黑格尔哲学中,只承认最高概念,即"绝对精神"是惟一真实的,而在其下的诸如艺术、历史、自然科学等等,都是抽象的,对哲学而言都是片面的。克罗齐反对这种看法,认为虽然由直觉、概念、经济到道德的四个阶段,是一层高一层的,但是每一个阶段都是真实的、具体的。(3)还纠正了黑格尔发展的直线性观点。克罗齐认为,黑格尔看到的发展过程,起点是有无变,终点是绝对,虽然是逐步进展的,但却是直线的。在这里,起承都很勉强,终止更是违反了发展的原则。因之,他把黑格尔的直线发展改变为圆形的、循环无端的发展。

不过,克罗齐觉得,在他改造与纠正旧唯心论的工作中,最重要的是除去了心灵与自然的二元论。朱光潜指出,克罗齐的这项工作,是从两个方面进行的。一是他对"自然"的解释,另一个是他对"认识起源"的说明。对于前者,克罗齐的解释是:所谓"自然"、"自然科学",只是对真实界某一个片断、某一个部分的研究。它不像哲学那样,把真实界当作完整而有生命的有机体去研究,因而不具备普遍性与必然性。相反,由于只有心灵才是全体真实界,没有什么所谓的"自然的真实界",因而"自然"是一个不真实的概念,只是心灵的虚构或方便的假设而已。所以,这样的概念"不但不必要,而且不能要"①。对于后者,克罗齐把认识的起源确定为"想像"或"直觉",坚持一切理解或概念、历史、哲学与科学都必须以直觉为根据,而把作为认识对象的"自然"界定为"印象"、"感受"、"情感"、"欲望"等一类被动而未被心灵综合的东西,把"物质"说成是艺术创作中与"形式"对立的"材料"或内容,由心灵把形式赋予它。这样,由直觉这个起点出发,经由概念、经济到道德的实用活动,再循环到直觉,就形成了一个自给自足的圆圈。"自然"便被排除在这个圆圈之外,因而也就失去存在的理由,二元论也就因此被取消了。

接着,朱光潜指出,在经过这一番对旧唯心主义的改造工作之后,克罗齐的新唯心主义就是在这个基础上建立起来的。并且在阐明了这个哲学体系的构成后,又分章具体地论述了克罗齐的美学、逻辑、实用活动的哲学与历史学的观点。在这里,一方面,他认为,由于克罗齐集合了康德的先验综合说和黑格尔的正反合辩证法,提出了他的心灵活动两度四阶段说,以及美、真、益、善四种价值内含相反说,因而在新黑格尔主义学派中,其成就与重要性是不言而喻的。另一方面,他又能对克罗齐的新唯心主义持质疑态度,并提出了十个方面的问题进行评论。例如,关于发展的问题。朱光潜认为克罗齐把相异者(直觉、概念、经济、道德)的发展视为圆

---

① 朱光潜:《克罗齐哲学述评》,第22页,正中书局,1947年。

圈式循环发展,把相反者(美与丑、真与伪、益与害、善与恶)的发展看作正反合式的辩证发展。这样一来,两者发展的调和统一是很难想像的。此外,四阶段可以并列并存,彼此不冲突,如果这样,那么,它们的发展动力来自哪里? 因此,这种发展观大有问题。其他一些问题,如直觉问题、行动的原动力问题、物质问题,艺术的传达与价值问题,科学概念的真实性问题,意志自由与善恶,以及历史的进展问题,都这样进行了质疑与评论。最后得到的结论是,经过克罗齐的这番强攻,他的新唯心主义所厌恶的二元主义,并未被打倒,他所期望的完满的唯心主义,亦未能成立。因为在克罗齐的"美学"中,他仍然必须假设物质作为艺术的内容;在他的"逻辑学"中,还必须假定一个产生直觉品的真实世界;在他的"实用活动的哲学"中,还是把人看成完全是历史情境所决定的机械,没有自由意志,没有道德的价值或责任;在他的"历史学"中,不能调和超个人的单线历史与许多历史学家个别见到的复线历史的冲突。因此,唯心主义想"打破心物二元的英雄企图算是一个惨败"①。

　　而且还要看到,朱光潜在评论克罗齐新唯心主义的过程中,实际上也反映了他对自己哲学思想的反思。他写道,"作者自己一向醉心于唯心派哲学,经过这一番检讨,发现唯心主义打破心物二元论的英雄的企图是一个惨败,而康德以来许多哲学家都在一个迷径里使力绕圈子,心里深深感到惋惜和怅惘,犹如发见一位多年的好友终于不可靠一样。"②从这里可以看到朱光潜内心世界的矛盾。正如贺麟指出的,一方面他"眷恋唯心论,对康德黑格尔唯心

① 朱光潜:《克罗齐哲学述评》,第106页,正中书局,1947年。
② 朱光潜:《克罗齐哲学述评》"序",第2页,正中书局,1947年。

论有深厚的感情,另一方面又感到唯心论并未彻底解决心物问题,除非走到'万去唯我一心'的死胡同是摆脱不了自相矛盾的。但是最后他还是认为:'克罗齐的哲学系统,虽有许多漏洞,而他对于美学、伦理学和历史学的见解仍极可宝贵'。"①虽然如此,通过这种对新旧唯心主义的检讨与反思,不但较为系统地把新黑格尔主义输入进来了,而且对他后来转向主客体相互作用和实践的观点,也是一次重大的转机。

第八节　综合研究西方哲学著作的评析

综合地研究西方哲学的成果,也是本时期全面推进西方哲学东渐事业的表现之一。所谓综合地研究,前面说过,主要是对西方哲学发展过程进行研究。在文献形式上,其理论成果除了对西方哲学发展过程中的某个论题的综合研究外,主要表现为哲学史著作。其中,有论述全过程的通史,还有论述某一时期,如古代、近代与现代的断代哲学史。它们的问世,在一定程度上能够反映当时宏观上对西方哲学认识与把握达到的程度。下面,在展示本时期中国学者出版的西方哲学通史与断代史著作的基础上,从不同角度选择其中的一些有代表性的作品进行评析。

一、李长之论述《西洋哲学史》的出发点

在阐述李长之的《西洋哲学史》前,首先把本时期中国学者出版的有关西方哲学通史的著作列书目如下:

---

① 贺麟:《康德黑格尔哲学东渐记》,载《中国哲学》,第 2 辑,第 373 页,三联书店,1980 年。

西方哲学 ABC	谢颂羔著	世界书局	1928 年
西方哲学的研究	谢颂羔著	上海学会	1928 年
西洋哲学的发展	瞿世英著	神州国光社	1930 年
哲学史纲	徐宗泽编	沪圣教杂志	1930 年
西洋知识发展史纲要	黄文山编	华通书局	1932 年
西洋哲学	洪涛著	广益书局	1933 年
西洋哲学史（第一卷）	李石岑著	民智书局	1933 年
西洋哲学小史	全增嘏著	商务印书馆	1934 年
西洋哲学史纲	黄忏华著	商务印书馆	1934 年
西洋哲学史	李长之著	正中书局	1941 年
西洋哲学讲话	詹文浒著	世界书局	1941 年
西洋哲学缩型	常守义著	西什库天主堂	1943 年
哲学史	常守义著	明德学园	1948 年
西洋哲学史论纲	侯哲弇著	黎明书局	1948 年

在一个不很长的时间内,特别是在经济十分困难的条件下,能够产生出这样一批成果,是很不容易的。虽然这种研究还处在真正起步的阶段,因此,它们多是在吸取国外流行的同类著作观点的基础上加以转述与提炼的产物,其中曾经留下过重大影响的作品并不多见。但是,它们也各有一些特点,都为满足国人的不同精神要求作出了贡献。

在这里,首先要谈一下张东荪的有关成果。在上列书目中,没有发现有他的著作。但是,1930 年 8 月,他在《西洋哲学史 ABC》中,介绍了从古代希腊到中世纪哲学变化演进的历程;1931 年 5 月,在《哲学》一书第三篇《近代哲学史》中,阐明了西方近代哲学的发展过程,并在该篇第八章中,简要地叙述了现代西方哲学的概况;1934 年还在改写前书第八章的基础上出版的《现代哲学》中,详细地论述了詹姆士、杜威与席勒的实用主义、柏格森的生命哲学、鲍莱德雷的新唯心论、新实在论、层创进化论与罗素、怀特海的科学哲学。如果把这些著作综合起来，那么，从西方哲学的产生到当时尚在流行的西方哲学，他都进行了详细的介绍与评述。通过这些著作，张东荪按照自己对西方哲学史的理解，在中国知识界面前展示了西方哲学发展过程的全貌，论述了新思想、新学说逐一产生的过程，评价了各派哲学在西方哲学史上的得失，甚至对于西方哲学的发展规律，也进行了某些尝试性的探索。

不过，在前面列出的哲学史书目中，李长之的《西洋哲学史》，因其研究出发点的独特视角，有必要着重介绍一下。

李长之（1910—1978），山东利津人。本章第一节，曾经引证过他的一段话。他说："我们要现代化，对于西洋哲学的认识，遂有一种特殊的需要。"①这就是他写作这本书的独特视角。为了理解他所以这样确定出发点，得从他对现代化的认识说起。在他看来，当时的中国，急需的就是要把中国彻底现代化。他指出，全国人民在抗日战争中流血牺牲，"说简单了，不是也就在争一个'完成现代化'的自由和时间么？"②而所谓现代化，便"是由西洋近代科学、技艺、思潮、精神所缔造之整个文化水准，从而贯通于今日最进步的社会组织、政治机构、生活态度之一切的一切。"③这里，值得注意的不是他提出的现代化标准是否确切，而是在这里他把研究西方哲学同中国现代化事业联系起来，认为为了中国现代化的实现，必须引进西方哲学，并且对它要有一个正确的认识。原因在于，"文化是整个的，枝叶重要，源头更重要。西洋哲学就是近代西洋文化一切成果的总源头。"④为了

---

① 李长之：《西洋哲学史》"序"，第2页，正中书局，1941年。
② 同上书，第1页。
③ 同上。
④ 同上。

中国现代化的实现,需要输入与借鉴西方文化,这本来早已成为中国人的共识。问题只是,在引进西方文化时,由于西方哲学是西方文化的总源头,因此,积极地引进与正确地认识西方哲学,便具有特殊的重要性。否则,如果对源头缺乏彻底的了解,那么,"枝叶的吸收,必至徒劳。"①而且,现代化是以西方达到的标准来衡量,如果对西方哲学有了清晰的认识,那么,"对照了西洋哲学,我们才可以反省出自己的优长究竟何在,以及弱点何在。闭门谈文化,向壁谈国故,便往往有视腐朽为神奇的危险;同时真是精华之所在,也或者竟熟视无睹,反而为糟粕了。西洋文化的各部门,因为经过近代科学的洗礼,所以都已趋于明晰和条理了,我们却有许多方面,都还没到澄清泥滓的地步;因此,单就方法言,我们应当借助于西洋学术者已经多极,哲学不过是其中之一而已。"②

　　从上述认识出发,李长之论述西方哲学史的内容时,"根据时代精神的划分",③把西方哲学的发展过程虽然也是划分为三个时期,即上古、中古与近代,但在各个时期的起止时间上却有所改动:"上古时期断至亚里士多德之死,即公元前三二二年为止,那么,大体上便可说有了二千五百年的历史的西洋哲学,头三百年属古代,次一千八百年属中古,后五百年属近代。"④在他看来,"这三大时期的不同点,主要是在世界观的不同和心理上态度的不同。古代人的世界观是有限的,他之重视客观界(即宇宙)是过于主观(个人)的,近代人的世界观则是无限的,乃是重视主观有甚于客观的。至于中世纪则只是一方面作了前一时期的传统之继续,另

---

① 　李长之:《西洋哲学史》,第2页,正中书局,1941年。
② 　同上书,第9页。
③ 　同上书,第10页。
④ 　同上。

一方面，又作了后一时期的思潮之潜流而已。"①

　　根据这一思路，作者在书中给古代希腊哲学与近代哲学以很大的篇幅，中古哲学则只是作为一个过渡环节简要地交代了一下；而在阐述古代希腊哲学与代近哲学时，又突出了前者中的柏拉图、亚里士多德以及后者中的康德、黑格尔；其余部分虽然是一般哲学史中都要谈到的内容，如古代希腊自然哲学时期的米利都学派、埃利亚学派，赫拉克利特与德谟克利特，以及后者中的理性主义、经验主义与法国的启蒙运动，也都提到了，但都较为扼要，只是表面地描述了他们提出的一些观点，分析较少，论述较浅。然而在叙述前面提到的四位哲学家时，情况就不同了。在这里，有对哲学家生平经历的生动描述，有对其哲学思想的详细阐释，还有对其在哲学史上地位的热情评价。例如，仅就作者阐述康德的哲学思想来说，既介绍了康德前批判时期的哲学思想，还重点地评说了康德的批判哲学体系。在论述后者时，不但分别阐明了康德三大批判中关于认识论、伦理观、美学与目的论的思想，而且认为其中贯穿着立法性（Gesetzlichkeit）与主观性（Subjectivitaet）两个核心观点。对此，李长之写道：康德"不讲什么是真，什么是善，什么是美，但却讲如果是真，如果是善，如果是美，都是要什么法则？至于这些法则，是在客观上么，却不是的，乃是在主观上。"②所以，"分而观之，康德所讲的是主观性与立法性；合而观之，则康德所讲的是主观之立法性。这是康德哲学的核心。"③虽然作者对康德的这个观点没有作出进一步的分析，但把它提出来，并认为这是康德哲学的真谛

---

① 李长之：《西洋哲学史》，第 10 页，正中书局，1941 年。
② 同上书，第 137 页。
③ 同上。

所在,这是很有意义的。

在阐明西方哲学各个时期的哲学思想时,虽然除了上述四位哲学家外,其余都谈得较为简单,但是书中在介绍这些哲学思想前,都有颇为详细的背景性说明。例如,第三篇论述近代哲学,便辟有两章的篇幅,专门阐释了近代精神生活的渊源与科学方法的确立。李长之在说明前者时认为,推动近代西方文明发展的有三件事:一是征服自然的工具的进步,二是数学观念的变革,三是国家权威观念的形成。上述三者不但"构成了近代人精神生活的内容"①,而且,近代西方哲学,"就是在这种精神生活下的开展"②。他还指出,如果不拘泥于字面,那么,"文艺复兴即代表了近代欧洲精神的整部"③。因为它的源头虽然是希腊文化的发掘,但其结果却是人类理性的觉醒。从此,"神本主义变为人本主义(Humanism)了!出世变为现世了!教权束缚变为个人自由了!对自然不是敬畏而是想控制了!生活由偏枯而重新要求调和、要求完全、要求多方面了!"④正是在这种思潮澎湃的推动下,遂有了马丁·路德领导的宗教改革以及十七八世纪的启蒙运动。近代西方哲学就是在这种精神哺育下形成并向前发展的。通过近代西方哲学背景的这种阐明,不但说明了近代西方哲学的产生不是偶然的,而且,它对于理解近代西方哲学的内容也大有裨益。

二、严群的《希腊思想》

在进行古代与中世纪西方哲学的综合研究方面,相对说来,中

---

① 李长之:《西洋哲学史》,第106页,正中书局,1941年。
② 同上。
③ 同上书,第100页。
④ 同上书,第101—102页。

国学者的著作少些，只有严群的《希腊思想》与李仲融的《希腊哲学史》。其中严著篇幅虽短，但在论述中，由于作者的提炼与归纳、材料集中、观点明确、立意新颖，给人以精雕细刻的印象。因而值得介绍一下。

　　这本书是现代文库第一辑中的一本。综观全书，书名虽然称为《希腊思想》，但从内容上考察，则与一般哲学史著作有一个明显的不同。即它围绕着一个中心，只是从追溯西方文明的根源出发，集中阐明与论述了古代希腊的自然哲学与近代西方自然科学的内在联系。

　　严群认为，西方文化有三个来源，即希腊的哲学、犹太的宗教和罗马的法律，由于这三个方面的融合而演成近代的西方文明。具体说来，"西洋的自然科学是由希腊的自然哲学来的，西洋的法治精神是由罗马法律来的，西洋社会上维持世道人心的是犹太的宗教。"①然而，在这三者之中，共同的武器却是自然科学。因为"自然科学能够宰制自然，便利人士，而收富强的效果，所以自然科学是今日西洋文明的最大要素。"②问题是，近代自然科学的起源在哪里？过去往往都是最早追寻到文艺复兴时期，认为伽里略、刻卜勒和哥白尼在天文学上的革命是近代自然科学的起点。作者指出，其实西方自然科学的源流甚远；说它始于文艺复兴时期，"便如谈中国文化，不提先秦的孔、墨、庄，而从唐宋诸儒说起，岂不可笑。"③

　　在作者看来，"思想学问这东西绝非突如其来，总是一代一代

---

① 　严群：《希腊思想》，第 1 页，华夏出版公司，1948 年。
② 　同上。
③ 　同上。

累积而成的。所谓后来居上,是后者以前者的基础,增加修补,而比前者进步。一种思想往往前人先开其端,后人发扬光大,而竟其绪。由此而言,近代自然科学的根已种于希腊的自然哲学之中,受其暗示,而发展起来的。"①因此,"西洋近代自然科学的根源,非在古希腊的自然哲学中求之不可。"②

为了阐明这个问题,作者在指出希腊哲学发展的三个时期的基础上,像他在书中不是着眼于全面介绍希腊哲学思想,而是仅仅抓住西方古代希腊的自然哲学和近代自然科学的内在联系进行论述一样,也只是抓住从米利都学派的出现到原子论为止的三百年间的自然哲学时期,"述其思想的大势,藉以提出其对于自然界的研究之影响于近代自然科学者如何。"③不过,为了说清这个问题,又不得不分别谈到这个时期各派的哲学观点以及它们的发展过程。这样一来,书中不仅论述了希腊自然哲学与近代自然科学的关系,还很有启发地阐述了希腊自然哲学时期各派的哲学观点。

首先,作者以极其精练的语言,在分析米利都、毕达哥拉斯、埃利亚、赫拉克利特、恩培多克勒、德谟克利特、阿拉克萨哥拉等学派或哲学家的观点时,相当准确地揭示了他们哲学观点的实质。例如,对于赫拉克利特的"火"作为始基的解释,便很有深度。严群写道:"赫氏'主张本体原是变动不居,静而不变的现象是感官上的幻觉。赫氏所以认为本体的'火',是指那燃烧时的火焰。火焰只显得动,无时无刻是静止的,并且燃料与火焰与既燃之气,其间

---

① 严群:《希腊思想》,第16页,华夏出版公司,1948年。
② 同上书,第1页。
③ 同上书,第4页。

的递换和转移,找不出衔接的界限来,这是最能代表的。本体既是动而变的,我们所见静止的情形,只是表见于感觉上的现象,并非真实。"①人们感觉上看见的现象,所以显得不变,是因为在变的过程中,起伏往来之间成一种互相抵消的情形。其实这种抵消的现象,不过是大宇长宙中的某一阶段的表现,如果统其全面观之,便清楚地看到变的情形。由于感官受时空的限制,只能见到宇宙中的一段,不能见到整个过程,所以觉得有静止的现象。理性不受时空限制,能够看到整个过程。在整个过程中,变动的事实就明显了。赫拉克利特的"火",是他使用理智进行思维的产物。正像严群指出的,他"用理智去拨开宇宙万物的现象,而只求其本性,结果得动而变的'火'"②。要是由此进一步仔细推敲一下,赫氏以"火"为本体,"着重在说明宇宙万物的过程,倒不大注意宇宙万物的底质,因此我们可以说,他提出'火'为本体,并不是很认真地替宇宙万物求底质,他的目的都在说明宇宙万物的结构,不过用'火'的概念做一种符号,表示宇宙万物不是死的架子,乃是活的过程。而且'火'这东西,严格说起来,不能算是一种物质,只是物质上的变化……所以他提出'火'以后,不斤斤于描写它的性质,只粘出一个'变'的概念,在这概念上发挥得相当详尽。"③严群对于赫拉克利特关于"火"的实质的解释与发挥,的确抓住了赫氏哲学的精髓与真谛。他比当时以及后来一些人只从表面上去描写要深刻多了。其他类似这样的分析与论述,也时有出现。因此,就传播希腊自然哲学时期哲学家观点本身来说,反映了作者认识与把

---

① 严群:《希腊思想》,第9页,华夏出版公司,1948年。
② 同上。
③ 同上书,第10页。

握希腊哲学的深度。

　　其次,希腊自然哲学作为一个发展过程,严群从人类思维发展的规律着眼,揭示了在这个过程中各个学派之间的真实关系。作者指出,"人类理智的发展是由具体到抽象,由感觉到超感觉。因此,哲学家拨开现象而求本体,其进步与否,便可根据这个标准测量。"①以米利都学派经过毕达哥斯到达埃利亚学派,它们分别提出的世界本体学说之间的关系来说,即足以证明它们是一个发展过程。米利都学派三位哲学家提出的水、无限者与气,都是物质,是不抽象的;而毕达哥拉斯则认为,"宇宙万物,其形形色色的性质,都可以用理智上抽象的办法抽去,惟有数目抽不掉……因为数目是普遍的,性质不是普遍的。"②由此可见,在米利都学派那里,本体是具体的,因为那种本体性与量都有,而在毕达哥拉斯这里,本体则比较抽象了,因为它已把事物的性抽去了。不过,把性抽去以后,仍然还有量,数目是表示量的。继起的埃利亚学派在进一步的探索过程中把量抽去后,把他们提出的本体称为"存在"。他们认为,事物抽去了性质和数目,就无从分别彼此了。"不分彼此的,什么也不是的,只有一个'有'——这就是他们的本体。他们这种本体,在哲学上叫做一元的本体;而且是真正的一元。因为只有像'有'那样普遍,才算绝对。绝对,才能一元。"③米利都学派的水、气、无限者,表面上看去虽然也是一元的,可是水与气不但不普遍,还具性量兼包的性质,怎么能成为万物的惟一之元? 毕达哥拉斯的数,比米利都的物质要普遍多了,然而数量仍然是物质方面

---

① 　严群:《希腊思想》,第 7 页,华夏出版公司,1948 年。
② 　同上。
③ 　同上书,第 8 页。

的条件之一。所以,只有像埃利亚学派那样把数目也抽掉以后的
"存在",即"有",才算是最普遍的。它是物质和精神的最后底子,
"物质和精神上的种种现象都是托附于它之上,那些现象是幻的、
变的、杂的、散的,它是真的、常的、纯的、总的。"①从米利都到埃利
亚学派对于"始基"问题提出不同观点,反映了人类在童年时期抽
象思维能力逐步提高过程的真实情景。

再次,更加值得重视的是,作者无论对各派哲学观点的阐释,
还是对它们理论观点之间联系的论述,都是为了说明希腊哲学是
近代西方自然科学的来源。对于这种关系的阐明,即是作者立论
的出发点,也是他写作本书的目的所在。因此,这部分的内容是书
中作者最下工夫的篇章,作者最具特色的新颖见解主要表现在
这里。

在严群看来,希腊自然哲学时期,派别虽多,但它们有一个共
同研究的课题,即本体问题;在探讨这个问题时,他们不安于现象,
不满于幻、变、杂、散,而直追现象背后的本体,探寻它的真、常、纯、
总。这种要求和新走的路径,便替后来的自然科学发展指明了方
向:"自然科学也是要拨开幻、变、杂、散的现象,而探其真、常、纯、
总的本体。自然科学家把物质逐步分析到最后的电子。电子即是
他们心目中宇宙万物的本体,也是抽象的、超感觉的。自然科学的
成绩在于求得各种现象的公例,公例便是真的、纯的、常的、总的;
公例是因,那些幻、常、杂、散的现象是果,执因以御果,是人类所以
宰制自然的手段。"②

具体说来,希腊自然哲学时期的每位哲学家,几乎都为自然科

---

①　严群:《希腊思想》,第 8 页,华夏出版公司,1948 年。
②　同上书,第 5 页。

学的发展提供了积极的影响和可供借鉴的成果。例如,希腊哲学最初的米利都学派哲学家的观点,现在看起来,幼稚可笑,但是,他们的贡献不在于提出的本体是什么,而是他们思想的努力方向。严群指出,他们首先在自然界中求万物的来源,摆脱了神造的束缚,开始有了真正的因果观念。他们指定了理智活动的对象,就是自然界;只有把人类理智运用到自然界上,才有自然科学可言。近代自然科学就是他们所开创的自然哲学蜕化出来的。例如,阿拉克西曼德的"无限者"与阿拉克西米尼的"气",由于自身的分化而逐渐演化成宇宙万物的观点,就是这样。其中,前者看到了自然界演化的趋势,成为后来进化论的先声;后者认为量的变化会引起质的变化,为后来的自然科学上量决定性的观点奠定了基础。又如,埃利亚学派提出的"有";作者认为,它对近代西方自然科学的产生和发展,更是具有重要意义。主要表现在:"一、此派的本体纯是用理智上抽象的办法得来,这种办法充分表现了理智上的抽象的能力。他们并且也明白指出了理性与感官的分别。理性与感官的分别,在自然科学的产生和发展上,其意义甚大;自然科学把感官上所得的材料,加以理性的分析与整理,抽绎而成公例;理性感官有了分别,才能见到二者所长所短,彼此可以随时纠正。并且充分知道了理智的能力,对于感官所接触的宇宙森罗万象,才会自信有把握,在自然科学家的心目中,宇宙没有什么开发的秘密,只要拿起理智的利器,便能永远向前,没有打不通的路子。二、此派的本体,是理智上求总的莫大成绩,求总而归于一,算是最后一步。因此,这一派对于后来的自然科学,不但开了求总的路,并且指出目的地来;各门自然科学之求公例,是分别求它们范围以内的总,它们还可以统一起来,求其最后之总,而成为科学的哲学。三、此派的本体,即是物质与精神的最后底子,除了真、纯、总之外,又是常的,常者永远不变,就是不生不灭,成为无毁的意志。后来自然科学得了这个暗示,便把'不灭无毁'的概念应用在纯物质方面,而成物质永保的理论。"①

谈到原子论对于近代西方自然科学的贡献,就更为明显了。表现在:"一、此派的原子论可谓后世自然科学的原子论的雏形,自然科学的原子论只是比较精密,加以实验的证明。二、对于物质的研究,此派开了分析的路,后来自然科学就在分析的路上进行。三、空间的概念在自然科学上占有很重要的地位,而这个概念是此派首创的,并且空间无限的概念也是自此派始。此派认为原子动于空的空间里,原子彼此的距离是空的空间;现在的自然科学也认为原子里面的电子有大量的距离,这个距离就是空的空间。前后两千年的见解简直不谋而合。四、此派的原子有量无性,近代自然科学的原子电子也是有量无性的。有量无性的原子电子可谓抽象的物质,这种抽象的物质的概念算是此派得之在先,比近代自然科学早两千多年。五、……唯有此派的原子是纯量而无性的,原子在量上的不同所造成的物在性上的变化,可谓真正的是量决定性,与后来的自然科学的看法差不多是一样了。六、原子因有轻重,而有升沉,因外沉而产生动,这种动是受必然性所支配的;因此,由原子的动所演成宇宙万物的生灭成毁完全是机械的现象,所以此派的宇宙观是机械的宇宙观。这种宇宙观和近代自然科学的宇宙观最相近。"②所有这些分析和论点,在一定程度上都真实地揭示了古代希腊自然哲学和近代自然科学的关系。研究角度新颖,得到的一些结论也给人以启发。

---

① 严群:《希腊思想》,第8—9页,华夏出版公司,1948年。
② 同上书,第13—14页。

三、姚璋等《近世西洋哲学史纲要》简评

这是由姚璋执笔撰写,张东荪参与提纲拟定和终稿校阅完成的一本断代史。它是中华百科全书中的一种,属于普及性读物。

在内容上,虽然它以近代西方哲学为对象,然而由于编写目的的要求和篇幅的限制,书中论述时"只限于几个最大的哲学家和几个最有特色的学说。"①不过,通过这些内容的阐述,又要求能够把近代西方哲学的宏观面貌再现出来。因此,作者在写法上,以近代西方哲学为经,以本阶段有代表性的哲学家为纬;具体说来,从培根和笛卡儿为近代西方哲学的开端,通过经验主义和理性主义的交错阐述,一直叙述到德国古典哲学对它们的综合以及它们对现代西方哲学的影响。这样安排以及这样写出这本书,虽然没有详细揭示每个思潮产生的背景、各个思潮之间的相互关系及其转变的关键,但也有简要的交代;虽然不能把近代西方哲学家及其理论观点毫无遗漏地阐释出来,但主要问题都有提纲挈领的归纳,通过作者这种努力,不但相当熟练地把近代西方哲学的发展过程勾画出来了,更为重要的是,还使读者能够目睹近代西方哲学奔腾澎湃和雄伟壮观的场面,领略其汹涌阔步前进的盛况,从而"洞悉近代西方哲学思潮起伏的大势"。②

综观全书,可以说,较好地达到了作者的写作目的。而且,在对近代西方哲学家观点的阐释以及近代西方哲学的总体概括上,都有不少很有见地的看法。例如,在全书结束时,作者对近代西方

---

① 姚璋、张东荪:《近代西洋哲学史纲要》"张序",第 2 页,中华书局,1935年。

② 同上书,第 175 页。

哲学具有合理化、与专门科学有密切联系、十分注意方法三个特点的归纳与论述，即是最佳的例证。其中对于"合理化"，作者的解释是："所谓合理性者即抛弃传统的权威，并脱离教会教条和宗教的信仰以营独立思想；在自然与经验的意义中用合理的探讨近世科学所以能如此发达，民主政体之所以渐次推行，人权主义之所以甚嚣尘上，都是这个哲学精神的产物。近世之宗教革命，政治革命，社会革命，都是以这个哲学精神为原动力。"①由此可见，"合理性"者，实际上是指近代西方哲学所体现的一种革命精神。这种概括并非创见，然而它却正确地表达了近代西方哲学引导西方社会走出中世纪、迈向现代化的时代精神。这对于正在从事探索从旧传统的束缚下求得解放的中国知识界来说，无疑具有针对性。

四、方东美《哲学三慧》中的中西哲学比较研究

从20世纪30年代开始，方东美建构人生哲学与文化哲学的探索，也是本时期综合性研究的重要表现之一。

方东美（1899—1977），安徽桐城人。自小深受儒家思想的熏陶。1921年金陵大学毕业后赴美留学，先入威斯康辛大学攻读硕士学位，后转俄亥俄州立大学研读黑格尔哲学，最后于1924年在威斯康辛大学以《英美唯实主义的比较研究》，通过博士学位答辩。同年回国后直到1947年去台湾，相继任教于武昌高等师范大学、东南大学与中央大学等校。1937年夏天宣读于中国哲学会第三届年会，发表在《时事新报·学灯》上的《哲学三慧》一文，是他走上探索人生哲学之路的标志。

---

① 姚璋、张东荪：《近代西洋哲学史纲要》，第174—175页，中华书局，1935年。

这篇文章由甲、乙、丙三部分构成。

首先,在甲部"释名言"中,方东美阐明了他对哲学、哲学家与哲学智慧的独特见解,提出了进行中西哲学比较的思路。他认为,在哲学的名言系统中,"情"与"理"是原始意象。情缘理有,理依情生。"总摄种种现实与可能境界中之情理,而穷其源,搜其真,尽其妙,谓之哲学。"①对于情理境界深有妙解的人,即能"衡情度理,游心于现实及可能境界,妙有深造者",②就是哲学家。并从这种观点出发,他还认为人有"知"有"欲",如果"知"与"欲"切合情理境界,那么,便被称为有智慧。开启智慧是哲学家的任务。不过,哲学智慧依其来源有两种:一是依靠哲学家的"闻"、"思"、"修"所得,名为"自证慧";二是来自全民族文化精神的集体智慧,名为"共命慧"。在这两种智慧中,"共命慧属本义,自证慧属申义",③"共命慧为根柢,自证慧是枝干。"④因此,"共命慧"代表一个民族的文化精神,考察或判断一个民族的文化精神,关键在于看它的"共命慧"。这是方东美进行中西哲学比较研究出发点,即其历史凭借是人生与各民族的"共命慧",以此探究人生与文化价值,而不再把西方传统的认识论、方法论、逻辑学等列为其中的项目。

其次,在乙部"建义例"中,方东美依据上述思路剖析了古代希腊、近代欧洲与中国哲学,从体、相、用上评价了它们各自的影响与得失。他认为,不同民族文化上的差异,主要是文化精神的不同。具体说来,是"共命慧"的不同。由于"共命慧"的差异,便形

---

① 方东美:《哲学三慧》,见《方东美集》,第 335 页,群言出版社,1993 年。
② 同上。
③ 同上书,第 336 页。
④ 同上。

成了具有不同文化精神的哲学。

例如，古代希腊。在作者看来，由于"希腊人以实智照理"，①
由此造成的"共命慧"为"如实慧"。它作为希腊民族生命精神的
体现，进而演绎为"援理证真"的"契理文化"。② 其民族生命特征
以大义安理索斯（按：Dionysus，狄奥尼索斯）、爱婆罗（按：Apollo，
阿波罗）与奥林坪（按：Olympos，俄底浦斯）为代表。方东美认为，
希腊智慧，其慧"体"为实质和谐，③形式圆满无缺，内容充实无漏；
其慧"相"为"三叠现"，即希腊世界机构一体三叠：法象、物理、物
质，希腊国家体制一体三叠：哲王、武士、劳工，希腊个人心性一体
三叠：理、情、欲；其慧"用"指"三叠和叠性"成为希腊文化价值的
典型④，如悲剧诗美的一宗三统律、建筑美的三叠和谐性、雕刻美
的中分律。接着，在列举了希腊精神依据的八条原理后，方东美还
指出，"希腊实智照理之精神，固极优美卓越，令人佩仰，然其哲学
无形中亦隐优一种颓废之弱点"。⑤ 因为它极度看重"理"，"渐使
生命谊情灏气，蔽亏隐匿，趋于消沉"。⑥ 而且，愈是向前发展，愈
是"遗弃现实，邻于理想，灭绝身体，迫近神灵"，⑦导致"以现实遮
可能，觉此世之虚无，以形体灭心灵，证此生之幻妄"。⑧ 对此，方
东美问道：这样下去，"那能准此归趋真理，引发高情，产生智慧？"⑨

---

① 方东美：《哲学三慧》，见《方东美集》，第336页，群言出版社，1993年。
② 同上书，第337页。
③ 同上书，第338页。
④ 同上。
⑤ 同上书，第343页。
⑥ 同上。
⑦ 同上书，第344页。
⑧ 同上。
⑨ 同上。

相反，"希腊文化之崩溃，哲学之衰落，实为逻辑之必然结果也。"①

又如，近代欧洲。在作者看来，由于近代"欧洲人以方便应机"，②由此造成的"共命慧"为"方便慧"。它作为近代欧洲民族精神的体现，进而演绎为"驰情入幻"的"尚能文化"。③ 其民族生命的特征以文艺复兴、巴镂刻(按：巴洛克)、罗考课(按：罗可可)为代表。方东美认为，近代欧洲智慧，其慧"体"为"一种凌空系统"，④性质深密微密，内空虚妄假立；其慧"相"为"多端敌对"，⑤使欧洲世界成为一个真虚妄、假和合、无穷抽象的系统；其慧"用"在于它是一个"内在矛盾的系统"，⑥以此权衡文化的价值。同样，在列举了近代欧洲哲学符合"方便慧"的八个条件后，方东美也指出，虽然欧洲人崇尚权能、灵变生奇，启迪智慧，诚应倾倒，然而，其哲学的核心也存在不少缺陷："(1)一切思想问题之探讨，又取二元或多端树敌，如复音对谱给予披杂陈不尚协和"；⑦"(2)欧洲人深中理智疯狂，劈积细微，每于真实事实掩显标幽，毁坏智相，滋生妄想"；⑧"(3)欧洲人以浮士德之灵明，往往听受魔鬼巧诈诱惑，弄假作真，转真成假"。⑨

对于中国哲学，方东美也做了同样的考察与剖析。不过，从其

---

① 方东美：《哲学三慧》，见《方东美集》，第344页，群言出版社，1993年。
② 同上书，第336页。
③ 同上书，第337页。
④ 同上书，第338页。
⑤ 同上。
⑥ 同上。
⑦ 同上书，第346页。
⑧ 同上书，第347页。
⑨ 同上。

"对中国哲学质底作'依如实慧,运方便巧,成平等慧'的'妙性'概括,却毫不含糊地宣示了一种文化认同上的东方取向。"①

再次,在丙部"判效果"中,根据剖析古代希腊、近代欧洲与中国哲学的结果,方东美提出了他的补救之道,预测了未来哲学发展的前景。方东美认为,虽然希腊思想、欧洲学术与中国哲理都有优点,但是,它们也"均不能无弊"。② 主要表现是,"希腊之失在违情轻生,欧洲之失在驰虑逞幻,中国之失在乖方敷理"。③ 为此,他提出的补救之道,一是"自救",即"希腊应据实智照理而不轻生,欧洲人应以方便应机而不诞妄,中国人合依妙悟知化而不肤浅";④二是"他助",即"希腊之轻率弃世,可救以欧洲之灵幻生奇,欧洲之诞妄行权,可救以中国之厚重善生,中国之肤浅蹈空,又可救以希腊之实质妥贴与欧洲之善巧多方。"⑤在这里,作者没有简单地肯定一种哲学形态,也没有简单地否定另一种哲学表态,而是主张发挥各自的优点,相互补充,使人类哲学得到发展。

值得重视的是,方东美藉"超人"意识最后还对未来哲学的发展或人生慧命表达了一种热切的期望。这就是他在文章中用了不少篇幅对尼采超人理想的一番议论。一方面,因超人理想"为人类生命前途展布无穷远景",⑥他深为向往;然而另一方面,经过深入思考,他又"患其实现之乏术"。⑦ 原因在于,如果像超人那样,

---

① 黄克剑:《方东美新儒学思想论》,见《挣扎中的儒学》,第8页,海峡文艺出版社,1995年。

② 方东美《哲学三慧》,见《方东美集》,第351页,群言出版社,1993年。

③ 同上。

④ 同上。

⑤ 同上。

⑥ 同上。

⑦ 同上。

对过去包括人类在内的一切都必须加以践踏与灭绝,那么,依靠谁去"完成空前伟业?"①因此,方东美指出,不但不应该这样,相反,"超人空洞理想更当以希腊欧洲中国三人合德所成就之哲学智慧充实之,乃能负荷宇宙内新价值,担当文化大责任。"②就是说,只有这样,"所谓超人者,乃是超希腊人之弱点而为理想欧洲人与中国人,超欧洲人之缺陷而为优美中国人与希腊人,超中国人之瑕疵而为卓越希腊人与欧洲人,合德完人是超人"。③ 这样的超人,就"能陶铸众美,超如实慧,生方便巧,成平等慧,而无一缺憾,其人品之伟大,其思想之优胜,其德业之高妙",④才是方东美真正期望的。"哲学未来发展,不难以历史智慧之总摄受推进之,使底于完美境界也"。⑤ 这是他通过中西哲学比较最后得到的结论,也是30 年代他对人类共命慧理想的憧憬。从这里可以看到,超越当下的灵感显然来自尼采超人的启示。但是,他不像尼采那样,在挣开流俗桎梏的同时,又割断含着人的共命慧的历史命脉,而是主张吸吮一切可吸吮的人类哲学乳汁,使之成为"合德完人"的超人,坚信人类哲学的未来发展,必须"以历史智慧之总摄受推进之"。在这些方面,方东美和尼采是不同的。

《哲学三慧》是方东美探索人生哲学或建构文化哲学的早期作品。它以典雅的文字与现象学的手法对古代希腊、近代欧洲和中国哲学的剖析,真实地描绘了这些文化共命慧表现的不同境界,并以极高的智慧指陈其间所牵涉的复杂的理论效果,讨论其得失,

---

① 方东美:《哲学三慧》,见《方东美集》,第 351 页,群言出版社,1993 年。
② 同上书,第 352 页。
③ 同上。
④ 同上。
⑤ 同上。

在给它们以适当的评价和定位后,表达了对未来哲学发展的热切期望。虽然他提出的期望还是朦朦胧胧的,但是,它却清晰地透露了方东美未来文化哲学的纲脉。因此,自它问世后,一直受到哲学界,特别是他的门人的重视。

五、研究现代西方哲学著作的共同特色

综合地进行现代西方哲学研究,本时期中国学者出版的著作有:

现代哲学	瞿世英著	文化学社	1928 年
现代哲学小引	李石岑著	商务印书馆	1931 年
现代哲学思潮	陈正谟著	商务印书馆	1933 年
现代哲学思想	张铭鼎著	商务印书馆	1933 年
现代哲学思潮纲要	瞿世英著	中华书局	1934 年
现代哲学思潮	范畸著	世界书局	1934 年
现代哲学	张东荪著	世界书局	1934 年
现代哲学概论	温健公著	骆驼丛书出版社	1934 年
现代哲学	高名凯著	中华书局	1934 年
现代思潮讲话	詹文浒著	世界书局	1947 年
现代学术文化概论 (第一册:人文学)	竺可桢等著	华夏图书出版公司	1948 年
现代学术文化概论 (第二册:社会科学)	梁方仲等著	华夏图书出版公司	1948 年
现代思潮新论	张其昀等著	正中书局	1948 年

虽然这些著作的作者,政治倾向不同,写作目的有别,研究方法各异,但综合起来,从中却可以发现它们共同具有的一些特色,以及中国学者为推进西方哲学东渐事业作出的努力。

第一,积极追溯和探寻现代西方哲学产生的理论渊源和现实

条件

　　任何哲学体系或理论观点在哲学史上都不是凭空产生的。既有其理论产生的原因,还有其现实的根源。正如瞿世英指出的,"要了解现代哲学,要寻求现代哲学的脉络,先要略为知道现代哲学的来源,或者说是现代哲学的背景。"①他又说,其"原因不尽在哲学本身。自然科学的发展,文化科学的发展,数学和论理学的进步,生活上的变动都给思想家以种种的刺激,贡献种种的材料、方法与工具,以此造成丰富的现代哲学。"②他指出,这种背景有两方面,一是哲学上发展的承先启后的理论渊源,一是现实的社会历史背景、科学基础等。在所有这些著作中,对于现代西方哲学产生影响的阐述,尽管篇幅长短不同,但都几乎毫无例外地进行了追溯和探源。

　　关于前者,以陈正谟的《现代哲学思潮》为例说明。他说,"在叙述各种思潮时,常常述其史略,盖欲以明其来源也。"③因此,他在分析现代西方哲学的各派观点前,都设有专门的一节阐明这个问题。如谈到现代唯心论的产生时,他写道:"唯心论在西洋哲学史上发端甚早;柏拉图谓物生灭无常,非真而妄,非实在而为实在之表现。物质之根本的实在属于精神,是为观念。世界万有,即此观念之系统。是说也,可称为唯心论之鼻祖。"④经过近代唯心论者洛克、巴克莱、休谟、康德、费希特、谢林的发展,特别到达黑格尔,"集唯心主义之大成,达到德国唯心论之极点。"⑤现代西方哲

① 瞿世英:《现代哲学》,第20页,文化学社,1928年。
② 瞿世英:《现代哲学思潮纲要》,第32页,中华书局,1934年。
③ 陈正谟:《现代哲学思潮》,第98页,商务印书馆,1933年。
④ 同上书,第101页。
⑤ 同上。

学中的唯心论,即他称之为新唯心论的这个流派,就是在这个基础上派生出来的。又如,他在论述现代西方哲学中的唯物论时,他指出,"在西洋哲学史上,哲学之开端,即唯物论之开端。西洋哲学之始祖为西历纪元前七世纪之希腊哲学家泰利斯。彼即主张万有之根本为水者也。其后,继之而起者代有其人。至纪元前四五世纪,希腊之德谟克利特出面倡原子论,谓宇宙之间森罗万象,皆由原子聚散离合而成。唯物论之明确系统至此方告完成。"①后来,经过近代唯物论者伽桑狄、霍布斯、拉梅特利、霍尔巴赫、狄德罗等的发展,进到19世纪下半叶才形成现代唯物论。总之,他不仅追溯了现代西方哲学在近代的理论渊源,还往上探源一直追溯到它在古代希腊哲学中的理论渊源。这样,就从理论背景上条理清晰地阐明了现代西方哲学的来源。

　　与这一点相联系,李石岑还提出了另外一个看法。他认为,现代西方哲学的产生,是指对过往哲学、特别是实证主义反动的结果。他写道:"惟反动的发生,大都缘于实证哲学。对于实证哲学之反动,而有新唯心论、新批判论、生命主义、直觉主义、实用主义、人格价值论、精神生活论、乃至实在主义论理主义。"②他认为,还是因为这个原因,所以后起的这些学派,一方面继承了实证主义的优点,另一方面又排斥了它的弱点。"总之,实证主义在研究生命的实现,现代哲学则在促进生命本身的表现。前者以科学为中心,后者以艺术为中心。即此可以看到现代哲学的特征与可能。"③这种看法是否反映了现代西方哲学与实证主义的真实关系,值得进

---

① 陈正谟:《现代哲学思潮》,第134页,商务印书馆,1933年。
② 李石岑:《现代哲学小引》,第4页,商务印书馆,1931年。
③ 同上书,第5页。

一步研究。不过,把现代哲学视为对实证主义反动的产物,从作者对此进行的解释来看,实际上只是指明了它们之间的批判与继承关系。从这个角度探讨现代西方哲学与以往哲学之间的联系,还是有一定意义的。

关于后者,以瞿世英的《现代哲学》为例说明。过去有人认为,一个人有一个人的哲学;或者一个人提出什么哲学,是源于这个人的性格或他的生活体验。但在瞿世英看来,情况并非完全如此。他指出,"一个人的性格行为,确是相当的受时代影响;他的经验,的确和他所处的时代有关系。我们虽则不相信思想完全是时代的产物,但时代对于思想,是有相当影响的。"①他在具体考察哲学与时代的关系时,特别突出地阐明了科学发展对哲学的影响。他认为,19世纪末,在科学上是进化论支配的时代,像一把万能的钥匙,"无论什么问题都可以解决似的。斯宾塞尔的综合哲学,赫克尔的一元哲学,都想以进化论的概念,解释一切。"②但是,由于科学的发展,到20世纪20年代以后,"这种情况不能不变"。③ 因为"旧的物理学的概念不能解释物理上的新发现;机械论的生物哲学,不能解释生物现象(如新生机主义);发生方法不能满足理论的条件。于是19世纪末的哲学,就有站不住的倾向。"④例如,以旧物理学为根据的机械唯物主义,自黎曼(B. Raimann)、洛勃乞夫斯基(Lobacheweky)的非欧几何学和爱因斯坦的相对论发表以后,于是机械的宇宙观便站不住脚了。在这种科学实践的背景下,现代西方哲学不少学者主张哲学科学化,并由这些学者组成了两

① 　瞿世英:《现代哲学》,第10页,文化学社,1928年。
② 　同上书,第1—2页。
③ 　同上书,第4页。
④ 　同上。

个派别。"一派以数学与纯粹论理学的方法为科学的方法,这一派可以说是论理分析派。一派以实验的方法为科学的方法。他们所观察的是具体的东西,他们建立假设,用实验证明、归纳寻求规律,这一派可以说是实验派。"①瞿世英指出,在现代西方哲学中,罗素是逻辑分析派的代表,杜威则是实验派的代表。两派哲学在具体观点上虽有不同,但都是科学化的哲学。因此,现代西方哲学中出现对于科学的哲学、价值哲学、宇宙进化之哲学的研究,虽然它们各有不同的原因,但都是在现实的社会条件的基础上产生的。正如瞿氏总结的那样,"现代的科学正急需要一种新的哲学基础。同时人的生活是一衡量是非、判断善恶,有爱憎,有欣赏,有厌恶的生活,换言之,是衡量价值的生活。所以价值的研究是哲学上很重要的问题。我们所处的宇宙,是什么性质,是怎样的进化,更是现代的哲学家不能不问的问题。因此我们可以知道现代的哲学家为什么都在科学的哲学、价值哲学、宇宙之进化之哲学上努力。"②

第二,努力对现代西方哲学的共同特征和倾向做出概括

现代西方哲学及其发展过程是复杂的。从现象上看去,派别林立,观点各异,相互诘难,热闹非凡,给人以眼花缭乱的印象。对于西方哲学发展过程中呈现的这种状况,有人断言这是哲学走向衰落和灭亡的预兆。然而,当时的中国学者断然否定这种看法。例如陈正谟认为,"争论为进步之母,现代哲学具有分歧之现象,为促进来日哲学之动力,亦未可知。"③张东荪指出,"现代思想之难于统一,惟其不统一,乃新说层出各放光彩,而蔚为大观也。"④

----

① 瞿世英:《现代哲学》,第14页,文化学社,1928年。
② 同上书,第2页。
③ 陈正谟:《现代哲学思潮》,第212页,商务印书馆,1933年。
④ 张东荪:《现代哲学》,第108页,世界书局,1934年。

而且,他们在这种认识的基础上还进一步肯定,哲学上不同学派的论争,对于哲学的发展是十分有意义的。瞿世英说,"要有冲突,才能有生长,要有不同的哲学,才能促进文明的进步。"①因此,在他们看来,不仅对哲学发展的这种现象要有正确的认识,而且更为重要的还在于,对这种百川汇海、万卉峥嵘的状态进行深入的分析,从中发现各个学派发展过程中的共同特征与共同倾向,以便在引进的过程中对它们进行正确的选择,进而更好地吸收与消化。

所以,尽管当时中国学者对现代西方哲学的认识并不完全相同,但是,在他们的著作中,都为揭示与概括现代西方哲学的共同特征与共同倾向做出了很大的努力。例如李石岑。他从个性解放和发挥主体能动性出发,提出了现代西方哲学的一个特征,即"生命意义之阐明"。② 他写道:"尼采的'权力意志说',柏格森的'生之冲动说',居约的生命的维持与发展,基尔克哥德的充实与强烈,所以发挥生命之意义者无往不用其极。由生命表现的结果,遂成为一种人格中心的思想。所以现代的哲学从人格方面着力的亦大有人在。勒鲁费的人格主义,詹姆士的实用主义、柯亨的纯粹意志说,倭铿的精神生活说,均以人格之发展为第一要义。人格发展的结果,遂升进到宗教生活。詹姆士之信仰的意志,基尔克哥德之宗教的渴望,罗素之灵能说,罗一斯之忠义说,文德尔班之绝对圣说,倭铿之宇宙精神生活说,皆认宗教生活为人生之最后归宿。即此可以窥见现代哲学之精神。"③

瞿世英则从变动着眼,认为现代西方哲学的一个共同特征是

---

① 瞿世英:《现代哲学》,第4页,文化学社,1928年。
② 李石岑:《现代哲学小引》,第197页,商务印书馆,1931年。
③ 同上书,第197—198页。

它的过渡性。表现在:(1)从静的看法到动的看法;(2)从怀疑到建设;(3)从绝对到相对;(4)从一元论到多元论;(5)从菲薄形而上学到复兴形而上学;(6)从武断地信仰科学到自觉地信仰科学;(7)从反主知到新主知;(8)从机械论到有机论;(9)从唯物的进化到创造的进化。

　　同样是从变化和发展出发,范畴却把现代西方哲学归纳为两种特征。即:现实主义和理想主义。对此,他的解释是:"现实主义,侧重经验的事实、心理的现象;务实证,而黜虚构,崇实际,而摒空文,惟期根据精确的事实,而建立共同的法则,并谋人间生活之改善;故极注重自然科学,想假科学的知识方法,以解决一切实际生活问题;饶有进取精神、活泼的勇气,其种类虽多,然皆有改善的、实际的、经验的要素,为现实主义的特征,亦无不可。"①又说,"理想主义,侧重人生思想的生活,对于目的价值的追求,甚为重视。因此,对于现实的实际生活,就不免疏忽了。所谓理想生活,如道德上最高目的,艺术上最高理想,宗教上究极的意义,皆为理想主义者,所认为最有价值的论究。故凡重视理想文化,精神生活的,都可以称为理想主义。"②

　　而高名凯却从现代西方哲学的形式与内容两个方面进行分析,认为它们在形式方面的特征是:(1)有系统;(2)纯粹(不加入其他学问之知识,不讨论其他的问题);(3)重分析;(4)逻辑运用的严密;(5)与科学携手。又认为它们在内容方面的特征是:(1)认识论与形而上学打通;(2)反怀疑主义;(3)反唯我论;(4)现实论;(5)突然而非应然;(6)调和论。

---

①　范畴:《现代哲学思潮》,第1页,世界书局,1934年。
②　同上书,第1—2页。

第三,试图对现代西方哲学的所属派别进行分类归纳

在揭示与概括现代西方哲学共同特征的基础上,中国学者感到还有必要依据学派的理论观点进行分类,把它们归纳到一定的系统中去,使人对它们有一个更为深入的认识和把握。他们认为,要把这项工作搞好是很困难的。原因在于:"各位哲学家的训练不同,出发点不同,所处的学术环境不同,生活不同"。① 因此,这样形成的学派及其各种哲学体系,"各有各的理论基础,各有各的立场,各有各的方法,对于哲学问题各有各的意见。"②所以,"要想找出很清楚的线索来,实在很难。"③如果用一个严格的名词把这些众多的学派整理与归纳出一个头绪来,那么,在一些人看来,这甚至"是一件不可能的事。"④

然而,中国学者并没有因此放弃这种努力。因为他们认为,要使现代西方哲学的研究与传播工作深入下去,这项工作是必不可少的。因此,他们又提出,只要下工夫研究,"现代的几个重要潮流里是有脉络可寻的。"⑤不过,在开展这项研究时,首先一定要避免主观主义。对此,瞿世英指出,"有些研究现代哲学的学者,喜欢用一种标准去划分现代哲学的派别。这种办法,有好处亦有坏处。好处是给我们一种很清楚的图案。坏处是既强纳派别分歧的思想于预定的规范之下,就不免有主观太重,削足适履的情形。"⑥其次在划分各种学派的归属时,不要绝对化。因为有些哲学家的

① 瞿世英:《现代哲学》,第10页,文化学社,1928年。
② 同上书,第19页。
③ 同上。
④ 同上书,第20页。
⑤ 同上。
⑥ 同上书,第21页。

观点是参互错综的,"可以对于甲问题是丁派的,而对于丙问题又是乙派的。"①例如,詹姆士是实用主义的重镇,而从另一方面看他又是实在论的先驱。怀特海使用实在派的方法,维护的却是柏格森的形而上学。这种例子,很多很多。因此,一定要从现代西方哲学存在的实际出发。

为此,中国学者进行了艰苦探索,并且根据各自的理解把现代西方哲学划分为不同的派别。首先是前面提到的范畴,他认为现代西方哲学只能分别归属于两个派别,即理想主义与现实主义。这既是它们的特征,又是它们的学派归属。不过,李石岑反对这种划分,认为应以地域划分为妥。他说,"叙述现代西方哲学以地域分章;……余认为此种分类,较之理想主义、现实主义那种笼统的分类更为有兴趣,更为切实。因为从民族性,从文化特征,更能了解思想之变迁与特质。"②具体说来,他把现代西方哲学分为三派:(1)法意哲学;(2)德奥哲学;(3)英美哲学。对此,他作出的解释是:"法兰西与意大利同属拉丁民族,其所信奉之宗教又复相同。从国民性说来,又同属优雅华丽而富于美术思想。至于哲学方面,大抵以生活之玩味为中心。德意志与奥地利,大部分同属条顿民族,又使用相同的语言。从国民性说来,又同属坚强质直而富于研究精神。至于哲学方面,大抵以系统的组织为中心。英美则无往不同。语言同、文字同,从国民性说来,又同属缜密敏锐而富于功利思想。至于哲学方面,大抵以实际的效果为中心。这样看来,可以说法意人富于为生活而学问的人生态度,德奥人富于为学问而学问的人生态度,英美人富于为功利而学问的人

---

① 瞿世英:《现代哲学》,第 19 页,文化学社,1928 年。
② 李石岑:《现代哲学小引》,第 5 页,商务印书馆,1931 年。

生态度。由这种方法去叙述现代哲学,或者更容易看到现代哲学的真相。"①不过,在以地域划分哲学派别上,瞿世英却主张应以国度为界。他指出,"此所谓国家,当然不仅是政治上的国家,而是文化上的、精神上的国家。我们看德国、法国、英国、意大利等国的哲学,似乎确有显著的不同之点。所以我们为便利起见,采用别的研究方法,也许不错。"②因此,在他撰写的有关现代西方哲学的著作中,都是运用这个方法进行介绍和评论的。

然而,虽有这种以国家或地域划分哲学派别的主张,但是更多的却是从内容上进行归类划分。例如,陈正谟认为,"在思潮上,分为进化的哲学,实证主义,唯物论,唯心论,实用主义,现代实在论,及人文主义。"③根据这种划分,他把他认为所属的各种哲学思潮都列于其下进行分析与论述。例如,在进化论哲学中,就分别介绍了达尔文的生物进化论,赫胥黎的存疑论,斯宾塞的宇宙进化论,克鲁泡特金的互助论,杜里舒的生机论,柏格森的创造进化论,等等。高名凯也是依据哲学内容进行分类,但得到的结果与陈正谟的划分却稍有差别。他把现代西方哲学派别划分为:(1)承继传统的唯心论派;(2)直觉论派;(3)唯用主义派;(4)新实在论派;(5)批判实在论派;(6)层创论的宇宙论;(7)相对论派;(8)辩证法的唯物论派。

这几条,是本时期中国学者宏观上研究现代西方哲学做出的努力。它们反映了当时哲学界在整体上对现代西方哲学的认识和把握。虽然上述几条概括都不够深刻,还有进一步研究的必要,但

---

①　李石岑:《现代哲学小引》,第 5 页,商务印书馆,1931 年。
②　瞿世英:《现代哲学》,第 41 页,文化学社,1928 年。
③　陈正谟:《现代哲学思潮》,第 1 页,商务印书馆,1933 年。

其中却包含了不少合理因素。更为主要的是,中国学者已经不满足五四时期的全面介绍,而是开始从总体上与发展上研究它了。并且在这样研究取得成果中,都肯定了它是近代西方哲学的发展与进步。这是全面推进西方哲学东渐的一个重要表现。

第九节　中西哲学会通研究与当代中国哲学体系的诞生

20 世纪的 20 年代末至 40 年代末,在全面推进西方哲学东渐事业的过程中,通过中西哲学会通,体现当代中国社会前进的哲学体系诞生了。这是本时期全面推进西方哲学东渐成果的集中体现。

一、西方哲学东渐取得重大进展的一个时期

从 1927 年到 1949 年的中国,虽然民族危机深重,内外战争频繁,社会历史在山重水复中艰难地与曲折地向前发展,但是,它在西方哲学东渐史上,却是一个取得重大进展的时期,在中国现代化史上更是一个为现代化提供政治前提的关键时期。

这里,首先要着重阐明的是,西方哲学东渐的这种进展是怎样取得的? 毫无疑问,原因是多方面的。但是从学术研究的角度考察,主要有三个方面。

第一,由于民族危机的加深,使许多有良知的学者出于对国家民族命运的关心,因而极大地激发了他们为了振兴中华,为国家的现代化前途而向西方寻找真理的热情与使命感。

第二,对于各种思想的研究,在一定程度上受到政治因素的干扰较少,学者能在一个较为宽松的环境中在平等的基础上自由发挥与创造。

第三，从"五四"以来，随着一批在国外研究西方文化、哲学的学者回来，不但使专业研究西方哲学的学者队伍扩大了，而且，传播者的学术素质也明显地提高了。

值得提出的是，在这几条中，"最重要的一条，是学者们能在比较自由的条件下和比较少受政治干扰的环境下从事他们的创作。"①虽然当时国民党政权实行文化专制主义，但这又是在某种大一统专制型意识形态废弛之后，学术研究在一定程度上出现了思想自由的局面，就为西方哲学的学术研究并取得成果提供了有利的条件。具体说来，像有的学者指出的那样，因为"数千年封建统治意识形态的儒家纲常在 1895 年甲午战败后终于失去了支配人心的效力，而新的意识形态权威在 20 年代末中国社会史分期论战后虽获主流思想地位，却因辛亥革命后数十年军阀割据的政治权力多元格局，而未能获得政教合一的意识形态的重要的中央集权条件。从而，未曾停歇的内外战争，反倒成为延揽权威意识形态统治的学术生存条件"②。可以说，这是一个处在专制型意识形态更替之际的真空阶段，在这种社会条件下，西方哲学东渐才有可能取得重大进展。由此可见，在学术研究中，"'自由'是创造力。学术自由、言论自由是发展学术文化最根本的条件。"③这也说明，"学术之消长，主要并不取决于外在的社会政治经济条件，而却与某种大一统专制型意识形态的内在控制直接相关。"④本时期在西

---

① 汤一介：《古今中西之争与中国现代化的发展》，载《江淮论坛》，1994 年第 6 期，第 13—14 页。

② 尤西林：《人文科学与 20 世纪中国学术》，载《学术月刊》，1998 年第 7 期，第 5 页。

③ 同上书，第 4 页。

④ 汤一介：《古今中西之争与中国现代化的发展》，载《江淮论坛》，1994 年第 6 期，第 14 页。

方哲学学术研究上取得的进展及其成果,能够充分证明这一点。所以,有人问汪子嵩,西南联大留下了什么重要的经验教训时,他"毫不迟疑地回答说:学术需要自由!"①

西方哲学东渐的上述进展,既反映在学术研究取得的成果上,也表现在它对中国社会的积极影响方面。仅就学术成果来说,本章从第二节到第八节论述中国学者的有代表性论著,足以说明西方哲学的各个流派,特别是现代西方哲学的各个思潮,都相当全面地输入进来了。从内容上分析,不仅从中可以看到一个拥有悠久文化遗产的民族,在西学东渐之风卷袭下向西方寻找真理的心路历程,而且从中还能了解到,几代中国学者从其不同的环境出发,为了回应新的时代挑战,为了中国的现代化前途,他们是怎样殚精竭虑,从理论上进行艰苦探索并取得成就的。他们这样创作的一篇篇论文,或一本本著作,既反映了西方哲学研究的进展及其水平,也是他们在西方哲学东渐史上留下的一份珍贵的精神财富。

特别是,在西方哲学研究的过程中,中国学者在深刻理解西方哲学各派思想真谛及其发展趋势,并作出正确阐释的同时,还一定发表对这些研究对象的评论。在评论中,有对西方哲学理论成就的热情肯定,也有对其不足与缺陷的善意批评。凡是被肯定的内容,都会吸取过来作为进行哲学创作的养料;凡是被批评的方面,则在指出它的错误之后提出克服它的主张。这样,使一部分西方哲学思潮开始在中国扎下根来,而且在西方哲学东渐的推动下,还开展了对中国传统哲学的清理与批判以及中西哲学会通研究。就是在这个过程中,有些中国学者在会通中西哲学的基础上建立了

---

① 汪子嵩:《学术需要自由——纪念西南联大65周年》,见《亚里士多德·理性·自由》,第532页,河北大学出版社,2003年。

当代中国的新的哲学体系。这可以说,是本时期全面推进西方哲学东渐事业取得成果的集中体现。

与西方哲学在中国传播的内容相适应,这样诞生的哲学体系,也主要表现在马克思主义哲学、科学主义与人本主义三种思潮之中。

二、毛泽东哲学思想的形成

毛泽东哲学思想是马克思主义哲学与中国革命具体实践相结合的产物。它的诞生,丰富和发展了辩证唯物主义与历史唯物主义,对中国近代哲学革命作出了巨大贡献。

毛泽东(1893—1976),字润之,湖南湘潭人。青年时代开始即投身革命事业。五四新文化运动中接受了马克思主义,并成为中国共产党的创始人之一。20世纪30年代与40年代,在领导中国新民主主义革命的过程中,为了实现马克思主义与中国实际相结合,以及回答"中国向何处去"的问题,他通过文化上对近代以来古今中外之争的科学总结,在驳斥与反对社会上与党内各种错误倾向的基础上,提出了正确对待西方文化与中国传统文化的态度,从而使马克思主义中国化取得了重大的进展。在这一方面,虽然出版了一批中国学者写的马克思主义哲学"通论"或"专论",并把它运用于各门具体科学的研究,但其中最突出的成就却是毛泽东哲学思想的诞生。

其主要标志是,在这个时期中,他的《实践论》、《矛盾论》、《新民主主义论》、《论联合政府》与《论人民民主专政》等一系列著作的问世。在这些著作中,毛泽东依据"能动的革命的反映论"的基本观点,使辩证唯物论和历史唯物论统一起来,科学地认识了中国的国情,找到了中国革命的道路,正确地回答了"中国向何处去"

的问题。所有这些著作,都是马克思主义与中国革命具体实践相结合的典范,也是会通中西哲学的产物。

例如,在《矛盾论》中,毛泽东系统地论述了对立统一法则。认为"唯物辩证法的宇宙观主张从事物的内部、从一事物对他事物的关系去研究事物发展,即把事物的发展看做是事物内部的必然的自己的运动"[①];并考察了矛盾的普遍性和矛盾的特殊性,阐明了矛盾诸方面的统一性斗争性的关系,从而充分体现了宇宙观与方法论、客观辩证法与主观辩证法的统一。这是马克思主义哲学关于对立统一规律在中国的发展,也是中国近代哲学从进化论发展到唯物史观,通过克服片面讲联合与片面讲斗争这种右和左的倾向,而达到的一般发展观的总结。

在《实践论》中,毛泽东深刻地论述了辩证唯物论的知行统一观。认为:第一,实践是认识的基础,真理是在实践过程中发现,并在实践中证实和发展起来的;第二,一个完整的认识过程要经过由感性认识到理性认识,由理性认识到实践的两次能动的飞跃,达到认识世界和改造世界、改造客观世界和改造主观世界的统一;第三,认识运动的总秩序是实践、认识、再实践、再认识……螺旋式的无限前进的运动。这些基本观点,同样既是马克思主义哲学认识论在中国的发展,也是对中国哲学史上知行关系进行长期探索后作出的科学总结。

此外,在《新民主主义论》等著作中,同中国近代许多先进思想家一样,毛泽东也论述了社会理想问题。特别是 1949 年中华人民共和国成立前夕,他在《论人民民主专政》一书中,还回顾了自

────────

① 毛泽东:《矛盾论》,见《毛泽东选集》,第 2 卷,第 767 页,人民出版社,1991 年。

从1840年以来,先进的中国人为了国家复兴,如何经过千辛万苦,向西方寻找真理,提出了种种方案。在经历了多次失败以后,在实现马克思主义和中国革命实践相结合的过程中,终于找到了一条正确的道路。就是:"资产阶级的民主主义让位给工人阶级领导的人民民主主义,资产阶级共和国让位给人民共和国。这样就造成了一种可能性:经过人民共和国到达社会主义和共产主义,到达阶级的消灭和世界的大同。"①在这里,一方面,他把马克思的科学社会主义理论中国化了。另一方面,他对中国到达大同道路的描绘,更是把中国近代哲学中关于理想社会的探讨大大地向前推进了一步。

　　毛泽东哲学思想,是以毛泽东为代表的中国共产党人,在会通中西哲学的过程中,对中西古今文化论争进行批判性总结而创立的新民主主义理论体系及其哲学基础。它是马克思主义哲学中国化的产物,是马克思主义哲学新的时代水平的体现;它也是中国传统哲学变革的成果,是中国革命实践的理论升华,因此,具有鲜明的中国气派与风格。一句话,它是本时期全面推进西方哲学东渐事业的突出成就。而且,由于它在政治上和理论上的明显优势,不但在当时思想领域的平等竞争中独领风骚,更重要的是,它对中国社会发展的积极作用也最为明显。一个主要表现是,中国新民主主义革命的胜利,就是在它的指导下取得的。

三、科学哲学体系的建构

　　在会通西方科学哲学思潮,中国学者以此建立自己的哲学体

---

　　① 毛泽东:《论人民民主专政》,见《毛泽东选集》,第4卷,第1476页,人民出版社,1991年。

系方面，虽然胡适突出地强调了实用主义哲学中的实证主义色彩，特别是它的方法论，并把它同中国清代的"朴学"传统接续起来，为创立他的哲学体系做了不少努力，但在这一方面取得了显著成绩的，却主要是张东荪与金岳霖。

首先，张东荪这样建构的哲学体系，在其思想发展的不同阶段上有不同的表现。早期，即1937年前，他的"新哲学体系"主要体现在《新哲学论丛》、《认识论》与《道德哲学》中。通过这些著作，他以认识作为起点，提出和论证了"多元主义认识论"、"架构主义"和"层创进化论"的宇宙观以及"主智的""创造的"人生观。这是中国近代哲学史上中国哲学家最早创立的哲学体系之一。在这个体系的各部分中，都包含了一些值得肯定的积极内容。例如在认识论中，他对认识主体进行了探索，认为认识过程是主体的选择过程，也是主体的一种解释与评价过程。因此，受到了当时哲学界的高度重视与积极评价。

不过，这个体系只是吸收了现代西方哲学中新实在论的主体思想与实用主义的真理观，主要成分却是来自代表18世纪西方哲学最高成就的康德哲学。因此，尽管张东荪在构建这个哲学体系时有自己的独创性，但在总体上并没有脱离近代西方哲学的窠臼。特别是他用来建构哲学体系的那些认识论观点，大部分遭到了现代西方哲学家的批判，其中不少是正在逐步被扬弃的东西。随着现代西方哲学研究的深化，及其哲学思想走向成熟，他对过去西方认识论以及在这种认识论影响下形成的自己的多元主义认识论，积极地进行了深刻的反思。通过反思不但进一步认识到了它们的局限性，而且在曼海姆的知识社会学和马克思的唯物史观的启示下，从1937年开始，走上了修正与发展其哲学体系的探索过程。作为探索成果的理论表现，是《知识与文化》、《社会与思想》、《理性与民主》三部著作。虽然它们都是 1946 年才正式出版，但从观点的酝酿、形成，到撰写成书来看，却是在抗日战争的艰苦年代里。

在这些著作里，张东荪从社会学的角度重新研究认识论问题；而在研究时，通过中西比较，着重探讨知识的社会性与集合性，以此说明知识的形成与性质，并在这个基础上，把认识论的研究扩展到社会政治文化领域，以此论证知识的文化限制问题。其中，在《知识与文化》中，探讨了知识与文化的关系，阐明了知识与文化的交互作用，目的在于建立一种独立的知识论。在《思想与社会》中，在继续探讨知识与文化关系的同时，阐述了思想与文化的关系，指明了中国文化的出路问题。在《理性与民主》中，张东荪一反前两书的纯学术立场，把他在上述著作中建立起来的文化主义知识论拓展到社会生活领域，通过中西文化比较，用来探索与论述中国社会发展的出路与前途问题。在这里，张氏特别强调指出，西方的民主主义是一种文化，它主要是由进步、人格、理性、自由等概念构成的。书中通过这几个概念的比较与分析，论证了中国如何移植和建立民主主义文化的问题。

把由上述著作构成的这个体系，同他早期建立的那个体系比较，不难发现，张东荪仍然关心知识，但他对知识的理解在视野上大大拓宽了。他不再用近代西方认识论根据自然科学的知识模式形成的知识概念来理解和解释知识，而是认为"知识即价值"，知识、生命、社会、文化、价值，从根本上说是一件事。并从认识论出发，把知识分为三个系统，即常识、形而上学与科学；而且在论述过程中，既讨论了个体知识的性质，还揭示了个体之知识如何发展为社会之知识的问题，阐明了知识进展到概念后，知识即是文化，知识即是价值，从而使知识与文化融合起来，使知识论变成了社会知识论。特别是，当这样的知识论建立起来后，张东荪还把它用来解释社会、文化和政治等现象,由此打通了哲学与政治的"两橛"。可见,张东荪后期建立的知识论,实际上是把知识论、文化哲学与社会哲学有机地融为一体形成的新的哲学体系。因此,立足于上述视野创建的这个哲学体系,在理论内容上拓展了、丰富了、深化了。其中包含的合理因素与积极成分,更加鲜明了、突出了,充分体现了张东荪哲学上的创新精神,在一定程度上,还表现了作者使中国哲学与西方哲学同步发展的努力。

其次是金岳霖。早在 1943 年用英文写的《中国哲学》一文中,①他对中西传统作了比较,认为西方从希腊以来,便有了比较发达的逻辑和认识论意识,而中国思想的这种意识则不够发达,无意于把观念安排成严密的系统。这是中国哲学的一个弱点,也是近代科学在中国不发达的重要原因之一。为了适应中国社会发展科学与走向现代化的需要,他提出必须使国人的逻辑和认识论意识发达起来。而且从这种认识出发,他不但系统地把西方的形式逻辑,特别是罗素的数理逻辑介绍到中国来,并在进行中西哲学深入研究,使之会通的基础上,先后出版了《论道》、《知识论》与《逻辑》三部巨著,从而把自己的哲学体系建立起来了。

在这个体系中,《论道》是本体论。它是一个形式系统。其中,"道"为最高范畴,"能"与"式"(可能)是最基本的概念。该书正是从后面这两个概念出发,配合一系列基本定义和原理,运用逻辑方法演绎出整个"道"的世界的生成与变化。因此,这样的本体论在唯心主义的外衣下,包裹的辩证法反映了客观世界自我运动、发展、变化的规律。《知识论》是认识论。这是体系中最

---

① 《中国哲学》一文于 1943 年用英文写成,公开发表于 1980 年《中国社会科学》英文创刊号,后译成中文发表在《哲学研究》1985 年第 9 期。

有价值的部分。它"所注重的是如何就官觉所供给的材料去产生知识。"[1]在这里,他既不完全赞成经验主义,也不完全反对理性主义,而是主张"经验与理性并重"[2],认为人类借助抽象这一工具,从所与中获意念(概念),反过来又以意念还治所与,便能得到知识,由此阐明了感性与理性,事与理的统一。在这样考察知识论问题时,他从经验出发,承认知识起源于经验,同时又强调理性的重要性,试图调和经验论和理性论的对立,从而将认识论的研究推进了一步。《逻辑》是方法论。不过,如果广义的理解,他在《知识论》中论述的许多问题都与方法论有密切的联系。具体说来,在认识论上他从经验与理性并重的原则出发,认为一个完整的科学研究过程,在方法论上则是由归纳和演绎两个阶段或两个方面构成的。因此,金岳霖不仅在《知识论》中论证了同一律、排中律、矛盾律是人们进行思维活动时必须遵循的三大基本规律,而且由于逻辑在知识形成过程中的重要性,他还写了《逻辑》一书,在系统地阐明逻辑基本规律的同时,特别强调了思维一定要遵循逻辑规则。值得注意的是,他在著作或讲演中论述他的这个哲学体系时,具有精深分析和严密论证的特色,这同其哲学体系的内容一样,对中国哲学的发展都产生了积极的影响。

这个哲学体系无疑是会通中西哲学的产物。其中,改造与吸取西方哲学的成果,是十分明显的。特别是在认识论领域中。金岳霖认为,中国哲学长期以来停留在纯理性和社会伦理修养上,哲学长期远离事物、经验和自然科学,使科学技术和哲学自身的发展受到损害。而在近现代西方哲学中,知识论不但成为哲学研究的

---

① 金岳霖:《知识论》,第18页,商务印书馆,1983年。
② 同上。

中心,而且取得了举世瞩目的成就。因此,金岳霖在深入钻研的基础上,对西方认识论提出的思想、事实、语言和真理等问题,既有热情的肯定与吸收,也有独创的发挥,从而使他的知识论显得内容丰富,分析精细。

除此以外,他在建立这个哲学体系时使用的逻辑分析方法,同样体现了这一点。在中国哲学中,虽然有儒家的正名与墨家的逻辑,但在近代却没有产生系统的逻辑学说。在这一方面是无法与西方相比的。为此,金氏写了《逻辑》一书,有胆有识地介绍了怀特海和罗素所著的《数理逻辑》的基本内容,系统地引进了西方的现代逻辑。他在大力提倡逻辑分析的基础上,在建立自己的哲学体系时,身体力行地使用了这个方法,使其哲学具有鲜明的逻辑分析特征。从中可以看到,他的分析是那样的娴熟精到、细密慎微,充分反映了中国学者在挣脱故步自封后为把中国哲学推向前进的努力。

四、人本主义哲学体系的建构

在会通西方人本主义哲学,建立新的哲学体系方面,主要代表有:

首先,熊十力的"新唯识论"

熊十力(1885—1968),号子真,湖北黄冈人。早年曾参加辛亥革命和护法运动。1920年,进金陵刻经处跟从欧阳竟无研究佛学。1922年,应蔡元培之聘,任教北京大学,主讲唯识论。自此以后,长期从事学术研究,并在西方哲学的影响下,从批评唯识论入手,将中国、印度、西洋三方面的哲学融合起来,于1937年与1944年,先后用文言文与白话文出版了《新唯识论》,把其独特的唯识论体系建立起来了。

这个体系是他站在玄学立场上会通中西哲学的产物。它以"仁心"为本体,以"体用不二"、"翕辟成变"、"生生不息"和"冥悟证会"为纲,冶本体论、人生论、价值论、认识论、方法论于一炉。其中,包含了较为丰富的辩证法因素。例如,"翕辟成变"和"性修不二"说中的辩证思想,给人以"新"的鲜明感觉。又如,他提出的矛盾概念,对范畴之间辩证联结的探索,都达到了相当高的理论思维水平。除此以外,在这个体系中,他还努力挖掘中国传统哲学中隐含的民主意识,在儒学的躯壳中注入近代西方的"自由、平等、独立"意识等。总之,这个体系是"陆王心学之精微化系统化最独创之集大成者"①,它渗透着救亡图存的爱国精神,主张舍故创新,反对守旧不变,是为改变现存社会制度,实现独立、自由、平等、民主的社会理想服务的。它是中国民族资产阶级要求发展与革命愿望的反映。

其次,冯友兰的"新理学"

冯友兰(1894—1990),字芝生,河南唐县人。1918年毕业于北京大学文科中国哲学门。次年赴美留学,1924年获哥伦比亚大学哲学博士学位。回国后任清华大学、西南联大等校教授,长期从事哲学和中国哲学的教学与研究工作。在哲学研究过程中,他从爱国主义立场出发,表示自己一生的愿望是要在哲学上做"继往开来"的工作。并多次引张载"为天地立心,为生民立命,为往圣继绝学,为万世开太平"的话激励自己,认为这是一切先哲著书立说的宗旨,也是当今哲学家应当承担的神圣使命。

正是为了"继往开来",冯友兰系统地研究了中国哲学史,并在会通中西哲学的基础上,写了一部反思中国传统精神生活,确立

① 贺麟:《当代中国哲学》,第12页,胜利出版社,1945年。

一种新的理想人生哲学的大书,即"贞元六书",从而创立了一个广义的人生哲学体系。在这个体系中,《新理学》是"最哲学的哲学",即人的形而上学,通过"理"、"气"、"道体"和"大全"等基本概念的论述,阐明了人性本体论的基础。《新原人》是人的精神现象学,讲理想人格及其实现的途径,为人类塑造了一种理想的人格。《新事论》述文化社会问题,是人的社会学,阐释了人构成的社会与人所创造的文化。《新世训》论新的生活方法,这是人的生活方法论,阐述了人类处世的一般原则。《新原道》是人的精神历史学,它为理想人格寻根正祖,由此确立了自身道统的新传地位。《新知言》讲古今中外哲学方法论,以此一方面为人类提高精神境界提供最佳途径的选择,另一方面也是作者从方法论上总结自己的哲学体系。由此可知,这个体系虽以真际为研究对象,但它没有停留在对理、气、道体及大全等概念的逻辑分析上。形上学只是整个新理学体系的基础。所以,它还把形上学运用于社会,运用于人生,在形上学的基础上这样建构起的历史观和人生哲学,便能明"内圣外王之道",从而达到济世安邦的目的。

　　要看到的是,冯友兰的这个哲学体系,既是中国传统哲学现代化的新尝试,也是西方哲学中国化的宝贵探索。这与体系创建者学习与研究哲学的经历有密切的关系。早年,冯友兰在北大哲学门时期,集中精力学习了先秦诸子及宋明道学,后来在美国期间,接受的则是实用主义与新实在论。因此,在他的这个哲学体系中,一方面承接了程朱理学究天人之际,通古今之变,正人心,息邪说的传统,另一方面,又把自己理解与消化后的西方新实在论等学派的有关哲学思想,浇铸在程朱理学的逻辑框架之中。这样,它便以民族性的形式,表达了现代资产阶级的哲学内容。其中,提出与论述的不少重要问题,至今仍然值得重视与进一步研究。所以,它的

出现,反映了中国现代哲学在理论思维水平上取得的新进展,也使
冯友兰成为以自己的哲学体系获得了比较广泛声誉的中国现代哲
学家。

再次,贺麟的"新心学"

自20世纪30年代以来,贺麟把他的哲学研究与探索中国现
代化的道路密切结合起来。特别是抗日战争爆发后,他更是把这
种探索工作具体化为挖掘中国面临危机的病根和寻找复兴中国的
精神条件。40年代,他把在这个探索过程中发表的有关论文编辑
成书,先后出版了《近代唯心论简释》、《当代中国哲学》与《文化与
人生》等著作。

在谈到这些著作时,贺麟指出,其中"每一篇文字都是为中国
当前迫切的文化问题、伦理问题和人生问题所引起,而根据个人读
书思想体验所得去加以适当的解答"①。在解决这些问题时,他从
各个方面,即从不同的问题去发挥他所体察到的新人生观和新文
化应采取的途径。因此,他认为,书中的每一篇文字都是他的思想
和体验的自述;正像他说的,在这几部著作中,"有我的时代,我的
问题,我的精神需要。"②

贺麟的"新心学"哲学体系,便是通过这些著作建构起来的。
由此可见,它既是个人人生体验的总结,也是中国社会发展要求
的反映。在这个体系中,他努力倡导的是理想主义的唯心论。
在他看来,理想主义足以代表近代精神。因为,近代人生活的主
要目的在于求得自由,而自由必须有个标准,理想即是自由的标
准。所以,贺麟指出,"欲求真正的自由,不能不悬一理想于前,

---

① 贺麟:《文化与人生》"序言",第21页,商务印书馆,1988年。
② 同上书,第2页。

以作自由之标准,而理想主义足以代表近代争自由运动的根本精神。"①而且,在论述理想主义意蕴的基础上,贺麟在这个体系中,还阐明了"心理合一"的宇宙观、自然的知行合一说以及"理欲调和"的伦理思想。

显然,这个体系更是中西哲学融合的产物。主要表现在,解决他面临的所有哲学问题时,贺麟既同情、理解并发扬中国固有文化的优点,同时又吸取西方人本主义哲学有借鉴意义的成果,特别是近代德国哲学中有关内容。正像他说的,在建构这个体系时,"虽说有我,但并非狂妄自大,前无古人"②。因为在他看来,书中对于各种问题的解答,从理论渊源来说来自两个方面,即中国的传统文化,主要是儒家思想,以及西方哲学,特别是西方近代的人本主义哲学。他的"新心学"理想唯心论体系,就是融合中西哲学的体现。在谈及自己哲学的学派归属时,贺麟也是这样表述的。他说,它"似乎比较接近中国的儒家思想和西洋康德、费希特、黑格尔所代表的理想主义。"③

在民族复兴的抗日战争期间出现的"新心学"体系,反映了我们民族、国家迈向现代化的要求。因此,在这个体系中,蕴涵了不少有价值的因素。例如,他在论述理想主义唯心论时,主张理想和现实不可分离、理想是争取自由与认识现实必不可或缺的主观条件、理想是改造与超越现实的关键。又如,在他提出的逻辑主体论、心体物用论、知行合一论、理性直觉论中,对人的主观能动性的重视,以及辩证思维之光的频频闪现,都不失其具有真理的意味和

---

① 贺麟:《近代唯心论简释》,见《哲学与哲学史论文集》,第134页,商务印书馆,1990年。

② 贺麟:《文化与人生》,第2页,商务印书馆,1988年。

③ 同上书,第1页。

价值意义。

　　本节三、四两题阐述的,是中国学者在马克思主义思潮以外建立的哲学体系。它们表现了一部分爱国学者在中国走向现代化的过程中,融合中西哲学,对国家前途与命运,对社会与人生各种问题的不同探索与回答,充分反映了中华民族迈向现代化的要求,都有其历史的合理性。本节表明,这些体系突出地反映了中国学者研究西方哲学取得的进展,也集中地体现了本时期西方哲学东渐事业的全面推进。

谨以此书

献给为西方哲学东渐做出贡献的中外学者们！

本书出版得到了中山大学哲学系和华中科技大学研究生院资助

西方哲学东渐史

XIFANG ZHEXUE DONGJIAN SHI

黄见德 著 （下）

人民出版社

目　　录

Volume II Contents

第六章　西方哲学在中国大陆曲折中东渐

（1949 年至 1976 年）

在论述 20 世纪下半叶,即《西方哲学东渐史》下卷的具体内容前,本书作者对这一卷的写法,首先必须作出必要的交代或说明。

人们都知道,以蒋介石为首的国民党政权发动的全面内战,经过辽沈、平津、淮海三大战役,到 1949 年年初,它在中国的统治已经面临彻底垮台的命运。在这种形势下,国民党当局开始着手谋求退路。经过再三权衡,最后决定东撤光复不久的台湾。不过,随着 1949 年 10 月 1 日中华人民共和国的诞生,国民党政权在国际上便失去了存在的合法性。然而,它的一部分军政人员,仍然打着"中华民国"的旗号,继续在这里活动。这样造成的国家局面,使海峡两岸的社会发展各自走着不同的道路,也使西方哲学东渐在海峡两岸各自独立地进行,并且在这个过程中形成了一些不同的特点。为了全面地反映 1949 年以来两岸学者西方哲学东渐的学术活动及其学术成果,并以清晰的形式把它们表述出来,因此,在《西方哲学东渐史》的下卷中,作者不得不首先将中国大陆与中国台湾的西方哲学东渐分开进行阐述,只是到总结时,才把它们联系起来,透过两岸社会政治、经济与文化整合的发展,从中分析并指出两岸走向统一的趋势。

这一章,首先论述西方哲学在中国大陆的传播。

1949 年 10 月 1 日,中华人民共和国的诞生,是中国社会发展进程中一次具有重大意义的历史转折。主要是通过民族国家的建立,完成了自 19 世纪下半叶以来现代化变迁中政治制度与政治秩序的转变,结束了长期的社会动乱,为全面开展现代化建设提供了社会制度的保证。因此,可以在以往积累起来的现代化因素的基础上,全力以赴地进行现代化建设。几个世纪以来,中国人民梦寐以求的现代化理想,有可能在新的社会条件下较快地得到实现。

本来,西方哲学东渐,就是适应中国迈向现代化发生的文化现象。而在现代化建设中,它作为科学文化建设的重要组成部分,在新的社会制度下,更有可能自觉地在更高的层次和更大的规模上进行,从而使在西方社会中产生的哲学成果在当代中国得到创新,使它在中国的现代化建设过程中发挥更大的作用。然后反馈出去,在世界走向全球化的过程中,为人类哲学事业的繁荣和发展,作出更大的贡献。

然而,由于受到国际国内各种条件的制约,主要是"左"倾政治路线的干扰,使现代化建设难以顺利进行,也使西方哲学东渐从 1949 年至 1976 年,长时间处在曲折之中。在西方哲学东渐史上,留下了深刻的教训。

第一节　西方哲学在"一边倒"中起步东渐

从 1949 年秋天开始,西方哲学在中国大陆的传播,虽是历史上西方哲学东渐的继续,但是,由于社会形态发生的变化,使西方哲学东渐出现了新的形势,产生了新的特点。阐明这些新形势与新特点,以及它们对西方哲学东渐的制约作用,对于理解一段时间内西方哲学何以在"一边倒"中起步东渐,具有关键的意义。

一、西方哲学东渐的新形势与新特点

从中华人民共和国成立到 1956 年冬天,中国大陆有步骤地实现了从新民主主义到社会主义的转变,迅速恢复了国民经济并开展了有计划的经济建设,在全国绝大部分地区基本上实现了对生产资料私有制的社会主义改造。这些胜利的取得,既为即将到来的大规模现代化建设奠定了坚实的基础,也为西方哲学继续传播并取得新的进展提供了有利的客观条件。

在现代化建设中,不论从哪个意义上说,引进与研究西方哲学都是其中一项十分重要的内容。因为本来它就是 16 世纪末以来中西文化交流过程的继续,更为重要的是,还要在新的历史条件下,通过吸收与消化西方哲学发展的最新成果,使中西哲学融会贯通,这对于中国现代化与中国哲学的发展,对于中国与世界走向全球化,都是绝对必要的。

不过,随着社会形态的转变,从此开始的西方哲学东渐,必须以马克思主义为指导。因为在这里,马克思主义作为国家的指导思想,通过法律的形式被确定下来。而作为科学文化事业重要组成部分的西方哲学研究工作,显然是不可能有任何例外的。从新政权的性质和社会发展方向看,这个决定是完全正确的。实践证明,只有马克思主义才能引导中国沿着社会主义道路前进。在更为普遍的意义上,也只有马克思主义,才能为解决时代的迫切问题提供科学的世界观和方法论,使中国迅速地实现现代化。这说明,以马克思主义作为指导思想进行西方哲学研究,是由新的社会制度的性质决定的。这既是它对新的条件下西方哲学东渐提出的要求，也是在新的社会制度下西方哲学东渐的一个鲜明特点。

面对西方哲学东渐出现的上述形势，中国广大学者同迎接新中国诞生一样兴奋异常，并且满怀激情地表达了要以一种新的精神状态去努力学习与坚决完成的美好愿望。在这些学者中，有来自解放区的马克思主义者，如艾思奇、胡绳、冯定、何思敬、潘梓年、沈志远、姜丕之等，还有一批原先工作在国民党统治区的或新从国外回来的学者，如汤用彤、郑昕、张颐、金岳霖、贺麟、张东荪、瞿世英、黄子通、朱谦之、洪谦、熊伟、全增嘏、冯文潜、严群、任华、韦卓民、庞景仁、温锡增、王玖兴、徐怀启、张世英、陈修斋、杨祖陶、钟宇人、苗力田、王太庆、江天骥、葛力、陈元晖、齐良骥等。前者无比兴奋，自不待言。对于后者，他们长期胸怀为中国繁荣富强的热烈愿望，兢兢业业地进行西方哲学的教学与研究，其中不少人在前些时期的西方哲学东渐过程中，曾经作出过重要贡献。现在，新的社会制度诞生了。他们更是期望在新的社会条件下更好地发挥自己的学术专长，以此全面地把西方哲学东渐事业向前推进一步，在促进中国现代化早日实现的过程中作出新的贡献。

然而，他们又感到，如何以马克思主义为指导进行西方哲学研究与传播，却又有几分陌生。正如当时郑昕说的："在我们的哲学界，旧的被否定了，新的尚未能掌握，颇有茫茫然之感"①。虽然如此，他们并不气馁，而是像欢迎新的社会制度降临那样，不但激情满怀地表达了努力学习和尽快掌握马克思主义的强烈愿望，而且信心百倍地为此采取了一系列措施。例如，1949 年 7 月 1 日，以

---

① 郑昕：《送车斯科洛夫、阿斯楷洛夫两教授南下讲学》，载《新建设》，第 2 卷，1950 年，第 9 期，第 6 页。

他们为基本队伍成立的中国新哲学研究会，便是上述愿望与信心的反映。在它的领导下，北京地区的学者们为了从指导思想和研究方法上解决以马克思主义为指导研究西方哲学的问题，不定期地举行交流学习心得体会的座谈会。从1949年5月到1950年7月，先后举行了32次之多①。这是上述愿望与信心在行动上的体现。积极性之高，由此可以得到证明。就是以此为起点，来自几个方面的广大学者，便这样满怀希望地投入到新时期西方哲学东渐的事业中去了。

可是，当他们以这种精神状态迈出脚步时，西方哲学东渐与社会上其他领域的各项工作一样，都是在当时特殊的国际环境下，即在帝国主义全面封锁，企图扼杀新生政权而不得不"一边倒"向苏联的社会条件下进行。由于政治上"一边倒"，思想战线、特别是哲学战线上宣传和阐述马克思主义的作品，都必须以苏联阐明的马克思主义为指导，而且还要以在这样阐明的马克思主义指导下撰写的有关西方哲学的作品为样板。

这一现象的产生，除了主要受到当时中国所处的国际环境的条件制约之外，与当时中国社会对苏联社会主义的认识也有关系。研究西方哲学对于中国许多学者来说，本来是旧业重操，但在新的社会制度下，如何以马克思主义为指导进行研究，却又是必须解决的崭新课题。在当时的历史条件下，出于对苏联社会主义的信任，中国哲学界把解决这个问题的目光集中投向苏联哲学界的同行，是十分自然的事情。因为在那时看来，这不但是最为有效和最为便捷的途径，而且更为主要的是，认为苏联哲学界所阐明的马克思主义是最为正统的，而他们所撰写的有关西方哲学的作品，显然是

---

① 《新建设》，第3卷，1950年，第1期，"学术简讯"，第86页。

以马克思主义为指导研究西方哲学的体现。因此，不仅政治上要
"一边倒"向他们，而且包括西方哲学在内的整个哲学研究工作都
要向他们学习，"一边倒"向他们。认为通过这种学习，既可以得
到他们在马克思主义指导下研究西方哲学的各种观点，更重要的
是，还能获得他们在马克思主义指导下开展西方哲学研究的方法
与经验。在这一点上，他们是十分真诚的。

　　问题在于，当时的苏联哲学界同苏联的整个意识形态一样，由
于在教条主义的严重束缚之下，加上政治上"左"倾对哲学工作的
支配，使它不论对马克思主义哲学的宣传，还是对于西方哲学的研
究，都存在着认识上的片面性与理解上的偏颇。尤其是在对待西
方哲学的认识与态度上，除了教条主义和"左"倾政治的影响外，
还由于第二次世界大战中希特勒法西斯发动了对苏联的侵略战
争，给苏联人民造成了极其深重的灾难，引起了苏联人民对德国及
其包括哲学在内的文化的憎恶。在战争刚刚结束，创伤尚未愈合
的情况下，使苏联对德国的看法与态度（包括意识形态在内）有一
种特殊的敏感，因而还滋生了严重的狭隘的民族沙文主义。1947
年日丹诺夫在批判亚历山大洛夫《西欧哲学史》会上的讲话，便是
上述各种倾向与文化心态的集中体现。在以日丹诺夫讲话精神为
指导苏联出版的有关马克思主义哲学和西方哲学的论著中，一个
鲜明的特点是内容上的"左"倾和简单化、方法上的教条主义，集
中表现在片面地强调哲学为政治服务，以及把西方哲学和马克思
主义哲学完全对立起来，从而曲解了马克思主义，在对待西方哲学
的态度上，偏离了马克思主义对待人类文化遗产的正确立场，具有
明显的虚无主义倾向。

　　当中国学者迈出脚步，期望以马克思主义为指导继续开展西
方哲学研究的时候，接受的指导思想却是上述前苏联宣扬的一套

被曲解了的马克思主义。因此,在这种马克思主义指导下进行的西方哲学研究,从指导思想到研究方法,从资料的运用到结论的得出,都被日丹诺夫的讲话精神紧紧地套住了。新的社会条件下的西方哲学东渐,就是这样在"一边倒"向日丹诺夫起步的。

二、学习日丹诺夫批判西方哲学的讲话精神

在向苏联学习以马克思主义为指导进行西方哲学研究时,中国学者发现,当时苏联宣传马克思主义哲学以及研究西方哲学的作品,几乎没有不是日丹诺夫《在关于亚历山大洛夫著〈西欧哲学史〉一书讨论会上的发言》精神的产物。由此他们感到,日丹诺夫的这个讲话,是以马克思主义指导进行西方哲学研究基本立场与基本原则的体现,是运用马克思主义指导研究西方哲学的典范。因此,他们都十分看重这个讲话,并且提出,在向前苏联学习时,引进苏联学者研究西方哲学的这篇文章或那本著作,虽然也有必要,但是能够影响方向、最根本的,却是要掌握日丹诺夫这类体现马克思主义立场与原则的精神。就是在这种认识的基础上,学习与引进日丹诺夫批判亚历山大洛夫《西欧哲学史》的讲话,便成为中国哲学界在"一边倒"中起步开展西方哲学东渐的一个标志。

作为具体行动,1950 年 1 月,由李立三翻译的《苏联哲学问题》一书出版了。在这本书中,除了还收集有几篇与此有关的文章外,主要是日丹诺夫的上述讲话。在这篇讲话中,他从那时国际上社会主义与帝国主义两大阵营的对立与斗争出发,宣称一切反动势力为了反对社会主义,"把那些原来是黑暗势力和僧侣们所穿戴的破铠烂甲:梵蒂冈和人种论,搬了出来,武装那些替原子金元民主主义服役的资产阶级的哲学,又把那些凶暴的民族主义和

陈腐的唯心主义哲学,卖身图利的黄色报纸,堕落腐化的资产阶级的艺术,都搬出来当做武器"①。因此,他又从巩固社会主义,反对帝国主义出发,号召对以西方哲学为核心的西方意识形态进行无情的批判和斗争。其中,他特别强调:对于那些"早已击溃和早已埋葬了的哲学观点和哲学思想用不着多去注意它;反之,对于那些为马克思主义敌人所利用而风行一时的、哪怕是显然反动的哲学体系和哲学思想都应该特别尖锐的加以批评"②。例如,现代西方哲学。对此,当时有的苏联学者进行了补充。原因在于,"现代资产阶级早已变成了反动阶级,因而它的哲学也和哲学理论以往发展的成就断绝了关系。这就决定了现代资产阶级哲学的基本内容和社会使命乃是为资本主义关系充当辩护者。维护资本主义,反对社会主义制度及其科学的思想体系——马克思列宁主义,这就是现代资产阶级哲学家们极精致的抽象体系的基础"③。总之,从社会主义与帝国主义两大阵营对立出发,对西方哲学、特别是现代西方哲学必须进行无情的批判和坚决的斗争。这就是日丹诺夫讲话的基本精神。在讲话中,围绕着这个中心,他还讲了哲学史的对象、研究哲学史的任务、哲学的党性原则、马克思主义哲学与旧哲学的关系,以及对于德国古典唯心主义与俄国 19 世纪民主主义者哲学的评价与研究问题。实践证明,日丹诺夫的讲话及其对西方哲学的论断,显然没有反映西方哲学发展的真实面貌,体现了苏联意识形态领域的一种"左"的倾向。然而,它却依靠政治力量支配

---

①　日丹诺夫:《在关于亚历山大洛夫〈西欧哲学史〉一书讨论会上的发言》,第 29—30 页,见《苏联哲学问题》,作家书屋,1950 年。

②　同上书,第 14 页。

③　奥依则尔曼:《现代资产阶级哲学的基本特点》,第 2 页,商务印书馆,1962 年。

了20世纪40年代末至50年代前期的苏联哲学界,使马克思主义哲学和西方哲学的教学与研究工作,长期处在步履维艰之中。

　　而中国学者却出于对苏联老大哥的信赖,不但及时地把它输入进来,而且曾经以近乎虔诚的态度,于1950年2月和3月间,先后多次在北京大学孑民堂举行讨论会,像小学生那样逐字逐句地学习和领会日丹诺夫批判亚历山大洛夫《西欧哲学史》的发言。会前,根据日丹诺夫的讲话内容,草拟了讨论提纲分别发给与会者进行准备。会上,由提纲起草人马特按照提纲列出的四个问题,首先作中心发言。这四个问题是:(1)关于哲学史的意义;(2)关于马克思主义哲学与旧哲学的关系;(3)关于哲学中的党性原则;(4)关于研究哲学史的任务。然后,按问题的先后进行讨论。最后,由艾思奇总结。

　　在讨论哲学史的定义时,马特认为,"照日丹诺夫的意见,哲学史的定义很重要,它就是对哲学史的基本看法。假如没有给哲学史下正确的定义,对于哲学史上的各种问题,就不能有正确的理解"①。根据他对日丹诺夫讲话精神的领会,认为哲学史的发展是跟生产斗争和阶级斗争分不开的,而唯物论与唯心论的斗争,便是这种斗争在哲学上的反映。因此他强调,一定要用阶级斗争的观点看待与研究哲学史。而且,他还在日丹诺夫哲学史定义的基础上,用他的语言给哲学史提出了如下一个定义:"哲学史是唯物论与唯心论斗争的历史,也就是唯物论怎样克服唯心论的历史"②。

----

　　①　马特:《讨论日丹诺夫关于亚历山大洛夫〈西欧哲学史〉的发言》,载《新建设》,1950年,第1期,第73页。
　　②　同上书,第74页。

　　在讨论马克思主义哲学与旧哲学的关系时,马特首先按照日丹诺夫的发言指出了亚历山大洛夫在这个问题上的错误。"第一点是:没有集中注意力去说明马克思主义哲学与旧哲学究竟在什么地方不同,它的革命性究竟在何处。亚历山大洛夫把他的注意力集中到把马克思主义哲学与旧哲学连接起来,而没有看见马克思主义哲学是怎样改变了整个哲学史的面貌。由此产生了他第二点的错误,即亚历山大洛夫把哲学史的发展只看作是量的增长,而没有看见质的突变"①。接着,又依照日丹诺夫的意见,从阶级本质、研究对象的范围和科学性三个方面,说明了马克思主义哲学与旧哲学的区别。在讨论中,还提出了如何接受旧哲学的遗产以及哲学与科学的关系问题。总结时,艾思奇作了相当详细的解答。谈到接受旧哲学的遗产时,艾思奇认为还必须回到哲学史定义上来,因为"既然哲学史在本质上是唯物论的世界观及其规律的胚胎、发生和发展的历史,是唯物论与唯心论斗争的历史,那就很容易了解,马克思主义的辩证唯物主义哲学……是旧哲学的彻底否定,但否定不是简单的抛弃……这就是说,要抛弃一切落后的和反动的东西,如像唯心论和形而上学的东西,而要接受有前进和进步意义的东西,如像唯物论和辩证法的因素"②。谈到哲学与科学的关系时,艾思奇认为,"马列主义哲学和一切旧哲学的根本不同的区别点之一,就在于哲学与科学的关系上面。旧哲学的一般特点,就是企图建立一个包罗万象的最后完成的体系,或者说出最完全的绝对不变的真理……马列主义的哲学……是以全部人类认识发

---

　　①　马特:《讨论日丹诺夫关于亚历山大洛夫〈西欧哲学史〉的发言》,载《新建设》,1950 年,第 1 期,第 73 页。
　　②　艾思奇:《关于几个哲学问题》,载《新建设》,1950 年,第 1 期,第 21 页。

展的历史作基础,以一切人类科学的成就作基础,从其中加以总结,抽引出较普遍原理和规律来,以便反过来又可以把它当作适用于一切科学研究的方法指南"①。

在讨论哲学的党性问题时,马特认为,"党性便是阶级性的集中体现。在哲学史的发展过程中,哲学中党性原则的斗争表现为唯物论与唯心论两大阵营的斗争。唯物论代表特定社会中进步阶级的要求,唯心论代表在特定的社会中反动阶级的要求"②。对此,艾思奇作出了进一步的解释。他指出,哲学的党性,首先表现为唯物论与唯心论两大派别之间的不可调和的斗争性。唯物论与唯心论的斗争之所以这般尖锐,哲学史之所以成为唯物论与唯心论两大党性的斗争史,原因就在这里。而且,他还特别强调,"不要忘记,哲学的党性斗争,是社会上的阶级斗争在思想战线上的反映,哲学之分为唯物论和唯心论两大阵营,反映着社会阶级分裂为革命与反革命两大政治营垒。在本质上,唯物论反映着进步的、革命的阶级立场,唯心论反映着保守的、反动的或反革命的阶级立场"③。因此,马克思主义公开主张辩证唯物主义是工人阶级的思想武器,并且,不仅仅是口头上坚持,更要在一切实际斗争中坚决贯彻,否则,便是离开了哲学的党性原则。

在讨论研究哲学史的任务时,马特在指出了亚历山大洛夫在这个问题上的错误后,说:"第一,应当用批判的眼光来分析哲学体系,对于早已被击破和葬送了的哲学观点,不必再加太多的注意。但是对于虽然反动却正在流行,而且为马克思主义的敌

---

① 艾思奇:《关于几个哲学问题》,载《新建设》,1950 年,第 1 期,第 20 页。
② 马特:《讨论日丹诺夫关于亚历山大洛夫〈西欧哲学史〉的发言》,载《新建设》,1950 年,第 1 期,第 74 页。
③ 艾思奇:《关于几个哲学问题》,载《新建设》,1950 年,第 1 期,第 21 页。

人所利用的哲学体系，就必须予以特别锐利的批判……第二，研究哲学史，应当把发展马克思主义哲学的任务担当起来，从当前的现实中找出新的规律，在新的实践中检查旧的原则"①。这就是研究哲学史的任务。为了完成这个任务，他还提出，在当时的条件下，由于从事这一工作的多数是从旧社会过来的学者，所以首先要打好辩证唯物主义和历史唯物主义的基础，然后再去研究哲学史；而在西方哲学史的教学与研究中，必须加重各时代富于进步性哲学的分量，减少无进步性的材料。在这个问题上，艾思奇还特别强调，"研究哲学史的任务，不是只为着了解过去的事实，主要是为着解决现在的问题"②。为了适应这一要求，他提出对于在旧社会专门从事西方哲学研究的学者来说，"首先要解决的问题就是要克服旧封建中国社会遗留下来的唯心论影响和五四以来从帝国主义国家广泛流传进来的资产阶级唯心论影响的问题。而后一种影响尤大，其中包括康德主义、黑格尔主义及马赫主义……这种唯心论的影响。为着达到解决这个问题的目的，在西方哲学史方面，就要较多地着重近代资产阶级哲学的批判研究，尤其是研究马克思主义产生以后，马克思、恩格斯、列宁和斯大林如何对于资产阶级唯心论的影响进行不调和的斗争历史"③。

　　中国学者就这样，满怀着希望从中得到以马克思主义为指导进行西方哲学研究的原则与方法，因而积极前来参加学习日丹诺夫讲话精神的讨论会。而且，会上讨论的这些问题，也都是

---

① 马特：《讨论日丹诺夫关于亚历山大洛夫〈西欧哲学史〉的发言》，载《新建设》，1950年，第1期，第74页。

② 艾思奇：《关于几个哲学问题》，载《新建设》，1950年，第1期，第22页。

③ 同上。

关系哲学研究的一些带有根本性的问题。然而讨论中,从提纲起草人的主题发言,到学者谈论的心得体会看,都不过是日丹诺夫的批判亚历山大洛夫讲话精神的复述。讨论的问题虽然不少,但不论谈什么问题,却是围绕一个中心展开的,即在党性的名义下,为了保卫社会主义,必须行动起来,积极开展对西方哲学、主要是现代西方哲学的批判与斗争。后来,中国大陆一段时间内哲学研究的政治化倾向的种种表现,从这里都可以找到根源。因此,它对中国的哲学研究、特别是西方哲学东渐事业留下了深远的、然而却是消极的影响。可是讨论会中,尽管有的对它提出了质疑,但在基本倾向上,都是把它作为以马克思主义为指导进行西方哲学研究的正确原则加以接受的。这一方面是出于中国学者对马克思主义的无限信任的热情表达,另一方面又是他们急于尽快掌握马克思主义因而开始学习时带有几分盲目性的真实写照。了解这些,对于理解西方哲学在中国的命运,关系极大。

三、引进苏联学者的有关哲学论著

在积极引进和认真领会日丹诺夫讲话精神的同时,中国哲学界还邀请苏联学者如吉谢辽夫、科洛加什尼、凯列、萨坡什尼科夫、车斯洛柯夫与阿斯楷洛夫等来华,请他们先后在北京大学、中国人民大学、中央党校、复旦大学等著名学府,系统地讲授贯彻日丹诺夫精神、批判西方哲学的观点。他们讲学的讲稿,有的译成中文,或打印出来,或公开出版,使之在社会上广泛流传开来。

除此之外,更积极地引进苏联学者以日丹诺夫讲话精神为指导撰成的论文与著作。不过,由于1947年以来,苏联哲学界的研究工作,在日丹诺夫讲话精神的支配下,实际上处于收缩和停顿状态,除了俄国哲学史的研究取得了一些进展外,在西方哲学的研究方面,发表的论文与出版的著作,都不是很多。因此,中国学者虽以急迫的心情搜寻这样的作品,但是往往失望的时候居多。即使这样,只要一旦发现,他们便会以最快的速度把它翻译过来,并及时地采取适当的形式传播出去。仅以著作为例,直到1956年冬为止,被译成中文出版,其中有关俄国哲学史的有:

别林斯基	岳夫楚克	正风书局
杜勃罗留夫底哲学和社会政治观点	岳夫楚克	正风书局
赫尔岑——十九世纪俄国古典哲学家	伊奥夫丘克	中国人民大学出版社
拉吉舍夫的社会政治和哲学观点	施潘诺夫	中国人民大学出版社
别林斯基——伟大的思想家和革命民主主义者	施潘诺夫	中国人民大学出版社
车尔尼雪夫斯基的哲学观点	叶夫格拉福夫	中国人民大学出版社
列宁主义和俄国唯物论哲学	岳夫楚克	作家书局
别林斯基的历史观点	依列里兹基	三联书店

这些著作都是在日丹诺夫批判亚历山大洛夫《西欧哲学史》没有包括俄国哲学史后写成的。它们原先收集在1952年出版的《俄国哲学史论文集》中。中国学者在引进时,为了使它们快速与广泛地传播开去,首先把前面那些文章译出后采用单行本出版,然后在全部译出后才汇集成册,以它在苏联出版时的面貌问世。实际上这项工作,只是直到1957年4月,该书由三联书店付梓时,才算最后完成。

由于这些著作的引进,西方哲学东渐史上留下的俄国哲学史的空白,得到了填补。这是要加以肯定的。问题是,所有这些著作,又都是日丹诺夫精神的产物。例如,岳夫楚克在阐述俄国哲学史的对象时,他写道,它"乃是唯物论的宇宙观在俄国发生与发展的历史,乃是在其中反映了阶级斗争的唯物论与唯心论斗争的历史"①。它的历史使命"是要研究俄国的思想家曾在阶级斗争的相应的历史条件下,是怎样来解决从俄国与西欧的历史发展的需要产生的种种最重要的哲学问题与社会问题的,唯物论的宇宙观在俄国是怎样在反对唯心论的斗争中产生的,这种宇宙观的基础是怎样建立起来的,形成起来的"②。显然,所有这些说法都是日丹诺夫哲学史定义的具体化。又如,在阐述俄国哲学与西欧哲学的区别时,作者认为,一方面俄国哲学"批判地克服了德国哲学的唯心论,开始确立了自己的、与德国唯心论者的辩证法不同的辩证法"③。就是说,俄国哲学的辩证法要高于黑格尔的唯心辩证法。另一方面,它又是在克服费尔巴哈唯物论的直观性等局限性的过程中完成的。因此,作者断言,既不能把俄国哲学古典作家的革命辩证法与德国唯心论者有限的、残缺不全的辩证法划一个等号,也不能把俄国哲学家力图论证社会革命改造的唯物论,同费尔巴哈的直观的与形而上学的唯物论等量齐观。因为在他看来,"19世纪俄国哲学古典作家们的唯物论,与费尔巴哈的哲学比较起来,乃是马克思主义以前的哲学唯物论较为发展的变形"④。由此可见,"俄国唯物论哲学不仅具有俄罗斯民族的意义,并且有全世界历史的意义"⑤。作者认为,正是由于俄国哲学家们在思想

---

① 岳夫楚克:《列宁主义与俄国唯物论哲学》,第12页,作家书屋,1954年。
② 同上书,第13页。
③ 同上书,第55页。
④ 同上书,第67页。
⑤ 同上书,第82页。

领域中卓有成效的斗争,才使它成为"马克思主义之所以在俄国传播并在革命运动中取得胜利的原因之一"①。在这些论述中,一方面拔高了本民族哲学成果达到的水平,另一方面贬损了德国古典哲学的理论成就,在文化心态上,具有明显的民族沙文主义倾向。

除此以外,研究西方哲学的著作,有:

德国古典哲学是马克思主义的理论来源之一	奥依则尔曼著马兵译	上海人民出版社
费尔巴哈的唯物主义哲学	叶辛著蔡华五译	上海人民出版社
十八世纪法国唯物主义者的无神论	蔡卡柯著郭力军译	上海人民出版社
无产阶级的国际主义与资产阶级的世界主义	契尔诺夫著张孟恢译	三联书店
什么是语义哲学? 它为谁服务?	布鲁江著李金声译	人民出版社
美国资产阶级的哲学是战争和侵略的哲学	舍尔森科著周亮勋译	人民出版社
论现代资产阶级的实证哲学	巴希托夫著袁文德等译	上海人民出版社
美国的人格主义是帝国主义反动势力的哲学	梅尔维著任华译	上海人民出版社
语义哲学批判	特洛菲莫夫著孙经颢译	科学出版社
帝国主义的反动势力的天主教哲学	奥依则尔曼著陈兆福译	上海人民出版社

在这些作品中,前面三篇译自 1954 年和 1955 年莫斯科知识出版社出版的小册子。虽然在内容上都没有深刻的理论阐释,但其中透露的信息却证实了斯大林逝世后,苏联哲学界开始发生变

---

① 岳夫楚克:《列宁主义与俄国唯物论哲学》,第 86 页,作家书屋,1954 年。

化,受"左"倾政治控制的局面有所松动了。因为早在1953年《苏联哲学》第三期上,以《提高哲学史研究的思想理论水平》为题刊出社论,指出由于自1947年以来,把哲学史的研究来为当前的主观需要服务,导致在对待哲学遗产的问题上,采取了简单的甚至是虚无主义的态度,使哲学史的研究工作进展不够顺利。例如,这些年来,对待黑格尔哲学的片面、非历史主义的观点,把黑格尔哲学笼统地宣布为完全反动的,便是这种倾向的鲜明反映。尽管在这篇社论中对当时苏联哲学的现状、存在的问题以及产生的原因,仍然缺乏应有的全面的认识,但从中却依稀可以感到:苏联哲学界开始解冻了。如果把这些小册子中宣传的观点,与日丹诺夫的讲话比较一下,便不难发现,它们对近代西方哲学的态度与日丹诺夫的说法是不同的。准确地说,虽然日丹诺夫的影响仍然存在,但在一定程度上却表现了作者们冲破日丹诺夫束缚做出的努力。这突出地表现在对待德国古典哲学的态度上。

例如在奥依则尔曼的著作中,他不但从理论的内在联系上肯定了德国古典哲学是马克思主义的理论来源之一,认为"这一哲学在马克思主义哲学的历史准备上,起了巨大的作用;马克思和恩格斯依据这一哲学的成就,从工人阶级的立场出发,对这些成就作了批判性的改造,从而克服了18世纪唯物主义的形而上学的局限性,创立了惟一科学的世界观——辩证唯物主义和历史唯物主义"[①];并从这种认识出发,作者提出如何对待与评价德国古典哲学、特别是黑格尔哲学的问题。他写道,"马克思和恩格斯不止一

---

① 奥依则尔曼:《德国古典哲学是马克思主义的直接理论来源之一》,第5页,上海人民出版社,1955年。

次地指出批判地研究哲学遗产,特别是黑格尔哲学遗产的必要性。列宁在新的历史条件下,在其纲领性的论文《论战斗物主义的意义》中也谈到了这一点。列宁在《哲学笔记》中关于黑格尔《逻辑学》和黑格尔的其他著作所做的摘要,就是对这位伟大的德国思想家的思想进行革命的批判改造的天才范例"①。在作了这些正面肯定之后,作者还针对当时苏联在西方哲学史研究中存在的问题指出,"在我们的通俗书刊和高等学校的讲义中,有时可以看到对德国古典哲学的,特别是对黑格尔哲学的简单化的叙述"②。例如,"某些论文的作者或讲演者把黑格尔学说的反动方面放在首要地位,而忽视了使黑格尔学说成为马克思主义理论来源之一的那些东西"③。同时,"也有些作者或讲演者却毫无批判地重述德国唯心主义哲学家的言论,对他们备加赞扬,从而掩盖了他们的反动观点"④。作者批评了这些做法,认为正确的态度应该是:"历史既不能'美化',也不能'丑化'。在阐述马克思主义对以前的哲学学说的关系时,必须客观地、历史地、具体地评价这些学说,懂得它们在社会发展中的真正地位"⑤。不能说,这本书对德国古典哲学的论述都是忠实地依据上述原则进行的。但是,能够提出这些原则本身,以及论述中提出的一些观点,却明明白白地证明了苏联哲学界对待近代西方哲学、特别是黑格尔哲学态度上发生的某些变化。因此,这些小册子的学术价值虽然不高,但从中发生的变化却

---

　　① 奥依则尔曼:《德国古典哲学是马克思主义的直接理论来源之一》,第6页,上海人民出版社,1955年。

　　② 同上。

　　③ 同上。

　　④ 同上。

　　⑤ 同上。

引起了中国哲学界对日丹诺夫讲话精神的反思,促使他们对于什么是真正的马克思主义指导下的西方哲学研究进行新的探索。

然而,在后面这些著作中,对现代西方哲学的无情批判与全盘否定的态度,却没有发生任何变化。前面说过,1947 年日丹诺夫批判亚历山大洛夫时,曾经反复号召,对于那些还在为帝国主义反对社会主义而使用的武器,例如,新康德主义、神学,新旧各派不可知论,以及那些搬用上帝或偷运自然科学成果的唯心主义哲学,如人格主义、逻辑实证论、新实在论等,都必须给予尖锐的批判。而且还指出,过去苏联哲学界没有把这项任务担当起来,是党性和战斗性不强的表现。在这之后,苏联哲学界的确忙碌了一阵子,虽然出版的著作仍然不多,但发表的论文数量可观。出于学习以马克思主义为指导进行西方哲学研究的强烈愿望,当时中国哲学界一经发现这些论著,不但及时地把它们翻译过来,而且除了使用单行本出版外,有些杂志还辟出专栏,大量予以转载。例如,发行面非常广泛的《学习译丛》,便通过“资产阶级思想批判”栏目,在一段时间内几乎每一期都有这类文章。关注程度,于此可见。

只是在这些著作或论文中,虽然也有对于批判对象观点的简单介绍,但给人印象最为深刻的,却是在党性和战斗性旗号下对于这些哲学流派的猛烈批判气势及其政治上得出的耸人听闻的结论。主要表现在:

第一,批判的矛头都是集中对准美国以及为其服务的各个哲学流派。关于这一点,只要看一下前面列出的书名,便一目了然。不过,要真正理解这一点,还得考察一下苏联学者提出的理由。

对此,《美国资产阶级的哲学是战争和侵略的哲学》一书作者舍尔森科,有明确的答案。他认为,第二次世界大战结束后,世界被分为社会主义和帝国主义两大阵营;前者以苏联为首,后者以美国为首。舍尔森科指出,"美国在经济和政治方面是帝国主义反动势力的中心,在思想领域中(其中包括哲学)也是反动势力的中心"①。为了做好第三次世界大战的心理准备,在思想战线上,按作者的说法,美国资产阶级给自己制定的刻不容缓的任务是,在美国以及在它控制下的其他资产阶级国家中消灭一切进步的思想体系。为此,美帝国主义不仅使用本国的唯心主义哲学家为它服务,而且还特别接纳了一批国外的反动哲学代表,其中有现象学、逻辑实证论和天主教哲学的学者。以此一方面用来扼杀和毒害本国人民的进步思想,另一方面还力图向其他国家输出自己的神秘主义哲学、战争哲学和侵略哲学,把这些露骨的唯心主义传播到世界各国去。可见,这些哲学都是为美国反动势力和军国主义服务的。这是从世界存在两大阵营,以及为了保卫社会主义、反对帝国主义斗争的需要出发,提出把批判矛头指向那些为美帝国主义服务的哲学流派的理由。

那么,哪些哲学流派已经成为美帝国主义战争和侵略的工具?作者指出,当时这样的哲学流派虽然给人一种极其纷繁复杂的景象,但是,它们都不过是旧唯心主义的变种。其中,实用主义毋庸多说。除此之外,主要有新实在论、逻辑实证论、现象学、语义学、人格主义。在他看来,所有这些流派中的哲学家,都"最公开、最

---

① 舍尔森科:《美国资产阶级的哲学是战争和侵略哲学》,载《学习译丛》,1955 年,第 5 期,第 82 页。

直接地把自己的'哲学著作'同美帝国主义者的反人民政策联系起来"了①。因此,它们的使命是"使垂死的帝国主义苟延残喘。它具有极端反动的蒙昧主义的反人民的性质。它的宗旨是歪曲客观现实,阻止社会进步,延缓科学发展的进程"②。由此可见,这些哲学流派已经不折不扣地变成了美帝国主义的侵略工具,而这些为它服务的哲学家,则都是"唯物主义的敌人,是宗教和神秘主义的维护者,是战争的挑拨者"③。

第二,在对准上述西方哲学流派进行批判时,只是从当时两大阵营对立的政治形势出发,以依据主观需要给被批判对象强加种种罪名为满足,从而把对西方哲学的批判变成了政治批判。在批判中,虽然火药味甚为浓烈,使用的语言也十分尖刻,然而由于给被批判对象罗列的罪名,不是基于对被批判者真正哲学主张进行分析的基础上得到的,加上缺乏必要的逻辑论证,所以,这种所谓批判几乎等于谩骂,这样强加的罪名缺乏根据,难以使人信服。

当时对逻辑实证论的猛烈抨击,最能说明这种批判的特征。本来,逻辑实证论是近代自然科学发展的产物,公认是建立在自然科学基础上的一个科学哲学思潮。但是在反对帝国主义的斗争中,却把它拉出来批判。其中有一位波莫葛耶娃,写的一篇《罗素——新世界战争哲学化的挑拨者》,可以说是这种批判的代表作。作者首先写道,"现代资产阶级的哲学家和社会学家都是帝国主义反动派的侍从武士,为垄断资本主义利益服务,这是早已肯

---

①　舍尔森科:《美国资产阶级的哲学是战争和侵略哲学》,载《学习译丛》,1955年,第5期,第82—83页。

②　同上书,第82页。

③　同上。

定了的"①。从这个不证自明的前提出发,她接着指出,"在这些哲学化的蒙昧主义者之中,占第一把交椅的英国唯心论哲学家贝特朗·罗素爵士,他是一切进步势力、特别是共产主义的死敌"②。然后作者揭露罗素通过制造新名词,"企图调和科学与僧侣主义,使科学屈从于宗教,使科学与哲学为蒙昧主义服务"③。在这个基础上,她不曾摆出罗素的哲学主张,而是急转直下,在肯定他的哲学是主观唯心论,是不可知论后,便从主观的政治需要出发给罗素哲学强加各种罪名。例如,"固执地宣传不可知论,对罗素说来是具有一定的政治意义的。作为帝国主义的忠实奴仆,他害怕肯定作用于自然界和社会的规律性之可能认识,而且害怕这种认识会使人民群众了解到改造世界,永远消灭资本主义及其仇恨人类的思想的必要性"④。最后,作者就是根据这些批判对罗素哲学从政治上作出如下结论的:"仇恨人类、帝国主义的奴仆、屠杀人民、确立美帝国主义的世界霸权——这位哲学化的畜牲的'信条'就是如此"⑤。

在刊出这篇文章时,《新建设》的编者在文章前加了一段话,画龙点睛地把作者的上述结论加以大力渲染。编者写道:"这是一篇富有战斗性的论文,作者敏锐地指出:罗素整套哲学体系的本质,就是主观唯心论;他的'逻辑实证论'只是神秘主义和僧侣主义的产物;他企图使科学与神学结合,使科学屈服于宗教,使科学

---

① 波莫葛耶娃:《罗素——新世界战争哲学化的挑战者》,载《新建设》,1952年,第8期,第34页。
② 同上书,第35页。
③ 同上书,第36页。
④ 同上。
⑤ 同上书,第37页。

为蒙昧主义服务,他善于制造腐臭的哲学商品,来歌颂战争、挑拨战争。他丧心病狂地竟把人类看成最凶残、最危险的野兽,还把战争看成一切进步的原动力。在今天,罗素早已成为世界帝国主义的忠实奴仆,是一个臭名昭彰的'原子弹哲学家',是共产主义的死敌,是全世界爱好和平民主的人民的公敌"①。

依照这些说法,罗素及其逻辑实证论,显然是与全世界人民不共戴天和十恶不赦的凶恶敌人。实际上,这些指责与罗素的政治立场及其哲学本质,是南辕北辙、毫无共同之处的。不过,前面苏联学者对罗素的无端诅咒,以及这里中国编者对罗素罪名的加码强调,都是依据日丹诺夫精神批判现代西方哲学的真实表现。罗素哲学的命运尚且如此,其余如实用主义、人格主义、语义哲学的境遇,更是可想而知了。可是中国哲学界却把它视为以马克思主义指导研究西方哲学的样板,大力加以引进,其消极后果不久就会表现出来。

四、输入其他国家学者的有关作品

在大力引进前苏联批判现代西方哲学著作的同时,有选择地输入其他国家的此类作品,也是这一阶段受到中国哲学界重视的一项工作。这既是作为向前苏联学者学习以马克思主义为指导进行西方哲学研究的补充,也是为了适应当时国际思想战线上反对帝国主义斗争的需要。因为在这一方面,他们认为其他国家中的马克思主义学者,是这条战线上的一支重要力量。输入他们在这一斗争中的有关作品,具有不可忽视的作用。

---

① 《新建设》编者:《罗素——新世界战争哲学化的挑战者》"编者按",载《新建设》,1952年,第8期。

除此以外,这样做对于那些曾经为旧社会服务过的中国学者来说,还具有重要的示范意义。"因为在解放以前,这种哲学曾经在我们一部分哲学工作者中间发生过影响,所以,对于这一部分人来说,对这种哲学展开批判,同时也就收到自我批判、澄清自己资产阶级思想残余的作用"①。在这一点上,引进其他国家,特别是西方国家学者的作品,有不同于输入苏联学者作品的特殊性。

在其他国家的学者中,首先吸引中国哲学界注意力的,是英国的康福斯、美国的威尔斯、法国的加罗蒂与前捷克斯洛伐克的林哈尔特。他们都被公认为著名的马克思主义者。他们批判现代西方哲学的著作,都被视为以马克思主义为指导研究西方哲学的榜样。于是,便有如下一些著作在中国先后问世:

什么是自由?	[法]加罗蒂著 凌其翰译	三联书店
反对哲学科学文艺中的世界主义	[美]哈利·雷斯著 杜若译	世界知识
科学和唯心主义的对立	[英]康福斯著 陈修斋等译	三联书店
保卫哲学	[英]康福斯著 瞿菊农等译	三联书店
实用主义:帝国主义哲学	[美]威尔斯著 葛力等译	三联书店
美国的实用主义	[捷]林哈尔特著 苗力田等译	人民出版社

① 任华:《介绍康福斯的〈科学与唯心主义的对立〉》,载《新建设》,1954年,第12期,第58页。

在这些著作中,首当其冲被称为帝国主义的哲学是实用主义。所以在国际思想战线上,它被列入批判的主要对象。把批判实用主义的有关作品输入进来,既是适应国际反帝斗争的需要,也是国内轰轰烈烈开展批判实用主义运动采取的步骤。除此以外,前面提到的一些现代西方哲学流派,也因为宣布它们都是为帝国主义服务的工具,无疑难以逃脱被批判的命运。下面分析其中一部分有代表性的著作,来具体阐明这一点。

首先,实用主义为什么成为主要批判对象? 1955 年 6 月,由三联书店推出的美国哲学家哈利·威尔斯(Harry Wels)的《实用主义:帝国主义哲学》一书,对于这个问题的回答引起了哲学界的广泛关注。在这本书中,虽然他对实用主义进行了全面而系统的批判,但在批判过程中却始终围绕一个中心,即实用主义是美帝国主义的哲学。为该书撰写"序言"的塞尔桑认为,长期以来,许多人对实用主义、特别是对于杜威推行的实用主义,虽然不是都感到满意,但也只是在这一点上或在那一点上批评过它。结果出现的局面是,"谁也不曾给我们彻底分析过实用主义哲学……问一问实用主义究竟是谁的哲学? 它为哪一个阶级服务? 它对于美国帝国主义的兴起和美国今天妄想统治世界的企图,究竟采取什么立场?"①许多人对此茫然不知如何回答是好。所以他指出,如果这些问题得不到解决,那么,不但群众中长期存在的大量糊涂认识得不到澄清,更为重要的是,由于实用主义的观点,"都直接反映在美国通常所奉行的或宣扬的纲领和政策之中"②,已经成为美帝国

---

① 塞尔桑:《实用主义:帝国主义底哲学》"序言",第 5 页,三联书店,1955 年。

② 同上书,第 34 页。

主义的工具,因此,从保卫社会主义出发解答这些问题,具有十分迫切的意义。

威尔斯在他的著作中,通过对实用主义产生的经济政治根源和历史过程的阐述,透过实用主义哲学体系具体观点的分析,以及这些理论主张在各个领域中应用的考察,从各个角度或侧面揭露了实用主义的反动本质及其欺骗性,系统地论证了实用主义是帝国主义哲学这一核心思想。全书最后的结论是:"实用主义是帝国主义时代美国资产阶级的主要的哲学。它是故步自封的资产阶级的唯心主义世界观。它兼有方法和理论。实用主义的方法是纯粹经验主义的,依靠随机应变的、方便性的和机会主义的手段以达到目的。实用主义的理论是属于实证主义类型的主观唯心主义。它对生活采取主观主义、蒙昧主义、虚构主义的观念。总之,实用主义是一种为残忍、愚昧和迷信作辩护的阶级武器"[1]。

这本著作的问世,得到了苏联学者的充分肯定。例如1955年该书在纽约出版后,《哲学问题》即把其中批判杜威"工具主义"与"人性社会学说"两章译成俄文,刊出时在按语中称威尔斯"是美国有名的马克思主义的忠实信徒,有才干的研究家和政论家"[2],并宣称他的这本书"是对美国实用主义所作的第一次有系统的批判"[3]。塞尔桑在"序言"中也写道,这本书"第一次从这种哲学底历史发展上、它的基本前提和结论上、它的社会的政治的作用上,以及它在美国生活和思想各方面的影响上,来对它进行彻

---

① 威尔斯:《实用主义:帝国主义底哲学》,第237—238页,三联书店,1955年。

② 《哲学问题》"编者的话",载《学习译丛》,1955年,第4期,第66页。

③ 同上。

底的揭露和批判"①。因此,他认为该书的出版,把对实用主义的批判,提高到了一个新的水平。威尔斯著作的出版,更是受到了中国哲学界的特殊关注。例如,1955 年《学习译丛》第四期和第五期,分别把前述《哲学问题》刊出的内容译成中文登载出来。又如1956 年《哲学译丛》第二期,以最快的速度报道了英美两国马克思主义者对这本书的评论。不仅如此,金岳霖还撰成《介绍威尔斯〈实用主义:帝国主义底哲学〉》一文,通过《新建设》把它推荐给中国的哲学界。他认为,把这本书引进来,不仅及时,而且它在内容上非常好。因为"它清楚地指出了实用主义产生的经济上政治上的条件,陈述了它的发展过程,分析了它的本质,揭露了它的欺骗性,使读者无可怀疑地认识到它是直接为美帝国主义服务的哲学"②。这些说法与表现,都是从政治斗争出发的。把它引进来,在当时批判实用主义的过程中,的确起了推波助澜的作用。

其次,除了把实用主义作为主要批判对象外,为什么对逻辑实证论进行反复声讨? 在这一点上,英国马克思主义哲学家康福斯(M. Corforth, 1909—1980)提供了详细的答案。

在最早输入的《科学与唯心主义的对立》一书的"导言"中指出,作者的这本书是要从辩证唯物主义的观点出发来批判地考察现代哲学中的一种特殊倾向,即"纯粹经验主义的倾向"。用作者的话说,这种倾向"起源于培根及其继承者霍布斯和洛克的唯物主义,由唯物主义转到主观唯心主义,产生了巴克莱、休谟、

---

① 塞尔桑:《实用主义:帝国主义底哲学》"序言",第 5 页,三联书店,1955年。

② 金岳霖:《介绍威尔斯〈实用主义:帝国主义底哲学〉》,载《新建设》,1954年,第 10 期,第 67 页。

马赫和不可知论者种种主观主义的理论"①,而且,这种倾向"延续到二十世纪,又出现为所谓'逻辑分析学'和'逻辑实证主义'等理论"②。

不过,这本书虽是以整个"纯粹经验主义"作为批判对象,但重点却放在现代逻辑分析哲学与逻辑实证主义上。因此,对于十七八世纪英国哲学、康德哲学和马赫哲学的批判,都不过是为了追寻前者的"来踪和去迹"罢了,而对于逻辑分析哲学和逻辑实证论的批判,态度便全然不同了。在这里,首先作者揭露了这种哲学的结论建立的错误前提,即它把人的知识看成是每一个人对于他自己的私有的感觉的直观思考,把人的感觉和外界的事物完全割裂开来,从而把人的知识限制在个人的感觉经验范围内。康福斯认为,从这个错误的前提出发,这种哲学只能得出主观唯心主义与不可知论的结论。然后,通过剖析罗素与维特根斯坦的基本观点,以及从前者到后者的发展过程,作者指出,"不管它装得怎样像是'科学的',并且甚至是'唯物主义'的,其实只是老牌巴克莱纯粹经验主义的一种变种和翻版。它的要义就在于用一种把科学知识剥夺了所有客观的唯物主义的内容的办法来'分析'和'解释'科学知识。逻辑实证论代表着这种错误的和引入歧途的哲学的最后阶段"③。并且经过这么一批判,终于把它和帝国主义势力联系起来,断言它是为反动势力效劳的反动哲学。

这种批判在康福斯的另一本著作《保卫哲学》中,更有充分的展现。他所以这样揪住逻辑实证论不放,主要也是从政治斗争着

---

① 康福斯:《科学与唯心主义的对立》,第 1 页,三联书店,1954 年。
② 同上书,第 214 页。
③ 同上书,第 215 页。

眼的。在他看来,这种哲学"现今正在猖獗地传播着,一些主要的
欧洲实证主义者侨居到美国来,在这里同流合污,并且开始和典型
的美国的实用主义哲学勾结在一起。鉴于目前美国在国际事务中
所扮演的角色,注意一下这种美国的哲学流派,似乎尤为重要"①。
对此,为该书俄文版撰写"序言"的阿历山大洛夫,有更加明白的
表述。他写道,"在资本主义争夺世界霸权上,美国资产阶级现在
成为一种突击力量,在思想领域内,美帝国主义思想家也是现代反
动派的主要支柱。他们对所有资产阶级国家供给其腐朽的哲学商
品,妄想毒化群众的意识,松懈群众的警惕性,削弱群众的组织性,
欺骗群众,并且为发动新的世界战争创造种种条件"②。因此,集
中一定力量对这种为美国帝国主义服务的哲学流派进行斗争,便
是一项迫切的政治任务。

　　然而在完成这项任务时,康福斯感到在《科学与唯心主义的
对立》中对逻辑实证论的批判,火力不足,于是他在《保卫哲学》
中,使出全身的解数,发动了对它更为猛烈的声讨。在这里,作者
针对从罗素到卡尔纳普与艾耶尔的非理性主义逻辑实证论,纯粹
语义学,以及实用主义,首先宣布它们在本质上都是马赫和经验论
学派支流。接着对它们进行了无情的揭露,宣称"原来所有这些
卡尔纳普、罗素、维特根斯坦、杜威以及类似他们这种蒙昧主义者
关于'新方法'、'原子事实'、'绝对客体'等臆断,就是为了反驳
马克思主义才发明的;这种臆断的使命,就是掩盖它们发明者的极
端主观主义和唯我论"③。然而在康福斯看来,所有这些伪装都

---

① 　康福斯:《保卫哲学》"著者序",第 1 页,三联书店,1955 年。
② 　同上书,第 14 页。
③ 　同上。

"反映着资本主义社会理智上和道德上的崩溃"①。因此，从这种认识出发，最后他便把逻辑实证论与实用主义等同起来，认为实用主义既然"自始至终是美帝国主义的哲学"②，那么把逻辑实证论作为批判的对象，便是顺理成章的。

毫无疑问，威尔斯对实用主义与康福斯对逻辑实证论的批判，以及他们给这些哲学戴上的政治帽子，都是日丹诺夫讲话精神的体现。把它们作为以马克思主义为指导进行西方哲学研究的样本输入进来，对于当时中国形成批判西方哲学的模式，起了重要的铺垫作用。

五、中国学者学习批判西方哲学的起步

领会日丹诺夫的讲话精神，引进苏联与其他国家学者批判西方哲学的作品，虽然成为一段时间内西方哲学东渐的主要内容，但是，在高涨的政治热情催促下，中国学者在这样"一边倒"向苏联，即在向苏联哲学界学习以马克思主义为指导进行西方哲学研究的同时，还一边积极地开展了独自批判西方哲学的活动。除了在新哲学研究会举行的学习会上，先后有金岳霖的《美国哲学思想批判》、郑昕的《康德哲学批判》与贺麟的《黑格尔哲学批判》，以及有的开始或继续翻译西方哲学家的著作外，主要的活动有：

1. 对西方哲学中认识论思想的批判

1950 年冬，当毛泽东的《实践论》重新发表之际，中国学者感到这是检验自己能否运用马克思主义批判西方哲学的极好

① 康福斯：《保卫哲学》，第 315 页，三联书店，1955 年。
② 康福斯：《保卫哲学》"纽约版序"，第 4 页，三联书店，1955 年。

机会。因此,当时中国新哲学研究会举行的几次学习《实践论》的座谈会,实际上变成了批判西方哲学的演习。会前,学者们对照《实践论》,就西方哲学与中国哲学中的认识论思想,各自进行批判性的研究。会上,首先由北京大学与清华大学两校哲学系事前分别拟定的提纲进行主题发言,然后针对提纲的内容展开讨论,提出修改和补充意见。会后加工撰成论文,先后发表在《新建设》1950年的第3卷第6期与第4卷第1期上。其中,后者的题目是:《从西方哲学认识论的批判来学习〈实践论〉》。这是新中国成立后大陆学者学习以马克思主义为指导进行西方哲学研究,经过集体讨论后发表有关西方哲学的第一篇论文。

在这篇文章中,作者选择了西方哲学发展过程中几个有影响的哲学派别或重要哲学家的认识论学说,如经验论与理性论,康德、黑格尔、费尔巴哈与美国实用主义作为批判对象;通过对它们的批判,目的是要证明《实践论》中提出的有关论点的正确。然而在这样进行批判的过程中,由于必须以日丹诺夫的讲话精神为指导,最后又要落实到政治批判上来。因此,通过这样批判提出的观点与得出的结论,其偏颇、片面与牵强附会,都是可以想像得到的。例如,在揭露了经验派与理性派认识论的片面性之后,宣称它们的共同错误是不了解实践在认识过程中的地位和作用。本来这是事实,指出它们的这一局限性并给予必要的分析性批评,也是有意义的。但是,作者却没有这样,而是由此扯出这么一段话来,说"在实践问题上,资产阶级哲学与无产阶级哲学中间划了一道鸿沟,使两个哲学营垒分明对立起来,强烈标志着两个阶级的不同兴趣、不同的利益。所以新旧哲学之间,是连续性中断的质变"①。从这种批判中可以看到,作者依据日丹诺夫讲话精神批判西方哲学做出的努力,特别是在批判时不论批判什么问题,总要把它与政治联系起来,以此把批判的矛头指向帝国主义或资产阶级。这种做法可以说是后来以政治批判代替学术批判的最初表现。

不过,从中还可以发现,作者虽然主观上希望不折不扣地贯彻日丹诺夫的讲话精神,但却显得力不从心。像婴儿刚刚学习走路时那样,尽管苦苦挣扎,付出了极大的努力,还是摇摇晃晃,东倒西歪。文章中那些生硬的套话,毫无根据的引申,以及讨论什么都要把它与当时的政治斗争挂钩的做法,都是这种小孩学步时力不从心的表现。

2. 对西方哲学中不可知论的抨击

这是落实日丹诺夫精神的一个具体行动。1955 年 9 月 21 日、11 月 3 日和 1956 年 1 月 11 日,《光明日报》先后发表了葛力《批判康德的不可知论》、黄枬森《不可知论是隐蔽的唯心主义》与方书春《批判休谟的不可知论》等 3 篇文章。1956 年 6 月,上海人民出版社以《批判休谟和康德的不可知论》为书名,汇编成册出版。同年 9 月,全增嘏的专著《不可知主义批判》,也上市同读者见面了。

学者们这样抓住不可知论不放,主要是从反对帝国主义斗争的需要出发的。正如全增嘏说的,"不可知主义是马克思主义的敌人,它是反科学的,也是反人民的。不可知主义为资产阶级的利益,为帝国主义的利益服务,企图散布消极因素,麻痹人民,使他们

_____

① 北京大学哲学系教员:《从西方认识论批判来学习〈实践论〉》,载《新建设》,1950 年,第 4 卷,第 1 期,第 21 页。

不能通过对社会发展规律的认识来改造社会,使他们变成听凭反动阶级剥削压迫的顺民。不可知主义替宗教占领阵地,欺骗人民,使他们陷入蒙昧主义的深渊而不可自拔"①。具体一点说,一方面因为不可知主义理论,"荒谬绝伦地宣称客观世界(无论是自然界还是社会界)及其规律是不可知的,从而麻痹工人们的阶级意识,使他们不能积极地按照社会发展规律来推进革命工作"②。另一方面,在反对现代资产阶级的唯心主义反动哲学时,批判不可知论是当务之急。因为后者是前者的理论来源。例如,马赫的所谓"世界要素",不外是休谟的"印象"或"观念";詹姆士的所谓"纯粹经验",也是取之于休谟的;逻辑经验论把一切知识都归结为命题,更是与休谟的说法完全一致。正是从对不可知论的这种认识出发,中国学者都把对不可知论的批判视为迫切的政治任务之一。

在批判的过程中,虽然矛头所向主要对准了休谟与康德的不可知论,但是,批判的最终的落脚点却是放在为帝国主义服务的现代西方哲学中的不可知主义。因为他们认为,在当时的国际思想战线上,由于马克思主义的发展,引起了国际帝国主义的惊慌。因此,它们"为了挽救自己即将覆灭的命运,正在千方百计地麻痹劳动人民的革命意志,阻挠劳动人民为和平、民主和社会主义进行斗争。于是他们动员了自己的思想家,捏造出各种哲学派别,一方面拼命抵制马克思主义,一方面加紧进行思想放毒"③。不过,由于科学的发展与唯物主义不断取得胜利,使这些帝国主义思想家不得不采取隐蔽的手段来宣传唯心主义。在这些隐蔽手段中,主要

---

① 全增嘏:《不可知主义批判》,第5页,上海人民出版社,1956年。
② 葛力:《批判康德的不可知论》,载《光明日报》,1955年9月21日。
③ 全增嘏:《不可知主义批判》,第22页,上海人民出版社,1956年。

是各式各样的不可知主义。所以，"不可知论在帝国主义时代特别流行，比公开的唯心主义还受到资本家青睐"①。例如，马赫主义、逻辑实证论、语义哲学以及实用主义，都是这样的哲学流派。

而且，在批判时，对于休谟和康德的批判，都是从分析他们的不可知论观点入手，然后才批判其不可知的结论。相反，对于现代西方哲学不可知论的批判，却只是简单地引证哲学家的几句断语，便不顾理论发展的逻辑，把它们与休谟或康德的不可知论联系起来，宣称它们是不可知主义，进而大加抨击。有的甚至根本不加任何引证，便断言被批判的观点来自休谟或康德，并以此为根据，宣布它们是不可知主义，再上纲上线百般加以鞭挞。毫无疑问，现代西方哲学中确有一些哲学家的观点受到休谟和康德哲学观点的影响，然而其中既有积极的因素，也有消极的成分；即使在消极的成分中，被批判的观点是否一定属于不可知论，作者却没有提供足够的材料，也不曾进行有说服力的论证。因此使人感到，这样的批判软弱无力，强加的罪名难以成立。实际上，从这种批判中不难看出，从批判出发点的确定，到不可知的揭露，再到不可知危害的抨击，都可以说，这种所谓批判，基本上是贩卖式的。

3. 参与对美国实用主义的批判运动

20世纪50年代中期，为了适应政治斗争的需要，思想战线上开展了一系列对唯心主义的批判。其中，组织得最好、影响最大的一次是对美国实用主义哲学的批判。虽然发起这场批判运动的原因是多方面的。但是，在批判过程中，从指导思想到批判方法，都与日丹诺夫批判西方哲学的讲话关系密切。在这场运动中，以哲

---

① 黄枬森：《不可知主义是隐蔽的唯心主义》，载《光明日报》，1955年11月30日。

学界为主体的批判大军,一齐上阵,曾经形成了万炮齐轰实用主义哲学的热闹场面。在整个运动过程中,即使矛头不是直接指向美国实用主义哲学的,例如进行自我批判或者批判胡适的,也都或多或少最后一定要把批判的目标指向美国实用主义。据不完全统计,仅1955年至1956年间,报刊发表的这类专题批判文章在200篇以上。后来,三联书店把它们编成《胡适思想批判》(论文集),一共出了12集,除此以外,还有大量批判专著在社会上流传。

在这些文章或著作中,从批判的内容考察,对于美国实用主义的历史背景及其代表人物的主要著作、理论观点,特别是它的社会作用以及它对中国知识分子的影响,都有详细的阐述与愤怒的声讨。语言之锋利、情绪之激昂,上纲上线达到的高度,用当时所谓战斗性标准衡量,都可以堪称上乘。在批判中,虽然不同的论著在具体内容上有不同的侧重,但它们又都有一个共同的特点,就是都把美国的实用主义哲学仅仅作为政治批判的对象。特别是在批判的过程中,由于完全受到政治力量的干预,一切都要从反对美帝国主义的政治斗争的需要出发,因此,对实用主义哲学任何观点的批判,都要求从政治上着眼。即使与政治关系不密切的,也要想方设法这样批。这样一来,对于实用主义这一无论在理论上还是产生它的社会条件以及社会影响都极为复杂的哲学流派,便不可能进行具体的和实事求是的分析与评价。当时负责《光明日报》副刊"哲学"版编辑工作的黄枬森举过一个例子,很能说明这个问题。他写道:胡适"经常提到的'大胆假设,小心求证',这本是对科学发展经验的一种正确的概括,也要勉强去批,说'大胆'是主观自生的毫无根据的幻想,'小心'是挖空心思地歪曲甚至制造根据。这不是实事求是的。胡适的根本观点是唯心主义的,他的唯心主义当然会影响他对这个公式的正确理解和运用,这都是无疑的。

但这个公式不能认为是错误的。因为有大量的事实说明,假设就是要大胆,不大胆就难突破,而求证必须小心,要一丝不苟,假设经过证明或证实才能成为科学理论。如果其中出现差错,那是运用问题,不能归之于这个公式"①。

如此这般进行批判,由于只是以政治上上纲上线得出的结论为满足,因此批判的结果,便得到了一系列不能反映实用主义哲学真实面貌与本质的结论。归纳起来,主要有:(1)实用主义是帝国主义的反动哲学;(2)实用主义是反动的市侩哲学;(3)实用主义是主观唯心主义的;(4)实用主义的方法论是诡辩论;(5)实用主义的真理论是一种权宜手段。而且在批判中,又把这些结论作为批判具体问题的前提。例如对实用主义的社会政治、伦理、宗教、教育哲学等学说,都要依据这些结论进行批判。

毫无疑问,实用主义哲学的基本倾向是唯心主义的,其中的确有不少理论是片面的、错误的,甚至是荒唐的。问题是不能这样批判。因为当时在批判的过程中,基本上不顾产生美国实用主义的历史的、逻辑的必然性,不顾作为美利坚民族哲学的实用主义对美国物质文明和精神文明产生的积极的与深刻的影响,而是简单地把它判为"最陈腐的、最反动的主观唯心论",充分说明这种批判,完全把学术问题政治化了,混淆了学术与政治的界限。这是当时国内政治干预学术的结果,也是输入日丹诺夫精神与苏联批判西方哲学作品带来消极后果的集中体现。

当然,对实用主义的这种批判,也不是没有一点值得肯定的地方。例如对于消除帝国主义思想文化的影响来说,就不是完全毫

①　黄枬森:《回顾〈哲学〉专刊的早期工作》,见《光明日报四十年》,第92—93页,光明日报出版社,1989年。

无意义的。但是,在主导倾向上,却由于"一边倒"向日丹诺夫讲话精神,不但没有体现马克思主义对待人类文化及其遗产的正确原则,相反,采取了虚无主义以及狭隘的民族沙文主义态度。集中表现在批判现代西方哲学的过程中,把学术问题政治化,把一切思想、理论、学术上的是非完全变成了政治斗争。这样一来,西方哲学的研究工作便被完全纳入到了政治斗争的轨道,使它失去了作为科学研究对象存在的相对独立性。更为严重的是,在这样批判的过程中,还形成了一种对待与批判现代西方哲学的"左"的模式。正如有的学者总结的那样,自这以后,便"把这场批判当作是马克思主义对待实用主义等现代西方哲学流派的楷模。于是,在人们(包括一些理论部门的领导人)心目中逐渐形成了这样的观念:实用主义在政治上是极端反动的,纯粹是资产阶级的工具;理论上是极端荒谬的,纯粹是陈腐的唯心主义和形而上学的堆积,毫无实在和积极的因素可言。至于其他现代西方哲学流派往往比实用主义更为腐朽和反动,更为不屑一顾,不值一驳"①。这说明,在批判实用主义运动过程中对实用主义的哲学性质及其政治性质的判决,变成了中国哲学界广泛使用和必须遵守与评价其他一切现代西方哲学流派的基调和原则。长期以来,这个模式在我国哲学界几乎起了支配作用,严重地阻碍了西方哲学东渐与中外哲学交流正常开展。

六、某些例外的情形

从 1949 年秋到 1956 年冬,虽然中国大陆的西方哲学传播工

---

① 刘放桐:《总结经验教训,加强对现代西方哲学的研究》,载《复旦学报》,1984 年,第 5 期,第 40—41 页。

作,受到日丹诺夫精神的牢牢控制,但是在这个过程中,也有一些学者表现了某些例外的情形。

一位是贺麟。早于30年代与40年代,在诚挚的爱国主义基础上,他就为西方哲学东渐作出了多方面的贡献。北京解放后,通过原著学习马克思主义,他联系自己的实际清理以往的学术观点,决心"随着自己专业的途径走向社会主义"①,开始了向辩证唯物主义立场的转变。值得注意的是,他在接受马克思主义时,既是严肃的,例如,在判别过去的学术观点,哪些是错误的,哪些是正确的,他主张纠正前者发展后者,从来不作表面的或敷衍的所谓肯定或否定;又是冷静的,例如,对于唯心主义的看法,毋庸讳言,他"是很有感情的"②。但是,他对日丹诺夫与苏联学者的观点的正确性却持怀疑态度,并依据经典作家的论述,认为这种"把历史上唯心主义哲学都当成政治上的敌人来处理的"办法③,既不够辩证也不够唯物。他指出,"所谓不够辩证,是说把唯物、唯心两者之间划下一条不可逾越的鸿沟,两者绝对对立,没有相互联系,相互沟通的关系;所谓不够唯物,是说没有仔细地了解敌情,没有好好掌握材料和事实"④。这种做法既不符合马克思、恩格斯、列宁对哲学史上唯心主义的评价,也不符合唯心主义哲学出现在哲学史上的真实情景。因此,从1953年开始,他利用各种场合,通过各种

---

① 贺麟:《知识分子怎样循着自己专业的途径走向社会主义》,载《新建设》,1956年,第2期,第21页。

② 姜丕之:《现代西方哲学讲演集》"序",第15页,上海人民出版社,1984年。

③ 贺麟:《为什么要有宣传唯心主义的自由》,载《哲学研究》,1956年,第3期,第41页。

④ 贺麟:《关于哲学史上唯心主义的评价问题》,见《哲学与哲学史论文集》,第523页,商务印书馆,1990年。

不同的形式,一有机会就抓住这个问题,在尖锐批评当时各种流行的错误观点的同时,还反复阐明了他对唯心主义的看法。发表在《哲学研究》1956 年第 3 期上的《为什么要有宣传唯心主义的自由》,是其中具有代表性的一篇。在这篇文章中,他对唯心主义产生的根源,唯心主义在哲学史上的作用,以及如何对待与评价等问题进行的分析与论述,都是实事求是的、公允的,是经得起历史检验的。

不仅如此,贺麟还以这种追求真理的态度,为新条件下的西方哲学东渐,采取了不少具体行动。首先,有计划地翻译西方哲学的经典名著,是他一贯重视的一项工作。40 年代成立的“西洋哲学名著编译会”,1949 年到 1952 年并入北京大学后,仍由他主持。为了搞好这一工作,他一面组织力量进行翻译,校对他们的译稿,一面亲自译出了黑格尔的《小逻辑》,又与王太庆等合作译出了《哲学史讲演录》。实际上,贺麟着手翻译《小逻辑》,始于 1941 年春天。但他指出,“因外务纷扰,工作不集中,直至北平解放时止,我仅译了全书的一半,约十一二万字。解放后学习马克思列宁主义并参加北京哲学界人士的哲学交流会和批判旧哲学的座谈会(经常每两星期举行一次),得到不少新的启示和鼓舞,使得我很兴奋地半年之内完成全部译稿”①。译毕以后,他请人反复校阅,还发给学生对照英文版和德文版进行斟酌,提出修改意见,经过半年的仔细推敲,于 1950 年 10 月由商务印书馆在上海付梓问世。

贺麟的这个译本,是根据 1929 年出版的《克纳肯纳本小逻辑》,1919 年再版的《拉松本小逻辑》和 1892 年牛津版《瓦拉士英

---

① 贺麟:《小逻辑》“译者引言”,第 11—12 页,商务印书馆,1960 年。

译本小逻辑》三个版本相互对照译成的。在翻译过程中,他分别吸取它们的优点,订正它们的错误;每译一个概念,都要经过反复比较和仔细推敲,因此可以说,译品是精雕细刻而成的。在"译者引言"中,贺麟特别指明了如何从马克思列宁主义的观点去批判地吸取《小逻辑》中"合理内核"的具体内容。这是译者本人以马克思主义指导研究黑格尔哲学的尝试,也为广大读者阅读这本唯心主义著作提供了条件。因此,它一出版,"就受到了我国哲学界的欢迎,而且被一般读者视为了解黑格尔哲学思想的入门读物"①。尽管多次重印,还是供不应求。

其次,贺麟还以崭新的姿态开展了黑格尔哲学研究与传播。20世纪50年代初,由于前面提到的原因,同对待所有唯心主义哲学的态度一样,黑格尔哲学的研究,完全处于停顿状态。但是,随着马克思主义学习运动的发展和广大群众马克思主义理论水平的提高,社会上不断提出了了解黑格尔哲学的要求。虽然日丹诺夫精神的影响仍然支配着哲学界,但贺麟却开始冲破它的束缚,尝试用马克思主义的观点来解释黑格尔哲学。他说,"人们愈学习马克思主义哲学,便愈愿意钻研黑格尔,愈钻研黑格尔,便愈能理解马克思主义哲学,这里面应该是没有矛盾的"②。

开始,1954年,他在北京大学哲学系讲授《黑格尔哲学研究》,对照列宁的《黑格尔〈逻辑学〉一书摘要》,指导学生阅读和钻研黑格尔的《小逻辑》。到1955年、1956年,他还走出校园,应邀在社会上对不同专业的人员解读黑格尔哲学。前者印有《黑格尔哲学

① 张幼伯:《黑格尔〈小逻辑〉新译本出版》,载《光明日报》,1981年1月15日。
② 贺麟:《介绍黑格尔哲学的两难》,载《争鸣》杂志,1956年,第1期。

讲稿》,后者刻有《黑格尔哲学介绍》①。从他的讲课与这些讲稿中,可以清晰地看到,贺麟走上以马克思主义为指导进行黑格尔哲学研究道路时,进行艰苦探索的身影。

例如,在全面介绍黑格尔哲学体系时,从理论上阐明了黑格尔哲学的基本特征,指出了对待黑格尔哲学应该采取的态度。贺麟认为,在阐述黑格尔的哲学体系时,不能把它仅仅限于《哲学全书》。因为在此之外,还有《精神现象学》与《哲学全书》后的许多讲演没有包括进去。依据这种看法介绍了黑格尔转哲学体系后,他进一步论述了黑格尔哲学体系各个组成部分的具体内容,提出一定要"分辨他哲学中的唯心论外衣和他的辩证法中的合理内核"②。这是黑格尔哲学的特征,也是他的哲学中的主要矛盾。主要表现在:"(1)灵活的一面,即辩证方法与死板的公式化的形而上学的结论和体系相矛盾。(2)辩证法的革命的合理内核,与保守的认现实的普鲁士政权为完善至上的,与贵族妥协的资产阶级立场相矛盾。(3)从矛盾发展,从全面、内在联系看事物的辩证法与歪曲客观世界替宗教及反动统治阶级服务的唯心论体系相矛盾"③。这些概括虽然显得有些生硬,也不十分准确,但把黑格尔哲学体系与方法矛盾的特征基本上表达出来了。而且,基于这一分析,他才提出了正确对待黑格尔哲学的态度,即:"一方面我们对于黑格尔的唯心论的体系须贯彻党性原则,作坚决不调和的斗争,并须严格划分清楚资产阶级唯心论世界观与无产阶级唯物论

---

① 这些讲稿当时都没有公开发表,但被一些单位把它们打印出来,在社会上得到了广泛传播。后来,收集在《黑格尔哲学讲演集》中。

② 贺麟:《黑格尔哲学讲稿》,见《黑格尔哲学讲演集》,第46页,上海人民出版社,1986年。

③ 同上书,第47页。

世界观及唯心论辩证法与唯物论辩证法的界限，另一方面又不可一概抹煞，简单否定，而需科学地区别开唯心论的外壳与辩证法中的合理的内核，颠倒它，改造它，发挥出辩证法本身应有的效用"①。虽然这些说法也烙有日丹诺夫的痕迹，但在方向上却体现了唯物史观的原则。特别是，他不以此为满足还要把它作为方法论的原则，运用到分析与论述黑格尔哲学的内容中去。例如，谈到黑格尔唯心论体系时，他指出，"我们发现在唯心论体系的形式或外衣中，也交织着辩证法思想。当我们现在集中来论述他的辩证法时，我们也要随时指出他的辩证法是受形而上学和唯心主义体系的限制的"②。因此，他指出在研究黑格尔哲学时，不能因为他的唯心论而否定他的辩证法，也不能因为他的辩证法而肯定他的唯心论。相反，应该在科学地区分唯心论外壳和辩证法中的合理内核后，站在辩证唯物主义的立场上对它进行批判的改造。他认为，批判是必要的，但必须是在客观地和全面地介绍的基础上进行，离开了对黑格尔哲学具体内容的批判，是缺乏根据，没有说服力的。对此，贺麟深有体会地写道："在讲课的过程中，我认识到客观介绍是主要的方面。如果能客观地加以明晰而有条理的介绍，则有了一定的马克思列宁主义水平的听众自知道予以批判，而且可以得到集体的批判，并且不是简单否定的批判，于批判的同时还能肯定吸收其合理的因素。这使我认识到客观介绍与认真批判本质上并不矛盾"③。正是从这种认识出发，因此他认为，他讲的

---

① 贺麟：《黑格尔哲学讲稿》，见《黑格尔哲学讲演集》，第48页，上海人民出版社，1986年。

② 同上书，第64页。

③ 贺麟：《讲授唯心主义课程的一些体会》，载《光明日报》，1957年1月4日。

虽是黑格尔哲学,却不能说这是在宣扬唯心主义,相反,这是"为了社会主义建设,为了深入批判唯心主义,更好地学习和发扬辩证唯物主义而讲课"①。因此,他为在新社会的科学文化事业中付出了劳动不胜兴奋感动,并进一步向自己提出:"应该严格要求自己,应该加强对马克思列宁主义的学习"②。其情其景,令人感动。

另一位是郑昕。他是我国研究康德哲学的著名学者。北平解放后,作为新哲学研究会的负责人之一,他不但积极组织在京的学者学习马克思主义,而且他还通过德文阅读了大量经典著作,开始以马克思主义为指导重新研究康德哲学。最早的行动是,1949年11月,在北京哲学座谈会上对康德哲学的批判发言。后来,经过补充和修改,把报告中知识论部分,以《康德哲学批判》为题,发表在《新建设》1950年第3卷第2期上。这是新中国诞生后,中国大陆发表有关康德哲学的首篇论文。从中可以发现,郑昕研究康德哲学发生的变化。

一个最明显的表现是,以列宁的思想为指导对康德哲学特征的具体揭示。他说,"在这一年当中,我体会马克思、恩格斯、列宁关于德国古典哲学的批判,也重新考虑过全部哲学问题——特别是关于知识问题"③。在经典作家的著作中,对他重新研究康德哲学影响最深的是列宁的《唯物主义和经验批判主义》一书。在他的文章中,引用了库诺费舍分析康德哲学的话,还特别全译与引证了列宁论述康德哲学特征的那段著名的文字,认为"列宁这段话

---

①　贺麟:《讲授唯心主义课程的一些体会》,载《光明日报》,1957年1月4日。

②　同上。

③　郑昕:《康德哲学批判》,载《新建设》,1950年,第3卷,第2期,第21页。

可算得近代哲学思想批判的纲领"①。郑昕这样强调列宁这段话的重要意义,不仅在于在列宁的著作尚未译成中文前能使中国广大读者及时知晓,而且他对康德哲学基本特征更为具体与明确的概括,就是在它的指导下取得的。

他写道:"康德是近代哲学中的重要人物之一,在他的思想领域里反映着整个新兴的、但尚软弱的资本主义对封建主义、僧侣主义斗争的过程,也体现着不彻底的唯物思想和唯心思想斗争的过程,他一方面意识出'理性'与'物自体'的矛盾,想从唯心论的角度去克服这个矛盾,其结果造成'我'的分裂与'物'的分裂,在分裂后的'物''我'关系中,勉强求得统一;另一方面,在解决认识论问题的过程中,也表现了辩证的精神,既摆脱了理性主义派的形式逻辑的、形而上的思想方法的束缚(未能彻底),也克服了巴克莱、休谟的狭义的经验主义,替德国古典哲学奠定了巩固的基础,确定了发展方向;他一方面由科学出发,接受了科学的成果,将科学的精神融化到科学中去,否定了在理论上证明上帝存在的可能性;另一方面,用唯心论的观点,去解释科学的物质、前提、假定等,既抽象化了科学,也抽象化了哲学自身;他维护科学,又不敢开罪宗教;肯定物质,又要过分地强调精神的作用,物质变成了精神的附庸,造成了'怕物质'、'怕上帝'的结局,进步与保守两种动机的矛盾,加深了他的哲学内容的复杂性和行文的曲折、艰涩。一般地说,他是具备了'伟大的理想'和'可怜的实际'的'失败的英雄',而就发展的观点说,他在哲学上承前启后的功劳,是应予承认的"②。

---

① 郑昕:《康德哲学批判》,载《新建设》,1950年,第3卷,第2期,第21页。
② 同上书,第22页。

这段精彩的文字,简洁而形象,准确而鲜明地揭示了康德哲学基本特征,肯定了它在哲学史上的特殊位置。如果说,列宁的论述,主要着眼于从唯物与唯心、感性与理智以及理论上可能的发展趋势上阐明了康德哲学论的基本特征,那么,郑昕在这里,则从唯物与唯心、感性与理智的出发点和后果上进一步阐明了康德这个基本特征的具体内容及其表现。既肯定了其中应该加以肯定的合理成分,也指出了其中必须加以吸取的思维教训,把康德认识论上的二重性活灵活现地展现在世人面前。这是列宁概括康德哲学基本特征的具体化。它从方向上为理解和把握康德哲学认识论的基本精神提供了可靠的保证。在这一点上,作者运用马克思主义研究康德哲学后发生的变化,是十分明显的。

而且,在进一步揭示康德哲学基本特征的基础上,郑昕还就康德认识论的一些主要问题进行了再研究,从中可以看到他对康德哲学理论深度的把握,有了一定的进展。例如,在论述康德解决认识与对象的同一时,在强调条件对于解决这个问题的重要性的同时,还剖析了康德解决这个问题基本思路所体现的哲学路线。认识的目的在于求得思维与存在的统一。不过,在康德看来,认识对象是在认识过程中形成的。而且,即使具备了构成认识对象的主、客观各种因素,要使这些来自不同地方的因素联合起来成为现实的认识对象,并使之具备客观性的品格,必须和主观区别开来,最后要达到彼此相互一致符合。为了达到这个目的,既不能像理性派那样借助于上帝的保证,也不能像经验派那样简单地宣称从经验中来即可。郑昕指出,在这里,康德论证了一个现实意义上的认识对象的形成,必须要有使它得以形成的条件。他提出解决这个问题的纲领是,“经验可能性的条件,同时是经验对象的可能性的条件”。具体说来,“经验可能性的条件,是指空间、时间之为纯粹直观(不是概念)或直观的形式与范畴之为纯概念(不是经验的,抽象的概念,而是判断的、衔接的、表示功能的概念)或悟性的形式,即是说,时空范畴,不但是我们一般经验的条件,同时是我们所经验到的对象的条件"①。而所有这些条件,又都是建立在"我思"或"自我意识"的基础上的,它是认识对象得以形成的更为根本的条件。有了这些东西才有认识对象,也才能在这个形成过程中使认识与对象统一起来。而所有这些条件又是主体先天认识能力提供的,因此认识对象的形成以及思维与存在的同一是在主体认识能力的基础上实现的。

有关康德的这些观点,郑昕早在《康德学述》中曾经有过详细的介绍和论述。不过在那里,对于这些观点的实质尚未明确的揭示。而在这里,不但对此有了清楚的认识,而且对它的不足之处,能站在唯物主义的立场上去揭露和批判。他指出,"举凡此类说法,虽似言之成理,终究是'偷天换日'的办法,因为我不能'创立'世界,包办世界。我怎样了解对象,解释对象,判断对象,其了解和解释的方式是我们的,判断的句子也是我们的,这些方式和句子的总和,并不等于所了解、所解释、所判断的对象——自在之物。简单地说:精神的活动,代替不了物质的存在"②。而且,在这样揭露了康德的唯心主义实质,指出他的解决办法"是一个失败的企图"后③,还联系自己的研究,反思过去对于康德认识的片面性。他写道,"抑我年来受列宁的启示,重新玩味康德的义理、词章,深深感到康德的论证,还多少留下唯物论的痕迹,他对科学的事实与唯物

---

① 郑昕:《康德哲学批判》,载《新建设》,1950 年,第 3 卷,第 2 期,第 22 页。
② 同上书,第 23 页。
③ 同上。

论的真理,并未忘情,我们只要善于体会他的对象论的另一方面——对象作用于主观的一面,了解上便迥乎不同。以前所了解的康德,是将重音放在'我'意识一类字眼上面所得出的片面的、唯心论的解释,过去传诵一时的康德诠释,不都是用'了解康德,是说超过康德'的方式去曲解康德? 然即在唯心论的解释里,已时时闪耀着唯物论与辩证法的火花"①。这一看法是他在全面分析康德解决思维与存在同一性问题后得出的。因为他看到,尽管康德解决这个问题的出发点是唯心主义的,用这种办法解决思维与存在的同一性,其结果必然以失败告终,但是,在研究康德哲学时,却不能只是看到这一面而否定其中的另一面,即它所包含的合理因素。在思维与存在同一性问题上应该如此,对于康德的整个认识论学说的研究,也应该这样。而且正是基于这一点,在重新开展康德哲学研究后,他对康德哲学提出了一个新的看法,即康德"在唯心唯物的思维方式斗争过程中,他解决了或接近解决了一系列的以前的哲学所不能解决的或尚未提出的问题,像知识的'建立'问题(知识论),思想方法问题,逻辑改造问题,玄学的存废问题,哲学与科学关系问题等等"②。上面这些看法,都是郑昕接受了马克思主义以后得到的。如果把它们同《康德学述》中的有关观点加以比较,发生的变化与取得的进展,是清晰可辨的。

第二节　西方哲学在"左"倾支配下曲折东渐

1956 年冬社会主义改造完成后,中国大陆进入了社会主义现

---

① 郑昕:《康德哲学批判》,载《新建设》,1950 年,第 3 卷,第 2 期,第 23 页。
② 同上书,第 22 页。

代化建设时期。并且在开始一段时间内,曾经出现了欣欣向荣的景象。与此同时,包括西方哲学在内的科学文化事业,也一度发生了可喜的变化。然而,在探索适合中国社会主义现代化建设道路的过程中,虽然一方面正确地进行了冲破苏联社会主义模式的尝试,可是另一方面,随着从本国土壤中滋生的"左"倾政治路线的抬头和发展,使刚刚兴起的现代化建设步履维艰,也使西方哲学东渐事业陷于曲折之中。

一、政治上"左"倾抬头与西方哲学东渐的起落

社会主义改造完成前夕,1956年9月,中共召开了第八次全国代表大会。会议指出,社会主义制度在中国已经基本上建立起来;国内的主要矛盾已经不是工人阶级和资产阶级的矛盾,而是人民对于经济文化迅速发展的需要同当前经济文化不能满足人民需要的状况之间的矛盾;全国人民的主要任务是集中力量发展社会生产力,实现国家工业化,逐步满足人民日益增长的物质文化的需要。并且认为,虽然国内还有阶级斗争,还要加强人民民主专政,但它的根本任务是在新的生产关系下保护和发展生产力。在这条正确路线的指引下,从1957年开始,中国大陆开始全面进行社会主义现代化建设。当时,全国各族人民意气风发,斗志昂扬,现代化建设的积极性与创造性得到了空前的发挥,经济建设呈现出热火朝天的局面。与此同时,在思想战线与科学文化事业中,随着"百家争鸣"、"百花齐放"方针以及"向科学进军"口号的提出,在中央举行的知识分子会议精神的鼓舞下,一度出现了生动活泼的可喜变化。

其中,西方哲学研究领域发生的变化,最能说明问题。当时,研究西方哲学的几代学者,除马克思主义哲学家外,年长者一代通过学习马克思主义与社会实践，世界观开始向辩证唯物主义转化；相对年轻的一代，在经受种种考验后成为西方哲学东渐的生力军。他们面对国家发展的大好形势，精神振奋，为了使自己从事的工作在现代化建设中发挥应有的作用，都以高度的历史责任感，通过总结前一阶段西方哲学研究的经验教训，来规划新时期西方哲学研究工作，以便更好地适应和满足社会主义现代化建设对科学文化事业提出的要求。

例如，1956年10月，北京大学冯友兰、张岱年、任继愈与朱伯崑等教授，先后在《人民日报》发表的文章，是上述愿望的最早表达。1957年1月22日到26日，在北京大学哲学系举行的"中国哲学史座谈会"，则把上述愿望的表达推向高潮。2月，由冯定、贺麟、任继愈等组成的中国科学院哲学所代表团访问了苏联，带回了苏联哲学界自1947年以来，特别是1953年以来发生变化的信息，从苏联哲学界的变化中引发了对中国哲学界现状的思考。5月10日到14日，中国科学院哲学所、北京大学与中国人民大学哲学系联合召开了哲学史工作会议。实际上，这是在前一阶段务虚的基础上，推动社会主义建设时期中外哲学研究的一次动员会议。会上的发言与会外发表的文章，后来由《哲学研究》编辑部收集起来，用《中国哲学史问题讨论专辑》作为书名，于1957年交由科学出版社付梓问世。书中的观点不尽相同，但贯穿其中却有一个基本精神，即通过对前一阶段中外哲学史研究工作的回顾和总结，针对存在的问题，讨论和规划了现代化建设时期中外哲学进行研究的建议与方案。在一定程度上，它反映了当时科学文化领域里发生的变化。

从举行上述会议的起因考察，虽然是由中国哲学史界提出的，但是讨论过程中却涉及中外哲学研究的一些根本问题。而且，就问题存在的严重性来讲,西方哲学研究领域比中国哲学研究领域有过之而无不及。会上提出和讨论的问题,归纳起来,主要有:(1)哲学史研究中如何进行阶级分析?(2)唯物主义和唯心主义怎样进行斗争?(3)唯心主义哲学在哲学史上有什么样的历史地位?(4)怎么继承哲学遗产?……

　　然而,在讨论这些问题时,首先,学者们却尖锐地揭露了自"一边倒"以来哲学史研究中存在问题的严重性。在这一方面,揭露的事实很多。这里,仅举出对待唯物主义与唯心主义认识与态度上存在问题的严重性,来加以说明。侯外庐认为,"近来有一股风气,好像我们祖先中唯物主义者越多我们也就越光彩,因此,他们便尽量夸大历史上的唯物主义者的思想,甚至把唯心主义者也说成是唯物主义者"[1]。相反,对待唯心主义者,朱伯昆指出,则"采取了全盘否定的态度"[2],因而"在讲授中,往往把唯心主义臭骂一顿,以为就完成任务了"[3]。特别是在处理唯物主义与唯心主义哲学之间的关系时,贺麟针对"一边倒"时只强调它们之间的斗争,完全否定它们之间具有同一性的做法,他根据哲学史上的事实明确表示,唯物主义和唯心主义之间还有"相互吸收利用凭借的一面"[4],而且对于它们之间的斗争,也不能"了解得太狭隘、太形式、太片面化了"[5],或者如冯友兰所说,不能太"简单化、

① 郝逸今:《中国哲学史工作会议散记》,载《新建设》,1957年,第6期,第51页。
② 朱伯昆:《我们在中国哲学史研究中所遇到的一些问题》,见《中国哲学史问题讨论专辑》,第31页,科学出版社,1957年。
③ 同上书,第32页。
④ 贺麟:《关于中国哲学史研究中两个争论问题的意见》,见《中国哲学史问题讨论专辑》,第187页,科学出版社,1957年。
⑤ 同上书,第159页。

庸俗化了"①。所以,他们指出,由于前些时中外哲学史中的那种搞法,"使本来是丰富生动的哲学史,变得贫乏、死板"②。

对于其他方面存在的问题,学者们也分别进行了揭露与批评。在这样全面反思的基础上,周辅成还把存在的问题进行了如下归纳:"第一,简单化。……就是不管思想系统而只忙于求得结论。第二,公式化。在评论某一个哲学家时,只选择与自己论点相近的资料,相反的资料就略而不谈……第三,机械化。只讲条文,而人物特性都看不出来……此外,过去的工作就像填表格似的,别的什么也不管,只看他是唯物主义还是唯心主义"③。这几条归纳,并没有把当时中外哲学史研究中存在的全部问题及其严重性都概括出来。但从这里可以看到,中国学者对中外哲学史研究在"一边倒"中的现状是十分不满意的。主要是它没有真正体现马克思主义对待人类哲学遗产的正确态度。这是他们对中国科学文化事业具有高度责任感的真挚流露。

其次,基于这种历史感,中国学者勇于直面追寻产生这种现状的根源,认为主要是由于日丹诺夫讲话精神的影响,以及接受他的观点时的教条主义态度所致。因此,他们在认真反思自己搬用日丹诺夫观点批判西方哲学的教条主义态度的同时,还从不同的角度对日丹诺夫的讲话精神进行了严肃的批评。在当时的条件下,虽然还只能通过抽象的肯定与具体的否定的方式表达出来,但在揭露问题的实质以及把矛头直接指向日丹诺夫时,却是明白无误

---

① 冯友兰:《关于中国哲学史研究的两个问题》,见《中国哲学史问题讨论专辑》,第23页,科学出版社,1957年。

② 同上。

③ 郝逸今:《中国哲学史工作会议散记》,载《新建设》,1957年,第6期,第50—51页。

和毫不含糊的。例如,在中国哲学史工作会议上,"有些同志对日丹诺夫给哲学史下的定义的正确性表示怀疑;也有些同志虽然赞成日丹诺夫的定义,但他们感到用日丹诺夫所下的定义来处理哲学史问题,感到有些困难"①。又如,在对待唯物主义与唯心主义斗争的问题上,冯友兰指出,"在这几年的工作中,我们总认为要说明斗争的情况,必先划出一个明确的阵线。在这阵线上,唯物主义与唯心主义'两军对垒',沿着'为界'的'黄河',各自继续着各自的传统,各自发展,像两条平行线一样,为各自的阶级利益服务。这两个阵营在各自发展底过程中,时常你一刀我一枪,战了几百回合。除此之外,好像其间没有其他关系"②。在他看来,这不符合哲学史上的客观实际。他认为,"现在看来,这样的处理,是把问题简单化了,是只看到问题的一面"③。再如石峻。他指出,日丹诺夫在批评亚历山大洛夫时,"说马克思以前,'在那个旧时期哲学只是个别人们的事情,只是少数哲学家及其门徒所组成的哲学学派的专有财产。这班人都是脱离实际,脱离人民,与人民毫不相干的'。这种严厉的批评,对马克思以前哲学史上伟大的唯物主义者和进步的思想家来说,显然是过分夸大了他们的缺点,因而是不完全合乎历史事实的。把这一思想不适当地用来作为指导研究哲学史的原则,其结果必然会导致否认一切古典哲学家在历史上应有的地位"④。

---

① 郝逸今:《中国哲学史工作会议散记》,载《新建设》,1957 年,第 6 期,第50 页。

② 冯友兰:《关于中国哲学史研究的两个问题》,见《中国哲学史问题讨论专辑》,第 18 页,科学出版社,1957 年。

③ 同上。

④ 石峻:《论有关〈中国哲学史〉的对象和范围的讨论及其目前存在的一些问题》,见《中国哲学史问题讨论专辑》,第 65 页,科学出版社,1957 年。

并且从这种认识出发,朱谦之把日丹诺夫的讲话与经典作家的有关论述加以对照,认为日丹诺夫的讲话背离了马克思主义对待人类哲学遗产的原则。例如,"日丹诺夫的发言很多引用了列宁的话,但他和列宁在《哲学笔记》中,敢于说出'聪明的唯心主义比起愚蠢的唯物主义来更接近于聪明的唯物主义'。敢于说出'客观的(尤其是绝对的)唯心主义转弯抹角地(而且还翻筋斗式地)紧紧地接近了唯物主义,甚至部分地变成了唯物主义'。敢于指出'黑格尔反对绝对! 辩证唯物主义的萌芽就在这里!'敢于指出《逻辑学》一书'在黑格尔这部最唯心的著作中,唯心主义最少,唯物主义最多。矛盾,然而是事实'。但在日丹诺夫那里则唯心主义哲学流派的存在,似乎相反地只是作为唯物主义所要克服的对象而存在,唯心主义只是一堆腐烂了的东西就完了,不可能变成唯物主义或接近唯物主义。就这样当说明黑格尔时,只可能把黑格尔当作哲学斗争的对象,而抹煞了他合理的核心。在说明马克思主义哲学时,也忽略了它和以前哲学的继承性,好像辩证唯物主义都是突起的,是不用母亲生产的儿子。在日丹诺夫的思想影响下,于是恩格斯……所说'德国社会主义者却以此为荣说,我们不仅继承圣西门、傅利叶和欧文,而且继承康德、菲希特和黑格尔'的话,都变成无意义了"①。

对日丹诺夫讲话精神实质的这种揭露,是很有见地的。因此,任继愈认为,如果以它作为指导原则进行哲学史研究,便必然带来严重的消极后果。例如,以运用他的哲学史定义进行研究来说:"如果仅仅把唯物主义和唯心主义的斗争当作哲学史研究的对

————————

① 朱谦之:《关于中国哲学史的对象和范围问题》,见《中国哲学问题讨论专辑》,第88页,科学出版社,1957年。

象,那就会有以下三个方面的缺点:第一,使人认为研究哲学史,仅仅是唯物主义战胜唯心主义的历史,就会在社会历史观方面留下空白点,而使人偏重于自然观和认识论方面……第二,……日丹诺夫的发言对辩证法如何战胜形而上学斗争这一严重事实重视不够。他没有充分指出哲学史的任务不仅在于阐明唯物主义战胜唯心主义斗争的规律,而且也在于阐明辩证法战胜形而上学思想斗争的规律。第三个缺点,日丹诺夫的发言没有给哲学史上的唯心主义流派以应有的历史地位,使人认为唯心主义哲学流派的出现不过简单地为剥削阶级服务,唯心主义哲学流派的存在,就是作为唯物主义所要克服的对象而存在的,这样就使得许多哲学史上的现象不好说明"①。

这些批评,都是有充分事实为根据的。而且,当时日丹诺夫仍然被视为正统的马克思主义理论权威,能够这样对他进行批评,反映了中国学者的理论勇气,也体现了他们以马克思主义为指导进行中外哲学研究的探索精神。

所以,最后,在反思和批评的基础上,中国学者还以这种精神状态,强烈地表达了从思想到行动要以新的姿态开展西方哲学研究的愿望。例如,认识上在接受以马克思主义为指导时,要反对教条主义。潘梓年指出,"过去哲学史教学和研究中所产生的问题,根源在于吃了教条主义的亏。因此,我们要提倡实事求是,反对教条主义的研究方法……不要死扣教条,仅仅记诵一些公式;必须掌握大量材料,进行深入踏实的研究。在研究哲学史定义时,我们尽可不去管日丹诺夫的定义,而只依据我们的具体情况去研究好了,

---

① 任继愈:《中国哲学史的对象和范围》,见《中国哲学史问题讨论专辑》,第49—50页,科学出版社,1957年。

研究结果得出的结论如果符合日丹诺夫的定义,那么就证明日丹诺夫定义的正确;如果研究的结果与日丹诺夫的定义不符,那么就可以争鸣一下,看看是谁正确"①。

又如,行动上为了适应现代化建设的需要,要全面地推进西方哲学东渐。对此,洪谦指出,"当今天党和政府号召我们向科学进军的时候,我们再不能容忍这种状态继续下去,我们必须立刻向哲学史这门科学进军。我们或者以某个时期的哲学史如希腊哲学史,近代哲学史或现代哲学史,或以各个哲学流派,如希腊原子唯物主义,18世纪法国唯物主义,英国经验主义,或大陆理性主义,或以个别哲学家如柏拉图、亚里士多德、洛克、笛卡儿、斯宾诺莎、休谟、狄德罗、康德、黑格尔或费尔巴哈作为对象,有计划、有步骤地进行研究"。②

更为可贵的是,从这种思想认识出发,学者们根据现代化建设对科学文化提出的要求,还就如何推进西方哲学东渐事业,如原著翻译、课题拟定、著作出版、学风要求、外语人才培养,以至时间安排,都分别提出了建议和规划。条条建议,热情洋溢,项项规划,真挚感人。

透过前面这些事实的介绍,有些学者把它称之为思想文化领域里绽开的小阳春天气,的确能够使人亲切地感受到了科学文化事业欣欣向荣的气象。当时,中国学者面对这一形势,心情舒畅、意气风发,以冲击日丹诺夫的讲话精神为起点,决心在马克思主义的指导下以新的姿态投入西方哲学研究。郑昕提出"开放唯心主

---

① 郝逸今:《中国哲学史工作会议散记》,载《新建设》,1957年,第6期,第51页。

② 洪谦:《谈谈学习西方哲学史的问题》,见《中国哲学史问题讨论专辑》,第43页,科学出版社,1957年。

义",贺麟倡导"集中反对教条主义",可以看作是这种精神的体现。而且,就是在这种文化气氛中,有的开始有选择的新译或修订原有的译本,有的开始撰写以马克思主义为指导的哲学史,有的开始进行西方哲学的专题研究。势头是令人鼓舞的。

然而,事情没有像学者们所期望的那样发展。随着政治战线上"反右"运动的开展,在"左"倾政治路线的支配下,意识形态领域的"左"倾也随即抬头,并挥舞起大棒来了。关锋对北京大学哲学史讨论会的批判与讨伐,是最为突出的表现。

1958年9月,关锋以《反对哲学史工作中的修正主义》为题,在《哲学研究》上发表长文,宣称北大讨论会上"出现了为害更为严重的修正主义倾向"①;会上发生的争论是两条路线的斗争,确切一些的表述,应该是:"马克思列宁主义的哲学路线和唯心主义——修正主义路线的斗争"②。他认为,"如果他们的论点(甚至只是某一个论点)受不到彻底批判而得以流行的话,就会引起一系列的混乱,引起某些不坚定的人们对马克思主义哲学整个体系的动摇;在实践上更将是贻害无穷的。就哲学史的研究工作来说,某个哲学史工作者在自己的研究工作中不自觉地离开马克思主义的基本原理是一回事;而在哲学史方法论上的修正主义却是另一回事,后者比前者严重一千倍——如果不是更多的话。因为它是自觉的,是作为一种指导思想而出现的,客观上是在引诱哲学史工作者离开马克思主义而走向修正主义路线的"③。因此,他提出要在哲学史研究工作中开展反对修正主义的斗争。

---

① 关锋:《反对哲学史方法论上的修正主义》,第64页,人民出版社,1958年。
② 同上书,第4页。
③ 同上书,第110—111页。

毫无疑问,在那几次座谈会上,学者们对中外哲学研究的诸多问题发表的看法,不能说所有的观点都是完全正确的,不存在可以进一步讨论或批评的地方。但是,这些都是属于学术问题,而且,从他们发言的基本倾向看,都是力求运用马克思主义来探讨和解决会上提出的问题。这是他们追求真理的表现。然而,关锋却断言:"他们的根本论点的实质却是修正主义的"[1],说什么"只有用修正主义这个概念,才能确切地反映当前在哲学史方法论上发生的背离马克思主义的这种倾向"[2]。实际上,关锋的这些言论与观点,反映了政治上的"左"倾路线抬头后,已经伸展到哲学战线上来。就是说,这是"左"倾政治路线在意识形态领域里的表现。它之所以能在思想战线上顺利推行,也主要是依靠政治战线上"左"倾路线作为后盾的。这条政治路线早在1957年"反右"时已经萌生,经过1958年"拔白旗"到1959年反对右倾机会主义时,逐渐支配了社会生活的各个领域。在这个过程中,有些研究西方哲学的学者被打成"右派",有些被点名批判,有些下放劳动,不少人精神上蒙受了巨大的打击。这样一来,西方哲学研究领域好不容易刚刚出现的大好势头以及微微绽露出的新枝嫩芽,很快就被无情地压抑下去了。

不过,到1960年,情况发生了一些变化。因现代化建设开始后,由于对经济发展的规律和中国经济基本情况认识不足,在社会主义建设方面缺乏经验:主要是在胜利面前滋长了骄傲自满的情绪,急于求成,夸大了主观意志和主观努力的作用,因而在没有经

---

　　[1]　关锋:《反对哲学史方法论上的修正主义》,第64页,人民出版社,1958年。

　　[2]　同上书,第110页。

过调查研究，便在全国提出和掀起了总路线、大跃进和人民公社化运动。这一历史现象的产生，虽然有冲破苏联经济建设模式与寻找符合中国国情建设道路的积极意义，但是，它却使以高指标、瞎指挥、浮夸风与"共产风"为主要标志的"左"倾错误严重地泛滥起来，给刚刚开始的现代化建设造成了极大的危害。加上不久遇到的自然灾害和苏联政府背信弃义撕毁合同，使中国大陆的国民经济在1959年到1961年遇到了空前的困难，使国家和人民遭受了巨大的损失。在国家经济生活这种空前困难的特殊条件下，尽管政治上的"左"倾路线仍然严密地控制着社会生活的各个方面，但是，从1960年秋开始，科学文化领域却采取了一些较为松动的措施。同时，这一年在国际上还开始了反对现代修正主义的斗争，为了揭露修正主义的思想根源，也提出了批判西方哲学，主要是现代西方哲学的任务。因此，在"以阶级斗争为纲"的风浪越刮越狂的夹缝中，1960年以后的一段短暂时间内，科学文化领域里却出现了某些活跃的景象。

　　例如，这年冬天，中国科学院哲学社会科学部第三次委员会扩大会议的召开及其讨论的问题，是其中最为醒目的例证。会上着重就哲学社会科学研究工作中进一步贯彻"双百"方针进行了讨论，并且突出地强调了"贯彻执行百花齐放、百家争鸣的方针，必须注意划分学术问题同政治问题"的重要性①。虽然在当时的政治气氛中，把这个问题这样提出来，显得有些格格不入，但这不但是事实，而且会上还具体地规划了1961年和1962年国外哲学社会科学的研究工作。会后，在经济极为困难的条件下，组织有关学

①　《新建设》编辑部：《进一步贯彻百花齐放、百家争鸣的方针，发展我国哲学社会科学》，载《新建设》，1961年，第1期，第2页。

者会集北京,依据计划编译资料,在一定程度上也开展了一些有关西方哲学的研究。这说明,虽然这些活动是在反对修正主义、批判资产阶级的前提下进行的,但在一定意义上和在一定范围内,西方哲学东渐仍在进行中,而且,在这种特殊条件下,有些学者独立地进行了一些专题研究,使西方哲学的研究在某些方面,还取得了一定的进展。

只是随着国际上反对修正主义和国内社会主义教育运动的发展,"以阶级斗争为纲"的弦越绷越紧。特别是基本路线提出后,要求一切"以阶级斗争为纲",一切服从"无产阶级专政下的继续革命",因此,在这条政治路线的支配下,思想战线上批判资产阶级和批判唯心主义的运动,被推进到了极其狂热的程度。这样一来,随着无休无止"破字当头"的大批判运动的发展,真理观上的形而上学终于使自己走向作茧自缚,夹缝中几度出现的西方哲学学术研究的一线希望,不但很快被越刮越猛的阶级斗争风雨淹没了,而且还要指出,中国大陆与国外的哲学交流,50年代与西方资本主义国家隔离后,60年代又和苏联等社会主义国家对立起来了。

上述事实说明,从1957年到1965年"文化大革命"发动前,中国学者以怀疑日丹诺夫讲话精神的正确性为起点,曾经以高涨的政治热情开始了运用马克思主义为指导开展西方哲学研究。然而,日丹诺夫的思想束缚尚未得到全面的解除,又受到国内"左"倾政治路线的控制,使这一阶段的西方哲学东渐,随着国际国内政治斗争的起伏,不断处在曲折之中。在这样的条件下,不仅那些因政治上受到打击的学者被剥夺了从事西方哲学研究的权利,就是政治上没有遭此厄运的学者,在"戴着口罩掏垃圾箱"的过程中,如果一不小心没有跟着当时的政治指挥棒转,也是难以正常地开展西方哲学研究与传播的。不过,在这样两起两落中,有些学者在巨大的政治压力下,或者利用小阳春天气的有利时机,或者抓住其间出现的某些缝隙,独立地进行了一些有意义的研究。最为感人的是,有些学者甚至因受到不公正的待遇背着沉着的政治包袱,不顾个人得失在从事这项工作。这样,不仅使这个阶段的西方哲学研究得以坚持下去,尽管取得有学术价值的成果不多,但如果和前一阶段比较,以引进苏联哲学有关作品作为西方哲学传播主要内容的局面发生了变化,中国学者撰写的论著占据了主导地位。而且,在这些论著中,有些是真正运用唯物史观探索西方哲学的产品,就是那些在为政治服务名义下批判西方哲学的作品,也能够从中发现某些冷静的理性思考。所以,在曲折中西方哲学东渐仍然取得了一些进展。

二、继续引进苏联有关西方哲学的作品

自20世纪50年代中期开始,中国哲学界开始摆脱日丹诺夫的思想束缚,然而像存在惯性一样,直到50年代的末期,引进苏联有关西方哲学的作品,势头仍然不减。进入60年代后,因反对国际修正主义斗争的需要,苏联出版的西方哲学的论著,由学习的样本变为批判的对象。因此,为了揭露修正主义的思想根源与教育群众认清修正主义的面目,把它作为反面教材也有选择地被译介过来。

1. 哲学史著作的翻译与出版

1947年批判亚历山大洛夫《西欧哲学史》讨论会后,为了贯彻日丹诺夫的讲话精神,苏联哲学界就编写一部多卷本《哲学史》,曾经采取了一系列具体措施。但是,这项工作的进展并不顺利。特别是1953年以后,那次会议的指导思想遭到怀疑,加上认识上

的忽左忽右,一部运用日丹诺夫精神编写的哲学史,一拖再拖,难以问世。直到 1957 年才出版第一卷和第二卷;1958 年出版第三卷和第四卷;1961 年出版第五卷;1965 年出版第六卷。历经数年,才由苏联科学出版社全部出版。

中国哲学界对于苏联《哲学史》的写作和出版,给予了高度的关注。在尚未译成中文前,任华在《光明日报》以《苏联哲学史研究工作中的重大成就》为题,进行了热情的报道,并予以充分的肯定。他说,"这部书的出版,无疑也是世界学术史上的一件大事。它宣布了在世界上第一部真正科学的哲学史的诞生,它也具体证明了苏联在哲学史研究方面远远超过了资本主义国家"①。然后,每当其中任何一卷出版后,即积极组织力量进行翻译,并以最快的速度与读者见面。其中,第一卷于 1958 年 9 月、第二卷于 1961 年 12 月、第三卷于 1963 年 4 月、第四卷于 1964 年 5 月,便先后出版了。在这个过程中,还把苏联学者配合写作《哲学史》进行相关专题研究取得的成果,如《俄国哲学史论文集》、《苏联各民族的哲学与社会政治思想史纲》、《西欧中世纪哲学史纲》也一块把它们及时地译介过来了。如果把这些著作同《哲学史》的有关部分进行比较,那么就不难发现,不但执笔者相同,而且从内容上考察,写作思路相同,基本观点一致,因此,只要介绍一下《哲学史》,即能窥见它们的理论倾向。

首先,给人印象最深的,是它篇幅宏大,内容上时间与空间的跨度,都是前所未有的。以这个阶段翻译过来的前四卷来说,在时间跨度上,第一卷阐述了从古代到 18 世纪末和 19 世纪初的哲学

---

① 任华:《苏联哲学史研究工作中的重大成就》,载《光明日报》,1957 年 11 月 17 日。

史;第二卷叙述了英、法和德从1789年法国资产阶级革命到1848年德国资产阶级革命运动和产生马克思主义为止的这个时期内哲学思想的发展;第三卷阐明了辩证唯物主义与历史唯物主义哲学的形成和发展以及西欧国家最重要的哲学流派的历史;第四卷论述了19世纪下半叶俄国和东欧各国、美国和拉丁图美洲、中国和东方其他国家的哲学思想的发展。在空间跨度上,希望把世界各国哲学的发展全面地展现出来。因此,"在第一卷中,除了叙述古希腊罗马和西欧的哲学史上及苏联各民族的哲学史以外,作者和编者还尽力阐明东方国家(中国、印度、埃及和其他阿拉伯国家)的哲学思想的历史发展"①。又如在第二卷中,除了探讨英国、法国和德国的哲学发展以外,还阐明了"俄国、波兰、南斯拉夫、罗马尼亚、捷克斯洛伐克、匈牙利、保加利亚在封建制度发生危机和崩溃,资本主义确立,在这些国家中革命的工人运动产生和马克思主义得以传播以前的时期……哲学思想和社会思想的发展"②,以及美国独立战争之前和拉丁美洲、印度、中国和日本封建制度发生危机,资本主义萌芽时期的哲学思想。第三卷和第四卷,也是这样。由此可见,时间跨度之长,空间跨度之广,在以往出版的哲学史中,是没有一部能同它相比的。

其次,在理论观点的阐述上,虽然基本倾向仍然受到日丹诺夫精神的支配,但是,从中还能发现冲破这种控制作出的努力。因此,要是把它同50年引进著作中的有关内容比较,那么,理论倾向上发生变化的痕迹,也是清晰可见的。而且,时间愈是往后,变化

① 《哲学史》第一卷"编者的话",见《哲学史》第一卷,第1页,三联书店,1958年。

② 《哲学史》第二卷"编者的话",见《哲学史》第二卷,第1页,三联书店,1961年。

的程度愈是明显。例如,1965 年出版的《哲学史》第六卷中,对于苏联哲学史研究反思提出的看法,最能说明问题。其中,对 1947 年哲学史讨论会,提出了如下批评:

一是指出了讨论会指导思想发生偏差的根源,即:"在 30—40 年代,斯大林个人迷信的影响曾是哲学史研究的一个重大障碍"[1],因为他"不顾事实并且违背马克思、恩格斯和列宁曾经作过的评价,宣称德国古典哲学是法国革命和法国唯物主义的'贵族的反动'"[2]。在这一教条影响下,由此,"形成了对康德、费希特和黑格尔的哲学的片面否定。这种虚无主义观点一旦在哲学史方面埋下根子,就使辩证唯物主义脱离了理论来源,从而导致了它的贫乏化"[3]。

二是揭露了日丹诺夫对待哲学史的片面性。认为他"错误地断言,马克思主义以前的全部哲学'绝不能成为实践上影响世界的工具,也决不能成为认识世界的工具';似乎过去各种哲学体系的创造者是'不能帮助自然科学发展的'。结果,党性原则实际上同哲学史中的继承性原则对立起来……把哲学思想的发展仅仅同唯物主义学说联系起来,低估了唯心主义体系中的辩证法的价值"[4]。

三是阐明了日丹诺夫讲话精神给苏联哲学史研究带来的消极后果。主要表现在:"把试图说明马克思以前的思想家的学说中的合理的东西这种做法看成是低估了马克思主义在哲学中所完成

---

[1]　敦尼克等主编,侯鸿勋等译:《哲学史》第六卷(上),第 466 页,三联书店,1982 年。

[2]　同上。

[3]　同上。

[4]　同上书,第 467— 468 页。

的革命；还有人企图按照'唯物主义——进步，唯心主义——反动'这样一个公式来千篇一律地评价各种哲学学说。在正确地强调唯物主义和唯心主义的斗争后隐藏着阶级之间的斗争的时候，有时却忽略了哲学中进行的争取客观真理的斗争"①。

　　这些看法是斯大林1953年去世几年后提出来的，是在不断反思日丹诺夫讲话精神的过程中得到的。虽然这个阶段引进的前四卷中没有这样明白地表述出来，但从第一卷到第四卷，每一卷都烙有批评和摆脱日丹诺夫精神的印痕。而且，从发展的痕迹考察，随着时间的推进，认识愈来愈全面，表述愈来愈明确。例如，早在1953年拟订《哲学史》提纲时，对日丹诺夫讲话给哲学史研究带来的困难，已经有所感触。同年《哲学问题》发表的社论，是这一情绪的流露。后来，从1957年开始，在他们先后出版的几卷《哲学史》中，都或多或少离开了日丹诺夫的立场。因此，多卷本《哲学史》的输入，首先对于正处在探索如何以马克思主义为指导进行西方哲学研究的中国学者来说，是有启发作用的。

　　此外，书中希望全面反映世界各国哲学发展的真实面貌，克服过去哲学史研究中的薄弱环节，苏联学者为此做出的努力，也是有意义的。不过，由于它仍然停留在日丹诺夫的套路中晃来荡去，因此从整体上说，虽然提供了不少的材料，但研究方法呆板，理论缺乏深度，尤其在论述现代西方哲学时，片面性大，给中国哲学界造成了不可忽视的消极影响。

　　2. 近代西方哲学论著的译介

　　在《哲学史》的编写过程中，苏联哲学界对近代西方哲学开展

————————

　　① 敦尼克等主编，侯鸿勋等译：《哲学史》第六卷（上），第468页，三联书店，1982年。

了一定程度的研究。其中,对十七八世纪英法哲学的研究,发表了一些论文,出版了一些通俗性读物。这些作品都受到了中国哲学界的重视。例如,对于前者,把翻译的论文及时地通过各种学术刊物刊登后,《哲学研究》编辑部还选择其中一部分编成《论十六世纪末——十八世纪初西欧哲学》一书,于1961年由三联书店出版了。对于后者,翻译后出版了赫拉赫坦堡的《资产阶级革命初期唯物主义的发展及其对唯心主义的斗争》、奥依则尔曼的《马克思主义以前哲学发展的主要阶段》、威茨曼的《伟大的英国唯物主义者托马斯·霍布斯》、查伊欧科的《洛克的哲学》、索考罗夫的《斯宾诺莎的世界观》、索柯洛夫的《伏尔泰〈哲学与政治观点〉》、阿尔塔诺夫的《伏尔泰评传》、西林的《爱尔维修》以及《苏联大百科全书》词条中的《孟德斯鸠》、《伏尔泰》、《拉梅特利》、《卢梭》、《狄德罗》、《爱尔维修》与《霍尔巴赫》等小册子。在这些作品中,除了强调唯物主义对唯心主义的斗争外,还围绕这段哲学史上的一些争论的问题尖锐地批判了现代西方哲学家有关近代英法哲学的观点。

　　与上述情况略有不同,对于德国古典哲学的研究,它受到日丹诺夫消极影响最深,然而苏联学者冲破其束缚的努力,也集中表现在这一部分。从思想到行动,中国学者对此更有迅速的积极的反应。例如,只要苏联报刊上一旦发表有关德国古典哲学的文章,中国的《哲学译丛》等期刊,即会译成中文后登载出来。同样,1961年,《哲学研究》编辑部经过选择,把其中有代表性的论文集中起来,由三联书店出版了《论十八——十九世纪德国古典哲学》一书。不过,最能体现苏联哲学界在哲学史研究中发生的变化,却是当时被译成中文的下列著作:

　　康德哲学　　　　　　阿斯穆斯著　　　蔡华玉译　　上海人民出版社

康德哲学的批判分析	卡拉毕契扬著	江文若译	商务印书馆
费希特的哲学	奥依则尔曼著	伯显译	商务印书馆
论黑格尔哲学	奥依则尔曼著	宋家修译	科学出版社
黑格尔哲学	索考罗夫著	彭仲文译	商务印书馆
黑格尔的哲学	奥依则尔曼著	马塞译	上海人民出版社
费尔巴哈的唯物主义	加巴拉那夫著	涂纪亮译	科学出版社
费尔巴哈的哲学	巴斯金著	涂纪亮译	上海人民出版社

这些著作和前面提到的论文一样,都是分别对某一位德国古典哲学家的专题论述。虽然在表述上,论文集中、精练,著作深入、系统,然而不论前者还是后者,对于哲学史研究中发生的变化,比起《哲学史》前四卷来说,有了更为进一步的论述。主要表现在:

首先,揭露了否定德国古典哲学的根源及其对哲学史研究带来的消极影响。例如,赫里亚比契写道:"关于黑格尔的整个哲学的评价,斯大林认为它是贵族阶级对法国唯物主义和法国革命思想的反动。后来出现了一些阐发这种论点的文章"[1]。他指出,《苏联大百科全书》与《简明哲学辞典》便都是这样说的。甚至马列学院在其为《哲学笔记》写的"序言"中,竟把这种看法说成了列宁的定论,宣称"列宁的《哲学笔记》指出了黑格尔哲学的反动性,他的哲学是'贵族阶级对法国资产阶级革命和法国唯物主义的反动'"[2]。作者认为,"这显然是牵强附会,因为我们在列宁的著作里不会找到这种意思的说法"[3]。

在揭露了这个论点不是来自列宁后,苏联学者批评了它的错

---

[1]　赫里亚比契:《黑格尔哲学遗产的评价问题》,见《论黑格尔哲学》,第156页,科学出版社,1959年。

[2]　同上书,第157页。

[3]　同上。

误与后果。有的指出,虽然这种说法在苏联广为流传,"但无论如何也不能认为是正当的"①。特别对于德国古典哲学的研究,由于它不能正确评价黑格尔哲学这一重要文化成果,因此不但对其他唯心主义哲学家采取了贬损的态度,就是唯物主义者费尔巴哈,也没有逃脱被批判的厄运。正如加巴拉耶夫所说,"最近苏联某些哲学家在一些论文和著作中,对费尔巴哈在形成十九世纪俄罗斯革命民主主义者的唯物主义世界观的作用表现出一种轻视的倾向。这种看法是不正确的,而且也是不符合事实的"②。不仅如此,这种看法与态度,也有害于马克思主义哲学的发展。例如,"它导致了对唯物主义辩证法的范畴和规律的过低评价"③。

其次,力争还德国古典哲学家在西方哲学史上的本来面目。在这一点上,一方面通过对德国社会历史的分析,从政治上肯定了德国古典唯心主义哲学的阶级本质及其进步作用。如敦尼克说,"德国经历了经济发展和政治发展的漫长而痛苦的道路,终于接近了资产阶级革命。恩格斯写道,'正像在 18 世纪的法国一样,在 19 世纪的德国也是由哲学革命作了政治变革的导言'。恩格斯所说的哲学革命,是由德国资产阶级思想家、德国古典哲学的代表们所完成的"④。因此,"德国古典唯心主义泰斗——康德、费希特、黑格尔——的哲学,在当时来说,是进步的学说,他们的哲学是德国人论述法国革命的理论。康德、费希特和黑格尔是德国资产

---

① 赫里亚比契:《黑格尔哲学遗产的评价问题》,见《论黑格尔哲学》,第 156 页,科学出版社,1959 年。

② 加巴拉耶夫:《费尔巴哈的唯物主义》,第 4 页,科学出版社,1959 年。

③ 赫里亚比契:《黑格尔哲学遗产的评价问题》,见《论黑格尔哲学》,第 155—156 页,科学出版社,1959 年。

④ 敦尼克:《黑格尔哲学及其在哲学思想史上的地位》,见《论黑格尔哲学》,第 18 页,科学出版社,1959 年。

阶级的思想家。他们的哲学反映了资产阶级反封建斗争的利益和愿望"①。另一方面在这个基础上,还指出了不同的哲学家只是"各自反映了他们所处的不太长的时间里德国阶级斗争发展的相应阶段的特点"②,因此在哲学内容上,他们各有不同的贡献。具体说来,"康德在他的早期著作中从自然界的发展中考察了自然界,有力地打击了形而上学的方法,在他的活动的'批判'时期内,他探讨了唯心主义辩证法,这种辩证法最明显地表现在他关于分析和综合、知性和理性的相互关系的学说中,关于纯粹理论的二律背反的学说中。费希特把发展是从正题通过反题而达到合题的运动这种看法带进了唯心主义辩证法。唯心主义辩证法在黑格尔那里获得了最发达的表现,在黑格尔的方法中,在神秘的、唯心主义的外壳下包含有关于认识的辩证法,关于自然界和社会的发展的宝贵猜测"③。这些概括虽不全面,但对于恢复德国唯心主义哲学家的真实面貌,却具有重要意义。

最后,阐明了德国古典哲学对于马克思主义哲学产生的历史作用。在这些论著的作者看来,马克思主义哲学的产生是哲学史上的一次革命变革。但是,这种革命变革除了它是当时人类社会实践经验的总结之外,批判地继承人类哲学发展的遗产也是不可忽视的。在这些遗产中,德国古典哲学是它的直接理论来源。对此,阿斯穆斯论述这个问题时,认为"德国共产主义者的理论发源

---

① 汪吉克:《论费希特的哲学思想》,见《论十八——十九世纪德国古典哲学》,第183页,三联书店,1961年。

② 同上。

③ 奥依则尔曼:《列宁论黑格尔的辩证法》,见《论黑格尔哲学》,第19页,科学出版社,1959年。

于他们,正如发源于法国空想社会主义者一样"①;敦尼克在谈及黑格尔哲学时,肯定他是"伟大的、战无不胜的、改造世界的马克思列宁主义哲学学说的先驱者之一"②。所有这些说法,都一致肯定了德国古典哲学作为一个思潮,其中的合理因素是马克思主义哲学的直接理论来源。

这里介绍的,是1953年,特别是1956年以来,苏联哲学界在德国古典哲学研究中发生变化的一部分材料。它们的引进,对于中国哲学界冲破日丹诺夫的思想束缚,有一定的促进作用。

3. 批判现代西方哲学著作的输入

与前述德国古典哲学研究中发生的变化形成鲜明的对比,在现代西方哲学的研究中,却仍然牢牢地束缚在日丹诺夫讲话精神之中。在一段时间内,中国哲学界有选择地输入苏联出版的这类作品,有:

美国的启蒙哲学	巴斯金著	庞龙译	上海人民出版社
现代唯心主义哲学的主要流派	贝霍夫斯基著	颜品忠译	三联书店
现代主观唯心主义	巴希托夫著	安信等译	三联书店
美国的实用主义	梅果维尔著	郭力军译	上海人民出版社
为帝国主义服务的美国哲学和社会学	贾加林著		上海人民出版社
尼采哲学的反动本质	奥杜耶夫著	允南译	上海人民出版社
现代资产阶级哲学的基本特点	奥依则尔曼著	何渝生译	商务印书馆

---

① 阿斯穆斯:《康德哲学》,第107页,上海人民出版社,1959年。

② 敦尼克:《黑格尔哲学及其哲学思想史上的地位》,见《论黑格尔哲学》,第33页,科学出版社,1959年。

　　这些作品,一般篇幅不大。在内容上,类似政治宣传读物。下面,分析其中几本有代表性的作品,以窥一般:

　　首先,在《现代唯心主义哲学的主要流派》中,作者从分析现代西方哲学的各个流派入手,然后把它们综合起来,透过其内容的剖析,从整体上揭露了现代西方哲学的反动实质。正如作者所说,他写这本小书的目的,是因为"敌人的武器是必须知道的"①。这是他对研究对象的看法,也是他给自己提出的任务。从这种认识出发,虽然他说现代西方哲学有不同的学派,但是,他在书中着重阐述的,却是这些哲学流派共同具有的根本性质:

　　一是它们的政治使命相同。在贝霍夫斯基看来,自马克思主义诞生开始,现代资产阶级的一切哲学流派,便结成了反对科学社会主义世界观的同盟。为了使腐朽的资本主义继续存在下去,他们都把斗争的矛头集中对准了马克思主义。例如,为了阻拦马克思主义的广泛传播,它们采取了种种"预防手段,便成了一切资产阶级哲学的全部迫切任务"②。由此可见,它们的共同使命,"都是反对一个同样的敌人——唯物主义哲学"③。所以,他要求人们处处提防它们,保持对它们的高度警惕。像作者宣传的那样,要在哲学上作一个有党性的人,就必须"善于看到哲学中的这种阶级斗争——不仅在它们直接和明显的形式出现的地方,而且在它不惹人注意的隐藏着的极为浓厚的思辨的烟雾的笼罩着的地方"④。

---

　　① 　贝霍夫斯基:《现代唯心主义哲学的主要流派》,第1页,上海人民出版社,1958年。
　　② 　同上。
　　③ 　同上书,第60页。
　　④ 　同上书,第5页。

二是它们的理论实质相同。在作者看来,虽然现代西方哲学有不同的流派,但它们都是现代西方资本主义社会现实的反映,毫无例外地都是唯心主义的。正如有的作者描述的那样:"如果一切哲学都是现实的反映,那么,现代唯心主义哲学便是各种哈哈镜的集大成。这些镜子的曲率是各不相同的,但不管怎样,它们都是歪曲地、颠倒黑白地反映实在世界的"①。并从这个主观论断出发,宣称新托马斯主义、新实证主义和生存主义,是这些学派中"活动最厉害的和最有影响的派别"②。因此,接着对它们分别开展了严厉的批判:认为新托马斯主义是腐朽的托马斯经院哲学的复活,是现代天主教的官方哲学;而逻辑实证论则把科学认识局限在经验范围之内,把伦理学和美学排斥于科学领域之外,并为宗教的认识论作辩护;生存主义更是把"生存"同"存在"即同物质世界对立起来,提倡厌世生活,畏惧死亡的自我中心主义。总之,它们都是哈哈镜式的糟粕。

其次,在《现代资产阶级哲学的基本特征》中,也是以批判现代西方哲学的反动实质为目的,但在批判角度上稍有不同,前者主要着眼于政治实质,而本书却看重理论观点实质的揭露。作者写道:现代资产阶级"早已变成了反动阶级,因为它的哲学也和哲学理论以往发展的成就断绝了关系。这就决定了现代资产阶级哲学的基本内容和社会使命乃是为资本主义关系充当辩护者。维护资本主义,反对社会主义制度及其科学的思想体系——马克思列宁主义,这就是现代资产阶级哲学家们极精致的抽象体

---

① 　贝霍夫斯基:《现代唯心主义哲学的主要流派》,第1页,上海人民出版社,1958年。
② 　同上书,第6页。

系的基础"①。正是从这种认识出发,作者进一步指出,"既然存在着腐朽的资本主义制度,资产阶级哲学学说必然会具有非理性主义、信仰主义和伪科学的性质"②。他断言,非理性主义,信仰主义和伪科学就是现代西方哲学理论上的三个基本特征。因此,书中以存在主义为目标批判了非理性主义;以新托马斯主义为对象批判了信仰主义;以新实证论为把子批判了伪科学性。

最后,《尼采哲学的反动本质》。此书与前面两本比较,篇幅要长,批判对象集中。而且,作者指出,即使只批判一个尼采,也"不奢求对尼采的各种哲学观点作详尽的叙述"③,而主要是通过对尼采神话般作品的考察,揭露他的学说是"一种妄图预言和颂扬垄断资产阶级的政策和实践的理论虚构"④。在批判中,作者借用现代西方哲学家片面评价尼采的大量材料,并从主观政治需要出发对它进行剪裁,然后以此为根据对尼采哲学进行了极其猛烈的批判。

从中可以看到,所谓批判,实际上是想怎么骂就怎么骂,只要骂得痛快,尼采的真正思想是什么,基本上是不予以理会的。所以,书的篇幅虽长,但满纸堆满谩骂与空话,读过之后,尼采为什么遭此诅咒,却找不到答案。这里抄下"结束语"中几段话,以兹证明。作者写道:尼采哲学"是帝国主义资产阶级赤裸裸的寄生性的哲学,是公开为资本主义社会统治阶级解除其最后一点天良和羞耻心、解除其一切法律和统治原则的哲学,是这个阶级对人类和

---

① 奥依则尔曼:《现代资产阶级哲学的基本特征》,第 2 页,商务印书馆,1962 年。

② 同上书,第 52 页。

③ 奥杜耶夫:《尼采哲学的反动本质》,第 3 页,上海人民出版社,1961 年。

④ 同上书,第 4 页。

人道所犯的弥天罪行大声赞许的哲学,是对这个阶级权力、奴役和剥削的无边贪欲加以神圣化的哲学,是对这个阶级的恐怖专政、对劳动群众施加暴力的行为加以诗化的哲学"①。例如,"它提倡直觉和本能,借此在资本主义腐蚀而堕落的人身上煽起一切卑鄙、恶毒、粗暴、野蛮的冲动,模糊并腐蚀他们的灵魂,迫使他们的良心从此沉默"②。总之,"他的哲学,从第一个字母起到末一个字母止,从认识论开始到伦理学为止,整个的是服从于阶级使命的,即服从于反对科学的辩证唯物主义世界观,反对历史唯物主义和社会主义这个使命的"③。它"是现代资产阶级哲学日暮途穷的最显明的证明"④。所以,它过去曾"被德国法西斯主义加以广泛利用……同样也引起了今天的反动资产阶级思想家的注意"⑤。例如,"第二次世界大战以后,在西德和其他一些资本主义国家,有关尼采和尼采哲学的著作像洪水一般,在书报市场上泛滥"⑥。这几段话,是作者批判尼采哲学作出的总体评价。其片面性和偏颇,是显而易见的。所以,这种所谓批判,实际上是用政治代替学术的歇斯底里的喊叫,毫无学术意义。"文化大革命"中中国大陆对西方哲学的批判,与这种批判一脉相承,是它的继承与发展。由此可以看到它对当代中国西方哲学东渐发生的消极影响。

三、西方哲学原著的译介

相对西方哲学原著的翻译来说,本阶段国外研究西方哲学作

---

① 奥杜耶夫:《尼采哲学的反动本质》,第 252 页,上海人民出版社,1961 年。
② 同上书,第 253 页。
③ 同上。
④ 同上书,第 251 页。
⑤ 同上书,第 254 页。
⑥ 同上书,第 1 页。

品的输入较少:除了苏联的几本小册子外,引进其他国家的,只有法灵顿的《弗兰西斯·培根》、培里的《现代哲学倾向》、华特生的《康德哲学讲解》、康浦·斯密的《〈纯粹理性批判〉解义》、华尔的《存在主义简史》、卢卡契的《存在主义与马克思主义》、沙夫的《人的哲学——马克思主义存在主义》与加罗蒂的《人的远景:(存在主义……)》等。而译出的西方哲学家著作,其中,有关古代的,有:

理想国	柏拉图著	吴献书译	三联书店	1957 年
范畴篇·解释篇	亚里士多德著	方书春译	三联书店	1957 年
物性论	卢克莱修著	方书春译	三联书店	1958 年
形而上学	亚里士多德著	吴寿彭译	商务印书馆	1959 年
泰阿泰德·智术之师	柏拉图著	严群译	商务印书馆	1963 年
忏悔录	奥古斯丁著	周士亮译	商务印书馆	1963 年
柏拉图文艺对话集	柏拉图著	朱光潜译	人民文学出版社	1963 年

有关近代的,有:

哲学史讲演录(一)	黑格尔著	贺麟等译	三联书店	1957 年
哲学史讲演录(二)	黑格尔著	王维诚等译	三联书店	1957 年
乌托邦	莫尔著	戴镏龄译	三联书店	1957 年
柏克莱哲学对话三篇	柏克莱著	关文运译	商务印书馆	1957 年
视觉新论	柏克莱著	关文运译	商务印书馆	1957 年
人类理解研究	休姆著	关文运译	商务印书馆	1957 年
论人类不平等的起源和基础	卢梭著	吴绪译	三联书店	1957 年
纯粹理性批判	康德著	蓝公武译	三联书店	1957 年
道德形而上学探本	康德著	唐钺译	商务印书馆	1957 年

哲学原理	笛卡儿著	关文运译	商务印书馆	1958 年
论人类不平等的起源和基础	卢梭著	李常山译	法律出版社	1958 年
人类知识原理	柏克莱著	关文运译	商务印书馆	1958 年
黑格尔哲学批判	费尔巴哈著	王太庆译	三联书店	1958 年
关于哲学改造的临时纲要	费尔巴哈著	洪潜译	三联书店	1958 年
哲学中的人本主义原理		周新译	三联书店	1958 年
车尔尼雪夫斯基选集(上)		周扬等译	三联书店	1958 年
哲学史讲演录(三)	黑格尔著	贺麟等译	商务印书馆	1959 年
新大西岛	培根著	何新译	商务印书馆	1959 年
论科学与艺术	卢梭著	何兆武译	商务印书馆	1959 年
小逻辑	黑格尔著	贺麟译	商务印书馆	1959 年
费尔巴哈哲学著作选集(上)	费尔巴哈著	荫庭等译	三联书店	1959 年
科学中华而不实的作风	赫尔岑著	李原译	商务印书馆	1959 年
实践理性批判	康德著	关文运译	商务印书馆	1960 年
知性改进论	斯宾诺莎著	贺麟译	商务印书馆	1960 年
哲学通信	伏尔泰著	高达观译	上海人民出版社	1962 年
自然宗教对话录	休谟著	陈修斋译	商务印书馆	1962 年
精神现象学	黑格尔著	贺麟等译	商务印书馆	1962 年
康德哲学论述	黑格尔著	贺麟译	商务印书馆	1962 年
费尔巴哈著作选集(下)	费尔巴哈著	荣振华译	三联书店	1962 年
科学中华而不实的作风	赫尔岑著	李原译	商务印书馆	1962 年

对笛卡儿沉思的诘难		庞景仁译	商务印书馆	1963 年
黑格尔论矛盾	黑格尔著	哲学所编	商务印书馆	1963 年
自然的体系(上)	霍尔巴赫著	管士滨译	商务印书馆	1963 年
判断力批判(上)	康德著	宗白华译	商务印书馆	1964 年
判断力批判(下)	康德著	韦卓民译	商务印书馆	1964 年

有关现代的,有:

功用主义	穆勒著	唐钺译	商务印书馆	1957 年
科学与假设	普恩加莱著	叶蕴理译	商务印书馆	1957 年
人脑活动的本质	狄慈根著	杨东莼译	三联书店	1958 年
时间与自由意志	柏格森著	吴士栋译	商务印书馆	1958 年
宇宙之谜	赫克尔著	马君武译	中华书局	1958 年
心的分析	罗素著	李季译	中华书局	1958 年
哲学的改造	杜威著	许崇清译	商务印书馆	1958 年
黑格尔哲学活东西和死东西	克罗齐著	王衍孔译	商务印书馆	1959 年
科学与近代世界	怀特海著	何钦译	商务印书馆	1959 年
哲学问题	罗素著	何明译	商务印书馆	1959 年
穆勒名学	穆勒著	严复译述	三联书店	1959 年
经验与自然	杜威著	傅统先译	上海人民出版社	1962 年
存在主义哲学		哲学所编	商务印书馆	1963 年
辩证理性批判(上)	萨特著	徐懋庸译	商务印书馆	1963 年
形而上学导言	柏格森著	刘放桐译	商务印书馆	1963 年

有关综合性的,有:

古希腊罗马哲学		北大哲学系编译	三联书店	1957 年
十六——十八世纪西欧各国哲学		北大哲学系编译	三联书店	1957 年
十八世纪末——十九世纪初德国哲学		北大哲学系编译	商务印书馆	1960 年

十八世纪法国哲学	北大哲学系编译	商务印书馆	1963年
西欧伦理学名著选辑(上)	周辅成编	商务印书馆	1964年
现代西方资产阶级哲学论著选辑	洪谦主编	商务印书馆	1964年

在上述译著中,有些是再版的,但绝大部分是新译的。而且,毫无疑问,这些译著的问世,有满足当时政治战线上批判资产阶级和修正主义需要的一面。因此,书中通过"出版者的话"或中译者的"序言",都少不了有此类的表白。特别是现代西方哲学的著作,态度尤为明朗。例如,吴士栋译的《时间与自由意志》中,为了帮助人们认识柏格森生命哲学为帝国主义服务的面目,甚至把苏联《大百科全书》中用日丹诺夫精神写的"柏格森"条目拉过来刊登在该书的正文前,称赞文中的批判"是十分深刻的,非常正确的"①,要人们以此为指导去读这本书。又如徐懋庸谈到翻译《辩证理性批判》时,他说"是为我国哲学界提供一份反面教材。它可以帮助我们了解在当前阶级斗争形势下,资产阶级哲学向马克思主义哲学进攻的一种新的战术,也可以使我们了解现代修正主义哲学与资产阶级哲学的亲属关系"②。但是,还要看到这些西方哲学原著引进后的另外一面,就是:

首先,这些译著不但数量可观,更重要的是,其中有些译得非常成功的精品。例如,贺麟译的《精神现象学》,被誉为"译文精当洗练、准确飘逸,既淋漓尽致地呈现了黑格尔的青春情怀,又严密周致地展示出哲学玄思的深奥繁难,是我国学术界少有的几部成功译作之一"③。又如他同王太庆、方书春共同译出的《哲学史讲演录》,有的学者认为,它(1)"既传意又传神……译者不仅表达了

①　吴士栋:《时间与自由意志》"译者附记",第4页,商务印书馆,1958年。
②　徐懋庸:《辩证理性批判》"译者序言",第Ⅱ页,商务印书馆,1963年。
③　王思隽李肃东:《贺麟评传》,第206页,百花州文艺出版社,1995年。

原作的原意,而且表达了作者言外之意,未尽之言"①。(2)"在表现原作的原意方面,译者完全打破了原文的语言外壳,不受原文的语言束缚,而寻求用中文表达的最好方式,这正是译者所说的'使译品亦成为有几分创造性的艺术而非机械式的路定'。译无定法,运用之妙存乎一心"②。因此,"这些译著在哲学界犹如颗颗珠玑,闪闪发光,堪称哲学翻译的楷模"③。贺麟的这种翻译风格,成为翻译界学习的榜样,他的这些译品,为真正进一步开展西方哲学研究准备了重要条件。值得一提的是,当年因政治形势的需要,由有关部门组织、翻译了一大批现代西方哲学的原著,当时虽为内部发行,但对西方哲学的研究,也曾经起到积极的推动作用。

其次,这些译著的问世,为西方哲学教学、特别是为西方哲学的学科建设提供了重要条件。在当时西方哲学研究处于困难的条件下,学者们把相当一部分精力投入到西方哲学作为一门独立学科的建设上来。其中,上述著作的翻译和出版,虽是适应形势的需要,但它们却从资料上为西方哲学的学科建设作好了充分的准备。例如,北大哲学系外国哲学教研室,从 20 世纪 50 年代中期开始,在洪谦和任华两位教授的主持下编译的"西方古典哲学的原著选辑",本阶段出版了四卷,即:《古希腊罗马哲学》、《十六——十八世纪西欧各国哲学》、《十八世纪法国哲学》、《十八世纪末——十九世纪初德国哲学》。谈到这些著作的出版时,朱德生指出,"这套选辑对我国西方哲学史的学科建设,以及相应的

---

① 罗达仁:《谈贺麟先生的翻译风格》,见《会通集》,第 376—377 页,三联书店,1993 年。

② 同上书,第 377 页。

③ 同上书,第 376 页。

人才培养,发挥过巨大的积极作用(特别是在五六十年代),甚至对当时整个哲学界也产生过不可低估的影响"①。又如,60 年代初,北京部分高校在开设"现代资产阶级哲学批判"一课的过程中,编写讲议的专家们都因不满意于自己的那种"批判",从来没有拿出来公开发表的计划,而配合该课程的开设,由洪谦主编的《西方现代资产阶级哲学论著选辑》一书,商务印书馆出版后却成为人们客观了解现代西方哲学真实面貌的主要参考书。这些事实都是有目共睹的。

四、论文中批判西方哲学的不同表现

由于论文反映政治斗争的要求最为迅速,其内容在政治斗争中最能显示战斗性,因此,在本阶段"左"倾政治支配对西方哲学的批判过程中,它受到了特殊的重视。这样发表的论文,有一定的数量,且从总体上考察,都直接地体现了哲学为政治服务的要求,鲜明地表现了当时政治斗争形势的变化。不过,在批判西方哲学的几个重点中,还能体察到论文作者在"左"倾政治控制下批判西方哲学的矛盾心情,真实地反映了当时进行西方哲学研究的艰难景象。所以,对于这些作品必须进行具体分析。这几个重点是:

第一,纪念世界文化名人的论文

1961 年,是赫拉克利特诞辰 2500 周年与培根诞辰 400 周年。为了纪念这两位世界文化名人,中国哲学界开展了一些活动,科学院哲学所还先后举行了几次学术讨论会。会上的发言经过补充与整理,分别撰成文章,商务印书馆把它们汇集起来,出版了《赫拉克利特哲学思想》与《培根哲学思想》两本小册子。与此同时,有

---

① 朱德生:《西方哲学通史》"总序",第 8 页,北京大学出版社,1996 年。

些学术刊物,在此期间也刊登了一些与此有关的文章。在这些文章中,都谈到了纪念的意义、他们哲学产生的条件、学说大旨、贡献、影响,以及他们在西方哲学史上的地位等。

在论述中,对于赫拉克利特辩证法的内容和培根在西方哲学史上的功绩,学者们集中精力进行了相当客观的介绍与概括。然而,即使这类纪念性文章,也出于政治斗争的需要,仍然不忘把它们用来作为批判西方资产阶级的工具。例如,在纪念培根的文章中,有的作者认为,培根诞生以来的 400 年,是资本主义社会由上升到没落,由一个新兴的制度变为一个垂死制度的过程。伴随资本主义的兴衰起落,"像一切堕落了的子孙一样,资产阶级已经败坏和抛弃了他们的祖先在大革命和进步时期所创造的一切优良的文化遗产。近代唯物主义始祖培根和他的哲学,在现代资产阶级思想界中被完全抛置脑后,或者偶尔予以轻蔑的一顾,在卷帙浩繁的资产阶级哲学史著作中,只占一个极其可怜的微不足道的位置。例如,在罗素的《西方哲学史》这部 900 页巨著中,对培根的思想只作了 5 页不到的论述,却极尽贬抑之能事,罗素承认培根是近代归纳法的'创造者',却指责他的哲学在许多方面都是不能令人满意的。美国哲学家杜威则直率地断言培根的'成就甚小',甚至连归纳法创造者的声誉都要剥夺了的,硬说培根是'为了那不属于他的功劳受人称颂'"[1]。有的指出,为了贬损培根在哲学史上的地位,有些资产阶级哲学家"认为培根没有什么贡献,认为他的一切思想在他的前人都讲过了"[2]。特别是在

---

[1] 陆成一:《培根——英国唯物主义的始祖》,载《北京大学学报》,1961 年,第 1 期,第 24 页。

[2] 余丽嫦:《关于培根的知识论》,见《培根哲学思想》,第 92 页,商务印书馆,1961 年。

逻辑学上,"现代资产阶级专喜欢夸大培根的一些缺点,以便抹煞培根对经验科学方法的全部贡献"①。更有甚者,还有些人"曾粗暴地把培根的归纳逻辑视为传统逻辑的'外道',强调演绎与归纳的对立,或者片面地强调他的以归纳为'方法'的逻辑,敌视其维护科学的时代精神。例如穆勒对'中间公理'的歪曲和攻击,认为培根只在'发现归纳枚举法为不足恃'的一点上最有功,杜威则列培根于片面的经验派而不承认他是逻辑思想家"②。这些批判,真实地反映了当时哲学战线上批判资产阶级的情景,即一有机会就会把他们拉出来狠狠地教训一通,就像这里对待现代西方哲学家那样。

第二,批判康德哲学的基本倾向

如果说,50年代中期对康德的批判,主要是接受了日丹诺夫的影响,那么,60年代开始对康德的批判,则主要是由国内"左"倾政治路线决定的。因为随着对外反对现代修正主义,对内批判资产阶级斗争的展开,康德哲学被宣称既是修正主义,又是资产阶级的思想根源。这样,便决定了康德及其哲学在中国一段时间的命运。由此开展对康德哲学的批判,基本倾向是在严厉斥责后简单地加以否定。不过,在这种基本倾向支配下,有些学者在批判过程中也作出了一些实事求是的评述,本阶段发表有关康德哲学的论文,有:

批判康德哲学的历史背景及其反动性	熊伟	光明日报	1960.4.3
批判康德哲学的现实意义	苗力田	光明日报	1960.4.10

---

① 沈有鼎:《唯物主义者培根如何推进了逻辑科学》,见《培根哲学思想》,第45页,商务印书馆,1961年。

② 汪奠基:《培根的归纳逻辑》,见《培根哲学思想》,第69页,商务印书馆,1961年。

在上述文章中,有的较为真实地反映了当时批判康德哲学的基本倾向。在内容上,它们都是从考察康德的二元论和不可知论入手,批判的落脚点却是从政治上揭露它的阶级实质及其在西方社会发展过程中的反动作用,以此在强加给它以某种政治结论后予以全面否定。例如在揭露康德通过二元论与不可知论否定了思维与存在的同一性后,对其产生的原因有一段结论性的批判。作者写道,"康德要说物自身不可知,这是资产阶级对无产阶级的社会生产实践和社会革命实践力量,既有抹煞它的企图又有惶恐的情绪的反映。社会实践的存在,归根到底是康德不得不承认'物自身'的原因。但他赶紧就说物自身不可知,并即在他的'现象'世界周围立下深沟高垒,倡言一切'现象'都为认识所规定,都是主观的产物。他这样说,所有一切资产者听着都舒服、最有安慰"①。虽然这样批判适应了当时政治斗争的形势,即从批判康德的不可知论最终把矛头指向了资产阶级。但是,这种把什么问题都同资产阶级联系起来的做法,却显得生硬与牵强附会,缺乏说服力。实际上,这是作者不得已而为之矛盾心情的流露。又如有的

---

① 熊伟:《批判康德哲学的历史背景及其反动性》,载《光明日报》,1960年4月3日。

在评述了康德的二元论与不可知论后,断言"休谟哲学是欧洲资产阶级哲学转变的关键。从休谟开始,英国资产阶级哲学走下坡路了。跟着休谟,欧洲哲学也开始走下坡路了。第一个跟着休谟走下坡路的是谁呢? 那就是康德"①。因此,"康德哲学确实代表资产阶级走向腐朽阶段的开始"②。并依据政治上得出的这个结论,作者进一步从内容上全面地否定康德哲学。说"他的哲学体系完全是唯心的,并且他竭力地摧毁客观实在"③;又说"康德的二元论是别有用心的,在他的体系中他要毁灭这个客观实在的世界"④;还说"这样看来,在康德哲学中很难找到唯物论的东西"⑤,等等。总之,康德哲学一无是处,完全是一堆废物的集合。显然,批判中提出的这些论断,既不符合近代西方哲学发展的实际过程,也没有反映康德哲学的真实面貌。不过,从中也隐隐约约地听到了作者这样批判时的某种难言的苦衷。

　　除此以外,其他文章虽然批判的目的都是服务于当时的政治斗争,但在批判时,只是考虑为批判唯心主义提供材料,并不关注对于康德那个唯心主义观点的批判,因此,像江天骥对"先验逻辑"以及宗白华、陈元晖与叶秀山对三大批判进行的批判那样,不但在阐明康德的思想时较为客观,而且在评价康德的观点时,态度也较为冷静。这些文章显然有违当时"左"倾政治路线对待康德哲学的原则立场,但它们对于帮助人们正确理解康德哲学却是有

---

① 黄子通:《评康德的二元论和不可知论》,载《新建设》,1961 年,第 9 期,第 53 页。
② 同上。
③ 同上书,第 57 页。
④ 同上书,第 55 页。
⑤ 同上书,第 56 页。

意义的。

第三,批判费尔巴哈哲学的出发点

费尔巴哈是著名的唯物主义哲学家。然而,基于当时政治斗争的形势,把他也拉出来进行批判。为此,这样发表的论文,就有:

费尔巴哈的认识论	涂纪亮	光明日报	1959.9.20
对费尔巴哈的批判	伍思玄	光明日报	1960.5.29
批判费尔巴哈关于宗教本质理论的不彻底性	葛树先	光明日报	1960.11.23
费尔巴哈的唯物主义与辩证法	范青	光明日报	1961.4.21
从幸福论评费尔巴哈的伦理思想	李之畦	光明日报	1962.3.20
论费尔巴哈"人本学"的两重性	邢贲思	哲学研究	1963.5
费尔巴哈的宗教观述评	胡啸　虞伟人	新建设	1964.1
费尔巴哈论神是人的本质的异化	邢贲思	哲学研究	1965.1
费尔巴哈幸福观批判	葛树先	新建设	1965.5
试评费尔巴哈的认识论	林京耀　陈荷清	新建设	1966.10

这些文章的内容涉及费尔巴哈的各个方面,如人本主义、认识论、宗教观、伦理思想等。不过,这里要论述的不是这些论文本身,而是要透过这些对费尔巴哈的批判,进一步看到发表这些论文的真正目的,是要批判现代修正主义与资产阶级。这种批判费尔巴哈的出发点,是由当时政治斗争的任务决定的。

因为在那时"左"的政治看来,现代修正主义者通过混淆马克思主义与费尔巴哈哲学的界线,以此篡改与攻击马克思主义。例如在人本主义问题上,他们把费尔巴哈抽象地、超阶级的"爱"的呓语全部接受过来,用来篡改与代替马克思主义关于阶级斗争的学说。因此,有的作者首先揭露了费尔巴哈人本主义的实质与危害。指出由于费尔巴哈"把人看成是生物学上的实体,所以他把人与人的关系归结为生物学上的类的关系"①。正是"从这里出发,他认为人与人的关系应当建立在'爱'的基础上,'爱'是维系人们之间关系的手段"②,并且"提出了要建立一种'爱'的宗教,以此以替代神学的宗教"③。对此,这位作者进行了尖锐的批判,他写道:"'爱'的宗教不仅是费尔巴哈哲学中的唯心主义的本质,而且从这里必然会引申出反动的政治结论。既然把抽象的'爱'当作人们之间的关系的最高准则,那么就谈不到去同腐朽的社会制度、腐朽的阶级作斗争。这种超阶级的'博爱'思想,后来成了多种多样的'阶级调和'和'阶级合作'的理论基础"④。因此,他进一步指出,"在费尔巴哈的时代,企图用超阶级的'爱'来维持人们之间的关系,是一种不切实际的幻想。而在今天,在社会主义阵营和帝国主义阵营,全世界革命人民同各国反动派尖锐对立的时代……宣传不分彼此地相互亲嘴,不仅是一种不切实际的幻想,而且是一种罪恶"⑤。

接着,作者特别强调,现代修正主义者还"竟然不顾事实,硬要把马克思主义和费尔巴哈的'人本主义'等同起来,他们说什么费尔巴哈和马克思'都把人理解为所有具体的肉体的个人',甚至说马克思主义同和平主义、甘地主义有共同点,因为他们都'承认广义的、费尔巴哈式的爱的思想具有伟大的价值'"⑥。因

---

① 邢贲思:《论费尔巴哈'人本学'的两重性》,载《哲学研究》,1963 年,第 5 期,第 19 页。
② 同上。
③ 同上。
④ 同上书,第 20 页。
⑤ 同上书,第 22 页。
⑥ 同上。

此,不但必须批判费尔巴哈的人本主义,而且,"更重要的是必须划清马克思主义和费尔巴哈人本学的原则界限"①。在作者看来,这对于反对现代修正主义,保卫马克思主义,都"有着特殊的现实意义"②。

基于这种认识,所以,论文作者又指出,"尽管费尔巴哈的'人本学'中具有反神学和思辨哲学的进步因素,但同时它的局限性也是十分明显的:脱离了社会关系,在阶级社会中脱离了阶级关系来观察人以及人与人的关系,只能使它陷入唯心史观的泥潭"③。在作者看来,不过"费尔巴哈没有能做到的,终于为马克思做到了。马克思主义的产生是哲学、社会科学领域中的一次伟大革命,这一革命的意义是多方面的,其中之一就是唯物史观的建立"④。虽然马、恩早期接受过费尔巴哈的影响,但从他们转变为辩证唯物主义和历史唯物主义者以后,就同费尔巴哈的"人本学"决裂了。特别在社会历史观方面,"马克思主义同费尔巴哈的'人本学'不但不同,而且正相对立,这种对立是唯物史观和唯心史观的对立,是阶级斗争学说和超阶级的'人性论'的对立"⑤。因此,如果把马克思主义和费尔巴哈'人本学'的界限混淆起来,那么,这"无非就是在马克思主义同费尔巴哈的'人本学'之间划上一个等号,蓄意阉割马克思列宁主义的革命灵魂,取消作为马克思主义的核心

---

① 邢贲思:《论费尔巴哈'人本学'的两重性》,载《哲学研究》,1963 年,第 5 期,第 12 页。

② 同上书,第 20 页。

③ 邢贲思:《费尔巴哈论神是人的本质的异化》,载《哲学研究》,1965 年,第 1 期,第 59 页。

④ 邢贲思:《论费尔巴哈'人本学'的两重性》,载《哲学研究》,1963 年,第 5 期,第 21 页。

⑤ 同上书,第 22 页。

的阶级斗争和无产阶级专政的学说,使马克思主义倒退到资产阶级人道主义,使历史唯物主义倒退到历史唯心主义"①。从这种批判中可以看到,批判费尔巴哈的最终目的,是在批判现代修正主义。

与此同时,西方资产阶级学者也抓住这个问题大做文章,以此攻击与否定马克思主义。例如,有的"根据马克思曾经自认为是费尔巴哈的继承者并使用过他的某些术语这一事实,竭力夸大费尔巴哈的人本主义对马克思的影响,他们特别喜欢在'异化'问题上做文章,利用费尔巴哈使用异化一词,马克思也使用过异化一词,硬说马克思的异化概念是直接从费尔巴哈那里搬过来的,从而把马克思主义,归结为人本主义"②。然而在有的作者看来,马克思与费尔巴哈的观点是完全不同的。例如与此相联系的"幸福论",费尔巴哈的幸福观"体现着资产阶级利益和要求"③,它是直接为资本主义剥削制度辩护的,"在当时对无产阶级说来便具有了反动的性质,并且在某些方面还直接欺骗、麻痹以至反对无产阶级"④。因此,一方面对费尔巴哈的幸福观进行了严厉的批判,宣称费氏主张追求幸福是生命活动的本质,完全否定伦理观的阶级性;认为费氏幸福的内容,不过是物质利益特权的肯定等,另一方面在这样批判的基础上,还把他同资产阶级与修正主义联系起来,说"现代资产阶级幸福观的形形色色的表现和现代修正主义关于

①　邢贲思:《论费尔巴哈'人本学'的两重性》,载《哲学研究》,1963 年,第 5 期,第 22 页。

②　邢贲思:《费尔巴哈论神是人的本质的异化》,载《哲学研究》,1965 年,第 1 期,第 59 页。

③　葛树先:《费尔巴哈幸福论批判》,载《新建设》,1965 年,第 5 期,第 7 页。

④　同上。

'幸福'的各种说教,都不过是一百多年前费尔巴哈作了系统论述的资产阶级幸福观的新包装。因此,对费尔巴哈幸福观的内容和实质进行分析和批判,对于我们当前的革命斗争,是有重要意义的"①。显然,这里对费尔巴哈幸福观的批判,最终都是指向现代修正主义与现代资产阶级的。因此,在这种批判中,虽然有些文章在阐述与评价费尔巴哈的观点时,秉着学者的良心,大体上反映了费尔巴哈哲学的基本面貌,但在当时"以阶级斗争为纲"的政治形势下,批判中的牵强附会,以及不切实际的上纲上线,却是大量的。而且,从这些揭露与批判中,已经清晰地可以听到"文化大革命"将要来临的风声和雨声了。

第四,对存在主义哲学的批判

自20世纪50年代初以来,中国哲学界对现代西方哲学,一直采取了严厉讨伐的态度,即使后来苏联对此有所反省时,也不但没有因此减弱,相反,愈来愈猛烈。不过,在全力以赴批判的对象上,前后有所变化。50年代主要针对实用主义与逻辑实证论,从60年代开始,这些学派虽然仍然是批判的对象,但重点转移到存在主义头上来了。

同样,这也是根据政治斗争形势变化后进行调整的结果。因为当时中国哲学界认为,一方面,存在主义哲学"是现代资产阶级最反动的唯心主义哲学流派之一"②。过去,"他们公开充当过希特勒的法西斯的理论帮凶,现在又是西德复仇主义和美帝国主义原子讹诈政策的热烈附和者。第二次世界大战以后,萨特和梅

---

① 葛树先:《费尔巴哈幸福论批判》,载《新建设》,1965年,第5期,第13页。
② 中国科学院哲学所:《存在主义哲学》"编者前言",第I页,商务印书馆,1963年。

洛·庞蒂承袭他们的衣钵,在法国推销存在主义哲学,并且剽窃辩证法的词句,肆意诋毁马克思主义,气焰十分嚣张"①。而且,它对当时其他现代西方哲学的影响很大,在反对唯物主义世界观的斗争中起着极其反动的作用。因此,为了帮助人们"了解和批判它"②,使之认清它的反动面目,把它作为反面教员拉出来示众,是十分必要的。另一方面,进入50年代以后,存在主义在表示与马克思主义哲学"接近"的同时,还配合现代修正主义一道发动了对马克思主义的进攻。例如萨特。他"同马克思主义阵营中的修正主义一样,说马克思现在'停滞'了,'僵化'了,成为'教条主义'了,需要设法使它'再生'。他的《辩证理性批判》的第一卷,就是主张经过'批判',把存在主义思想'补充'到马克思主义里面去,而和马克思主义阵营中的修正主义此唱彼和的。由此可见,借马克思主义外衣贩卖资产阶级的观点,是目前时代中并非偶然的一种阶级斗争形式"③。因此,把开展对存在主义的批判,提高到了捍卫马克思主义纯洁性的高度。

在批判过程中,虽然中国学者没有像50年代批判实用主义时那样连篇累牍地发表文章,批判的气氛也没有出现过那种轰轰烈烈的景象,但是使用两种方式,批判的激烈程度却有过之而无不及。一是在译出存在主义原著,如《存在主义哲学》与《辩证理性批判》时,通过"译者序言"或"出版说明",从政治上对存在主义进行的批判,引导人们认识它的阶级本质及其与现代修正主义的血缘关系;关于这一点,前面引证的一些话,已经能够说明。二是借

---

① 中国科学院哲学所:《存在主义哲学》"编者前言",第Ⅰ页,商务印书馆,1963年。

② 同上。

③ 徐懋庸:《辩证理性批判》"译者序言",第Ⅱ页,商务印书馆,1963年。

助其他国家学者对存在主义哲学的评论作为旁证,在揭露它的反动实质的基础上,进一步指出现代修正主义的反动本质。其中,除了大量使用德、法、英、日等国资产阶级学者吹捧它的论文外,尤其看重当时被视为修正主义者的著作。如卢卡契的《存在主义还是马克思主义》,沙夫的《人的哲学——马克思主义与存在主义》,都是在这期间为实现上述目的而先后在中国问世的。出版时,出版者明白地指明前者是"一本关于现代修正主义的书",把它翻译出来,"是作为反面教材供理论学术工作者批判参考之用"①。谈到后者,出版者指出沙夫"认为马克思主义在很大程度上是起源于对个人问题的研究的,后来的马克思主义者忽视和远离了个人问题。但是,在道德政治发生危机的现时代,这个问题提到了首要的地位。在波兰,由于'斯大林主义时期'的错误和过失,显得更加严重,这个问题也就更迫切需要解答"②。对此,怎样解决呢? 出版者认为,在沙夫这本著作中,从反面有对这个问题的答案,即一方面,他"攻击日丹诺夫哲学的党性原则是虚无主义"③,另一方面却对"萨特的存在主义表示好感"④。这说明,沙夫前者背叛了马克思主义,后者可知他和存在主义臭味相投。把这两个方面联系起来,不打自招地证实了现代修正主义与存在主义之间的亲密关系,并由存在主义的反动证明了现代修正主义的反动。这种"以毒攻毒"的间接批判,在当时批判现代修正主义的斗争中,是被大

---

① 商务印书馆:《存在主义还是马克思主义》"出版说明",商务印书馆,1962 年。

② 三联书店:《人的哲学——马克思主义与存在主义》"出版者说明",三联书店,1963 年。

③ 同上。

④ 同上。

量使用的一种方式。后来,这种批判方式在"文化大革命"时期,发展到了无以复加的程度。

第三节　学者们曲折中的耕耘及其收获

这一节阐述学者们在曲折中传播西方哲学出版的著作。本来,前一节在论述了译著与论文后再阐明这一内容,较为顺畅一些。但是,为了说明撰写这些著作的一些有关情况,决定独立出来,用一节的篇幅进行阐述。

从1957年到1965年,中国学者出版有关西方哲学的著作,仅有:

哲学史简编	洪谦等著	人民出版社	1957年
亚里士多德逻辑	韦卓民著	科学出版社	1957年
康德唯心主义的认识论及其形而上 　学思想方法批判	齐良骥著	人民出版社	1957年
分析批判罗素哲学的纯客观态度	朱宝昌著	上海人民出版社	1957年
论假设和实用主义对它的批判	陈元晖著	上海人民出版社	1958年
现代资产阶级哲学批判	哲学所编	科学出版社	1958年
十八世纪法国唯物主义哲学	葛力著	上海人民出版社	1958年
十九世纪俄国革命民主主义者的哲 　学和社会政治观点	苗力田著	中国青年出版社	1959年
论黑格尔的哲学	张世英著	上海人民出版社	1959年
论黑格尔的《逻辑学》	张世英著	上海人民出版社	1959年
赫拉克利特哲学思想	哲学所编	商务印书馆	1961年
培根哲学思想	哲学所编	商务印书馆	1961年
黑格尔范畴论批判	丕之等著	上海人民出版社	1961年
黑格尔《精神现象学》述评	张世英著	上海人民出版社	1962年

马赫主义	陈元晖著	商务印书馆	1963 年
马赫主义批判	陈元晖著	商务印书馆	1963 年
现代资产阶级的实用主义哲学	陈元晖著	上海人民出版社	1963 年
黑格尔《小逻辑》浅释	丕之著	上海人民出版社	1963 年
论黑格尔的《逻辑学》（二版）	张世英著	上海人民出版社	1964 年

　　将近 10 年的辛勤耕耘，只收获这么几本著作，显然数量偏少，而且其中具有重要学术价值的成果也不多。虽然这真实地暴露了在"左"倾政治支配下西方哲学东渐的艰难处境，但是必须指出，它们却代表了中国学者在这个阶段中为西方哲学东渐做出的巨大努力与真正贡献。因为在"左"倾压抑下，不但他们的积极性没有充分发挥出来，而且他们的努力与贡献也是多方面的，除了前面提到的原著翻译与发表论文外，通过教学传播西方哲学，培养西方哲学研究人才，进行西方哲学学科建设，都是绝对不能忽视的。因此，为了较为全面地阐明当时西方哲学东渐的真实情况，下面围绕上述著作，介绍几位学者开展西方哲学东渐的活动，以及他们为此做出的业绩。

一、洪谦与《哲学史简编》

　　"双百"方针提出后，洪谦曾经异常兴奋，热情地提出了积极开展西方哲学研究的建议。然而，随着"左"倾政治的抬头与发展，在当时的条件下，他除了主持编写《哲学史简编》，编译《西方古典哲学原著选辑》四卷与《西方现代资产阶级哲学论著选辑》一卷外，不曾发表其他有关西方哲学的论著。甚至作为维也纳学派的重要成员，在 50 年代大批逻辑实证论的风浪中，他也"从未写过一篇违心的批判文字"[①]，充分显示了他的道德勇气和人格力

---

　　① 张汝伦：《哲学如斯——追念洪谦先生》，载《读书》，1993 年，第 1 期，第 62 页。

量。在一定意义上,这种品德比他主持编译西方哲学原著具有更为重要的意义。

这里,着重介绍一下他主持编写的《哲学史简编》一书。此书由他和任华、汪子嵩、张世英、陈修斋与朱伯崑共同执笔。这是新中国成立后中国学者出版的第一本"通俗系统地阐明中外哲学发展历史的著作"①。

在这本书中,作者以唯物主义和唯心主义的斗争为线索,并以每一时期哲学争辩中的主要问题为脉络,着重从当时的社会历史条件、阶级本质、思想状况来阐述各派哲学的产生和发展。在内容上,全书分为三个部分。第一部分:马克思主义以前的西方哲学史。在这里,叙述了古希腊罗马哲学、欧洲封建社会的哲学、资本主义产生时期的哲学、早期资产阶级革命时期的哲学、18世纪法国的唯物主义哲学、18世纪末到19世纪初德国古典哲学与19世纪俄国革命民主主义者的唯物主义哲学。第二部分:马克思列宁主义哲学史。在这里,叙述了马克思、恩格斯创立和发展的辩证唯物主义和历史唯物主义、列宁对马克思主义哲学的发展与马克思列宁主义反对现代资产阶级反动哲学的斗争。第三部分:中国哲学史。在这里,叙述了中国奴隶社会发展和瓦解时期的哲学、封建社会确立和发展时期的哲学、封建社会繁荣和衰落时期的哲学与近代中国哲学。

透过全书内容的分析,可以发现作者作出的如下努力:

第一,力争内容的全面和系统。前面列出的章节篇目说明,中西历史上出现过的主要哲学思潮,都无所不包地囊括进去了。在这个意义上,它是一部名副其实的世界哲学史。就是在各个部分

---

① 炳然:《〈哲学史简编〉出版》,载《光明日报》,1957年4月1日。

的内容上，作者也是这样力争作出全面而系统的论述。例如，在阐明古希腊罗马哲学时，在分析了它产生的社会经济条件的基础上，按照历史分期分别阐述了希腊奴隶制形成时期，奴隶制繁荣时期，以及奴隶制危机和衰落时期唯物主义反对唯心主义的斗争。又如，在论述中国封建社会确立和发展时期的哲学时，从西汉时期唯物主义哲学的发展及其反对宗教神秘主义的斗争、魏晋时代唯物主义哲学反对唯心主义玄学的斗争，到隋唐时代唯物主义反对佛教唯心主义的斗争，都毫无遗漏地全面地谈及了。在马克思主义哲学史部分，更是这样。如此看来，《哲学史简编》的内容，无论时间跨度，还是空间跨度，在国内出版的哲学史著作中，是绝无仅有的。

第二，力争论述简明而通俗。由于出版本书的主要目的，是为初学哲学史的人提供西方哲学史、中国哲学史、马克思主义哲学史与现代西方哲学的基本知识。为此，在写作时，必须采取为广大读者接受的形式表述出来。加上哲学史内容的丰富却受到篇幅的限制，又只能使用简洁扼要的语言。因此，既要把浩如烟海的哲学史材料和抽象的理论观点进行高度的提炼与概括，又要求把它们准确和通俗地阐述出来，其难度是可想而知的。恰恰在这一方面，作者付出了艰苦的劳动，也取得了相当的成功。突出地表现在，书中根据哲学发展的线索在作出总体概括的同时，对于哲学家的思想还有不少精彩的论述。例如关于康德认识过程与黑格尔体系的分析，本来都是西方哲学史上十分难懂的问题，但作者却用短短的篇幅，把康德和黑格尔的论点及其特征说清楚了。因此，这本哲学史具有较强的可读性。

通观全书，它作为当代中国最早问世的一本哲学史著作，虽然篇幅不大，但内容全面、语言简洁，表达通俗，特别在理论内容的论述上,尽管还留有日丹诺夫精神的痕迹,但又表现出在努力冲破它的束缚的同时,真正迈开了以马克思主义为指导独立地研究西方哲学的第一步。

二、葛力研究18世纪法国哲学的起步

在西方哲学东渐史上,葛力的成就之一是对18世纪法国哲学的研究。它的起点是在20世纪50年代后期。

葛力(1915—1998),河北顺义人。就读于燕京大学哲学系期间,1935年与1941年,分别获得学士与硕士学位。接着,在成都华西大学与南京金陵女子大学工作了一段时间后,于1948年赴美国深造,1953年取得南加州大学哲学博士学位。同年,冲破美国的阻挠回到解放了的新中国,分配到国家培养党政高级干部的中央党校从事教学与研究工作。

当时,哲学战线牢牢地束缚在日丹诺夫精神之中,西方哲学研究难以迈出脚步。在这种形势下,葛力看到,在中国过去的西方哲学研究中,18世纪法国哲学是一个没有受到重视的领域。例如,一般哲学史著作对它避而不谈,或几笔带过;即使提到时,主要是卢梭与孟德斯鸠,对于"百科全书派"唯物主义者,几乎闭口不谈,甚至有的还横加歪曲。同时他又看到,时间转入20世纪以来,国外出版了不少有关此类内容的专著与文集,而我国却付诸阙如。为了改变西方哲学东渐史上的这种局面,使他认真地思考起这个问题来。在他看来,"18世纪法国哲学,内容丰富,引人入胜,不仅阐述自然界、认识论等一般的哲学课题,还比较突出地容纳社会政治哲学,偏重以人为中心而展开问题的讨论。这在西方哲学史上显示出鲜明的特色,就其激进的风格而言,堪称震撼世界的启蒙哲学,确实为法国大革命准备了思想条件;同时它也是马克思主义的

来源之一,要全面科学地掌握马克思主义,理所当然地应该了解18 世纪法国哲学"①。基于这种强烈的历史责任感,葛力起步倾注全部精力开展了对它的研究。在研究过程中,他深入钻研了18世纪法国哲学家的著作,反复翻阅了经典作家的有关论述,广泛参阅了国外学者出版的有关论著,在发表若干论文的基础上,于1958 年推出了《十八世纪法国唯物主义哲学》一书。这是他研究这一课题的早期成果。

在书的"绪论"中,葛力写道,"本书要概括地加以论述,主要评介这些伟大思想家关于物质与运动的看法,他们的认识论、无神论、社会政治观点和伦理学说;尽可能指出它的特征"②。依据这一思路,作者以这些哲学论题为线索,在分别阐明了狄德罗、爱尔维修、霍尔巴赫、拉梅特利观点的基础上,接着不但对这些论题作出了概括,而且最后还从整体上评价了18 世纪法国哲学的理论特征、贡献及其局限性。值得提出的是,不管论题的归纳还是总体上的评价,结论都是在具体分析的基础上得到的。例如前者在阐明了哲学家的认识论观点后,作者指出:"十八世纪法国唯物主义者反对笛卡儿的二元论,认为没有彼此分离的精神实体和物质实体,肯定精神是物质的产物,即有一定组织的物质的功能。同时他们也反对笛卡儿的天赋观念说。在洛克经验主义的影响下,他们断言一切观念都来自感觉,而感觉是外界事物施作用于感觉器官的结果。他们贯彻了洛克的经验主义,排除了洛克的内部经验说,封闭了通向贝克莱的唯心主义感觉论的路径"③。因此,他们的认识

---

① 葛力:《治哲学述怀》,见《哲人忆往》,第 49 页,中国青年出版社,1999年。

② 葛力:《十八世纪法国唯物主义哲学》,第 2 页,上海人民出版社,1958 年。

③ 同上书,第 64 页。

论,"同他们关于物质与运动的学说密切相联系。一方面,他们肯定意识是物质的产物;另外一方面,他们机械地理解认识的过程和作用。这样的认识论,从对唯心主义作斗争而言,曾经起过很大的进步作用,在唯物主义认识论的发展上,有其不可磨灭的功绩。但是,从科学的唯物主义观点来看,也暴露出它的局限性"①。又如后者在全面阐述了哲学家的全部哲学观点后,作者的结论是:"在物质与运动理论和认识论方面,廓清了宗教迷信和唯心主义的气氛,引用唯物主义的原则来阐明自然现象以及认识的性质和过程,对摧毁封建的上层建筑起了很重要的作用。它的革命的性质直接明显地表现在社会政治观点和伦理思想中,其主要内容为呼吁遵循理性和自然,要求废除特权,承认人生而自由平等,保护私有财产,这一切都表明十八世纪法国唯物主义哲学是1789年法国大革命的号角"②。

这些归纳或结论,都是来自对哲学家具体观点的分析与论述,相当准确地反映了18世纪法国唯物主义哲学的基本面貌。看过后,使人觉得有根有据,令人信服。特别在论述过程中,不但逻辑严谨,而且充满了作者对唯物主义哲学家的一片深情,语言热情,表述生动,感染力强,对于读者接受18世纪法国哲学,具有直接帮助。因此,当它出版后,得到了学术界的欢迎与好评。

三、韦卓民为西方哲学东渐的多方面努力

在本阶段中,韦卓民为西方哲学的翻译、讲授与研究,开展了

---

① 葛力:《十八世纪法国唯物主义哲学》,第40页,上海人民出版社,1958年。

② 同上书,第139页。

多方面的活动。

韦卓民(1888—1976),广东中山人。早年留学美国,在哈佛大学获硕士学位。后又留英,在霍布豪斯门下研究哲学,历时数年,得博士学位。回国后,除了一段时间担任华中大学校长外,主要从事逻辑学、特别是西方哲学的教学与研究工作。几十年来,他始终在阅读、翻译、讲授与著述,从不中断。即使20世纪50年代末、60年代初在身处逆境的情况下,他也仍然没有放松自己的努力。

首先,在西方哲学著作的翻译方面

把西方哲学家的著作和国外学者研究西方哲学的成果翻译过来,是韦卓民最为重视,并以极大的热情投入精力最多的一项工作。他在谈到翻译康德《纯粹理性批判》时说过,"要认识康德的哲学体系,西方哲学史一类的书固然可以作为研究康德哲学的入门书;然而要认真而具体地知道康德的思想究竟是什么,则不可不读康德的原著"[①]。因此,即使看到康德有的著作有了中译本,甚至不止一个中译本,但他感到这些译本并没有很好地表达康德的原意,为了在原有的基础上把译本提高一步,他仍然不惜工夫重新进行翻译。例如,他重译《纯粹理性批判》,就是出于上述考虑。除此以外,对于国外学者研究西方哲学的成果,只要他认为能够帮助中国读者正确理解西方哲学思想或者它能够反映西方哲学研究进展的作品,他也选择其中有代表性的进行翻译。这样,他不但译出了康德与黑格尔的一些重要著作,还译出了国外学者研究西方哲学的不少成果。其中,在本阶段中由商务印书馆及时出版的有:《判断力批判》(下)(康德著,1964年)、《康德哲学原著选读》(华

---

① 韦卓民:《纯粹理性批判》"中译者前言",第1页,华中师范大学出版社,1991年。

特生选编,1963年)、《康德〈纯粹理性批判〉解义》(斯密著,1961年)和《康德哲学讲解》(华特生著,1963年);译就而没有得到及时出版的有康德的《纯粹理性批判》、《自然科学形而上学初步》与黑格尔的《精神哲学》。这三部书稿已送商务印书馆,但因"文化大革命"的风暴到来,被迫长期搁在仓库里①。这是不幸的。

　　上述事实告诉人们,短短几年内,韦卓民译出的这些著作,不但数量突出,而且为了保证质量,他从各个方面作出了极大的努力。例如,他对翻译蓝本的选择,总是经过反复比较后加以确定。又如,对于译文的内容,特别是语辞、概念的表达,他也总是几经斟酌和反复推敲后才定译下来。因此,有的学者仔细读过《纯粹理性批判》后,"觉得这个本子至少在目前是国内较好的译本"②。并且指出,"韦先生翻译重在忠实、严谨和对哲学思想本身的理解。在'信、达、雅'三者之中,他把'信'放在绝对的位置。对'信'的这种特别的强调使韦先生的译本具有突出的特色,就是对许多'约定俗成'的名词、术语的译法,韦先生不苟且,不附和,而是基于更准确的理解提出自己的译名"③。如把 Erscheinung 译为"出现",把 a priori 译为"验前",就是最佳的例证。虽然"就目前情况来看,要完全用韦先生的译名取代现在通行的译名似乎还有困难。但重要的是,当今每个研究康德哲学的人都不能不对韦先生的译法和他所提出的理由加以考虑和重视,并潜移默化地受到影响,这就为将来逐渐形成一套更精确、更为广大学人认可的术语

---

　　①　这些译稿"文化大革命"后取回,有些已由华中师范大学出版社出版。其中,《纯粹理性批判》已于1991年出版。

　　②　邓晓芒:《读韦卓民先生西方哲学译著的文化断想》,见《韦卓民学术思想国际研讨会论文集》,第40页,华中师大出版社,1995年。

　　③　同上。

提供了基础。这是韦先生的重大贡献，也说明他不仅仅是个翻译家，也是个造诣深厚的哲学家和康德哲家专家"①。可见，他的这些译著在翻译界产生了较大影响，在学术研究中发挥了积极作用。

其次，在西方哲学的课程讲授与专题研究方面

在传播西方哲学的过程中，韦卓民把翻译、讲授与研究结合起来，使之相互促进，而且都取得了成果。例如，从 1961 年秋季开始，为华中师范学院有关专业的师生先后开出《西方哲学史》、《康德哲学》、《纯粹理性批判》与《小逻辑》等课程，为期四年。每当韦卓民讲课时，除了本校师生踊跃出席外，还有不少校外同行赶来听课。在此期间，他把研究西方哲学的心得，除了使用论文发表外，还撰有《培根及其〈新工具〉》、《康德哲学》、《康德〈纯粹理性批判〉解读》、《康德〈实践理性批判〉解读》、《康德〈判断力批判〉解读》、《黑格尔〈小逻辑〉评注》与《黑格尔〈小逻辑〉讲解》等著作。其中，《康德哲学》与《康德〈纯粹理性批判〉解读》印有讲义。后面几种均已撰成书稿送至商务印书馆，也因"文化大革命"的爆发被搁置下来②。

这些著作虽然没有及时地得到出版，但它们和他的讲课与译著一样，从中能够使人亲切地感受到韦卓民做学问一丝不苟的治学态度。例如，不论讲课还是著述，他最下工夫的地方是依据哲学思想的本来面貌做出解释和评论。如果说，他对康德和黑格尔著作的翻译，工夫在于力求真正表达哲学家原著的思想，那么，对他们思想的分析与评论，则是要求正确地针对这些哲学家的思想而

---

① 邓晓芒：《读韦卓民先生西方哲学译著的文化断想》，见《韦卓民学术思想国际研讨会论文集》，第 41—42 页，华中师大出版社，1995 年。

② 这些书稿"文化大革命"后取回，有些已收入 1997 年出版的《韦卓民学术论著选》中。

发。为了避免讲授或著作中出现以讹传讹的现象，韦卓民认为，不能根据康德或黑格尔的某个说法便宣称这是他的定论，而"必须参看他所写的其他地方，参看他的其他著作，才能比较了解他所说的是什么"①。就是说，为了弄清"康德自己的主张是什么，必须比较全面地看他的著作才能理解"②。只有通过这种努力做出的解释，才能较为正确地反映哲学家的真实主张。又如，在分析或评价哲学家的某个观点时，他不是孤立地进行，"而是追源溯流，以明其脉络，殚其统系"③。在论述黑格尔《小逻辑》中的推理理论时，他就上溯亚里士多德以来的传统形式逻辑，下及以后发展起来的关系逻辑，从推理理论的流变及其历史的发展，把黑格尔的一些观点放在这样的背景下进行剖析与评价。这种研究方法颇有启发，值得进一步探讨。

上述举例的事实，显然没有把韦卓民本阶段中西方哲学东渐的活动全部展现出来。但是，仅就前述事实来说，他不顾自己年事已高，进行了多方面的努力，取得了不少积极成果，为西方哲学东渐做出了重要贡献。特别是，他的这些传播活动，是背着沉重的政治包袱进行的；为了国家科学文化事业的现代化，他不计较个人得失，孜孜以求，这种精神尤应值得称道。

四、杨一之的译著与讲稿

在本阶段的西方哲学东渐过程中，杨一之是一位做出了重大努力的学者。

---

① 韦卓民：《康德哲学》，第20页，1961年刻印的讲义。
② 同上。
③ 王元化：《韦卓民哲学遗著片谈》，见《韦卓民学术思想国际研讨会论文集》，第7页，华中师大出版社，1995年。

　　杨一之（1912—1989），四川潼南人。1929 年至 1936 年，他先后在法国巴黎大学、德国柏林大学与奥地利维也纳大学学习哲学。回国后，曾任教于中法大学、同济大学与复旦大学等校。自 1956 年开始，他一直担任中国科学院哲学所研究员，主要从事德国古典哲学研究。

　　提起杨先生，人们首先会想到，他是黑格尔《逻辑学》的翻译者。特别是它的上卷，就是西方哲学东渐处于曲折的这个阶段中译出并问世的。对此，他曾说过，"建国以后，我即着手翻译，但直到 1961 年以后，始能全力从事，终于 1966 年 5 月出了上卷的第一版，1974 年又重印一次"①。联系当时的学术环境，杨一之翻译此书过程中经历的艰辛，是能够想像得到的。对此，有的学者写道："他用多年的心血，不辞劳苦地把黑格尔的《大逻辑》翻译出版，仅此一举就贡献很大"②。

　　在黑格尔的著作中，《逻辑学》通称为"大逻辑"，以别于《哲学全书》中第一部分"逻辑学"即通称为的"小逻辑"。杨一之的译本以拉松本为主要依据，亦参考了格罗克纳本。为了高质量地把这部世间出名艰深晦涩的著作翻译过来，他为自己立了几条规矩。即："一是一名一译，保持一贯，不图行文方便而改动译名，避免读者误解。二是凡黑格尔所引证他人的文句，除少数过时的数学书无法找到外，都曾取原本对勘，因此校正了黑格尔引用康德的误文（见译本上卷第 75 页）。三是不增损原文，纯采直译，但力求使耐心读者可以读通"③。在翻译过程中，他依据自己提出的上述要

　　①　杨一之：《自述》，见《理性的追求》，第 2 页，社科文献出版社，2000 年。
　　②　姜丕之：《我的哲学生涯》，见《哲人忆往》，第 120 页，中国青年出版社，1999 年。
　　③　杨一之：《自述》，见《理性的追求》，第 3 页，社科文献出版社，2000 年。

求,改正了20年代与30年代法译本与英译本《逻辑学》中的不少重大缺点。例如,以几个名词译黑格尔原书中在不同地方的同一术语,或往往又把黑格尔的不同术语译成同一名词。除此之外,甚至把黑格尔颠倒了的康德原句,也照样译出,等等。因此,他这样译出的中译本,如果把它同英法两种译本比较一下,那么,不但可以说后来居上,而且,从它出版后即刻得到学术界的热烈欢迎态度,也充分证明了这一点。

然而,与此同时,杨一之还运用其他形式传播西方哲学,培养西方哲学的研究人才。为研究生讲授自己的研究成果,就是其中重要的一项。例如,这个阶段中他不但开设了有关康德哲学的课程,并撰有《康德〈纯粹理性批判〉讲稿》①。在这个讲稿中,作者首先用了一讲的篇幅,概述了康德哲学的阶级性、科学条件、思想源头、哲学体系、哲学特征及其影响后,依据《纯粹理性批判》的顺序,使用自己的语言深刻地阐明了其中康德在认识论上提出与论述的几个重大问题;如两版序言中的"哥白尼式的革命"、"先验感性论"中的纯粹直观形式——时间与空间、"先验分析论"中的纯粹思维形式——范畴、图型与原理体系、现象与本体的区别、"先验辩证论"中的先验理念与"二律背反"学说,并且在阐述的基础上都作出了精练的概括与评论。

当年听过课的研究生,对扬先生讲授时那种以哲学追索为生活的重道精神,以及讲到自己的特有理解和发现时那种兴奋畅适的表情,至今他们仍然恍如昨天清晰地浮现在脑际②。可见,讲授

---

① 讲课时这份《讲稿》打印了多份,1996年收入商务印书馆出版的《康德黑格尔哲学讲稿》中。

② 王树人:《康德黑格尔哲学讲稿》"序言",第2页,商务印书馆,1996年。

给学生留下的印象是十分深刻的。这主要是由于讲课内容的强烈感染所致。因为他不像是给大学生上课时那样只满足于把问题解释清楚,而是对他多年研究成果中重要论题的精辟阐述。从他留下的讲稿中可以看到,"其中,关于康德哲学产生的科学条件和思想条件的阐述;关于康德如何粉碎莱布尼茨、沃尔夫旧形而上学的统治及其意义的阐述;关于先验时空观、先验逻辑的建立及其影响;关于'物自体'三重含义的解析;关于二律背反或矛盾问题与黑格尔的关系;关于康德哲学与现代西方哲学流派的关系等方面,杨一之先生不仅提出了许多今天仍需继续探索的重要学术课题,而且他的许多见解仍旧有启发性"[①]。例如,拿康德与黑格尔的关系来说,以往相当长的一个时期里,都强调黑格尔高于康德,似乎康德提出而未能解决的哲学问题,都由黑格尔解决了。但是,早在三十多年前,杨一之就明确指出,黑格尔不仅未能这样,而且在一些重要问题上,还误解了康德。最突出的事实是,他对康德关于上帝存在的本体论的批判,便是这样。此外,他在讲授中,还根据《纯粹理性批判》的德文原版,纠正了英译本的错误和漏译,并在比较不同的译本中,给人一种德国康德哲学的感觉。从这里,充分体现了杨一之讲课及其讲稿的学术价值。

　　毋庸讳言,在当时"左"倾政治干预学术的高压背景下,无论讲课还是讲稿,也不能不带有当时某些不得已而为之的印迹。如谈到康德哲学的革命启蒙意义时,不能不因其唯心主义、不可知论而要强调其是法国唯物论的反动等等。王树人指出,"在那种年代,即简单地视唯物论为革命为进步而把唯心主义与反动划等号

[①]　王树人:《康德黑格尔哲学讲稿》"序言",第2—3页,商务印书馆,1996年。

的年代,无论在课堂上还是在文章著述中,这都是一种不能不遵守的强制。但是,细心的读者,不用费什么特别工夫,就能发现,对于杨一之先生《纯粹理性批判》讲稿,这类被'强制'性的辞语,完全是外在的或一种'保护色'"①。这是符合事实的。

五、贺麟研究黑格尔哲学的新进展

从1957年到1965年,是贺麟大踏步地转变为辩证唯物主义者的时期。在这个过程中,他以饱满的政治热情和精益求精的学术态度,顶着风雨,在困难的条件下,不但多方面地开展了西方哲学的传播工作,而且拓宽与深化了黑格尔哲学的研究。

第一,在抵制日丹诺夫思想的消极影响,探索以马克思主义为指导进行西方哲学研究的过程中,他积极地参加了哲学史方法论的讨论。为此发表的文章有:《对哲学史研究中两个问题的意见》(《人民日报》,1957年1月24日)、《关于哲学史上唯心主义的评价问题》(发言记录,后收集在《哲学与哲学史论文集》中)、《讲授唯心主义课程的一些体会》(《光明日报》,1957年1月4日)、《必须集中反对教条主义》(《人民日报》,1957年4月24日)、《论唯物主义与唯心主义的斗争与转化》(《哲学研究》,1961年第1期)、《关于唯物主义与唯心主义斗争和转化问题》(《文汇报》,1961年5月5日)与《加强对现代西方哲学的研究》(《新建设》,1961年第1期)等。通过这些发言或论文,贺麟对有关哲学史方法论的问题,表达了自己的主张,批评了一些有碍正确研究的观点和方法,对于把西方哲学的研究引导到马克思主义的科学轨道上来,发挥了积极作用。

---

① 王树人:《康德黑格尔哲学讲稿》"序言",第2页,商务印书馆,1996年。

　　第二,为了把西方哲学家的重要著作输入进来,他亲自翻译或组织力量翻译。其中,由他译出的著作有:《哲学史讲演录》(一、二卷)、《知性改进论》(修正本)、《伦理学》、《康德哲学》与《精神现象学》(上,与王玖兴合译)

　　第三,拓宽了西方哲学的研究领域,深化了黑格尔哲学研究。前者主要表现是发表了一些有关现代西方哲学的文章。如《新黑格尔主义批判》、《克朗纳》、《胡克反马克思主义的实用主义剖析》与《新黑格尔主义几个代表人物及其著作批判》。后者除了论文如《批判黑格尔思维与存在的统一》、《黑格尔〈法哲学原理〉一书述评》、《〈精神现象学〉译者序言》与《关于黑格尔哲学的几个问题》外,主要体现在《黑格尔〈小逻辑〉讲演笔记》中。

　　这是他 1956 年冬、1957 年春在中国人民大学的讲课记录。当时,由于"双百"方针的提出,学术界出现了一阵风和日丽的小阳春天气。贺麟以十分兴奋的心情来进行这一工作,说:"多年来所学到的一点东西,觉得对人民有一定的用途,不胜兴奋感动。深深认识到国家的兴盛,时代的伟大和百家争鸣的方针的英明和正确"①。他就是以这种精神风貌,面对社会上勤于哲学思考的听众讲授黑格尔哲学的。在讲授中,他首先指出,"在阅读中如发现难懂的名词、概念,就要当即引起重视,并从上下文和具体用法上来理解"②。依据这种认识,他就《小逻辑》中黑格尔论述的一些基本概念,如:自在之为、他在、外化、异化、有、限有、自有、本质、现象、假象、感性、知性、理性、具体共相、概念、绝对观念、绝对精神、

―――――――――

　　① 贺麟:《黑格尔〈小逻辑〉的讲演笔记》,见《黑格尔哲学讲演集》,第216页,上海人民出版社,1986年。
　　② 同上。

客观精神、世界精神等,根据黑格尔的本义,用自己的语言做出了简洁而准确的解释。接着,就构成黑格尔哲学体系的第一部分,即《逻辑学》的性质、特征、任务,从整体上进行了综合性的论述。其中,在论述黑格尔对康德哲学的批判时,在有层次的细腻分析中,提出的一些论点达到了一定的深度。最后,分别阐述了黑格尔关于"有论"、"本质论"和"概念论"的学说。在论述中,依据黑格尔关于范畴推演的次序,阐明了各个范畴的含义,揭示了它们之间的内在联系,指明了其中所体现的辩证法规律,还对黑格尔所有这些学说,发表了作者对它们的评论,其中有热情的肯定,也有尖锐的批评。

透过讲授与笔记,可以发现贺麟研究黑格尔哲学形成了一些新的特点。

一是原原本本地把黑格尔哲学的理论观点阐述清楚,认为这是能否正确对待黑格尔哲学的前提。正如他说,"在讲课的过程中,我认识到客观介绍是主要的方面。如果能客观地加以明晰而有条理的介绍,则有一定马克思列宁主义水平的听众自知道予以批判,而且可以得到集体的批判,并且不是简单的全盘否定的批判,于批判的同时还能肯定吸收其合理的因素。这使我认识到客观合理介绍与认真批判在本质上并不矛盾。事实上每每是介绍不清楚,因而批判也就不能深入、中肯"①。他在社会上讲授黑格尔的《小逻辑》,就是这样进行的。而他的通篇讲演,没有大段大段引证黑格尔的原话,而是运用自己的语言把黑格尔的思想表述出来,从而大大减少了因原著晦涩带来的理解上的困难,又把黑格尔

_____

① 贺麟:《讲授唯心主义课程的一些体会》,载《光明日报》,1957 年 1 月 4 日。

的思想原汁原味地展现出来了。

二是在讲课或论著中,他力图以马克思主义的观点和方法为指导,并予以批判和吸收。在这一点上,他的态度是十分真诚的。这既表现在他对黑格尔哲学的阐述和分析上,也反映在他对黑格尔哲学的评论与吸收过程中。因此,使他在揭示黑格尔哲学的实质时,根据充分;肯定其中的积极因素时,热情中肯;批评消极成分时,实事求是。这是他接受马克思主义以后,抵制"左"倾影响在黑格尔哲学研究中发生的变化和表现。

六、张世英及其《论黑格尔的〈逻辑学〉》

虽然早在 20 世纪 40 年代,张世英便进入了西方哲学研究的学者行列,但崭露头角却是在本阶段中。

张世英(1921—),湖北武汉人。1941 年考取西南联大,先学经济,后转哲学。1946 年毕业后先后任教于南开大学、武汉大学与北京大学。在哲学研究方向上,他的主要精力是在黑格尔哲学。他认为研究黑格尔这样的哲学家,关键在于贯通他的整个思想,搞懂原著,理解原意。为此,他一方面力图概括和评论黑格尔哲学的一些基本观点,揭示其深刻合理的思想及其在西方哲学史上的地位。另一方面评述黑格尔的著作,特别是他的《逻辑学》。而在这样研究时,他非常强调尽可能全面准确地掌握第一手资料;对于前人的东西,已有的东西也要全面收集、准确理解,其中对基础性的东西重在熟透,非基础的东西重在广博。他指出,只有这样才能写出扎实可靠的、有所创新的著作来。1959 年,他在上海人民出版社出版的《论黑格尔的〈逻辑学〉》一书,便是这样的作品。

《逻辑学》是构成黑格尔哲学体系的重要著作,也是西方哲学史上的重要著作之一。然而,它晦涩难懂,令人望而生畏。因此,张世英确定他写作这本书的主要目的,是要"把黑格尔《逻辑学》中最一般、最基本的一些思想作一简要的、比较系统的概括与阐述,并根据马克思列宁主义经典作家的指示,对这些思想作出分析、批判"①。不过,黑格尔的《逻辑学》著作有《大逻辑》和《小逻辑》两种。前者"量论"部分的篇幅相当于后者"量论"的十倍,而后者中"思想对客观性的三种态度"部分却是前者所没有的。除此以外,大体上讲来,《小逻辑》是《大逻辑》的缩写。所以,他的这本著作,"除因作者缺乏数学知识,在对于'量论'的阐述中只能取材于《小逻辑》外,其余均系《大逻辑》和《小逻辑》两种著作加以综合研究而写成的"②。

依据自己这样确定的目标和思路,张世英在书中,首先从总体上与基本特征上对《逻辑学》进行了深入的论述。他在"绪论"中指出,"黑格尔的《逻辑学》和他的整个哲学一样,是很复杂矛盾的,其中革命的辩证法和保守的唯心主义体系紧紧地纠缠在一起"③。接着又在第一章至第三章中,通过"纯粹概念"、"思有同一"与"具体概念"学说的论述,进一步阐明了上述特征的具体表现,指出了正确对待黑格尔哲学的态度。

其次,在第四章到第六章中,着重阐明了《逻辑学》中"关于对立面同一和矛盾的思想"、"关于概念的圆圈式发展、关于否定之否定的思想"与"关于从量转化为质和从质转化为量的思想"等三条辩证法的基本规律。这个次序和《逻辑学》中黑格尔的安排是不同的。因为在张世英看来,《逻辑学》中关于对立面的同一和矛

---

① 张世英:《论黑格尔的〈逻辑学〉》,第217页,上海人民出版社,1959年。
② 同上。
③ 同上书,第1页。

盾的思想，"不可能只限于《逻辑学》的第二部分，它实际上关涉《逻辑学》的整体"①。同样，否定之否定的思想，"正如恩格斯所说，是黑格尔整个哲学体系构成的根本规律"②。想要把它阐述清楚，也不能只是局限于这个部分。所以，他把对黑格尔三大规律论述的次序进行了调整；即从考察对立统一的思想进到否定之否定，再到质量互变的思想；而不是像黑格尔那样，由质量互变进到对立统一再进到否定之否定。这一调整反映了运用马克思主义观点对黑格尔辩证法思想的改造。

在书中，作者运用马克思主义的观点和方法，对黑格尔《逻辑学》的基本思想，特别是其中的精华与糟粕，进行了全面而深入的分析与评述，提出了不少具有重要启发意义并产生过深远影响的观点。例如在"绪论"中，引证过列宁的那段话，即"在黑格尔这部最唯心主义的著作中，唯心主义最少，唯物主义最多。矛盾，然而是事实"③。他认为，列宁的这段话极其生动、鲜明地表述了这部著作复杂的矛盾特征。问题是要对它做出正确的解释，以免使人发生误解。例如有的人片面抓住"唯物主义最多"的话，以此为根据宣称黑格尔的哲学是唯物主义的。张世英指出，"这完全是歪曲列宁的意思"④。然后，他根据列宁的本意，运用大量材料，除具体说明了在什么意义上《逻辑学》是一部彻头彻尾的唯心主义著作外，还着重在什么意义上"唯物主义最多"，做出了令人信服的解释。他指出：黑格尔是一位学识渊博的学者，对社会历史领域和自然界许多重要领域，他都研究过。他集中了前人的思想成果，概

①　张世英：《论黑格尔的〈逻辑学〉》，第 69 页，上海人民出版社，1959 年。
②　同上书，第 97 页。
③　同上书，第 1 页。
④　同上。

括了他那个时代的特征。因此,在他的《逻辑学》中充分反映了客观物质世界的许多真实情况,使他的逻辑学范畴充满了自然界和社会历史领域中辩证法和客观内容。所谓"唯物主义最多",就是指《逻辑学》充满了事实本身的、真实的叙述,"充满了最多的客观内容(自然界和社会史领域中事物的真实辩证法)的意思"①。

又如,在论述黑格尔关于对立统一的思想时,依据"本质论"部分范畴推演的次序,在分析了"同一"、"差别"、"对立"与"矛盾"的基础上,着重阐明了黑格尔关于内在矛盾是发展源泉的思想。张世英认为,"在哲学史上,第一次在唯心主义基础上系统表述了关于内在矛盾是发展源泉的辩证规律的,是黑格尔"②。他在追溯这一思想在西方哲学史上的萌芽与发展之后,从《小逻辑》和《大逻辑》中引证了黑格尔自己描述内在矛盾是事物发展源泉的话,又全面引证了《哲学笔记》中列宁对这些话的评价,并以此为根据对列宁的观点进行归纳,认为"列宁在这里一方面赞叹了黑格尔关于'自己运动';关于'矛盾是一切自己运动的原则'等等辩证的思想,同时,列宁指出了黑格尔这些辩证思想的唯心主义、神秘主义性质"③。而且由此出发,指出了对它采取的态度,应该"只是在对黑格尔辩证法的唯心主义、神秘主义的彻底批判中才'揭发、理解、拯救、解脱、清洗'出其中的'合理内核'"④,批评了有人把黑格尔这一辩证法规律现成地拿过来就可以应用的错误做法。在这里,有对黑格尔思想的深入剖析,还有对列宁思想的理解与发挥,对于依据经典作家的指示正确地接受黑格尔的辩证法具有重要意义。

---

①　张世英:《论黑格尔的〈逻辑学〉》,第3页,上海人民出版社,1959年。
②　同上书,第87页。
③　同上书,第90页。
④　同上。

再如,在论述黑格尔关于否定之否定的思想时,依据黑格尔的原意,对"具体概念"自我说明方法的内容,从两个层次上,即它是圆圈式发展的与由"正"到"反"再到"合"的过程进行了详细的阐述后,对于包含在其中的"合理内核",有一段精彩的提示与概括。就是:"关于肯定即否定、否定即肯定这一客观规律的猜测;关于单纯正面的认识是片面的、抽象的、空洞的认识的猜测;关于'否定之否定'是自身回复着的圆圈而同时又不是简单循环和简单回复的猜测;关于'否定之否定'的认识过程是由贫乏到丰富、由肤浅到深刻、由抽象到具体的前进过程的猜测;关于'否定'、'扬弃'不是简单的否定和扬弃,而是保存和提高旧东西的过程的猜测;关于'扬弃'不是原封不动地保存旧东西,而是'去掉其直接性',使其成为新东西的构成'因素'的猜测;关于'内在否定性'是自我运动、自我发展的源泉的猜测;如此等等"①。这些归纳,既把黑格尔关于否定之否定思想中的"合理内核"全面地揭示出来了,还启发和推动了学术界对它的进一步研究。

总之,该书这样把《小逻辑》和《大逻辑》综合起来进行阐述,既兼顾了内容的系统性,又突出了其中辩证法规律这个重点,从而"为读者全面了解黑格尔逻辑学的原意,掌握其哲学真谛,分清其思想中的粪土和珍珠,提供了一本好教材"②。同时,这本书又是本阶段中国学者以马克思主义为指导研究黑格尔哲学取得的一个重要成果。在这一方面,它"为以马克思主义的基本理论分析和研究黑格尔思想做了很好的示范"③。主要是,它对于正确而全面

---

① 张世英:《论黑格尔的〈逻辑学〉》,第143页,上海人民出版社,1959年。

② 杨寿堪:《论黑格尔的逻辑学》,见《二十世纪中国哲学》第三卷(上),第479页,华夏出版社,1996年。

③ 同上。

地理解和把握黑格尔的辩证法思想,并进而以马克思主义为指导接受与研究黑格尔哲学,都起到了积极的推动作用。因此,当它出版后,受到了国内哲学界的欢迎和好评,在国外也产生了一定的影响。

七、姜丕之的黑格尔哲学研究

和前面提到的一些学者不同,用姜丕之自己的话说,他是"弃官从学"与"半路出家"通过自学走上黑格尔哲学研究道路的。

姜丕之(1920—1993),山东蓬莱人。1938年读高中时参加革命队伍。自此以后一直到1956年,曾长期从事宣传和新闻工作。1956年,在当时号召向科学进军的高潮中,他毅然"弃官从学",调到中国科学院哲学研究所,甘坐冷板凳,从此走上了学术研究的道路。

到哲学所后,他选择了黑格尔哲学作为自己的主攻方向。对此,他的解释是:"我从50年代中期开始专门从事哲学研究时,所以要研究黑格尔哲学,主要因为它是马克思主义的思想来源之一,他的辩证法对人类认识的发展,具有重大贡献。虽然从它原有的形式来说,既无用处,又叫人头痛。但是,经过马、恩的批判改造,以及列宁的分析研究,它已经不是什么'天书'了,而成为人类的宝贵哲学遗产。当时,我就抱着从马克思主义哲学出发来研究黑格尔,经过研究再回到马克思主义哲学的目的"①。在他看来,离开这一目的研究黑格尔哲学,对于马克思主义者来说,便失去了研究黑格尔哲学的意义。不过,在宣传和新闻方面,虽然他有丰富的

---

① 姜丕之:《马克思与黑格尔》,"后记",第192页,中国青年出版社,1983年。

实际工作经验,也有很好的马克思列宁主义理论修养,但是,西方哲学却是一个刚刚开始涉猎的新领域,要达到上述目的,需要克服的困难也是明摆着的。

在这一方面,姜丕之有充分的思想准备,特别在行动上,他钻研西方哲学的刻苦精神,研究黑格尔哲学的执著态度,更是"都堪称楷模"①。一个表现是,到哲学所的第一年,他埋头读书,刻苦自学,不但大量地阅读了马克思、恩格斯、列宁、普列汉诺夫论述黑格尔哲学的有关著作,还系统地钻研了已经译成中文的德国哲学家的原著,以及威柏尔、罗洁斯、斯塔斯、顾西曼、朗格等人的哲学史书籍。其中,列宁的《哲学笔记》一书,在一定意义上,成为他研究黑格尔哲学的强大基地。因为读过这本书后,不仅使他对黑格尔辩证法和马克思主义辩证法,以及二者的联系和区别进一步有所了解,而且还从列宁的评语中,学到了应该怎样对待既唯心又辩证的黑格尔哲学。这个问题关系到研究黑格尔哲学的道路和方法,因此,极为重要。另一个表现是,虚心向哲学所的其他学者学习与请教;除贺麟和杨一之为所里的研究生或社会上的有关人士讲授《精神现象学》、《小逻辑》、《大逻辑》与《纯粹理性批判》时,他每次必到,并积极参加讨论外,在攻读《小逻辑》期间,他还"几乎每隔一周便到贺麟教授家里面谈一次,主要是谈读书心得和请教疑难问题。每次一谈就是半天或一个晚上。有一次谈康德哲学一直谈到午夜才分手"②。每次交谈后,他深感收获甚丰。这种坚持不懈地认真读书与勤奋探索精神,为姜丕之的黑格尔哲学研究取得成果,奠定了坚实的学术基础。

① 汝信:《姜丕之文集》"序",第2页,社会科学文献出版社,1997年。
② 姜丕之:《我与黑格尔》,原载《书林》杂志,1983年,第6期。

　　经过一段时间的艰苦钻研后,他很快就进入了探索黑格尔哲学的过程。而且,在由古而今系统阅读西方古典哲学名著,发表了不少论文的基础上,从 1959 年 5 月开始,与汝信共同撰成的《黑格尔范畴批判》一书,1961 年在上海出版了。在书的"后记"中,他们写道,"本书当然不是对黑格尔辩证法的系统研究,我们只是试图从一个方面,即从范畴论问题的角度来探讨黑格尔辩证法,但我们认为,这个方面对黑格尔辩证法的研究是相当重要的"①。这说明,他们不是就范畴研究范畴,而是着重从范畴在黑格尔辩证法中的地位、作用和意义来研究他的范畴论。而且,黑格尔从唯心主义可知论出发,探讨了逻辑推演的辩证过程及其辩证关系,并且充满了历史感,把它们与哲学史密切联系起来,开创了范畴学说的新纪元,但又为神秘主义的乌云所遮盖。因此,对他的范畴学说必须批判地对待。依据上述思路,该书集中对黑格尔《逻辑学》中"本质论"部分的范畴进行了论述。作者认为,矛盾和规律乃是本质论的基础和灵魂。矛盾范畴虽非黑格尔发现,但在他之前,没有人像他这样深刻地阐述过。他处处注意揭示对立面的矛盾,并把矛盾作为注意的焦点,为人类的认识开辟了新途径,第一个自觉地系统地阐述了辩证法。但是,他的矛盾学说从属于他的绝对唯心主义,必须加以清洗、挽救和改造,才是有价值、有意义的。他的规律范畴也是如此,既辩证又神秘、既深刻又肤浅。总的说来,他把规律看作是本质的关系,内在的必然性的表现,是辩证的、深刻的。这是他们研究黑格尔哲学的一本习作。虽然在当时的历史条件下,难以完全摆脱"左"的影响,但是他们遵循的道路和方法,却是马

---

　　①　姜丕之、汝信:《黑格尔范畴论批判》,第 133 页,上海人民出版社,1961年。

克思主义的。

　　接着,姜丕之写道:"黑格尔的辩证法虽然是人类文化的宝贵遗产,但是,他的著作过于晦涩,使许多人望而生畏,不敢问津,这是非常可惜的。因此,如何把黑格尔辩证法通俗化,使更多的读者能分享这一遗产,便一直在我脑海里旋转"①。特别是在他看来,"批判地研究黑格尔的辩证法,不仅具有哲学史的意义,而且也具有现实的理论意义和实践意义。辩证法是真正的常青之树,永远在开花、结果。我们既要享受它的果实,又要以新的实践经验总结来灌溉它,使它不断在汲取新养料中向前发展"②。在这种强烈使命感的催促下,使他决心在多年研究的基础上进行一次大胆的尝试,写出一部《黑格尔〈小逻辑〉浅释》来。从 1961 年 5 月开始,用了十个月的时间,终于拿出了初稿,又用了半年的时间进行修改和补充,于 1963 年由上海人民出版社出版了。

　　姜丕之指出,"黑格尔的辩证法贯穿在他的全部著作中,但最集中、最突出地反映他的辩证法的,要算是他的逻辑学著作"③。而《小逻辑》则是代表黑格尔整个哲学体系之《哲学全书》的第一部分,篇幅虽然大大少于《大逻辑》,然而黑格尔辩证法的基本思想却完全包括在这部比较简要的著作里了。为了便于读者阅读和领会黑格尔的《小逻辑》,他首先在该书的"引言"中,阐明了逻辑学中有论、本质论、概念论的逻辑结构与逻辑推演的特征,既是神秘的,又是辩证的;指出了在黑格尔的逻辑学中包含了许多深刻的辩证法思想,主要是它"以唯心主义的方式,叙述了辩证法的三大

---

　　①　姜丕之:《我的哲学生涯》,见《哲人忆往》,第 115—116 页,中国青年出版社,1999 年。
　　②　姜丕之:《黑格尔〈小逻辑〉浅释》,第 491 页,上海人民出版社,1981 年。
　　③　同上书,第 2 页。

规律"①,这是黑格尔对辩证法的最大贡献,是需要大力进行挖掘的宝藏;提出了突破《小逻辑》阅读难关的五条建议。这些,对于读者阅读《小逻辑》,正确领会其中的辩证法思想,具有一定的引导作用。

然后,使用该书的主要篇幅,依据贺麟的《小逻辑》中译本,逐节地进行了通俗的介绍与论述。其中,既有对黑格尔观点的阐释与概括,还有对读者阅读原著时可能遇到的难点的解答。所以采取这种写法,目的在于帮助那些对《小逻辑》有兴趣而暂时不能直接阅读原著的读者对该书的内容能有较详细的了解;同时,也能使那些能阅读原著但感到困难的读者,参考起来感到方便。这种写法与这样介绍,虽然难免要受到《小逻辑》原书写法的限制,使有联系的问题显得零散,主要问题不容易突出。但作者一方面在逐节介绍时,尽量注意有重点地解释和批判,另一方面在介绍到一定段落时,将其中的主要问题再作一简单的综述,使这个缺点得到了较好的弥补。所以,读过后使人感到这是作者认真钻研、独立思考和具体分析取得的成果。它对阅读《小逻辑》、正确领会黑格尔的辩证法思想,具有直接的帮助。当它出版后,很快得到了哲学界的欢迎和好评。

第四节　社会动乱中西方哲学东渐的厄运

自1966年夏天"5·16"通知的发出,到1976年秋季"四人帮"被粉碎,中国大陆在"文化大革命"的名义下爆发了一场社会大动乱和文化大浩劫。在这个过程中,中国大陆的现代化进程被

---

① 姜丕之:《黑格尔〈小逻辑〉浅释》,第11页,上海人民出版社,1963年。

打断了,给包括西方哲学东渐在内的科学文化事业,造成了难以挽回的损失和灾难性的后果。教训是十分惨重的。

一、又一次被人为地打断

"文化大革命"的发生,实际上是始于50年代后期逐渐膨胀起来的"左"倾政治路线发展的必然结果。因为发动这场运动的主要根据是:一大批资产阶级代表人物、反革命修正主义分子,已经混进党里、政府里、军队里和文化领域的各界里,并在中央形成了一个资产阶级司令部。因此,必须进行"文化大革命",自下而上地发动广大群众向走资本主义道路的当权派夺权。并且声称,实质上这是一个阶级推翻另一个阶级的政治大革命。十分明显,这些论点不过是50年代末提出,60年代初得到恶性发展的"左"倾政治思想的集中体现。它既不符合马克思列宁主义,也不符合中国社会发展的实际。因为它是建立在对中国大陆阶级斗争形势以及党和国家状况错误估计的基础之上的,完全是主观主义的,是错误的。

在这种思想指导下进行的"文化大革命",从批判新编历史剧《海瑞罢官》开始,经过破四旧、向走资本主义道路的当权派夺权、全面武斗的内乱,到林彪自我爆炸;再从批林整风、进行思想政治路线教育、评法批儒、反击右倾翻案风,到"四人帮"被扔进历史的垃圾堆,历时10年。实践证明:它不是也不可能是任何意义上的革命或社会进步,而是一场由领导人错误发动,被反革命集团所利用,给国家和各族人民带来严重灾难的社会大动乱。

在"文化大革命"的全过程中,如果仅从表面上看去,那么,西方哲学和马克思主义哲学当时在中国的命运,俨然具有天壤之别。后者备受推崇,把它视为绝对真理的化身与点石成金的法宝;前者则横加罪名,被视为封资修的大毒草,恨不得对它千刀万剐。然而,揭开来看,这种对马克思主义哲学的推崇,不过是把它宗教化后按照社会大动乱的需要加以篡改和任意歪曲罢了。而西方哲学却随着社会动乱的进展,经历了一个从完全排斥到沦为"左"倾政治婢女的过程。所以在实质上,它们都毫无例外地成为政治斗争的工具。在这个意义上,它们的命运又是相同的。

为了理解这一点,有必要先谈一下马克思主义哲学的命运。关键在于,既然"文化大革命"是一个阶级推翻另一个阶级的政治大革命,因此,为了政治目标的顺利实现,在过分夸大主观能动性的基础上,十分看重和推崇文化和精神力量在这场运动中的决定性作用。这是"文化大革命"极为鲜明的一个特征。表现在"文化大革命"发动时,就是从思想与文化对整个社会主义革命和建设事业具有决定意义的观点出发的,而在运动的进行过程中,也始终以是否有利于这种政治斗争的顺利发展以及政治目的能否圆满实现,来确定对待意识形态领域一切具体形式的态度的。其中,哲学是思想战线上一个极为重要的方面,因此,受到了特殊的青睐。例如,从宣称思想路线正确与否是决定一切的出发,进一步把哲学在政治斗争中的作用提高到了无以复加的程度。

不过,这种受重视的哲学只是特指马克思主义哲学。马克思主义哲学是党和国家的指导思想,它在整个社会生活的绝对统治地位,通过立法和一系列的批判运动,早已确定了起来。不过到达这个时候,马克思主义哲学还被宣布为哲学发展的最高形式,而毛泽东哲学思想又被奉为马克思主义哲学的"顶峰",是一切工作的"最高指示"。从这里出发,进一步把马克思主义哲学宗教化了,不但把它作为检验真理和人们日常言行的终极标准,而且还依靠政治的力量来维护和推行这种对它的迷信。不用说公开反对要受到严厉的惩罚和无情的打击,甚至对它稍有怀疑,便被斥责为思想反动或反革命行为。在这个前提下,哲学工作者的任务只是从中搞些语录,把它作为"经典"进行"阐述",或者搞点"内容提要",把它普及到群众中去。而哲学研究就是注释经典著作,哲学文章不过是从经典文献中摘录的一些零散的词句的堆砌而已,与西方中世纪的经院哲学并无二致。值得注意的是,还要用这样的哲学来说明和论证当下的政治斗争和方针路线,以便把人们的思想统一到"文化大革命"的政治上来。这样的文章连篇累牍,这样的报告一场接一场,火药味不能说不浓,配合政治斗争不能说不紧,然而看过或听过之后,给人的感觉却是语调千篇一律,除了重复当时"两报一刊"(即《人民日报》、《解放军报》和《红旗》杂志)的空洞的政治口号外,什么也得不到说明。就是那些阐明"经典"的论著,也只停留在一般常识的水平上。更为可悲的是,还要用它来振振有词地为当时的动乱进行论证。特别在林彪"活学活用、急用先学、立竿见影"的鼓吹下,使哲学变成了"点石成金"的灵丹妙药,把它的作用吹得神乎其神。从表面现象看去,当时的哲学战线上吹吹打打,的确好不热闹。但是,这种从服务于社会动乱需要出发对马克思主义哲学的宗教化和庸俗化的做法,不但使它脱离了当代人类文明发展的潮流,不断僵化起来,而且,在一些基本原理上也使它遭到了极大的歪曲和篡改,不仅不能对这场所谓无产阶级专政下的继续革命作出科学说明,反而导致中国大陆唯心主义横行、形而上学猖獗。这不是马克思主义哲学本身的过错。但是,在"文化大革命"中,它的科学性及其在群众中的崇高声誉,由于林彪和"四人帮"两个反革命集团的恶意利用,的确受到了极其严重的损害。

和这种对于马克思主义哲学神化和篡改不同,对待西方哲学,不论是古代的,还是现代的,都被视为封资修的大毒草和帝国主义在中国复辟资本主义的思想温床,在"左"倾政治的目光中,完全被判定为与马克思主义和社会主义的绝对的对立物,并且基于这种被强加的罪名,进一步又把西方哲学宣布为无产阶级专政的对象,或者说,"无产阶级专政下继续革命"必须扫除的对象。因此,在"文化大革命"开始的一段时间内,西方哲学在中国便被完全排斥。虽然这种排斥并非始自"文化大革命",但进展到这个阶段,却达到了登峰造极的程度。不过,当时对它采取排斥的手段却是极为简便的,即只是把它当做垃圾,认为就可以轻而易举地将其干净、彻底地扫荡到太平洋里去,便万事大吉了。这样一来,作为西方社会发展特别是西方现代化发展的体现和总结的近现代西方哲学的有关典籍,以及近一个多世纪以来中国学者为之呕心沥血、孜孜不倦探索和研究的成果,都被宣布为封资修毒草而被封存或毁坏了;从事西方哲学研究的学者有的被打成反动学术权威,因而遭到精神上的折磨和肉体上的摧残,有的被赶到"五七"干校或插队落户接受贫下中农的教育去了;有关西方哲学的杂志和书籍停止印刷,传播阵地一个个被铲除了。16世纪末、17世纪初以来开始的中西哲学交流过程,在经历了18世纪初至19世纪初的停顿之后,又在20世纪下半叶的一段时间内被这样无情地打断了。

二、西方哲学被沦为"左"倾政治的婢女

1971年秋天,西方哲学在中国大陆似乎被重视起来。是年9月13日以后,由于林彪反党集团自我爆炸,随即开展了批林整风以及接着进行了评法批儒运动。为了进行思想政治路线教育,毛泽东除了号召广大干部学习马克思主义著作外,还发出了读几本哲学史、包括西方哲学史的指示。他的本意原是要求广大干部在

读马列著作的过程中,通过学点哲学史,吸取人类理论思维的经验与教训,以此加深对马克思主义精神实质的理解。然而,这个号召却被当时控制思想理论战线的"四人帮"接了过去,并且把它解释成这样:林彪等一伙阴谋家与早已被打倒的所谓走资派一样,为了颠覆无产阶级专政,复辟资本主义制造的反革命舆论,都是从历史上剥削阶级反动哲学的垃圾堆里寻找破烂武器,用来作为他们向党进攻的罪恶工具。例如,他们宣扬的唯心论的先验论和天才论,鼓吹英雄创造历史的唯心史观,贩卖地主资产阶级的人性论,这些东西本来就不是什么新鲜货色,而是历史上剥削阶级的反动唯心主义哲学的陈词滥调。因此,为了彻底批判林彪反党集团的种种反动谬论,揭露其极右的本质,肃清一切流毒,就有必要从哲学史上去挖一下老根,弄清它们和历史上的一切反动哲学流派的血缘关系,以便帮助人们进一步认清林彪一伙的假马克思主义政治骗子的反革命的真正面目。

为了实现上述政治目的,把文化大革命进行到底,除了继续使用被篡改了的马克思主义哲学作为工具外,还把中外哲学史拉出来作为奴仆。这样,西方哲学的命运发生了某种变化,即由原先完全被排斥,转而被重视起来。因此,在批林整风以及后来的评法批儒运动中,开展了声势浩大的对先验论、人性论、天才论以及诡辩论的批判。选编资料、撰写文章、专题报告、出版著作,其规模和气氛,曾经形成了一定的声势。但是从内容上考察,与前一阶段把被篡改的马克思主义哲学作为工具一样,完全按照当下的政治需要剪裁史料,把复杂的人类思维发展简单化为唯物主义和唯心主义的对立,并按照唯物主义进步,唯心主义反动的公式,随心所欲地上纲上线。因此,有关西方哲学的论著虽然出版了一些,但是,经过这样的利用、歪曲和篡改,哲学史,其中包括西方哲学史,被弄得面目全非了。这实在是哲学研究与西方哲学东渐过程中发生的不幸和悲剧。

为了理解上述看法，下面介绍一下唐晓文谈学习哲学史的意义，以便使人们对它有一个更为具体的了解。毛泽东"读几本哲学史"的指示被"四人帮"接过去以后，为了从指导思想上变西方哲学为"左"倾政治的工具，由他们控制的《红旗》杂志，于1972年初以《读几本哲学史》为题，发表了体现"四人帮"意图的唐晓文的文章。文章的开头批评了"有些同志对于学习哲学史的政治意义，还缺乏深刻的认识"①。然后他指出，"哲学是为政治服务的，哲学史就是各个时代的阶级斗争在哲学上的反映。我们今天要读几本哲学史，正是为了适应当前两个阶级、两条路线斗争的需要"②。他在这里，把毛泽东提出学习哲学史的指示，歪曲成完全是从当时的政治斗争需要着眼的。并且在这个前提下，从当时的阶级斗争和路线斗争出发，认为学习哲学史不仅具有挖林彪老根，批倒批臭林彪反革命修正主义路线的重大意义，而且对于广大群众进行思想政治教育来说，还具有防修反修，保证红色江山永不变色的深远意义。具体说来：

首先，学点哲学史，在阶级斗争和路线斗争中，就不会上当受骗。唐晓文认为，林彪宣扬唯心论的先验论，反对唯物论的反映论，鼓吹英雄创造历史的唯心史观，反对奴隶们创造历史的唯物史观，为他们推行修正主义路线、复辟资本主义的阴谋服务，"这是我国整个社会主义历史阶段中两个阶级、两条道路、两条路线斗争

① 唐晓文：《读几本哲学史》，载《红旗》杂志，1972年，第2期，第10页。
② 同上。

的继续"①。作者问道:"我们有些同志却认识不出来,分不清唯物论和唯心论,甚至上当受骗。这是什么缘故呢"②? 他的回答是,除了没有学好马列主义和毛泽东思想外,"不了解哲学与政治斗争的关系,不了解唯物论和唯心论的斗争史,不能不说也是一个重要的原因"③。在他看来,"全部哲学史,都贯穿着唯物论和唯心论、辩证法和形而上学的斗争。几千年来的哲学史表明,一切哲学思潮和各种哲学流派,可以因历史条件的不同带着时代的特点,采取不同的具体形式,但是,它们不是属于唯物论就是属于唯心论,或者不是属于辩证法就是属于形而上学,哲学上的两军对战,始终反映着敌对阶级之间的利害冲突。用唯心论和形而上学来反对唯物论和辩证法,这是历来反动阶级向革命阶级进攻的一个重要方向"④。又说,"无产阶级夺取政权以后,这种斗争依然存在"⑤。例如,林彪宣扬唯心论的先验论,正是无产阶级、马克思主义哲学同资产阶级、修正主义哲学长期斗争的继续。作者指出,"学习哲学史,懂得了唯物论和唯心论,辩证法和形而上学之间斗争的规律,我们就能从哲学斗争中看到阶级斗争的实质,就能进一步认识到宣传辩证唯物论和历史唯物论,批判唯心论和形而上学是长期斗争的任务,从而时刻注意从哲学战线上发现和击退阶级敌人的进攻"⑥。

其次,学点哲学史,就能提高路线斗争觉悟,取得路线斗争的

---

① 唐晓文:《读几本哲学史》,载《红旗》杂志,1972 年,第 2 期,第 10 页。
② 同上。
③ 同上。
④ 同上。
⑤ 同上书,第 11 页。
⑥ 同上书,第 13 页。

胜利。因为哲学史上,任何一种反动哲学流派同历史上的唯心论是一脉相承的。对此,唐晓文写道:"一切机会主义、修正主义贩卖唯心论和形而上学,尽管贴上'最新'的标签,披上时代的新装,揭开来看,无非是从历史上的反动哲学武库中寻找来的破烂"[1]。例如,林彪一伙宣扬知识是天生就有的唯心论的先验论,早在古代希腊的柏拉图和近代的康德都鼓吹过。林彪根本否定实践在认识中的作用,叫嚷什么"天才"、"天分"是娘肚子里带来的,正是历史上这一套陈腐不堪的唯心论的先验论的翻版。所不同的,只是他挂着一块马克思主义的招牌,以便欺骗和吓唬人。作者认为,如果读了几本哲学史,明白了哲学上两条路线斗争及其在各个时代的表现形式,把历史上的斗争和现实的斗争结合起来,就可以帮助我们分清什么是唯物论的反映论,什么是唯心论的先验论,进一步提高路线斗争的觉悟。一旦当林彪一类政治骗子散布谣言和诡辩的时候,便能及时地识破并戳穿它,从而在路线斗争中取得胜利。

　　为了宣扬学点哲学史的重要性,唐晓文不但编造了上面这些冠冕堂皇的理由,而且还把革命领袖请出来作为他提出上述观点的根据。他说:"无产阶级革命导师历来都重视哲学斗争,把批判资产阶级唯心主义和形而上学作为路线斗争的一个重要方面。他们在清算机会主义、修正主义的哲学的时候,不仅指出它在政治上和理论上的反动本质,而且揭露它同历史上的唯心论和形而上学的血缘关系,挖出它的老祖宗"[2]。马克思、恩格斯、列宁是这样,毛泽东也是这样。半个多世纪以来,他"从来都把党内两条路线的斗争提到世界观的高度来解决,在两条路线斗争的关键时刻,总

---

[1]　唐晓文:《读几本哲学史》,载《红旗》杂志,1972 年,第 2 期,第 11 页。
[2]　同上。

是反复教育全党，要彻底粉碎机会主义、修正主义的路线，肃清它们的流毒，必须注意学哲学，学哲学史，摧毁它们的理论基础”①。根据这些理由，唐晓文由此得出结论：“在两条路线斗争中，学哲学，学哲学史，从世界观上彻底批判机会主义、修正主义，这是马克思列宁主义路线战胜反革命修正主义路线的一条重要的历史经验”②。

　　这篇文章把批林整风进行思想政治教育过程中学习哲学史的意义，吹得如此这般天花乱坠，实质上这里谈论的是哲学的功能问题。虽然它把问题扯得那么远，意义抬得那么高，但是，掀开理论的面纱，却暴露出了“四人帮”的真实目的，不过是在“文化大革命”的理论与实践遭到严重失败，难以继续下去的危急形势下，为了给自己壮胆，需要找到某种理由以便说明“将无产阶级文化大革命进行到底”的必要性。而哲学史，包括西方哲学史，便被认为具有这种神奇的功能。因此，在意识形态领域一反前一阶段完全排斥西方哲学的做法，而变得似乎对它重视起来。不过这种重视，是从现实的政治斗争的需要出发，以直接服务于当下的政治斗争为目的，以便为社会的继续动乱出力。因此，在这种思想指导下的哲学史学习，在内容的处理上，从资料选择、观点论述到方法运用，都必须以当时的政治斗争作为标准进行剪裁，哲学史作为一门拥有相对独立性的学科，它自身的发展规律是根本不予理会的。这样一来，有关西方哲学的论著虽然上市了一些，但是，经过这样打扮来为政治斗争服务而产生的哲学史及其作品，其中包括西方哲学史及其作品，便被糟蹋得面目全非了，哲学自身的发展规律没有

①　唐晓文：《读几本哲学史》，载《红旗》杂志，1972 年，第 2 期，第 12 页。
②　同上书，第 13 页。

了,西方哲学作为一门相对独立的学科被取消了。

　　为了理解西方哲学在批林批孔和评法批儒过程中的遭遇与命运,需要把西方哲学沦为政治婢女的表现具体地加以揭露。

　　表现一:从提供材料出发成为"左"倾政治斗争的工具。

　　虽然唐晓文把"读几本哲学史"的重要性提高到了登峰造极的程度,把撰写批判有关西方哲学的论著看做是巩固无产阶级专政、防止资本主义复辟的重要步骤。但是,社会上一般群众对此反应冷淡,尤其是从事西方哲学研究的学者,更是近乎无动于衷。因此,尽管在当时强大的政治压力下,还有层层动员和严密的布置,但出版属于这一类的作品,仅有:《欧洲哲学史简编》(1972 年)、《哲学史上的先验论》(1973 年)、《唯心论的先验论选编》(1973 年)、《认识论上的两军对战》(1973 年)、《西欧哲学史讲话》(1975 年)、《西欧近代哲学史》(1975 年)与《欧洲哲学简史》(1974 年)等。

　　这里说属于"这类作品",只是从指导思想上要求它如此这般地撰写。因此,这类著作都毫无例外地通过"前言"或其他形式,千篇一律地重述唐晓文前面提出的那些论点,以此表达该书是为了批林批孔的政治目的而撰写的。例如,有的写道:"我们希望本书有助于广大工农兵读者进一步弄清什么是唯物论的反映论,什么是唯心论的先验论,从而更深入地批判王明、×××一类政治骗子所散布的唯心论的先验论"①。有的认为:"学习哲学史,了解哲学斗争与政治斗争之间的关系,就能帮助我们认识抓上层建筑领域内阶级斗争的重要性,重视这方面的工作,坚持不懈地宣传辩证

---

① 《哲学史上的先验论》"出版说明",人民出版社,1973 年。

唯物论和历史唯物论；批判唯心论和形而上学"①。有的指出："为了现实的阶级斗争和党内路线斗争的需要，为了提高识别真假马克思主义的能力，为了捍卫马克思主义、列宁主义、毛泽东思想，为了捍卫毛主席的无产阶级革命路线，我们需要系统地学点哲学史，包括欧洲哲学史"②。有的表示："学习西欧近代哲学史，了解资产阶级哲学的由来和发展，研究资产阶级在上升时期和没落时期的意识形态表现究竟有什么特征，可以帮助我们深入地批判资产阶级世界观，从而在上层建筑包括各个文化领域对资产阶级实行全面专政"③。十分明显，所有这些说法都是唐晓文观点的复述与发挥。所以不厌其烦地把它们抄录在这里，目的是想说明，在当时的政治气氛中，西方哲学的研究工作，在被"四人帮"利用后，在所谓为路线斗争与政治斗争的口号下，西方哲学为"左"倾政治服务的真实情景。这在当时，绝对不是这些书的作者的个人意志所能摆脱得了的，也不是他们的本意愿意这样做的。因为这样的工作在当时被认为是一项捍卫无产阶级革命路线的神圣任务，不接受或者怠慢，甚至稍有犹豫，都被宣布是政治立场问题。而一旦找上门来，如果没有这些套话与违心的表示，同样的厄运也会随即到来。因此，尽管书中出现了这些现象，但责任不在编写这些论著的作者身上。

　　这些著作内容上的一个鲜明特点，是以提供哲学史资料的方式，来直接服务于当时批判林彪反革命修正主义路线的政治斗争。例如，有的"通过中外哲学史上比较有代表性的九个唯心主义哲

① 《西欧哲学史讲话》，第5页，人民出版社，1975年。
② 《欧洲哲学史简编》，第5页，人民出版社，1972年。
③ 《西欧近代哲学史》，第8页，商务印书馆，1974年。

学家,通过扼要地介绍先验论的种种表现形式,并且略加分析、批判"来进行①。有的"通过对西欧哲学史的简略介绍,使读者初步掌握欧洲各国各个历史时期哲学斗争的基本线索"②。有的"只介绍马克思主义哲学产生以前的哲学斗争的历史……但是,为了帮助读者了解欧洲(还有美国)现代资产阶级哲学的概况,为进一步批判帝国主义、修正主义提供一些线索,专门写了一章简要介绍现代资产阶级哲学的几个主要流派"③。所有这些不同的说法,目的都是要说明这些不同的著作,都是为现实的政治斗争提供材料,以此阐明反革命修正主义路线的理论基础及其所宣扬的一套反动观点,都只不过是历史上早已存在的破烂货。因此,在作者的介绍中,也常常在违心的情况下,程度不同地把他们所介绍的材料,不管是否有联系,总要把它们与现实的政治斗争挂起钩来,以此用来贯彻"四人帮"的那一套意图。

　　这主要表现在:在选择材料时,只是抓住那些与当时政治斗争似乎有关系的东西,而不考察哲学史发展的本来面貌;在批判和得出结论时,出于某种政治目的需要,无限上纲上线。例如,介绍了康德的先验论后,作者指出:"从它提出问题到最后分析'理性',都是同唯物论反映论相对立的,都是荒谬的。它打着分析人的认识能力的招牌,结果是为了'论证'宗教信仰必须存在"④。又如,在介绍了哲学史上孔子、孟子、董仲舒、朱熹、王阳明、柏拉图、笛卡儿、康德、黑格尔等九位唯心主义哲学家之后,作者宣称:"哲学发展的历史表明,反动的奴隶主阶级、封建地主阶级和资产阶级都要

①　《哲学史上的先验论》"出版说明",人民出版社,1973年。
②　《西欧哲学史讲话》,第5页,人民出版社,1975年。
③　《欧洲哲学史简编》,第2页,人民出版社,1972年。
④　同上书,第5页。

用先验论为他们的剥削制度辩护,都希望用先验论做他们奴役人
民群众的精神武器。唯心论的先验从它出现的那天起,就是为剥
削阶级政治服务的"①。有的著作在"附录"中介绍现代西方哲学
时,把尼采哲学概括为:"反动资产阶级公开无耻的反人民、反民
主的强盗哲学,它实质上是教人回到野蛮,是反动资产阶级的兽性
表现"②。另外,还把存在主义宣布为:"帝国主义时代垄断资产阶
级的死亡哲学,是垄断资产阶级麻痹人民斗争的哲学"③。而且,
对于整个现代西方哲学的共同特征,作者还作出了如下概括:"从
19 世纪 40 年代马克思主义产生以后,资产阶级就再也提不出任
何一点有进步意义的思想了。资产阶级把自己的斗争锋芒完全转
向无产阶级,它们的惟一任务就是反对无产阶级的科学思想体
系——马克思主义,为反动的资本主义制度作辩护。现代资产阶
级哲学是彻头彻尾腐朽反动的哲学。它们是反动资产阶级的意识
形态,是积极为反动的资产阶级政治服务的思想工具"④。这些看
法与客观实际之间存在的巨大差距,是不难发现的。这些结论的
偏颇也是显而易见的。这是为了某种政治目的而强加给批判对象
的必然结果。

　　然而,如果再深入而全面地考察一下作者对哲学史上哲学家
观点具体内容的介绍,除了前面这些在所谓为政治服务产生的时
代局限外,无论哲学史还是专题性的著作,在基本的哲学史实上,
一般都还是保持了学者的学术良心。这突出表现在,对于哲学家
理论观点本身,力争做出客观的介绍。例如,以《哲学史简编》为

　　①　《哲学史的先验论》,"出版说明",人民出版社,1973 年。
　　②　《欧洲哲学史简编》,第 20 页,人民出版社,1972 年。
　　③　同上书,第 228 页。
　　④　同上书,第 194 页。

基础改写而成的《欧洲哲学史简编》，被认为是当时以提供材料为政治服务的典型，然而其中即使对唯心主义哲学家柏拉图、莱布尼茨、康德和黑格尔的介绍，大体上也反映了这些哲学家思想的基本面貌。又如，《西欧近代哲学史》，虽然在整体上没有超出当时政治环境的思想框架，但在介绍和分析中，却不但是依据哲学家的原著进行的，而且对不少理论问题的阐述，还提出了一些有启发意义的观点。这在那种是非颠倒的疯狂岁月里，要做到这一点，作者们头上的压力会有多重，人们是完全可以想像得到的。实际上，这不过是中国学者对哲学史研究沦为政治婢女深为不满的自然流露与行动上进行反抗的表现。

表现二：着眼于政治批判来为当时的政治斗争服务。

把这一类作品同前面一类加以比较，尽管目的都是适应批林整风，将"文化大革命"继续进行下去的需要，但在内容的侧重点上，前者主要是为批判林彪的反革命修正主义路线提供哲学史的炮弹，而后者却主要是着眼于政治上把林彪批倒批臭，即通过揭露西方哲学史上哲学家观点的反动实质，然后把它同林彪的反革命修正主义路线联系起来，以此阐明林彪的这条路线在思想上不过是从哲学史上的唯心主义和形而上学的垃圾堆里捡来的破烂。通过这种揭露和批判，不仅使林彪的反革命修正主义路线的反动实质大白于天下，使它遗臭万年，而且还能以此教育广大群众分辨什么是唯物主义，什么是唯心主义，什么是辩证法，什么是形而上学，提高他们的路线斗争觉悟，使之在今后的路线斗争中能够及时识别林彪一类政治骗子的修正主义反动面目，取得路线斗争的胜利。当时出版的这一类著作，仅有《学点哲学史》(1973 年)、《欧洲哲学史上的先验论和人性论批判》(1974 年)、《反动的哲学流派——马赫》(1972 年)、《贝克莱的唯心主义哲学》(1976 年)等数量不多的作品。但是,它们在批林整风运动过程中却典型地扮演了政治婢女的角色。

在这些作品中,都有态度鲜明适应批林整风政治需要进行写作的表白。例如,有的开头录有唐晓文《读几本哲学史》的全文,以此说明该书出版的宗旨;有的在"前言"中指出:"为了彻底地批判林彪反党集团的种种反动谬论,揭露其极右的本质,肃清其一切流毒,就有必要从哲学史上去挖一下老根,弄清它们和历史上的反动哲学流派的血缘关系,这样就有助于我们进一步认清林彪、陈伯达这一伙假马克思主义政治骗子的反革命真面目"①。总之,都要把批判的对象和当时的政治斗争联系起来,通过对哲学史上哲学家反动本质的揭露,进一步批判林彪一伙的反革命真面目。例如,在批判贝克莱时,便宣称:"无论是国际上的修正主义也好,国内的修正主义也好,他们用以反对马克思主义的一个重要的思想武器,就是唯心主义,这与贝克莱哲学也有密切的联系。因此,读者学一点哲学史,弄清哲学斗争与阶级斗争的关系,对识破今天那些修正主义者的反动面目,对提高我们的路线斗争觉悟,坚持无产阶级专政下的继续革命,是非常必要的"②。如果把这些在当时来说,堪称立场坚定,旗帜鲜明的观点的面纱掀开来,那么,哲学史成为政治婢女的真面目便不折不扣地暴露出来了。

不过,这种角色最典型的表现是在批判的过程中。这时,哲学史上的材料完全变成了批判者手中按照主观需要任意进行涂抹的对象。就是说,它只是从当时的政治斗争目的出发选择材料,并在运用这些材料时完全不顾哲学史本身得以产生的社会条件以及它

---

① 《欧洲哲学史上的先验论和人性论批判》,第1页,人民出版社,1973年。
② 同上。

们在哲学发展过程中的真实意义,而是一味地把出于当时政治斗争需要的口号或结论强加到哲学史上哲学家的头上去,然后把它与林彪一伙联系起来,以揭露和批判林彪一伙的反革命实质。由"四人帮"控制的《解放日报》编辑部组织编写的《学点哲学史》一书,最为集中而又鲜明地体现了这种哲学为"左"倾政治服务的倾向。

参加这本小册子编写的,绝大多数是动乱中涌现出来的那些所谓"十亿人民十亿批判家"式的理论骨干。他们完全跟着唐晓文的腔调把哲学史漫画化。无论谈论什么问题,总要把它同当下的政治斗争拉到一起,并无端地上纲上线,横加罪名,用所谓挖老根的办法揭露林彪修正主义路线的反动性。例如,在批判柏拉图时,只是因为他是奴隶主思想家,便进而断言"柏拉图是反动唯心主义哲学家"①,认为他"站在奴隶主贵族的反动立场上,还竭力散布英雄、奴隶主创造历史的唯心史观"②。因此,柏拉图哲学"一直为以后各种反动统治阶级所利用……×××一类骗子出于他们复辟资本主义的反革命需要,也公然颠倒黑白,无耻地吹捧柏拉图,胡说什么柏拉图的《理想国》是'国家学说的一种基础',是'二千年来世界思想的渊源'……这种怪论恰好暴露了×××一类骗子所要的国家是剥削阶级专政的反动国家,他们的'思想渊源'就是柏拉图提出来的反动唯心主义"③。又如,在批判康德哲学时,作者并没有搞清楚康德提出的"先验论"是怎么回事,便断言康德的思想是"颠倒黑白,荒谬透顶的"④,比这更为"荒谬透顶"的还在

---

① 《解放日报》社编:《学点哲学史》,第40页,上海人民出版社,1973年。
② 同上书,第41页。
③ 同上书,第59页。
④ 同上。

于,竟不举出任何具体材料,或者把根本不是康德的观点硬栽到康德的头上,进而指责康德:"大肆鼓吹'英雄史观',胡说什么'天才就是天赋的才能','天生的心灵禀赋'。他把那些骑在人民头上的刽子手和吸血鬼描绘成主宰乾坤、创造历史的'英雄',无所不知的'先知','人类理性的立法者','国家的创造者和维持者'。至于真正创造历史的劳动人民则被康德丑化为只会'单纯被动消极地处世和应付环境','仅指望国家首脑的良心和慈悲'的'群氓'"①。总之,对哲学史上哲学家观点的真实含义,从不进行任何具体分析,便武断地宣称它们都是反动的;而建立在这个基础上进行的所谓批判,火力之猛,用语之刻薄,是无可比拟的。只要骂得痛快,哲学史上的事实是完全用不着考虑的,就像这里批判康德那样。

这种做法便是所谓"哲学为政治服务"原则的具体而坚定的贯彻和表现。如果说,前面这些都是有关古典西方哲学的例子,那么,作者在批判现代西方哲学时,更是充分体现了这一原则。例如,在批判尼采哲学时,只是按照尼采提出的某些命题,便望文生义地横加罪名,说什么:"权力意志"就是"尼采所说的'上等人'、'老爷等级',即反动统治者剥削压迫劳动人民的反革命愿望,也就是尼采自己所供认的'贪得无厌'的表现权力的欲望……总之,权力就是一切,这就是尼采的反动公式。从这一点出发,尼采拼命地鼓吹对无产阶级和劳动人民实行残暴统治"②。认为尼采从"权力意志"出发,提出了反动透顶的"超人"哲学,宣称"超人""实质

① 《解放日报》社编:《学点哲学史》,第79页,上海人民出版社,1973年。
② 同上。

就是反动统治者的别名"①。并且指出："这种极端反动、极端无耻的'超人'哲学，完全是强化资产阶级反革命专政的工具。希特勒法西斯主义的一个重要来源，就是尼采的反动哲学"②。而林彪"步其后尘，拾起早已破产的'超人'哲学，把自己打扮成'天赋之才'、'全才'、'超群之才'，似乎没有他们这些'超人'，地球就要停止转动了"③。

又如，在批判实用主义哲学时，对其提出的"经验"内容，没有做任何具体分析和揭示，便断言"无论是詹姆斯的'彻底经验主义'，还是杜威的'经验自然主义'，实质上都是彻头彻尾的主观唯心主义"④。进而斥责它"从这种十足的主观唯心主义出发，实用主义者极尽颠倒是非、混淆黑白之能事，把一切有利于垄断资产阶级的东西宣布为不存在"⑤。最后落脚到林彪，认为林彪是典型的实用主义者。不但当实用主义输入中国的时候，他们便一拍即合，而且在进行反革命阴谋活动的过程中，为了实现自己的反革命野心而制造出谣言诡辩，也"都是以实用主义为模本的。忽'左'忽'右'，当面一套，背后一套，怎么有利怎么说，怎么有利怎么干。总之，一切以自己的利益为转移——这就是×××一类骗子的处世哲学，活生生地暴露了他们的实用主义的丑恶面目"⑥。

再如，在批判马赫主义时，作者不但认为它"是一种资产阶级主观唯心主义的反动哲学"⑦，而且断言它由于披着科学的外衣，

---

① 《解放日报》社编：《学点哲学史》，第80页，上海人民出版社，1973年。
② 同上。
③ 同上。
④ 同上书，第82页。
⑤ 同上书，第82—83页。
⑥ 同上书，第83页。
⑦ 同上书，第86页。

具有"极端狡猾、极端虚弱的特点，因而恰恰适应了修正主义背叛革命，却又不敢公开承认自己的反动立场的这种政治上的虚伪性与两面性的要求"①。过去，俄国的波格丹诺夫如此，现在，我国的林彪也是这样。作者指出："他们出于颠覆无产阶级专政、复辟资本主义的反革命需要，疯狂地攻击马克思主义，他们一会儿歇斯底里地叫嚣什么马、列著作离我们'太远'，已经'过时'了，反对革命人民学习马、列著作；一会儿又歪曲、篡改马列主义的精神实质，以谣言和诡辩来欺骗工农群众，妄图用唯心论的先验论来代替唯物论的反映论"②。

从这些引证中可以看到，一方面，它们对于西方哲学家及其哲学的批判，由于不是基于对哲学家原著观点的具体分析进行的，因此，指出的罪名或对罪名的批判，都是作者从主观需要出发强加的，显得牵强附会，给人以"欲加之罪，何患无辞"的强烈印象；另一方面，在联系现实批判林彪时，从表面上看去，锋芒锐利，气势汹汹，但无论对林彪与哲学史思想路线联系的揭露，还是对林彪罪行及其反动实质的批判，千篇一律，除了满纸公式化的套语之外，既没有阐明他们之间思想上的真实联系，也没有具体揭示林彪路线及其反动性的所以然。相反，倒是使人感到内容空洞，缺乏批判力量。因此，尽管作者费尽心血如此这般地打扮哲学史，使它忠实地成为政治的婢女，但要真正达到目的，实践证明只是一厢情愿罢了。

要指出的是，即使在这些作品中，也还产生了个别例外的现象。它们出自真正研究西方哲学的学者的手笔。虽然它们在出发

---

① 《解放日报》社编：《学点哲学史》，第88页，上海人民出版社，1973年。
② 同上书，第92页。

点与落脚点上难以超出当时的政治限制,也是着眼于批判,因而它在基本倾向上与前一类作品相同,前面那些套话在这里也是绝对不可缺少的。但是,作者在批判哲学家的理论观点本身时,一般都能以哲学家的著作为根据,在阐述哲学家的观点的基础上进行批判。因此,在批判时不但能够实事求是地把哲学家的观点表述出来,而且论述中还有不少概括准确,分析深刻的例子。如王树人的《康德先验论批判》,其中对康德"自在之物"、时空和范畴学说本身的阐明,都包含了作者对这些问题长期研究而提出的一些具有独创精神的看法。又如叶秀山对近代西方哲学史上资产阶级人性论的批判,作者把它放在西方哲学历史发展过程中进行具体考察,文艺复兴时期怎么发展,德国理性主义和费尔巴哈又怎样完善,相当细致地揭示了它的理论内容及其在社会发展过程中的复杂作用,在一定程度上较为忠实地反映了哲学史的本来面貌。这两个例子虽然是罕见的,但它们却是中国学者学术良心的本能表现,在一定程度上反映了对于把西方哲学变成政治婢女的反抗。

上面展现和论述的是批林整风和评法批儒过程中,在"四人帮"控制下西方哲学成为政治婢女的主要表现。它不仅使西方哲学在中国的一段时间内命运多舛,而且给中国的现代化事业,也造成了难以弥补的损失。教训十分深刻,应该加以严肃而认真的总结。

第五节　哲学研究中的政治化与对动乱的超越

前面几节的阐述说明,1949年以后的一段时间内,西方哲学在中国大陆的研究与传播,不时处在曲折之中。产生这一现象的原因是多方面的,但哲学研究中的政治化倾向却是其中主要的。在西方哲学东渐史上,它留下了沉痛的教训。

一、哲学研究政治化倾向的形成与发展

在中国学术史上,把学术文化简单地政治化,虽然不乏先例,但1949年后哲学政治化倾向的形成,却必须从接受日丹诺夫文化模式的影响说起。

因为新中国诞生后,随着政治上"一边倒"向苏联,包括意识形态在内的其他一切领域的工作,都必须以"老大哥"为榜样。然而当时的苏联,由苏共中央书记日丹诺夫主持意识形态工作。他以坚持马克思主义的党性和战斗性为名,对国内外各种科学理论和文化思潮发动了一次又一次的独断的猛烈批判,从而成为一种文化模式。这个模式的一个鲜明特点是:"把学术文化简单地、直接地、草率地政治化,用政治标准代替其他一切标准,抹煞学术文化的固有特点和功能,因而,往往用一元化的简单方法来处理学术文化领域的所有问题"①。1947年他在批判亚历山大洛夫《西欧哲学史》会上的讲话,便是这个模式的集中体现。

这个对待人类文化的模式,对中国哲学界的影响是深远的,根深蒂固的。突出的一个表现是,50年代中期开展的一系列对唯心主义的批判运动。虽然这些对唯心主义的批判还有基于国内政治和思想战线上的原因,但从批判的出发点、批判的方法到批判的最后结论来看,主要是日丹诺夫文化模式的直接影响。因为贯穿在这些批判运动中的一个基本精神和做法,始终是围绕思想战线

---

① 萧萐父:《世纪桥头的一些浮想》,见《珞珈哲学论坛》,第1辑,第319页,武汉大学出版社,1996年。

上社会主义反对帝国主义二元绝对对立,然后以一元批判另一元的简单方法进行的。最能体现这种精神和做法的是对美国实用主义的批判。在批判过程中,发表和出版了大量的论文和著作。但是,这些论著都是服务当时特定的政治需要,并非出自对实用主义学理的系统研究。因此,这种批判形成了一个共同特点,就是都把实用主义哲学仅仅作为政治批判的对象。批判立论的根据是基于政治需要早已确定的政治结论;例如批判实用主义时提出的一些观点,完全是以当时政治斗争形势与需要出发的,然后以此上纲上线,一方面只从政治上做出结论,另一方面,这些结论又成为批判具体问题的出发点。可见,这种批判完全是从政治斗争的需要进行的。它不但混淆了学术与政治的界限,更严重的是,它在哲学为政治服务的口号下,使实用主义遭到了简单的否定。值得提出的是,这种依据日丹诺夫文化模式批判实用主义的原则和做法,又进一步发展成为中国批判其他西方哲学的模式。

自此以后,在把哲学问题政治化的基础上,把一切思想、理论、学术上的是非完全纳入当下政治斗争的轨道,在片面宣称或有意歪曲“哲学为政治服务”的口号下,把一切哲学上的是非争论都完全归结为政治上的阶级斗争。虽然1956年毛泽东针对日丹诺夫的文化模式,曾经提出过“双百”方针,但是由于种种原因,不但没有使这种违背马克思主义原则的政治化倾向得到及时的纠正,反而由于国内“左”倾政治路线的形成和发展,使它强化到了极端,最后终于导致“文化大革命”悲剧的发生。在“文化大革命”的初期,由于在上层建筑的整个领域里对资产阶级实行全面专政,所以对于西方哲学,不论古代的,还是现代的,都成为专政的对象,由此都采取了完全排斥的态度。这是由当时的政治斗争决定的。后来,在批林整风与评法批儒的过程中,西方哲学不管是通过提供材料为"左"倾政治服务,还是着眼于政治批判来为"左"倾政治服务,都使西方哲学研究变成了当时政治斗争的工具、附庸与奴婢,都把哲学研究政治化的倾向推进到了前所未有的狂热程度。这仍然是由当时政治斗争的需要决定的。从这里,可以看到所谓"哲学为政治服务"的真实景象及其恶果。

二、哲学研究政治化的消极后果

哲学研究的政治化,实际上是对哲学与政治关系的一种处理。它的一个突出特点是,把哲学上的不同争论等同于社会上不同阶级的对立,进而把哲学斗争与阶级斗争混为一谈,然后又把包括西方哲学在内的哲学研究事业简单地、直接地、草率地政治化,在歪曲"哲学为政治服务"的口号下,给20世纪下半叶中国大陆一段时间的西方哲学东渐事业,带来了许多难以挽回的损失。主要是:

第一,完全抹煞了哲学研究的相对独立性,使西方哲学研究没有取得应有的成果。

毫无疑问,哲学与政治有密切的关系,也不否认哲学有为政治服务的一面。因此,马克思主义哲学以及包括在马克思主义指导下的西方哲学研究工作,也都应该为一定的政治服务。但是,绝对不能以此否定哲学研究的相对独立性。哲学作为一门科学,它有自己不同于政治的产生、存在和发展的规律。在其存在和发展的过程中,除了要立足于对时代提出的课题独立地做出回答,并接受实践的检验外,还要继承、吸收人类的一切优秀的思想成果。其中,便包括西方哲学。因此,西方哲学在中国哲学研究领域中作为一门学科,也要进行相对独立的研究。

　　然而在20世纪中国大陆的一段时间内,主要是在50年代至70年代中期,西方哲学研究的相对独立性完全遭到排斥,变成了政治斗争的工具和附庸,完全丧失了独立的和科学的研究。例如,包括西方哲学研究在内的一切哲学课题,要由当时的政治任务来提出,研究的成果要由当时的政治目标来裁定,研究的方法要由当时的政治手段来规定,而政治又是以当时个别政治领袖人物的只言片语或某些政治论断作为判断的标准,致使当时的政治,特别往往是"左"倾政治完全支配了对西方哲学的输入和学术研究工作。在这种条件下,西方哲学命运多舛,西方哲学东渐步履维艰,西方哲学学术研究没有取得本来应该取得的成果。

　　第二,完全否定了哲学对政治的指导功能和价值,使西方哲学东渐在20世纪中国社会转型与建设过程中没有发挥它本来可以发挥的作用。

　　当然,哲学应当为政治服务。但是,这种服务不但要以哲学的相对独立发展为前提,以它的独立研究为基础,否则,这种服务就要使哲学逐步丧失它的科学性。而且,更为重要的是,这种服务主要表现为哲学对政治的指导作用。这是哲学为政治服务的中心内容。因为在哲学与政治的关系中,特别是社会主义国家中的政治是无产阶级革命运动的集中表现和推动力量,因而哲学应当倾听来自政治的呼声。但政治更应该接受哲学的指导。这也是哲学的本质决定的。因为在这里,按马克思的形象说法,无产阶级是人类解放运动的心脏,而马克思主义哲学则是这个运动的头脑。因此,无产阶级的政治应该服从马克思主义哲学的指导。实际上,这也是马克思主义哲学的基本职能。

　　在这个问题的处理上,过去的失误主要是根本否定了哲学对政治的指导作用,把指导变成了盲从和对现行政策乃至政治领导人言行的诠释。这样一来,在现实生活中便"形成了一种根深蒂固的狭隘观念,即把为当前政治服务,为现行的政治论证,当做哲学的主要的、甚至是惟一的任务,结果把对现实问题的哲学探讨与现行政策的宣传提出了同样的要求"①。这种做法,一是把哲学服务的对象和范围,仅仅限制在政治领域。实际上,哲学既要为政治、社会变革服务,也要为生产斗争和科学实验、改造自然服务。"给一切认识和实践活动提供最普遍的方法论,这就是哲学为包括政治在内的各个领域服务的基本内容"②。二是否定了哲学为政治服务主要体现为哲学对政治的指导。在这里,由于哲学政治化倾向的贯彻,哲学在政治面前,只能亦步亦趋,唯命是从,它的指导作用便无从谈起。因此,在20世纪一段时间内,由于在处理哲学与政治关系时的这些做法,使哲学对政治的指导作用遭到否定,从而大大束缚了西方哲学在中国社会走向现代化过程中积极作用的发挥。

三、社会动乱中的超越

西方哲学东渐在中国大陆的一段时间内,特别在动乱中留下的上述教训,应该认真吸取。不过,许多学者在社会动乱中对它的超越,更应该永远记住。

在"文化大革命"的整个过程中,西方哲学在中国大陆,其处境之艰难,其命运之坎坷,不仅在西方哲学东渐史上,甚至在人类

---

① 《哲学研究》编辑部:《反思有益于前进》,载《哲学研究》,1990年,第1期,第11页。

② 同上书,第12页。

文化史上,都是不曾多见的。由于正常的研究工作被打断了,因此,作为科学文化事业组成部分的西方哲学研究领域,和其他科学文化事业一样,百花凋败,野草满园,使一切有科学良心的人不忍目睹。

面对这种状况,从事西方哲学研究的广大中国大陆学者,出于对国家和民族科学文化事业的强烈使命感,虽然政治压力巨大,经济生活困难,工作条件恶劣,正常的学术研究无法开展,然而,他们对于真理的执著追求,却没有因此停顿下来。在社会动乱中,他们虽然有过困惑和苦恼,但没有消极颓废和悲观失望,而是在历史的曲折中坚信这样的日子难以继续,随着社会主义现代化建设高潮的到来,一个西方哲学东渐的繁荣时代必然会在神州大地上再度出现。为了迎接这样的时代的到来,他们在极端困难的条件下,仍然"潜心于从容地收集资料,推敲论点,构思布局,反复修改,持久地积蓄力量"[①]。在具体做法上,有的把精力转向原著翻译,有的把工夫集中到西方自然哲学的著述上,更多的是在原有课题研究的基础上继续探索或提出新的课题进行探索,而他们共同的都是随着动乱的步步碰壁,针对西方哲学研究的现状独自开展反思,并在难以公开研究的条件下,积累资料,酝酿论点,构思体系,为西方哲学东渐的再度繁荣,扎扎实实地从各方面准备条件。这就是他们在动乱中对动乱的超越。具体说来:

超越之一,转向原著的翻译与研究。

实际上,西方哲学的真正科学研究,早在 60 年代的初期便难

---

① 　宋祖良:《三十五年来的西方哲学史研究》,载《学习与思考》,1984 年第 10 期,第 64 页。

以正常进行了。特别是"文化大革命"开始后,在破"四旧"的声浪中,即使是原著的翻译和出版,也基本上停顿下来。例如,贺麟主译的黑格尔的《精神现象学》、杨一之译的黑格尔的《逻辑学》、朱光潜译的黑格尔的《美学》、管士滨译的霍尔巴赫的《自然的体系》,等,均早在动乱发生之前就出版了上卷,但是它们的下卷却一直搁置下来,一拖再拖,不能和读者见面。不过,在不能公开进行研究的情况下,有一部分学者却有可能利用一切可能的时间和机会,集中精力继续或是选择其他西方哲学著作进行翻译,尽管这类著作出版十分困难,然而 1971 年以后,也偶有译著问世。其中有修订的,也有新译出的:

16 世纪——18 世纪 西欧各国哲学	北大哲学系编译	商务印书馆	1975 年
18 世纪末——19 世 纪初德国哲学	北大哲学系编译	商务印书馆	1975 年
关于托勒密与哥白尼 两大体系的对话	上海外国自然哲学编译组	上海人民出版社	1974 年
牛顿自然哲学著作	牛顿著 上海外国自然哲学编译组	上海人民出版社	1974 年
人类理解研究	休谟著　关文运译	商务印书馆	1972 年
袖珍神学	霍尔巴赫著　单克澄等译	商务印书馆	1972 年
人类知识原理	巴克莱著　关琪桐译	商务印书馆	1973 年
宇宙发展史概论	康德著 复旦大学哲学系译	上海人民出版社	1974 年
先验唯心论体系	谢林著　梁志学等译	商务印书馆	1974 年
论德国宗教与哲学史	海涅著　海安译	商务印书馆	1974 年
宇宙之谜	海克尔著 上海外国自然哲学编译组	上海人民出版社	1974 年

华莱士著作选	华莱士著	上海人民出版社	1975 年
	上海外国自然哲学编译组		
感觉的分析	马赫著　洪谦等译	商务印书馆	1975 年

　　从这个书目表可以看到，数量上极为有限，而且，其中不少是重印的。实际上，它们都是在提出"学点哲学史"以后的夹缝中挤出来的。不过，不能以出版的数量来评价中国大陆学者在这个阶段译介西方哲学原著方面做出的巨大努力及其成果。因为在当时的气氛中，即使译出来了能否出版，要由那时政治斗争的需要来决定。所以，当时的真实情况是，老一辈学者默默地在潜心翻译；其中除了前面提到的几位先生外，还有韦卓民、苗力田、陈修斋、庞景仁和王玖兴等。例如陈修斋，"十年动乱期间，他再次受到不公正的对待，直到 1972 年才重返教学和研究岗位。他当时在武汉大学襄阳分校，政治上备受歧视，居住和工作条件极为恶劣，但他忍辱负重，奋力完成了德国著名哲学家莱布尼茨的巨著《人类理解新论》的翻译工作"[1]。实际上，在那段时间里，这样的学者又何止陈修斋教授一位！

　　此外，还有一批中青年学者，在经受了各种形式的考验和磨练之后，学术上成熟起来了。在当时困难的条件下，在着手探索西方哲学各种课题的同时，还默默地投入到西方哲学原著的翻译行列。例如，梁志学、钱广华、薛华与沈真共同译出的费希特《学者的使命》与《人的使命》、谢林《先验唯心论体系》、黑格尔《自然哲学》，洪汉鼎译出的斯宾诺莎《笛卡儿哲学原理》等；这些著作的出版虽然都是在改革开放以后，但是翻译却是在动乱的过程中进行的。所有这些，还都不是完全的统计与反映。如

----

[1]　陶德麟：《在陈修斋教授追悼会上的悼词》，1993 年 9 月 30 日。

果没有这些扎扎实实的原著翻译准备，那么，改革开放以后西方哲学原著的大量面世，以及西方哲学传播的繁荣局面，是难以出现的。

超越之二，转向对西方自然哲学的探索。

翻译和出版西方哲学家的著作，尚且如此艰难，想要摆脱"学点哲学史"的政治框架，把西方哲学作为科学对象进行研究，不单单是个困难的工作，而且常有几分风险，搞得不好便会大祸临头。然而，中国学者并不放弃这样的追求和努力。在公开的情况下，他们有的选择那些与政治关系较为间接的西方自然哲学论题，如宇宙天体的形成与发展问题；而这些问题恰恰正是过去西方哲学东渐过程中的薄弱环节。他们认为，通过这些问题去探索与研究，对于从一个侧面揭示西方哲学的发展规律，不但是有意义的，而且在当时是惟一有可能行得通的。因此，在一段时间内，有关宇宙自然科学论著的出版，虽然数量有限，但在西方哲学传播被打断的状态下，却给人以深刻的印象。这样出版的著作，计有：

日心说和地心说的斗争	李迪著	人民出版社	1974 年
康德星云说的哲学意义	申先甲著	人民出版社	1974 年
牛顿的力学及其哲学思想	郑文光著	人民出版社	1975 年

这些作品篇幅不大，都是小册子，而且论述的内容，也多是一般科学常识。但是，作者在论述中，在介绍和概括自然科学原理的基础上，都着力这些原理的哲学意义的揭示，并从理论思维的角度总结经验和教训，以此阐明坚持唯物论和辩证法思想路线的重要性。尽管它们也不免程度不同地染上"学点哲学史"的痕迹，但与此同时，也反映了一部分学者对哲学沦为婢女的不满，表达了他们坚持科学地传播西方哲学的努力。

首先,如李迪指出的,他写《日心说与地心说的斗争》,"是试图概括描述这场重大的斗争,并且探索它在哲学上的意义"①。根据这种思路,作者不但在分析地心说和日心说的形成和发展时,具体阐明了这些学说的哲学意义,而且还有结论性的归纳。前者如在阐述了哥白尼提出的"日心说"的基本内容后,指出了"它是有重大的历史意义和哲学意义"②。具体表现在:第一,它是作为地心说的对立物,"致命地打击了封建社会的关于人是宇宙的中心的荒唐说法,动摇了神学宇宙观的基础"③;第二,它作为经院哲学的对立物,"开创了近代自然科学重视实践经验,并进一步把经验加以一定程度的概括、分析、研究,透过假象把握事物的若干本质,这样一种唯物论的经验论的思维方法和认识方法"④。后者如指出,通过日心说和地心说斗争历史的总结,就能"从中吸取教训,更加自觉地认真学习马克思列宁主义和毛泽东思想,坚持唯物论、批判唯心论;坚持辩证法,批判形而上学"⑤。

其次,如申先甲所述,他的作品在揭示古典力学原理的基础上,"对牛顿的科学贡献就哲学思想作一分为二的分析与评价"⑥。因此,他的书辟有一半的篇幅论述牛顿力学原理的产生,即它得以产生的历史渊源和社会条件、其三大定律以及万有引力定律的内容,以及它经受的实践检验和作者对牛顿科学贡献的评价。然后依据牛顿发现的力学原理,充分地揭示了其中包含的哲学思想。

---

① 李迪:《日心说和地心说的斗争》,第39页,人民出版社,1974年。
② 同上书,第40页。
③ 同上。
④ 同上书,第90页。
⑤ 同上书,第83页。
⑥ 申先甲:《牛顿力学及其哲学思想》,第2页,人民出版社,1974年。

一方面,透过牛顿的科学观点和科学方法的阐明,认为"这些观点和方法,鲜明地表现出唯物主义的特征,它是牛顿在许多科学部门中获得重大成果的根本前提,对于当时唯物主义思想的发展,也有很大的影响"①。另一方面,作者又指出,"牛顿在其科学研究活动中,虽然是从唯物主义立场出发的,但他的唯物主义是自发的,不自觉的,因而也是不彻底的"②。这具体表现在他的自然观是形而上学的:第一,他"把一切自然现象都归结为机械现象,把一切运动归结为机械运动"③。第二,他提出了一个机械决定论的命题,即"认为所有的自然过程,都只能按照机械的必然性发生和进行"④。还表现在他的狭隘的经验论上,即"在认识论上,牛顿非常蔑视理论思维,蔑视哲学对自然科学的指导作用,否定假说的意义,而却过高地估计归纳法的作用"⑤。正因为牛顿自然观的形而上学性质和经验论性质,使他最终滑入了唯心主义泥坑;"这样牛顿就以形而上学和经验论,在自然科学和宗教神学之间搭起了一座桥梁,由自发的唯物主义跌进了僧侣主义的深渊"⑥。这里,是从总结经验教训的角度,概括出了牛顿力学的哲学意义。

最后,郑文光也是这样。他写书的目的是,"试图对康德星云假说作一简单的评介,对它的哲学意义提供一些初步分析"⑦。因此,作者在具体地概括和分析了康德的星云假说的具体内容和它的科学价值后,用了一章的篇幅来论述"星云说的哲学意义"。作

---

① 申先甲:《牛顿力学及其哲学思想》,第48页,人民出版社,1974年。
② 同上书,第49页。
③ 同上书,第50页。
④ 同上书,第64页。
⑤ 同上书,第74页。
⑥ 同上。
⑦ 郑文光:《康德星云说的哲学意义》,第52页,人民出版社,1974年。

者指出，"在历史地评价这个学说时，我们要拨开神学和唯心主义的迷雾，从本质上看待它"①。具体说来：第一，他"坚持世界的物质性"②；第二，他"坚持了物质的运动来说明客观宇宙的变化和发展"③；第三，他"认为运动的物质构成的宇宙，'生生不息，永无止境'……描绘了一幅永恒发展的宇宙图景"④；第四，他"论证了宇宙空间的无限性"⑤；第五，他"还大大超出了他给自己设立的课题的范围，论证了别的行星上产生人类的可能性"⑥。作者认为，这些都是康德星云说中"主流的、本质的、带根本性的东西"⑦。

总之，不论对于科学原理的阐明，还是对其哲学意义的概括，尽管在理论思路上还不可能完全冲破当时政治框架的羁绊，但是，它们一般都能从材料出发，在分析和论述过程中，也有不少准确的归纳和精到的论断。这种科学精神反映了在那种年代里一部分中国学者不愿使西方哲学的传播成为政治奴仆的努力。

超越之三，对原有课题继续探索或提出新的课题进行探索。

在"文化大革命"发展愈来愈不可收拾的形势下，除了有些学者无奈地把自己的精力转向原著解译，或转向西方自然哲学的探索外，更多的则是不畏压力，面对社会的动乱，在痛心疾首之余，看到马克思主义哲学被糟蹋得不忍目睹，其他哲学特别是西方哲学被完全排斥或歪曲后利用的时候，他们感到困惑和愤懑。但是，由于受到长期的哲学熏陶，使他们在历史的曲折中，能够洞察事物发展

---

① 郑文光：《康德星云说的哲学意义》，第52页，人民出版社，1974年。
② 同上书，第54页。
③ 同上书，第57页。
④ 同上书，第59页。
⑤ 同上书，第61页。
⑥ 同上。
⑦ 同上书，第52页。

方向,坚信社会和哲学的发展是不可逆转的。把哲学作为政治婢女的倒行逆施行为,最终都将被历史所抛弃与嘲笑。因此,他们对理论与哲学的探索,不但没有因此减弱,相反,正是在这种热情与探索精神的激励下,使他们冷静下来,从社会的动乱中超越出来。"高瞻远瞩,面向未来,清醒地为人民为祖国为社会主义事业服务"①。

在这种崇高的历史使命感的激励下,不少学者不但从资料的积累和论点的酝酿上为西方哲学东渐的再度繁荣积极进行准备,特别可贵的是,还利用一切机会潜心地开展了对西方哲学的探索和著述。李泽厚萌发写作《批判哲学的批判》,便是对一段时间以来康德哲学传播过程中存在的问题进行反思的结果。通过反思,出于对国家命运和繁荣科学的强烈责任感,促使他把康德哲学的研究和国家的繁荣联系起来。具体说来,这种责任感来自两个方面:一是他对康德哲学研究的现状极为不满。他说:"解放以来国内研究、介绍康德的论著少而又少,对康德漫画化的否定则几乎成为所谓马克思主义的'定论'。另一方面,一些人又把康德著作视同天书,形容得那么高深莫测,玄妙吓人……这些都使我觉得应该有一本全面地通俗地论述康德的书。想改变一下多年来对康德的漠视和抹煞,是写作本书的动机之一"②。二是出于坚持和发展马克思主义的理论热情的推动。他写道:"这就是当时我对马克思主义哲学的极大热忱和关心。看到马克思主义已被糟蹋得真可说是不像样子的时候,我希望把康德哲学的研究与马克思主义的研究联系起来"③。因为在他看来,一方面,马克思主义哲学本来就

---

①　李泽厚:《批判哲学的批判》修订本,第440页,人民出版社,1984年。

②　同上书,第441页。

③　同上书,第50页。

是从康德、黑格尔那里变革出来的,而康德哲学对当代科学和文化领域又始终有着重要影响;这种影响不仅反映在自然科学中,也表现在社会阶级斗争中。然而,"包括黑格尔在内的资产阶级哲学没有真正揭开康德哲学的秘密,安息这个始终在游荡的阴魂,这个任务历史地落到了马克思主义者的身上了"①。"因之如何批判、扬弃,如何在联系康德并结合现代自然科学和西方哲学中来了解一些理论问题,来探索如何坚持和发展马克思主义哲学,至少是值得一提的"②。另一方面,他看到在国内与国外的马克思主义哲学研究中,有一股主观主义、意志主义、伦理主义的思潮在流行着。他们的社会背景、阶级基础并不一样,理论上也有许多差异,却奇异地具有某种共同的倾向。它们在所谓革命的"文化批判"、自发的"阶级意识"等等旗号下,马克思主义竟被变成了一种主观蛮干的理论。例如在国内,"从大跃进开始的'人有多大胆,地有多大产',到'文化大革命'的'灵魂深处爆发革命'以及'一分为二'就是辩证法、吃块西瓜就是实践、'斗争'、'革命'就是哲学的一切,等等"③,都需要从理论上来加以好好考察和阐明。这一切都促使李泽厚决定通过对康德哲学的评论来表达他对这些问题的看法。然而,他撰写此书时的条件又怎样呢? 李泽厚后来回忆:"1972 年明港干校后期,略有时间读书,悄悄将携带身边的《纯粹理性批判》又反复看了几遍,觉得可以提出某些看法。同年秋,干校归后,'四人帮'凶焰日张,文化园地,一无可为。姚文元在台上,我没法搞美学;强迫推销儒法斗争,又没法搞中国思想史。只好远远

---

① 李泽厚:《批判哲学的批判》修订本,第 56 页,人民出版社,1984 年。
② 同上书,第 441 页。
③ 同上书,第 442 页。

避开,埋头写作此书,中也略抒愤懑焉。而肝心均病,时作时掇,至1976 年地震前后,全书始勉力完稿。虽席棚架下,抗震著书,另感一番乐趣;但处'四人帮'法西斯专制下,实备遭困难,历经曲折,连借阅普通书籍亦极不易,一些必要的书始终未能看到"①。当年,中国学者就是在这样的条件下进行西方哲学研究的。《批判哲学的批判》问世虽是在改革开放拉开帷幕之际,但思考与写作,却是在动乱的艰苦环境中。

又如韦卓民。他是我国享誉中外的哲学家与教育家。1957年被错划为"右派"。然而,他在学术上,并不因此被打断,甚至不致有所松懈,而是以博大的胸襟、超凡的气度、惊人的毅力继续开发他选定的宝藏。除了前面说过,在 50 年代末和 60 年代初,他便热情地翻译了康德的一些主要著作以及国外学者研究康德哲学的一些成果外,进入"文化大革命"以后,在极端困难的条件下,他仍以 80 高龄,每天读书、笔耕不止。在他留下的大量遗稿中,很多是出自这一特殊的时期。例如,《康德哲学浅说》、《关于康德哲学再一次试行简介》、《研究康德哲学应该注意弄清楚的几个问题》与《黑格尔〈小逻辑〉评注》等便都是。据他身边的人回忆,1969 年冬,他被赶到乡下接受"改造"。有一次在池塘边洗衣,一不小心滑入水中,衣服完全湿透了。被人救上岸后,他只休息了半天,又开始了他的思考与探索。就是在"批林批孔"与"评法批儒"的过程中,他仍然在会下或会后继续他的课题研究。直到1976 年逝世的前几天,他还对人说:我一定要争取把《黑格尔〈小逻辑〉评注》写完。在社会动乱期间,虽然他的研究成果都没有发表与出版的可能,但他以学者的远见卓识,洞察到了这类现象的暂时性,坚信

---

① 李泽厚:《批判哲学的批判》修订本,第438 页,人民出版社,1984 年。

其研究与著述工作的恒久价值,因而仍然埋头于自己的西方哲学东渐事业。对于我们国家来说,十年"文化大革命"的确是十年浩劫,然而,对于自己有真善美价值理念而又要言行一致地加以追求的韦卓民来说,这十年却是他创造崭新价值的又一个高峰时期。因为他的一些有关康德、黑格尔哲学的论文、著作、译作,就是在这样一个没有任何学术动力、气氛的条件下完成的。

再如洪汉鼎。1957 年,18 岁的他,只是北大哲学系一年级的学生,却被戴上了"右派"帽子。在经受了多方面的折磨之后,于1963 年充军式地发配到大西北的山沟里。他在"文化大革命"中的处境,其艰难程度是人们难以想像得到的。然而,苦涩的岁月,使他懂得了哲学与人生的根本联系。他写道:"真正的哲学家不是知识的贩卖者,而是知识的履行者。哲学家的知识应与哲学家本人的人生经验相结合,哲学家所追求的理想首先应以指导人生为重点"①。因此,他认为:"一个人承受的苦难越大,就越能凝聚起与命运搏斗的抗衡力"②。在这种思想支配下,他不仅经受了各种苦难,而且这段时间还成为他的哲学沉思与创造的最宝贵的时期。后来,他回忆:"我没有悲观失望、自暴自弃,也没有怨天尤人,憎恨人生,我只是不停地读书、写作和沉思。在这期间,我不仅把《斯宾诺莎书信集》全都翻译出来了,而且写了自己此部哲学专著近百万字的初稿。当然,这项工作是在繁重的体力劳动之外进行的,有时甚至是隐蔽的,特别是在'文化大革命'中,我每天半夜乘人家正熟睡的时候偷偷地进行。我为此曾受到了不少呵斥和批判,但我始终坚定不移地走着自己的路。斯宾诺莎研究

① 洪汉鼎:《斯宾诺莎哲学研究》"自序",第 8 页,人民出版社,1993 年。
② 同上。

不仅使我冷静地忍受了人生的各种磨难,而且也使我得到了最高的理智享受"①。哲人在动乱中这种追求真理的精神,怎么不叫人钦佩?

上面介绍的,只是几位已步入西方哲学研究领域的学者。此外,甚至当时还只是下放到农村的知识青年,有的为了弄清什么是真正的马克思主义,也开始思考西方哲学的问题。例如邓晓芒。当他回忆当年走上西方哲学的研究道路时,他写道:"自从1971年春天,我开始在昏暗的煤油灯下啃起了贺麟先生译的《小逻辑》,到今天已有整整二十年了。人们也许很难想像,一百多年前这位西方哲人的思想,曾给了穷乡僻壤中一个挑灯夜读的学子以怎样的启迪和慰藉。当初,我是为了给阅读马克思《资本论》作准备,才决心去啃这个硬核桃的,我相信列宁说的:'不钻研和不理解黑格尔的全部逻辑学,就不能完全理解马克思的《资本论》,特别是它的第一章'。而在黑格尔'绝对精神'的王国里漫游过后,虽然我并没有像黑格尔所期望的那样,发现一位玩弄'理性的狡计'的上帝,却真实地体验到了人类普遍精神的思想活动那渗透到每个人内心的巨大力量,即理性的力量。面对当时光怪陆离的非理性的现实,这股力量鼓舞我向一个合理的世界不断探求,并坚信这个合理世界超越于有限性之上的存在"②。邓晓芒就是这样通过自学逐渐步入哲学殿堂,并在改革开放以后西方哲学东渐的再度繁荣中崭露头角的。

这几个例子,从不同的角度反映了中国大陆学者在身处社会

---

① 洪汉鼎:《斯宾诺莎哲学研究》"自序",第8页,人民出版社,1993年。
② 邓晓芒:《思辨的张力——黑格尔辩证法新探》"后记",第532页,湖南教育出版社,1992年。

动乱中,为了繁荣国家和民族的科学文化事业,不畏个人安危的执著和奋斗精神。因此,尽管"学术之路都非坦途,总有些非学术的魑魅魍魉来纠缠作祟"①,但是,只要能够坚持这种精神,就能高瞻远瞩,面向未来,不怕风吹浪打,在社会的动乱中超越动乱,仍然潜心地依据科学精神勤奋地进行探索和研究。除了前面的几位学者外,这样的例子还有不少。例如杨真,说他的《基督教史纲》,就"是在'四人帮'肆虐的岁月里,怀着'曾经秋肃临天下,敢遣春温上笔端'的心情,咬紧牙关写下来的"。② 其余,如范明生的《柏拉图哲学述评》、杨祖陶的《德国古典哲学逻辑进程》、余丽嫦的《培根及其哲学》、邹化政的《〈人类理解论〉研究》、王荫庭的《普列汉诺夫新论》、刘放桐的《现代西方哲学》、王守昌与车铭洲的《现代西方哲学主要流派》,等等,尽管它们的出版都是在改革开放以后,但从资料的积累、观点的酝酿、体系的构思、以至初稿的撰写,都是孕育在"文化大革命"中。可以说,正是有了这样一批可敬可爱的学者从各个方面进行的充分准备,所以,当社会主义现代化建设新时期到来,有关西方哲学的论著才能如雨后春笋般地在华夏大地的哲学园地里一展其绚丽多彩的风姿。这是中国大陆学者在动乱中超越动乱的结果。它充分反映了中国科学文化事业的希望,也反映了中国现代社会现代化事业发展的希望。

---

① 李泽厚:《批判哲学的批判》修订本,第439页,人民出版社,1984年。
② 杨真:《基督教史纲》(上),"前言",第1页,三联书店,1979年。

第七章　西方哲学在中国台湾的艰苦东渐

（20世纪40年代末至70年代）

在阐述20世纪下半叶以来西方哲学在台湾的传播时,要特别指出的是,虽然中国台湾和中国香港的社会状况及其发展有所不同,但也存在相同的地方,即它们都是资本主义社会。生活在这些地区的学者,不但是在这种相同的社会背景下从事西方哲学东渐活动,而且,不论长期生活在台湾的学者,还是长期居住在香港的学者,在20世纪下半叶以来的西方哲学东渐过程中,他们同时都把两个地方视为共同活动的舞台,进而相互配合、相互促进,联系十分密切。一个明显的事实是,西方哲学东渐在这两个地区取得的进展,大体上也是相同的。因此,这一章和第九章,尽管标题中只提到西方哲学在台湾的传播,但实际上包含了西方哲学在香港的东渐。

第一节　西方哲学在台湾传播的社会文化背景

1949年以后西方哲学在台湾的传播,虽然与1945年光复前西方哲学在台湾的零星传播有一定的联系,但从主导倾向上看,它却是近代以来西方哲学东渐的继续。因此,要全面了解40年代末至70年代台湾学者传播西方哲学的真实情况,除了需要考察一下这个时期台湾社会的发展、文化思潮以及1945年前西方哲学的零星传播外,必须着重阐明1949年以后西方哲学在台湾的传播,何以是近代以来西方哲学东渐的继续。

一、台湾地区的社会发展

早在远古时代,台湾同中国大陆本来连成一体,是中国大陆的一部分。后来因地壳运动,连接的部分陆地成为海峡,剩下的台湾成为海岛。然而,它仍然构成中国不可分割的一部分。尽管近代以来,有几度被殖民主义者侵占,但1945年日本投降后根据波茨坦公告,它终于回到了祖国的怀抱。

这里要着重指出的是,1949年国民党败退台湾,并在这里继续打着"中华民国"的旗号开始活动时,台湾社会处在内外交困、危机四伏的一片混乱之中。表现在政治上,国民党内派系林立,基层组织处于瘫痪状态;经济上物价飞涨,日用消费品奇缺,财政十分困难;军事上虽号称陆军60万、空军8.5万、海军3.5万,但很多单位徒具虚名,官多兵少,或有官无兵;外交上随着新中国在大陆诞生,国民党政权失去了合法性,逐步陷入孤立之中。因此,有人这样来形容1950年6月的台湾前途:"一片漆黑,除了向神祈祷,或许会出现扭转命运的奇迹"①。

为了使台湾社会从这种混乱中稳定并生存下来,针对岛内出现的上述局面,以蒋介石为代表的国民党当局,采取了一系列措施。主要是:第一,发动了对国民党的"改造"运动,清除了旧有的

---

① 江南:《蒋经国传》,第194—195页,美国论坛报社,1984年11月版。

某些势力和派系,实现了国民党组织的重组与上层权力的重新分配,为蒋氏父子为首的国民党在台湾的强权统治奠定了基础。第二,通过军警宪特机构的整顿,使蒋氏家族牢牢地掌握了党政特务机关的指挥权,并且颁布了"戒严令",在台湾地区实行了白色恐怖统治。第三,鼓动反共情绪,在进行军事专制统治的同时,对思想文化领域也开展了全面的高压管制。第四,采取种种措施,恢复和发展经济。例如,改革币制和税制,实行外汇管理和贸易管制,并确定工业发展的方向;加强军工与生活必需品、外销产品及进口货替代品的生产;并以电力、肥料及纺织业为优先发展的工业。

不过,对于当时台湾社会稳定下来具有特别重要意义的,一是通过土地改革,既激发了农民的生产积极性,使农业经济得到了稳定的发展,还使地主转营工商业,为资本积累以及向民间企业发展,提供了有利的条件。二是美援的注入,不但稳定了台湾混乱的市场,抑制了通货膨胀,而且还填补了当时严重制约台湾经济发展的外汇缺口与资本储蓄缺口。对此,当年台湾经济的重要决策人尹仲容认为,"美援的适时到达,正如垂危病人注射强心剂。"①美国的台湾经济专家何保山也认出,"要是1950年美援尚未到达,就很难想像台湾如何摆脱严重的失去控制的通货膨胀和随之而来的社会和政治动乱"②。由此可见,台湾社会在从混乱中稳定下来,并逐步走向经济发展,美援的到达与美国的扶植,在这个过程中起了举足轻重的作用。

从前面的叙述中可以看到,国民党当局通过对台湾的强权统

---

① 秦孝仪编:《中华民国经济发展史》,第1094页,台北近代中国出版社,1963年。

② 何保山:《台湾的经济发展》,第127页,上海译文出版社,1981年。

治,以及有关经济措施的实现,特别是美国给予的大量军援与经援,使其从败退台湾时的混乱状态中逐步喘过气来。到 1952 年,台湾的农业、工业恢复到了光复前的最高水平,物资供应的紧张局面有所缓和,通货膨胀的威胁明显减轻,物价上涨的幅度逐渐下降,社会开始呈现出稳定的局面。接着,从 1953 年开始,台湾当局先后实施了三期四年(1953—1964)经济建设计划,通过进口替代工业发展策略,提高了工业发展的水平,为 60 年代开始的经济起飞奠定了基础。后来,又于 1965 年至 1972 年间,实施了第四期与第五期经济建设计划,使台湾的经济得到了高速发展。台湾的出口导向型经济,就是在这个阶段中被确立下来的。

二、台湾地区的文化思潮

同当时台湾地区社会的上述发展相适应,国民党当局在思想文化领域,全面地推行了一套文化专制主义统治。因为蒋介石到台湾后,在总结其在大陆的失败,特别是反省思想文化的失败教训时,认为他在和共产党的斗争中,"宣传不够主动而理论不够充实"①,因而,"不但不能胜过"、"赶上"共产党②,反而被共产党占了上风,使它争取到了青年和民众。相反,国民党在所有这些方面都失败了。根据这一教训,蒋介石到台后千方百计地把社会思想和人民的精神生活严密地控制起来,便成为他在台湾维持其政治上实行专制统治的当务之急。

出于这种需要,出现了以阳明山"革命实践研究院"为代表的

---

① 蒋介石:《如何改革我们的革命方法》,见《蒋"总统"集》,第 1712 页,台湾中华典编印会,1968 年。

② 同上。

台湾官方文化思潮。在理论上，企图通过树立它的权威来加强和巩固其政治上的权威。例如，蒋介石除了利用阳明山基地进行反共宣传与培养反共宣传干部外，还亲自上阵，又是说又是写，鼓吹"反共抗俄"。在他的这些讲话和文章中，一方面要人们树立"主义、领袖、国家、责任、荣誉"等五大观念①，誓死效忠于他，以此在一元化的布局中推展其一家一姓的造神运动。其中，他甚至鼓吹利用西方哲学作为反共的工具。另一方面，打着维护传统文化的名义，鼓吹"四维八德"，声称如果"四维不张，国乃灭亡"，如果"四维既张，国乃复兴"②，以此鼓吹忠君观念以及上下隶属关系的"奴性道德"，并在台北的孔庙里还重新上演了一幕幕袁世凯式的祭孔丑剧。

在行动上，蒋介石要人们支持他的"三分军事，七分政治"，进行"反共文化战"、"心理战"、"意志战"、"总体战"、"主体战"等所谓反攻大陆的方针和战略，鼓动人们为把台湾建成"反共复国"基地而作出牺牲。在他掀起的这种反共狂热中，为了使他的文化专制主义得到贯彻，他还采取了一系列高压措施。例如，为了对新闻出版事业进行严密的控制，陆续制定出一套钳制言论的法规和办法，取缔一切具有进步倾向的作品，并从1951年起对报纸实行各种限制，只要在言论上稍有不慎，便会受到当局极其严厉的制裁。

在这种文化专制主义的控制与高压下，就整个台湾文化思潮形势而言，正如有的台湾学者概括的那样："自国府播迁台湾以

---

① 蒋介石：《研究美军建军精神指明中国革命军人必要信念》，见贾嵩慧编《蒋"总统"革命思想》，第120页，台北黎明文化公司，1974年。

② 蒋介石：《今后教育的艺术方法》，见贾嵩慧编《蒋"总统"革命思想》，第75页，台北黎明文化公司，1974年。

来,为了扼杀异议思想,其统于一尊的学术统制,并不亚于日人统治台湾之时"①。在这种文化专制主义高压与狂热的反共宣传高潮中,马克思主义与社会主义思潮显然失去了生存空间。但是,其他一些文化思潮在一定条件下,还是必然在台湾萌生出来。

首先,自由主义思潮。20世纪50年代,可以把《自由中国》杂志作为代表。它是一个由雷震等一些从大陆去台的知识分子创办的政论性刊物。1951年11月创刊。主要编辑人员除了雷震外,还有殷海光。团结在这个杂志周围形成的自由主义思潮,它的成员以大陆去的自由主义者和少数开明官员为主。它受胡适的自由主义思想影响较深,主张以自由为人类文明的终极价值,个体的自由则为实现其价值的条件;而以保障宪法所给予的基本人权为其现实努力的目标。50年代前期,它以西方的自由民主思想,对国民党政治、经济等方面的腐败现象及其独裁统治进行了尖锐的批评。50年代后期,从提出"反攻无望论"开始,到把矛头直接指向国民党的"法统",公开反对蒋介石连任总统,最后发展为筹组成立反对党。

透过它的这一系列言论和活动,徐复观认为,表明"他们是继承五四运动的传统,坚持民主自由的信念,其态度较民国十五年以来的灰色气势渐渐显得明朗;他们可以说是名副其实的20世纪50年代的自由主义者,他们富有此一时代纯个人主义的特征,对中国文化及西方的理性主义、理想主义都抱有很大的反感"②。

---

① 魏元珪:《中西传统哲学在台湾——超越传统与现实的冲突》,载台湾《哲学杂志》,第25期,第156页,1998年8月。

② 徐复观:《三十年来中国的文化思想问题》,见《学术与政治之间》,第436页,台湾学生书局,1985年。

　　这一思潮虽然随着国民党当局对雷震的逮捕而被镇压下去,但到 20 世纪 60 年代,在台湾政治、经济、军事方面都依赖美国的情况下,西方的价值观念、生活方式日渐渗透到岛内,知识阶层开始对思想文化领域的泛政治化倾向,以及精神生活的贫乏感到强烈不满,他们希望从西方文化中寻找出路,因而出现了以《文星》为代表主张"全盘西化"的思潮。实际上,它是 50 年代自由主义思潮的发展。在此之前,主要进行一般性的文化介绍,很少涉及敏感的社会现实问题。可是自李敖的大量文字出现在该刊版面后,不但很快使它成为台湾地区一个引人注目的刊物,而且不时给社会带来强烈的震动。要指出的是,由此还引起了一场"中西文化论战"。在论战过程中,李敖全盘否定传统文化和"全盘西化"的主张,遭到了相当猛烈的驳斥与批评。在学术的角度上,这是正常的。然而,由于全盘西化派自由主义的政治理念,给台湾当局带来了一定的威胁。因此,国民党的当权者在大力组织力量进行批评的同时,还于 1965 年 12 月封闭了《文星》杂志。这场长达多年的中西文化论战,就这样在政治高压下随之结束了。虽然如此,但通过李敖的文章以及论战的开展,却反映了生活在台湾的一部分知识分子,面对当时台湾政治、经济、思想文化中的种种矛盾,为台湾社会的前途做出的思考。

　　其次,现代新儒家。20 世纪 50 年代至 60 年代,可以把《民主评论》作为当代新儒家的代表①。这里所谓现代新儒家,实际上是专指现代新儒家的第二代的代表人物,如唐君毅、牟宗三、徐复观等,以及第三代的代表人物,如刘述先、成中英、杜维明等推

---

　　① 徐复观:《三十年来中国的文化思想问题》,见《学术与政治之间》,第 436 页,台湾学生书局,1985 年。

行的文化思潮。

1949年以后，他们从大陆转移到了香港和台湾。在这里，他们在历史与现实、文化与政治诸多因素的推动下进行文化反思时，就传统儒学与中国现代化，特别是如何处理传统儒学和科学民主的关系问题，进行了积极的探索。在他们看来，近代以来中华民族走向现代化进程中出现的种种危机，一个重要原因是由于在异族和西学的打击下，使他们所从事的儒学复兴运动在大陆遭到了失败，因而导致儒门淡泊，传统失却，文化理想失调和价值意识丧失。正是从这一点出发，他们对五四时期激烈反传统的做法采取了批评的态度。同时，流落海外"花果飘零"的种种境遇，以及身处台港所亲身感受到的西方文化对中国文化的渗透与冲击，更是大大地刺激起他们继承传统与"复兴儒学"的强烈使命感。在他们看来，中国社会的发展，特别是现代化的实现，关键在于复兴儒学，以便唤醒国人的道德意识和价值意识，通过"灵根自植"，以超越理智的情感去弘扬儒家思想，才有可能达到目的。不过，为了儒学"返本开新"，他们还主张"援西入儒"。在这一方面，他们继承了冯友兰，贺麟将儒学思想知性化、逻辑化的事业，广泛地吸取西方哲学，特别是德国古典哲学的理性精神与思辨方法，甚至理论框架，以期从儒家心性之学中转出知性主体和政治主体，由传统内圣之学开出新的"外王"，为科学和民主提供一个内在的根据。

新儒家的上述文化思想，集中地反映在1958年元旦发表在《民主评论》与《再生》杂志上的《为中国文化敬告世界人士宣言》中。在这个宣言中，他们站在中国儒学的立场上，指出了西方人士在研究中国文化方面的错误，阐明了他们在中国发展民主和科学的立场，表明了他们维护中国文化尊严的态度。这"是对业已具型的'当代新儒家'思想所做出的历史宣言,也是对这一思潮'返本开新'理境所作的最精要的绍说"①。这个宣言和他们的理论活动,说明他们"也是坚持民主自由,但……不愿以自由主义为满足。他们对中西文化想做一番提炼和沟通的工作,使民主自由能得到文化上的深厚的基础,使科学能在其自己应有的分际上,在中国得到确切的发展"②。

最后,台湾新士林哲学思潮。20世纪50年代与60年代,可以把《现代学人》与《现代学苑》作为代表,或者"最好还是称他们为中国天主教学派"③。

1949年以后,有些原先在大陆从事宗教活动或研究的人士去了台湾,看到这里西化科技挂帅之风盛行,社会风气崇尚功利与实效,对于哲学,特别是宗教哲学没有得到应有的重视。他们认为,"虽然哲学是人文社会科学之根本,然而国家发展与社会风气皆未能注意及此,使得哲学界一直在艰难中发展"④。面对台湾社会存在的这些现象,促使从前担任南京天主教主教的于斌,于1959年在总理纪念周上发表了"三知论"讲演,针对台湾的社会风气,提出了要以知物、知人、知天的"三知",把科学、道德、宗教三重文化综合起来,以此改良台湾的社会风气。基于这种认识和需要,1960年辅仁大学在台北复校,1961年设立哲学研究所,并以士林哲学为重点学科。同年,由赵雅博、李贵良、李震等人撰文,出版了

---

① 黄克剑:《"当代新儒家"八大家"编辑旨趣"》,见《唐君毅集》,第2页,群言出版社,1993年。

② 徐复观:《三十年来中国的文化思想问题》,见《学术与政治之间》,第436页,台湾学生书局,1985年。

③ 项退结:《中国人的路》,第254页,台北东大图书公司,1988年。

④ 沈清松:《哲学在台湾的现况与展望》,载台湾《哲学杂志》,第17期,第6页,1996年。

《现代学人》学报。1964年,在《现代学人》停刊后,台南主教罗光率留德的项退结又创办了《现代学范》月刊。实际上,后者是前者的续刊。在这段时间内,通过辅仁大学与上述两个杂志,把流落海外的天主教学者或士林哲学家集结起来,形成一支在台湾颇具实力的哲学队伍。

这样兴起的台湾士林哲学思潮,在学术源流上继承了利玛窦基督教文化与中国文化融合的传统,具有西方文化和中国文化的双重血脉。不过,在新的历史条件下,他们提出的课题却是,如何使西方基督传统中所包含的超越智慧与中国传统文化、特别是儒家的生命智慧结合起来。为此,他们在解决这个课题时,从基督教本位和古典理性的立场出发,开展了对西方哲学的研究与对中国传统哲学的创造性诠释。而在西方哲学的研究中,他们立足于西方文化中基督教的哲学传统;在对中国传统哲学的诠释中,他们立足于儒家,主要是儒学的传统。在这两方面,台湾新士林学派的学者,既有良好的西方哲学功底,在中国哲学上也用力颇勤。所以,这派学者不但在传播西方哲学方面取得了一些成果,而且在融会中西哲学以及培养哲学人才方面作出的努力,也引起了学术界的关注。

这几派学者的理论观点不尽相同,甚至在不少问题上存在重大分歧,因而还经常发生相互批评的现象。但是,它们都主张引进西方哲学,并在各自思潮的理论框架内开展了西方哲学研究与传播。

三、光复前西方哲学在台湾的零星传播

20世纪40年代末到70年代西方哲学在台湾的传播,是在上述社会发展与文化思潮背景下进行的。然而,作为西方哲学东渐事业的一部分,与光复前西方哲学在台湾的零星传播也有一定的关系。因此,为了说明西方哲学1949年以后在台湾是怎样起步传

播的,需要谈一下 1949 年以前西方哲学在台湾的传播情况。

就历史发展过程考察,1949 年以前的台湾,作为一个长期漂泊在数种不同殖民帝国历史航道中的岛屿,如果把 1895 年被日本侵占作为分界线,那么,可以把它分为在此之前与在此之后两个时期。

在前一个时期中,虽然早在 17 世纪荷兰侵占阶段,台湾便已通过外国传教士零零星星地接触到了西方宗教,但由于这个时候荷兰人和西班牙人,注重的是台湾在其贸易活动中的功能;这种做法给台湾带来的只是一个以荷兰东印度公司为枢纽的"掠夺经济",并没有深入开发台湾的意图,更遑论会给台湾带来宗教以外的思想文化。因此,在这个时期中,不曾发现有近代意义上的哲学文献,更谈不到真正意义上的西方哲学研究。

后一时期台湾在日本帝国主义的占领下,1915 年噍吧哖事件以前,占领者的主要手段是武力镇压。在此之后,除了军事手段外,殖民主义者还为了将台湾开发为近代殖民地形态的资本主义社会,开始积极推展同化教育。仅就这一方面来说,日本殖民者的原本目的,只是在于扩展其国家权力,为其资本主义的殖民产业服务。但是,第一次世界大战以后,正如矢内原忠雄所说:"一则由于世界大战后民族运动的风潮波及台湾的结果,为了应付台湾人的文化要求;二则由于台湾的资本主义化,以世界大战为大好机会而飞跃发展的结果,随其生产及资本集中的高度化,使在经济方面也须提高普通教育及技术教育;三则由于台湾在住日本人的弟子增加的结果,致有设置高等教育机关的必要"①,从而使在殖民统

---

① 矢内原忠雄:《日本帝国主义下之台湾》,第 144 页,台北帕米尔书店,1985 年。

治下的台湾人民获得了吸收近代知识的机会。尽管在待遇上台日之间存在着天壤之别,但是通过日文书籍这个渠道,台湾人民还是有机会在一定范围内接触到了应用技术之外的近代世界思潮。西方哲学在台湾的零星传播,就是在这个过程中发生的。

例如,20 世纪 20 年代。台北李春生(1838—1924)于 1907年、1908 年和 1911 年,先后出版了《天演论书后》、《东西哲衡》与《哲衡续编》等著作。其中取材于严复中译本的《天演论书后》,作者从自己的基督教立场出发,对英国哲学家赫胥黎的《天演论》进行了评述。后面两本也是以基督教的创造史观和博爱哲学,批评了达尔文的进化论、穆勒的功利主义和法国革命以来的共产主义思想。虽然这些著作都显得十分粗糙,且不乏宗教成见,但书中依然不时流露出一个文化守成主义者面对西方现代思潮的冲击因反省而涌现出来的洞察。此外,蔡式谷以契约论观点写成的《权力之观念》、黄呈聪以个人主义自由发展学说撰成的《台湾教育改造论》、彭英华与蔡复春在无政府主义影响下发表的《社会主义概论》与《阶级斗争的研究》,刘明朝讨论西方群己关系的《社会连带论》,都在一定程度上反映了启蒙时期台湾学人想从殖民处境下争取解放的渴望。特别是林茂生(1887—1947),1929 年前往美国哥伦比亚大学师从杜威研究教育哲学,并且完成了题为《日本行政体制下台湾的学校教育》之博士论文,成为第一位取得文科最高学位的台湾人。这些事实说明,20 年代西方哲学传播的起始,都是以引介各种现代西方思潮为主,并兼有对台湾社会现状的反思与批判。由于学者们的传播活动及其论著,"侧重于启蒙功能,不免略显简化,但是却足以显示这些前期的哲学文献,在发生或起源上的特色:它们并没有跟社会的脉动脱节。最重要的是,台湾哲学一开始就不是一种囿于学院藩篱的观念推演,而是源于民间寻找反支配思想的需求"①。

到 20 世纪 30 年代,社会主义思潮在台湾引起了广大知识分子的普遍关注,然而由于殖民主义者的压制,在理论建构上并没有取得明显的成绩。不过,由于文学刊物的兴起,使台湾哲学朝着文化、艺术的方向发展。在这个过程中,《台湾文艺》于 1934 年发表的吴鸿炉的《创作与哲学》与杨杏庭的《无限否定与创造性:论柏格森、海德格、谢斯托夫》,不但介绍了不少西方哲学问题,例如其中便讨论到了在这之前仅六年才出版的《存在与时间》,而且在这个过程中,还产生了几位在台湾具有一定影响的学者。

一位是洪耀勋,台湾南投人。早年留学东京,毕业于东京大学哲学系。他是日本侵占时期第一位进入学院工作的台湾人,也是惟一曾在台北帝大《哲学科研究年报》发表论文的台湾人。在西方哲学传播方面,他先后发表过《悲剧的哲学:论祁克果和尼采》与《风土文化观:以台湾风土为基础》等。前者阐述了以黑格尔哲学为最后体系的古典哲学已经面临崩坏的危机,而一个以人类的"个别性"和"人间性"为重点的人间学必将来临,认为只有这样才能使人类在"普遍的太阳"已经消失时不至于找不到"个人的灯火"②。后者把日本哲学家和辻哲郎的风土哲学和海德格尔《存在与时间》对存在结构的剖析交糅起来,以此反省了台湾因地缘自然因素而特有的历史与社会风貌③,从而"奠定洪耀勋在 30 年代

---

① 廖仁义:《台湾哲学的历史构造——日据时期哲学思潮的发生与演进》,载《当代》杂志,第 28 期,第 29 页,1998 年 8 月。

② 洪耀勋:《悲剧的哲学:论祁克果和尼采》,载《台湾文艺》二卷四号,第 19—27 页,1934 年 4 月。

③ 洪耀勋:《风土文化观:以台湾风土为基础》,载《台湾时报》,1936 年 6 月,第 20—27 页,7 月,第 16—28 页。

台湾哲学中的原点地位"①。

　　另一位是陈绍馨,台北汐止人。1927 年负笈东瀛,后来到东北帝国大学学习,随日本著名社会学家新明正道研究马克思主义、韦伯社会理论以及各种社会思潮。回台湾后于 1935 年与 1936 年,在岩波书店出版的《文化》学报上,先后发表了《亚当·佛固孙的市民社会论》与《黑格尔的市民社会论》两篇论文,"使他成为日据时期台湾最具有理论成就的社会思想家"②。最后一位是曾天从。1936 年,他在日本理想社出版了《真理原理论:纯粹现实说序说》一书。该书由日本著名哲学家桑木严翼作序。这本书"可能是日据时期最具学术价值的哲学专著。此书的重要性,不仅在于它有系统且深入地对各种真理哲学进行批判,更在于它已经从真理自体找出价值论的基础,为曾天从日后的整个哲学体系之开展建立了初期的架构,也为整个存在论哲学开拓了更宽广的视野"③。

　　这些事实说明,日本侵占时期虽然有些台湾学者在艰苦的条件下开展了一些西方哲学传播工作,但总的来说,进展不大,成果不多,传播基础薄弱。一个突出表现是,1945 年前的台湾,连从事哲学教学与研究的哲学系与哲学所都不曾存在过。只是光复后傅斯年担任台湾大学校长期间,将原先帝国大学实行的讲座制改为院系制时,才在哲学科的基础上建立了哲学系。据 1947 年台大校刊记载,最初哲学系只有两名学生。所以,1949 年以后西方哲学在台湾的传播,虽然与 1945 年前西方哲学在台湾的零星传播有一

---

①　廖仁义:《台湾哲学的历史构造——日据时期哲学思想的发生与演进》,载《当代》杂志,第 28 期,第 29 页,1988 年 8 月。

②　同上书,第 31 页。

③　同上书,第 32 页。

定的联系,但主要不是在这个基础上起步的。

四、1949 年以后西方哲学在台湾的传播是近代以来西方哲学东渐的继续

如果把 1949 年以后西方哲学在台湾的传播,放在整个西方哲学东渐过程中进行考察,那么,将会发现,它显然是近代以来西方哲学东渐过程的继续与发展,是构成 20 世纪下半叶西方哲学东渐史的一部分。只有从这种认识出发,才能理解西方哲学在台湾传播的起步及其进展。原因在于:

首先,从传播西方哲学的学者队伍的构成来说。1945 年前,生活在台湾从事西方哲学研究的学者,只有洪耀勋、林茂生、陈荣捷等寥寥几位,加上光复后从大陆新到台湾的陈康、范寿康、方东美等,也数量稀少。1949 年后,由于各种极不相同的原因,一批原先在大陆研究西方哲学的学者的到来,使台湾传播西方哲学的学者队伍得到了明显的壮大。可以说,1949 年后台湾从事西方哲学研究的几代学者,其中现在称为老一辈并在学术研究中取得重要成果者,主要是来自大陆的学者。如:胡适、胡秋原、张君劢、唐君毅、牟宗三、徐复观、谢幼伟、殷海光、吴康、罗光、赵雅博、劳思光、钱志纯、高思谦、黄振华、项退结、吴经熊、黄建中、黄公伟等。就是第二代中的不少学者,虽然都是五六十年代在台湾接受教育后成长起来的,但其中能够取得重要学术成就的,也多半来自大陆。如:刘述先、杜维明、林毓生、成中英、韦政通、傅伟勋、陈鼓应、蔡仁厚、曾仰如、张振东、孙振青、石元康、何秀煌、王煜、张永隽、冯沪祥、高宣扬、邬昆如等。所有这些学者,虽然他们的政治态度不完全相同,在理论思路上也大有差别,各自属于或基本属于一定的文化思潮,但都一致主张引进西方哲学,并且在研究过程中,不用说老一辈学者是继续沿着原先在大陆时的思路进行,在原先研究的基础上起步,就是第二代甚至更为年轻的一辈,由于他们与老一辈或第二代有师承关系,因此在西方哲学研究中,也都是在他们前代学者取得成就的基础上向前推进的。

其次,从建立传播西方哲学的理论基地来说。这里所谓理论基地,主要是指从事包括西方哲学在内的哲学教学与研究的高等学校中的哲学系与科研机构中的哲学研究所。在这一方面光复后的台湾在傅斯年担任台湾大学校长期间,在原先哲学科的基础上建立了哲学系。这是台湾出现最早的一个哲学系,也是台湾最早从事哲学教学与研究的专业单位。不过,当时规模很小,可是1949年以后,由于经济的发展,以及社会对哲学研究提出的要求,在哲学界广大学者的推动下,随着一批大学的"复校"或创办,到50年代、60年代、70年代,一些哲学系或哲学所就这样在这里诞生了。到目前为止,办了哲学系的有台湾大学、辅仁大学、中国文化大学、政治大学、东海大学、东吴大学、中正大学、华梵大学;设有哲学研究所的有台湾大学、辅仁大学、东海大学、中国文化大学、政治大学、中央大学、清华大学、中正大学、中山大学(高雄)、华南大学、佛光人文社会学院。其中台湾大学、辅仁大学、东海大学与文化大学还建立了博士班。除此以外,"中央研究院"中国文哲所、欧美所、中山社科所,也是包括西方哲学在内的重要研究单位。还要指出的是,1949年6月,唐君毅到香港后,随即与钱穆、张丕介、程兆熊共同创办的亚洲文商学院,由于规模与影响不断扩大,1961年更名为中文大学时,已经发展成为一所多科性大学,在西方哲学传播方面,做出了重要成绩。这些哲学系与哲学所的出现,虽是台湾地区社会与经济发展的结果,但与从大陆来台湾学者的努力也是分不开的。因此,在这些系所里由这些学者开展的西方哲学研究工作,都是原先在大陆研究的基础上进行的。

再次,从西方哲学在台湾传播的内容来说。1949 年以来,台湾学者的西方哲学研究,在他们看来,主要是在下列背景下进行的:第一,由于台湾社会西化程度加深,促使人们必须深入了解西方文化及其哲学;第二,在西风压倒东风之际,必须阐扬中国文化传统与哲学及中国人的主体性得以成立的根据,并不断加以创造与发展;第三,台湾社会现代化的历程本身隐含着哲学的向度,必须从哲学上给它加以阐明①。在这种社会背景下,由此决定了当代台湾哲学研究的任务是:"一方面设法保存并发扬中华文化传统,另方面企图引进西方当代优良思潮,以与传统文化有所交谈、融通,共同缔造安和乐利社会的思想基础"②。因此,在当代台湾的哲学研究中,不能把它限制在中国传统哲学方面,还包括有关西方哲学的题材,中西哲学之间的一般问题,以及对现代社会各种问题所做的基础性、整体性、批判性思考。通过这种研究,创建现时代的中国哲学,以适应与推动台湾现代化的发展。

其中,仅就西方哲学研究来说,为了适应台湾社会发展的需要,台湾学者认为,不但应该在 1949 年前在大陆的基础上继续研究,而且,今后还"必须予以加强"③。这种要求"加强"的表现是,必须在近代以来西方哲学东渐的基础上向前推进,而不是以 1949 年以前西方哲学在台湾的传播作为基础。具体说来,为了使输入

---

① 沈清松:《哲学在台湾之发展》,见《海峡两岸学术研究的发展》,第 5—6 页,中国论坛社,1988 年。

② 邬昆如:《欧陆现代思潮在台湾的创新与发展》,载台湾《哲学杂志》,第 25 期,第 17 页,1966 年 8 月。

③ 沈清松:《哲学在台湾发展的现况与展望》,载台湾《哲学杂志》,第 17 期,第 15 页,1996 年 8 月。

的西方哲学在内容上能够促进台湾社会的现代化,就需要大力引进作为西方现代化理论总结的近代与现代西方哲学,以此获得观念与思维方式变革的重要条件。而且在研究中,除了积极全面输入外,还需要开展中西哲学的融合与会通。因为在台湾学者看来,"西方现代思潮的引进,如果不经过一种融合的努力,也无法成为中国哲学本质性的因素"①。

　　因此,西方哲学在当代台湾传播的过程中,虽然台湾当局极力把哲学研究政治化,使其成为"反攻复国"的工具。但是,上面的事实说明,台湾广大学者却把西方哲学研究与台湾社会的现代化联系起来,以此促进中国传统哲学变革,创造出体现中国社会发展的新的形态的中国哲学来。这样,西方哲学在台湾的传播内容上,突出了现代西方哲学的输入与研究,加强了中西哲学的融合与会通。由此可见,从引进西方哲学内容的选择以及研究工作的重点,都是建立在 1949 年前西方哲学东渐基础之上的。

第二节　古代希腊与中世纪哲学的引介

　　要全面认识与把握西方哲学,必须对古代希腊与中世纪哲学要有深入的研究。然而,西方哲学 20 世纪 50 年代至 70 年代在台湾的传播过程中,台湾学者在这些领域中取得的成果却不多。其中,发表的论文除陈康的外,有代表性的主要是刊登在《哲学年刊》第二辑上李华煦的《柏拉图之社会伦理思想》、第三辑上吴康

---

① 沈清松:《哲学在台湾发展的现况与展望》,载台湾《哲学杂志》,第 17 期,第 11 页,1996 年 8 月。

的《希腊原子论派之唯物论思想》与第七辑上黄奏胜的《希腊古代期主要学派伦理思想之研究》等;出版的著作也仅有:薛保伦的《希腊哲学史》(台北商务印书馆,1971年)、赵雅博的《希腊三大哲学家》(正中书局,1969年)、邬昆如的《希腊哲学趣谈》(东大图书公司,1976年)与《中世哲学趣谈》(东大图书公司,1976年)、罗光的《士林哲学》(香港真理学会,1962年)以及曾仰如的《柏拉图哲学》(台北商务印书馆,1972年)等。对此,台湾学者的解释是:"一方面是由于文字的障碍,另一方面也是由于希腊哲学的研究,更有待投注极其巨大的精神、毅力方能有所收获。因此学者总认为是畏途,不敢贸然从事"①。这样说,自然也不无道理。不过,其中陈康的研究及其成果,却值得重视。

一、陈康研究古代希腊哲学的进展

早在大陆时,陈康为古代希腊哲学在中国的传播,曾经做出过重要贡献。1948年秋到台后,他任教于台湾大学。在这里以及1958年后侨居美国时,陈康配合计划撰写的著作,"Undersuchugen Üben die Aristotelischen Lehre Von der Dynamis und der Erergeia als Quasimadalprinzipien",发表了一批有关古代希腊哲学的论文。其中,专以论述柏拉图与亚里士多德哲学为对象的,主要有:《柏拉图"相论"中的同名问题》、《柏拉图的有神目的论》、《亚里士多德〈范畴篇〉中的本体学说》、《亚里士多德〈形而上学〉Z卷和H卷中的第一本体概念》、《普遍的复合体———一种典型亚里士多德的实在二重化》、《亚里士多德的变化分析和柏拉图的超越"相论"》

---

① 江日新:《陈康哲学论文集》"编后",第414页,台北联经出版事业公司,1985年。

与《亚里士多德哲学术语 Engergeia 的几种不同意义》等①。

孤立地看去,这些文章似乎都只是在论述柏拉图或亚里士多德哲学中的某个概念或某个论题。然而实际上,它们都是作者前述课题研究的产物,都是前述著作的构成部分。因此,仅就这里的每篇论文来说,"都极具有分量,能够教导我们如何从事希腊哲学史的研究,以及如何从事正确的哲学思考"②。要是对于这一点有深刻的认识,那么在进行哲学构思与写作时,一定能够从中获得深刻的启迪。

不过,更为重要的是,因为工作环境的变化,尽管他的前述著作没有在台湾用中文或德文完成,但他迁居美国后,于 1970 年用英文在纽约出版的 Sopnia——The Science Aristotle Sought(《智慧——亚里士多德所寻求的学问》)一书,却是包括这些论文在内研究亚里士多德哲学的一个全面总结。就是说,上述论文为这部著作的问世提供了坚实的学术基础。

在该书的"序言"中,他对这项研究的进展及其意义,作过简要的回顾。据他说,长期以来,在古代希腊哲学的研究领域,西方哲学家不但认为亚里士多德哲学和柏拉图哲学是根本对立的,而且即使是对亚里士多德哲学体系本身的解释,也一直是众说纷纭、莫衷一是。特别是他的《形而上学》一书的主题究竟是什么,在西方已经研究了两千多年,但对这个问题却始终没有人成功地提出过明确的答案。因此,1940 年陈康通过博士论文有理有据地论证

---

① 这些论文先后收集在江日新、关子尹编的《陈康哲学论文集》(台北联经出版事业公司,1985 年),与汪子嵩、王太庆编的《陈康:论希腊哲学》(北京商务印书馆,1990 年)中。原载刊物与发表时间,均请参看这两本著作。

② 江日新:《陈康哲学论文集》"编后",第 415 页,台北联经出版事业公司,1985 年。

了亚里士多德的哲学和乃师柏拉图哲学不是对立的,而是一致的后,他又决定对亚里士多德哲学形而上学进行一番研究。

开始,他想将亚里士多德的本体论和他的神学分开,单独运用哈特曼的系统方法进行研究。但是,在进行过程中发生了不少困难。后来,他接受了耶格尔的发生方法,认为只有这种方法才能使亚里士多德哲学的研究取得进展。由此,他对亚里士多德的研究,便从哈特曼转向耶格尔,研究对象也扩大为包括亚里士多德的本体论和神学两个方面,进而运用发生观点研究亚里士多德关于存在和关于神学两种学说之间的关系。

这样研究亚里士多德哲学,在亚里士多德研究的历史上,西方学者还没有人做过。也就是说,陈康对亚里士多德的研究具有开创性。他的前述论文,是这项研究的开始,而《智慧——亚里士多德所寻求的学问》一书,则是他潜心四十年研究亚里士多德的总结。

在西方过去研究亚里士多德哲学的过程中,直到 19 世纪末,人们还一直把亚里士多德的哲学体系看成在时间上是静止的,无发展的。正是耶格尔运用历史发生法,革新了对亚里士多德的研究途经,推动着学者们纷纷用批判的观点重新探索亚里士多德的著作和思想,力图弄清其本来面目。尽管在这个问题上,直到今天为止,学者们的认识还有分歧,但一般都承认亚里士多德的思想有一个变化发展的过程。陈康在这本书中,就是应用耶格尔的发生方法,通过对《形而上学》一书主题的探索,进一步论述了亚里士多德思想的这个发展历程,揭示了他所寻求的"智慧"。

亚氏的《形而上学》一书,是其去世二三百年后由别人将他的遗稿编纂而成的。内容散乱,前后不一,甚至相互矛盾。因此,对于该书的主题究竟是什么,在西方哲学史上是一直争论不休的。

然而,对于这个问题的解决,既关系到对亚里士多德和柏拉图的正确理解,还影响到对亚里士多德哲学思想及其体系的全面认识与把握。经过深入而精湛的研究,陈康在他的这本著作中,通过对《形而上学》许多章节的细致分析,认为亚氏反复探索的目的,是企图将本体论和神学这两个方面结合起来。在这个基础上,他还阐明了亚里士多德所寻求的"智慧",就是柏拉图所说的"辩证法",即后世所称的哲学,其内容包括本体论和神学两个方面。而这两个方面,都源自柏拉图:一方面由柏拉图的《斐多篇》、《国家篇》中的"相论"和《哲人篇》中的"通神论",发展为亚里士多德研究"作为存在的存在"的本体论思想,认为"本体"(Substance)是存在的中心;另一方面则是由柏拉图《蒂迈欧篇》的"创造者"和《法篇》中的神学,发展到亚里士多德的神学。陈康研究的结果,认为尽管亚里士多德希望在他的哲学体系中结合起来,但是,他最终并没有取得成功。

　　要指出的是,陈康在研究亚里士多德哲学的过程中,通过他的上述论文与著作,开展了与当代西方一些权威学者的学术对话,提出了自己一系列新的见解,为亚里士多德研究的深化,作出了新的贡献。因此,有的学者认为,陈康"是惟一一个能在国际西洋哲学界卓然成立的中国学者"①。这个评价是有根据的。

二、曾仰如及其《柏拉图的哲学》

　　在相对薄弱的古代希腊哲学研究领域,对于柏拉图哲学的引介,不但发表了多篇有一定分量的论文,而且还有曾仰如的专书

_____

① 　江日新:《陈康哲学论文集》"编后",第 421 页,台北联经出版事业公司,1985 年。

《柏拉图的哲学》问世。

　　曾仰如(1936——　　)，福建宁德人。香港亚尔伯学院毕业后，赴美国加州乌克兰亚尔伯学院与意大利罗马托马斯大学学习，先后获得哲学硕士与博士学位。在台湾曾经任教于台湾大学、政治大学、辅仁大学与中国文化大学等校。学术成果除了《柏拉图的哲学》外，还著有《形上学》、《死亡哲学》、《现代宗教的财富观》与《共产主义的宗教哲学及其驳斥》等。在台湾，曾仰如看到，要找一本较为详细介绍柏拉图思想的书，实在不容易。为了改变这种局面，使人们在研讨柏拉图哲学时能有所裨益，他把自己在文化大学与政治大学的有关讲稿进行整理，于1972年出版了《柏拉图的哲学》一书。在这本书中，依据作者的打算，是要对柏拉图的思想作出系统的介绍。因此，书中便有如下10章：生平、著作、思想背景、观念论、宇宙观、心理学、伦理思想、政治哲学、宗教哲学或神学与结论。毫无疑问，这是相当全面的。不但如此，而且作者在这样全面介绍中还想突出柏拉图的"观念论"(按：理念论)学说。他指出，"柏拉图的思想极其博大，几乎包罗万象，但其中心学说是'观念论'乃无庸置疑的事实"①。因此，书中在介绍柏拉图的观念论时，又从"观念的来源"、"观念的客观存在"、"观念的性质"、"观念的数目"、"观念之层次"与"善的观念"六个方面进行了叙述。当柏拉图哲学在台湾地区尚处在起步传播时，作者这样进行介绍是有针对性的。仅就这一点来说，作者基本上达到了目的。

　　不过，作者在介绍柏拉图的思想时，主要依据的是国内外流行的哲学史著作，因此，一般性的叙述多，开创性的研究少。而且，在

---

　　①　曾仰如：《柏拉图的哲学》，第52页，台北商务印书馆，1972年。

阐述柏拉图思想的过程中，又多是作者从自己的宗教立场出发的。这既表现在介绍柏拉图哲学的过程中，更集中反映在论述柏拉图思想对西方文化的影响上。例如，"结语"中在谈到它的巨大影响时，有一段话突出地强调了它对基督教神学形成与发展的推动作用。作者写道："新柏拉图主义自然以柏拉图的思想为主要根据。柏拉图虽然是有神论者，但他从未梦想过创立宗教，可是在他的思想体系里含有浓厚的宗教色彩，经过普罗提诺斯（Polotinus），普罗古路斯（Proclus，411—485）及奥利根（Origen，185—254）的努力，以新面孔出现的柏氏思想——新柏拉图主义，所含的宗教色彩更为浓厚。这对初期的基督教神学发生巨大影响，伟大的圣奥古斯丁（ST·Augustine，354—432）就是新柏拉图主义的忠实信徒。他把柏拉图所主张从原始物质中创造宇宙的'狄米伍格'（Dmiurge）变成从无中造万物的圣经上所说的神；把柏拉图的观念当作在神脑海中的观念，神利用此观念为模型因（exemplan cause）而创造万物；以人藉着圣宠（Grace）从原罪中得救来代替柏拉图所说的人可从思考中自救之道。因了圣奥古斯丁在基督教会里的崇高地位，新柏拉主义在中世纪的基督教世界里产生巨大影响，从厄利埃那（Scotus Erigena）及加特斯学派（Chartres school）到厄古亚特（MEISTER Eckhart）及民哥拉（Nicholas of cusa）在许多宗教及哲学问题上都染上新柏拉图主义的色彩，甚至在基督教会里被尊称为最伟大的哲学家圣多玛斯，虽然在哲学思想上是跟随亚里士多德，但在他的哲学体系里仍可找到许多柏氏的痕迹"[①]。

这段话典型地体现了作者介绍柏拉图哲学的思想倾向。如果在叙述或论述中，使这种宗教倾向淡化一些，那么，对于曾仰如这

————————

① 曾仰如：《柏拉图的哲学》，第 209 页，台北商务印书馆，1972 年。

本著作的学术价值,将有另外的评价。

三、罗光对士林哲学的虔诚传播

在引介西方中古哲学方面,罗光对士林哲学的虔诚传播,给人印象相当深刻。

罗光(1911—),湖南衡阳人。从小深受家庭与学校的宗教熏陶。1930年进入罗马天主教传信大学攻读哲学,1932年与1941年分别取得哲学博士与神学博士学位。后来,长期任职于梵蒂冈教廷与传信大学。1961年到台湾,先后担任台南主教、台北总主教,并一度出任辅仁大学校长与台湾"中国哲学会"会长。从青年时代开始,罗光在忠实地履行其宗教职务的同时,还积极地开展了哲学研究。

在谈到他的哲学研究时,罗光说,"我这一生写作的目标只有一个:使天主教进入中国"[①]。这是罗光的终身职志。原因在于,一方面他看到"欧美许多哲学家的思想,在中国都有人介绍,或受人们崇拜"[②]。惟独西方士林哲学,不但没有引起中国哲学界的重视,甚至有的人"一听士林哲学,马上就生厌恶,厌恶这些哲学主张,已经是陈旧废物,已经是僵尸"[③],是经院哲学,迷信权威,推行信条主义等。因此,在台湾还没有出版过一本有关中世纪士林哲学的书。然而另一方面,他又认为,"在世界各种哲学学派中,没

[①] 罗光:《罗光全书》"序",见《罗光全书》册一,第2页,台北学生书局,1996年。

[②] 罗光:《圣多玛斯对于中国哲学的可能贡献》,见《罗光全书》册十六,第416页,台北学生书局,1996年。

[③] 罗光:《士林哲学——理论篇》"序",见《罗光全书》册二,第2页,台北学生书局,1996年。

有一派像士林哲学这样完备,这样有系统"①。他指出,如果引进这一派哲学,不仅可以补充中国儒学的不足,而且还能帮助解决台湾社会中存在的种种问题。例如,"现在台湾的经济繁荣,然而不必讳言大家心中都有一个问题:台湾的将来怎样?"②要是都有诚心的宗教信仰,担负起自己对国家的责任,那么台湾社会就会稳定下来。又如,在台湾,"大家目前忧心煎煎所关心的两大问题:社会道德的堕落和青年人民族意识的低弱,就可以感到宗教信仰在目前中国是多么需要;这两个问题根本解决途径就是加强合理的宗教信仰"③。这些话告诉人们,台湾社会问题及其前途的解决,除了引进西方中古士林哲学外,任何其他西方哲学都不可能发挥这种作用。

就是从这种宗教使命感出发,为了使西方中世纪士林哲学在台湾广泛传播并扎下根来,罗光首先写作与出版了《士林哲学》一书。谈到这本书时,他说这是他"费时间和心血最多的一种写作"④据其自述,从 1956 年动笔,到 1960 年脱稿,前后经历了五年的时间。然而实际上,"若说为预备这部书,费了多少年月,则从我攻读哲学的时候起,到于今已二十七年了"⑤。由此可见,罗光为写作这部书付出的心血。

在书中,他仿效西方"士林哲学"的体裁,用系统的方法对它

---

① 罗光:《士林哲学——理论篇》"序",见《罗光全书》册二,第 2 页,台北学生书局,1996 年。

② 罗光:《宗教信仰关系国家前途》,见《罗光全书》册十六,第 541 页,台北学生书局,1996 年。

③ 同上。

④ 罗光:《士林哲学——理论篇》"序",见《罗光全书》册二,第 3 页,台北学生书局,1996 年。

⑤ 同上书,第 5 页。

们全套不变真理的理论观点,进行了全面的介绍。因此,这样写成的《士林哲学》,分为上下两部。上部为理论哲学,包括理则学、自然哲学(宇宙论、心理学)和形上学(知识论、本体论)。下部为实践哲学,包括宗教哲学、伦理学和美术论。罗光指出,通过上述内容的介绍,不仅可以找到士林哲学解决各种问题的答案,而且对每一个问题还可以知道它在士林哲学中所占的位置。

运用这一思路撰成的《士林哲学》的显著特点,是其内容的全面与系统。在这一方面,不但在介绍士林哲学的著作中实属罕见,就是当时台湾流行的《哲学概论》一类的书,也是难以和它相比的。只要稍微浏览一下它的目录,便可以看到,几乎古今中外各派哲学提出和论述的哲学问题,它都无不进行了讨论和评述。例如,在理论篇的宇宙论中,从论物、物性与质量、空间与时间、论变化到论宇宙;心理学中从论生命、论生物、感觉生活、理智生活、情感生活到论人;知识论中从知识论、知识的方法、论知识到真理论;本体论中从论"有"、"有"的区分、论行到论因;在实践篇的宗教哲学中,从宗教、论神的存在、论神的本性到神和人的关系;在伦理学中,从行为的善恶、伦理规律、德行权利与义务等。总之,在空间上从天上到地下,在时间上从过去到未来,从物质现象到精神现象,都毫无遗漏地论及到了。这在内容上,显然是系统而全面的。

值得注意的是,通过这些问题的介绍,不但把中世纪经院哲学对于这些论题的观点通过作者的语言表达出来了,而且,几乎在所有这些问题上,作者还把自己的宗教体验融入进去了。特别是在介绍这些问题时,自始至终认为在所有这些问题上,只有士林哲学是惟一正确的。然而,为了强调士林哲学观点的正确性,又大量地列举古今中外其他各派哲学与此有关的错误观点的材料,并且把它们混在一起倾倒在一口锅内,又是煎又是煮,使作者本想大力宣

传的士林哲学的观点反而没有充分展示出来。这种做法不仅贬损
了其他的哲学流派,更主要的是作者希望广泛传播的士林哲学反
而使人感到印象模糊,把握不到要领。因此,罗光的愿望是否能如
愿以偿,实在值得怀疑。

四、邬昆如趣谈中世纪哲学的根本精神

同是介绍中世纪的经院哲学,但邬昆如的《中世哲学趣谈》与
罗光的《士林哲学》,谈论的角度略有不同。

邬昆如(1933—　)，广东龙川人。1956 年至 1962 年就读于
台湾大学哲学系;1966 年至 1969 年在德国慕尼黑大学深造,获得
哲学博士学位。回台湾后,曾先后任教于台湾大学、辅仁大学等
校。著述多为普及性读物。

在邬昆如看来,西方哲学的发展,虽然有过"知物"的发挥,也
有过"知人"的探究,但是,它们在西方哲学的发展过程中时间都
不长,时间最长的倒是中世纪经院哲学对于"知天"的论究。他认
为,这种"知天"哲学的内容,是融合希腊、罗马和希伯来三种文化
产生的。它的中心是宗教哲学。只有抓住这个中心,才能了解和
把握中世纪哲学的根本精神。他指出,如果把这个根本精神阐述
清楚了,那么,它在台湾社会中对于培养人们的宗教情操将会产生
积极的影响。

为此,作者在书中作出了三方面的努力:

一是从哲学的本质上。邬昆如认为,中世纪经院哲学是由希
腊、罗马和希伯来三种文化传统融合而成的一种新哲学。它的目的
在于教导人们"知物"、"知人"与"知天"。不过,在这种哲学中,虽
然吸纳了希腊与罗马哲学的不少因素,但它"对物的认识,多多少少
是存而不论,对人的认知,也只是站在'知天'的原则下看人;也就是

说,站在上帝的面前,去看物和人"①。可见,中世纪哲学的根本立场,是站在希伯来民族的信仰上,重视人的极限,相信人在最初的时候有"原罪"上,而要使人的"原罪"得到解脱,"惟有依靠上帝才可以得救,完成人性"②。因此,在本质上,这种哲学是一种宗教哲学。

二是从理论渊源上。作者认为,经院哲学作为一种宗教哲学,它在理论上尽管有来自希腊和罗马的渊源,但根本因素却是源于希伯来文化。因为在他看来,在希伯来的民族性中,认为依靠自身是软弱无力的,只有托天之福才有可能使自己以及整个民族生存下去。于是,他们把"民族的幸福和命运,都操纵在不可知的命运里,因此谈到希伯来的信仰时,必须特别注意这个民族发展了人性的极限,这人性的极限引导出信仰的特殊因素,也就是信仰外来的一种力量,信仰那超越的上帝"③。而且,为了从理论渊源上强调它们给经院哲学带来的深刻影响,作者还分别介绍了新约与旧约圣经的产生及其内容。最后指出,"从这两部经典里,我们可以看出中世纪哲学的精神所在"④。

三是从理论观点上。阐述这一内容的分量,占了全书 3/4 的篇幅,是作者最下工夫的部分。邬昆如认为,经院哲学固然同希腊与罗马哲学一样,也是站在人的立场,但是它却"希望能够通过神,去认识世界、人和上帝。因为要通过神的关系,所以发展出来的大部分属神学的体验,属于对宗教的高度发挥,所有的伦理道德和艺术哲学,都通过对神的信仰,发挥高度的宗教情操"⑤。这种

---

①　邬昆如:《中世哲学趣谈》,第 10 页,台北东大图书公司,1976 年。
②　同上书,第 11 页。
③　同上书,第 12 页。
④　同上书,第 29 页。
⑤　同上书,第 39 页。

信仰是对神、对外来力量的信仰。对信仰的论证,是经院哲学的主要任务和中心内容。无论前期的教父哲学还是后期的士林哲学,都是围绕这一主题展开的。特别是在谈及士林哲学时,这些内容更成为全书的重中之重。作者指出,士林哲学的主要内容,是宇宙和人性的问题。"在宇宙论问题中,特别讨论了神存在的问题,特别讨论了上帝存在的问题,然后再讨论出人和神的关系。也就是说他们在知识论上,特别注重'知物'、'知人'、'知天'的问题,在'知物'、'知人'、'知天'中,设法以人为中心,使人得以顶天立地,以人做中心,而去理解天和物,设法应用物而发展人类生存必需的东西,然后在宗教信仰上,发展人和上帝的关系"①。在具体阐明这一内容时,作者虽然谈到了众多哲学家的观点,但其中突出的是托马斯·阿奎那的学说。他认为,托马斯既是13世纪西方最伟大的思想家,也是西洋中世纪最大的思想家。他"集合了所有希腊、希伯来、犹太的哲学思想,用传统的所有学术成果,编成了一个最伟大的思想体系"②。在这个体系中,通过托马斯的哲学思考,"冲破时间,走向永恒,冲破空间,走向无限"③,从而完成了对信仰的论证。他指出,由于托马斯是一条由哲学走向神学的康庄大道,因而受到基督教的特殊重视,至今仍是教会哲学的主流思想。

通过上述三个方面的努力,说明西方中世纪哲学的根本精神是一种宗教哲学。显然,作者在阐述它的根本精神时,是站在台湾士林哲学立场上进行的。因此,虽然这种立场限制了对中世纪哲

---

①　邬昆如:《中世哲学趣谈》,第117—118页,台北东大图书公司,1976年。
②　同上书,第170页。
③　同上书,第204页。

学的深入探讨,影响了该书的学术价值,但是,它也真实地告诉人们,台湾士林哲学的学者是怎样看待与评价西方中世纪经院哲学的。

第三节　近代西方哲学的传播

相对古代与中古西方哲学来说,20 世纪 50 年代至 70 年代,台湾学者传播近代西方哲学的作品要多些,特别是康德与黑格尔哲学的研究,更为明显一些。这主要是基于学者们对康德与黑格尔哲学的认识,以及他们在大陆原先研究的基础上继续探讨的结果。同时,与台湾当局对它的利用,也有一定的关系。在这些作品中,虽然也有一些近代西方哲学的综合性著述,如胡秋原的《论近代西洋哲学之发展过程》(《民主潮》10 卷 23 期,1960 年 12 月)、吴康的《近代西洋哲学要论》(华冈出版社,1970 年)与邬昆如的《近代哲学趣谈》(东大图书公司,1977 年)等,但主要是专题性研究问世的论著。下面,选择后者中有代表性的作品进行评述。

一、傅伟勋评说英国经验论探讨的基本问题

在传播英国经验论哲学不多的论著中,有胡鸿文的《英国经验论》(华冈书局,1972 年),但傅伟勋的长篇专论《英国经验论基本问题之剖析与批评》值得重视。

傅伟勋(1933—1996),台湾新竹人。先后在台湾大学、美国夏威夷大学、加州大学(柏克莱分校)哲学系或哲学所学习,1969年获伊利诺大学哲学博士学位。1971 年应聘到天普大学主持博士班前,曾在台湾大学、伊利诺大学与俄亥俄州立大学执教。

据其自述,早在年轻时期,他计划撰写一部近代西方哲学史,

《英国经验论基本问题之剖析与批评》，便是其中的第一部分。这是作者20世纪60年代中期在台大任教时期的作品，最先发表在台大《文史哲学报》（1965年第14期）上。在这篇文章中，他在考察了英国经验论哲学产生的思想文化背景后，着重评述了英国经验论探讨的8个基本问题，即观念来源、初性次性、物质实体、精神实体、因果关系、神之存在、抽象观念、知识含义。

通过这篇文章，作者的目的主要评述英国经验论提出和论述的上述基本问题。在进行这一工作时，一个突出特点是，依据洛克、巴克莱与休谟的有关著作，在原原本本阐明前述论题的基础上，不但对这些哲学家在这些基本问题上的观点进行了剖析与批评，而且还把它们联系起来，依据理论的发展线索整理成一个过程，评说了上述基本问题在这个过程中是怎样得到澄清与克服的，指明了它们对于近代西方哲学的贡献与影响，探索了这些基本问题的研究与现代西方科学哲学，特别是与英国分析哲学之间的理论联系。

这里，举"观念来源"一章为例进行说明。作者指出，经验论者最为关心的首要问题是观念从何而来的问题。因此，它们在研究步骤上容易接受心理学的方法，以便妥善地处理当前直接的感觉经验，当作知识构建的原初基料。然而，心理主义经验论在探讨知识问题时产生的理论限制性与可能发生的困难，却远非古典经验论者始料所及。因此，作者在分别论述英国经验论探讨的8个基本问题时，当他对洛克、巴克莱和休谟的有关论点一一考察之后，都既有作者对这些基本观点的分析与评述，而且还把它们放在这个思潮的发展过程中，阐明了这些观点在其发展的不同阶段上的意义及其演进。

例如，在阐述洛克关于观念的界定、来源、分类与悟性接受观念时作用的观点后,作者站在当代哲学高度上对它们都有热情的评论。首先,他指出,"洛克'观念'一词因过于宽泛,无从判别直接无分别与间接有分别两者。故易混淆观念之纯然经验成素与悟性加工成素"①。其次,他认为,简单观念,即"单纯观念之能否成为洛克所称人类经验与知识之最初来源,有待商榷"②。因为在他看来,洛克对观念的区别,是依据心理发生过程的前后关系来确定的。然而,他列举的大量事实说明,实际经验并非像洛克所说的那样,一开始便有色、声、香、味、触等简单观念的明确区别。由此他断言,"洛克之心理学的单、复观念分类法,实与经验事实不相符合;所谓单纯观念在先,复合观念在后之说并无实际凭据可言"③。再次,他还提出,"洛克以为悟性于直接无分别状态接受原初性单纯观念时始终属于被动,而对观念毫无主动性加工作用,故谓'心灵如同一具明镜',映照影像或观念。洛克此说,是否符合经验事实,亦足以令人质疑"④。傅伟勋以对眼前书桌的感知为例,认为悟性一开始即已干预感觉经验,在感知书桌时多多少少附加了一种重构作用。因此,感知后心中形成的书桌"观念已非具有原本性质者,而实际上亦不可能有原本性感觉观念存在"⑤。所以他认为,"如此说来,人于初度感觉经验,悟性绝非洛克所说,只在被动状态而已。洛克执守经验论立场,故于悟性功能存而不论,而对观念之始源倾力探讨,得失并见"⑥。这些批评在一定程度上揭露了

---

① 傅伟勋:《英国经验论基本问题之剖析与批评》,见《从西方哲学到禅佛教》,第70页,三联书店,1989年。
② 同上书,第68页。
③ 同上书,第69页。
④ 同上。
⑤ 同上。
⑥ 同上书,第70页。

洛克经验论的局限性。

又如,在阐明了洛克的观点在巴克莱与休谟哲学中的演变,指明了观念来源在英国经验论中的发展线索后,还进一步论述了它在现代经验论中是怎样发展的。作者认为,无论洛克对简单与复合观念的划分,还是休谟对于印象与观念的区别,都是援用心理分析得出的结论,因之失之偏缺主观。他指出,现代经验论运用较为严格而客观的逻辑分析法,修正了休谟印象观念区别的准则,使之维护了经验论原则基本主张的正确无误。例如在这个过程中,首先有罗素对印象与观念的重新界定。说:"'印象'或'感觉'指谓物理原因所引起之心理现象,而'观念'之近接原因则为心理的。若依独我论的主张,无一心理事件具有外界原因,则'印象'与'观念'之区别将陷于谬误"①。对此,作者认为,由于罗素在这里承认了物理原因的存在,从而在理论上克服了休谟心理主义经验论的困难②。接着,莱欣巴赫(Reichenbach)又提出了"印象推理说",以此代替了"印象观察说"。莱氏的主张是:"吾人可以相信印象之存在,然而不能直接感觉印象本身之客观存在,盖心中印象存在之事实乃由推理所得。经验所赋与人类心灵者乃是事物或事物状态一事项,包括我之身体状态,而非所谓印象"③。对此,作者指出,"如此说来,休姆之印象原非感觉经验于心理发生过程所产生之最初现象。休姆所予印象与观念之区分,原非可就心理事实直接寻出,却是逻辑推理的分析所得之结果。"④

---

①　傅伟勋:《英国经验论基本问题之剖析与批评》,见《从西方哲学到禅佛教》,第74页,三联书店,1989年。
②　同上。
③　同上书,第75页。
④　同上。

上面举出的两个例子,涉及印象、观念的区分与定义的规准,还涉及知识论本身的课题。在这里,作者阐明了罗素与莱欣巴赫所持的观点已具有一般物理学的实在论倾向,认为正是通过这种倾向,既克服了洛克实在论——表象论的骑墙立场,还克服了巴克莱的主观唯心论与休谟的心理主义现象论等古典经验论的基本难题。并且从这种认识出发,对于经验材料来源的解决作者提出了自己的看法。他写道:"人类知识之最初经验基料为何,已非哲学家所能独力解答,恐需藉助于新近物理科学知识。否则形上学的观点(如实在论、现象主义、观念论)易于渗入观念来源之问题,终使本来之真正课题掉落迷宫,永无解决之余地。再者,此一问题亦同时关注语言之约定性使用问题,有待语意分析之旁助"①。

"观念来源"只是傅伟勋文章中讨论英国经验论基本问题中的一个问题。通过这个问题的阐述,不仅原汁原味地把洛克、巴克莱与休谟的理论观点摆出来了,而且还把它们联系起来,评述了他们各自的理论贡献、局限性及其发展线索。同样,其他问题也都是这样进行论述的。因此,通过这8个问题的讨论,从一个侧面把英国经验论的理论主张及其发展过程,相当清晰地展现出来了。仅就这一点来说,这篇文章是成功的。

二、钱志纯传播大陆理性派哲学的宗教使命感

在引介大陆理性主义哲学方面,钱志纯从其宗教立场出发作出了努力。

钱志纯(1926—　　)浙江杭州人。从幼年开始,便在教会学校

---

① 傅伟勋:《英国经验论基本问题之剖析与批评》,见《从西方哲学到禅佛教》,第75页,三联书店,1989年。

接受教育。1949 年去意大利学习神学与哲学。1953 年毕业后进入米兰圣心大学研究神学,1960 年获神学博士学位。1961 年应台湾天主教会总主教兼辅仁大学校长于斌的邀请,任教于辅仁大学哲学系与哲学所。在这里,除出版有《理则学》与《20 世纪之宗教哲学》外,还先后有《斯宾诺莎哲学导论》(辅仁大学出版社,1969年)、《我思故我在:笛卡儿一生及其思想、方法导论》(志文出版社,1973 年)与《莱勃尼兹哲学导论》(辅仁大学出版社,1978 年)问世。

在后面这些讨论大陆理性主义的著作中,给人一个突出的印象是,作者传播西方哲学的宗教使命感。

首先,表现在作者提出的引介目的上。从 1964 年开始,钱志纯在辅仁大学讲授欧陆理性主义哲学。他在谈及为什么介绍莱布尼茨哲学时,说这是他服膺莱布尼茨"全和"理想的结果。他写道:"虽然莱氏的哲学问题,主要是为探讨个体与其能力,但最后的目的是宇宙整体的和谐与统一。因此,'全和'正是呈现主的'预定和谐'之秩序;换言之,上主实为宇宙万有之全和,以及蕴涵于事物中的和谐之原则。因此,'全和'之境亦即默观上主的福境。此外,莱氏固然主张多元实体而认为人是宇宙的一面镜子。但他却是反映宇宙整体的某部分,故惟有分殊的实体彼此合作,才能共同衬托出自然宇宙完善的和谐与秩序。由此看来,莱氏的精神不外乎追求统一与和谐。生为 20 世纪的人,所处的环境既为已不能孤立生存的多元性社会,在如何从不同文化所导致的分歧思想中,实现大同的理想而言,莱氏的学说似乎亦能有启迪与助益"①。

---

① 钱志纯:《莱勃尼兹哲学导论》"绪论",第 2 页,台北辅仁大学出版社,1978年。

这一段话,既说明了作者对莱布尼茨哲学的认识,也吐露了他所以引介莱氏哲学的根由。不必再加以任何解释,字里行间反映作者引介莱布尼茨的宗教使命感,是一望而知的。

又如说到他所以引介斯宾诺莎哲学时,他指出,在一所天主教的大学中,学生往往喜欢听反对宗教的言论。而且在一般人的心目中,认为斯宾诺莎是反对传统宗教最激烈的哲学家,甚至有的以他为导师。特别是他看到,"目前生活在台湾的青年,有宗教思想者寥若晨星,十个人中不到一个。由是他们对上主及精神的观念,不但贫乏、淡薄,而且根本没有!"①这不但使他感到责任重大,而且认为这是对斯宾诺莎哲学的误解。他问这些追随斯氏哲学的人,在认同他的哲学之余,是否可曾想过斯氏反对传统的真正原因? 在他看来,这"是他对于神的观念所致"②。他指出,斯宾诺莎不但不否认神,而且,"神的问题是他的哲学的中心问题。在这意思之下,斯氏不是一位无神论者,而是一位陶醉于神的人"③。在这里,作者谈到了他对斯宾诺莎哲学的看法,并为台湾年轻人对宗教的态度深感忧虑。因此他认为,引进斯宾诺莎哲学到台湾来,不但有利于纠正年轻人对斯氏哲学的误解,也是改变台湾社会轻视宗教的一项重要工作。这种宗教使命感,更是清楚不过了。

其次,表现在作者阐释理性主义哲学的内容上。例如,在《莱布尼兹哲学导论》中,作者用了两章,即第二章"莱布尼兹哲学体系"与第三章"莱布尼兹哲学体系中的几个主要观念"来进行介绍。前者依据《单子论》、《依理论之超性与本性原理》与《形而上

① 钱志纯:《斯宾诺莎哲学导论》"序",第2页,台北辅仁大学出版社,1969年。

② 同上。

③ 同上。

学序论》等著作,通过"无形的原子"、"无形原子存在"、"单子的性质"、"微小知觉"、"单子的等级"、"单子的组合"、"物质宇宙的特质"、"预定的和谐"与"最好的可能宇宙"等九个论题,阐明了莱布尼茨的哲学体系;后者则是在前者一般介绍的基础上,为了突出莱氏哲学思想中的重点,集中对其中几个主要观念,即"可能之道"、"理论与事实"、"个体"、"动与能"、"原子"与"预定和谐和天主"进一步展开论述,并加以特别强调,目的是为了更好地完成自己的宗教使命。

又如,在《斯宾诺莎哲学导论》中,作者依据斯氏的《知性改造论》与《伦理学》等著作,通过"思想之起点"以及伦理学研究"之一——神"、"之二——理智"、"之三——情绪"、"之四——桎梏"与"之五——自由"等六个论题,阐明了斯宾诺莎的哲学体系。据作者说,本来写到这里,还想仿照《莱勃尼兹哲学导论》的模式,再写出几题,把斯氏哲学中的几个主要观念,如"实体"、"属性"、"模态"、"几何必然自然"、"天主即自然"等进一步加以分析,以便从纵的与横的两个切面,把斯宾诺莎哲学全面地呈现出来。但因作者杂务缠身,计划未能如愿。因此,本书中在陈述哲学家的思想时,便产生了与前书的不同。不过在作者看来,这种差别只是在表述上,并不影响传播理性派哲学对于自己宗教使命的完成。因为在这一方面,它们二者无论在阐述内容的篇幅上,还是对内容重点的反复强调上,都是完全一致的。具体说来,《莱布尼兹哲学导论》在介绍莱氏哲学体系时,简明扼要,只是到其"主要观念"被再次提出并得到进一步阐述后,才能说作者想要说的说清楚了。而《斯宾诺莎哲学导论》虽然没有对其"主要观念"再一次被提出来加以论述,但是作者在阐述斯宾诺莎哲学体系的过程中,对于这些"主要观念"的内涵及其重要性,都进行了相当详细的介绍。所以,实际上,介绍莱氏哲学的篇幅并不会多过介绍斯氏哲学的篇幅。

　　更为重要的是,作者在介绍两位哲学家哲学体系的内容时,从出发点到落脚点,始终都是围绕着两个哲学体系的神学性质展开的。这种做法对于述说莱氏的理性主义哲学来说,人们是可以理解的,因为在他的哲学中,的确混杂有这方面的内容。问题是,斯氏在理性派中是一位无神论者,这在西方哲学研究中几乎已经成为定论。然而在钱志纯的书里,却认为"神是他的哲学的中心问题",并从这种认识出发去阐明斯宾诺莎的哲学思想。这样,便不可能把斯氏哲学的基本立场及其本质真正反映出来。

　　因此,虽然作者在这些书中具体介绍哲学家的哲学观点时,依据原著大体上把它们的基本意思归纳出来了,而且其中有些看法对于正确认识哲学家的某些观点,也有一定的意义。但是,由于作者强烈的宗教使命感,使他在对理性主义哲学基本精神的把握上,只是着眼于与神学有关思想的传播,忽视了这些哲学家精神实质及其在哲学史上真正贡献的发掘,因而损害了其著作的学术价值。

三、牟宗三的康德哲学研究及其著述

　　在康德哲学研究方面,本时期台湾学者除发表了不少论文;其中有代表性的有:唐君毅的《康德哲学精神》(《摩象》第一卷第一期,1952 年)、谢启武的《康德认识论的结构》(《哲学年刊》第二、三期,正中书局,1964 年、1965 年)、刘述先的《康德与当代哲学》(《哲学与文化》第 11 期,1957 年)等外,还出版了几位学者的著作。如牟宗三的《认识心之批判》、《心体与性体》、《智的直觉与中国哲学》与《现象与物自体》、劳思光的《康德知识论要义》、吴康的《康德哲学简编》与《康德哲学》。这些著作的写作角度,理论深度与学术价值,各有不同,但也分别都有一些值得重视的地方。在这

一题中，介绍牟宗三的有关成果。

　　牟宗三(1909—1995)，山东栖霞人。1933年北京大学哲学系毕业后，曾任教于华西大学、中央大学与浙江大学等校。1949年后，历任台湾师范大学、东海大学、香港中文大学教授，新亚研究所哲学组导师。

　　早在大学读书期间，他对西方流行的种种观念系统的论说方式，便产生了浓厚的兴趣，尤其对罗素、怀特海与维特根斯坦哲学最为爱好。大学毕业后，他的学问转向有师承关系的逻辑学，并由逻辑学研究引起了对知性主体的反省而走向康德哲学。他认为，康德的《纯粹理性批判》和罗素、怀特海合著的《数理逻辑》是西方近世学问中的两大骨干，因而常常能为学习与掌握这些人类智力的最高成就而感到幸运。不过，从其有关论述来看，他显然认为从纯哲学的角度说，康德远远高于罗素与怀特海。因为在他看来，罗素一类的逻辑分析还停留在科学的层面，它只是满足于说明已经呈现的东西"是什么"。如果要进一步寻求"为何、如何"以探本溯源，展示事物存在的先验原理，那么，就必须由逻辑分析进到超越分析，亦即由罗素进到康德。正如他自己说的，"吾由对于逻辑之解析而至知性主体，深契于康德之精神路向"①。

　　牟氏研究康德哲学的最初成果，是早在抗战时期开始构思，经过长达10年之久的潜心探研后定稿，于1956年出版的《认识心之批判》一书②。在这部上下两卷的著作中，作者立足于逻辑和数学

---

　　① 牟宗三:《认识心之批判》"序言"，见《认识心之批判》，第13页，香港友联出版社，1956年。

　　② 此书1949年基本完稿，其中部分章节，曾于1948年，在《学原》杂志上发表过。如"知觉现象之客观化问题"、"时空与教育"、"时空为直觉底形式之考察"等。

的层面疏解和消化康德哲学。其集中表现在两个方面："一是着重于数学的讨论,把数学从康德的"超越的感性论"中提出来,依据近代逻辑与数学的成就,而给予先验主义的解释;二是就知性的自发性说,单以知性所自具的逻辑概念为知性的涉指格,并指述这些涉指格所有的一切函摄,以代替康德的范畴论"①。这部著作的问世,标志着牟宗三以批判的心灵契接康德哲学的开始。

　　20 世纪 60 年代末,他又出版了《心体与性体》。这部书由三册构成。它依据康德的《康德底形上学之基本原则》一书,论析康德的道德哲学,并把它同儒家哲学加以比较。在这部书中,牟宗三一方面吸收康德道德哲学的某些概念和内容,用以改造儒家哲学。另一方面,也对康德哲学提出了尖锐的批评。主要集中在以下两点上:一是认为虽然康德肯定了自主自律道德理性(自由意志)的存在,但在他看来,意志自由的实践理性的存在,只是说明人的道德行为所以能有的一种论理的"公设",只是"理论上应当如此",至于事实上是否如此,却是人的理性所无法证明的。所以,牟宗三认为他讲的"只是一套空理论"②。因为他把自由意志视为"一假定、一设准,而不能讲到它的真实性是一呈现"③,"不能确定其是否是事实上可呈现的真实"④,这就使他讲的全部有关道德的理论都落了空。二是认为康德没有能够像儒家哲学所主张的那样,肯定自主自律的自由意志(亦即儒家所言心体性体、良知)"不只是成就严整的纯正道德行为,而且直透其形而上的宇宙论的意义,而

---

　　① 蔡仁厚:《牟宗三先生近十年来的学思与著作》,见《新儒家的精神方向》,第 314—315 页,台湾学生书局,1982 年。

　　② 牟宗三:《心体与性体》,第 1 册,第 135 页,台北正中书局,1968 年。

　　③ 同上。

　　④ 同上。

为天地之性,而为宇宙万物底实体本体"①。所以,康德没有能够打破天人隔截,从他的道德哲学中开出一道德的形上学来。他指出,正是在这两方面,儒家哲学在境界上超过了康德。要完成"道德的形上学",只有由康德哲学转手,接上中国儒家的传统智慧,才有可能。

不过,代表牟宗三研究康德哲学的理论成果,主要是他在建构道德理想主义哲学体系的过程中取得的。20世纪70年代以后,他一方面开始译注康德的三大批判,一方面进一步消化与吸纳康德哲学,并把它同儒家思想融会起来,撰成并出版了《智的直觉与中国哲学》(台北商务印书馆,1971年)以及《现象与物自身》(台北学生书局,1974年)等著作。在这两本书中,他着力阐发了康德《纯粹理性批判》中所包含的形上学(存有论)思想,特别是康德有关现象与物自体的区分及其意义。

在《智的直觉与中国哲学》中,牟宗三把智的直觉作为中西哲学的分限,认为中国哲学传统中的儒释道三派都肯定人有智的直觉,而在西方哲学中则遭到了否定。由此,他还从这里出发,阐明了西方哲学何以否定而中国哲学何以肯定的缘由。在这里,他对康德的《纯粹理性批判》进行了一番检讨,其间还引述了海德格尔对康德哲学的阐述。牟氏认定,康德真心要建立的是"超绝的形上学",而不是海德格尔式的"内在的形上学"。然而,康德囿于西方的传统,不承认人有智的直觉。所以,他的"超绝的形上学"无法建立起来。为此,牟宗三提出,必须依据中国的传统哲学,通过儒释道三个不同的形态展示智的直觉如何可能及其意义,就不但以此矫正了《认识心之批判》中的失误,补充了《心体与性体》综合

---

① 牟宗三:《心体与性体》,第1册,第137页,台北正中书局,1968年。

论部分的不足,还指明了一条可以通向基本存在论的途径。由此可见,"智的直觉不但在理论上必须肯定,而且是实际地必然呈现。如此,则中国哲学可以'哲学地'建立起来,而且康德自己所未能真实建立的,亦因此可以客观地真实地建立起来"①。

接着,有《现象与物自身》一书的问世。这是牟宗三积四十多年学思工夫撰成的。本书由七章构成。在内容上,以康德的"现象"与"物自体"为中心,而把中国传统哲学作为说明这个问题的标准。作者指出,康德说我们所知的只是现象,而不是物自身;现象是感官直觉的对象,物自身则是智的直觉之对象,而智的直觉又属于上帝所有。还说上帝只创造物自身,而不创造现象。这样的点示,当然有一种洞见在内。但我们不能由这轻描淡写的点示而了澈物自身的确义,因而现象与物自身之分永远不能明确稳定,而康德系统内部的各种主张亦永远在争辩中不易使人信服。就是在这种情况下,"近十多年来,先生重读康德,而且翻译了《纯粹理性批判》与《实践理性批判》;在译述的过程中,正视了康德的洞见之重大意义,亦见到知性之存在论的性格之不可废,并依据中国的传统,肯定'人虽有限而可无限','人可有智的直觉'。由中国哲学传统与康德哲学之会合而激出一个浪花,乃更能见出中国哲学传统之意义与价值,以及其时代的使命与新生,并由此而看出康德哲学之不足。于是而有此书之完整通透的系统的陈述"②。

要指出的是,牟宗三研究康德哲学,不但是适应其创建哲学体系的需要开展的,而且还是随着其体系建立的不断进展而深化的。

----

①　蔡仁厚:《牟宗三先生近十年来的学思与著作》,见《新儒家的精神方向》,第316页,台湾学生书局,1982年。
②　同上书,第318页。

因此,他在这些著作究竟提出了一些什么观点,以及台湾哲学界对这些观点有些什么评价,将留待本书第九章阐述牟宗三会通中西哲学构建他的哲学体系时进行介绍。

四、劳思光对康德知识论要义的阐释

前面谈到,对于康德哲学的研究,除了牟宗三外,还有几位学者出版了著作。这一题着重介绍劳思光的成果。

劳思光(1927—　),湖南长沙人。年轻时曾经就读于北京大学哲学系。1949 年到香港后,还赴哈佛大学、普林斯顿大学从事哲学研究,并先后长期任教于香港中文大学、台湾清华大学、政治大学等校。

劳思光认为,西方文化在本质上,是一种以重智精神主脉的文化。它在观念系统上的表现,便是重智的哲学。在这种精神支配下,人类的心灵常常在关系境域中作决定。这种关系在终极意义上,是主客关系;在此关系中作决定的心灵与被决定者是双峰对峙的。因此,当重智的哲学对外于主体的实有作决定时,必须建立在对实有的认识之上;而"实有"即"本体",就是说,其最终目标是要认知本体。这是它对无条件者提出的要求。然而,一切认知都是成立于主客关系之间,只能在条件与条件之间做出决定,而不能在认知中建立一个无条件的或超关系的决定。要是这样,便是"从条件决定中去找无条件者,在关系性的认知活动中去寻求超关系者"①。在劳思光看来,虽然这是一个明显的矛盾,但是,它却又是一个"根源幽曲的问题;要解决此问题和此一矛盾,非得对知识问

---

① 劳思光:《康德知识论要义》,第 1 页,香港友联出版社,1957 年。

题及本体问题之产生作一彻底探究不可"①。他认为在西方哲学家中,康德正是解决这个问题与矛盾的一个。而这项工作是通过他的知识论来完成的。因此,劳氏告诉读者,他的这本书便是以介绍康德的这一理论为目的,因而把它取名为《康德知识论要义》。

　　问题是,要把康德知识论的要义真正阐释清楚,却不是一件容易的事情。除了康德的思想在不断发展及其著作号称难懂外,与研究康德哲学的方法也有重大关系。例如,有些讲康德知识论的人,由于不具有企及康德的识度,只是顺着《纯粹理性批判》导言中说的"先天综合判断何以可能"直问直答,结果常常不得其解。为了推进康德知识论的研究,劳思光提出,要用"基源问题研究法"来整理康德的知识论,使之对康德知识论的要义做出符合康德精神的解释。

　　所谓"基源问题研究法",简单说,"即从一体系的基源问题以把握其全体"②。这里的关键是要弄清何谓"基源问题"。对此,作者的回答是:"所谓'基源问题'即由理论建构上看,此一学说之理论的中心。明白点说,'基源问题'即一体系的理论范围的决定者"③。一方面,任何一个体系都有一定的理论范围,在此系统中的一个个特殊问题均由基源问题决定,所以在这个理论范围内,它与所有的特殊问题有理论层次的不同。另一方面,基源问题是专就某一体系来说的,这又使它不能脱离这个体系,而是与其密切相连而不可分。发现一个理论体系中的"基源问题",对于阐明这个体系具有至关重要的意义。

---

①　劳思光:《康德知识论要义》,第2页,香港友联出版社,1957年。
②　同上书,第4页。
③　同上。

因此,在运用上述方法研究康德知识论时,劳思光首先就是通过《纯粹理性批判》内容的划分,找到并指明了康德知识论体系的基源问题。在这里,他依据理论体系的主题,在改变了康德本人的划分后,把导言,先验感性论与先验分析论称为第一部分,把先验辩证论称为第二部分。原因在于,它们的主题不同,前者"以知识之建构及范围为主题"①;后者"则以说明本体观念之产生及批评本体学说之谬误为主题"②。又根据基源问题是一个体系理论范围内的决定者,指出在构成这个体系的两部分范围内,必然有一个作为决定者的共同因子存在。经过反复钻研,他认为本体知识的观念,就是它们的共同因子。表现在:"第一部所包含的理论是决定本体知识(即知者对于本体的知识)不可能成立;第二部则解释这个不能对之成立知识的本体何由出现于意识中,以及种种错误之说何以错误。"③分开来看是这样,要是把它合起来,则可以看到,"整个体系在解决本体知识问题"④,即"本体知识是否可能?"⑤

这是康德哲学的一个总纲。牟宗三认为,这个问题的提出,"是融会了康德的全部哲学以后综合起来如此说的。亦是根据康德所说的'一切对象划分为本体与现象'一义而说出的"⑥。他指出,以此为基源问题"是很中肯的"⑦,充分反映出"作者相契了康

---

① 劳思光:《康德知识论要义》,第 6 页,香港友联出版社,1957 年。
② 同上。
③ 同上。
④ 同上。
⑤ 同上。
⑥ 牟宗三:《康德知识论要义》"序",第 1 页,香港友联出版社,1957 年。
⑦ 同上。

德的识度"①。

其次,作者运用"基源问题法"整理康德知识论的理论脉络,在论述康德关于知识界限与产生本体观念根源观点的基础上,阐明了康德知识论的要义。在这里,作者依据他对《纯粹理性批判》内容的划分,通过对第一部分从动静两方面的分析,阐明了知识的界限;通过第二部分的论述,在前面肯定本体知识不可能的基础上,着力回答了此不可成为知识对象的本体观念,如何出现在意识中的问题。"最后,康德知识论将本体归于理性,本体遂不复是一客观存有"②。这是康德知识论的要义,也是康德哲学的最大特色。

值得注意的是,劳思光在阐述这些问题时,不是直问直答,而是对内在于知识,即知识的形成,本性及其范围,以及外在于知识,即本体界中的观念,都进行了系统的与深入的解剖与梳理。因此,牟宗三认为,"如果我们的心思不能再展开对内在于知识以及外在于知识都有积极的正视与处理,而只把问题看成是直问直答,则便不能相应康德的精神"③。相反,由于作者对于这"两方面都有积极的正视的全部工作:都要从头有系统地真正建立起来"④,因此,他对康德知识论要义的阐释,"清晰确定,恰当相应,为历来所未有"⑤。这个评价是有根据的。因此,劳思光的这本著作对当时康德哲学的传播,具有重要的学术价值。

在当时台湾康德哲学的传播过程中,是不能不提到吴康先

---

① 牟宗三:《康德知识论要义》"序",第2页,香港友联出版社,1957年。
② 劳思光:《康德知识论要义》,第208页,香港友联出版社,1957年。
③ 牟宗三:《康德知识论要义》"序",第2页,香港友联出版社,1957年。
④ 同上书,第1—2页。
⑤ 同上书,第1页。

生的。

吴康(1898—1976),号锡园,广东平远人。北大哲学系毕业后赴法国巴黎大学深造,获博士学位。1932年回国,长期任教于中山大学,并兼任文学院院长。1949年到台湾,先后在台湾大学与政治大学从事哲学教学与研究工作,还一度出任台湾"中国哲学会"会长。仅出版关于康德哲学的作品,有《康德哲学简编》(台北商务印书馆,1954年)与《康德哲学》(中国文化事业出版委员会,1955年)。这里,把前者介绍一下。

在"例言"中,作者称他的这本书,将根据"康德三大批平(按:批判),参考其他著述,述其全部学说"①。因此,书中既有"三大批判"的介绍,甚至在《实践理性批判》部分,还附有康德宗教哲学、法律哲学、历史哲学、国家论与永久和平论的叙述。在内容上,作者依据"三大批判"的顺序,不但用自己的语言对康德哲学进行了相当全面而客观的介绍,而且在阐释中,虽不曾提出多少较为深刻的观点,但在介绍某些论题后却有简洁而准确的归纳,在一定程度上也反映了吴康钻研康德哲学的功力。

例如,叙述了"先验原理论"后,作者有一个小结:"吾人所知之世界,为现象而非物如(物自身)——本体,现象世界经感性直觉及悟性思维,交互合作而构成,于以产生吾人对于现象界之知识。至物如——本体世界,为一永不可知之神秘,吾人能思及之,而不能认识之;传统玄学不明此义,乃以其为可认识之对象,取心灵、宇宙,上帝等最高观念,赋予客观实在性,详加探讨,建立内容,结果只成一种'假学问',而于真正之科学知识,毫无所裨"②。又

---

① 吴康:《康德哲学简编》"例言",第1页,台北商务印书馆,1954年。
② 吴康:《康德哲学简编》,第53—54页,台北商务印书馆,1954年。

如,最后在总结康德三大批判之间的关系时,作者指出,"知识之律,谨守必然,道德之律,崇尚自由,二者相反,彼此对待,于是有美与目的感之判断力,位于其间而为连贯二者之桥梁,使自然与人事,同有一潜藏目的性而存在,而其全部思想系统于以告成"①。除此以外,对于康德哲学六项成就的综述,也是这样。这些例子中的观点,虽然在西方哲学研究中早已成为常识,但要把它这样概括并表述出来,使康德哲学得以整体的面貌较为真实地呈现在读者面前,作者的努力是值得肯定的。

要指出的是,吴康在系统介绍康德哲学的过程中,突出地强调了康德批判方法的重要性及其意义,认为它不但能够补足中国哲学的某些不足,"以为建立中国今后新哲学之工器"②,而且更为重要的还在于,康德的批判哲学作为一种批判方法,还是"摧毁共产集团思想专制的枷锁"的思想武器③。据其自述,这是他"在反共抗俄大业进程中,所以写这本《康德哲学简编》的动机"④。因为在他看来,"现在思想界的新魔影,又发生了。"⑤例如,辩证唯物论主张存在决定意识,便是"倒因为果,心为物役,其狂热的独断成见,为以前传统玄学所望尘莫及"⑥。他认为,对于这种独断主义,批判哲学"绝不能容许其存在,而必须加以无情地摧毁……这是我们提倡康德批评哲学应求完成的基本任务"⑦。而且他还进一步提出,如果想要障彼狂澜,惟一的办法是使用康德的批判方法,

---

① 吴康:《康德哲学简编》,第 113 页,台北商务印书馆,1954 年。
② 同上书,第 115 页。
③ 同上。
④ 同上书,第 119 页。
⑤ 吴康:《康德哲学简编》,"序",第 5 页,台北商务印书馆,1954 年。
⑥ 同上。
⑦ 吴康:《康德哲学简编》,第 117 页,台北商务印书馆,1954 年。

对其进行无情的批判,只有这样,才能"拨去阴翳浮云,而发见光
天化日,邪说既息,真理自明,所以康德哲学的批判方法,实为此日
消灭新魔影的不可争论的武器"①。

　　然而,书中除了通过"序"、"例言"、"总结"与"后叙",把自己
的哲学研究与台湾当局的现实政治这样联系起来表述了上述愿望
外,作者在介康德哲学的过程中,对于辩证唯物论何以是必须摧毁
的独断论,康德批判方法为什么能够摧毁辩证唯物论,以及如何摧
毁它,却始终没有作出任何进一步的说明与交代。实际上,在西方
哲学的发展过程中,康德的批判哲学本来就是辩证唯物论的直接
理论来源之一,在它们之间根本不存在什么摧毁与被摧毁的关系。
宣称康德的批判哲学具有摧毁辩证唯物论的神奇功能,是作者把
哲学研究政治化的杜撰。这种做法严重损害了作者著作的学术
价值。

五、黑格尔哲学传播中的政治化倾向

　　在本时期黑格尔哲学研究与传播过程中,发表的论著较多,而
且,政治化的倾向也最为明显。这与当时台湾当局把黑格尔哲学
作为推行其"反攻复国"的工具,关系极为直接。

　　蒋介石败退台湾后,在总结自己失败的原因时,宣称对中国共
产党思想与谋略的根本原理非常缺乏认识,终于导致了他的最后
垮台。他说的所谓共产党的思想与谋略,主要是指马克思主义的
唯物辩证法。因此,他从"反攻复国"的现实政治需要出发,为了
进行心理建设与精神武装,提出必须加强对中国共产党思想与方
法的了解;确切地说,必须加强对唯物辩证法的批判与讨伐。因为

---

　　①　吴康:《康德哲学简编》,"序",第5页,台北商务印书馆,1954年。

在他看来,共产党"一切思想的规律和法则,全是根据'唯物辩证法'推演出来的"①。要能战胜共产党,取得"反攻复国"的胜利,不但必须明了共产党"所用的方法,而且还要用他的方法来制他"②。从这种需要发出,他提出"不论辩证法究竟适用于唯心或唯物,我们党员总得要知道辩证法本身是什么一回事。今后训练机关要训练党员,必须要有研究辩证法的一项课程"③。除此以外,他还专门要求党员学者用功研究辩证法,以此作为政治斗争的工具,来为"反攻复国"出力。

要特别注意的是,他提出,在批判唯物辩证法的过程中,还必须研究黑格尔哲学,特别是他的辩证法。原因在于,马克思主义的唯物辩证法与黑格尔的唯心唯辩证法,虽然是不同的,应该把它们区别开来。但是,他又指出,前者却是歪曲后者的产物。因此,为了认清和反击唯物辩证法,研究黑格尔的辩证法,并把它传播开来,是绝对必要的。用蒋介石的话来说,就是:"我总以为黑格尔的哲学,不论在西洋哲学上的地位如何,亦不论其辩证法是否已成过去,但其在今日反共战争的思想上,如我们能虚心研究,尤其是能把黑、马二氏的学理及其性质内容,切实比较,得到一个正确的结论,那他对'唯物辩证法'的反击,乃是一个不可缺少的武器。这在我们反共思想战的过程中,有其重要地位"④。

十分明显,蒋介石这样提出研究黑格尔哲学的目的,是要把它

---

① 蒋介石:《解决共产主义思想与方法的根本问题》,第 1 页,台北黎明文化公司,1982 年(2 版)。

② 同上书,第 18 页。

③ 蒋介石 1950 年 2 月 1 日对全体中央改造委员及各组会正副主任的讲话。转引自叶青《黑格尔哲学概要》"序",第 3 页,中国政治书刊出版合作社,1952 年。

④ 蒋介石:《解决共产主义思想与方法的根本问题》,第 18 页,台北黎明文化公司,1982 年(2 版)。

作为批判和反击马克思主义的思想武器。这就决定了黑格尔哲学研究在台湾一定时期的命运,即是把它用来作为台湾当局所谓"反攻复国"进行政治斗争的工具。事实正是这样。例如,为了推动这种研究,蒋介石邀请有关学者在阳明山国防研究院宣讲黑格尔哲学与辩证法的有关论题。他不但前来"聆听",还"朝夕盼望"学者们撰写文章,出版著作,以便在社会上广为流传。而且,他甚至亲自上阵,撰有《解决共产义思想与方法的根本问题》一文。在这篇文章中,他从知己知彼,反击唯物辩证法出发,从马克思上溯评析了黑格尔唯心辩证法的得失利弊。首先,他将黑、马二氏的辩证法严格地区别开来,宣称"黑格尔乃是为了说明历史之发展,才用'正、反、合'的辩证法原理,作为解释历史的工具。但马克思却窃取了黑格尔辩证逻辑的方法,去解释他所认为一个病态社会,进而曲解人类经济政治社会历史等一切规律"①。然后,他在这种认识的基础上进一步断言:由此可见,马克思的辩证法与黑格尔的辩证法,两者在内容与精神上是完全相反的。并且认为,如果说马克思的唯物辩证法是一种"邪说",那么,黑格尔的唯心辩证法却有一定的重要性。例如,他的"正、反、合"三段式的辩证思维方式,从某些方面看,是不应轻视而是应该加以称道的。如果有人忽略了这种思维法则,那么,他"最多只是知己,而不知彼,亦就是只知其一,而不知其二,所以,他的对敌斗争的行动,亦就败多胜少了"②。这是蒋介石认为黑格尔辩证法值得肯定的地方。接着他又指出,这样肯定只是为了唤起一般干部在制定计划时要重视对

① 蒋介石:《解决共产主义思想与方法的根本问题》,第6页,台北黎明文化公司,1982年(2版)。
② 同上书,第16页。

象与客观条件而已,至于黑格尔全部哲学的理想和精神,特别是对其辩证法的内容及其原理,却认为不能这样加以肯定。例如,虽然他对黑格尔辩证法的形式表示愿意予以同情的吸收,但对他的纯粹唯心论却宣称坚决不能赞同,而是主张要以"心物合一论"去超越它。又如,他对黑格尔辩证法中矛盾统一的学说,更是认为必须坚持反对,提出要以和谐互助的辩证法去超越它。

从蒋介石对黑格尔哲学的这些理解及其对黑格尔哲学的态度,说明他只不过是在黑格尔哲学体系的脚手架前匆匆地张望了两眼便捡起了几个概念,在对其哲学实质与精神并不了解的情况下,依据自己的政治需要想当然地把它用来作为反对马克思主义的思想武器。因此,他对黑格尔哲学的这种认识与态度,无论肯定还是否定,都不可能是对黑格尔哲学正确理解后的确切表述。更为严重的是,这样拿它来作为政治工具反对马克思主义,无疑是对黑格尔哲学的一种糟蹋。

不过,在蒋介石这样的鼓动与策划下,20世纪50年代到70年代初的台湾西方哲学的园地里,的确发表了一批有关黑格尔哲学的作品。在文献形式上,有论文、有著作;论文多,著作少。仅以论文来说,除了收集在《黑格尔哲学论文集》、《黑格尔哲学概要》与《黑格尔生平及其哲学》三本论文集中的外,50年代、60年代、70年代,先后发表的论文还分别有16篇、13篇、23篇。① 另外,出版的著作有王述先的《黑格尔论理学》(台北帕米尔书店,1956年)与吴康的《黑格尔哲学》(台北商务印书馆,1959年)。在近代西方哲学的传播中,发表有关黑格尔哲学的论著,数量上是较为突出的。

---

① 见 Martin Müller:"Die chinesischsprachige Hegel-Regeption Von 1902 his 2000",第80—128页, Europaischer Verlag der Wissenschaten, 2002。

在这些论著中,前述三本论文集具有一定的代表性。为了说明黑格尔哲学在台湾传播的真实情况,有必要首先把它们的篇目列举出来。其中,《黑格尔哲学论文集》(台北中华文化出版社,1952 年)中的论文,是:

谢幼伟:黑格尔的辩证法

刘文岛:黑格尔哲学的体系与自我实现及民族复兴

方东美:黑格尔哲学之当前难题与历史背景

吴康:黑格尔哲学

唐君毅:论黑格尔之精神哲学

牟宗三:黑格尔的历史哲学

黄建中:黑格尔哲学中之教育思想

劳思光:黑格尔的政治哲学

郑寿麟:黑格尔的人生哲学

叶青:黑格尔与马克思

《黑格尔哲学概要》(台北中国政治书刊出版合作社,1952 年)中的论文,是:

方大悲:黑格尔之生平

朱广贤:黑格尔之基本思想

黄昌华:黑格尔之哲学体系

竺伯雄:黑格尔之论理学

张君劢:黑格尔之国家哲学及历史哲学

胡秋原:黑格尔之艺术哲学

《黑格尔生平及其哲学》(台北中国文化出版事业委员会,1954 年)中的论文,是:

程衡:黑格尔与现代

瞿菊辰:有机的国家与国民自觉

柏雷:黑格尔的法律哲学与历史哲学

柏雷:黑格尔的自然哲学

　　仅从篇目上看去,在这些论文集中,有通篇介绍黑格尔哲学体系的,有分别阐述黑格尔哲学体系中某一构成部分的,有专门论述黑格尔逻辑学、自然哲学与精神哲学中某一论题的。整个说来,虽然没有像蒋介石期望的那样突出辩证法的宣传,但它们对于黑格尔哲学在台湾的传播来说,却是相当全面的。

　　而如果从内容上考察,那么,还会发现它们在理论倾向上,又是各不相同的。有的作者自觉地把自己的理论活动与蒋介石的政治需要联系起来,使自己的作品成为政治斗争的工具。例如叶青。他在为王其诚编辑的《黑格尔哲学概要》写"序"时,明白表示对于蒋介石关于反击辩证法的"这个指示,十分赞成"①,极力鼓吹"凡是国民党底党员,都应毫不迟疑地、十分热心地接受总裁的指示,来研究辩证法,应用辩证法"②。特别指出在研究时,"不能不研究黑格尔哲学"③。而且,在表白他早在大陆时就开展过此类批判的同时,还撰有《黑格尔与马克思》一文,通过曲解马克思辩证法与黑格尔辩证法的关系,宣称"马克思底辩证法就是黑格尔底辩证法"④,进一步提出马克思主义学说都是从黑格尔的辩证法中推演出来的,认为"不管马克思主义底内容是多是少,其以黑格尔底辩证法为神髓,则很显然"⑤,以此否定马克思主义的唯物史观、阶级

---

①　叶青:《黑格尔哲学概要》"序",第3页,台北中国政治书刊出版合作社,1952年。

②　同上书,第4页。

③　同上。

④　叶青:《黑格尔与马克思》,见《黑格尔哲学论文集》(二),第9页,台北中华文化出版社,1952年。

⑤　叶青:《黑格尔与马克思》,见《黑格尔哲学论文集》(二),第25页,台北中华文化出版社,1952年。

斗争论、经济学说与共产主义理论。

这种作品在这些论文集中虽然很少,但它却集中地表现了当时西方哲学研究中的政治化倾向。正如德国汉学家缪勒(Martin Müller)在考察了黑格尔哲学在台湾的传播后指出的那样,这种作品的作者"最终感兴趣的并非黑格尔本身"①,而"是把黑格尔辩证法和唯心主义哲学为了政治的目的而工具化"②。这样一来,它与同时期的中国大陆在研究黑格尔哲学时,便出现了"一种平行关系"③,即大体相同的做法与态度:"在台湾它被用作抵御'共产主义唯物证论'的精神武器,在大陆则如前所述,是资产阶级哲学的敌对象征"④。他认为,"这种政治工具化对于黑格尔研究的质量具有明显的消极作用"⑤。

另外,有些作者出于各种极为复杂的原因,例如对马克思主义的误解,对社会主义制度的偏见,以及在当时的政治环境中不得已而为之,等。因此,在他们的文章中或多或少地插进了一些反映上述政治倾向的内容。如吴康在《黑格尔哲学》中对马克思辩证法的指责,谢幼伟在《黑格尔的辩证法》中对唯物辩证法应用后果的批评。不过,当他们论述黑格尔哲学或辩证法本身时,一般却保持了学者的学术良心。这样的作品在这些论文集中占有较大的比例,它们真实地反映了文化专制主义高压下西方哲学在台湾传播的艰难景象。

---

① 马丁·缪勒:《中国人的黑格尔:关于百年来大陆和台湾对黑格尔的接受的调查报告》,载《世界哲学》2002 年增刊,第 87 页。
② 同上。
③ 同上。
④ 同上。
⑤ 同上。

值得重视的是,在这些论文集中,也有一些学者不是这样。例如,黄建中的《黑格尔哲学中之教育思想》、劳思光的《黑格尔的政治哲学》、郑寿麟的《黑格尔的人生哲学》,却不曾理会蒋介石的政治需要,而只是依据论题的对象进行了客观的介绍。特别是唐君毅的《论黑格尔之精神哲学》一文,在沿着大陆时的学术思路继续探索的基础上,还推进了黑格尔哲学在中国的传播。下一题,把它介绍一下。

六、唐君毅论黑格尔的精神哲学

除收集在论文集中的《论黑格尔之精神哲学》外,1951 年与1952 年间,唐君毅还撰有《黑格尔之辩证法之基础与其哲学精神》、《黑格尔之文化哲学与历史哲学》以及《哲学与道德人格及超越心觉之本性——黑格尔以哲学为文化中最高者之问题之讨论》等专题研究黑格尔哲学的手稿①。此外,在 1961 年与 1977 年分别出版的《哲学概论》与《生命存在与心灵境界》中,也都有大量对黑格尔哲学的论述。他对黑格尔哲学的研究是相当全面的。这里,只是把收集在论文集中的论文介绍一下。

这是一篇专门论述黑格尔精神哲学的长篇论文。原先刊出在《黑格尔哲学论文集》中。1965 年《哲学概论》再版时,作者感到书中第四部对人生价值的论述,要比第一部与第二部相对薄弱一些,因此,他把这篇文章作为第四部的"附录",用来聊补这个缺漏。

在《哲学全书》中,黑格尔把他的哲学分为逻辑、自然哲学与

---

① 　这些手稿后来收集在 1990 年由台湾学生书局出版的《哲学论集》中,见《唐君毅全集》卷十八,第 632—705 页。

精神哲学三个部分。一般学哲学的人,总认为逻辑是其哲学的最重要部分。然而,在唐君毅看来,"实则无论从黑格尔哲学之用心与著作内容看,黑格尔与其前及当时之哲学文化思想之关系看,黑格尔对于后来哲学之影响看,及我们对黑格尔哲学之宜有的评价上看;黑格尔哲学之重心,皆在其精神哲学与沿其精神哲学而有之历史哲学,而不在其自然哲学与逻辑"①。因此,精神哲学何以是黑格尔哲学的重心,便成为作者在这篇文章中全力以赴加以论述的主题。

对于这个主题,唐君毅进行了三方面的论证。

首先,把黑格尔哲学放在一个广博的文化背景下进行考察,并运用大量的材料从根源与影响上阐明了精神哲学是黑格尔哲学的重心。例如,论述黑格尔哲学研究的内容后,认为他"必归于重视精神文化历史之哲学,乃理有必然势有必至之事"②;又如,分析了黑格尔接受的哲学思潮后,指出他的哲学是"由康德菲希特至席林之德国理想主义潮流之发展,亦正是一步一步,走向对于人类精神之哲学之重视"③;再如,阐明了黑格尔的影响后,断言其中"正面影响之大,不在其自然哲学与逻辑之部,而要在其精神哲学之一部"④。因此,通过这几个方面的考察,唐君毅得出的结论是:"黑氏之精神哲学是黑氏之哲学的重心与最有价值的部份"⑤。

---

① 唐君毅:《论黑格尔之精神哲学》,见《黑格尔哲学论文集》(一),第1—2页(此为该书页码标出法,原用中文数字,现改为阿拉伯字,下同),台北中华文化出版社,1952年。

② 唐君毅:《论黑格尔之精神哲学》,见《黑格尔哲学论文集》(一),第1—2页,台北中华文化出版社,1952年。

③ 同上书,第1—3页。

④ 同上书,第1—7页。

⑤ 同上书,第1—8页。

　　其次,通过精神概念是黑格尔哲学中心概念的阐释,从其哲学体系的构成上论证了精神哲学是其哲学的重心。作者指出,黑格尔常说宇宙的最后实在为精神,这个论点能否成立? 有些人认为,依据其二百个左右的三段式排列,逻辑是"正",自然哲学是"反",精神哲学是"合",它们一环扣一环,构成一个勾连系统,只要一环被攻破,则全系统即被崩溃。因此,在黑格尔的哲学体系中,为了说明精神是宇宙之最后实在,必然依赖其三段式的推演。然而,在唐君毅看来,黑格尔这个论点能否成立的证明,只能依靠对其"精神"概念的省察,而不在于其三段式排列的确定不移。原因在于,对于黑格尔的三分法,不能"想像为一三合式的三角形来理解,而可想像为一三岔路来理解。一条路通自然哲学,一条路通逻辑,一条路通精神哲学。而三岔路口立着的只是人之精神自己"①。提出这种看法的根据在黑格尔的《精神现象学》一书中。因为"此书整个只是论精神之行程。于是我们可透过此书以看黑格尔之自然哲学逻辑与精神哲学之三分,如何自一三路交岔口为中心而三分,而说明位于此交岔口者,只是精神自己,而皆所以确立此精神之为最后之实在"②。这说明,在黑格尔的哲学体系中,精神是它的中心概念。作者指出,只有依据黑格尔的这个本意,把他的哲学这样分为三个方面,并且作为从内部疏导其哲学的出发点,就会使其精神哲学的独立价值,彰显出来。也只有这样,"才能真了解其全部哲学,其哲学中何处是真理,何处有错误或不足,才可一一去看见。而其宇宙之最后实在必为精神之一点,则绝无

---

　　①　唐君毅:《论黑格尔之精神哲学》,见《黑格尔哲学论文集》(一),第1—18页,台北中华文化出版社,1952年。
　　②　同上书,第1—19页。

动摇之可能"①。

最后,通过精神哲学内容的阐释,论证了它作为黑格尔哲学重心的表现。作者指出,精神哲学中的精神,"称为绝对理念之由其自身以外在化于自然而再回到其自身之阶段"②。具体说来,"精神是人之最内在之理性之充实洋溢而出,透过其自己之心身,以及于人,及于整个自然与宇宙之全幅表现。此全幅表现,复可为精神之所自觉,而收摄于其自己之内。此不断表现之阶段或节奏,即精神之全幅内容"③。因此,依据它的不断表现,黑格尔把精神哲学区分为主观精神、客观精神与绝对精神三部分。主观精神为个人的,分人类学、灵魂现象学与心理学心灵(或精神);客观精神为客观的,分抽象权利、道德与社会伦理;绝对精神为最高精神,分艺术、宗教与哲学。唐君毅在阐明了上述三者的内容后,对于三者的关系,进行了如下的总结:"任何精神自其为我自觉而言,皆为主观精神;至其为人所共享共喻言,皆为客观精神。自为天地间之公物,非我所得而私,亦非人类所得而私,而只是如是如是的洋洋乎如在我之上他人之上,即为绝对精神"④。由此可见,精神哲学在黑格尔哲学体系中的重要性了。

通过上述三个方面的论证,应该说,作者给自己规定的任务,不但较好地完成了,而且,文章中论述的"精神哲学是黑格尔哲学的重心"这个重要观点,是黑格尔哲学在中国传播过程中最早提出的。它对国人全面认识与正确接受黑格尔哲学,具有积极意义。因此,

---

① 唐君毅:《论黑格尔之精神哲学》,见《黑格尔哲学论文集》(一),第1—18页,台北中华文化出版社,1952年。

② 同上书,第1—38页。

③ 同上书,第1—39页。

④ 同上书,第1—50页。

有的台湾学者认为,"在中国哲学界里,首先对黑格尔的精神哲学有真实相应之了解的,便是唐先生"①。这个评价是有根据的。

更为宝贵的是,在这篇文章中,没有一句迎合台湾当局政治需要的表白,而是沿着作者在大陆时的学术思路,最后还把黑格尔的精神哲学与中国思想联系起来,提出了会通中西哲学的一些初步设想。他写道:"以吾华先哲高明而简易之教,以立心,而观黑格尔之所论之繁密,则吾人未尝不可缩龙成寸。其主观客观绝对精神之三分,吾上既已说其可为同一精神之三观,而吾人以前复论其自然哲学、逻辑、与精神哲学之三分,亦为立于一中心之地,向三方向看之三观,则其内部之一一三联式之思想,吾人亦皆可一一得其环中,以剪除榛莽,修其途辙;而化其缭绕,以归平直,祛其晦暗,以复清明。吾中士多大乘根器,必有能为是者"②。这种看法和主张,唐君毅后来在创建其哲学体系的过程中,都有详尽的发挥。这样的作品,在当时台湾传播黑格尔哲学的过程中,虽然不曾多见,但它却代表了中国学者从事西方哲学研究的严肃态度,值得称道。

第四节　现代西方哲学的传播

有的台湾学者认为,现代西方哲学的传入与研究,既是认识西方社会的重要根据,又是日后会通中西哲学的必要准备③。因此,

---

　　①　蔡仁厚:《敬悼唐君毅先生——兼述唐先生所著书之大意》,见《康君毅全集》卷三十,第226页,台湾学生书局,1996年。
　　②　唐君毅:《论黑格尔之精神哲学》,见《黑格尔哲学论文集》(一),第1—51页,台北中华文化出版社,1952页。
　　③　沈清松:《哲学在台湾之发展》,载《海峡两岸学术研究的发展》,第27页,台北中国论坛社,1998年。

20 世纪 50 年代,主要是六七十年代它在台湾的传播过程中,基于学者们的上述认识,不但没有出现同时期大陆哲学界对它的那种猛烈批判与简单否定,相反,在台湾经济发展的推动下,除了有老一代学者对它的关注外,还有一些新近成长起来的年轻学者也热情地投身到这个领域中来。而且,他们这样开展的传播工作,除了有的因现代西方哲学流派的研究与传播者的自由主义政治立场,受到台湾当局的压制外,基本上能够沿着 1949 年前西方哲学东渐的思路继续向前推进。这样一来,无论综合性探索还是专题性研究,都取得了一些成果,甚至存在主义的传播,一度还出现了颇为热闹的景象。

一、张君劢介绍现代西方哲学家的倾向

对现代西方哲学进行综合性研究的作品,有张君劢的《四十年来西方哲学界之思想家》与赵雅博的《西方当代哲学》,还有项退结的《迈向未来的哲学思考》(现代学苑月刊,1972 年)、邬昆如的《现代哲学趣谈》(东大图书公司,1976 年)与《现代西方哲学思潮》(黎明文化公司,1977 年)等。在这些著作中,"项著以人物为准,述及布洛霍、马古士、马塞尔、罗素、卡纳普、维根斯坦等人之哲学,进行评价并引导中国传统哲学对存在真理与仁的经验之重视。邬著以系统为准,从物质、生命意识、精神的发展性和系统性来整理并评估西洋当代哲学"[①]。

这里,扼要介绍一下前面两者。

首先,《四十年来西方哲学界之思想家》。这是张君劢 1949

[①]　沈清松:《哲学在台湾之发展》,载《海峡两岸学术研究的发展》,第 30 页,台北中国论坛社,1998 年。

年离开大陆后发表有关西方哲学论著中的一篇。目的是纪念人生观论战 40 周年。因此，文章题目的全称是《人生观论战之回顾——四十年来西方哲学界之思想家》。该文最早刊登在 1963 年香港《人生》杂志 313 期、314 期、315 期上。1981 年程文熙编张君劢《中西印哲学文集》时，收录在第六编："西洋哲学之评介"部分。

作为 1923 年人生观论战的一方，时隔 40 年，张君劢在文章中回忆了论战的发生后写道："我以为人生观是人生观，哲学是哲学，形上学是形上学，此三者不可与科学混而为一，合而一之为两伤，分而离之为两美"①。这说明，在科学与人生观关系问题上，他仍然坚持当年提出的观点。这里，没有必要对论战双方观点的孰是孰非进行评论，只是必须指出，张君劢在这次回顾论战时，为什么要大谈现代西方哲学的发展。他说，"今日回忆此项论战，非欲重燃地下之死灰，乃欲与国人商榷吾国学术思想而奠定其博大精微，高明中庸之基础而已"②。对这些话进一步分析，所以要这样，实际上他们目的是要说明，当年他提出的观点不但在西方哲学中是有根据的，而且，40 年来西方哲学的发展，也证明了这个观点是正确的。

因此，他把对论战的回顾与现代西方哲学的发展联系起来，开展了对现代西方哲学的阐述。在他看来，自论战迄今 40 年的西方哲学思潮，一类以个人为本位，有英国的怀特海、德国的哈特猛、德国的雅斯贝尔斯；一类以学派为本位，有英国的唯实主义与逻辑实证论、现象学派、存在主义。他认为，"此六项中，除逻辑实证论派

---

① 张君劢：《人生观论战之回顾——四十年来西方哲学界之思想家》，见《中西印哲学文集》(下)，第 1044 页，台湾学生书局，1981 年。

② 同上书，第 1041 页。

主张以科学方法统一一切学术并排斥伦理学与形上学外,其他各人各派无一不走形上学之途径。可谓自康德氏以来,形上学之发挥光大,无有如今日之盛者。希腊柏拉图之传统,至今犹继续绳之未中断"①。

在这样对现代西方哲学作出总体评估的基础上,作者对上述哲学家或哲学流派分别详略不同地进行了阐述。在阐述过程中,虽然有对哲学家学术经历、主要著作与哲学思想的介绍,但在归纳时却都从科学与人生观的关系出发,强调现代西方哲学发展的主导面是与人生观有密切关系的形上学的发展。例如,介绍完了怀特海、哈特猛、雅斯贝尔斯后,作者指出:"以上三人为二十世纪哲学界之三杰,怀氏以数学家物理学家而转入形上学,哈氏由新康德派之唯心主义,转向于唯实派之形上学,耶氏(按:雅斯贝尔斯,张译为耶司丕)以为科学之工限于局部,非超出科学,不足以见宇宙之大全。如是思想路线不受科学之支配,不为科学所范围,而宇宙观而人生观之超于科学之上之彰明较著,无有过于此者矣"②。又如,在叙述了逻辑实证论者后,作者大发感慨,并且问道:"此派学者为科学斗争之勇气,虽可令人叹赏,然科学为人生而存在乎,抑人生为科学而存在乎。倘此问题不先解决,而斤斤于有证验与无证验之是非,不先于本末倒置矣"③。在作者看来,这就决定了逻辑实证论走向没落的必然。对此,他写道:"罗素氏虽同情于逻辑实证主义,然仍不惜精力而写成一本近一千页之西方哲学史,其他英伦理学家纷纷讨论功利主义与直觉主义之是非,至于形上学之

① 张君劢:《人生观论战之回顾——四十年来西方哲学界之思想家》,见《中西印哲学文集》(下),第1046—1047页,台湾学生书局,1981年。
② 同上书,第1061页。
③ 同上书,第1067页。

发展,在英绝未因此中止。可以知实证主义虽号称盛极一时,而英国哲学家对于此派既引起驳论或提出疑问者,大有人在。则实证思潮之趋于末落,可以想见矣"①。逻辑实证论发展过程中出现的这种状况,也足以证明他提出的观点的正确。因此,最后他得出的结论是:"思想方面之科学也哲学也形上学也,虽科技二者有长足之进步,为立国所不可缺,然形下之外,自有伦理学的准值与夫宗教信仰为人群精神生活之基础。尤其人是否有自由意志抑或受科学自然定律之支配,此为西方学术史上之大争执,我以为人身自由与科学发展不必互相排斥。此为当年论战时之态度。不料兹事过去历四十年,而欧洲思想界之发展相与暗合,如怀悌黑氏之形上学,哈德猛氏之自由与因果律之并行不悖,存在主义以自由为人生之至宝,此为西方经过如是"②。

通过上述方式对20世纪20年代到60年代西方哲学的介绍与评论,虽然没有把它的发展线索交代清楚,但大体上也把这个过程中出现的主要哲学家与重要流派的基本面貌概述出来了。不过,这个概述是联系科学与人生观论战以此进一步阐明自己的观点进行的。这是张君劢论述现代西方哲学发展的倾向。而且,这种倾向直接制约着他对现代西方哲学的阐述。因此,如何评价上述他对现代西方哲学的介绍与评论,必须依靠对其论战中所持观点进行具体分析,才有可能得出实事求是的结论。

其次,《西方当代哲学》。这是赵雅博综合地阐释现代西方哲学、1974年由正中书局出版的一本著作。

---

① 张君劢:《人生观论战之回顾——四十年来西方哲学界之思想家》,见《中西印哲学文集》(下),第1067页,台湾学生书局,1981年。
② 同上书,第1086页。

赵雅博(1917—　　),河北望都人。1938年进北平辅仁大学学习神哲学,1949年到西班牙马德里大学研究院深造,1952年获博士学位。1955年到台湾,先后担任台湾师范大学、政治大学与辅仁大学教授。

赵氏是一位兼有天主教神父职务的学者。十分明显,他的这本书是站在宗教的立场上,为完成神父的使命而撰成的。因此,首先在"结论"中,在使用两章的篇幅阐明当代西方哲学的理论渊源时,虽然谈到了古代希腊思想与笛卡儿等近代哲学的影响,但突出宣扬的却是宗教的决定性作用。正如作者断言的那样:"西方哲学的多彩多姿,得力于基督主义的地方很多。它开启了西方哲学对有的扩大研究,也使西方哲学对有更恰切的认识了。因之使我们学哲学的人,对整个世界,有个来龙去脉、完整而有终始的认识,对无限、对必要的认识,也加深了我们对偶有性、对无的真知"①。这样谈论现代西方哲学的理论渊源,其宗教使命感是一望而知的。

其次,更主要的是,从这种使命感出发,在"本论"中,虽然对历史主义、实在论、实用主义、唯生主义、共产主义、演化哲学、现象学、存在主义、逻辑实证论、人文主义、人本主义、构成主义、记号主义、分别进行了叙述与评估,但是,作者是站在台湾士林哲学的立场上进行的。因此,不论是叙述还是评估,都充满了宗教偏见,不能客观地反映现代西方哲学的真实面貌及其发展过程。这样的作品,除了使人得以知道神学家对现代西方哲学的看法外,在学术上究竟具有多少价值,却是难以肯定的。

不过,虽然总体倾向有如上述,但在"结论"中,在谈论哲学史研究时,却提出了一些有参考价值的意见。例如,他依据有的学者

---

①　赵雅博:《西方当代哲学》,第24页,台湾正中书局,1974年。

认为"没有哲学史便没有哲学,没有哲学便没有哲学史"这话①,认为哲学史研究不但就是研究哲学,而且它对哲学的发展具有重要作用。因为在他看来,虽说哲学史是有关哲学的记录,但它不是纯粹的记录、敷陈,而是一种哲学的融会、整理。表现在,"写哲学史的人,本身有他的哲学观点"②;不管作者用什么方法写,都必须渗进他的哲学思想。而且,在研究与写作的过程中,还要"将哲学上的诸观念予以澄清,而更真切地进入问题,走向事实本身,走向真理"③。这说明,哲学史不是一堆错误意见的堆积和表现,而是"人类对真理的发掘史,也是对自己理性的发现史"④。这些意见的提出,对哲学史的研究有不可忽视的意义。问题只是,他的《西方当代哲学》,却没有体现这种看法。

二、谢幼伟对怀特海哲学的概述

科学哲学是现代西方哲学发展过程中的一个重要思潮。然而,在20世纪50年代到70年代,由于主要传播者政治上的自由主义立场,台湾当局把他们引进的现代西方的科学哲学视为威胁,因而对它采取了压制的政策,使其在台湾的传播成为一个被监控的学术领域。不过,一些有志于科学哲学研究的学者,即使在这种被压抑的艰苦条件下,为了把西方科学哲学输入到台湾来,仍然积极地进行了不少工作。因此,不仅有著作出版,如谢幼伟的《怀黑德学述》(中央文物供应社,1953年),而且还有不少论文发表,其中为此作出过重要贡献的,如著名学者殷海光。这一题介绍谢幼

---

① 赵雅博:《西方当代哲学》,第649页,台湾正中书局,1974年。
② 同上。
③ 同上书,第657页。
④ 同上书,第658页。

伟的著作,下一题着重论述殷海光的贡献。

谢幼伟是怀特海的亲炙弟子。早于怀氏还健在时,在《现代哲学名著述评》中,就对怀氏的《思想之方式》与《教育之目的论文集》两本著作进行过专门的介绍与评述。然而怀特海去世多年了,他看到国内学术界却不曾出版过一本较为详细谈论他的学说的著作。对此,谢幼伟写道,"一代宗师不广为我国学人所认识,这不是怀氏的不幸,而是我国学术界的不幸"①。

在他看来,怀特海的一生"在思想上为一巨人,在品格上为一完人"②;"他的哲学,体大思精,系统谨严,且时有未经人道的新义"③。然而,他指出,"国人之于怀氏,知者不多"④。因此,他怀着对恩师的崇敬与思念之情,在过去零星介绍的基础上撰成《怀黑德学述》一书,极其简练地,然而却是系统地论述了怀特海的科学、哲学、宗教思想。

在这本书中,除用了两章的篇幅分别介绍了怀特海的生平、著作外,还以"论思想"、"论教育"为题,进一步评述了前面提到他曾经介绍过的怀氏那两本著作。不过,其中最值得重视的是第三章"哲学概述"。这是全书的主体部分。作者对怀特海哲学的系统评述,就是在这一章中进行的。

首先,扼要地阐明了怀特海哲学的发展过程。作者认为,"论究怀氏哲学思想的发展,自须溯源于他的数学"⑤。他正是从治数学而追求数学的基本原理,由此开始数理逻辑的研究。接着,又由

---

① 谢幼伟:《怀黑德学术》,第1页,中央文物供应社,1953年。
② 同上。
③ 谢幼伟:《怀黑德学术》"自序",第1页,中央文物供应社,1953年。
④ 谢幼伟:《怀黑德学术》,第1页,中央文物供应社,1953年。
⑤ 同上书,第9页。

数理逻辑转向科学的基本概念与科学原理探索。到达这个时候，他便进入哲学领域了。所以，"由科学而哲学，由哲学而宗教，这种思想的发展，是很自然的"[1]。

其次，概括地叙述了怀特海哲学体系的构成及其主要学说。作者指出，"怀氏的哲学系统，乃以他对科学原理的探讨为根本"[2]。他的哲学体系便是在批评 19 世纪以来的科学概念的过程中形成的。怀氏认为，旧的科学思想主要有两个表现，一是"自然二分法"，一是"简单定位"，他在批评这些思想的同时提出了他的科学思想，并建构起了他的哲学体系。

例如，在批评"自然二分法"时，认为这种把自然分割为二，使自然成为两种而非一种的做法，"是传统科学(也是传统哲学)的错误"[3]。如伽利略与牛顿的物理学，即视自然为二。依据这种假定，我们的自然，一方面是作为知觉中或经验中的自然。这是有声有色，可见可闻的。如树之绿，水之流。另一方面是作为知觉或经验原因的自然。这是无声无色，无意无情的自然。如原子电子，或推论所得的"物质"或"实体"。怀氏指出，自然经过这样分割，其后果是："我们所见所闻的色声等性质，遂被排斥于自然的真实部分之外。自然的真实部分，或构成自然的客观原素，已不是可见可闻的色声等性质，而是不可见不可闻的原子电子或'实体'。所谓客观真实的自然，在科学上，遂成为无声无色的自然"[4]。在他看来，自然的真相不是这样的。相反，"自然是不可分割的，是不能截为两段的。自然是一个整个的自然。……知觉之外无自然。一

---

① 谢幼伟:《怀黑德学术》，第 9 页，中央文物供应社，1953 年。
② 同上书，第 10 页。
③ 同上。
④ 同上书，第 11 页。

切自然均在知觉中"①。而在知觉中观察到的为"事素"（Events），知觉中的自然就是由"事素"组成的。"事素"不是永存的，而是在不断的创新历程中，所以，自然也是在不断创新的历程中。不过，"事素"虽不是永存的，然而通过我们的知觉或认识作用，却可以认知有永存不逝的"所对"（Objects）。"所对"是我们认识上的产物，经过思维的抽象作用而成的。由此，怀特海得到的结论是；"我们直接所觉的是'事素'，由'事素'而认知其永存的，即成所对。所谓自然，乃发现于我们感官知觉中的一丛'事素'，除此之外，别无自然，亦别无自然的根本"②。这是怀氏批评传统科学观念后提出的看法，也是他科学哲学中的自然观。

同样，对"简单定位"也这样进行了评析，在批评牛顿绝对时空观的过程中，怀特海阐明了自己的时空观。最后作者指出，"上述的自然观和时空观，实是怀氏哲学系统的基础"③。他正是在这个基础上，一方面通过"实际体"概念的阐释，把怀氏哲学体系的总体面貌概括出来了，另一方面又透过这个体系指明了它的主要特征。这是谢幼伟对怀特海哲学的全面理解及其最忠实的表达。要做到这一点，没有对于怀特海哲学"登堂入室"的工夫，是难以办到的。

三、殷海光与逻辑实证论在台湾的传播

在研究与传播逻辑实证论方面，殷海光做出了重大贡献。

殷海光（1919—1969），湖北黄冈人。1938 年考入西南联大。

---

① 谢幼伟：《怀黑德学术》，第 11 页，中央文物供应社，1953 年。
② 同上书，第 12 页。
③ 同上书，第 14 页。

在这里，他接受了五四时代知识分子为自由、民主和科学而奋斗的思想洗礼。1944 年从军抗日。1945 年退伍后在重庆独立出版社与《中央日报》分别担任编辑与主笔，1946 年还被金陵大学聘为副教授。

1949 年春，殷海光到台湾后继任《中央日报》主笔。8 月，因为受到无端攻击毅然辞职转至台湾大学任教。11 月，与胡适、雷震等人创办《自由中国》半月刊，任编委与主笔。1954 年作为访问学者赴哈佛大学考察、研究、讲学一年。回台后，他一面在台大继续执教，一面为《自由中国》和香港《祖国》周刊撰稿。在五六十年代的台湾，殷海光以鲜明的自由主义者的身份在投身现实政治批判的同时，为了凸显认知的独立意义，在困难的条件下还开展了逻辑实证论的研究与传播。1969 年受聘为哈佛大学研究员，但遭台湾当局的阻拦与迫害，未能成行。同年 9 月 6 日，殷海光含冤去世，年仅 50 岁。

在这样短暂的一生中，以他大量的政论与哲学论著，为我们留下了一笔宝贵的精神财富。这里，着重介绍一下他为逻辑经验论的研究与传播作出的贡献。在这一方面，到台湾后，他继承了三四十年代中国哲学界开辟的学术思路，在五六十年代，发表有关逻辑经验论的文章，就有：《科学经验论底征性及其批评》、《逻辑经验论导释》、《实证论导引》（译文）、《因果的解析》、《逻辑经验论的再认识》、《论科际整合》、《运作论》等。这些论文从不同的角度或侧面，论述了逻辑经验论的历史演变及其基本思想。

在这些文章中，《逻辑经验论导释》具有代表性。首先，在这篇文章中，殷海光在为逻辑经验论定位时，提出了对它的总体评价。他认为，"如果从问题底形成，解决底方式，以及发生的效应来划分，那么哲学可分两种：第一种可以叫做社会哲学；第二种可以叫做专技哲学"①。在他看来,社会哲学只能算是一种理论前期的知识。因为虽然它能够掀起"时代精神",产生实际社会效应,但它缺乏精确的概念、完整的理论构造与专用的语言符号。相反,只有专技哲学才是一种纯理论的知识,因为社会哲学缺少的它都有。因此,虽然它不直接掀起"时代精神",但在解决理论问题上,它具有独特的优越性。这样一来,说它是一个哲学派别,"不如说是介于哲学与科学之间的运动"②。殷氏指出,以维也纳学派衍发而来的逻辑经验论,便是这样。而且,他还认为,在现代西方哲学中,这一运动"所需技术的知识程度之高,对于有关哲学和科学的基本问题刺入之深,以及对于哲学和科学研究的影响之广,至少在20世纪是仅见的"③。这是作者对逻辑经验论在现代西方哲学发展过程中的定位,也是他对它的总体认识和评价。毫无疑问,这个评价是很高的。

殷海光对逻辑经验论的导释,就是在这种认识与评价的基础上进行的。他认为,要全面了解逻辑经验论,"必须从哲学的历史和问题底平面入手"④。通过前者,阐明它的理论渊源、先驱者以及思想由来;通过后者,陈示它对传统的批评与它所建立的是什么,以此展现逻辑实证论的理论主张。他在导释中,便是根据这一思路从上述两个方面展开的。

从追溯理论渊源来说。作者认为,逻辑经验论是由维也纳学派的发展而衍生的。因此,在考察其思想来源时,首次阐述了维也

---

① 殷海光:《逻辑经验论导释》,见《思想与方法》,第170页,台北桂冠图书公司,1990年。

② 同上书,第169页。

③ 同上书,第170页。

④ 同上书,第172页。

纳学派的兴起。他指出,在 20 世纪的二三十年代,欧洲大陆哲学界主要流行的思想有传统哲学、进化论与解析论,维也纳学派是在反对传统哲学,"以解析派这一路底孕育与扩大而形成的"①。因此,在思想上,凡具有明显的反形上学、反玄想、重经验、重解析,并且持怀疑倾向的哲学家和科学家,都是它的先驱。

　　具体说来,这些先驱在哲学史上是源远流长的。如古代的伊壁鸠鲁,中世纪的唯名论,近代的培根、洛克、休谟以及现代的穆勒、孔德、彭加勒与马赫等。这些先驱在思想内容上,也是多种多样的。有经验论与实证论,还有符号逻辑学及数学基础、行为学;更有实效学、运作论。就是在这些思想的影响下,以石里克为首的维也纳学派于 1923 年在维也纳大学诞生了。在这个过程中,罗素与维特根斯坦对它的影响是巨大的,然而,使维也纳学派发展成为逻辑实证论,决定性的人物却是卡尔纳甫(R. Carnap)。为了帮助读者了解逻辑经验论的主旨及其理论成就,在介绍先驱者对逻辑实证论形成的影响时,作者还分别阐明了他们的学说与逻辑经验论构成的有关论点。在进行这些论述后,作者指出:"自此以后,这一运动思想线条愈来愈分明,逻辑解析技术的运用愈来愈锋利,科学方法底吸收愈来愈丰富。逻辑经验论得以有如今它所表现的规模,无疑是参加其中诸优秀学人努力所致。然而,如果没有罗素,维特根斯坦及开纳普底思想灌溉,逻辑经验论甚难获得此后的成就"②。

　　从陈示理论内容来说。在这一方面,作者通过"哲学与语

_____

① 殷海光:《逻辑经验论导释》,见《思想与方法》,第 173 页,台北桂冠图书公司,1990 年。

② 同上书,第 182 页。

言"、"哲学底功能"、"可印证性"、"形上学之批评"与"伦理学之批评"等论题的阐释,把逻辑经验论的理论观点展现出来了。

例如,在"哲学与语言"中,论述了语言学训练对于哲学研究的重要性以及语言学的观点。作者指出,从维也纳学派到逻辑经验论这一衍发的主要目标之一,是要为哲学建立一个语言的意义标准。然而为了建立这个意义标准,却"不可不求助于语意学"①。尤其是人类知识发展到今天,"哲学与语意学有了不可分离的关联"②,就像随着原子物理学的出现,将物理学推进到了一个新的阶段一样,由于语意学的兴起,哲学才逐渐走出传统的迷宫,踏上了有真假对错可言的道路。因此,作为一个现代学者,如果没有语意学的训练而言哲学,那么,其结果就有如不懂高等数学而大谈现代物理学一样。这是因为,哲学只是一种认识活动,如果把自然语言拿来作为讨论的工具,不仅不能达到讨论者提出的讨论目的,而且还会难免毛病百出,甚至使讨论离题万里。这是运用自然语言把非认知活动的意念挟带进来的结果。因此,为了避免出现的这些毛病,"必须将自然语言经过语意学的消毒"③。这是从事讨论的必要条件,对于哲学讨论尤为重要。

要指出的是,这里说的语意学,是专指学院派和记号学及符号逻辑学联系一起的语意学。"在这种用法之下的语意学乃是一种解析科学"④。为了使读者深入理解哲学与语意学有何关联,作者还介绍了有关学者,如塔斯基与卡尔纳普的有关学说,阐述了语意

---

①　殷海光:《逻辑经验论导释》,见《思想与方法》,第 194 页,台北桂冠图书公司,1990 年。

②　同上。

③　同上书,第 195 页。

④　同上。

学中一些重要概念,如同义、歧义、同一、指谓、意义、模态等的含义与用法。最后作者指出,如果采用塔斯基语意学提出的方法,那么,自然语言的效用势必减少到最低限度。这样,不仅自然语言所窝藏的本能意义和反射习惯都会随之汰除,而且,"形上学便无地容身了"①。

又如,在"哲学底功能"一题中,论述了逻辑经验论的哲学功能观。作者认为,"传统的形上学家常有一项极具野心的雄图,即是想凭一己之玄思来构造一个统摄宇宙的第一原理,然后仅仅藉着演绎推理或难以名状的思想活动,将宇宙以内的发展一一由之陈述出来"②。这种想法的心理背景,与亚历山大、成吉思汗和拿破仑毫无差别,都是人类在其心理上比较年轻的表现。"时到20世纪,这类底哲学家少之又少了"③。在逻辑经验论者看来,形上学家的这种雄图不过是一项迷信罢了。因为它所需要第一原理的建立,是超出人类能力以外的事情。作者站在逻辑经验论的立场上,嘲笑了的形上学家的这种企图。认为果真如此,那我们可以据此建构关于实在的完全图像,科学家也可以依此研究万有,癌症也就迎刃而解了。这显然是不现实的。相反,"逻辑经验论者认为哲学的基本功能是作逻辑解析"④。这种"解析"只是在于"厘清"。只有接受过逻辑和语言学技术与训练的学者,才有可能在哲学中作好厘清工作。这里的关键在于,"解析家并不直接过问事物的性质如何;他们只问我们叙述事物性质所用的语言

---

① 殷海光:《逻辑经验论导释》,见《思想与方法》,第199页,台北桂冠图书公司,1990年。

② 同上书,第202页。

③ 同上。

④ 同上书,第204页。

方法"①。因为哲学语句不是事实语句,哲学语句在性质上是属于语言的。特别是在逻辑经验论者看来,哲学是后设科学的学问。这是一种厘清科学概念,预设并显示各种科学的限度及其相互关系的学问。因此,"哲学家的工作是分析科学的语言,而且发展科学的逻辑与方法"②。正如卡尔纳普说的那样,"哲学是科学的理论。这也就是说,哲学乃科学的概念、命辞、证明和学说之逻辑的解析。这样看来,哲学与科学在任何情形之下无冲突可言。哲学所优为者,乃促进科学的发展"③。

再如,在"形上学之批评"一题中,论述了逻辑经验论反对形上学的理由。作者指出,在传统形上学中,有拟似问题,还有真实问题。逻辑经验论对形上学的批评,是以对语句或命辞的一种分类(解析语句与综合语句)为根据,针对它的前一意义进行的。因为直到现在为止,在直陈语句中有,而且只有解析语句与综合语句两种。"就两种语句而论,必然的效准与实在之论断失之于彼者得之于此,而得之于此者则失之于彼。没有一种语句可以二者得兼"④。然而,过去认为有一种语句既具有必然的效准,又对实在有所论断,即所谓综合的先验判断。要是对它加以分析,便显露出它不是乔装的解析语句或介说,就是隐蔽的综合语句,或者是这两种语句的搅混。如果要使它还原到解析语句或综合语句,必须对这种语句进行适当的语言手术处理。因此,根据这样的分类,"逻辑经验论者要问:传统形上学底陈叙词究竟是属于这两类语句底

---

① 殷海光:《逻辑经验论导释》,见《思想与方法》,第205页,台北桂冠图书公司,1990年。

② 同上。

③ 同上书,第205—206页。

④ 同上书,第208页。

哪一类。如果传统形上学底陈叙词不属于这两类语句底任何一类,那么逻辑经验论者认为其不合法(illegitimate)。不合法的语句是没有认知作用的。没有认知作用的语句必须扬弃于认知范围以外"①。这就是逻辑经验论反对传统形上学的缘由。作者认为,在这一方面,卡尔纳普对传统形上学批评的言论,是极其鲜明而又精辟的一位。因此,他在文章中大段大段地加以引用,以此希望把问题说得清楚一些。

通过这几个例子的分析介绍,可以略窥逻辑经验论理论内容的大概。在这个基础上,作者把它和传统哲学进行比较,认为它们"并不在一个平屈之上"②。不过,这不是说逻辑经验论高于传统哲学,而是表示它在哲学的发展过程中进展到了一个新的阶段。主要表现是,它同传统哲学比较有两个不同因素,即严格而彻底的语言批评与逻辑解析技术的广泛应用。如果用这种观点去考虑传统哲学中争论的许多问题,作者指出,那么,"依人类目前的知识所能达到的能见度而论,有而且只有从哲学解析的眼光并且运用哲学解析的技术才可望厘清并且安顿这些问题至某种程度"③。因此,作者还最后指出,"如果哲学要从它底迷雾阶段脱离出来,那么必须进行重建,能担负起哲学重建工作的,比较有效力的路线是逻辑经验论"④。因为在他看来,这是由逻辑经验论具有高度弹性、吸纳性与能够构造一种共同语言等特点决定的。

通过对这篇文章的分析以及与此有关的文章,可以看到,殷海

---

① 殷海光:《逻辑经验论导释》,见《思想与方法》,第208—209页,台北桂冠图书公司,1990年。

② 同上书,第217页。

③ 同上书,第219页。

④ 同上书,第218页。

光大体上把逻辑经验论平实地介绍给台湾读者了。其中,包括逻辑经验论产生的背景、先驱者、思想由来以及这个学派的基本理论主张,如它所强调的有关实际世界的知识须以感官经验为最后依据,任何不能被经验(感觉)所证实的事实都是毫无意义的;除了"分析命题"与"分析语句"这两类命题或语句外,其他无法用逻辑经验检验的命题或语句,都不具备认知意义;以及由此引申的对形上学与伦理的立场等。虽然这些文章多是介绍性的,但其中也表达了经过独立思考后对逻辑经验论的某些识见。因此,从纯技术上看,尽管殷海光在这一方面并无原创性的贡献,但是由于他高举逻辑经验论的大旗,并且身体力行,撰写论著,培养人才,为推动这个学派在台湾的传播进行了多方面的努力。通过这些努力,不但成为他追求自由、真理、民主、科学的方法论基础,使他以此反思传统文化,重建中国文化以及改造民族思维方式,而且还因此引导一批年轻人走上了科学哲学研究的道路,成为"科学实证论"台湾形态的重要催生者之一。

要特别指出的是,殷海光对逻辑经验论的引介,是在台湾哲学界和思想文化界处在一个比较封闭的状态下进行的,因而这项工作不仅有知识上的意义,而且还具有对抗和消解僵硬意识形态的功能。因为在进行这种研究时,殷海光像逻辑经验派哲学家那样,把知识作为解决人类面临各种问题的根本,认为通过这种引介,可以使它成为训练如何思想的有效工具,使它成为批判专制和独断的利器。所以,在殷海光那里,在台湾传播逻辑经验论,便成为他整个启蒙工作的一部分。正如他自己承认的那样:"我二三十年来与其说是为科学方法而提倡科学方法,不如说是为反权威主义、反独断主义、反蒙昧主义(obscurantism),反许多形色的 ideologies(意缔牢结)而提倡科学方法。在我的观念活动里,同时潜伏着两

种强烈的冲力:第一是 iconoclasm(反传统思想);第二是 enlighten-
ment(启蒙)"①。事实正是这样。

四、陈鼓应还尼采哲学本来面目的努力

在唯意志主义哲学的传播过程中,最早的一个表现是陈鼓应
《悲剧哲学家尼采》一书的问世。

陈鼓应(1935—),福建长汀人。年轻时在台湾大学哲学系
与哲学所学习后,并长期在母校任教。据其自述,早在本科读书期
间,就被柏拉图哲学所吸引,但当时对它所论述的内容,心态上却
是格格不入的。只是到 1960 年念研究生时,在看了尼采的《查拉
图斯特拉如是说》后,"方得知西方哲学另有新天地"②。这种感
受一方面是由于尼采作品在他感性生活上引起了巨大的共鸣,另
一方面也是尼采思想在他的理智生活中产生了很大的启发。因此
在一段时间内,他全身心地投入到尼采哲学的研究中去,并于
1962 年撰成《悲剧哲学家尼采》一书。同年自费刊出,1966 年由
台湾商务印书馆出版。除此以外,这个时期论述尼采哲学发表的
论文,还有《尼采的价值转换》(1967 年收入《存在主义》一书中,
台湾商务印书馆)与《尼采的挑战》(大学杂志,1972 年二月号)。

在陈鼓应早年研究尼采哲学的这些论著中,他的目的是要为
恢复尼采哲学的本来面目作出努力。一方面,这是他反复深入钻
研尼采著作后,基于对尼采哲学的认识提出来的。正像他说的,
"尼采思想的伟大处,在于把人的力量视为一切创造的本源,他歌

---

① 殷海光:《致林毓生》,见《殷海光林毓生书信录》,第 149 页,台北狮公出
版公司,1981 年。
② 陈鼓应:《悲剧哲学家尼采》"增订新版序",见《悲剧哲学家尼采》,第 4
页,三联书店,1987 年。

颂生命、奋进与超越。在经历传统哲学唯理的独断观念重压之后，尼采精神不啻是一种醒觉的讯号，尤其是在霸权主义猖獗、生存意识纠结纷乱的今天，对于尼采的思想，我们有重新认识的必要，这也是我写本书的最大动机"①。在他看来，尼采哲学在西方哲学发展过程中具有重要地位。它不但深深地影响了现代西方人的生活态度，更为主要的是，它广泛地影响了现代西方哲学的思想界。如果研究西方哲学，要是略去或不能正确理解尼采，那么，他对现代西方哲学是难以形成正确观念或认识的。例如，搞不懂尼采，要想说清存在主义，显然是不可能的。由此可见，对尼采进行一番深入的研究，是十分必要的。

　　另一方面，这更是他考察了各种对待尼采哲学的错误态度后采取的实际步骤。他看到，虽然尼采哲学在西方哲学史上占有重要地位，然而长期以来，却遭到了不少人的曲解或误解。尽管表现不同，如英美法思想家对他的谩骂，德国法西斯分子对他的颂扬，但他认为，这些对尼采哲学采取的态度，都是"断章取义"的结果②。陈鼓应指出，"断章取义的词句往往和尼采的原意完全相反。他们的曲解和误解，使得生前饱受冷漠的尼采，死后却一直被热烘着。现在，我们要在热烘的声浪中冷静下来，从这位震撼着二十世纪思想界的怪杰的著作中，逐一探讨他的本意"③。就是说，通过这种对尼采著作的探讨，阐明他的真实思想，以此澄清与纠正对尼采的曲解和误解，还其哲学的本来面目。在当时传播尼采哲学的过程中，这一思路或要求的提出，是有针对性的。

---

① 　陈鼓应：《悲剧哲学家尼采》，第 13—14 页，三联书店，1987 年。
② 　同上书，第 16 页。
③ 　同上。

　　根据上述计划,陈鼓应在他的论著中,进行了多方面的努力。首先,通过尼采生平经历的生动描述、主要著作的亲切解读,以及对尼采哲学命题及其哲学思想充满感性色彩的阐述,在相当全面而真实再现尼采及其哲学本来面貌的基础上,还从整体上把尼采哲学的唯意论本义与精神揭示与概括出来了。他指出,"尼采的哲学,实是对于整个时代,整个人类命运的一种沉痛的呼声。在这沉痛的呼声中,他向西洋传统文化提出了一个深沉的抗议与挑战"①。例如,"西洋传统哲学均重形上学宇宙论或知识论,尼采则以为哲学不仅是一种理论,更是一种生活。所谓哲学,即是'人'的哲学,人的存在问题自应居于首要的地位"②。因此,"尼采给人一股向前的推动力,他的哲学实在充满着上升的意义"③。而且,"由此可知,尼采在西洋哲学史上实占着一个特殊的地位:他一面抗击千余年来传统哲学的虚妄,同时下开现代哲学之先河"④。

　　其次,运用上述对尼采哲学本义与精神的阐明,从理论上澄清与纠正了对尼采哲学的误解与曲解。在尼采哲学中,遭到误解与曲解的哲学命题与理论观点不少,但最为集中的是"超人"与"冲创意志"学说。以前者来说,有人把"超人"说成是英雄崇拜,有人宣称"超人"是尼采推崇骑在群众头上的统治者。然而陈鼓应通过对尼采著作的研究后却指出,"超人"并非是尼采的独创,在此之前德国的缪勒与赫尔德尔,早就使用这个词。不过,尼采笔下的这个词,被赋予了新的意义。作者认为,现在尼采所以在人类中高擎"超人"的旗帜,一方面,是他"有感于现代人类的不可收拾的颓

①　陈鼓应:《悲剧哲学家尼采》,第117页,三联书店,1987年。
②　同上书,第120页。
③　同上书,第121页。
④　同上书,第120页。

废,尼采深究'现代人'颓废之因,为受种种虚妄之文化价值熏染所致,由是尼采遂进一步从根追查而发现这些虚妄的文化价值乃出自于宗教,这是构成尼采反基督的最大的动机"①。另一方面,也是他对于古代希腊悲剧英雄的憧憬。因为"希腊人深切地了解人被投入世界后,生命充满着荆棘,短暂而可悲,最后终不免于一死。但他们却能挺起心胸,怡然忍受。复于饱尝人世苦痛之中,积健为雄,且持雄奇悲壮的气概,驰骋人世。如此以艺术的心灵征服可惧的事物,拓展狂澜的生命"②。在作者看来,只有"了解这种自强不息戡天役物的精神,才能把捉尼采超人的意涵"③。因此,他对尼采称"超人就是大地的意义"做出的解释是:"所谓'大地的意义'具有两层意涵;消极方面,为反基督教信仰、反基督教来生论世界观。积极方面,要回到古希腊自然主义的人生观"④。在作者看来,这就是尼采赋予"超人"的新的意义。而且,他还进一步指出,"尼采不愧为一杰出的生命哲学家,他了解生命是动态的,生命不是抽象的概念,也不是可以用'界说'来阐释的"⑤。因此,"超人"在尼采那里,"并不是一个具体的形象,因而也决非定义中的'物体'"⑥;他"除了说过'超人是大地的意思'之外,并未替超人下任何定义"⑦。原因在于,"人生是个动态的过程,人的生命是一种永久的征服,在这不息的征服中,富有无限战斗的意味……做一个超人,要能不断地前进并且升越地推动自己,在这个不断奋进

---

① 　陈鼓应:《悲剧哲学家尼采》,第76页,三联书店,1987年。
② 　同上书,第80页。
③ 　同上。
④ 　同上书,第75页。
⑤ 　同上书,第78页。
⑥ 　同上。
⑦ 　同上。

的道路上,发展本身便是目的。这种发展——重视人的最高潜能及自我超越的意志——乃是最高自由的表现"①。就这样,既相当准确地把尼采"超人"的本义阐释清楚了,也较为有力地澄清与纠正了各种对尼采这个学说的误解与曲解。

这是作者出版的第一部著作。虽然当时他是怀着单纯"反传统主义"的思路,字里行间不免借尼采来抒发一己之感怀,表达方式上充满了激烈的感情色彩,因此在学术观点上不曾提出多少具有深度的见解,但书中对尼采哲学的介绍与阐释,都是以尼采的著作为根据,经过一番思考提出来的。可以说,由于这本书的问世,不但作者还尼采哲学本来面貌的目的,较为圆满地实现了,而且,在当时西方哲学的传播过程中,它对于引导读者正确认识与接受尼采哲学,也有一定的积极意义。

五、吴康对柏格森生命哲学的解说

进入20世纪60年代以后,吴康的西方哲学研究发生了一些变化。最先的一个表现是,1961年动笔,因牵于讲课,时作时辍,到1964年撰成并于1966年由台湾商务印书馆出版的《柏格森哲学》一书。

在这本书中,吴康对柏格森的生命哲学进行了相当全面的介绍。他所以开展这项工作,是因为在他看来,柏格森是现代生命哲学的导师,是19世纪末叶到20世纪初叶西方哲学界最具代表性的人物。特别是他创立的直觉方法,可以说是"哲学方法史上之大革命,比于康德哥白尼式的革命,羌无愧色"②。因此,要是把柏

---

① 陈鼓应:《悲剧哲学家尼采》,第78页,三联书店,1987年。
② 吴康:《柏格森哲学》"序",第2页,台湾商务印书馆,1966年。

氏生命哲学中的精华采撷过来，那么，它对于未来中国哲学的建设，显然是有帮助的。

从这种考虑出发，吴康在热情地进行介绍时，主要是依据柏格森的主要著作，即《意识之直接与材料》（英译为《时间与自由意志》）、《物质与记忆》、《创造进化论》、《绵延与时间》与《道德与宗教之二源泉》进行阐述的。而且，在分别对它们阐述时，在书中又是通过"导论"、本文第 8 章与"结论"依次展开叙述的。

首先，在《导论》中，除有柏格森传略的描述与其思想渊源的追溯外，还有柏氏生命哲学中心思想及其上述著作要旨的提示。例如，论及前者时，作者写道："其中心思想，在以直觉方法，认识意识绵延，于以说明心与物之关系，指出'生命奋进'（生命冲进力）为宇宙进化之原动力，以此成立其创造的进化之新哲学理论，并以其基本观念，施之于道德及宗教"①。又如，谈及《意识的直接与材料》的要旨时指出，"此书内容系从心理学基础，讨论绵延（真实的时间）与可量度的时间之分别，以认识真我之本性，从而解决哲学上最多疑难之自由问题"②。通过对柏氏生命哲学中心思想及其著作要旨的提示，为读者认识和接受柏格森的生命哲学从思想上准备了条件。

在书的本文中，作者使用"绵延"、"直觉"、"自由"、"物质知觉与记忆"、"创造的进化"、"道德思想"、"宗教思想（一）——静的宗教"、"宗教思想（二）——动的宗教"、"诙谐因素之分析"与"原梦"共 10 章的篇幅，较为具体而扼要地叙述了柏格森著作中

① 吴康：《柏格森哲学》，第 10—11 页，台湾商务印书馆，1966 年。
② 同上书，第 11 页。

分别阐明的生命哲学观点。其中,前8章是对《意识之直接与材料》、《物质与记忆》、《创造进化论》、《绵延与时间》与《道德与宗教之二源泉》内容的介绍;可以说,这是对柏氏生命哲学观点的具体解说。最后两章,是柏氏生命哲学实例的展示;可以说,这是其思想流行与演化的表现。

在"结论"中,在前述正文叙述与解说的基础上,首先有对柏氏思想及其著作阐述后的归纳。例如,作者认为,由直觉这个基本观念推演发展而形成的柏格森的生命哲学体系,"第一,为方法论。讨论求真理之方法,以直觉窥见绵延,说明时间与自由之真义,于以到达生命之本体。第二,为心理学。论心灵之性质,及其对于身体(脑)之关系,以记忆问题为讨论之中心。第三,为生物学。指出'生命奋进'为进化之原始力量,向上发展,由生命之低级形式,而自由奋进,成所谓创造的进化。第四,为神学理论。指道德与宗教思想,论人性之表现于道德与宗教,而各有静与动态之分"①。这些概括,是否准确,可以进一步研究,但在一定程度,通过这些归纳,大体上把柏氏生命哲学的基本观点较为真实地呈现出来了。这对于读者全面认识和把握柏格森哲学的基本精神,是有帮助的。其次,还有对柏氏思想得失的评判。不过在这一方面,相对说来,较为薄弱。

作者上述对柏格森著作及其生命哲学观点的有层次介绍,不但是相当系统与全面的,而且从中还可以看到吴康研究西方哲学发生的变化。主要是在这本书中,作者不像20世纪50年代那样,把自己的作品染上了浓重的政治化色彩,以此充当台湾当局"反攻复国"的工具。相反,而是从发展与繁荣中国的哲学事业出发,

---

① 吴康:《柏格森哲学》,第260页,台湾商务印书馆,1966年。

通过对柏格森著作的钻研,以柏格森的著作为依据进行原原本本的介绍。因此,虽然其中不曾提出多少有深刻见解的观点,但这种客观的介绍对于当时台湾读者正确接受柏格森的生命哲学是有意义的。不过,要指出的是,柏氏哲学在中国的传播,早在二三十年代即已奠定了极为厚实的学术基础;如果把吴康的《柏格森哲学》放在西方哲学东渐的过程中进行考察,那么,在学术上却不能说有所深化。

六、存在主义哲学传播的热闹景象

进入 20 世纪的 60 年代,存在主义哲学在台湾的传播,一度曾经出现了颇为热闹的景象。

原因在于,一方面随着经济的发展,台湾社会在开始迈向工业社会的过程中,台湾当局却仍然推行一套不合历史潮流的政策,使生活在这里的人们,特别是知识分子与年轻人,面对严重的政治压抑与新的价值观念的挑战,深深感到不能适应,因而引起了他们对未来的强烈不确定感。正如陈鼓应当时所说,"我们面临着古老价值急速崩溃的世界,时代的危机紧逼着我们,使们感到焦虑,感到不安。存在主义思想家便在这种情景下,揭露问题,并努力于寻找一些可供解答的方案。虽然,到目前为止他们的成效没有得到定论,然而他们的用心已赢得无数人的喝彩"①。例如,存在主义关于疏离、矛盾、荒谬、失落、迷茫等情绪的描述,正好作为当时人们心灵状态的解读,引起了各自思想深处的强烈共鸣,在一定程度上也满足了他们认识台湾社会的需要。与此同时,有的学者还认为,"由于中国哲学一向重视人生实际问题,诸如人生的意义、存

---

① 陈鼓应:《存在主义》,"写在前面",第 1 页,台湾商务印书馆,1967 年。

在的价值等,反而忽视抽象学理,因而颇能契合于存在主义。加上其中一些直觉式的思想因素,与禅学类似体悟自性的思想相合,使一般人企盼能借以安身立命"①。甚至有的发现,"绝大部分的存在主义者,都在发扬'仁爱'为职志,都在指出人生的'矛盾'、'荒谬'、'痛苦'之后,指导人类走出'矛盾'、'荒谬'、'痛苦',而走向'和谐'、'幸福'、'仁爱'"②。因此还指出,如果输入后使其纳入正轨,那么便"确实有助吾人'认识自己',亦有助吾人'充实自己',对国家民族的意识亦将助益无穷"③。这些,是从台湾社会的现状以及人们思想观念的变迁出发提出必须引进存在主义哲学的理由。

然而,另一方面,当存在主义在台湾社会中广泛传播开来以后,又引起了另外一些学者的忧虑与不满。并且从他们所属的文化思潮出发,宣称这里已经被"错误的存在主义学说所笼罩着,其中充满了悲观失望的灰色思想,充斥了疯狂谩骂的暴乱主张;甚至,更有藉存在主义之名,来宣传自己的反宗教情绪;更有甚者,藉存在主义来煽动青年,实行反政府、反制度的不健全思想"④。出于这种认识,有些学者为了克服存在主义传播过程中出现的所谓不良倾向,澄清因传播中产生的对存在主义的误解,从这个角度出发,也撰写与发表了不少谈论存在主义哲学的作品。

---

① 沈清松:《哲学在台湾之发展》,见《海峡两岸学术研究的发展》,第29页,台北中国论坛社,1988年。

② 邬昆如:《存在主义真象》,见《存在主义论文集》,第1页,台北黎明文化事业公司,1963年。

③ 同上。

④ 同上书,第2页。

　　这样一来,基于不同的动机,各派学者程度不同地都开展了存在主义的传播工作,使它在台湾的传播热闹起来。首先,大专院校的哲学系所里纷纷开出的有关存在主义的课程,其中有综合介绍的,也有个案专题研究的,都成为同学们踊跃选修的对象。其次,坊间出版的大量有关存在主义的作品,其中有译著,也有台湾学者自撰的,都成为读者争先购买的抢手货。在这一方面,先知出版社、黎明文化公司与幼狮出版公司分别出版的此类专书,给人印象相当深刻。再次,一些学术团体通过各种形式相继举办的讲演,为存在主义的广泛传播起了推波助澜的作用。最后,特别是报纸杂志刊出的有关存在主义的大量文章,更是增浓了传播的热闹气氛。而且,在介绍与探讨中,因不同学派作者对存在主义认识上的分歧,还不时燃起一些争论或论战。例如,当时的《文艺》月刊,就曾经成为双方争论的战场,甚至国民党的《中央日报》也不甘寂寞,辟出版面刊登争论萨特的文章。争论的内容虽然很多,但主要是围绕着存在主义的"人生观课题展开的"①;人生究竟是荒谬的,还是有意义的;世界是矛盾的,还是和谐的。争论中提出的不同看法,真实地反映了一部分生活在台湾社会中的人的思想状况。通过这些论争,推动了存在主义在台湾的传播与影响。

　　在这个过程中,仅从论著的纷纷问世来说,除发表了一批论文,译介了一些存在主义哲学家的著作与其他国家学者研究存在主义的成果外,台湾学者撰写与出版的有关存在主义著作,据不完全统计,就有:

---

　　① 邬昆如:《欧陆现代哲学在台省的创新与发展》,载台湾《哲学杂志》,第25期,第25页,1998年8月。

存在主义哲学	劳思光著	香港友联出版社	1959 年
发展中的存在主义	邬昆如著	先知出版社	1962 年
存在主义童话	邬昆如著	先知出版社	1963 年
存在主义透视	邬昆如著	黎明文化事业公司	1963 年
存在主义	陈鼓应编	台湾商务印书馆	1967 年
存在主义真象	邬昆如著	幼狮出版公司	1968 年
存在主义简介	孙振青著	光启出版社	1968 年
存在主义论丛	赵雅博著	东大图书公司	1969 年
现代存在思想家	项退结著	现代学苑	1970 年
存在主义与人生问题	牟宗三等编	香港大学生活社	1971 年
存在主义奥秘	郭圣冲著	台湾商务印书馆	1972 年

上述著作在内容上，由于作者思潮背景及其对存在主义认识与态度的差异，有热情推崇与积极进行客观介绍的，有阐述时引申与表达自己观点的，也有对存在主义及其在台湾传播进行严厉批评的。据说，其中有些学者的作品，颇受青年读者的欢迎。下面，选择一些有代表性的，简单分析一下。

首先，陈鼓应的《存在主义》

这是陈鼓应主编的一本全面评介存在主义哲学的文集。其中，有存在主义哲学家论著的译文，有国外学者阐释存在主义哲学的成果，但主要是一批台湾学者评述存在主义哲学的文章。

在书的开头，编者指出，"在存在主义的称号下，常被提到的人物有齐克果（Kierkegaard），尼采（Nietzsche），雅仕培（Iaspers），海德格（Heidegger），沙特（Sartirce），以及马色尔（Marcel）。如果把范围扩大一点，还包括这几位文学家：陀斯妥耶夫斯基，卡夫卡和加缪。严格说来，存在主义并不能算是一个学派，因为被称为存在主义的哲学家并没有明确一致的主张；除了他们从不同的角度表现出某些共通点（比如强调个别性与特殊性）之外，他们彼此的歧见却远甚于他们的共同意见。他们都朝自己的独特方向发展着,有些人的思想发展之结果,远超出'存在主义'的范围与基点,甚至于和存在主义的基本精神背道而驰。例如齐克果……如果从这一个层面上来看齐克果,显然他只是个神学家,虔信者,而不复为存在主义者"①。在他看来,实际上"存在主义的'存在',乃是指'人'的'存在'。惟有以人为本位的存在主义,才是名符其实的存在主义。凡属神本主义或任何企图以'超越'等观念来代替破旧信仰的,都应在删除之列"②。他的《存在主义》一书,便基本上是依据对存在主义这种理解进行编选的。

　　因此,书的第一部分在"存在主义哲学和哲学家"的标题下,在对存在主义进行了简要叙述的基础上,突出了尼采、海德格尔与萨特在存在主义哲学中的重要地位阐述;不论蔡美珠译出的《沙特》一文,还是陈鼓应与唐君毅分别撰成的《尼采》与《海德格》两篇专文,都是这样强调与阐述的。因为他们认为,在扫除神本主义的过程中,"尼采的工作最值得赞扬"③,但如果从以"人"为本位的观点考察,那么,"当代存在主义应以沙特为中心。而沙特的许多重要观点却来自海德格,所以海德格哲学是很值得重视的"④。就是经过这样一番考虑,陈鼓应才把第一部分的内容编排下来。

　　然后,第二部分在"存在主义论文集"标题下,精选了近十年来台湾学者研究存在主义哲学中 5 篇有一定分量的文章,即傅伟勋的《西方二元论世界观的崩落与存在主义的兴起》、叶新云的

---

① 　陈鼓应:《存在主义》"写在前面",第 2 页,台湾商务印书馆,1967 年。
② 　同上书,第 3 页。
③ 　同上。
④ 　同上。

《齐克果和尼采看——反俗众的"个人"》、张系国的《雅斯培的"理性与存在"》、刘崎的《沙特》与张系国的《城堡·蝇·瘟疫》，以此在第一部分重点介绍的基础上，引导读者形成对存在主义哲学的全面认识。

收集在这本论文集中的文章，对于存在主义在台湾的传播，大都采取了欢迎的态度。因此，从这种态度出发，他们在介绍与评述存在主义哲学时，一般都是较为热情的与客观的。对于存在主义在台湾的传播，曾经产生过积极的影响。

其次，项退结的《现代存在思想家》

项退结(1923——   )，浙江永嘉人。1941年完成中学课程后，进入宁波保禄神学院学习哲学，并于同年11月赴意大利米兰圣心大学深造。在这里取得博士学位。到台湾后曾任政治大学、辅仁大学等校教授。著述颇丰。

在《现代存在思想家》中，通过克尔凯郭尔、雅斯贝尔斯、海德格尔、萨特、马塞尔、别佳也夫六位哲学家的介绍，把存在主义哲学思潮的产生、发展、主要哲学家的哲学观点，相当全面地展现出来了。而且，在全面介绍的过程中，有些对存在主义哲学观点的分析与概括，对于认识与把握存在主义的理论学说，具有一定的意义。

第一，作者认为，他在书中叙述的六位哲学家，只是存在思想家，不能把他们称为存在主义者。因为"存在主义"这一名词是萨特首创的，对于其他哲学家的看法，则有所不同。如海德格尔。他只讲"存在"，闭口不言"存在主义"，雅斯贝尔斯则只用"存在哲学"，而克尔凯郭尔既不言"存在哲学"，也不说"存在主义"。因此，把这些哲学家统统称为存在主义是不正确的。他认为，他们都只是存在思想家，而不是存在主义者，因为他们在使用"存在"概念时,都有自己不同的解释。

　　第二,作者认为,虽然他们赋予"存在"的含义有所区别,但是,也有共同的地方,即他们都以生命的体验为出发点去思考与研究哲学。具体表现在,他们所思考与研究的首要对象,是每个人自己的存在。如克尔凯郭尔。他认为"存在"是每个人内心所体验的,经过自由选择的、符合人性的生活方式。又如海德格尔,则主张哲学最主要的课程只是对存有意义的追究,而为了明了存有,最好从发生这一问题的存在者(Dasein)开始,也就是从人开始。人(即"此在")能够对它本来的存有采取立场,它可以选择自己的存有,或者拒绝自己的存有。这种选择或拒绝的可能性就是存在。再如雅斯贝尔斯。对于他来说,存在就是每个人孤独地面对自己、面对世界作自己选择的经验。还有萨特。在他的心目中,存在是绝对的自由构成的。他主张存在先于本质,人必须替自己设计,否则他什么也不是。人不过是他自己所造成的东西。最后是马塞尔。他认为人生最大的痛苦是隔离和孤独。因此,他主张人应当彼此共融,不应把他人和他物看成是纯粹客体,而应视之为亲临于主体的存在。通过这些观点的具体分析,作者还从整体上对存在主义的思想特征作出了如下的概括:1. 重视单独的个人;2. 强调主观真理;3. 尊重个人的自由与抉择。

　　第三,作者指出,由于这些哲学家在存在思想上的差异,还使他们各自在理论方向上走上了不同的道路。具体说来,萨特经由存在主义走向了马克思;雅斯贝尔斯、马塞尔经由自己的决定,通过道德与信仰走向了超绝界;而海德格尔则通过人生经验,由此出发去理解存在。

　　前面说过,由于台湾学者对存在主义的认识,以及引进的动机各不相同,因此,传播过程中对它所持的态度也有差别。有热情输人、客观介绍者;有倍加推崇、真心接受者,如前述几位学者的著作,但也有严厉的批评者。一般说来,持这种态度的,多是老一辈中的一部分学者,如下面将要论述到的。

最后,胡秋原的《论生存哲学》

胡秋原(1910—　　),湖北黄陂人。现为台湾中国统联名誉主席,《中华杂志》发行人。在长达70年的笔耕生涯中,在其大量的论著中,研究西方哲学是其中的重要部分。这里介绍的《论生存哲学》,是对存在主义在台湾传播持批评态度中有代表性的一篇。

这是一篇文章,而且篇幅不长。但是,它却以鲜明的观点表达了对存在主义在台湾传播的担心。据作者说,实际上,在发表这篇文章之前的1963年与1967年,他就曾经先后发表过《实存哲学》与《论虚无主义》两篇文章,对于刚刚在台湾出现的存在主义传播热潮表达了他的忧虑。后来在《文艺》杂志上刊出的《论生存哲学》,不过是把他对存在主义及存在主义在台湾传播的看法,进一步阐述清楚罢了。

在这篇文章中,第一,胡秋原认为把Existentialism译为存在主义,"是错误的或足以引起误解的"①。他指出,"还不是小错"②。因为在他看来,"存在是Being,意即'有',研究存在及存在方式者曰本体论或存在论(Ontology)或有论"③。而"existence是实存在、现存在。'existenz哲学'是分析人,尤其是个人的日常实际存在之存在方式与情况的"④。如果说把它译为"存在主义",意思便

① 胡秋原:《论生存哲学》,见《中华心》,第439页,北京社会科学文献出版社,1995年。
② 同上。
③ 同上。
④ 同上。

是有主义,这是不好理解的。所以,他主张把它改译为"生存哲学"或"生存主义"。他在这篇文章中,就是这样使用的。

第二,胡秋原所以批评这种哲学在台湾的传播,是基于他对存在主义基本精神的理解。他认为,生存哲学是人生哲学中的一种。这种哲学,通过分析人的日常实际存在的景况以及人的命运,得到的结论是:"人生之无意义,挫败之必然,空与死之宿命。惟有在自决之时——自主自动自作自受之时,才有意义。至于此自决行动是否合理、合法、合道德,皆所不问"①。这就是海德格尔哲学的主张。将它在法国加以宣传并给它挂上生存主义招牌者,则是萨特。通过他们两人的论证,即将胡塞尔的人类共同的"理想主体"化为自我中心,又将胡塞尔的本质与理性加以否定,并将现象学方法化为文字游戏。作者认为,这种哲学也有它的意义。即:"它是西洋文化之镜。它是对整个西方文明、社会制度、哲学及其传统之反抗"②。但是,"它没有将来,只成为西洋社会文化病之一种。它不是治疗。它是一种浅薄的厌世主义,也正是前世纪浅薄的乐观主义(如"生存竞争")之反动。它是 20 世纪的虚无主义"③。因此,它一切都不相信,人生即痛苦,真理与道德皆虚无,只相信自己刹那间的自决,甚至自杀或谋杀都在所不辞。然而这一切在胡秋原看来,人类毕竟不能为无目的进行反抗,所以,存在主义作为一种哲学潮流,在欧洲便逐步地消退下去。

正是出于对存在主义哲学的这种认识,所以当胡秋原看到在台湾很多人热心于它时,他首先指出,引进或"主张一种哲学必先

---

① 胡秋原:《论生存哲学》,见《中华心》,第 442 页,北京社会科学文献出版社,1995 年。
② 同上。
③ 同上。

了解它。因为这一种哲学说什么,因为我认为如何如何,所以我赞成这种哲学——这才有道理。不了解而赞成,根本是反哲学的(须知哲学本义为爱智)。而对这种哲学称为'生存主义',使我怀疑是否了解它"①。就是因为这个原因,所以他针对存在主义在台湾的传播指出:"生存主义是西方知识界对西方高度工商业文明社会之反抗。他们反对的对象,在中国并不存在"②。因此,他嘲笑台湾那些热衷引进存在主义的人,有如"元康(晋初)之放,是'无疾为颦'……人因父母之丧而哭,自己哭不出,有雇人哭丧者。我们的'存在主义者'则似乎是到外国殡仪馆中做志愿哭丧者"③。

在这样挖苦之后,胡秋原提出,爱好哲学总是好事,但是在阅读这些哲学书时,他"不希望好学青年聪明误用"④。因为在他看来,"生存哲学不是好哲学"⑤。例如,以不满来说,这本是人类进步的第一步。但是,"将此不满限于自我中心,只是廉价的不满,小人的不满。而生存哲学甚至说不上自我中心。一个人无所爱即无任何引力,也就不成中心,只如浮尘游丝,他黏着某处,自以为自决而已"⑥。然而作者却认为,人生的意义是在"每一个人自己通过人群对世界之创造活动之中;只有在这种创造活动中才能证实自己之存在与意义,也分享人类的存在与意义"⑦。由此可见,

---

① 胡秋原:《论生存哲学》,见《中华心》,第443页,北京社会科学文献出版社,1995年。
② 同上书,第443页。
③ 同上。
④ 同上。
⑤ 同上。
⑥ 同上书,第444页。
⑦ 同上。

"我"只有在"我们"之中才有意义,独"我"显然毫无意义。所以,"不是人生无意义,而是自我封锁才无意义"①。

在这里,胡秋原认为,对于任何一种西方哲学思潮的引进,都应建立在对它的理解之上。从原则上说,这是对的。问题是这种理解是否是真正正确的理解。否则,对其采取的态度,无论热情引进还是坚决拒绝,也是难以公正评断的。例如,作者文章中从他对存在主义的认识出发,对存在主义在台湾的传播采取了批评的态度,就都有值得商榷的地方。因此,最好把这种文化现象放在中外文化交流的过程中进行具体分析。

通过上述几位学者论著的分析,大体上反映了六七十年代存在主义在台湾传播的基本情况。从中可以看到,由于它的引进,在台湾社会中曾经发生过一定的积极影响。一个表现是,使台湾"哲学界重新捡拾起哲学中比较热门的人生哲学课题,重新询问人生的意义,把哲学向来定位在'理'的层面,转移到对'情'的正视及疏导。人性的'非理性'或是'超理性',甚至'不理性'的层面,都搬到台面上来讨论"②。通过这种讨论或争论,使哲学工作者以至社会上的热心读者,都有机会接触到了存在主义的一些新名词与新思想。这对于他们的观念变革,认识台湾社会,思考与解决哲学研究中的新课题,都有一定的启迪意义。例如,"哲学之从象牙塔走出,进入到人生的具体生活层面,正视具体人生的感受"③,等。甚至直到现在,这种影响在台湾社会中还可以看到它

---

① 胡秋原:《论生存哲学》,见《中华心》,第444页,北京社会科学文献出版社,1995年。

② 邬昆如:《欧陆现代哲学在台省的创新与发展》,载台湾《哲学杂志》,第25期,第25—26页,1998年8月。

③ 同上书,第26页。

的后果。例如,存在主义讨论过的一些重要问题,"像生活体验、像生活苦闷、像人生荒谬、矛盾等等,在人生哲学的铺陈中,仍然有着非常清晰的痕迹"①。

不过,在这样肯定的同时,还应该指出,虽然传播过程中发表了不少著作与论文,但其中留下具有重要学术价值的却不多。正如有的学者描述的那样:"这种哲学的反思在哲学上并没有产生特殊的成果,其间出现的畅销书也很快成为像过期的肥皂粉牌子一般,消失在各排行榜中"②。这个教训,值得加以总结。

第五节　综合性研究与会通中西哲学成果

在对西方哲学进行综合性研究过程中,哲学通史的成果显得突出一些。据不完全统计,这类著作有:

西洋哲学史	洪耀勋著	中国文化出版社	1957 年
西洋哲学史	丘镇英著	香港兴中出版社	1961 年
西洋哲学史	傅伟勋著	三民书局	1965 年
西洋哲学的发展	赵雅博著	台湾商务印书馆	1971 年
西洋哲学史	邬昆如著	正中书局	1971 年
西洋哲学的导读	吴咏九著	大江出版社	1971 年
西洋哲学史	薛保伦著	台湾商务印书馆	1971 年
西洋哲学史稿	谢幼伟著	文津出版社	1972 年
哲学史缩型	常守义著	先知出版社	1973 年

这种研究,既是建立在对西方哲学专题研究的基础上,又是

---

① 邬昆如:《欧陆现代哲学在台省的创新与发展》,载台湾《哲学杂志》,第25 期,第26 页,1998 年 8 月。

② 同上。

中西哲学比较与会通研究的准备。因此,有的谈到当时西方哲学在台湾的传播时还指出,"研究西洋哲学者,不再以介绍西洋哲学为己足,而是或以融合中西哲学为务,或更激烈地以西洋哲学问题为唯一之哲学问题"①。认为尽管会通的内容、方式以及成果的理论深度各有不同,但不少学者自觉地开展这一研究,却是一致的。例如,殷海光、方东美与唐君毅等进行的探索及其成果,都具有一定的代表性。下面,从上述哲学史著作与会通中西哲学的成果中选择一些进行评析。

一、洪耀勋供初学者入门的《西洋哲学史》

在对西方哲学发展过程进行综合性研究的著作中,洪耀勋的《西洋哲学史》,是出版最早的一本。

洪耀勋,台湾南投人。早年留学日本,毕业于东京大学哲学系。从日据时期任教于台北帝国大学开始,他即有西方哲学论文发表。光复后供职于台湾大学哲学系,担任教授,做过系主任。1957年出版的《西洋哲学史》,是他在这里讲授《西洋哲学史》讲义的基础上,经过加工整理而提其要点编成的。

这是一本供开始学习西方哲学的读者入门而写的哲学史著作。从这个目的出发,作者对他写作这本书提出的要求是:大体跟随一般流行的西方哲学史著作的思路,力争通过简明的纲要形式,把西方哲学发展过程的轨迹全面地叙述出来。因此,全面与简明,既是对这本书写作提出的要求,也是出版后成为这本书的基本特征。

---

① 沈清松:《哲学在台湾的发展》,见《海峡两岸学术研究的发展》,第5页,台北中国论坛社,1988年。

　　在书中,洪耀勋把西方哲学的发展过程,划分为古代哲学、中世哲学与近世哲学三个子过程。并且,依据各个过程的发展,在中古哲学中,又区分为基督教神学、教父哲学与经院哲学时期;在近世哲学中,又区分为过渡时期、伟大的体系时期、启蒙时期、批评时期、自康德死后至浪漫派时期、19世纪哲学概观(1840—1900)。作者这里提出与论述西方哲学的这个发展过程,从公元前7世纪米利都学派开始,一直到19世纪末、20世纪初的德国新康德主义、现象学、实存哲学、英国的新实在论与美国的实用主义为止。在作者写作这本书的那个时代,这无疑是全面的。

　　而且,如果这只是对西方哲学发展全过程在宏观上叙述的全面,那么,再阅读一下该书对这个过程的每一个时期的阐述;尽管因为作者的研究倾向,对其中的内容有所取舍与选择,因而有的详细,有的简略;但是,在叙其纲要的角度上,对每一时期哲学发展过程的阐释,也说得上是全面的。例如,在中世纪经院哲学时期中,作者不仅把它的发展进一步分为初期、中期与后期,而且在每一时期中,还具体阐明了当时提出与讨论的哲学问题,以及主要哲学家的哲学观点。其中,以初期来说。在这里,就分别介绍了唯名论与唯实论之争,以及伊利季拿、安瑟伦、阿柏拉德等经院哲学家的学说。又如,在近世哲学叙述理性主义与经验主义哲学时,作者分别用"伟大的体系时代之哲学",详细地阐释了笛卡儿、霍布斯、斯宾诺莎与莱布尼茨哲学,用"启蒙时代哲学"阐释了英国洛克、巴克莱、休谟的经验论哲学,法国百科全书派、伏尔泰、孟德斯鸠、卢梭与德国沃尔夫、莱辛的哲学。上面摆出的材料说明,无论对于西方哲学发展的全过程,还是这个过程中的每一个时期,作者都是在为西方哲学发展的全过程做出全面而纲要式的介绍而努力。

不过,洪耀勋指出,学习与研究哲学史的目的,"不仅在平叙过去的某哲学家想了什么,作了什么,最要紧的,还在于洞察在历史里脉动的思想潮流和指示现代的思想的位置,对于还思索的我们本身,给予某种暗示和启发"①。因此,在这本书中,作者把"重点放在从古代到现在的哲学思想的变迁,要叙述各哲学思想所以相继而起的事实的逻辑的关联"②。作者这里提出的这个问题,实际上接触到了研究哲学史的一个重要方面,就是要揭示哲学发展过程的规律性,以便锻炼和提高人们的理论思维能力,推动哲学研究向前发展。

为了达到上述目的,洪耀勋在论述各个时代哲学之间的关系时,虽然采取了诸哲学史家一般已为学术界所接受的解释,但是,为了使它不致陷于呆板的历史罗列,他倾其所能进行了艰苦的探索。正如洪氏所言,"在篇幅所允许的范围内,尽量顾虑了哲学思想所以产生的历史的社会的背景,甚至有谈及哲学家个人生活环境和性格的部分"③。因此在书中,他首先重视哲学思想产生的社会生活条件与思想文化背景的考察与说明。例如,他对西方哲学史上最早出现的米利都学派的分析,就是最佳的例证。其次,他更重视哲学思想变迁与发展逻辑关联的分析与阐明。这是作者在书中为自己确定的一个重点。在这一方面,突出地表现在对近代西方哲学发展过程的阐释上。具体说来,洪耀勋在陈述近代西方哲学的发展过程时,把这个过程划分为四个有联系的时期。第一,14世纪到16世纪,是中世纪哲学向近代哲学过渡的时期。作者通过

---

①　洪耀勋:《西洋哲学史》"自序",第1页,台北中华文化出版社,1957年。
②　同上。
③　同上。

人文主义的文艺复兴、宗教的文艺复兴与自然研究的文艺复兴的论述，说明了这个过渡是如何实现的。第二，17 世纪与 18 世纪，是新的哲学体系建立与启蒙的时期。作者通过经验主义、理性主义与其他哲学体系的纷纷建立及其在西方社会上掀起的哲学启蒙的展示，说明了近代西方哲学的全面诞生及其内容的丰富多彩。第三，18 世纪末，是哲学上的批判时期。作者通过康德对前一时期哲学的总结与反省，提出了近代哲学发展过程中遇到的困难，提出了今后哲学发展必须解决的课题。这意味着近代哲学发展的深化。第四，19 世纪上半叶，是康德死后的浪漫派哲学时期。作者通过康德的继承者与反对者，特别是费希特、谢林与黑格尔哲学的阐述，说明近代西方哲学取得了新的成就与发展。所有这些，都充分证明近代西方哲学是有层次地逐步向前发展与深化的。

这样编成的这本《西洋哲学史》，虽然是参考中外不少西方哲学史的产物，但也反映了洪耀勋为深化对西方哲学发展过程认识做出的努力。虽然它没有进一步论述西方哲学在 20 世纪上半叶的发展，但在当时的条件下，还应该说是一部相当完整的西方哲学史著作。它对当时台湾初学西方哲学的读者接受西方哲学，以它全面而客观的阐述，曾经发挥过一定的作用。

二、傅伟勋的哲学史概念及其著作

1965 年傅伟勋出版的《西洋哲学史》，是台湾此类著作中最具特色、产生影响最大的一本。

在这本书中，傅伟勋援用英国哲学家柯林伍德（R. G. Collingwood）的"绝对预设"的理论，提出与建构了撰写《西洋哲学史》的哲学史概念。他认为，"哲学史本质上是哲学思维的绝对预设不断修正改变的一部历史"①。这里的所谓"绝对预设",是指各家各派乃至各个时代哲学思想整个思想底层的理论奠基据点。例如,苏格拉底毕生探求"什么是德",但是直到最后还是没有得出固定的结论。这说明,苏格拉底始终未曾发现他的哲学思想的预设。柏拉图根据苏格拉底思想中可能蕴涵着的存在学理路,提出了理念主张,从而实现了苏氏探求客观真理规准的夙愿。在柏拉图的哲学中,他的存在学的绝对预设,即是所谓"善的理念",它是究极存在之原理。到亚里士多德,他扬弃了柏拉图的理念之说,构筑了自己的形而上学体系。在这个体系中,"存在的存在"或者上帝与"原初资料",便是他的两大绝对预设。通过上述三大家思维发展的阐明,作者指出,明白不过地可以"看出具有存在学意义的绝对预设的理论形成与批判性的修正成果"②。

又如,在近代理性主义思潮中,笛卡儿首先建立了一个心物对立的二元论体系。就这个体系的出发点来说,自我意识的作用是绝对预设,而当他以此论证了上帝的存在之后,上帝的概念便代替了自我意识的作用,成为笛卡儿哲学中真正的绝对预设。但是上帝在他那里只是扮演了"傀儡神性"的角色,因为他无力解决笛卡儿心物二元论带来的理论困难。因此,笛卡儿哲学的重重困难,便只能等待在他之后的斯宾诺莎诉诸其他的绝对预设来予以适当修正了。

根据对哲学史概念的这种规定,傅伟勋指出,哲学史研究的旨趣就在于,"通过诸般哲学思想的根本知解,而将哲学史上的各家哲学贯穿而为具有一种内在关联性甚或内在必然性的哲学问题发

---

① 傅伟勋:《西洋哲学史》,第7页,台北三民书局,1965年。
② 同上。

展系列,从中把握前哲的思想意义、影响、以及内在的理论困难,且从后哲的问题提出与思想展开更进一步地理解后哲如何超克了前哲的哲学思想之中所存在着的理论难题,如此特就纵的发展侧面透示哲学的真正而主要的问题所在"①。所以哲学史家的任务,并不在于能够平列地把哲学史上哲学家的思想内容摆出来,而是要从整个历史的发展观点从根本上把握哲学家思想之间可能存在着的哲学问题或哲学理想的关联线索。只有这样,才能把潜在着的思想关联发掘出来,使"我们能够培养足以包容及超克前哲思想的新观点、新理路,且能扬弃我们自己可能具有着的褊狭固陋的观念与思想"②。

只是要想这一任务得到圆满完成,必须要有一套与此相适应的研究方法。傅伟勋指出,西方哲学家在进行哲学创作时,基本上是从哲学问题出发,以解决哲学问题而结束。这就要求哲学史家要能够随后体验原来的独创性哲学家从发现问题到解决问题的整个思维历程,并从中发掘原有问题或课题的核心所在。而且,典型的西方哲学家从问题设定到问题解决的思路,惯用一套严肃的概念分析与逻辑推演。这又要求哲学史家"一方面要使用明晰易晓的哲学语言重新建构并展示原有哲学思想的理论程序,同时指摘原有思想中所存在着的观念矛盾或不一致性;另一方面则要设法彰显原有思想可能含藏着的意涵所能发掘出来的新课题以及所能发展出来的新理路"③。

傅伟勋指出,如果具备了把握这种哲学史要领的能力,那么,

---

① 傅伟勋:《西洋哲学史》,第3页,台北三民书局,1965年。

② 傅伟勋:《西洋哲学史》"序",台北三民书局,1965年。

③ 傅伟勋:《哲学探求的荆棘之路》,见《从西方哲学到禅佛教》,第24页,三联书店,1959年。

在研究各家各派哲学思想时,就一定能够收到事半功倍的效果。实际上,他的《西洋哲学史》,就是根据他这样建构的哲学史概念写出来的。在这本书中,剖示了自米利都学派到黑格尔哲学为止的西方哲学发展动向与过程。一方面"尽量设法如实客观地诠释各家各派哲学原典与思想的意蕴"①。这主要表现在,他依据,运用从纳斯(Aree Naess)那里接受过来的一套挖掘哲学的理论基础与理论程序的方法,去发现和诠释哲学家思想中的根本原理,发掘一家一派思想形成的来龙去脉,揭示贯穿其中的基本探索精神与思想特质。另一方面,"就哲学史发展的种种可能性,去发现有关原著或思想的种种不同的可能义理蕴涵(即'蕴涵')出来,承认存在多元开放的诠释可能性"②。就是说,"要在各家各派乃至各时代的哲学思想发掘整个思想底层的理论奠基据点亦即绝对预设,而从不同的角度公平客观地评衡原有绝对预设的优劣功过,从中暗示超越该绝对预设的种种新思想的开创可能性"③。后来,作者在谈到这一点时,承认当时由于受到掌握诠释学的功力以及该书作为大学用书的限制,他只是在书中阐明了实际成立的理论发展线索,而没有就各家各派具有多种可能性作出解释。不过,通过对傅伟勋提出的哲学史概念的阐述,也完全可以想像到他的《西洋哲学史》一书的理论特色及其受到欢迎的原因。

三、殷海光会通中西哲学自由主义导向的开拓

1949 年殷海光到台湾后的起初一个阶段,即 20 世纪的 50 年

---

① 傅伟勋:《学问的生命与生命的学问》,第 37 页,台北正中书局,1994 年。
② 同上书,第 37—38 页。
③ 傅伟勋:《从西方哲学到禅佛教》,第 25 页,三联书店,1989 年。

代到 60 年代初,他从逻辑经验论的立场出发阐述科学精神与方法,把近代以来中国思想界的这一思路推进到了一个新的高度的同时,还在重振五四精神的过程中,着力对自由主义的理念进行了阐释和建构。在这些方面,他都有很大的贡献。然而在这个阶段上,由于受到反对形上学与抨击传统文化态度的制约,影响了他对中西哲学会通的思考与探索。

不过,随着殷海光自由主义思想的发展与成熟,以及对中西文化与哲学认识的深入与全面,这种状况不久发生了变化。

1960 年《自由中国》杂志因"雷震案"被迫停刊,殷海光因此失去了往日发言的主要场所。从此开始,他在沉闷的时代与环境里,开始转向中国文化建设课题的研究,以便为中国文化的前途与发展"独自出发来寻找出路和答案"①,在学术层次上建构新的思想体系。这样,近百年来中国社会文化的反省与思考,便在他的学术研究中占据了突出的位置。后来,在谈到学术上的这一新的选择时,他写道:"我是以思想为职业的人——我思想的问题,从前多是哲学上比较专门的问题;近年来多半应用哲学的技术来思考近代中国的问题和我们所处时代与环境的大问题"②。这里说的是指他对近百余年来中国社会文化变迁的研究。其结晶便是他论述中国文化的代表性著作《中国文化的展望》。

在这部著作中,殷海光要阐明的主题是:"论列中国近百余年来的社会文化对西方文化冲击的反应。以这一论列作基础,我试

① 殷海光:《中国文化的展望》"序言",见《中国文化的展望》(上),第 3 页,台北桂冠图书公司,1998 年。

② 殷海光:《思想与方法》"再版前言",见《殷海光全集》第 17 集,第 639—640 页,台北桂冠图书公司,1990 年。

行导出中国社会文化今后可走的途径"①。因此,依据这一主题,作者在书中通过对中国社会文化结构和功能在近代以来变迁的考察,分析了近百年来中国文化演进的历史脉络;通过近百年处理中西文化关系各种主张的陈述,评价了诸如中化与西化、自由主义与保守主义以及"中体西用"等各种文化心态;通过现代化、民主自由、世界风暴、道德重建与知识分子责任等论题的阐释,认为中国文化变迁的实质是如何现代化的问题。为此他指出,中国的知识分子在世界现代化发展的潮流中,必须通过科学、民主、自由价值的阐明与道德重建,才能使中国文化走向光辉的前景。

要指出的是,在阐释上述论题的过程中,殷海光会通中西哲学的自由主义导向的轮廓,已经清晰可辨了。简单说来,主要是:

第一,中国文化建设的实质,是一个"从古代文化过渡到现代文化的问题"②,而"现代化是以西方近代文化为中心向全球扩张的"③,发展到今天已经成为一种全球化的潮流。因此,研究中国文化重建时,必须要有历史的眼光和全球化的理论视野。就是说,要把它放在世界现代化的进程中加以思考与研究,只有这样,才能明确中国文化现代化的目标,找到中国文化迈向现代化的道路。

第二,中国文化在全球现代化的潮流中进行建设,像其他任何一个具有世界性意义的文化产生一样,都是"在互相冲突而又互相调整的程序里塑造"的④。因此,如何正确认识中国文化与西方

①　殷海光:《中国文化的展望》"序言",见《中国文化的展望》(上),第1页,台北桂冠图书公司,1998年。
②　殷海光:《中国文化的展望》(下),第487页,台北桂冠图书公司,1998年。
③　同上书,第530页。
④　同上书,第491页。

文化,如何正确处理中西文化的关系,在中国文化建设与会通中西哲学过程中显得十分重要。为此,他在总结近代以来处理中西文化关系经验的基础上,从自由主义理念出发,认为在处理中西文化关系与会通中西哲学的过程中,都必须打破"天朝模型的世界观"与"我族中心主义",必须具有广阔的胸怀与开放的心态。

第三,根据前述要求,殷海光还认为,必须建立与此相适应的运思方式。他指出,"运思在求通。求通在求解决问题"①。而"要想得通,必须贯彻一个原则:'是什么就是什么'"②。就是说,按照研究对象的本来面貌进行评判,采取具体分析态度决定取舍。只有这样,中外文化在彼此抗拒中就会得到整合,中西哲学在相互碰撞中就会实现会通。而且,经过这样整合与会通的理论成果,必然"古也是、今也是、中也是、外也是"③。意思是说,它们是融合中今中西精华的产物。

这些是殷海光在探索会通中西哲学之路时就理论视野、文化心态与运思方式提出的主张或要求。从中可以看到,这一导向和传统自由主义的联系及其超越。不过,还要看到,他在论述中国文化建设时,虽然把它放在世界现代化的进程中进行考察,但他仍然希望通过对西方现代性的认知,以此视为中国文化的出路所在;虽然他认为现代化不等于西化,但他所建立的理论模式,仍然是西化的现代化模式,即以英美作为现代化的模式。在处理中西文化、哲学的关系时,虽然对西方文化的局限性有所认识,但他的为学与运思仍然以现代逻辑、经验论、实用主义以及必要的价值观念为主

---

① 殷海光:《中国文化的展望》"序言",见《中国文化的展望》(上),第9页,台北桂冠图书公司,1998年。

② 同上。

③ 同上。

导;虽然对于中国传统文化的激烈反对态度有所变化,但仍然认为它不利于科学的真正发展。这些认识与态度,显然与他提出的理论视野、文化心态和运思方式是有矛盾的。如果它们得不到及时的克服,要想在中西哲学会通的内容与途经等具体领域取得重大的突破,是不可能的。

1966 年 2 月,获得读者好评的《中国文化的展望》一书,遭到台湾当局的查禁,并由此进一步剥夺了殷海光在台大的教职。然而,就是在这样的处境下,他"以今日之我挑战昨日之我"的为人为学风格,除了一如既往地坚持自由主义理想外,对自己以往关于中国文化研究的工作,特别是研究中长期坚持的逻辑经验论以及对中国传统文化的激烈抨击,都进行了相当深刻的反省,使他对中西哲学会通道路的开拓进入了一个新的阶段。

这一进展发生在 1967 年到 1969 年之间。一方面,由于晚年困顿的生命处境、人生体验与思乡情怀,减弱了过去猛烈批评传统文化的偏激情绪,改变了把现实生活的负面归咎于传统文化的态度;同时,在知识的探求中,发现唯科学主义、逻辑实证论、单纯进化论在社会历史文化上直接运用的限制以及把民主、自由的现实祈求与传统文化资源绝对对立起来的偏颇,使他在反省的过程中对中西文化、哲学有了许多新的认识。另一方面,受到学生张灏、林毓生等把坚持自由主义精神与不加分析反对传统区别开来,注重本国本土思想资源的创造性转化以及通过他们介绍的西方人类学、社会学等思想的影响。因此,当他进一步思考中国文化建设、探索中西哲学会通道路时,看到随着技术化商业化的社会导致人们的道德沉沦与心灵萎缩,尤其在受到美国现代病与台湾社会病的刺激后,迫使他由重视知识问题、文化问题之后转向人的问题研究。正如陈鼓应所说,"以往殷老师所着重的都是知识问题,如今,他所关切的问题是人类或心灵的问题"①。

在探究人生问题的过程中,殷海光面对社会转型、文化蜕变、心灵失落的背景,向青年们阐明了人生的层次,指明了人生的意义与价值,认为人生的道路不应停留在生物文化层,而应该继续前进,往上升华,达到人生的完善与精神生活的丰富,追求真善美、理想、道德。并且在扩大思想角度与范围的基础上,反省了以往对待传统文化与西方文明的认识与态度,使他在这两方面都发生了很大变化。

首先,关于中国传统文化。现在他认为,"传统并不等于保守。传统乃是代代相传文明的结晶、知识的积累、行为的规范。传统是人类公共的财产,为每个文化分子事实上所共有的"②。并从这种认识出发,对于它在中国社会发展过程中的作用,也有了新的评价。一个突出表现是,在检讨自己过去和胡适诸人一样,往往拿近代西方的自由思想去衡量古代中国后施以抨击时,他不但认为古代中国在强大的帝制下,人们依然有很大的社会自由,甚至认为中国社会由佛、老、孟三个层面构成的价值主轴,即孔儒在社会层的安排;佛教在宗教情绪层的安排;老庄在精神生活与心灵境界的安排,使中国人生活在这种气氛中,能够站在现实、肯定现实的立场来体味现实的美好。这种既不进又不退的人生态度要比西洋与印度的更适合人生,更适合存在。这和殷海光以往对传统文化的看法,是很不一样的。

其次,关于西方文明与西方文化。他对建筑在高度技术性和

---

① 陈鼓应:《春蚕吐丝:殷海光最后的话语》增订版,第42页,台北远景出版社,1979年。

② 同上书,第70页。

组织性基础上的西方文明,导致道德沦丧、精神空虚的反省,使他陷入深深的忧虑之中。他说,在科学技术高度发达的今天,"现代人生活看来似乎繁茂,但是,隐藏在繁茂生活背后的却是心灵深处的萎缩"①。例如,在这种状态下,为了满足生物的欲求,人已经"沦为机器的伴侣,及自动化的随员,和现实权力之下的蜂蚁"②。对此,他写道:"我不想掩饰我内心对人类今后自由问题的忧虑。这主要的并非我个人的遭际使然——我真正关心的是整个人类前途自由的明暗。人本主义(humanism)及科学本是近代西方互相成长的一对双生子,可是,西方文明发展到现代,科学通过技术同经济的要求,几乎完全吞灭了人本主义。时至今日,我们已经很难看到'文艺复兴'了③。正是在这一生存意义的危机面前,殷海光对西方文化,主要是对科学主义、逻辑实证论、达尔文进化论进行了反省。1969 年 8 月,即他临终前的一个月对徐复观说,不能仅以科学来代表文化,科学不能解决人生价值问题,科学也不是幸福的指示器。例如,逻辑实证论与价值问题本来就不沾边。然而,它却"以为解决了大脑的问题,就可以解决人生的问题。其实人生的问题并不止于此。人最重要的问题是心灵的问题"④。在殷海光看来,逻辑经验论解决心灵问题是无能为力的。并从这种认识出发,他还批评了逻辑经验论的发展所造成的"知识极权主义。"

　　由于探讨人生问题发生的这些变化,使他开始具体地解决中

----

① 殷海光:《学术与思想》(三),第 1450 页,台北桂冠图书公司,1990 年。

② 同上书,第 1454 页。

③ 殷海光:《致林毓生》,见《殷海光林毓生书信集》,第 129—130 页,台北狮公出版有限公司,1981 年。

④ 陈鼓应:《春蚕吐丝:殷海光最后的话语》增订版,第 49 页,台北远景出版社,1979 年。

西哲学会通的内容与途径了。他在着手解决时,把这些问题归结为一个"中国的传统与西方自由主义要如何沟通"的问题①。实际上,这就是当时台湾的自由主义者如何实现中西文化、哲学会通的问题。并且通过五四以降中国思想文化运动的反省,以及从学生的探索成果中得到的启发,最后提出了如何解决会通内容与道路的设想。1968 年 9 月 24 日,他在给林毓生的信中写道:"自五四以来,中国的学术文化思想,总是在复古、反古、西化、反西化或拼盘式的折衷这一泥沼里打滚,展不开新的视野,拓不出新的境界。你的批评以及提出的'available creative reformism'(有生机的创造性改革主义),就我所知,直到现在为止,是开天辟地的创见"②。在这里,殷海光一方面批评了五四以来一部分人在处理中西文化关系上的错误态度,另一方面又深受林毓生会通中西哲学主张的鼓舞,进而虚怀接受。林毓生提出的"有生机的创造性改革主义",是后来他论述的"批判地继承与创造性发展"的最早表述。殷海光把它吸收过来,使他在开拓自由主义会通中西哲学导向时,既有了处理中西哲学关系的明确标准,也有了得以实现会通的方向与道路。并且在这个基础上,经过进一步的思考,还指出了依据上述导向会通中西哲学的前景。1968 年 9 月,他在给林毓生的信中是这样描述的:"既非泥古,又非脚不落地的超新;既不会引起社会文化的解体,又不会招致目前的大混乱。这既不是乌托邦式的'全盘西化',又不是胡说不通的'中体西用'。如不无谓的幼稚的破坏原有的制度、符号学说、伦理观念,及信仰网络,则 identity

---

①　陈鼓应:《春蚕吐丝:殷海光最后的话语》增订版,第 70 页,台北远景出版社,1979 年。

②　同上书,第 150—151 页。

（认同）保住了。如果 identity 保住了，则不致引起守旧势力的强烈抗拒。这样一来，近代中国可望孕育出一种类似文艺复兴式的'文化内新运动'"①。

然而，当他依据这一理路创建自己的哲学体系时，万恶的病魔夺去了他的顽强的生命。临终前，他怀着沉痛的心情说，"我的思想刚刚成熟，就在跑道的起点上倒下来，对于青年，我的责任未了，对于苦难的中国，我没有交代!"②虽然如此，他开拓的中西哲学会通的自由主义导向，却是充满希望的。

四、方东美会通中西哲学的兼综导向

在会通中西哲学方面，方东美的生命本体论，代表了一种兼综导向。

据方氏自述，他研究哲学的过程，是从中国传统哲学到西方哲学，抗日战争以后，又从西方逐渐回到东方。早在 20 世纪 30 年代出版的《科学哲学与人生》、《生命情调与美感》与《哲学三慧》中，几乎对自古代希腊到黑格尔为止的西方哲学，都无不"剖其哲理脉络，明其历史发展，揭其文化意趣，又以流畅之文字，一一予以点化"③。虽说抗日战争爆发后，他的哲学研究重点从西方哲学转到中国哲学上来，但实际上这是他会通中西哲学的开始，并没有因此放松对西方哲学的研究。例如，从他去台湾前出版的《中国人生

①　殷海光:《致林毓生》，见《殷海光林毓生书信集》，第150—151页，台北狮公出版有限公司，1981年。

②　陈鼓应:《春蚕吐丝:殷海光最后的话语》增订版，第76页，台北远景出版社，1979年。

③　沈清松:《哲学在台湾的发展》，见《海峡两岸学术研究的发展》，第28页，台北中国论坛社，1988年。

哲学概要》，《从比较哲学旷观中国文化里的人与自然》与《中国人生哲学》等著作中，都可以得到证明。特别是到台湾后在全力以赴地融合中西哲学建构自己的哲学体系的过程中，方东美除了喜欢怀特海的过程哲学外，还经常论述现象学、逻辑实证论、分析哲学、存在主义，谈及海德洛尔、维特根斯坦、雅斯贝尔斯、德日进等西方哲学家的思想，并一一以中国哲学中相关的思想予以比较和批评。他的生命本体论哲学体系，就是在融汇这些哲学的过程中建构起来的。因此，从中可以看到，他在创立这个哲学体系时，不是仅仅着眼于中国哲学的传统，而且还把西方哲学同样看作是复兴中国文化的思想宝库。这样一来，他在选择与确定会通的对象时，在西方不计较其为上古、中古、近代与当代，在中国不考虑其为儒家、道家或佛家，只要能发挥形上奥蕴，阐扬人性论宏旨，他都取来予以综合。为了理解这一点，分析一下他去台后会通中西哲学建立自己哲学体系的主要著作，如《中国形上学之宇宙与个人》、《从宗教、哲学与哲学人性论看人的疏远》，特别是《中国哲学之精神及其发展》与《生生之德》的内容，就能得到充分的证明。

　　方东美的哲学体系，主要通过"生命"概念的阐述与论证建立起来的。因此，有些学者把他这样建立的哲学体系称为"生命本体论"。虽然他对柏格森的生命哲学早在留美时期就有所研究，但当时他谈的"生命"，是指主体生命精神，认为生命活动只是一种民族或个人生命的经验。后来，在《科学哲学与人生》中，他把"生命"视为有别于精神与物质的第三种客观现象来看待，称之为"新颖的现象"。说："我们可以看出生命显是新颖的现象，不能与物质等视齐观了，生命的现象以机体的全体为大本营"①。这种把

---

① 方东美：《科学哲学与人生》，第179页，台北黎明文化公司，1980年。

"生命"确定为"大本营"的理解,对于方氏最终确立"生命"的本体意义,极为重要。接着,他在《哲学三慧》中,虽然表达了"生命"是超越精神与物质之上的实体的观点,但尚属潜在意向。只是当他在《中国人生哲学概要》中提出"普遍生命"这个概念时,他的潜在意向才以明确的语言表达出来了。正像他说的那样,"宇宙不仅仅是机械的物质场所,而且还是普遍生命流行的境界"①。等到写《中国人生哲学》时,他终于把所谓"普遍生命"确立为"宇宙中创造的生命",强调它是一切生命(存在)的原动力。如他所说:"生命本就是无限的延伸,所以无限的生命来自'无限'之上,而面对着'无限',有限的生命又得绵延赓续,因此所有的生命都在大化流行中变迁发展,运转不已"②。在这里,他特别作出交代,说这是他将柏格森、怀特海生命哲学与《周易》"生生"哲学融会贯通的结果。自此以后,他对"生命"的看法一直坚持这种立场。突出的例子是,在作为他的哲学体系最后完成的一部著作《中国哲学之精神及其发展》中,反复强调的依然是,宇宙普遍生命表现为天地万物气象万千:"生命大化流行,自然与人,万物一切,为一大生广之创造力所弥漫贯注,赋予生命,而一以贯之"③。

　　"生命"在方东美的哲学体系中,作为宇宙的"究极之本体"④,虽然具有"超越"的意义,但他认为它的"超越"不等于"超绝",即它不能离开其余的一切自然原素与变化历程凝然独存。在这种情况下,怎样以"生命"为本体解释它与现象,即宇宙万物

---

① 方东美:《中国人生哲学概要》,第13页,台北先知出版社,1974年再版。

② 方东美:《中国人生哲学》,第94页,台北黎明文化公司,1982年。

③ 方东美:《中国哲学之精神及其发展》,第98页,台北成均出版社,1983年。

④ 同上书,第28页。

存在与发展的关系呢？为此,他特别提出,"生命"一方面既深植根基于现实世界,另一方面又"腾冲超拔、趋于崇高理想的胜境而点化现实"[1]。由此他决定采取"体用不二"的原则,以"本体"之功能,来证明"体用不二"之存在,以功用之无限,来证明"本体"之不朽,以此论证"生命"是一切现象得以生存的内在创造力。

1973 年,方东美提出的"宇宙生命境界的蓝图",就是他解决生命本体与宇宙万象最为全面最为形象的体现。一方面,这个蓝图是在物质世界的地平线上绘制出来的,而这个着思点的确又是他出自对东方哲学的一种信念。因为在他看来,"在东方哲学里面,尤其在中国哲学中各家各派,从来不像希腊的末世,也不像在中世纪的若干时期,在宇宙建筑图里面没有物质世界的地位,东方哲学没有西方这种色彩,印度哲学大部分也没有这个色彩。假使我们从形而下的境界上面看,我们在建筑图里面要建筑一个物质世界,把这个物质世界当做是人类生活的起点、根据、基础"[2]。

另一方面,然而一旦有了这个起点,人们才能设法去追求更高的价值与意义,去开拓更令人神往的理想的宇宙,而这本身也就意味着物质世界作为生命的支柱被点化。这样一来,这个基于"生命"本体的宇宙,在方东美那里便是生机充盈的。为了具体论证这一点,他融合中国哲学、古代希腊哲学和近代西方哲学的层级存在观,把生命境界区分两个界域:形下的自然界域与形上的超自然界域。形下的自然界域又分作物理生命世界、生理生命世界和心理生命世界;形上的超自然界域也分作艺术生命世界、道德生命世

---

① 方东美:《中国哲学之精神及其发展》,第 30 页,台北成均出版社,1983年。

② 方东美:《方东美先生讲演集》,第 14 页,台北黎明文化公司,1978 年。

界和宗教生命世界。

　　方东美认为,上述生命大化流行的这个过程,既是层层向上超越,亦是步步向下流布。前者一层一层地向上提升,由"物质世界——生命境界——心灵境界——艺术境界——宗教境界",一直"回向原始统会"①,后者"从宇宙的最高精神"②,一直下来,"分途流贯于世界与人"③,"贯注流遍一切境界,一切领域,一直到达物质世界的低层"④。方氏把"生命"这种既向上提升又向下流贯的过程,称为"双回向"的创造过程;认为其本质在于提升。因为向下流布是为了实现新的提升,不然的话,生命精神一直流布下去,则根据熵定律,其创造力最终将会枯竭。相反,由于"生命"的提升本质,便足以证明以"生命"为本体的宇宙万物,同体同流,圆融和谐。如果一旦出现人与人、人与神、人与自然的疏离,其根源不在精纯的生命,而必须从人自身的行为中去查找原因。

　　方氏在这里所以这样强调"生命"必须循"双回向"的路径创造,目的是要把"客观的世界"与"主体的人类精神"贯通起来⑤,并且最终落实到"永无止境的宇宙真象"⑥,即"生命本体"上去。但是,这种贯通仅就有本体论的意义而言,要实现与宇宙的贯通、"了解、处理、应付、对应那个客观世界的真象"⑦,就必须使自己在才能上,心性上具备适应那个客观外在世界的主观条件。所以,人类必须提升自己的精神人格,以自己伟大的创造力,层层塑造与客

①　方东美:《方东美先生讲演集》,第 30 页,台北黎明文化公司,1978 年。
②　同上。
③　同上。
④　方东美:《先生之德》,第 35 页,台北黎明文化公司,1979 年。
⑤　方东美:《方东美先生讲演集》,第 12 页,台北黎明文化公司,1978 年。
⑥　同上书,第 15 页。
⑦　方东美:《先生之德》,第 35 页,台北黎明文化公司,1979 年。

观生命境界相适应的人格境界。为此，方东美一方面采儒释道皆主张人性可以完美（成圣成佛）的学说，另一方面又结合黑格尔的精神现象学，通过修改康德人类才能三分（知情意）理论，提出了与生命境界存在世界六层递升相适应的六种不同的人生境界或人生向度。

第一，以物理生命世界为生存界域的人，是依凭与生俱来的能力肯定、处理、控制、驾驶一种境界而安排自己人生的“行能的人”（Homo Faber）；这种人面对的首先是一个物质的世界，必须具有健康的身体。因而这种人的最大特点在于行动。不过，人之为人，光有行动是不够的，所以必须加以提升。

第二，以生理生命世界为生存界域的人，是在行动上表现出某种创造性或创造能力的“创造行能的人”（由 Homo Dionysiacus 点化而来的 Homo Creator）；这种人的人生是疯狂的人生。由于其行动的疯狂性，结果必然将生命引向危险的死亡的境域。所以，这种人必须修正，使之点化过来。

第三，以心理生命世界为生存界域的人，是以理性指导创造而有种种系统知识的“知识合理的人”（Homo Sapiens）；这种人不再是盲目的创造，而是“侧重于理性的表现，以理性为指导形成各式各样的系统知识”①。

方东美指出，上述三种人格境界，是形下的人格境界。这三个层次的人融为一体，才得以构成真正的自然人。“这个自然人的生活有躯壳的健康、生命的饱满、知识的丰富，生种种方面的高尚成就。他可以为自然人开创一种自然世界出来，而这个自然世界就是今天我们 20 世纪的人到处歌颂的世界，这个世界构成为普遍

---

① 方东美：《方东美先生讲演集》，第 16 页，台北黎明文化公司，1978 年。

的科学文化所建立起来的自然界。假使到这么一个境界就止了，我们就只可以有科学的文化，但是不能够有哲学的文化"①。在他看来，哲学文化是超自然的形上境界。因此，人生境界必须从自然人的形下境界向前提升。

第四，以艺术生命世界为生存界域的人，是能够运用种种符号，创造种种语言，并通过这些符号发现美的秘密，进到审美生活的"符号人"（Homo Sybolicus）；例如，诗人、画家、文学家、雕刻家、建筑师，都属于这种符号人。他们各自用自己的艺术语言和艺术手段将世界美化，但这还只是"形而上世界的开始"，因为在艺术世界不仅可以表现美，同时也可以表现丑，因此，这也不是一个完美的世界。

第五，以道德生命世界为生存界域的人，是有着高尚志向和纯洁的精神人格的"道德人"或"君子人"（Homo Honestatis）；不过在方东美看来，这种人也是有局限性的，所以人生境界不能停留在这里。

第六，以宗教生命世界为生存界域的人，是"他整个的生命可以包容全世界，可以统摄全世界，也可以左右、支配全世界"的"宗教的人"（Homo Religiosus）②；这种人在他的生命里面，真正把他的精神提升到一种尽善尽美的神圣境界。"因为他能囊括宇宙的一切秘密，在知识上面彻底了解，在行动上面能够顺应，而且在理想上面，他能够符合他的精神要求……到达这种时候，他这个人得以真正像庄子所谓'以天为宗、以德为本、以道为门，兆于变化，谓之圣人'。如此，他……是个真正的大人……'全人'"③。

---

①　方东美：《方东美先生讲演集》，第17页，台北黎明文化公司，1978年。
②　同上书，第21页。
③　同上书，第17页。

　　方东美认为,这种人,无论在中国还是在西方,都有其人格模式。例如基督教的"God Man",儒家的"圣人",道家的"至人",都是这种人格模式的体现。他还指出,这是一种"所谓玄而又玄,神而又神,高而又高,绝一切言说与对待的神境"①。人格境界一旦达到这种"神境",主体也就实现了与"宇宙真象"的沟通,因而宇宙精神所有的无穷力量便会发泄,贯注"到一切人性上面,就是道德的人格、艺术的人格、宗教的人格,一直到自然人,一切的知识活动,行动的人的一切动作里面"②。当人接受了这种精神力量的贯注之后,人的素质就有了神的素质,于是自然人便宗教化、精神化了。"这样,不仅仅在他生命活动的里面具有神圣化的作用,而宇宙万有在这宗教的领域、道德的领域、艺术的领域乃至在自然界里面,这里精神力量仍旧是贯注下去,变做无所不在"③(按:这段话中的"道德的人格"至"自然人"的次第,按照"人与世界在理想文化中的蓝图"排列,应是"宗教的人格"之后,再是"道德的人格"、"艺术的人格")。从这里可以看到,方东美早年在《哲学三慧》中,从尼采那里转引过来的"超人",在这里被描述为人的不断自我超升的过程,而"圣人"或"至人"所达到的格位,说到底不过是天人之际充量体证到神性的人性。

　　通过方东美"生命本体论"的简单介绍,从中可以看到,它"以艺术美感为源起,以生命哲学为总纲,以贯串诸差别境界和不可思议境界为主题,融合西方与中国各代各派各家,一口吸尽西江水,

---

①　方东美:《方东美先生讲演集》,第22页,台北黎明文化公司,1978年。
②　同上书,第16页。
③　同上书,第26页。

为今后中西之融合提供一兼综之蓝图"①。在这个哲学体系中,他坚持"以生命为中心",强调精神价值重于物质价值,追求崇高的精神境界,反映了一部分台湾爱国学者对国家美好未来的强烈愿望。在建立这个体系时,他在一定程度上破除了各种立场的"文化中心说",主张通过各民族优秀文化的互融互补,来寻找人类文化的现代出路与未来前途。他所设计的思想文化蓝图,也为如何不断提升生命精神以臻于至善指示了途径。这对于我们今天从世界大文化的视角,探讨中国传统文化这一重大的理论与现实问题,有一定的启迪意义。

但是,还要看到,虽然他反对道统说,反对以宋明儒学的心性之学作为复兴儒学的人文支柱,但非反对传统儒学在现代社会思想中的主导地位。相反,他在建立自己的哲学体系时,以及在他的"生命本体论"中,他几乎都是围绕如何凸显儒家思想的突出地位这一使命进行的。因此,无论进行中西文化、哲学比较,还是进行儒释道三家比较,他的着力点都是放在对儒家传统的强调与弘扬上。从这一立场出发,使他在会通中西哲学时,对西方哲学,特别是近现代西方哲学缺乏全面的认识及公允的评价,从而使他在这样会通中西哲学的过程中形成的哲学体系,难以充分体现当今中国的时代精神。

五、唐君毅的三观九境学说及其对黑格尔哲学的吸纳

台湾学者把唐君毅的三观九境哲学体系,看作是当代新儒家会通中西哲学的导向之一。

---

① 沈清松:《哲学在台湾之发展》,见《海峡两岸学术研究的发展》,第12页,台北中国论坛社,1988年。

　　要指出的是,这个体系的最终建立,经历了一个探索的过程。在这个体系中,心本体是它的核心,也是唐君毅一生学问的本源。这个思想在他的早期著作如《道德自我的建立》、《人生之体验》与《心物与人生》中,就已露端倪。在这些著作中,他认为宇宙之中,所谓物质本体是不存在的。因为我们所认识的只是物质的现象,一切实验都只能就物质的现象而实验。在实验中任何人都不曾看见过物质本体。而心本体却是存在的。因为心是超越时空、没有局限、恒常真实的。人虽有死,但死了又生,这是生命心灵更新它自己的表现。从地球原始状态以来,在无穷无尽的时间中,也不能说不曾有过无穷无尽次人类出现过,所以,心本体的存在是无可怀疑的。正如唐君毅所说,"在我思想之向前向下望着现实世界之生灭与虚幻时,在我们思想之上面,必有一恒常真实的根源与之对照。但是此恒常真实的根源,既与我们所谓现实世界之俱生灭性与虚幻性相反,它便不属我们所谓现实世界,而亦应超越我们所谓现实世界之外。但是它是谁?……我想,即是我心之本体"①。在这里,他认为心本体不但是存在的,而且,它是恒常的,真实的、普遍的与客观的。它涵盖一切,统摄万物。正因为这个原因,学者们把唐君毅在这个基础上建立的哲学体系,称它为超越的唯心论。

　　到晚年,唐君毅广泛吸收了西方科学、逻辑学和知识论的内容,更深入地开展了他视之为文化之源人类心灵丰富内涵的探讨。其理论结晶,便是《生命存在与心灵境界》一书的问世。这是一部深受黑格尔哲学影响,融通人性论、形上学、知识论的巨著。在这本书中,唐君毅提出,心本体的存在虽然不能由经验直接加以证明,但从人的精神表现中完全可以推出。在他看来,如果没有一个

---

① 唐君毅:《道德自我之建立》,第102—103页,台北学生书局,1978年。

心主体或心本体存在,人类的精神活动将统统成为不可理解。因为一个相续不断的流必有其源,一棵枝繁叶茂的树必有其根。生命心灵在感通时,所以有种种的精神表现,也必有它的源头和根本。因此,由心灵相续活动,可以证明无心本体的谬论,而无心本体的谬误,则恰好证明了有心本体观点的正确。而且这种心本体,在中西哲学史上早已有之。问题只是,对于心本体论者来说,这无形、无相、看得见、感觉得到的现实世界派生出来,却始终是一个棘手的哲学问题。现在,唐君毅在《生命存在在与心灵境界》中,将理性认识融于生命与心灵的升扬过程,通过对生命与心灵感通方式、种类、层次的揭示,展现了生命与心灵本身丰富的内涵与功能,以此用来回答与阐明了上述问题。这就是唐君毅的心境相映,或三观九境学说。通过这个学说的论证,使他的心本体学说系统化与体系化的。

唐君毅认为,所谓生命存在,就是有心灵活动的人类的存在。而人类的心灵活动有横观、顺观与纵观的不同。横观是生命心灵活动往来于内外左右向,目的在观种类;顺观是生命心灵活动往来于前后向,目的在观次序;纵观是生命心灵往来于上下向,目的在观层次。唐氏把这种横观、顺观、纵观叫做生命心灵活动的“三道路”或“三方向”,有时还把它们称为心灵活动的“三意向”或“三志向”。

在提出上述三观后,唐君毅指出,生命心灵的每一观照向度都各有一个对象。因此,与三观相应便有三个对象,即客体,作为心灵自身的主体与超主体的理想的绝对体。而且,还因为每个对象有体、相、用三义,每一义均表现为一种境界,因此,心灵便有三类九种境界。他认为,心灵与境界的关系是一种感通关系。感是感应,通是通达。心境互相感应而通达。心既可以感通于境,境也可以感通于心。"境与心之感通相应者,即谓有何境,必有何心与之俱起,而有何心起,亦必有何境与之俱起。此初不关境在心内或心外,亦不关境之真妄"①。因此,心境"俱存俱在"、"俱进俱退"、"俱开俱辟","俱存俱息","如人之开门见山,此山虽或先有,然如此如此之山之境,以我开门而见者,亦正可为前此所未有也"②。在这里,唐君毅像其他的儒者一样,不说上帝创造万物,也不说心反映境,而只是说天地开辟万物生,只说乾坤阴阳幽明之理,这表明他的主张是心境相映不离。但是,在论述过程中,他却常常以心生境,而不是以心感境。关于这一点,下面分析他的三观九境学说的内容,将会得到充分的说明。

首先,客观境界,包括万物散殊境,依类成化境与功能序运境。客观境是"觉他"境,是生命心灵观照客观事物所形成的境界。它的目的在于通过逐步确立"个体"、"概念"、"原理"的地位与内容,以此说明客体世界之形成,并在主体性内奠定"科学"的超越根据。心灵主体在这里只是对客观有所觉知,还不能达到自身的反省。

其中,万物散殊境,是人的心灵活动自开其门与客体相遇的开始,是观万物之体而产生的境界。在这种境界中,人的心灵生命活动,看不到其自身的体相。也就是说,在这种境界中的人,外照而非内照,觉他而非自觉,生命心灵活动由内向外,就像打开门户,走出房间,去看外面世界的万象万物。如是,他所看到的只是事物的个体,故称"万物散殊境"。唐君毅认为,世间一切关于个体事物的史地知识,个人自求生存的欲望,一切个体主义的知识论、形上

---

① 唐君毅:《生命存在与心灵境界》(上),第13页,台北学生书局,1977年。
② 同上书,第97页。

学、人生哲学——诸如古希腊的原子论,中世纪司各脱、奥康的唯名论,中国的杨朱哲学等——都根植于万物散殊境。

依类成化境,是由观事物之相而产生的境界。在这种境界中,人的心灵由观万物散殊,进而观其种类,从而形成一种万物成化。所以,唐君毅认为,一切事物的类(如无生物类、生物类、人类等)的知识,人为绵延其种类的生殖之欲,人依习惯而形成的生活与社会职业分门别类的划分,及一切以类为本的知识论、形上学、人生哲学——诸如柏拉图依人的心灵的能力分别人的社会等级的思想,荀子"水火有气而无生,草木有生而无知,禽兽有知而无义,人有气有生有知且有义"的思想——都根植于依类成化境。

功能序运境,是由事物之用而产生的境界。在这种境界中,由观一物之依类成化,进而观其同他物的因果关系。这样,便可看到功效及其运行次序的规律,故称"功能序运境"。唐君毅认为,各类以事物的因素关系为中心而不以种类为中心的自然科学、社会科学知识,人的各因效果、采择一定手段而求其目的实行的行为,及一切论说因果的知识论、依因果观念建立的形上学或功利主义的人生哲学,如中国墨子与西方近代功利主义学说,都根植于功能序运境。

其次,主观境界,包括感觉互摄境、观照灵虚境与道德实践境。主观境是由主摄客而达于主体自觉的"自觉"境。它是人类心灵对其自身反省所形成的境界。其目的在于探讨人的"知觉"、"语言"、"道德"的形成与发展藉以说明"意义世界"的构成,并在主体性内奠定"人文"的超越根据。它不重在对外有所指示,而是重在心灵活动的自觉,亦即心灵主体对主体觉摄客体的觉摄活动的反照自照。主观境界并不是生命心境的自我圆足,它所涵盖的人文意识是被归于在一个更高的层位上的。

其中,感觉互摄境,是人们在感知事物时,知其心灵有感觉的功能,感觉的对象不能完全脱离主观而外在,从而形成的一种心灵与心灵,以及心灵与所感对象之间互相融通的境界。在这里,众多物体之主体与感觉主体,相摄而又各自独立,以成其散殊而互摄,是故称它为"感觉互摄境"。唐君毅认为,一切人缘其主观感觉而有的记忆、想像的知识,经验心理学对身心关系的知识,人对时空运作秩序的知识,人对个人及所属类之外的物的纯感性的兴趣欲望,及那些以陈述经验的语言表达的社会风气,皆都溯根于心灵的感觉互摄境;一切关于身心关系、感觉、记忆、想像与时空的知识,身心二元论或唯身论、泛心论的形上学及一切重人与其感觉相适应以求生存的人生哲学——诸如西方近代生物哲学家的适者生存说,中国柳下惠随俗推移以适世为事的"圣之和"态度——也可判归于主观境界的这一境。

观照凌虚境,是人们在感觉的基础上,进而抛开事物的感觉性质,而使心灵直接观照事物的共相和意义,从而产生的一种共相与意义世界凌虚而在的境界。在这里,人从具体事物的约束下游离出来后,发现了纯相世界和纯意义世界,并可由语言文字符号来表示。唐君毅认为,一切由人对纯相意义的直观而存的知识,如对文字自身的意义的知识,对文学、艺术中审美的知识,数学中数形关系的知识,逻辑中的命题真妄的知识,哲学中的宇宙人生意义的知识,及人的纯欣赏观照的生活态度,都无不根源于心灵的观照凌虚境;那些重直观纯相、纯意义的现象学的知识论,重在发明纯相的存在地位的形上学及美主义的人生哲学——如柏拉图以理念为中心范畴的形上观照,斯宾诺莎伦理学的几何学式的心灵,胡塞尔的现象学,中国庄子的超个体意识而逍遥自得的人生审美情致——都可判归人生主观境界的这一境。

道德实践境,是将纯意义世界落实于现实生活,以形成道德理想,促成道德人格的完成。这是生命心灵活动反观其自身的道德理性活动的所成之境。在这种境界中,生命心灵依其道德理性活动,一方面在追求成就其道德,另一方面自觉舍去其不道德,既迁善,又改过;不仅知,而且行。唐君毅认为,人本其道德良心所认取的一般道德观念与因此而有的伦理、道德知识,以及人的道德行为生活和道德人格的形成,都根源于心灵的道德实践境;一切关涉此道德良心之知与其他之知之不同的知识论,及此良心存在地位与命运的形上学的所有重道德的人生哲学——如苏格拉底、柏拉图——亚里士多德、伊壁鸠鲁、斯多葛、斯宾诺莎、康德等的道德哲学,以道德生活为一至高而可自足无待于外的人文世界的中国儒家之学——都应判归人生主观境界的这一境。

再次,主客观境界,包括归向一神境、我法二空境与天德流行境。这是人类心灵追求无限永恒之超越而产生的境界。它是心灵对主体摄客体时的回观内照的超化,使自己进入自观或超主客之绝对主客境。或者说,它是由主摄客,从而超越主客对立,故称为绝对主体,实则为立人极之最后实观。这是心灵主体由自觉到超自觉或对自觉的自觉。在这三境中,知识作为智慧或隶属于智慧;哲学不再只是学,而成为人的真实价值的生命的"教",就是说,主客观境不再是思趣玄升的理境,而是转识成智或圣而至神的教境。

其中,归向一神境,这是生命心灵活动上观超越的全知全能的人格神所成之境。在此境中,生命心灵依其超越活动,深信有一完全者即上帝的存在。这样就把超主客而统一——主客的境界引向居于精神最高品位的实体——神,它的典型表现是西方基督教的上帝观念。实际上,这就是神境。

我法二空境,这是生命心灵依其超越的活动,视一切精神世界和物质世界都是假有和空虚所成之境。在此境中,心灵依其超越的活动,去除我法二执,体悟空性。就是说,通过一切法界一切法相的类的意义,而彰显佛心佛法,以性空为法性或真如而破人对主客法我之相的执著,终而归置心灵于见性成佛。实际上,它是佛境。

天德流行境,这是生命心灵依其超越的活动,向往于如儒家所说的天人合德所成之境。在此境中,一方面是天德流行人物,另一方面是人尽性上达天命,故又称尽性之命境。心灵的这一境界的高卓在于:尽主观之性以立客观的天命,通主客、天人、物我以成性命之用的流行的大序,使尽心知性的性德流行直下应和于"于穆不已"的天德流行。可见在儒家这里,"贯通天人上下之隔,亦通贯物我内外之隔,以和融主观客观之对立,而达于超主观客观之境"①。实际上,这就是儒境。

上述九境表明,生命存在的心灵境界完成于主客观境界,而主客观境界完成于儒教境。九境以儒家为终,充分吐露了设境立言者的心灵阄机。正如唐君毅借道教法言说的那样:"前三境之由论形体之事物,归于功能之序运,如炼精化气;中三境归于道德人格之殁而为鬼神,如炼气化神;后三境之由神灵而论我法之二空,则炼神还虚;尽性立命则为九转而丹成也"②。

上述生命存在与心灵三观九境学说,是唐君毅一生学问和思想的本源所在。在这种学说中,他试图由生命心灵的不断升进和超越,来融通东西方哲学,由仁心的不断扩充,为中华民族乃至整

---

① 唐君毅:《生命存在与心灵境界》(下),第156页,台湾学生书局,1977年。

② 唐君毅:《生命存在与心灵境界》(上),第52页,台湾学生书局,1977年。

个人类的文化发展创造寻找一个指针。从中可以看到,他将古今中外各种知识体系均视为人类心灵活动的产物,并把它们作为人类心灵不断升进与超越的一个阶梯,分别纳入到了他的哲学体系中,从而使他的哲学在理论上表现出了很大的包容性。虽然他以中国儒家所说的天德流行心灵为最高境界,但他同时对代表生命存在的其他心灵境界,即儒家以外中外知识体系,也表现了一种同情的了解。总之,这个哲学体系以儒家"道德经验为源起,以立人极为依归,以勾勒主体性之动力与结构来成立科学、人文、宗教之超越依据为其主题"①,充分体现了新儒家会通中西哲学的一种导向。

对于这个哲学体系,海内外有过各种各样的评价。这里,只是着重指出一点,就是唐君毅在建构他的上述哲学体系时,借鉴和运用了黑格尔的哲学精神和方法论的智慧。例如,通过前面的介绍,不难看出,他广泛地融摄了中西科学、哲学、宗教、伦理等知识体系,将它们的内容及其基本概念分别作为表现人类心灵不同层次的精神产品,吸纳到了他的思辨哲学体系中。这与黑格尔在创立他的绝对唯心主义哲学时,把以往一切知识体系都吸纳到其哲学的架构中作为绝对精神实现其自身的一个个逻辑环节,基本上是一样的。又如,他的三观九境学说,实际上是依照黑格尔哲学的三段式,根据心灵向外观照、自我反省和超越追求三个活动方面所观的不同体、相、用形成的不同境界而建立起来的精神哲学体系。只是在黑格尔那里,他以主观精神、客观精神、绝对精神正、反、合三段式的推演,展开了一个绝对精神的自我运动、自我认识的绝对画

---

① 沈清松:《哲学在台湾之发展》,见《海峡两岸学术研究的发展》,第17页,台北中国论坛社,1998年。

卷。而在唐君毅这里,他则以客观境界、主观境界、绝对主客观境界连环相生,展现了一个人之生命与心灵次第上升,不断自我超越的历程。再如,黑格尔绝对精神每一三段式推出的第三个环节,即合,都是前两个环节、即正、反推演或扬弃的结果。而唐君毅生命境界的每一境界的第三种境界,也都是由前两种境界的发展和综合而来。如在主观境界中,人的心灵从对客观事物的感性认识出发,经过对事物共相与意义的凌虚观照,最后发展为依道德理性活动去建立的一个理性的、道德的现实世界。其余在客观境界与绝对主客观境界中,也都是这样。由此可见,在唐君毅的九境学说中,心灵的体、相、用三观,都具有黑格尔哲学体系中概念由正而反、而合的意义。而心灵观照外物、自我反省以及超越主客,也明显地来源于黑格尔绝对精神必须经历三个发展环节的思想。所以,唐君毅的三观九境学说,体现了中西哲学的融合。

　　不过,要指出的是,唐君毅建立其哲学体系时对黑格尔哲学的吸纳,主要是在理论架构而不在理论内容上。在这一方面,它们是有区别的。例如,唐氏的生命境界是讲人的主观心灵自我升进的过程,以超越主客天人合一视为人类心灵升进的最高境界,而黑氏讲的是绝对理念自我展开或实现的过程,以消融主观精神与客观精神的主客体同一为绝对理念发展的最后阶段。因此,在黑格尔那里,理论的最高范畴是客观的理性理念,它依据自身所包含矛盾的辩证发展,逐步地实现和认识自身;在唐君毅这里,思想的核心观念是主观的人之仁心,应依于不容己之情,直贯地显露和升进。又如,他们二人都讲主观精神,但黑格尔讲的主观精神,只是作为世界本质的绝对精神发展的一个阶段,是纯粹的理性认识活动。而唐君毅所讲的主观精神和人类心灵,其自身就是世界的本源。因此在唐氏看来,"心不离境,境不离心",两者相互内在。实际上,他的三观九境不过是心性本体的外在表现罢了。最后,黑格尔哲学所讲的绝对精神运动,最终是在一个理性的思辨体系中得到实现,其致思方向始终指向客观绝对的理性。在黑格尔看来,只有理性统治的社会才是"合理的",而理性的本质即是认识了必然的自由。因此,对理性亦即自由的追求,才是人类社会以及包括哲学在内的一切知识体系的最终目标。而唐君毅的心灵境界学说,则是以逼主观并超主客观的"天德流行"为人类生命的最高境界。由此可见,黑格尔哲学高扬的是理论理性,唐君毅哲学高扬的是道德理性。这样一来,后者的心灵九境学说的最终指向便不是认识了必然的自由,而是充满了宗教情调,将道德理想直贯于现实的道德生活。因此,在唐君毅的哲学中,心灵境界的升进,是由知识到道德,再由道德到德教。由此唐君毅在追求生活道德化与理想化的过程中,还使他的哲学在一定程度上染了宗教的色彩。

第八章　现代化建设新时期西方哲学在中国大陆传播的繁荣与发展

（1976 年—　）

在"四人帮"反革命集团覆灭之后，通过拨乱反正与工作重点的重新确立，使中国大陆的社会主义现代化建设进入了一个新的时期。在总结近一个世纪，特别是近 30 年社会主义现代化建设正反两个方面的历史经验，在建设有中国特色社会主义的道路上，中国现代化建设的各项事业不但及时地走上了健康发展的道路，而且经过全国上下的共同努力，还得到了蓬勃的发展，取得了举世瞩目的成就。

其中，西方哲学东渐作为中国社会走向现代化过程中发生的重要文化现象，以及作为科学文化现代化建设的重要组成部分，在现代化建设进入新的时期的历史条件下，不但迅速地得到了恢复和发展，而且成为西方哲学东渐史上一个最好的时期。这集中表现在：它同现代化建设的其他各项事业一样，出现了前所未有的繁荣景象。在过去西方哲学东渐的基础上，取得了重大的进展，既为新时期的现代化建设发挥了重要的先导作用，又为 21 世纪中外哲学更大规模的交流和更高层次的会通奠定了坚实的基础。

第一节 西方哲学在新的历史条件下东渐

1976 年 10 月,以江青为首的"四人帮"被粉碎了。以这个胜利作为契机,在结束"文化大革命"社会动乱的同时,使中国大陆稳步地走上了现代化建设的正确轨道,进入了建设有中国特色社会主义现代化的新的历史时期。西方哲学东渐的繁荣就是在这个新的历史条件下出现的。

这种历史大转变,实在是来之不易。

一、真理标准问题大讨论

大家知道,"四人帮"被粉碎了,这为中国现代化建设的腾飞扫除了障碍,但是,要真正在这条道路上迅速地得到发展,却不是依靠自发力量就可以实现的。因为经过十年动乱,生产力遭到了极其严重的破坏,经济建设濒临崩溃的边缘;由于动乱使社会陷入到了深深的危机之中;人民生活艰难,思想混乱。一句话,现代化建设被人为地打断了。怎样将中国从这种危机中挽救出来,把它引导到现代化建设的健康道路,便是摆在全国人民面前刻不容缓的具有头等意义的历史任务。

完成这个任务的关键在哪里?

经验证明,现代化事业是必须经过亿万人民群众长期艰苦奋斗才能完成的伟大事业。为此,不仅要求现代化的领导者必须付出聪明才智,而且还必须依靠广大人民群众,充分调动他们的积极性和创造性。然而,由于自 20 世纪 50 年代后期开始推行的"左"倾政治路线,特别是在"文化大革命"中林彪、江青两个反革命集团,用唯心主义和形而上学代替唯物主义和辩证法,用摘引片言只语的手法任意篡改和肢解马克思主义的思想体系，并把这些片言只语变成僵死的教条，用以作为衡量一切事物、判断一切是非的惟一标准，不准人们实事求是地思考、分析和解决问题，致使对于社会发展和现代化建设的一系列根本问题，在理论上造成了极大的混乱，在实践上带来了极其严重的危害。例如，什么是社会主义，什么是资本主义，它们二者的关系怎样？又如，在社会主义改造取得基本胜利后，社会的主要矛盾是什么？再如，在现代化建设中，工作的重点是阶级斗争还是经济建设？如何看待和吸取其他国家，包括资本主义国家在内的物质文明和包括西方哲学在内的精神文明成果？在坚持和发展马克思主义哲学的过程中，如何认识和处理它与其他西方哲学的关系等。如果认识上不从"左"倾政治路线的束缚下解放出来，那么，这些问题便难以得到正确的解决，现代化建设也难以重新回到健康发展的轨道上来。

　　事情的发展正是这样。在粉碎"四人帮"以后，虽然在中共十一大和五届人大一次会上，根据当时的形势和广大人民群众的迫切希望，重新把实现现代化的目标提出来了，而且，全国上下也以极大的热情投入到现代化建设中来了，工农业生产得到了较大的恢复，教育和文化工作也开始逐步走上正轨。但是，由于十年"文化大革命"造成的政治思想上的混乱不容易在短时期内消除，特别是当时国家的主要领导人推行"两个凡是"（按："凡是毛主席做出的决策，我们都坚决拥护；凡是毛主席的指示，我们都始终不渝地遵循"）的错误方针，在指导思想上继续推行"左"的错误路线，不但在一段时间内没有能够纠正"文化大革命"的理论错误，而且在不少实际工作方面，广大干部和群众的积极性仍然受到压制。

　　显然，在这种形势下要使已经开始的拨乱反正、正本清源的工作进行下去，要使国家从"文化大革命"的阴影下走出来，迈上现代化的道路,关键在于首先使全国人民的思想从"左"倾政治路线的束缚下解放出来。正是基于对这一点的深切理解,哲学界最先提出了实现思想解放,关键在于坚持和运用实践是检验真理的惟一标准这个根本观点,认真总结1949年以来,特别是"文化大革命"中正反两个方面的经验教训,判定哪些是对的,应该坚持;哪些是错的,需要改正;并且运用这个观点研究、分析、解决新的历史条件下出现的新情况与新问题,提出新的、正确的路线和方针。一句话,必须恢复和确立辩证唯物主义的思想路线。只有这样,才有可能达到上述目的。就这样,一场"实践是检验真理的惟一标准"的大讨论在全国开展起来了。

讨论中争论的主要问题是:检验真理的标准是不是惟一的?如果是惟一的,那么,它是实践还是"本本"? 通过讨论要解决的主要问题是,要不要否定"文化大革命"? 要不要告别毛泽东晚年的错误? 怎样才是真正坚持马克思列宁主义、毛泽东思想?

通过真理标准的讨论,使它成为我国现代化建设新时期波澜壮阔的思想解放运动的先导。它对于中国大陆实现历史的大转变具有重要意义。主要表现在:第一,它冲破了"左"倾思想的禁锢,开启了思想解放的闸门,为正确认识和评价"文化大革命"奠定了思想基础;第二,它为制定建设有中国特色的社会主义的政治路线,为贯彻这条路线以及制定各条战线上的正确方针和政策,创造了必要的思想条件。

总之,通过真理标准的讨论,使全国上下从"左"的思想束缚下获得了解放,实事求是的思想路线得以重新确立,既为党和国家的工作从"左"的错误中转到正确的轨道上来,实现中国社会的巨大变革,起了极其重要的推动作用,也为党的十一届三中全会的胜利召开,准备了思想条件。

二、重新确立工作重点与改革开放方针的提出

就是在真理标准讨论的思想基础上,1978 年 12 月中共举行了十一届三中全会。会上,真正开始了全面依靠群众和深思熟虑的拨乱反正,提出了解放思想,开动脑筋,实事求是,团结一致向前看的指导方针。这个方针的实质,就是要彻底纠正"文化大革命"中以及在此之前的"左"倾错误,一切从实际出发。在这个方针指导下,全面正确地总结了 50 年代以来党和国家工作中正反两个方面的经验和教训,解决了现代化建设中一系列根本问题。其中最主要的是,果断地停止使用"以阶级斗争为纲"这个不适合于社会主义社会的口号,决定从 1979 年开始,把工作的重点转移到以经济建设为中心的现代化建设上来。这个重大的战略决策,揭开了中国迈向现代化的历史篇章,标志着中国大陆现代化的历史进程进入了一个新的历史时期。

在建设有中国特色社会主义的过程中,既要坚持马克思列宁主义、毛泽东思想为指导,又要解放思想,不断创新,提出了改革和开放的方针。对于前者,这是由我们国家的社会主义性质决定的。对于后者,则因为全面改革和对外开放,不仅能促进社会生产力的发展,而且能够直接推动科学文化的现代化建设。例如,在思想观念上,由于改革和开放,有力地冲击了那些安于现状、固步自封、害怕变革、墨守成规的习惯势力,冲击着那些不适应生产力发展和社会进步的陈腐观念和旧传统,加速新的社会价值观、道德观的萌发和人们观念更新的过程。因此,在科学文化现代化建设中,在从本国实际出发的基础上,还要面向世界,敢于吸收外国一切积极成果,用以丰富和发展自己。因为,一方面,这是由于人类社会是一个有机的统一体。它们在政治、经济、文化诸方面都存在着密切的

联系,特别是随着生产力的发展、商品经济发展和世界市场的形成,人类的世界性联系尤为密切,不仅使物质生产、物质生活具有世界性,而且使精神生产和精神生活也具有世界性。如果在这种国际形势下关起门来进行科学文化现代化建设,只能重蹈"文化大革命"的覆辙。另一方面,这也是社会主义科学文化现代化建设的需要。正如列宁早就说过的那样,"只有对这种文化加以改造,才能建设无产阶级文化。没有这种认识,我们就不能完成这项任务。无产阶级文化并不是从天上掉下来的,也不是那些自称为无产阶级文化专家的人杜撰出来的。如果认为是这样,那完全是胡说。无产阶级文化应当是人类在资本主义社会、地主社会和官僚社会压迫下创造出来的全部知识的合乎规律的发展"[1]。因此,积极吸取世界文化中的一切优秀成果,是我们的光荣传统和不可推卸的历史责任,也是建设有中国特色科学文化的必由之路。

需要指出的是,由于当代经济和文化发展全球化步伐的加快,更加要求在文化建设中坚定不移地对外开放,从开放中吸取现代化的最新营养,否则,文化现代化建设就会失去时代精神。正是基于这种认识,所以在新时期现代化建设开始以后,党和国家都把对外开放作为基本国策加以提出和强调。例如在文化现代化建设中,江泽民提出,要"立足本国又要充分吸收世界文化的优秀成果"[2]。又说,我们"必须积极吸收人类所创造的一切优秀文化成果,把它熔铸于有中国特色社会主义文化之中。只有深深植根于中国大地和依靠人民的力量,面向现代化,面向世界,面向未来,才

---

① 列宁:《共青团的任务》,见《列宁选集》,第4卷,第348页,人民出版社,1995年。

② 江泽民:《在庆祝中国共产党成立七十周年大会上的讲话》,第21页,人民出版社,1991年。

能创造无愧于伟大时代的社会主义文化"①。

三、西方哲学东渐在中国大陆再度繁荣

现代化建设新时期的到来,既为西方哲学东渐迅速走上正轨并开创新的局面,提供了优良的学术环境,也对它提出了适应和推进现代化事业向前发展的要求。西方哲学研究作为中国科学文化建设的一个重要领域,不仅要在学术研究的水平上取得明显的进展,而且还要运用研究中取得的理论成果,推动传统哲学与国人思维方式变革、发展马克思主义,以此促进各项现代化事业健康发展和社会全面转型。

然而,由于1949年以前,西方哲学东渐的基础并不丰厚,加上50年代后期开始,在"左"倾政治路线的约束下,特别是十年动乱期间,又成为整个科学文化领域的一个重灾区。所以"四人帮"被粉碎以后,西方哲学东渐拨乱反正的任务也特别艰巨。要使它迅速恢复并踏上健康发展的道路,和科学文化中其他一些领域比较起来,必须使出更大的气力才有可能。

对此,在从事西方哲学研究的队伍中,那些在动乱中早已超越动乱的学者是有自觉意识的。"文化大革命"一结束,他们便预感到科学的春天即将到来。因此,早在中共十一届三中全会前,在时代的推动下,他们便以高度的使命感积极投入了真理标准问题的讨论,为这次讨论沿着健康道路发展付出了艰苦的劳动,为全国上下从"左"毒中解脱出来做出了重要贡献。并且,为了使一度被打断了的西方哲学东渐事业尽快地得到恢复,走上正轨,以满足新时

----

① 江泽民:《在庆祝中国共产党成立七十周年大会上的讲话》,第23页,人民出版社,1991年。

期现代化提出的要求,经过充分的酝酿和积极的准备,由中国社会
科学院和安徽劳动大学、北京大学哲学系主持,在安徽省有关部门
的热情支持下,1978年10月在芜湖举行了一次规模空前的"西方
哲学讨论会"。中国大陆各地从事西方哲学教学和研究的几代学
者,以重新获得解放的兴奋心情踊跃参加了这次盛会。中青年学
者从四面八方朝芜湖奔来,就是老一辈学者,如冯定、贺麟与严群
等,虽然年事已高,体弱多病,但在亲人或学生的搀扶下,也都异常
兴奋地前来出席。在广大学者的热情参与下,会上揭发批判了
"四人帮"对西方哲学教学研究工作的干扰破坏,探讨了研究西方
哲学的方法论,讨论和评价了德国古典哲学和现代西方哲学等学
术问题。但贯穿在这次会议始终的主题却是如何使西方哲学东渐
从"左"倾政治的束缚下解放出来,把被"四人帮"搞乱了的是非颠
倒过来,还西方哲学的本来面貌,使西方哲学东渐事业迅速地走上
正轨,以适应和推动现代化朝着健康的道路发展。可以说,这是一
次拨乱反正的大会,是为新时期西方哲学东渐开创新局面的动员
会。它在西方哲学东渐史上,是一个重要的转折点。

　　会后,几代学者意气风发,积极投入到了拨乱反正、挣脱政治
批判枷锁、消除"左"倾思想束缚的洪流。在这个过程中,他们首
先从指导思想上抓住了一些带有根本性的问题进行了拨乱反正。
其中最先提出的,就是对日丹诺夫关于哲学史定义的重新认识和
重新评价。与这个问题讨论有关的是,对唯心主义与人道主义的
再认识与再评价。实际上,这些问题的提出与重新评价,不仅是学
术上对哲学史定义,唯心主义与人道主义问题上的拨乱反正,而是
在更深的层次上对整个"文化大革命"的拨乱反正。通过对这些
问题的深入讨论,不但对日丹诺夫的哲学史定义有了全新的认识,
对唯心主义的态度由偏颇转为科学,对人道主义学说的评价得到

了实事求是的肯定,说明西方哲学东渐从"左"倾政治束缚下解放出来取得了决定性胜利,而且也为新时期的西方哲学东渐发挥了思想解放的作用,为新时期西方哲学东渐逐步取得繁荣奠定了坚实的思想基础。

就是在这种认识的基础上,几代从事西方哲学教学与研究的学者,以从未有过的精神风貌汇成了一支西方哲学东渐的大军。他们中的老一辈,如贺麟、洪谦、张申府、严群、全增嘏、徐怀启、周辅成、杨一之、庞景仁、陈元晖、王玖兴、陈修斋、苗力田、姜丕之,汪子嵩、张世英、江天骥、涂纪亮、王太庆、葛力、熊伟、夏基松、钟宇人、齐良骥、邹化政、温锡增等,都是三四十年代踏入西方哲学园地的,进入本时期,大多已年届古稀。虽然他们中有些人就是在本时期中相继谢世的,但他们以优秀的学力和丰富的治学经验,成为西方哲学领域学术研究的"人望",只要一息尚存,仍以耄耋之年,奋发有为,著述育人不止,再现了当年的学术雄风。中间一代,如汝信、邢贲思、叶秀山、王树人、杨祖陶、朱德生、梁志学、薛华、陈启伟、车铭洲、冒从虎、王荫庭、杨适、范明生、钱广华、徐崇温、刘放桐、洪汉鼎、陈村富、姚介厚、贾泽林、舒炜光、杨寿堪、侯鸿勋、王守昌、邹铁军、朱亮等,他们都是五六十年代成长起来的。虽然由于"左"的影响带来了思维方式和知识结构上的一些局限性,但他们在本时期西方哲学东渐的过程中担负着承先启后的历史责任。至于年轻一代,由于"文化大革命"的发生,使人才培养曾经一度出现断层,而这样的一代学者只能依靠本期进行培养。不过,事实上在20世纪的八九十年代,的确涌现出了一批才华横溢、功力深厚,已经崭露头角并取得了或必将取得重要学术成果的年轻学者。如宋祖良、周国平、邓晓芒、段德智、赵敦华、倪梁康、张祥龙、靳希平、张汝伦、张庆熊、张志杨、黄克剑、陈家琪、冯俊、李秋零、徐友渔、孙周兴、傅有德、韩水法、万俊人、王晓朝、周晓亮、谢地坤、童世骏、江怡、王路、陈嘉映、邓安庆、彭富春、韩水法、韩林合、陈亚军、陈嘉明等。这一代学者是在拨乱反正和改革开放的学术气氛中成长起来的,传统因袭的负担较轻,知识结构也有改进和提高,思维活跃,对当代世界学术潮流领悟较快,求新求变的欲望强烈,创造能力较强,因此,可以肯定地预言,他们将是21世纪西方哲学东渐开始阶段做出成就的希望所在。几代学者在拨乱反正过程中这样汇集起来以后,为了使西方哲学东渐迅速走上正轨,并逐步走向繁荣,首先,他们组织起来,于1978年和1979年,分别成立了中华外国哲学史学会与全国现代外国哲学学会,以及各种专业研究会与各地区的分会。接着,哲学所于1978年恢复了社会动乱中被迫停办的《哲学研究》与《哲学译丛》。在这之后,除了利用分散在各地的综合性学术期刊如《中国社会科学》、《学术月刊》、《北京大学学报》与《文史哲》外,还集中创办了几个以传播西方哲学为目的的不定期刊物,如商务印书馆的《外国哲学》、人民出版社的《现代外国哲学》、上海人民出版社的《外国哲学史研究集刊》与《康德黑格尔研究》、北京大学出版社的《德国哲学》与《中西哲学与文化》,译文出版社的《中国现象学与哲学评论》,等。与此同时,为了适应现代化建设对西方哲学人才的需要,一些有条件的哲学系或哲学所,先后建立了一批西方哲学专业的硕士点与博士点。

其次,学者们在独立地进行西方哲学研究的同时,还在有关学术团体的组织与领导下,积极开展了形式多样,内容丰富的学术交流活动。例如,全国性或地区性举办的有关西方哲学讨论会,据不完全统计,每年都在10次以上。其中产生过较大影响的讨论会有:1978年10月芜湖的"西方哲学讨论会"、1979年11月黄山的"重新评价唯心主义讨论会"、1980年12月北京的"德国古典哲学讨论会"、1981年9月北京的"康德《纯粹理性批判》出版200周年暨黑格尔逝世150周年纪念会"、1982年武汉的"经验主义和理性主义讨论会"、1984年12月广州的"中世纪哲学研讨会"、1979年12月太原的"现代西方哲学讨论会"、1992年5月西安的"后现代主义思潮讨论会"、1994年南京的"现象学研讨会"等。特别是现代西方哲学研究领域,这样的学术讨论会尤为活跃。从1979年开始,全国性的讨论会每年都要举行,甚至多次。通过这些学术交流活动,加强了学者之间的学术联系,扩大了理论视域,推动了学术研究向前发展。又如,在大陆学者之间交流的基础上,不仅开始了海峡两岸学者之间的相互交流,而且还重新开展了与西方学者有关西方哲学的平等对话与学术交流。改革开放后,有一批中国青年赴西方国家留学,专门研究西方哲学;还有一大批中国学者到西方国家访问、考察、开会,研究西方哲学的有关问题;也有许多西方国家的学者应邀来华讲学,或共同举办研讨班或讲习班,以便培养或提高中国从事西方哲学研究的人才。在这些来华学者中,不少是当代西方著名哲学家,如法国的德里达、利科、德国的哈贝马斯、顿·劳特,美国的杰姆逊、罗蒂、普特南;英国的彼德·哈克、埃尔曼;奥地利的哈勒等。通过中西之间的这些交流,使中国学者很快从长期封闭的学术环境走了出来,在充分掌握国外西方哲学研究状况的信息后,进而把自己的西方哲学研究同国际学术界的研究衔接起来,不但有力地推动了新时期的西方哲学东渐,而且还要特别指出,随着中国国力的不断强大,中西关系开始发生变化,双方学者在学术交流过程中,19世纪中叶以来形成的文化心态渐渐淡化,并由此逐步回到平等对话的原点上来。这是新时期中西文化交流中出现的新趋势。

再次,学术团体的建立,理论阵地的开辟,研究人才的培养,以及中外学者之间的广泛交流,都有力地推动着新时期西方哲学东渐事业再度繁荣。其中表现在学术研究与学术成果上,由于学者们把新时期的西方哲学研究建立在一个较高的起点上,并以从有未有的精神风貌进行研究,因此,西方哲学的各个领域的研究都出现了繁花似锦、欣欣向荣的景象。从时间上说,20世纪70年代末至80年代中期,在对西方哲学研究进行全面拨乱反正的同时,由于改革开放方针的提出,西方哲学重新纷至沓来,形成为一股滚滚洪流。"萨特热"、"弗洛伊德热"与"尼采热",便是在这个阶段中出现的。虽然当时留下的有价值的学术成果不多,但它打开了西方哲学东渐的崭新局面。从80年代后期以后,随着改革开放的深入发展,西方哲学的各个领域,都不同程度地得到了热情的研究。其中,现象学、后现代主义、分析哲学与美国哲学,研究中取得成果尤其值得重视。如果把70年代末以来取得的成果综合起来,那么,就会看到,不论发表的论文与译文,还是出版的专著与译著,在数量上都大大超过了西方哲学东渐以来的总和。更主要的是,在内容上,通过正本清源,恢复了过去那些遭到简单否定的西方哲学家与哲学思潮的本来面貌;经过新的研究,填补了过去传播过程中的诸多薄弱环节或空白;通过深入研究,使过去西方哲学东渐过程中取得了一定成绩的哲学家或哲学思潮,有了更为全面的认识与把握;特别是加大力度开展了对西方哲学的综合性研究,使之对西方哲学发展各个层次规律的认识有了明显的进步,并开始了对中西哲学会通的探索。总之,通过这些成果,把西方哲学东渐事业大大向前推进了一步。要是把这些学术成果摆在新时期文化建设的长廊中展示出来,那么,将是一幅绚丽多姿、色彩斑斓的巨幅画卷。它既体现了中国大陆学者强烈的历史责任感,也反映了新时期西方哲学东渐朝气蓬勃的繁荣景象。并且,从这些论著散发的信息中,不但能够清晰地听到中国快速迈向现代化的脚步声,而且还能亲切地体会到中国社会急切转型的时代精神正在形成之中。

由于限于本书的篇幅,要把这些成果全面地反映出来,显然是难以办到的。因此,在这一章中,只能选择本时期产生过重要影的论著中有代表性的成果,分节对它们进行介绍与评述。

第二节　古代希腊罗马哲学研究的深化

古代希腊罗马哲学,被认为是欧洲文化的精华。因此,它一直受到各国学者的重视和研究。在西方哲学东渐史上,它不但是最早输入的西方哲学思潮,而且在 20 世纪的一些时期内,也得到了一定程度的研究。不过,总的说来,取得的理论成果还缺乏应有的深度。

改革开放后,随着科学文化现代化建设逐步繁荣,不少学者以新的姿态投身到这个领域中来,研究与传播工作取得了全面的进展,表现在学术成果上,更是有了明显的深化。其中,由苗力田主持编译的《亚里士多德全集》,王晓朝翻译的《柏拉图全集》都于世纪之交先后同读者见面了。此外,王太庆晚年集中精力翻译的柏拉图著作,原先计划出全集,然因病逝世未能完成,已经译出的部分经过友人的整理,也以《柏拉图对话集》为书名,于2004 年由商务出版了。在发表的论著中,虽然有些论文也颇有见地,但能体现理论深度上取得进展的,却是有关的学术著作。其中有断代史,有专题研究。为了说明这一点,先把这些著作的篇名列举于后:

分析的批判的哲学史	严群著	商务印书馆	1981 年
亚里士多德关于本体的学说	汪子嵩著	三联书店	1981 年

前苏格拉底哲学研究	叶秀山著	人民出版社	1982 年
亚里士多德范畴说简论	杨寿堪著	福建人民出版社	1982 年
希腊哲学家的故事	张尚仁著	中国青年出版社	1984 年
柏拉图哲学述评	范明生著	上海人民出版社	1984 年
苏格拉底及其哲学思想	叶秀山著	人民出版社	1986 年
哲学的童年	杨适著	中国社科出版社	1987 年
古希腊哲学范畴的逻辑发展	张传开著	南京大学出版社	1987 年
希腊的民主和科学精神	汪子嵩著	三联书店	1988 年
希腊哲学史（一）	汪子嵩等著	人民出版社	1988 年
论希腊哲学	陈康著	商务印书馆	1989 年
柏拉图研究（上）	王宏文等著	山东人民出版社	1991 年
希腊哲学史（二）	汪子嵩等著	人民出版社	1993 年
哲学的憧憬—《形而上学的沉思》	高清海著	吉林大学出版社	1993 年
晚期希腊哲学和基督教神学	范明生著	上海人民出版社	1993 年
论存疑：希腊怀疑主义新探	崔延强著	西南师大出版社	1994 年
亚里士多德与古希腊早期自然哲学	宋洁人著	人民出版社	1995 年
亚里士多德传	靳希平著	河北人民出版社	1996 年
柏拉图传	赖辉亮著	河北人民出版社	1996 年
西方智慧的源流	张传有著	武汉大学出版社	1999 年
正义与逻各斯：希腊人的价值理想	崔延强等著	泰山出版社	1998 年
原初智慧形态—希腊神学的两大话语系统及其历史转换	李咏吟著	上海人民出版社	1999 年
希腊化时期的犹太思想	黄天海著	上海人民出版社	1999 年
亚里士多德友爱论研究	廖申白著	河南人民出版社	2000 年
毕达哥拉斯之洞	李毓佩著	河北教育出版社	2001 年
希腊哲学史（三）	汪子嵩等著	人民出版社	2002 年

从这个篇目可以看到,除了晚期希腊哲学外,其他阶段的研究都有所推进。不过,要知道理论深度上的进展,需要对其中一部分译著与著作进行分析。

一、《亚里士多德全集》与《柏拉图全集》问世

在西方哲学东渐过程中,苗力田主持编译的《亚里士多德全集》的出版,是一项标志性的成果。

苗力田(1917—1999),黑龙江同江县人。1944 年中央大学哲学系毕业,后考入该校研究院哲学所,师从陈康攻读希腊哲学研究生,1946 年毕业留校任教。从此开始,先后任教于中央大学、南京大学、北京大学与中国人民大学。几十年来,他一直辛勤地耕耘在西方哲学园地里,桃李满天下,学术成就斐然。仅就后者来说,除了前述由他主编的 10 卷本《亚里士多德全集》外,出版的译著还有《道德形而上学原理》、《黑格尔通信百封》,著作与主编的著作有:《十九世纪俄国民主主义者的哲学和社会政治观点》、《古希腊哲学》与《西方哲学史新编》等。

在他的学术成果中,《亚里士多德全集》的翻译和出版,无疑是最重要的。在西方,编译出版亚里士多德全集,被视为体现一个国家学术水平的重要标志。因此,20 世纪 70 年代末,西方哲学研究恢复后,为了研究古代希腊哲学提供必需的基础资料,以便进一步了解西方的文化传统,他即计划用 10 年的时间把《亚里士多德全集》译成中文。为此,他开始招收希腊哲学的研究生,并亲自教他们学习希腊文。当首批研究生毕业后,他又和他们一起共同承担翻译《亚里士多德全集》的任务。在这个过程中,他一方面把自己译的《形而上学》和《伦理学》的稿子,交给弟子们分别校阅,要求他们尽量发现错误,然后斟酌修正,另一方面对弟子们的译稿,

他一字一句地加以审阅修改。几百万字的译稿，就是他这样以血和汗挤出来的。从开译到全部脱稿，历经 10 载，终于 1997 年付梓问世。

亚里士多德留下来的作品，仅依公元 2 世纪传记作家第欧根尼·拉尔修在其《著名哲学家传》中保存的目录所载，就有 164 种，400 余卷。可是现在，由柏林科学院授命，在伊曼鲁尔·贝克尔主持编辑的标准本《亚里士多德全集》里，共有 47 种，辑为 5 大卷。而且，其中《论宇宙》等 13 种，经学者们从内容上及文字上多方考证，被公认为是后人所托之作品。不过，这些篇目虽非原作，但他们具有很高的文献参考价值，所以仍保留在全集中，只是加以标志以示区别罢了。中译本《亚里士多德全集》的前 9 卷，完全依据贝克尔的标准本的页码顺序译出与编排，而把后来发现的《雅典政制》和其他残篇为第 10 卷。

在翻译时，苗力田对译文提出的要求是："确切、简洁、清通可读"①。这和严复提出的信、达、雅相似，但他的重点在前面。所谓"确切"，就是既忠实地传达彼时、彼地、原作的本意，又使此时、此地的我们能无误地把握其原意；所谓"简洁"，就是不能把翻译变为一种引申，除非在不增加时词义不全的情况下才能增加，更严禁任己意引申铺陈，尽力保持亚里士多德原来的文风。提出这些要求的目的，在于使译文更加接近亚里士多德的原意，使它在词义上要确切可信，在文风上也简洁可信。为此，他还提出要使现代汉语的译文，能忠实地传达古代亚里士多德著作的原意，甚至要求能传达亚里士多德当时从日常生活用语中选取哲学术语的原意，在文

----

①　苗力田：《亚里士多德全集》"序"，第 1 卷，第 13 页，中国人民大学出版社，1990 年。

风上要求现代汉语的译文严格保持古代希腊语的语意简赅,不要将一个词变成一串词,一句话变成一行语。这个要求是很高的。但是,译者们在实践中,都在朝着这个方向努力。

这是西方哲学东渐史上,出版的首部西方哲学家的著作全集。说来也巧,在西方哲学东渐过程中,亚里士多德是西方著名哲学家中第一个被介绍到中国来的,他的著作全集也是所有西方哲学家中第一个被译成中文出版的。由于亚里士多德在西方哲学史上的重要地位,仅就他的著作全集译成中文出版这份贡献来说,苗力田"在我国研究西方哲学的发展上应该是永垂史册的"①。因此,当它出版后,立即受到了哲学界的高度关注,称赞他这是"恩及百代、功在千秋的一项壮举,开创了我国编译西方哲学家全集的先河"②。同样,希腊政府对苗力田的这项为中西哲学交流的学术成就,也给予了高度的赞扬。

继《亚里士多德全集》出版不久,由王晓朝翻译的《柏拉图全集》,于新的世纪之初陆续问世,也值得大书特书。

柏拉图的对话,是古代希腊最早由哲学家亲自写定的完整著作,是希腊文化留下的瑰宝。它不但为学哲学和文学的人所必读,也为世界各国的许多人所喜爱。在我国,虽然早在 20 世纪 20 年代,便有人开始进行翻译了,但直到 20 世纪末,柏拉图的著作尚有一半的篇幅未译过来,而且过去的译本,多半集中在他的早、中期对话,对他后期对话中的思想,很少被提及和重视。但是,他的后期思想在希腊思想的发展史上,以至在整个西方思想的发展史上

---

①　汪子嵩:《陈康·苗力田与亚里士多德哲学研究——兼论西方哲学的研究方法和翻译方法》,载《中国人民大学学报》,2001 年第 4 期,第 41 页。

②　李秋零:《无尽的思念》,见《苗力田教授的纪念文集》,第 185 页,中国人民大学出版社,2001 年。

都起过重要的作用。因此,这次《柏拉图全集》的翻译和出版,"是十分必要的、及时的"①。

这套由 4 卷本构成的《柏拉图全集》,是王晓朝依据希腊文版本娄卜丛书中的《柏拉图全集》译出的。不过,在翻译过程中,参考了学术界公认的权威英译本,在编排上还借鉴了由伊迪丝·汉密尔顿和顿·凯恩斯编辑的《柏拉图对话全集》,并把前者为各篇对话写的短序,因对理解对话的概况有帮助,故采纳过来作为中译本各篇对话的提要。同时,《全集》中的专有名词中译时,又以汪子嵩等的《希腊哲学史》中的译名为基准,哲学术语的译法也尽可能多地吸取了《希腊哲学史》的研究成果。

王晓朝在谈到这个全集译本时,说他的工作虽然是在前人的基础上进行的,但它不是原有中文译本的汇编,"不是老译文加新译文,而是由译者全部重译并编辑的一个全集本"②。所以这样做,原因在于,"汉语和中国的教育制度在 20 世纪中发生了巨大的变化,现在的中青年读者若无文言文功底,对出自老一辈翻译家之手的柏拉图对话已经读不懂了"③。加之"已有译本出自多人之手,专有名词和重要哲学术语的译名很不统一"④。因此,为了解决这些难题,以适应时代发展和读者的需要,即使已有译本的,他还是决定将柏拉图的著作全部重新翻译,并"本着'忠实、通顺'的原则,力求将文本的原意表达出来"⑤。

---

① 汪子嵩:《柏拉图全集》"中文版序",第 1 卷,第 1 页,人民出版社,2002年。

② 王晓朝:《柏拉图全集》"中译者导言",第 1 卷,第 36 页,人民出版社,2002 年。

③ 同上。

④ 同上。

⑤ 同上书,第 38 页。

经过译者这样下工夫译出的《柏拉图全集》,是《亚里士多德全集》出版后另一位西方著名哲学家全集。它的问世,对于推动柏拉图与古代希腊哲学、以至整个西方文化的研究,将会发挥它应有的积极作用。

二、博大精深的多卷本《希腊哲学史》

古代希腊哲学属于人类思想史上的童年时期。研究这段哲学史,将会发现人类哲学最初变化的历程,特别在其"多种多样的形式中,差不多可以找到以后各种世界观的胚胎和发生过程"①。因此,在时间上虽然它已经成为遥远的过去,但把它作为断代史进行研究,却"可以说是探本求源,有助于我们今天对许多问题的研究和理解"②。由于它在哲学史上的这种特殊地位和特殊意义,两千年来一直受到各国学者的高度重视和热情研究。在西方,这种势头经久不衰,无论资料整理还是理论探索,都取得了不少成绩。

面对当代古代希腊哲学研究的这种国际舞台,要在国内原先研究的基础上,更要在国际研究的基础上把它推向前进,使之达到一个新的水平,必须站在当代科学和认识的高度上,把系统而深入对原著的钻研精神和勇于探索的理论勇气结合起来,采取新的科学方法,对不同的研究对象从不同的角度出发,把蕴涵在其中以胚胎、征兆、萌芽形式的因素科学地揭示出来,阐明它们在当代的意义和价值。这是西方哲学领域提出的任务,也是一项极其艰巨的工作。要实现这个目标,必然遇到无数的困难与需要解决的诸多问题。然而,由汪子嵩主持,范明生、陈村富与姚介厚参加编写的

---

① 恩格斯:《自然辩证法》,第26页,人民出版社,1959年。
② 汪子嵩等:《希腊哲学史》,第1卷,第8页,人民出版社,1988年。

多卷本《希腊哲学史》，却以它博大精深和新意盎然的崭新面貌，展现在世人面前。

　　《希腊哲学史》原是大陆哲学界计划写作多卷西方哲学史的一个组成部分。它预定分为四卷分别出版。第1卷，从泰利斯写到德谟克利特；第2卷，从智者运动、苏格拉底写到柏拉图及其学园；第3卷，写亚里士多德及其逍遥学派；第4卷，写亚里士多德以后的希腊——罗马哲学。已经问世的前三卷，各在80万字以上，洋洋洒洒，真可谓鸿篇巨制。特别在内容上，史料翔实，新见迭出，逻辑严谨，引人入胜，把一个个经过各国学者反复探讨过的古老论题，通过一系列具有开拓性观点的提出与深入细致的论证，把这段哲学史的研究推进到了一个新的水平。

　　这里，从提高西方哲学研究学术水平的角度，着重探寻一下它取得这一重大成就的原因。对此，首先要提到陈康先生的贡献。虽然他不是本书的直接参与者，但是，本书的作者不是他的亲炙弟子，就是他的再传弟子。陈康研究希腊哲学的理想与抱负，不但成为哺育他们勇于开拓和敢于攀登的力量源泉，而且他在研究中取得的多方面成就，也成为他们继续探索的基础和起点。多卷本《希腊哲学史》就是作者们继承陈康开辟的学术领域，既独立钻研又通力合作，经过长期努力结出的果实。因此，在这个意义上，它是他们三代学者智慧的结晶。

　　其次，学者们的努力在于：

　　一是作者对哲学家著作钻研的全面深入。没有这一步功夫，要想全面理解和深入把握希腊哲学的实质是难以办到的。特别是古代希腊哲学家的著作系统保存下来的为数甚少，绝大多数只是一些残篇，要使研究工作有所突破，必须依靠古代哲学家、编纂家和诠释家们的大量有关论述和记载，然而这些第二手材料往往是相互矛盾的;况且,即使有些哲学家的著作幸运地留传下来了,其中也有相当的部分尚未译成中文。就是有些翻译过来了,出处却是相互混杂,如苏格拉底的思想便散见于柏拉图的著作中;有的哲学家的观点前后有变化,如柏拉图;而更多的是,几千年来通过各种文字的翻译、流传和诠释,都渗进入了不少的杂质。因此,鉴别真伪,正本清源,尽可能还哲学家著作及其思想的本来面貌便是一项艰巨的工程。在这部著作中,读者可以看到,作者们对原著逐篇、逐句考释;对各篇著作主要内容、相互之间的联系与区别,以及构成不同哲学体系意义的阐明;对各篇著作真伪的考证,以及对于杂质的厘定;对不同哲学概念前后的不同表述,以及它们在希腊哲学发展过程中前后演变和深化的揭示;对于运用第二手资料进行论证时提出的甄别等等,都充分说明,无论原著的内容还是其他资料记载,都完全熟烂和溶化在他们的胸中,在论述时,他们对这些著作和资料如数家珍,那般娴熟,那样从容,这种自信和力量,就是他们钻研原著功夫之深的证明。

二是论述希腊哲学家观点与希腊哲学发展过程的精雕细刻功夫。读过《希腊哲学史》前三卷的人,都会被它博大精深的内容所吸引。然而,要是探究一下这种力量的来源,就会发现,这与作者论述哲学家观点及其发展过程的精雕细刻功夫有着密切的关系。例如,对米利都学派三位哲学家关于"始基"范畴的提出、根源、含义的揭示,以各个范畴的演变和它们之间的联系的细腻考察;对赫拉克利特、毕达哥拉斯、智者运动和苏格拉底等由于他们自身的复杂性而积累下来的疑点和难点的逐篇释义和论述,都是生动的证明。实际上,这些只是书中精雕细刻篇章极少一部分。正是这种功夫,使一个一个的概念、命题、原理和体系,包括它们如何形成,如何提出,含义是什么,后来的变化等,经过有理有据的充分辨析与深刻的论述,都清晰而真实地展现出来。通过这种展现,不但使希腊哲学发展过程中各位哲学家的本来面目栩栩如生地站立在人们面前,而且把希腊哲学如何从宗教和神话中分化出来,到柏拉图、亚里士多德提出的哲学体系这段哲学的曲折发展过程,分析和揭示得那样淋漓尽致,令人信服。

三是敢于同各国学者在学术上进行平等而深入的对话。古代希腊哲学的研究,早已成为一项国际性的事业。要把对它的研究推进到一个新的阶段,除了扎根在本国研究的沃土之上外,还要了解和熟悉历史上以及近现代其他国家的学者研究的有关成果;通过这些成果的清理、疏浚、评述,才有可能在前人和外人已经达到的水平的基础上继续前进,这是十分艰巨的。不仅因为其数量之多,两千年来各国学者研究的论著和资料,可谓汗牛充栋。更为重要的是,由于时间的久远,文化背景的差异以及研究动机的不同,造成了这些资料在内容上,虽然不乏真知灼见,但偏见、谬误甚至歪曲也大量夹杂其间。因此,必须根据原著以及自己对原著的理解,对它们分别进行考订、整理、甄别和评断,才能确定在对话时分别采取的态度。在《希腊哲学史》的前三卷中,可以听到甚至几乎是目睹作者同这些学者进行讨论和辨析的热烈情景。他们在对话中,凡认为对方是正确的,给予充分的肯定,并借鉴用来说明自己的论点;凡认为是片面或偏颇的,通过充分的说理和论证,运用材料指明片面或偏颇的原因与表现;凡认为是错误或歪曲的,进行热情和严肃的批评,并运用事实纠正之后指出它的失误所在。这种学术对话,实际上是对以往研究成果进行批判性总结;在这个基础上,熔中外古今研究希腊哲学的成果于一炉,去粗取精、去伪存真。就是在这种对话中,本书作者作为国际希腊哲学研究领域对话的一方,在吸取其他国家学者研究中的积极因素的基础上,提高了希腊哲学的研究水平。

改革开放以来，在研究西方哲学的众多著作中，涌现了一些像陈康说的使西方学者感到以不通中文为恨的作品。在这些著作中，《希腊哲学史》是它们当之无愧的代表。它从宏观上推进了对古代希腊哲学的认识与研究。这是中国学者在希腊哲学领域为国际哲学事业做出的重要贡献。

三、杨适的古希腊哲学探本之论

在研究古代希腊哲学的著作中，杨适先后推出的《哲学的童年》与《古希腊哲学探本》，不囿成说，表述生动，颇有新意。

杨适（1932—　　），安徽当涂人。1962 年北京大学哲学系毕业留校任教，一直从事马克思主义哲学与西方哲学研究。现为北京大学哲学系教授。主要著作除了前述两本外，尚有《马克思经济学哲学手稿述评》（人民出版社，1982 年）、《中西人论的冲突》（中国人民大学出版社，1982 年）。

在《哲学的童年——西方哲学发展线索研究》第一卷中，杨适对自己研究西方哲学提出的任务是："试图对西方哲学史的发展线索作一些初步的具体探索"[1]。他认为，"哲学史，由于它是人类探求真理所走过的最光荣最艰难的理论思维发展过程，……这过程就是理论思维的锻炼成长的历史"[2]，"研究哲学史应着重线索的理解"[3]。在他看来，哲学发展的线索，实质上就是人类认识和思维发展的过程和线索，因此，研究哲学发展的线索，就是研究人

---

① 杨适：《哲学的童年》，第 3 页，中国社会科学出版社，1987 年。
② 同上书，第 13—14 页。
③ 同上书，第 6 页。

类认识和思维发展的线索,只有这样,才能锻炼和提高人的理论思维能力。

依据这种思路,杨适开展了对西方哲学发展线索的探索。在《哲学的童年》中,他在具体地阐明古代希腊哲学的发展线索时,首先指出,"历史上每一个有意义的哲学形态,都有它的来龙去脉:它是怎样提出来的? 同先前的哲学有什么关系? 这样提出来的哲学概念能够解决先前未能解决的什么问题? 它自身又带来些什么问题,其原因是什么? 给他本人和后人提出了什么新任务? 这些问题如果研究明白了,那么,所谓哲学史的发展线索或规律性也就会显示出来"①。其次,通过对哲学发展有重要影响的哲学派别与哲学问题的分析,具体地揭示了古代希腊哲学发展的线索,并苦心孤诣地提出了不少饶有新意与启发的观点。例如,从巴门尼德到亚里士多德的古典时代哲学内在生命运动的分析,认为经过三个发展阶段,最后通过亚里士多德对以往全部哲学的考察与总结,才完成了古希腊哲学的本体论,创立了第一哲学和逻辑学,便显得很有理论洞见。

十九年后,杨适推出的新作《古希腊哲学探本》,虽然也是综合地研究古代希腊哲学的著作,但从指导思想、内容论述与篇幅安排,绝不是《哲学的童年》的重复,或加上第三部分"希腊化时期的哲学"后在量上的扩充,而是作者继承与发扬陈康学风,长期以来寻求智慧的新成果。主要表现在:

第一,由于作者学习并掌握希腊文后,进一步对希腊文化的本义,特别是对以苏格拉底、柏拉图与亚里士多德为代表的古代希腊哲学的精髓进行了新的探索,并从中获得了新的领悟。例如,他对

① 杨适:《哲学的童年》,第 22 页,中国社会科学出版社,1987 年。

古希腊哲学的核心 ontology 的理解,认为作为希腊哲学主要形态的 ontology,其核心概念的语义,最基本的是作为动词的"存在"含义,和作为系词"是"的含义。它也可以翻译为"有"。肯定 on 的语义兼有"存在"、"是"诸义,并且,它们彼此贯通。

　　第二,重新提示和论证了希腊哲学的发展线索。值得注意的是,他的这项工作是通过探求 on(存在——是)和 physis(自然)以及它们和"神"的关联来进行的。简单说来,它的发展过程首先是"自然(哲)学"。希腊哲学从"自然学"开端,通过"数(哲)学"过渡到古典时代的"存在——是论"(本体论),最后又在晚期希腊哲学中返回以"自然(哲)学"为中心的形态,与本体论合为互相诠释的一体。而且在阐明这个过程时,作者一方面认为这是一个从求真走向更高层次"求真善"的过程,另一方面,他又把希腊哲学的发展同神话、宗教、神、神学联系起来进行分析,认为全部希腊哲学发展史表明,哲学出自神话宗教,它们彼此在对话中互相推动而上升发展,最后又返回宗教,并和基督教汇合起来。

　　第三,在《探本》中,还通过对中西人论的比较研究,深化了对希腊哲学赖以产生的原创文化的认识。作者认为,揭示文化的中心在人,文化理论的中心在人论,而人和人论都是历史的、具体的。因此,研究人的时候要把它同人的实际生活、同历史上的具体的人和人论形态联系起来。经过研究,他提出,西方文化及其人论的特征在于追求"自由"和自我批判。因为这样,西方人认识到自己的特点是人和自然的分离,由此导致其自然科学的发展;灵魂与肉体的分离,由此导致经验和理性的对立和斗争。而这些,最初都可以溯源于古代希腊哲学。

　　这里阐明的,只是作者在《探本》中有关深化古代希腊哲学研究的一部分成果。正如范明生指出的,他"本着追踪中西文化发展的轨迹,锲而不舍,在深入探讨古希腊原创文化理论的基础上,进行作为中西文化核心的中西人论和比较研究的同时,出于持久地追求希腊哲人智慧的热情,在从头开始学习古希腊语的基础上,在感悟'存在/是'(on)是整个希腊哲学的内在核心和精华,以此重新诠释希腊哲学的发展及其规律对人类思想的贡献。这就是《古希腊哲学探本》的主要贡献所在"①。而且,这些都是他研究古代希腊哲学的探本之论,因此,"它贡献给我们的,不仅仅是一整套系统的关于希腊哲学知识,而是渗透在整个古希腊原创文化中的智慧及其不懈寻求的精神"②。

四、叶秀山对希腊哲学源流的挖掘

潜心研究古代希腊哲学多年的叶秀山,20 世纪 80 年代先后推出的《前苏格拉底哲学研究》和《苏格拉底及其哲学思想》两部著作,把人们的视野扩展到了"欧洲哲学思想的最远古的起源"③,使人们对于希腊哲学的源流的认识,向前推进了一步。

叶秀山(1935—),江苏镇江人。1956 年北京大学哲学系毕业后分配到中国(社会)科学院哲学所工作,曾任院研究生院哲学系系主任,中华外国哲学史学会理事。著述颇丰。

首先在《前苏格拉底哲学研究》中,作者在广泛参考和使用了英、德、法和希腊学者的资料,并对它们进行了细致和反复的鉴别,特别对某些残篇中相互矛盾的记录,做出了科学的分析和甄别。在这个基础上,他还借鉴国外学者的有关研究成果,着重阐明了前

①　范明生:《不断寻求、不断创新的丰硕成果——读杨适〈古希腊哲学探本〉》,载《世界哲学》,2004 年第 1 期,第 102—103 页。
②　同上书,第 103 页。
③　叶秀山:《前苏格拉底哲学研究》,第 1 页,三联书店,1981 年。

苏格拉底主要哲学家提出的哲学范畴,如赫拉克利特的"逻各斯"与巴门尼德的"存在"等,然后又脉络清晰地揭示了这一时期希腊哲学的发展线索,使各个学派在哲学源头的特殊地位,得以真实地展现出来。

其次在《苏格拉底及其哲学思想》中,作者站在各派思潮迁延流变和哲学的高度,着力全面而正确地评述了苏格拉底的哲学思想。然而,要做到这一点,是十分不容易的。因为尽管苏格拉底在希腊哲学史上声名遐迩,可是对于他的哲学思想,除了人所共知的寥寥数语以外,敢于刨根究底的终究不多。这主要是出于史料方面存在的问题所致。叶秀山在继《前苏格拉底哲学研究》后,以他惯用的典雅、清新、恬淡的文笔,对苏格拉底的哲学思想进行了饶有新意的阐述。如果说,前书的主要功夫在于揭示希腊哲学的源流,那么,本书则主要对苏格拉底的哲学思想及其在希腊哲学史上的地位作出正确的解释和评断。在从事这项工作时,书中最有特色的篇章在于:

第一,深刻地揭示了苏格拉底在希腊哲学发展过程中在认识上的转向。作者从理性思考自身进展的角度出发,认为希腊哲学从古代神话传说中分离出来的重要一步,是有意识的人与自然的分离,即我与物的分离,从物我混沌转向面对自然。这样,前苏格拉底时期的希腊哲学便是一种广义的自然哲学,无论米利都学派,还是埃利亚学派的哲学家们,所关注的都是对象世界的"始基"、"本原",作为一种悬设,在逻辑上是成立的,但在观察方面却是不可检验的,它永远在能为实际观察所辨别的因果系列之外。尽管在苏格拉底时期,已经有了各种各样对"始基"的解释,如泰利斯的水,毕达哥拉斯的数和赫拉克利特的火,但这每一种解释又都不过是一种"独断",一种"宣布"。苏格拉底卓尔不群之处在于他看到了自然哲学家所面临的这一困境,并且他认为这种困境是哲学家在研究自然时必然会遇到的。既然因果系列是无限的,而且穷尽一切因果是无法实现的,那么,仅仅从自然因果的立场去追求万物的最初因就永远得不到一种真理的知识。当苏格拉底得出上述结论时,他曾经怀有过的追求自然知识的希望便失落了。哲学作为一种爱智的学问,苏格拉底要为哲学找到新的希望,要为哲学开发出一个新的领域,哲学沉思应该从茫茫无边而又无法驻足的宇宙收回来,不假于外,而求诸于内,"与其求之于外而莫衷一是,不如求诸内而归于自我"①。为此,苏格拉底把"认识你自己"这句格言哲学化,"成为一个哲学原理,一条哲学路线"②。这条新的哲学路线便是从自然回到人。由此,哲学由于获得了这个新的起点,哲学的希望又复活了。叶秀山指出,"我们看到,苏格拉底这些基本思想,在哲学史上是一种很大的转变"③。

第二,全面地论述了苏格拉底提出的精神原则在哲学发展中的意义。毫无疑问,苏格拉底的"自我"或"灵魂"作为一种精神原则,是唯心主义的。但是,它在哲学思想漫长的更替代谢过程中几经变样,一开始就在寻找某种确定性和统一性,寻找一个能使躁动不息的思想归于安宁的最后栖息地。早期希腊哲学家从自然界的"多"中求"一",从"不定"中求"在定"等,便是以一种对象思考的方式来寻找这种确定性和统一性。但后来发展到智者普罗泰哥拉宣称"人是万物的尺度"、"一切皆变"时,哲学不知不觉到了它最初目的的反面了。这种对自然哲学的反对即是对确定性的反对。

①　叶秀山:《苏格拉底及其哲学思想》,第72页,人民出版社,1986年。
②　同上书,第76页。
③　同上书,第82页。

正如作者的分析,他们立足的是一种"感觉论"立场,而人的感觉、情感变化莫测的主观随意性决定了这一尺度的无尺度性。叶秀山指出,苏格拉底作为想恢复哲学家所追求的确定性和统一性的哲学家,试图建立一种出自主体性的确定性和统一性。他认为它们不是来自对象的物质世界,而是一种精神的原则,一种出自概念的规范。经过他的反复论证,认为这个精神原则便是"灵魂"。这个精神原则在苏格拉底的哲学中,便被作为知识的根据、哲学的依托、人性的归宿而被召唤。作者认为,如果通过正确的扬弃,把这个唯心主义原则的合理内容置于一个更稳固的唯物主义基础上,它在哲学发展过程中的意义,便鲜明地显露出来了。

叶秀山的上述两本著作,虽然篇幅不大,但由于作者在多方面挖掘和考订原始材料的基础上,经过深入而细腻的论证,深化了人们对希腊哲学源流与前苏格拉底哲学的认识。

五、王太庆的柏拉图著作翻译与研究

在当代西方哲学东渐过程中,王太庆的贡献是多方面的,也是突出的。

王太庆(1922—1999),安徽铜陵人。1947年北京大学哲学系毕业。先到贺麟主持的西洋哲学名著编译会任研究编译员,1949年以后,除了因故有一段时间在银川医学院工作外,主要任教于北京大学哲学系,从事西方哲学的教学与研究,为西方哲学东渐贡献了毕生精力。

在这一方面,他首先是我国当代的一位著名翻译家。除了晚年集中精力译出的《柏拉图对话集》外,早在50—60年代,便译有普列汉诺夫的《唯物论史论丛》、同贺麟合译有黑格尔的《哲学史讲演录》、与陈修斋合译有《狄德罗哲学选集》等,特别在参与由洪

谦主持编译的一套"西方古典哲学原著选辑"的过程中,其中《古希腊罗马哲学》、《十六——十八世纪西欧各国哲学》、《十八世纪法国哲学》与《十八世纪末至十九世纪初德国古典哲学》,由于他精通英、法、德等多种语言,加上工作认真,所以主编把译稿终审与编辑都交给他负责。到 80 年代,王太庆还驾轻就熟地主持编译出版了《西方哲学原著选读》与《现代西方哲学论著选辑》。近半个世纪以来,国内凡学习或研究哲学的人,从王太庆的这些译著中,都无不得益匪浅。

这里,着重介绍他对柏拉图著作的翻译与研究。晚年,王太庆集中精力翻译柏拉图的著作,原来计划出全集,可惜因病逝世未能如愿,译出的部分稿件由汪子嵩和杨适帮助整理,以《柏拉图对话集》为书名,于 2004 年由商务印书馆付梓问世。

该书的内容包括两个部分:前一部分是他译的正文,计有对话十二篇,即:"欧悌甫戎篇"、"苏格拉底申辩篇"、"格黎东篇"、"卡尔弥德篇"、"拉刻篇"、"吕锡篇"、"枚农篇"、"裴洞篇"、"会钦篇"、"治国篇"、"巴门尼德篇"与"智者篇";其中有两篇未译完,一篇是节译。另附录两篇,一篇是翻译古希腊文献记载的有关传记,另一篇是翻译亚里士多德对柏拉图哲学的批评,都是阅读柏拉图对话的必需资料。

对话主要根据 J. Burnet 的校勘本希腊文《柏拉图著作集》(Seriptorum Classicorum Bibiotheca Oxoniensis, Platonis Opera)1984年重印本。不过,王太庆翻译时喜欢参考各种英、法、德文和中文的译本,用以和自己的理解对照,吸纳别人的长处,避免其缺点。要指出的是,他的这些译文深受陈康和贺麟的影响。他说,"陈先生和贺先生在学习西方哲学思想这一点上是志同道合的,但是在介绍和翻译西方思想时所采取的办法却不相同,贺先生主张会同中国固有思想,陈先生主张清除翻译中的不纯因素,以外国原有思想的依归。我受这两位老师的影响很深:在遣词造句方面我力求像贺先生那样通达,合乎中国人的习惯;在义理和术语方面我力求像陈先生那样忠于原义,一丝不苟"①。因此,王太庆在翻译柏拉图的对话时,力图以陈生先的"信"配上贺先生的"达"。尤其因为柏拉图原来写的是几个人之间的谈话,他译成的中文,更加要显示谈话时的口语语气。虽然这样做像他自己说的"很吃力",但是他的努力没有白费,而"为后人提供了一个值得学习的翻译样板"②。

　　后一部分是王太庆的论著。其中有他长期翻译西方哲学著作的经验总结及其对翻译理论的论述,还有他翻译与研究柏拉图著作提出的观点。在这一方面,他是一位专门研究西方哲学史的著名学者。虽然在数量上不十分突出,但它们却是他长期从事翻译实践的总结,更是他近20年来研究希腊哲学,尤其是柏拉图哲学的结晶。其中在《试论外国哲学著作的汉语翻译问题》中,概述了中国从汉唐以来翻译外国经典著作的历史。他认为近代以来,从严复开始翻译西方哲学著作,经过"五四"时期,尤其是1949年以后,翻译工作有了较大的进步和发展。其中,柏拉图著作的翻译和出版,就是最好的证明。不仅如此,在《论翻译之为再创造》中,通过西方哲学著作在中国翻译过程的总结,他还提出了一套进行哲学著作翻译的理论。主要是他认为,决定翻译好坏的关键是两个,一个是逻辑,另一个是语言。译者首先必须对原著有相当的理解,了解原著所讲的道理。西方哲学著作都是重逻辑的,一篇哲学著

---

　　①　王太庆:《柏拉图关于"是"的学说》,见《柏拉图对话集》"附录",第696页,商务印书馆,2004年。

　　②　汪子嵩:《柏拉图对话集》,"前言",第17页,商务印书馆,2004年。

作有完整的逻辑结构,每个结论都是经由逻辑推理论证步骤才能得出的;译者必须分析研究,了解这些逻辑步骤,才能对原著有所理解。然后才是第二步,即将译者所理解的原著中的逻辑,用恰当的汉语将它表达出来。原著中的逻辑是客观存在的,用汉语表达的逻辑必须和原著的逻辑一致,如果译者没有很好理解,或是误解,甚至主观曲解,便不是好的翻译,因为原著的逻辑和译文所表达的逻辑在内容上应该是共同的,它们只是用不同的语言,在表达形式上是不同的。所以除了重视逻辑内容以外,他还特别注重语言表述所用的形式——语言。正是从这种认识出发,他把翻译视为一种再创造,看成一种科学活动。汪子嵩认为,王太庆的这一番论述,"既是从哲学方面,又是从语言学方面为翻译工作提供了理论说明,对我们提高翻译工作的质量是有助益的"①。

在西方哲学研究中把精力集中到柏拉图哲学上来,是80年代发生的变化。在同汪子嵩共同合编了《陈康论希腊哲学》后,他开始计划翻译柏拉图全集。可是开始不久,他便停下来了。原因是他觉得有些关于柏拉图哲学的根本问题,还需要重新研究。在这些问题中,首先是有关柏拉图用的主要术语的理解和翻译问题。例如,柏拉图说的 idea 和 eidos,现在一般都译为"理念",可是陈康早就指出:柏拉图时代还没有产生后来的"理 cratio"的思想,而且它们也不是主观的"念"。在柏拉图的对话中,确有几篇曾将 idea 说成似乎是主观的概念,但更多的是将它说成是认识的客观对象,所以陈先生主张译为"相"和"型"。然而在编写《希腊哲学史》第一卷时,作者根据"约定俗成"原则仍然译为"理念"。王太庆指出,这样的"约定俗成"实际上是"约定错成"。并在他的坚持

---

① 汪子嵩:《柏拉图对话集》,"前言",第8页,商务印书馆,2004年。

与当时在美国的陈康的指导下在第二卷中得到了及时的纠正。

又如,一个更为重要而普遍的术语 einai(estin, on,即英文 being)。这个术语陈康最早按德语译 sein,音译为"洒殷",后来汪子嵩在为《陈康论希腊哲学》写"编者的话"时,根据通行的译法把它译为"存在"。王太庆不满意这个译法。为此,他寻根究底,追到最初提出 estin 的是巴门尼德,并对照希腊原文和各种译本,发现最早将这个词译为"存在"由此引起误解的,原来是他自己。附录在《对话集》中的《我们怎样认识西方人的"是"?》中,他说明了这个过程。原来在 50 年代初翻译《古希腊罗马哲学》时,因为不认得希腊文,又没有反复推敲各种译本,结果把巴门尼德提出的两条认识道路,译成:(1)一条是:存在物是存在的;(2)另一条是:存在物是不存在的。由此以讹传讹,造成了普遍的误解和误译。后来,他学会了希腊文,再将希腊文和各种译本对照,理解了巴门尼德的原意。所以,把它们改译为:(1)一条是:它是,它不能不是。(2)另一条是:它不是,它必定不是。在这里,他既从语言学,又从哲学的角度,说明了西方语文中的 being 这个字有"在"、"有"、"是"的"三合一"的意思,但是在中文中这三个字的意义和用法是不同的。他认为,用"有"和"存在"翻译这个词,可能引起不恰当的联想,只有用"是"来译它,才能表达西方哲学的特色。

当他解决了这个术语的理解和翻译后,对柏拉图的哲学就可以达到深入一步的认识了。一般哲学史上都说:柏拉图是继承了巴门尼德的思想路线的,他所说的"相"就是巴门尼德的"是"的发展。但是要说明从巴门尼德的"是"如何发展为柏拉图的"相"?却不是很容易的。王太庆于 1997 年发表在台湾《哲学杂志》第二十一期上的文章《柏拉图关于"是"的学说》,从哲学和语义学两个方面结合起来解释了这个问题。他认为柏拉图的"相论(Theory of

Ideas)"也就是"是论(Theory of Being)",它在希腊哲学的发展中,起着继往开来的作用。为此,他在这篇文章里讨论了:(1)柏拉图以前的是论;(2)柏拉图的早期是论;(3)柏拉图对自己早期是论的批判;(4)柏拉图的新是论。通过对这些问题的阐述,他对于柏拉图哲学便获得了完整的、一以贯之的认识。为此他前后花费了差不多整整十年的工夫,表现出一位学者探求真理的坚持精神。可是,正当他可以继续完成翻译柏拉图对话全集与取得柏拉图哲学研究重要成果的时候,却不幸与世长辞了。这是我国哲学界的损失。虽然如此,汪子嵩指出,"他的这些研究成果是可以给今后柏拉图哲学的研究者以启发的"①。

六、范明生对柏拉图哲学的开拓性研究

在本时期专门研究柏拉图哲学的著作中,除了范明生的外,尚有王宏文、宋洁人的《柏拉图研究》(上卷)、赖辉亮的《柏拉图传》。这里,只论述范明生对柏拉图哲学的开拓性研究。

范明生(1930—　　),上海人。曾经长期在上海社科院哲学所从事研究工作,任研究员、副所长。早在大学读书时,他便有志于柏拉图哲学的研究。虽然后来几经周折,但他坚持不懈、孜孜不倦、锲而不舍。由于长期的深入钻研,改革开放后,除参加多卷本《希腊哲学史》的编撰以及和王淼洋合作出版了《东西哲学比较研究》之外,还于1984年和1993年,分别出版了《柏拉图哲学述评》与《晚期希腊哲学和基督教神学——东西方文化的汇合》两部著作。

在这些著作中,除了以资料的扎实功夫见长外,就是其理论成

---

① 汪子嵩:《柏拉图对话集》,"前言",第12页,商务印书馆,2004年。

果的开拓性。

首先,表现在《柏拉图哲学述评》中。柏拉图是欧洲哲学史上第一个建立庞大客观唯心主义体系的哲学家。他的哲学对于西方文化乃至世界文化,都产生过极其深刻的影响。然而对于柏拉图及其哲学,由于以他的名义流传下来的著作、书信,其真伪、分期与内容等问题,向来就存在不同的看法。特别是因为在柏拉图的时代,哲学中的本体论、认识论、方法论以及伦理学、政治学等思想往往交织在一起,因此产生了像陈康所说的,柏拉图的著作几乎每一篇都是一个谜,使他的哲学思想体系蒙上了一层神秘的云雾。

在我国希腊哲学的研究中,陈康是第一个起来拨开云雾,还其庐山真面目的学者。而接着起来并作出了巨大努力的,便要数范明生了。在《柏拉图哲学述评》中,他在介绍柏拉图时代特征、生平活动、思想渊源和著作考证的基础上,分别论述了柏拉图的认识论、理念论、自然哲学、社会政治、伦理道德、灵魂和至善学说。贯穿在论述过程中的一个显著特征是作者对这些问题进行研究的开拓性。

例如,对于柏拉图哲学的阶级基础问题,作者根据对被人忽视的柏拉图后期著作《法律篇》、《第七封信札》以及色诺芬尼的记载的深入钻研,认为过去单纯地把柏拉图看作是代表反动贵族奴隶主或代表奴隶主民主派都是片面的,因为柏拉图的政治立场前期和后期是有变化的。"要是说以《国家篇》为代表的中期立场,是在保守中暴露出反动倾向的话;那么,以《法律篇》为代表的后期立场,则是在保守中出现一定的民主倾向"①。柏拉图正是在这种变动的政治立场指导下,形成和制定了他的哲学体系。

---

① 范明生:《柏拉图哲学述评》,第3页,上海人民出版社,1984年。

又如，对于柏拉图的哲学体系，范明生指出，由于这个体系是历史地形成的，因此，同样必须对它进行具体的分析和历史的评价。其中在评述理念论时，作者认为，随着柏拉图整个体系的演变，理念经历了一个孕育、成熟、变革的发展过程。在这个过程中，柏拉图并未停留在中期的典型理念论上，而是在中期特别是在后期著作中，对自己中期的形而上学理念论进行了深刻的批评；尽管这种批评依然是站在同一客观唯心主义基础上进行的，但他却提出了带有辩证特征的改革理念论，特别提出了以对立统一为特征的范畴体系，即通种论。在剖析辩证法时，作者认为这是柏拉图整个体系的精华和主要贡献所在。他指出，柏拉图和赫拉克利特、亚里士多德、黑格尔一样，是马克思主义唯物辩证法产生以前欧洲哲学史上的辩证法大师。不过，他的辩证法和黑格尔的辩证法一样，都是倒置的，必须把它颠倒过来，以便发现在唯心主义神秘外壳中的合理内核。在分析柏拉图的社会政治、伦理道德学说时，作者认为必须重新加以评价。因为从它的影响来说，既有积极的方面，如它影响了罗马法、洛克的分权制、代议制和孟德斯鸠的三权分立和互相制约学说的产生；又有消极的方面，要看到它是西方神权政治和法西斯专政的理论先驱，等等。

像这样经过开拓性研究提出的具有创见的观点，贯穿在该书的各个部分。它们对于拨开笼罩在柏拉图哲学上面的云雾，为进一步深入研究柏拉图哲学开辟了道路。

其次，表现在《晚期希腊哲学和基督教神学——东西方文化的汇合》中。实际上，这本书是前者的续篇，因为在这里，作者阐明的主题是柏拉图哲学的影响及其在新的历史条件下的发展。一方面，作者从发展过程上论述了从希腊哲学向基督教神学过渡的逻辑必然性，另一方面，又通过这个发展过程具体内容的分析，揭示了人类认识发展的曲折性。两相映照,能够全面、真切地窥见和把握人类认识发展在这个时期中的真实和生动的景象,从而使西方哲学研究中的一个断层在一定程度上得到了填补。这是作者在晚期希腊哲学研究取得的一个重大成就。

要指出的是,作者在上述论述的基础上,还揭示了东西文化的早期汇合。不过在这一点上,范明生主要不是材料的挖掘和阐明,而是从无可否认的事实出发,把希腊哲学和基督教神学之间的联系、汇合,放在东西文化相互冲突和相互融合的广阔背景下着重理论观点上的分析和论述,并提出了一系列具有开创性的观点。其中主要是,认为不但"希腊主义是中西文化汇合的产物"①,而且,基督教及其神学,由于它和希腊哲学一脉相承,"它们都是东西方文化汇合的产物"②。他在具体论述这个汇合过程时,一方面从理论观点上,阐明了希腊哲学通过斐诺、普罗提诺,过渡到奥古斯丁,一步一步地如何影响了基督教的产生及其神学的形成,并"被融入基督教神学,成为其不可分割的一个组成部分"③。另一方面,以基督教及其神学来说,它们的形成和发展,尽管根源于东方巴勒斯坦的政治经济和文化基础之上,但是它具有当时以及后来发展过程中表现出来的特有面貌,又是同它深受希腊哲学,特别是柏拉图哲学和斯多亚学派的影响分不开的。在这里,作者通过对基督教神学的经典的形成以及内容辨析,具体阐明了它对希腊哲学的吸取和改造,既指出了基督教及其神学在致力吸取希腊哲学时,只是从它的思想倾向和社会根源出发的,所以它才特别接受了柏拉

---

① 范明生:《晚期希腊哲学和基督教神学》,第15页,上海人民出版社,1993年。

② 同上书,第11页。

③ 同上书,第363页。

图、斯多亚学派和新柏拉图主义学派中的唯心主义因素，又论述了基督教"是犹太教和世界主义的希腊主义交融在一起的产物"①，基督教神学则"是在犹太教基础上，接受希腊哲学、特别是柏拉图学派和斯多亚学派的影响下制定的"②，从而全面地说明了人类认识发展的这个童年时期东西文化的汇合。作者指出，只有理解了这一点，才能理解它在全世界的广泛传播以及它在历史上和在现代世界中的巨大影响。并且围绕这个核心观点，作者还分别论述了这次东西方文化汇合的条件、过程、内容、特点以及经验教训，从而进一步揭示了希腊哲学和基督教神学之间的真实联系，使哲学史上一个长期不甚明确的问题，通过淋漓尽致的阐述，把东西方文化的早期汇合及其规律性，清晰地呈现在人们面前了。这是该书的成功之处。

七、汪子嵩研究亚里士多德哲学的基础性工作

恩格斯在《反杜林论》中说，"辩证法直到现在还只被亚里士多德和黑格尔这两位思想家比较精密地研究过"③。然而，在中国的西方哲学研究中，尽管亚里士多德哲学输入最早，但和黑格尔哲学的传播比较起来，显然要落后得多。"以至在一些哲学史课本中将亚里士多德的思想说得那么简单，那么贫乏，实在不配'古代世界的黑格尔'的称号"④。为了改变这种状况，改革开放后有些

---

① 范明生：《晚期希腊哲学和基督教神学》，第 240 页，上海人民出版社，1993 年。

② 同上书，第 280 页。

③ 恩格斯：《反杜林论》，见《马克思恩格斯选集》，第 3 卷，第 466 页，人民出版社，1995 年。

④ 汪子嵩：《亚里士多德关于本体的学说》，第 2 页，三联书店，1982 年。

学者投身这个领域,出版的著作有汪子嵩的《亚里士多德关于本
体的学说》,高清海的《哲学的憧憬——〈形而上学〉的沉思》,宋洁
人的《亚里士多德与古希腊早期自然哲学》、靳希平的《亚里士多
德传》,廖申白的《亚里士多德友爱论研究》等。其中,汪子嵩的著
作有代表性。

　　汪子嵩(1921—),浙江杭州人。早在西南联大读书期间,
便对西方哲学史产生了浓厚的兴趣,并选了柏拉图哲学作为毕业
论文的题目。1945 年毕业后在陈康指导下读研究生,学习从柏拉
图与亚里士多德的著作中研究他们的哲学思想,从此走上了研究
希腊哲学的道路。60 年代初期,因人生经历中的一次转折,在多
年从事马克思主义哲学工作之后重操旧业,在北京大学讲授亚里
士多德《形而上学》。在教学过程中,为了帮助学生弄懂原著,他
进行了一些有益的尝试。1979 年以后,学术界筹划编写多卷本
《西方哲学史》。汪子嵩作为负责人之一,认为要写好西方哲学
史,首先要写好西方哲学断代史,而要写好断代史,最基础的工作
是对哲学家著作的深入钻研。在这一点上,他首先想到了《形而
上学》。这不仅有上述的原因,还因为这本书在西方哲学著作中
是最难读的书之一,而它对理解亚里士多德哲学又是关键所在。
因此,他决定从这里开始。在进行这项工作时,从打好基础出发,
他决定不讨论《形而上学》中的所有问题,特别是辩证法问题,而
是围绕亚氏的本体学说,阐明他的所有观点和论证后对它进行必
要的解释。汪子嵩指出,他这样写的目的,"一是给想读《形而上
学》这本书的同志提供一点帮助,二是给将来编写哲学史提供素
材"①。依据这一思路,他撰成了《亚里士多德关于本体的学说》

---

　　①　汪子嵩:《亚里士多德关于本体的学说》,第 5 页,三联书店,1982 年。

一书。

"本体"在西方哲学史上，是一个常见、很重要的概念。把它作为一个哲学概念进行分析和论证，亚里士多德是第一人。并且，这个问题还是亚氏哲学（所谓"第一哲学"）的核心。在论述亚氏的这个学说时，作者严格按亚里士多德本人的论证、逻辑和思想发展进行。同时，又考虑到亚里士多德著作的难读性，作者把其论述本体论主要著作（《范畴篇》、《形而上学》第7、9、12卷等）分为17章进行了详尽的解释与评述。

首先，作者指出，亚里士多德的本体学说，有一个形成和发展的过程。开始，亚氏对本体学说的论述，还处在探索之中。由于受到种种条件的限制，立论颇不稳定。正如作者说的，"亚里士多德关于本体论的论述并不是前后一致的。他在《范畴篇》中讲的'第一本体'和在《形而上学》中所讲的，恰恰是相反的；即使在《形而上学》一书的各卷之间，也不是完全一样的"①。这就需要将他的这些思想加以整理，找出亚里士多德思想发展变化的线索。作者在这一点上全力以赴地作出了努力。例如，在考察亚氏早期著作《范畴篇》时，认为他第一次把本体与性、数量、位置、关系等其他属性范畴区分开来，并规定了本体的三个特征：（1）本体是主体或基质；（2）本体具有"分离性"即它是变中的不变；（3）本体具有"个体性"。根据这几个特征，亚氏明确肯定具体事物是第一本体，事物的"属"和"种"则是第二本体；事物的个别性越大，本体性就越大，反之亦然。汪子嵩写道，这些表现在《范畴篇》中的思想，"是唯物论的"②。

---

① 汪子嵩：《亚里士多德关于本体的学说》，第1—2页，三联书店，1982年。
② 同上书，第31页。

但是,在《形而上学》第12卷中(作者倾向认为这一卷的写作先于7、8、9卷),亚里士多德却从运动和时间的永恒中推出一个永恒不动的本体即理性(努斯)或神。它是不动的动者,是万物运动的动因和所趋的目的。最后,在《形而上学》专门讨论本体论问题的7、8、9各卷中,亚里士多德虽然说到了《范畴篇》中关于本体的那些特征,但却得出了完全不同的结论。他认为,本体就是本质,即事物的定义或形式;具有一般性的形式是"第一本体",而具体事物是在后的,第二位的。这样,《范畴篇》中关于本体的唯物主义思想便被唯心主义思想取代了。

因此,作者特别提醒读者,在阅读本书时要注意亚氏前后思想的不一致,甚至相互矛盾的地方。而且,作者对亚氏著作中出现的种种矛盾,依据亚氏的原著进行了详尽的阐释。

其次,作者认为,本体是亚里士多德哲学体系的中心问题。例如,他的哲学体系中两对最根本的范畴——质料与形式、潜能和现实,就都属于本体的样式。因此,了解亚里士多德的本体学说,对于把握他的整个哲学体系是至关重要的。并且围绕这个问题,论述了亚里士多德本体学说的多方面的问题。这些问题是:在第一章中阐明了亚氏为什么提出本体概念;在讨论《范畴篇》时分析了本体是存在的中心;在讨论《形而上学》时,解释了存在和本体、本体的原则和原因、理性——神是本体、作为"基质"的本体、本质是本体、生成和本质、本质和定义、"一般"不是本体、质料和形式、能力和可能、现实和潜能、"数"和"理念"不是本体,等等。在阐述这些问题时,作者的态度是:"只能是实事求是"[1]。并且认为"这个'实事',就是哲学家的著作中的论点和逻辑。根据哲学家本人的

---

① 汪子嵩:《亚里士多德关于本体的学说》,第4页,三联书店,1982年。

论点和逻辑,我们作出分析和判断,才是研究哲学史应遵循的科学态度"①。根据这种态度以及亚氏著作在中国传播的实际情况,作者在全面地、通俗地介绍亚氏有关这些问题内容的过程中,首先转述了(也就是意译了)他的所有论证,然后再加上必要的解释。这样做,在作者看来,尽管会使人感到过于琐碎,但是对于亚里士多德哲学研究来说,却是扎扎实实的基础工作,是十分必要的。例如,在第二章介绍《范畴篇》第二节围绕"本体是存在的中心"这个论点,在阐明了什么是本体,亚氏提出了本体之为本体的几个特征、几个标准,并在具体解释亚氏关于第一本体和第二本体的观点之后,回答为什么"属"和"种"也是本体的问题时,作者根据亚里士多德关于这个问题的论述从三个方面进行了说明。这三个方面是:(1)"在所有的宾词中,只有'属'和'种',才能说明第一本体是什么"②。(2)"第一本体和其他一切属性的关系——第一本体是主体的基础,其他都是它的属性,也同样适用于'属'和'种'和其他一切属性,其他一切属性也以'属'和'种'为它的主体和基础。在这一点上,'属'和'种'也是本体"③。(3)"本体的一个特性,就是它不存在于主体之中。在这一点上,'属'和'种'和个别事物是一样的"④。其他各个部分也同这一部分一样,通过这种既通俗又深入的论述,为读者理解和掌握亚里士多德哲学奠定了良好的基础。

除此以外,汪著在论述本体论时,对亚里士多德的辩证法思想,也多有阐释。其中,着重探讨了一般与个别的关系问题。

---

① 汪子嵩:《亚里士多德关于本体的学说》,第4页,三联书店,1982年。
② 同上书,第24页。
③ 同上。
④ 同上。

第三节　西方中世纪哲学研究的全面起步

西方中世纪占统治地位的哲学是基督教哲学,即经院哲学。虽然它是明末清初西方哲学东渐早期输入的主要内容,但是,西学重新东来后直至改革开放前,却是西方哲学东渐过程中最为薄弱的一个环节。原因在于,19世纪中叶基督教哲学的传入是伴随着帝国主义的枪炮,凭借不平等条约而来的。因此,在一段时间内基于爱国情绪把它视为帝国主义的侵略工具。加上1949年后对它不进行具体分析,从意识形态出发一律把它当作精神鸦片进行批判,从而形成了对它的片面认识。这样一来,很少有专题性的论著问世,即使在一般哲学史中,也常常是寥寥数语,几笔带过。这是不符合它在西方哲学史上的真实面貌的。

实际上,基督教自产生之日起,伴随西方历史的发展已近2000年,已经成为西方文化的重要组成部分,对于西方社会和文化的发展,产生过极其重大的影响。而基督教哲学,作为一种特殊的意识形态,是对宇宙和人生认识的一种思想体系,在帝国主义侵略中国的过程中,它作为工具被利用过,但两者毕竟是不同性质的事物与范畴,不能把它们等同起来。因此,无论是正确理解西方社会的发展,还是全面认识西方文化与哲学的发展,把握它的来龙去脉,加强基督教历史及其哲学的研究,都具有重要的现实意义。

随着改革开放的春风吹来,一些学者把汗水洒向这里。他们认为,西方的中世纪哲学是西方哲学发展过程中和人类思维史上一个不可缺少的环节,了解和研究这个环节,对于探讨人类思维的发展规律,具有重要的理论意义与实践意义。从这种认识出发,他们制定计划,落实措施,举行学术会议,交流研究心得,这说明中世

纪西方哲学的研究真正全面起步了。据有人统计,仅论文一项,
1978 年党的十一届三中全会后的 10 年,就发表过 383 篇(不含译
文)①;而出版的学术著作,无论数量还是质量,都取得了可喜的进
展。下面,仅列出中国学者著作的篇目于后:

基督教史纲	杨真著	三联书店	1979 年
《新约》导读	蔡咏春著	今日中国出版社	1979 年
传教士与近代中国	顾长声著	上海人民出版社	1981 年
西欧中世纪哲学概论	车铭洲著	天津人民出版社	1982 年
西欧封建社会哲学史	张尚仁著	四川人民出版社	1983 年
人的发现—马丁·路德与 　宗教改革	李平华著	四川人民出版社	1983 年
布鲁诺及其哲学	汤侠生著	上海人民出版社	1985 年
中世纪"上帝"的文化—— 　中世纪基督教会史	张绥著	浙江人民出版社	1987 年
古代基督教史	徐怀启著	华东师大出版社	1988 年
基督教哲学	尹大贻著	四川人民出版社	1988 年
托马斯·阿奎那基督教哲学	傅乐安著	中国社科出版社	1990 年
基督教哲学 1500 年	赵敦华著	人民出版社	1994 年
基督教与明末儒学	孙尚扬著	东方出版社	1994 年
托马斯·阿奎那传	傅乐安著	河北人民出版社	1996 年
基督教与帝国文化	王晓朝著	东方出版社	1997 年
经院哲学的集大大成者:阿奎那	江解舟等著	安徽人民出版社	2001 年
信仰与理性:早期基督教父 　思想评传	王晓朝编著	东方出版社	2001 年

---

① 于可:《十年来我国关于基督教史研究的评论》,载《世界史研究动态》,
第 2 页,1989 年第 7 期。

| 宗教与文化:早期基督教与 教父哲学研究 | 陈村富主编 | 东方出版社 | 2001年 |
| 圣经与中国古代经典:神学与 国学对话录 | 王敬之著 | 宗教文化出版社 | 2001年 |

　　在这些著作中,综合性研究成果多,专题性研究项目少。这真实地反映了研究西方中世纪哲学全面起步的情景。经过下面的介绍,便全明白了。

一、基督教史著作问世

　　综合性研究首先表现为几部基督教史的出版。

　　首先是杨真的《基督教史纲》(上)。据作者说,他酝酿用唯物史观撰写基督教历史的想法,早在"文化大革命"前就萌生了。因为他看到,"在我国,在基督教史这个领域,还没有很多书可看,基督教的历史与欧洲的历史、哲学史紧密交织在一起,与西方文化渊源关系很深,到近代,又与西方殖民主义、帝国主义的历史交织在一起,这就更增加了研究它的迫切性。因此,尽管自知武器窳陋,力不胜任,还是跃马上阵了"①。

　　经过多年的努力,他的著作终于出版了。在书中,作者首先阐明了他的写作目的以及遵循的原则。作者写道,为了"力求把基督教的发展历史与它赖以存在的物质条件之间的联系弄清楚,……还基督教以本来面目"②,这就决定了他的这本书的主要内容,在于着重史实的叙述,以此为读者提供原始资料。可以说,这是本书的理论特色。

---

　　① 杨真:《基督教史纲》(上),第2页,三联书店,1979年。
　　② 同上。

根据这种思路,全书分为三编论述。第一编,奴隶社会的早期基督教(公元一世纪中叶到五世纪末)。作者指出,初期的基督教是剧烈阶级斗争中的消极产物,依靠剥削阶级而得到发展,在罗马帝国推行怀柔、镇压的两手政策过程中,它终于成了官方的政治工具。第二编,中世纪基督教(公元5世纪末到15世纪末),主要写基督教在欧洲的传播,封建神权统治的形成和中世纪教会的没落。第三编,近代基督教(公元16世纪到20世纪初),写16世纪西欧的宗教改革运动和西欧资产阶级革命时期的基督教(主要是英、法)、殖民主义与近代基督教在非洲的传播和在北美的发展,剖析了基督教的一些特点。至于基督教在亚洲与拉丁美洲的传播,则计划在下卷中阐述。

值得重视的是,在介绍与论述中,对过去一些广为流行的观点,作者提出了自己的看法。例如,关于耶稣其人的存在与否的问题,杨真认为,"是否有一个创立基督教的犹太人耶稣? 没有任何可靠的历史资料足资凭信"[1]。他从基督教的历史文献的有关记载中,主张"耶稣也只是个传说中的人物"[2],并且由此进一步分析,最后得出的结论是,"与其说耶稣创立基督教,不如说是基督教描绘出一个耶稣,还较符合历史的真实"[3]。类似的例子,书中还列出了很多。因此,通过作者这样提供的丰富材料及其对基督教产生与发展的平实叙述,不但把基督教与它赖以存在的物质条件之间的联系阐述清楚了,而且还为进一步开展对它的研究打下了坚实的资料基础。

---

[1] 杨真:《基督教史纲》(上),第20—21页,三联书店,1979年。
[2] 同上书,第23页。
[3] 同上书,第29页。

其次是徐怀启的《古代基督教史》。作者早年就读于纽约神学院,获博士学位。回国后当过牧师,先后执教于圣约翰大学和华东师范大学,并兼中国社会科学院宗教研究所特约研究员,是一位学识渊博的学者,特别在基督教史的研究领域,学术造诣颇高。早在60年代初,他便开始着手研究和撰写《基督教史》,后因"文化大革命"被打断,直到70年代才重新继续研究。依据徐怀启的研究计划,《基督教史》分为三卷:第一卷,《古代基督教》;第二卷《中世纪基督教》;第三卷《宗教改革后的基督教》。他日以继夜地从事这项工作,写了三年,完成了第一卷。1980年2月,不幸因病与世长辞。因此,计划未能实现。不过,1988年出版的《古代基督教史》虽然只是其中的一部分,但它和杨真的《基督教史纲》一样,对基督教的诞生和演变,它的经典和要义,教会组织与宗教生活,都进行了比较全面的阐述。它们的先后出版,不但有助于中国读者对基督教及其发展,对于西方文化源流和传统的了解,而且对于西方哲学的研究也有重要的参考价值。

二、车铭洲建构中世纪哲学体系

在研究对象上,车铭洲的《西欧中世纪哲学概论》与前述著作不同,完全把研究的目光投向中世纪的哲学上来。

车铭洲(1936—),山东宁津人。北京大学哲学系毕业后到南开大学任教,主要讲授西方哲学史与现代西方哲学。在《西欧中世纪哲学概论》中,他把西方中世纪哲学分为三个时期,即西欧封建制度确立、繁荣和解体时期。他写道:"之所以作这样的学术处理,目的是把西欧从封建制度确立到封建制度解体,作为一个完整的、有机联系的过程加以考察,有助于我们掌握西欧封建社会时期哲学思想的复杂情况和基本的规律性,以便对西欧封建社会整个历史时期哲学思想的发展变化,得到一个比较系统的认识"①。

为此,作者在书中依据上述思路来建构中世纪的哲学体系,从两方面做出了努力。

第一,运用历史主义方法阐明和揭示了西方中世纪哲学的发展过程及其规律。西欧封建社会的哲学思潮是和基督教密切相关的。因此,要阐明哲学发展的过程和规律,首先要用历史主义的观点考察基督教的发展。可以看到,在作者笔下的基督教,不是一个凝固不变的意识形态,而是一个不断变化发展的过程。比如,公元4世纪,罗马帝国逐渐改变了对基督教的政策,由反对、镇压转变为支持、改造和利用基督教,使其适应奴隶主阶级统治的需要。作者认为,随着西欧奴隶社会过渡到封建社会,基督教也相应地经历了一个封建化的过程。到15、16世纪,欧洲封建社会由发展走向衰败,与此相对应的,封建基督教也开始趋于瓦解,出现了新兴资产阶级的宗教改革运动。由上可知,尽管基督教和其他宗教一样,也是一种"颠倒的世界观",但它的内容、形式及其社会作用,都是随着社会历史的发展而不断演变的。

与基督教相联系的哲学也是这样。封建社会形成的初期,以波依提乌斯和爱里乌根纳为代表的哲学思潮"注重现实、注重现实的政治、经济和思想文化的发展"②。作者指出,"这反映了新兴的统治阶级的朝气,反映了封建社会确立时期各个方面的发展和百废待兴的状况"③。随着封建制度的巩固和教会势力的强大,从11世纪起,经院哲学形成了。然而,经院哲学也并非铁板一块,通

---

①　车铭洲:《西欧中世纪哲学概论》,第1页,天津人民出版社,1983年。

②　同上书,第36页。

③　同上书,第36页。

过唯名论与唯实论的斗争,到 13 世纪通过托马斯建立的神学哲学体系,概括了"中世纪经院哲学发展的黄金时代所达到的总的成就"①。到 15、16 世纪,随着经院哲学日趋瓦解,代之而起的则是反映市民资产阶级的各种新的哲学思潮。尽管经院哲学是神学的奴仆,但是它本身有一个形成、发展和衰落的过程,成为西方哲学发展史的一个环节。要准确和深入地揭示这些演变过程,不是一件容易的事情。作者在这一方面全力以赴作出的努力,取得了相当的成功。

　　第二,运用具体分析的方法阐明和揭示了中世纪哲学的特点及其意义。过去,有的学者为了突出资本主义时代的物质和文化成就,常常贬损或蔑视中世纪,称中世纪是"黑暗的时代"。作者认为,在西欧的中世纪,经院哲学成为占统治地位的时代精神,它排斥一切脱离基督教的关于社会、人和自然的研究,神学之外的哲学、人文科学、自然科学的研究被禁止,一切思想文化,只看成是宗教的奴仆,只有得到官方的认可,才有存在的可能。经院哲学本身便是这种奴仆的典型形象。它习惯于引经据典和烦琐空洞的说教,哲学失去了活泼的智慧和真理的探索,成了套在人们身上的沉重的精神枷锁,严重地阻碍了社会的发展。作者认为,这种哲学与古代希腊哲学和近代资产阶级哲学相比,的确,"研究领域狭隘,内容单调,方法呆板"②。但这只是中世纪哲学的一个方面,如果再进一步具体分析,就会发现,现实生活无论在什么样的条件下,总不会完全失去活力,而是像一脉活水运动着变化着。作者指出,因此,"经院哲学不但不能禁锢住社会的思想,它自身也不能总是

---

① 车铭洲:《西欧中世纪哲学概论》,第 103 页,天津人民出版社,1983 年。
② 同上书,第 296 页。

死水一潭,而是在不断地分化,不同的见解激烈冲突,独立思考和反神学的思想也在经院哲学的内部产生出来"①。例如,不仅众所周知的唯名论和唯实论斗争,还有关于上帝存在的种种自相矛盾的或彼此冲突的证明,怀疑论、泛神论和神秘主义,都在经院哲学内部冒出来了。这些特征的思想形式,曲折地反映了社会上的反基督教神学统治的进步力量的要求,是在神学专制主义黑暗统治下迸发出的火花,成了当时具有进步意义的启蒙思想。通过这种分析,作者最后指出,"中世纪哲学作为哲学发展的一个历史阶段,它提出的许多问题,对问题所做的研究,它留下的大量文献资料,是人类宝贵的思想遗产。它没有造成哲学发展的空白,而是把古代和近代联系起来的桥梁"②。

虽然车铭洲的这部著作,是西方中世纪哲学重新全面起步研究时的作品,但它通过这样建构的哲学体系以及对它的论述,使西方哲学研究的这个薄弱环节,得到了一定程度的填补。而且,其中对有些内容的阐述如波依提乌斯哲学、爱里乌根纳哲学、托马斯哲学、唯名论与唯实论的论争,都提出了一些颇有新意的观点,为中世纪西方哲学的进一步研究奠定了一定的基础。

三、赵敦华阐明基督教哲学的特色

在全面阐释基督教哲学的几部著作中,赵敦华的《基督教哲学1500年》,以其理论特色受到哲学界的重视。

赵敦华(1949—),江苏南通人。1988年比利时卢汶大学获得博士学位后,一直任教于北京大学哲学系。现为该系教授,系主

---

① 车铭洲:《西欧中世纪哲学概论》,第296页,天津人民出版社,1983年。
② 同上书,第299页。

任。著述颇丰。当他回国以后，看到不但国内哲学史教科书中有关中世纪西方哲学的阐述，总是寥寥几笔带过，就是在国外著名的黑格尔《哲学史讲演录》中，也是以"穿七里靴尽速跨过这个时期"的方式来加以处理①。他认为，这与中世纪哲学在西方哲学中的地位以及它在时间上的跨度极不相称，没有把它在西方哲学史上的贡献真实地反映出来。在他看来，中世纪留下的"哲学文献无论从数量上，还是从质量上都不逊于古代与近、现代哲学著作"②，中世纪哲学作为古代希腊哲学与近代哲学之间的中介，有其独立的地位。因此，在中国研究与传播西方中世纪哲学的一个首要任务，是要把这段哲学史的真实面貌全面地展现出来。

然而，"哲学史中的'中世纪'不完全是一个时间概念，它主要是一个文化概念，指基督教文化。'中世纪哲学'指以基督教文化为背景的哲学"③。按世界史分期，"中世纪"一般指公元455年西罗马帝国灭亡到15世纪文艺复兴前夕约一千年的时间，而作为中世纪哲学主要形态的基督教哲学，从其诞生、发展、分化到衰落，却是发生在2世纪到16世纪期间。因此，为了充分说明中世纪哲学的中介作用和独特贡献，必须阐明它与古代希腊哲学的承袭关系及其对近代哲学的影响，指出它的某些思想的现代意义。作者认为只有这样，才能"恢复古代哲学、中世纪哲学和近代哲学三足鼎立的历史面目，把西方哲学史的连续性和整体性表现出来"④。所以，为了突出古代哲学被教父哲学所取代，教父哲学向经院哲学演化以及经院哲学向现代哲学过渡的历史连续性和内在的发展线

---

① 黑格尔：《哲学史讲演录》，第3卷，第233页，商务印书馆，1959年。
② 赵敦华：《基督教哲学1500年》，第9页，人民出版社，1994年。
③ 同上书，第11页。
④ 同上书，第10页。

索，作者决定把2世纪至16世纪的西方哲学，即作为基督教文化一部分的中世纪哲学从其诞生、发展到衰落一千五百年作为一个独立阶段进行研究与论述。他认为，如果了解了基督教的这个发展过程，不仅对中世纪哲学的精神及其价值会有更为全面的理解，而且对近、现代西方文化的现状也能获得新的认识。

根据这一思路，赵敦华在广泛吸取与消化本世纪国外整理出来的史料和研究成果的基础上，撰成《基督教哲学1500年》一书。在这本700页的巨著中，作者倾其在卢汶大学多年的全部所学，以其对基督教哲学精神实质的深切体悟，相当出色地完成了他自己提出的任务。这部著作显著的理论特色或优点是：

第一，用十分丰富的资料，阐明了西方哲学发展过程中在2世纪至16世纪这个阶段上众多哲学家的哲学创作，分析了他们提出、解决与论证哲学问题的思路以及得到的成果，评价了他们各自在理论上的得失和影响。其中对奥古斯丁、安瑟尔姆、阿伯拉尔、托马斯、司各脱、奥康等哲学家独到而精彩的论述，更是反映了中世纪哲学在质量上，无论思想的深度和广度、思辨的高度和力度，还是范畴、概念的概括性和充足性，方法的成熟性和连贯性，都具有丰富的内容和重要价值，从而充分说明了中世纪基督教哲学在西方哲学史上应有的地位及其对西方哲学做出的特殊贡献。

第二，以十分清晰的脉络，阐明了中世纪哲学与古代希腊哲学和近代哲学的衔接，从而把它在西方哲学发展过程当中的连续性揭示出来了。而在论述这些问题时，作者不是表面地，而是依据西方哲学从低到高的向前发展，内在地通过哲学思想的形成与进步事实，一环扣一环地把它们之间的连续关系合乎逻辑地、真实地呈现出来。例如，在阐明中世纪哲学是古希腊哲学与近代哲学之间的中介时，作者一方面运用大量的事实论述了中世纪哲学在基督教文化背景中,是如何改造、丰富和发展了古希腊哲学。另一方面,通过中世纪哲学具体内容的分析,指出了它们在近代条件下又是怎样影响了近代西方哲学的诞生及其内容。由于这种深入而细腻的揭示,不仅进一步展现了基督教哲学内容的丰富性,而且还令人信服地使西方哲学史的连续性和整体性得以清晰地表现出来。

总之,这是本时期中国学者研究中世纪哲学的一部力作。它"内容充实,资料翔实,脉络清楚,填补了我国中世纪哲学研究的不少空白;对奥古斯丁、安瑟尔姆、阿伯拉尔、托马斯、司各脱、奥康等重要哲学家的研究尤其显出独到之处"①。因此,这部书的问世对于人们全面认识西方文化与哲学,纠正对中世纪哲学的片面理解,训练和提高人们的理性思辨能力都具有重要意义。

四、傅乐安对托马斯哲学的深入研究

在专题研究中,傅乐安不但有长篇论文《教父哲学概论》(见《外国哲学史研究集刊》第七辑,上海人民出版社,1985 年)发表,而且还有专著《托马斯·阿奎那基督教哲学》与《托马斯·阿奎那传》分别问世。

傅乐安(1930—1998),上海市人。中国社会科学院哲学所研究员。改革开放以后,他先后访问过欧美一些中世纪哲学的研究中心。特别是在比利时卢汶大学访问期间,查阅了大量的原始资料,回国后深入开展了对托马斯·阿奎那基督教哲学的研究,并先后出版了几本与此有关的著作。在这些论著中,如果说《教父哲学概论》目的在于揭开教父学的神秘面纱,那么,《托马斯·阿奎

---

① 吴伦生:《赵敦华教授的西方哲学研究》,载《北京大学学报》,1994 年第 6 期,第 110 页。

那基督教哲学》则是从微观上对中世纪西方哲学的个案研究。

在这本书的开头,作者指出,"在基督教将近二千年的历史中,基督教哲学在理论结构上不是一成不变的。为了适应不同的时代需要,曾经变换过多种形态。概括起来,在三个不同的历史时期,出现过三种不同的形态"①。即从 2 世纪到 5 世纪的"教父哲学",从 9 世纪到 15 世纪的"经院哲学",以及 19 世纪末出现的"新经院哲学"。在这三种形态中,由于托马斯·阿奎那哲学体系的建立,不仅挽救了奥古斯丁经院哲学的危机,推动了经院哲学走向繁荣,而且,它对现代新经院哲学的影响也是十分深远的,因此,作者认为,"在上述基督教哲学的三种形态中,托马斯主义表现得最为突出而独占鳌头。从中世纪到现在,一直为罗马最高当局所肯定,确立为基督教哲学的正统派别"②。这说明,在中世纪哲学中研究托马斯哲学具有特别的意义。然而,在我国的西方哲学研究中,它却是一块荒芜的田地。

为了改变这一局面,傅乐安在这本书中,以丰富的材料,不仅全面地论述了托马斯·阿奎那哲学体系的建立及其具体内容,而且还指明了它的影响以及天主教哲学发展的最新趋势。其中,在理论探索上颇有新意的观点,主要有:

第一,在论述托马斯哲学体系的建立时,通过他对亚里士多德学说的吸收和改造,突出了托马斯在基督教哲学史上进行的变革。谁都知道,教父哲学和中世纪早期经院哲学,都是运用柏拉图和斯多亚的学说建立起来的神学体系。当它以这种思想控制一切的时

---

① 傅乐安:《托马斯·阿奎那基督教哲学》"绪论",第 4 页,上海人民出版社,1990 年。

② 同上书,第 8 页。

候,却受到亚里士多德学说的猛烈冲击。作者写道,"正当在这内外交困而岌岌可危的绝境中,托马斯意识到柏拉图学说虽然符合基督教教义,但过于陈旧,不再适用,亚里士多德的学说虽然在好些问题上与基督教信仰相矛盾,可是教内外知识界一致推崇,亚里士多德主义是一股无法抗拒的思潮。于是,他不顾风险,决意顺应时代潮流和思想发展,采纳亚里士多德的哲学学说,重视理性知识和自然哲学理论,试图冲淡基督教哲学过分柏拉图化,修改奥古斯丁主义哲学的先验论论证,挽救经院哲学的危机,维护基督教信仰"①。作者认为,托马斯在利用亚里士多德哲学时,"既接受亚里士多德又超越亚里士多德,托马斯发挥了高度的创造性,提出了独到的见解,升华了亚里士多德的理论,作出了亚里士多德未曾做过的结论"②。因此,托马斯这样建立起来维护基督教的新的哲学体系,使中世纪经院哲学达到了一个新的高度。

第二,在论述托马斯的哲学体系时,不仅从哲学与神学、上帝存在的证明、形而上学、认识论、伦理学等方面阐明了它的具体理论观点,而且在每个部分以及对整个体系分析的基础上,都做出了相当精到的归纳。例如在具体论述理论观点前的提示性概括。作者写道:"就基督教哲学本身来说,托马斯变革了早期经院哲学的理论体系,在绝对信仰的原则中注入了一定成分的理性思维和自我意识的因素,并使之协调一致。这就是说,托马斯在坚持上帝启示的先天知识前提下,又加进了人类自身获得的后天知识,并认为它们不是互相排斥,而是相互补充的,从而调和了宗教信仰与人类

---

① 傅乐安:《托马斯·阿奎那基督教哲学》,第8页,上海人民出版社,1990年。

② 同上书,第30页。

理性之间的矛盾,为基督教建立了一个新的哲学理论体系"①。又指出,"这种新的哲学体系为基督教做出了不可磨灭的贡献,成为基督教哲学史上的一个重要的转折点"②。这样的概括对于引导读者从整体上把握托马斯基督教哲学,具有一定的帮助。

第三,在分析托马斯哲学对后世基督教哲学的影响时,不仅具体阐明了托马斯主义的产生和繁荣,它的第一次和第二次复兴运动,而且还指明了它在现代西方社会中的最新发展动向。其中特别分析了20世纪60年代以来,基督教为了适应时代潮流开展的"现代化"运动。

总之,在傅乐安这本著作中,提供了大量国内鲜为人知的可靠资料,以此澄清了一些传统的偏见;在相当全面钻研托马斯哲学体系的基础上,对这个体系的理论观点进行了相当深入的分析与较为公允的评价。这是中世纪哲学研究中取得的一个重要成果。

五、王晓朝研究基督教的崭新视角

在研究基督教的著作中,王晓朝的《基督教与帝国文化》一书,研究视角新颖,得到的结论发人深省。

王晓朝(1952—　　),安徽桐城人。哲学硕士(杭州大学,1984),哲学博士(英国利兹大学,1996)。现为清华大学哲学系教授。著述颇丰,除了前一节介绍他译出的《柏拉图全集》与上面提到的著作外,还有《希腊宗教概论》、《信仰与理性》、《神秘与理性的交融》与《罗马帝国文化转型论》等。

---

① 傅乐安:《托马斯·阿奎那基督教哲学》,第40页,上海人民出版社,1990年。

② 同上书,第41页。

《基督教与帝国文化》一书,是王晓朝在英国留学时用英文写作,并在英国出版的博士论文。回国后,他深感国内英文读者不多,因此决定译成中文出版。在他看来,基督教是一个世界性的宗教。自诞生之日起,就越出民族范围把它的教义传播出去,企图以此使其他民族的异教徒皈依基督教信仰。然而,不论古代还是现代,传播的过程都充满着它与其他民族文化的冲突和相互影响。因此,凡是研究基督教的学者不约而同地对此提出了一系列的问题:"基督教与民族文化的关系是什么? 基督教对异教文化的正确态度是什么? 基督教允许文化适应吗? 基督教在什么境况下和在什么限度内可以对自身进行调整以适应文化环境?"①

研究和回答这些问题,便是王晓朝在《基督教与帝国文化》中要论述的主题,即"基督教与民族文化之间的冲突和相互影响,以及主张调和的知识分子在基督教传教过程中的作用"②。为此,他把宏观研究,即以整个社会为单位进行研究,与微观研究,即以特选的个人为研究对象结合起来,同时对所选取范围进行跨文化比较,使之得出的结论具有普遍性。而且,他又看到,基督教是以耶稣基督的话语为核心的一套信仰体系,在其传播的过程中,这种信仰与非基督教的民族文化接触时常常处于一种紧张状态之中。尤其传教士面对那些发达民族文化时,更是这样。因此,他在书中,首先选取罗马帝国时期的三位拉丁基督教护教士,米西乌·菲利克斯、特尔图良、拉克唐修和中华帝国明末的三位天主教护教士,徐光启、李之藻、杨廷筠作为主要个案,用两个部分的篇幅,即第一部分"拉丁教士与希腊罗马文化"与第二部分"中国基督教护

① 王晓朝:《基督教与帝国文化》,"序言",第9—10页,东方出版社,1997年。
② 同上书,第9页。

教士与中国文化",分别对上述护教士的著作进行了详细的考察与分析,阐明了基督教与民族文化冲突与融合的具体过程和种种表现。

例如,以第二部分来说。明朝末年,天主教耶稣会派遣传教士前来中国,试图对中国人传授福音,以便使中国归化,由此发生了它与中国文化的交汇。中国文化是世界上历史最悠久的文化之一。中国历史虽然经历了无数次的重大变迁,但中国人仍然掌握着自己的命运,这充分显示了中国文化具有其他民族所不具备的吸收外来文化和抵抗外来影响的巨大能力。在这种文化面前,基督教的普世性就难以自圆其说了。虽然这次耶稣会士东来,并非基督教第一次渗入中国,但它却是东西方两种文化在思想上的首次直接汇聚与碰撞。在那个时代,基督教对待其他非基督教文化的"帝国主义"态度还没有充分发展起来,早期耶稣会士来中国传教也不是以他们国家的政府与军队为后盾。在这种条件下,利玛窦为了打开在中国传教的局面,通过"学术传教"的灵活策略,使中国不少高层士大夫成为皈依者和护教士。其中徐、李、杨三位,便是他们中的杰出者。在这里,作者一方面阐述了以利玛窦为代表的传教士,面对中国传统文化采取的适应政策,及其为了证明耶儒存在一致性而对基督教义作出的某些诠释。另一方面,阐明了以徐、李、杨为代表的中国护教士皈依基督教的过程,并通过对他们的护教著作的分析,指出了他们力图调适天主教信仰与传统的中国文化,为天主教在中国的传播作出了重要贡献。并且认为虽然由于某些历史的原因,他们没有能够在中国把天主教的信仰建成一个活生生的实体,但是,在他们的努力下,天主教的信仰与中国的传统文化还是达到了一定程度的融合,以至于我们可以拿来与罗马帝国时期基督信仰与希腊罗马文化的融合进行比较。

其次,在第三部分中,通过基督教与明末中国文化交流和基督教与古罗马文化交流的比较,认为虽然结果是不同的,即基督教在罗马帝国取得了胜利,而它在大明帝国却遭到了挫败。但是作者指出,"这只是基督教的两种历史形态与两个帝国之间政治斗争的结果,而政治斗争只是整个过程的一个层面。如果把仅仅依据政治斗争的结果作出的论断运用于基督教民族文化的关系问题,其结论必然是片面的"①。因为在他看来,在宗教与哲学层面,基督教与帝国的关系不像政治层面那么简单。在这个层面上,"基督教使自身适应帝国文化,给社会增加活力;社会对基督教产生影响,使之具有某些民族和区域的性质。以这种方式,基督教的传播达到了一个新的综合阶段"②。例如,它与希腊罗马文化的综合,出现了一个基督教化的帝国和一个希腊化的基督教,即早期基督教。而且在这之后,它在使自身得到发展的同时,还给社会发展提供了新的动力。又如,它与中国文化的综合,带来了一个中国化的基督教,即中国天主教。它是基督教与中国文化的产物。它也为中国的社会改造提供了某些新思想,尤其是为中国人改变保守的思维方式提供了样板。不过,"随着帝国禁教令的颁布,天主教的传教活动在帝国文化的保守气氛中停止了"③。由此可见,它们二者虽然在结局上有所不同,但在交流、调适与会通方面,都进展到了综合阶段。而且还要看到,一方面,"两者间的差别是量的差别,而不是质的差别"④,另一方面,知识分子在这个过程中起到了

---

① 王晓朝:《基督教与帝国文化》,第267页,东方出版社,1997年。
② 王晓朝:《基督教与帝国文化》,第270页,东方出版社,1997年。
③ 同上书,第273页。
④ 同上书,第271页。

关键作用。"没有基督教护教士的努力,原始基督教不会吸取希腊罗马文化的成就并在罗马帝国扎下根来;同样,没有中国护教士的努力,天主教也不能吸取中国文化的成就创造出一个中国化的天主教"①。这是上述两个范例比较后得到的结论和启示。

因此,王晓朝写道,"文化交流的不断增长是我们这个时代最令人瞩目的现象之一。这种文化交流迫使世界各国前所未有的贴近,并正在把全人类织入新的文化范型"②。在这种条件下开展包括基督教在内的中西方化交流,虽然发生碰撞是必然的,但是,谁要是漠视这种交流带来的活力也是困难的。而文化的活力主要表现在文化之输入与输出的通畅与平衡,为此,从基督教与古罗马文化以及基督教与大明文化交流的过程中,吸取有益的经验与教训,将是十分必要的。

在中西方哲学交流过程中,像这样进行比较,是从来不曾有人研究过的。而且,运用这种视角比较得到的结论,的确"有助于增进具有不同文化背景的东西方学者之间的相互理解与共识"③,这对于促进东西文化、哲学交流,具有指导意义。因此,它获得了2000年香港"首届徐光启学术著作奖"。

第四节　耕耘经验论与理性论的收获

经验论与理性论,在西方哲学史上,是从古代以研究本体论为主,转变为以研究认识论为主的近代哲学时期两大哲学流派。对

---

① 王晓朝:《基督教与帝国文化》,第290页,东方出版社,1997年。
② 同上书,第12页。
③ 同上。

于这段哲学史的研究,中国学者向来都较为重视,输入较早,且在20世纪30年代,还取得过一些值得重视的成果。特别是科学的春天到来之后,由于思想束缚的解除,这段哲学史的研究,取得了明显的进展。例如,有关这两个学派的学术讨论会,1980年和1984年,仅在武汉便先后举行过两次。会上,与会者畅所欲言,各抒己见,就经验派与理性派的划分标准;这两个学派的关系以及它们的演变;对于机械唯物论、休谟、斯宾诺莎和莱布尼茨哲学的评价问题,都进行了颇为热烈和深入的讨论。这些讨论对于经验派与理性派哲学的研究和传播,都起了很好的促进作用。会后,除有大量论文与译著发表外,中国学者撰写的著作,有:

欧洲哲学史上的经验主义和理性主义	陈修斋等著	人民出版社	1986 年
欧洲近代经验论和唯理论哲学发展史	徐瑞康著	武汉大学出版社	1993 年
理性的回归与迷惘——西方理性论评析	黄振定著	湖南师大出版社	1996 年
培根及其哲学	余丽嫦著	人民出版社	1987 年
培根传	王义军著	河北人民出版社	1996 年
霍布斯及其哲学	巴发中著	中央党校出版社	1997 年
洛克物性理论研究	吕大吉著	中国社科出版社	1982 年
《人类理解论》研究	邹化政著	人民出版社	1987 年
洛克意义理论研究	陶德荣著	湖南教育出版社	1992 年
巴克莱哲学研究	傅有德著	广西师大出版社	1992 年
休谟思想研究	阎吉达著	上海远东出版社	1994 年
人性的探索——休谟哲学述评	罗中枢著	四川大学出版社	1995 年
休谟及其人性哲学	周晓亮著	社会科学文献出版社	1996 年

休谟哲学研究	周晓亮著	人民出版社	1999 年
通往人性途中——休谟 　人性论研究	黄振定著	湖南教育出版社	1997 年
因果观念与休谟问题	张志林著	湖南教育出版社	1998 年
斯宾诺莎哲学研究	洪汉鼎著	人民出版社	1993 年
莱布尼茨	陈修斋著 段德智著	湖南教育出版社	1994 年

　　把这些著作同以前任何时期的成果进行比较,无论探讨的范围还是理论达到的深度,都有了较为明显的进展。主要表现在,对经验派与理性派的整体把握,以及对于培根、洛克、休谟、巴克莱、斯宾诺莎与莱布尼茨的微观研究上。下面,选择若干著作进行分析。

一、陈修斋等的综合性研究

　　从整体上推进经验派与理性派研究,出版的著作有陈修斋主编的《欧洲哲学史上的经验主义和理性主义》与徐瑞康的《欧洲近代经验论和唯理论哲学发展史》。这里只论述前者。

　　这是由陈修斋主编,有其弟子段德智、邓晓芒、陈家琪参加编写的一部西方哲学史的断代史。确切地说,是西方近代哲学的断代史。作者在谈到他们的写作目的时写道:"这两派之间既对立又统一的矛盾发展过程,构成了这一段哲学史的丰富内容,既对认识论的发展作出了重要的贡献,也提供了人类哲学理论思维的许多深刻的经验教训,即使对于我们今天也还有可资借鉴的宝贵价值"[①]。基于这种态度,作者们对于这两个学派的产生、发展以及

---

　　① 陈修斋主编:《欧洲哲学史上的经验主义与理性主义》"前言",第 2 页,人民出版社,1986 年。

它们之间的斗争,进行了一番探讨。

书中作者对16世纪至18世纪中叶欧洲哲学发展过程中形成的经验主义与理性主义两个学派,除考察了社会政治条件,自然科学发展对它们产生的制约作用,概述了它们各自发展和互相论战逻辑过程的主要阶段及其主要代表人物哲学思想的要旨外,还着重就认识对象和主体、认识的起源、途径和方法,以及真理观等认识论问题,详细地阐明了两派代表人物在论争过程中所表述的主要观点及其演变过程。在论述中,从总结理论思维的教训出发,揭示这段哲学史的发展规律是这本书的最大特色。表现在:

第一,运用历史主义的方法,在考察哲学史上经验主义和理性主义因素产生、发展和融合趋势及其特点的基础上,阐明了典型的经验主义和理性主义各自的表现形态和内在逻辑的一般进程。作者认为,经验主义和理性主义作为哲学史的一个重要阶段,它们的产生有历史必然性。为了阐明这种必然性,作者不是简单罗列表面现象,而是把经验主义和理性主义放在西方哲学的发展过程中考察它们发展的逻辑规律和表现形式。经过考察,得到的结论是:"英国经验主义从培根、霍布斯到洛克再到巴克莱、休谟……是一个包含着创立、发展、终结诸阶段的发展过程,若从它的内在的逻辑形态看,则是一个从唯物主义演变到唯心主义,从可知论转化为不可知论的过程"①。同样,大陆理性主义,从笛卡儿经斯宾诺莎到莱布尼茨也是一个发展过程。其中就本体论来说,"是一个从二元论经过唯物主义一元论到达唯心主义一元

---

① 陈修斋主编:《欧洲哲学史上的经验论与理性主义》,第84页,人民出版社,1986年。

论的发展过程"①;从身心关系来看,"它又是一个从'身心交感说'经过'身心平行说'到达'身心前定和谐说'的发展过程"②。这些精到的概括,便从发展过程上把经验主义和理性主义的整体面貌揭示出来了。

第二,运用历史与逻辑一致的原则,阐明了经验主义和理性主义的发展规律。具体说来,在论述社会经济基础、阶级斗争状况对哲学思想发展决定性作用的基础上,着重探索哲学思想本身和逻辑发展以及历史与逻辑的一致,从而揭示了哲学思想辩证发展的规律性。这种探索主要不在于阶级分析,而在于对思想的历史分析,即对哲学发展的外在历史形态和内在逻辑形态统一的分析。根据这种思路,作者首先把16世纪至18世纪经验主义和理性主义哲学的发展,各划分为创立、发展或完备以及终结三个彼此不同但互相衔接的独立阶段,然后又把两派之间的对立或论战划分为序幕、高潮以及终结三个相互衔接而又逐步深入的阶段,并进行了深入的论述。在对两派哲学发展的这种论述中,除有对整个经验主义和理性主义各自的历史演变以及它们之间的相互对抗、论战过程的宏观分析外,还有对这两派哲学家们关于认识对象、认识主体、认识方法、认识起源、认识途径和认识结果(真理性)等理论学说本身的内在矛盾以及它们之间的历史联系的微观分析。这些内容在书中是最具特色、最显作者功力的篇章。通过这种分析,不仅逐个指明了经验主义和理性主义各自的发展以及它们之间既相互对立、斗争又彼此影响、渗透,而且还揭示了从唯物主义哲学走向

---

①　陈修斋主编:《欧洲哲学史上的经验论与理性主义》,第94页,人民出版社,1986年。

②　同上书,第93—94页。

富有内容的唯心主义复辟过程中唯物论和辩证法的思想因素是如何积累起来的。在哲学分析中,作者扬弃了把哲学史漫画化的庸俗做法,而是用科学的态度具体论述了这段哲学发展极其复杂和曲折的历史。

仅就上述两个方面,足以说明它在整体上加深了对欧洲哲学史上经验主义和理性主义的认识。因此,出版后很快得到了学术界的好评。有的学者认为,它"对16世纪至18世纪的认识史做出如此全方位、长时段、深层次的探讨和阐述,无论在国内哲学史界还是国外哲学史界都不多见"①;有的学者还指出:"全书主旨集中,论理明确,分析细致,是近年来西哲史专题研究中较为难得的一部书"②。这些评价是符合实际的。

二、余丽嫦研究培根哲学的执著精神

在培根哲学研究中,余丽嫦推出的《培根及其哲学》,体现了作者研究培根哲学的一种执著精神。

余丽嫦(1933——　),广东台山人。1954年中国人民大学研究生毕业后,被分配到中国社会科学院哲学所从事研究工作,并全心身地投入到培根哲学的研究上。为了能取得满意的成果,她不但广泛地收集了国内已有的资料,而且还全面地搜寻海外的有关研究成果。在这个基础上,针对国内外的研究状况及其进展,首先,她就培根哲学内容的若干问题进行探索,发表了一系列论文。通过这些问题的探索,为其系统研究培根哲学积累了丰富的资料,奠

---

① 段德智:《浅谈陈修斋先生在西欧近代唯理论和经验论哲学研究方面的贡献》,见《陈修斋先生纪念文集》,第236页,武汉大学出版社,1997年。

② 高全喜、杨君游:《欧洲哲学史上的经验主义和理性主义》,载《国内哲学动态》,1987年第9期,第40页。

定了扎实的理论基础。据说,这期间,有人建议她放弃这个课题,转为联系现代研究休谟,"但被她断然拒绝了。可见她致力于培根研究如此专心、执著、认真和矢志不渝"①。

经过长期的潜心研究,1987 年,她的《培根及其哲学》一书,由人民出版社付梓问世了。在该书的"结论"中,基于对培根哲学历史命运状况的分析,余丽嫦提出了她在书中要解决的课题,是"要对培根自身的哲学思想如实地全面地加以探讨和把握"②;而规定解决这个课题的原则是:"应该把培根的哲学思想放在历史的长河中作纵向地考察"③。

对于前者,即内容的全面性,作者认为,不仅指要全面地探讨和阐述培根哲学,即以认识论、方法论为中心的包括科学观、自然观、伦理观、宗教观、美学等多方面的思想,而且还指要如实地探讨和阐述培根哲学思想中许多矛盾的两重性的思想和命题。这是因为,"人们的思想并非'统一不杂',要求纯而又纯的思想是很困难的。那种认为是唯物主义就没有唯心主义因素;是决定论的就没有目的论或物活论的思想;是经验论就要承认感官的绝对权威,感官的完全可靠,就要否认理性的作用;赞美崇尚人的无比伟大力量,就不可能同时又贬抑限制人的理性的潜能;是资产阶级革命序幕时期的思想代表,就不可能有王权的思想,就不可能有保守的思想倾向;是教徒又不可能是非教徒;如此等等观点,在现实中是不存在的。实际上,在培根那里,恰恰这些思想都兼而有之,对此,我们都应以事实为根据,既不为贤者讳,也不攻其一点不及其余,而

---

① 李泽厚:《培根及其哲学》"序",第 1 页,人民出版社,1987 年。
② 余丽嫦:《培根及其哲学》,第 8 页,人民出版社,1987 年。
③ 同上。

是要如实地把一个具有多种文化历史等因素积淀而成的活生生的、有血有肉的哲学家的思想反映出来"①。在这一点上，作者在充分占有第一手材料的基础上，在分析与论述培根哲学思想的各个方面时，始终严格按照上述原则进行。例如，幻象说，这是培根哲学中最著名的部分之一，也为一般研究者重视和肯定。同样，余丽嫦在书中用了不少篇幅分析这些幻象的具体内容，肯定了它的革命作用和理论意义。但她与其他研究者不同，还指出了它的局限性，认为"培根的'幻象说'的经验主义倾向，使之未能对理智的本性与唯心主义的虚妄加以严格区分"②；"忽视了认识结构在认识中的巨大作用"③。此外，还"把真理与谬误绝对地对立起来"④。并且具体地揭示了这些局限性的表现。不过，她不同意波普刻薄的挖苦。这种细致入微的分析，的确能使人对培根哲学有全面的认识和把握。

对于后者，即研究培根哲学应坚持历史主义原则，在作者看来，"培根的继承与创新，培根的贡献与局限，都只有在历史的长河中才能作出评判"⑤。例如，培根是新时代的哲学家还是旧时代垂死的反面人物？是实验科学的鼻祖还是中世纪的炼金术士？是近代的第一人还是中世纪的最后一人？培根是有体系的创新的哲学家或是没深度没广度的肤浅的哲学家？对于这些问题，都只有在如实地和全面地把握培根哲学的基础上，运用历史主义原则才能得到正确的答案。在这一方面，作者在分析与评判培根思想时，

---

① 余丽嫦：《培根及其哲学》，第8页，人民出版社，1987年。
② 同上书，第206页。
③ 同上。
④ 同上书，第207页。
⑤ 同上书，第8页。

也是自觉地坚持的。例如,培根是近代经验论的始祖。在论述这个问题时,不仅把它放在当时西方社会和科学发展过程中考察了培根经验论的提出、内容、意义,而且还辟出一章"培根的经验论与当代科学思维",从现代科学思维的角度出发,即根据科学哲学、思维科学和认识论等研究的新成果,从理性创造潜能、知识的普遍必然性以及认识的形式和结构等三个层次,对培根经验论的功过作出了历史的评述。就是书中论及较多的培根的人品问题,也与此有关。对于这个问题,作者不是就事论事,而是把培根的行为放在当时英国社会的矛盾和斗争的关系中进行分析,认为这不仅是个人的过错,同时也是时代的过错。由此提出的评断,既没有为培根所犯的错误开脱,也没有离开社会历史条件苛求于培根,而是从客观实际情况出发。这是公正的。

通过这两方面的努力,一方面在全面介绍培根哲学的同时,对于其中一些重要问题,或是有争议的问题,提出了不少颇有见地的观点;另一方面,在这种介绍与论述中,也体现了作者长期坚持和深入钻研培根哲学的执著精神。

三、邹化政钻研洛克著作的努力方向

1987年,邹化政出版的《〈人类理解论〉研究》一书,反映了中国学者钻研西方哲学原著作出的努力。

邹化政(1925—　),山东海阳人。1954年中国人民大学哲学系研究生毕业后到吉林大学任教,讲授西方哲学史与现代西方哲学等课程。

洛克的《人类理解论》是西方哲学史上的一部名著。在它出版后不久,便有莱布尼茨的《人类理解新论》问世。他们之间建立在思维对存在关系问题上的讨论,自康德以来,中经费希特、谢林

和黑格尔,已经提到了一个更高的水平,使莱布尼茨的"新论",相对地也变成了陈旧的东西。正是从这里出发,作者提出:"自从马克思主义的伟大哲学变革产生以来,迄今为止,还很少有以这种哲学变革的实践为指导原则,结合现代科学、吸取德国古典哲学的成果,对这个问题作出一种系统的、马克思主义的'新论'来"①。在作者看来,这个工作不但对于正确理解洛克哲学是有意义的,而且对于理解和发展马克思主义哲学的精神实质,也是非常必要的。邹化政以此为努力方向,把对这个问题的探索与对洛克《人类理解论》的研究统一起来,计划"从人类理智上统一经验论与唯理论、思维与感性,进一步达到恩格斯所谓唯物主义的'思维与存在的同一性'的目的"②。《〈人类理解论〉研究——人类理智再探》一书,就是作者按照上述思路经过二十几年勤奋思考和刻苦钻研的产物。

在本书中,作者史论结合,在论述《人类理解论》的过程中,全面介绍了洛克的哲学思想,并从这位经验论巨子的一家之言出发,纵览西方两千年哲学思想的嬗变,论证了他对人类理智的看法。其中值得重视的地方,在于:

第一,作者在分析洛克的哲学思想时,把它纳入整个近代哲学发展的系统中进行考察。作者认为,近代西方哲学的发展,是一个逐步扬弃和同化上升的过程,而这个过程是由三个有内在联系的环节构成的。第一个环节,上帝的自然化和物质化,以洛克之前的17世纪为代表;第二个环节,上帝的人类精神化,以从洛克到黑格尔哲学的发展过程为代表;第三个环节,上帝的物质化与人类精神

---

① 邹化政:《人类理解论研究》,第1页,人民出版社,1987年。
② 同上。

化的统一，以辩证唯物主义的合理精神为代表。洛克哲学的重要意义就在于实现了从第一个环节到第二个环节的伟大转折或过渡。在这个基础上，作者从宏观和微观相结合的角度，探讨和论述了洛克哲学的时代精神背景、理论背景和历史地位。认为洛克的《人类理解论》作为扬弃外延逻辑的内涵逻辑，经过巴克莱、休谟和莱布尼茨哲学的发展，导致了康德对人类意识的心理——逻辑结构的发展，为德国古典哲学的辩证认识原理的建立准备了条件。对此，贺麟指出，"这一观点不无独见。黑格尔和马克思都多次强调，哲学是时代精神的精华，是历史命脉的集中体现。研究哲学，哪怕是纯粹的概念范畴，也都不能脱离其所处的时代。近代的欧洲文化与宗教密不可分，上帝观念既是人类意识异化的幻想之物，又是自然世界和人类社会的绝对统一性的象征，它的变迁隐藏着时代精神的深邃本质。《〈人类理解论〉研究》能够从这一角度考察近代哲学的发展，把握其时代精神的本质，确有可取之处"①。

同时，站在这个高度上，作者还对洛克的哲学思想，如观念起源、观念组合以及知识形成等学说的具体内容，进行了深入的论述。并联系莱布尼茨的思想，揭示了洛克思想的得失利弊，指出了经验主义和理性主义各自的合理之处及其片面性。

第二，在论述"内涵逻辑"时，作者不囿成见，认为提出这个学说始于洛克。自亚里士多德以来，一般都习惯于用旧形式逻辑进行思维，只管形式，不管内容，似乎成了定论。其实，思维从来不可能没有对象，形式逻辑也不是只是几个格式的推出，空洞到没有内容。邹化政经过多年潜心研究认为，形式逻辑只能是形式逻辑，而内涵

---

① 贺麟：《关于〈人类理解论研究〉一书的通信》，载《哲学研究》，1988年第6期，封底。

逻辑，其完成则是辩证法。后者作为逻辑虽然舍去各种思想的特殊内容，而不舍去其普遍内容，它以揭示思维在其对感性关系中这种普遍思想的逻辑为其研究对象。此外，它是在形式逻辑的思维结构形式中运动着，发展着的认识活动的本身，是这种认识活动本身所具有的思想内容的一种逻辑。这种看法并非作者故意一空依傍、自树旗帜，而是穿穴诸家的结果。其启发意义，是不可忽视的。

第三，在论述洛克的认识论思想时，又不断地超出论述的具体对象，而对人类认识本身，主要是人类理智进行了探讨。例如，关于人类认识的先天基础，人类认识的本质结构，感性、理性及其相互关系等问题的分析，特别是在最后一章"超验辩证法"中，对人类意识辩证发展及其本质提出的观点，都颇有新意。作者认为，人类理智的发展，第一个环节是主观辩证法，它揭示有关人类理性的心理机能原理，包括感性机能、思维机能和意识机能原理；第二个环节是客观辩证法，它揭示对客观世界的规定，包括主体和实体的规定，实体的内在的组织规定以及从这里出发引申出来的具体事物的规定；第三个环节是超验的辩证法，它揭示人类意识的超验本性，展现意识超验自身与心外物质世界相统一的辩证历程，以此在逻辑上阐明了实践是检验真理标准的内在根据，为世界的物质统一性的证明奠定了基础。

邹化政研究《人类理解论》提出的这些观点，无疑都是一种有益的尝试。对此，贺麟认为，"此书能够站在哲学总体性的高度分析研究洛克的哲学思想，其论辩较为深刻，逻辑略趋精邃，一些见解独特新颖，启人慧思"[①]。这种钻研西方哲学原著的努力方向，

---

① 贺麟：《关于〈人类理解论〉研究》一书的通信》，载《哲学研究》，1988年第6期，封底。

是值得提倡的。

四、傅有德阐释巴克莱哲学的理论境界

在研究巴克莱的著作中,青年学者傅有德的《巴克莱哲学研究》一书,以它崭新的理论境界,引起了学术界的注意与重视。

傅有德(1956—　　),山东青州人。1984年山东大学哲学系取得硕士学位留校任教。他看到在欧洲哲学史上,巴克莱无疑是一位举足轻重的哲学巨擘。巴克莱在我国哲学界虽然人人耳熟能详,但是对它的研究却一直停留在粗线条和浅层次上,特别在批判唯心主义的运动中,它在国人的心目中的印象是不真实的。为了还巴克莱哲学的本来面貌,傅有德负笈域外,在巴克莱的母校都柏林三一学院广泛涉猎,撷精纳粹,参阅了国外巴克莱专家的权威性著作和过去一段时间发表的论文。经过这样努力写出的《巴克莱哲学研究》,以丰富确凿的史料为依据,对巴克莱的哲学思想进行了深入细致、全面客观的剖析和再评价,不仅对过去研究中形成的一些看法提出了质疑,而且还探索了国内学者尚未涉及的诸多理论问题,如法国哲学家马勒伯朗士和倍尔对巴克莱的影响,《哲学评论》中的"新原理",巴克莱在自然科学和语言方面的某些观点。

不过,值得重视的还在于,作者在这部著作中的探索性。他坚持论从史出的原则,从全面系统把握巴克莱思想资料,特别是从反映其思想变化发展的早期著作、书信、笔记入手,批判综合各家各派研究之所长,对巴克莱的哲学思想提出的观点,推出新论,成为一家之言。其中最富探索精神,也最具创新意义的观点是:"把巴克莱哲学称为'非物质主义','可以说是一种客观唯心主义的现象论',而不是传统观点所认为的主观唯心主义,更不是唯我论。

作者还将自己的这个新见解放进巴克莱哲学整体框架中去考察，通过对构成巴克莱思想重要方面的'新原理'、'新观念'、'驳物质论'、'精神实在论'等的详尽剖析，论证了'非物质主义的客观唯心主义的现象论'，不仅是巴克莱哲学的本质特征，而且还是将巴克莱思想逻辑地联系成一个完整系统的基础和纽带"①。

显然，作者提出的这些看法还可以进一步研究，但是，该书考证翔实，议论精湛，立论新颖，展示了作者在巴克莱哲学研究领域新的境界。

五、周晓亮研究休谟哲学的起点

在传播经验论的著作中，周晓亮的《休谟哲学研究》一书，由于研究起点高，内容全面，论述深入，颇得哲学界的好评。

周晓亮(1949—　)，江西永丰人。1981年毕业于中国社会科学院研究生院，获哲学硕士学位。1986年和1991年，分别赴美国和英国进行访问研究。现为中国社会科学院哲学所研究员。主要学术成果，除上述著作外，还有《休谟及其人性哲学》问世。

休谟是18世纪英国著名的经验论哲学家，是西方哲学史上最重要、最有影响的人物之一。然而，当周晓亮回顾两百多年来休谟哲学研究的历史后，却"发现人们对休谟哲学有十分不同的理解和看法"②。其中，最主要的基本观点有三种：一是黎德——格林的观点；二是康蒲·史密斯的自然主义解释，三是以逻辑实证主义为代表的分析哲学的看法。他认为，"它们都从某一方面或某一

---

① 傅永军：《与西方学者平等对话》，载《哲学研究》，1993年第1期，第79—80页。

② 周晓亮：《休谟哲学研究》"绪论"第1页，人民出版社，1999年。

点上,抓住了休谟哲学的特征,并进行了强调,而同时,正由于它们各自侧重于某一方面或某一点,因此在整体上不够全面和准确"①。而且,他还看到,自20世纪的20年代以来,在各种思潮的推动下,西方对休谟哲学的研究已经呈现出一派繁荣的景象。并且在研究中,已经不再拘泥于某个既成的观点,而是力图在认识论、伦理学、美学、逻辑、宗教哲学等各个领域,从各种不同的角度,运用不同的哲学方法对休谟的学说进行考察。甚至有人预言,在对休谟哲学进行深入研究的基础上,一个"新的休谟主义"的哲学派别将会出现。

面对国际休谟哲学研究的上述形势,周晓亮认为,"休谟哲学不仅仅是一个历史的论题,而且它已经同现代哲学的发展紧密联系、融合在一起"②。因此,从"历史、现实和逻辑的结合上研究休谟哲学,已经成为我们西方哲学研究中的一项重要任务"③。在他看来,像任何有价值的学术成果,都是在充分考虑和借鉴前人研究成果的基础上向前推进一样,休谟哲学诞生以来西方哲学界对它的各种评价,特别是前面提到三种观点,也为他的休谟哲学研究做了背景知识方面的必要准备。现在,他的任务就是,要以此作为研究的起点,在这个基础上根据历史的和辩证的观点,对休谟哲学做出全面的考察和评述,并进一步阐明它在西方哲学史上的真实意义及其对后来哲学发展产生的巨大影响。

为此,虽说要对休谟哲学进行全面研究,但在他看来,却不可能面面俱到,而是在书中用了一半以上的篇幅,首先着重考察了休

---

① 周晓亮:《休谟哲学研究》"绪论"第15—16页,人民出版社,1999年。
② 同上书,第15页。
③ 同上。

谟的知识理论,包括他的观念学说、因果性和或然性理论、信念理论、怀疑论等。原因在于,"这部分内容是休谟哲学的核心,是对其他问题的哲学分析的理论基础,也是休谟哲学中对西方哲学的发展最有影响的一部分"①。然后才在对休谟认识论研究的基础上,进一步论述他的伦理学、美学和宗教哲学。周晓亮指出,这样突出地强调休谟的认识论,绝不会贬低或湮没休谟在这些学科作为大师所做出的重大贡献,而只是依据休谟的体系本身的内在关联进行的安排。因为"休谟的伦理观、审美观和宗教观都或多或少是以他的认识论为根据的,这既体现了休谟哲学的严密的整体性,也说明了近代哲学中认识论主流在各分支学科中的渗透和影响"②。不过,在论述休谟的学说时,根据过去研究中因休谟著作难读造成的诸多误解和不同理解,他在书中特别注意加强了"对休谟哲学原著的考据和研究,力求在休谟的本来意义上准确理解和把握他的学说"③。而且,为了帮助读者在思考他的思想时提供一些感性形象的材料,他还专门设立一章介绍了休谟的生平和著作,特别是阐述了他的主要哲学著作的写作和出版情况。

经过作者这样努力写成的这部著作,将休谟思想前后发展的线索以及历史背景、历史影响,都梳理得清清楚楚。特别是在对休谟哲学的理论体系作出真实客观、深入系统分析的基础上,提出了一系列较为重要的新见解。例如,"通过苏格兰启蒙运动的大背景分析休谟哲学特点之形成及其进步意义;在揭示了因果关系论在休谟哲学中的核心地位时指出休谟对因果关系普遍性和必然性

①　周晓亮:《休谟哲学研究》"绪论"第19页,人民出版社,1999年。
②　同上。
③　同上书,第20页。

的肯定;对休谟的观念论和心理原子主义与胡塞尔现象学和罗素逻辑原子主义之间的关系作出了令人信服的比较分析,等等"①。总之,这是一部研究起点高,"论据充分可靠、论述清晰严密、文笔清新流畅,是迄今为止国内同类著作中较为全面、较为深入的论著"②。它对于深化休谟哲学与西方经验论哲学的研究,都有很好的理论价值和实际意义。

六、洪汉鼎研究斯宾诺莎哲学的结晶

把研究对象作为忠实陪伴自己的挚友,洪汉鼎呕心沥血近 30 年,在斯宾诺莎哲学研究领域里取得了具有重要意义的成果。

洪汉鼎(1938—),江苏南京人。1963 年北京大学哲学系毕业后,曾在大西北从事业余职工教育 15 年。1978 年被贺麟录取为研究生。现为北京社会科学院研究员。

早在读大学期间,洪汉鼎便在贺麟的指导下,确定从斯宾诺莎入手进行西方哲学研究。即使后来因政治风雨把他卷入几乎到了人生的绝境,但他牢记贺麟的教诲,把对斯宾诺莎的研究与培养自己的德性和人生追求结合起来,不但使他度过了各种各样的浩劫,而且还支持他孜孜不倦地读书、写作和从事哲学沉思。"四人帮"倒台后,随着政治生命的转折,洪汉鼎的哲学生命进入鼎盛时期。自 20 世纪 80 年代以来,他在西方哲学研究中,取得了丰硕的成果。其中,仅就斯宾诺莎哲学的研究,除译出了《斯宾诺莎书信集》与《神、人、及其幸福简论》与《笛卡儿哲学原理》,发表了一批

---

① 叶秀山:《单位学术委员会评审意见》,见《休谟哲学研究》,第 397 页,人民出版社,1999 年。

② 同上。

论文外,更为重要的是《斯宾诺莎哲学研究》一书问世。

　　在国际上,对于斯宾诺莎哲学的研究,经过几个世纪各国哲学家的努力,已经取得了可喜的进展。然而输入到中国来不但时间较晚,而且在传播中还多半停留在介绍的水平上。面对国际国内斯宾诺莎哲学研究的这种形势,洪汉鼎认为,要使研究有所突破和前进,"我们的问题不仅是'斯宾诺莎的思想在 17 世纪的重要性是什么',而是'他的思想对于一个不确定的'现在的'意义何在'这个更为重要的问题"①。就是说,要使斯宾诺莎这个被各国哲学家研究了几个世纪的课题推出新意,必须从新的角度和思路出发,才有可能对它做出尽量准确和客观的表述,进而把其中以征兆、胚胎和萌芽形式的因素揭示出来,发现它所蕴涵的当代意义和价值,用来阐明和发展马克思主义哲学。洪汉鼎积几十年的心血,就是秉着这种精神把《斯宾诺莎哲学研究》这部著作熔铸出来的。

　　该书由一个绪论和三个分论组成,即自然系统、认识系统、伦理系统构成。在绪论中,作者阐明了斯宾诺莎从事哲学活动的时代、坎坷生平、思想发展过程;考释了斯宾诺莎各篇著作的形成时间、主要内容及其意义;论述了斯宾诺莎哲学体系的构成特征及其构成体系的逻辑方法。在分论中,分别从解释和分析自然系统、认识系统和伦理系统中的有关概念、名词入手,既考察其一般含义和普遍用法,还指明其特殊含义和严格用法,然后论述它们的哲学实质和意义,并把它们放在西方哲学的发展过程中,在比较中肯定其中的合理因素,阐明它对后世哲学的影响和启示,指出其理论上的失足或局限性。无论是在总论中还是在分论中,洪汉鼎通过多方面、多层次地阐述与论述,运用分析与综合的方法,探幽发微,展现

---

　　①　洪汉鼎:《斯宾诺莎哲学研究》,第 734 页,人民出版社,1993 年。

了一系列的新意与创见。

第一,通过对斯宾诺莎哲学的全面考察,作者认为,他的哲学体系"是一个以知神、认识自然为开始,继而经过知人、认识人的理性和情感,从而达到人的最高幸福和自由的观念演绎系统,作为这个系统的最高范畴是'神'、'实体'或'自然',而作为这个系统的最后归宿则是人的最高境界,即人的幸福和自由,整个系统是一个以神、认识自然为开始,以爱神、爱自然达到人的最高圆满为结束的从本体论到伦理学的自成起结的自足系统"①。通过这样的概括,准确地把斯宾诺莎哲学的真谛深刻地揭示出来了。这为人们正确认识和全面接受斯宾诺莎哲学指明了方向。

第二,在揭示斯宾诺莎哲学体系实质的基础上,认为神、自然和实体三个概念,一方面反映了他的哲学的不同来源,另一方面,在他的哲学中又是统一的。这表现在:神是万物本源的统一,自然是万物总和的统一,实体是万物本质的统一。它们三者是最高存在"无限性、必然性、能动性、本源性、实在性、自在性的统一或综合"②。这样,在哲学史上,既排除了笛卡儿把精神视为实体的存在,又把上帝和物质等同起来,使上帝自然化,从而使笛卡儿心物对立的二元论改造成为唯物主义的一元论。通过这种统一,其意义在于,一方面把神与自然等同起来,表现了斯宾诺莎哲学与中世纪经院哲学和宗教神学的对立,反映了17世纪革命的资产阶级思想体系对封建的宗教唯心主义世界观的斗争;另一方面把神和实体等同起来,表现了斯宾诺莎哲学与笛卡儿学派的对立,反映了近代资产阶级思想内部先进和保守的斗争。

---

① 洪汉鼎:《斯宾诺莎哲学研究》,第194页,人民出版社,1993年。
② 同上书,第188页。

通过这种对斯氏哲学体系基本概念实质的剖析,把他的哲学在西方哲学发展过程中的革命意义及其历史地位充分地表达出来。

第三,在具体论述斯宾诺莎哲学体系各个组成部分的理论内容前,作者首先指出,由于斯氏把他的哲学体系看成是由各个组成部分构建的一个庞大的有机系统,尽管在这个系统内各种事物都有其多样的性质和转化,但是它们都是这个系统的一部分,都服从统一的自然规律和法则。因此,在考察这个系统的各个部分时,首先要把握整个系统的性质。只有了解了整个系统的性质,才能清楚地知道它的每一部分的性质。具体说来,在自然系统中是思维和广延的对立;在认识系统中是观念和对象的对立;在伦理系统中是自由与必然的对立。由于这些对立是构成每个系统框架的主要基石,因此,只有从这里入手,并紧紧地把握这些系统中各个范畴之间的关系,才能深入斯宾诺莎哲学的殿堂,发现各个概念与对立的真实含义,进而对它们做出正确的分析与判断。作者正是从这里出发,在分别对自然系统、认识系统与伦理系统进行分析时,就都是依据这个思路进行的。例如在自然系统中,对神在斯宾诺莎体系中三层意思的揭示;在认识系统中,对斯宾诺莎把唯理论和唯物主义结合起来的阐释;在伦理系统中,对斯宾诺莎关于"自由是对必然的认识"命题的论述,都是成功的例证。

这些,只是书中作者提出的一部分具有开拓性的创见。实际上,全书从头到尾,精彩的分析、准确的概括、深刻的揭示、中肯的评价、科学的引申,比比皆是。可以说,从整体上把斯宾诺莎哲学的研究,推进到了一个新的水平。这是中国学者为斯宾诺莎哲学研究做出的一个重要贡献。

七、陈修斋研究莱布尼茨哲学的贡献

除带领学生从整体上推进经验论与理性论哲学的研究外,陈修斋在开展莱布尼茨哲学研究方面,更是做出了突出的贡献。

陈修斋(1921—1993),浙江东阳人。1945 年中央政治学校外交系毕业后,应贺麟的邀请赴昆明西洋哲学名著编译会工作,从此开始踏上了研究西方哲学的道路。先后任教于北京大学与武汉大学,在教学之余,长期辛勤地耕耘在 16 ~ 18 世纪西方哲学的园地里,成为我国著名的莱布尼茨哲学专家。仅就其研究莱布尼茨哲学的成果来说,除译出了《人类理智新论》、《莱布尼茨与克拉克论战书信集》与《关于实体的本性和交通的新系统及其说明》,发表了大量有关莱布尼茨的论文外①,还在病中与段德智合著《莱布尼茨》一书。在这些论著中,陈修斋提出和阐明了一系列关于莱布尼茨哲学的重要观点。归纳起来,主要有:

第一,莱布尼茨不仅是 16 世纪至 18 世纪大陆理性派的主要代表,是这一学派的集大成者,而且他还是一位对世界许多国家和地区有广泛影响的学术巨子,是一位具有世界意义和重大国际影响的哲学家。

第二,莱布尼茨从经院哲学唯心主义转向机械唯物主义,后来又从机械唯物主义转回到唯心主义,诚然与当时德国资产阶级的软弱性有关,但从理论上考察,的确是由于他看到了机械唯物主义的局限性,看到了机械论的自然观,特别是关于物质实体的观点陷入了矛盾困境和难以自圆其说。

---

① 见段德智选编:《陈修斋哲学与哲学史论文集》,第 265—462 页,武汉大学出版社,1995 年。

第三,莱布尼茨在认识论上和洛克的论争主要表现在四个方面:(1)认识的对象和起源——"天赋观念"还是"白板"?(2)认识的主体——"物质能不能思维"?(3)认识的过程——从"知觉"到"统觉";(4)真理观。这一论争是唯物主义经验论和唯心主义理性论斗争的集中表现,它暴露了近代早期西方这些经验派与理性派在理论上的深刻矛盾。从康德开始的德国古典唯心主义在一定意义上就是企图解决这个矛盾。

第四,在莱布尼茨的哲学体系中,单子没有部分是单子的根本特征。单子的其他一系列特征包括"单子变化的内在原则",都是由它演绎出来的。"前定和谐"学说则是解决"不可分的点"与"连续性"的矛盾("哲学迷宫"之一)的关键;它是莱布尼茨哲学的中心,最能表现他的哲学特征。

第五,在理性派哲学家中,无论是笛卡儿还是斯宾诺莎,都是把矛盾律或同一律看做最高思想法则的,莱布尼茨则提出了充足理由律,以便弥补矛盾律的不足,并且宣布这一规律本身"有本质上的重要性"。因此,在莱布尼茨哲学中所依据的基本原则有三个:充足理由原则、矛盾原则或同一原则以及最佳原则(圆满性质原则),其中充足理由原则是制约或规定其他两条原则的最高原则。

第六,莱布尼茨关于个体性思想,是全部西方哲学史上关于一般与个别问题的长期争论与思想发展过程中的一个有自己特色的重要环节。而人的自由问题则是他所关心的主要问题之一。他对这些问题的探讨和解决做出了贡献,反映了新兴资产阶级的进步要求。

这些论点的提出和论证,反映了中国学者在莱布尼茨哲学研究领域取得的进展,并得到了国内哲学界的高度评价。由此,陈修斋先生被认为是"当代国内的权威学者"①,是我国著名的莱布尼茨哲学专家。而且在国际上,认为他的这些研究成果,"达到了国外同类研究所未能达到的水平"②,称赞"他的莱布尼茨哲学翻译和研究在国际学术界享有盛誉,他为推动中西哲学交流做出了突出贡献"③。

第五节　德国古典哲学研究的重大进展

相对说来,由于德国古典哲学在西方哲学史上的重要性及其与马克思主义的特殊关系,在西方哲学东渐过程中,它在一定程度上得到了中国学者的重视与研究。但是,与它无比丰富的内容和极其深刻的意蕴、与它作为一个整体的无数构成环节、与它作为人类哲学史上一场持续时间最长、展示出一幕幕宏伟场景的哲学革命隐含的支配哲学发展的内在规律等加以比较,过去我们对它的研究,还只能说是初步的。

特别是,随着中国大陆进入现代化建设新时期,在建设具有中国特色的社会主义市场经济和与之相适应的社会主义新文化的过程中,必须突破过去长期以来的自然经济和半自然经济带来的狭隘的眼界和封闭心理,积极参与各民族文化传统之间的碰撞与交融,大力吸收全人类共同的文化遗产。在这些方面,研究德国古典哲学,还具有充分的价值和意义。原因在于,一方面,它是西方以

①　汪子嵩:《陈修斋哲学与哲学史论文集》"序",第2页,武汉大学出版社,1995年。

②　杨祖陶:《陈修斋哲学与哲学史论文集》"序",第7页,武汉大学出版社,1995年。

③　段德智:《陈修斋的哲学生涯与理论贡献刍议》,见《陈修斋先生纪念文集》,第198页,武汉大学出版社,1997年。

往哲学发展的最高阶段,通过对它的研究,可以加深对于以往哲学发展诸阶段规律性的理解;另一方面,它又是现化西方哲学得以产生和发展的源头、土壤和背景,通过对它的研究,为我们探索现代西方哲学的发展能够提供极其重要的启迪。特别是,它对马克思主义哲学来说,是它产生的直接的理论来源和理论前提,只有通过对它的研究,才能真正理解马克思主义的产生、本质和特征。由此可见,"德国古典哲学不仅对于我们研究在它之前的西方哲学、在它之后的现代西方哲学和以它作为直接理论来源的马克思主义哲学具有重要的理论意义,而且对于我们国家向社会主义市场经济的转型和社会主义新文化的建设和发展,乃至对于理解如何才能使我们的经济和文化朝着更加接近共产主义理想的方向前进,都具有值得注意的现实意义"①。

基于上述认识,学者们为了把德国古典哲学的研究推向新的阶段,在学术上多方面地做了许多艰苦卓绝的工作。除了开辟传播阵地、举办学术讨论会、培养研究人才,开展中外学术交流外,这里着重讲一下学术研究上取得的重大进展。

一个表现是在原著与国外学者研究德国古典哲学成果的翻译方面,许多尚无译本的原著着手译出来了;对已有的译本,有的根据德文原版或校订新版重新翻译,并逐步开始编译重要哲学家的选集与全集,还以开放的心态引进和翻译出版了一批国外学者研究德国古典哲学重要著作的名著。其中,仅康德的《纯粹理性批判》,便有韦卓民、邓晓芒和杨祖陶、李秋零三个译本问世,特别是由邓晓芒翻译、杨祖陶校订的《纯粹理性批判》《实践理性批判》、

---

① 杨祖陶:《德国古典哲学研究的现代价值》,载《哲学研究》,2001年,第4期,第32页。

《判断力批判》,从德文原版译出,得到了学术界的欢迎与好评。《人民日报》在报道这些译著的出版时,认为"这是一件顺应时代潮流的壮举"①。并指出,"本次三大批判的翻译由长期研究德国古典哲学的两位专家合作承担,在研究的基础上进行翻译,呕心沥血,态度严谨,具有很高的学术质量。它标志着我国翻译界对一个重大难关的攻克,不仅在翻译上有许多经验可以总结,而且为国内德国古典哲学研究的深化提供了一个基础,满足了专家学者和广大哲学爱好者的迫切需要,对提高我国哲学社会科学的研究水平起到了良好的作用"②。又如,由梁志学主持编译的五卷本《费希特著作选集》的全部出齐,"标志着我国的德国古典哲学研究,尤其是费希特研究进入了一个新阶段"③。由此"改变了人们长期以来形成的对于费希特过分简单粗糙的评价,展现了他的思想的丰富性和创造性,揭示了知识学从以自我为最高原理到以理念为最高原理的发展演化的全貌。除了在哲学史上独树一帜的知识学外,人们还会在伦理、法理、政治、社会、经济、历史和宗教等学说领域发现费希特思想的独特魅力和不朽价值"④。再如,早在1981年便成立了《黑格尔全集》编译委员会,虽然直到现在黑氏的全部著作尚未译出来,但构成其哲学体系的主要著作都问世了。其中,有新译的,如《自然哲学》、《精神哲学》、《宗教哲学》;有重译的,如《小逻辑》;有补齐的,如《精神现象学》、《逻辑学》、《美学》、《哲学史讲演录》,等。除此以外,由荣振华等依据俄文版译出的《费

---

① 《人民日报》编者:《国内首次全部从德文原版翻译出版康德'三大批判'》,载《人民日报》(海外版),2004年,2月1日第六版。
② 同上。
③ 郭大为:《重估费希特的价值》,载《哲学动态》,2000年第10期,第27页。
④ 同上。

尔巴哈哲学著作》上下两卷也先后出版了。所有这些著作的翻译和出版，都为推进德国古典哲学的学术研究提供了重要保证。

　　另一个表现是，学者们从不同的角度出发，全方位地开展了对德国古典哲学的研究，除发表了难以计数的论文外，仅出版的著作，即有：

德国古典哲学	冒从虎著	重庆出版社	1984 年
德国古典哲学教程	杨文极等著	中国人民大学出版社	1988 年
德国古典哲学创造思维理论的精华	王天成著	吉林教育出版社	1989 年
德国古典哲学逻辑进程	杨祖陶著	武汉大学出版社	1993 年
哲学与人：德国哲学中的人的理论	张世英主编	商务印书馆	1993 年
论康德黑格尔哲学	哲学所编	上海人民出版社	1981 年
康德黑格尔哲学讲稿	杨一之	商务印书馆	1996 年
康德黑格尔哲学研究	杨祖陶	武汉大学出版社	2001 年
批判哲学的批判——康德述评	李泽厚著	人民出版社	1979 年
康德时空观	陈元晖著	中国社科出版社	1981 年
康德学述（再版）	郑昕著	商务印书馆	1984 年
康德〈导论〉述评	李质明著	福建人民出版社	1984 年
康德的《纯粹理性批判》	张世英等	北京大学出版社	1987 年
康德对本体论的扬弃	谢遐龄著	湖南教育出版社	1987 年
康德的《纯粹理性批判》	谢遐龄著	云南人民出版社	1989 年
建构与范导	陈嘉明著	社科文献出版社	1992 年
康德美学研究	张俊著等	东北师大出版社	1994 年
康德认识论研究	周贵莲著	中央党校出版社	1994 年
康德传	韩水法著	河北人民出版社	1996 年
康德文化哲学	范进著	科学文献出版社	1996 年

康德《纯粹理性批判》指要	杨祖陶等著	湖南教育出版社	1996 年
康德的宗教哲学及其现代影响	谢舜著	广西人民出版社	1997 年
冥河的摆渡:康德《判断力批判》	邓晓芒著	云南人民出版社	1997 年
康德的美学现象学诠释	戴茂堂著	武汉大学出版社	1998 年
康德美学引论	曹俊峰著	天津教育出版社	1999 年
康德的知论识	齐良骥著	商务印书馆	2000 年
康德政治哲学研究	李梅著	社科文献出版社	2000 年
德国古典哲学的奠基人:康德	昌林雄著	安徽人民出版社	2001 年
康德《纯粹理性批判》新探	温纯如著	中国社科出版社	2002 年
费希特:行动的呐喊	洪汉鼎著	山东文艺出版社	1988 年
费希特哲学	程志民著	湖南教育出版社	1990 年
费希特青年时期的哲学创作	梁志学著	中国社科出版社	1991 年
费希特的宗教哲学	谢地坤著	中国社科出版社	1993 年
费希特耶拿时期的思想体系	梁志学著	中国社科出版社	1995 年
青年黑格尔对基督教的批判	薛华著	中国社科出版社	1980 年
黑格尔哲学论丛	姜丕之编	福建人民出版社	1981 年
黑格尔《小逻辑》译注	张世英著	吉林人民出版社	1982 年
论黑格尔的《逻辑学》(修订本)	张世英著	上海人民出版社	1982 年
论黑格尔的历史哲学	侯鸿勋著	上海人民出版社	1980 年
黑格尔《大逻辑》选释	姜丕之著	福建人民出版社	1983 年
自我意识的发展	薛华著	中国社科出版社	1983 年
黑格尔对历史终点的理解	薛华著	中国社科出版社	1983 年
黑格尔的唯心辩证法	张澄清著	福建人民出版社	1984 年
思辨哲学新探	王树人著	人民出版社	1985 年

黑格尔哲学讲演集	贺麟著	上海人民出版社	1980 年
黑格尔辞典	张世英主编	吉林人民出版社	1986 年
黑格尔哲学概论	杨寿堪著	福建人民出版社	1980 年
论黑格尔的自然哲学	梁志学著	上海人民出版社	1986 年
论黑格尔的精神哲学	张世英著	上海人民出版社	1986 年
黑格尔美学论稿	陈望衡著	贵州人民出版社	1986 年
黑格尔的整体观	张桂权著	四川社科出版社	1986 年
黑格尔美学思想初探	朱立之著	吉林出版社	1986 年
黑格尔与艺术难题	薛华著	中国社科出版社	1986 年
精神世界掠影	肖焜焘著	江苏人民出版社	1987 年
历史哲学的反思	王树人著	中国社科出版社	1988 年
黑格尔的辩证逻辑	周礼全著	中国社科出版社	1989 年
黑格尔法律思想研究	吕世侯著	公安大学出版社	1989 年
黑格尔《小逻辑》新论	朱亮著	南京大学出版社	1990 年
青年黑格尔的哲学	宋祖良著	湖南教育出版社	1990 年
思辨的张力——黑格尔 辩证法新论	邓晓芒著	湖南教育出版社	1992 年
中国黑格尔哲学新探	何毓德主编	内蒙古大学出版社	1993 年
黑格尔历史理性研究	舒远招著	湖南师大出版社	1994 年
作为认识论的黑格尔 《逻辑学》	蒋年云著	安徽人民出版社	1995 年
黑格尔的宗教哲学	赵林著	武汉大学出版社	1996 年
黑格尔传	张慎著	河北人民出版社	1996 年
黑格尔认识论研究	陶秀璈著	中国人民大学出版社	1999 年
张颐论黑格尔	张颐著	四川大学出版社	2000 年
费尔巴哈的人本主义	邢贲思著	上海人民出版社	1981 年
费尔巴哈神性·理性 人性三部曲	许俊达著	中国工人出版社	1993 年

这个书目表,并非十分完备,然而仅此而论,也足以证明大陆学者在 20 世纪的最后 20 年中研究德国古典哲学取得的重大进展。不过,要真正明白它们在理论上的成就,还需要简要地介绍其中一部分有代表性的著作,并对它们作出必要的评价。

一、一代宗师贺麟的历史功绩

提起德国古典哲学研究,便不能不首先想到为此呕心沥血、鞠躬尽瘁,几十年如一日,倾注了毕生精力的贺麟教授。

进入本时期后,贺先生虽然已年过古稀,但他不顾年迈体衰,为振兴中华的伟大现代化事业,以从未有过的精神风貌,多方面地开展了西方哲学东渐工作。例如,他在积极参与和组织国内外各种学术交流与培养西方哲学研究人才的同时,还在学术研究的广度和深度方面迈出了新的步伐。在不长的时间内,先后修订、整理出版了《哲学与哲学史论文集》(商务印书馆,1990 年)、《文化与人生》(商务印书馆,1988 年)、《德国三大哲人歌德费希特黑格尔的爱国主义》(上海人民出版社,1984 年)、《五十年来的中国哲学》(辽宁教育出版社,1989 年)等著作。尤其在黑格尔哲学的研究方面,其理论成就更为突出,下面,仅以他在这方面研究的最新进展来加以说明。

在中国,提起贺麟,便会想到由他译的脍炙人口的《小逻辑》。他的名字和黑格尔哲学在中国的传播是联系在一起的。在这一点上,他著译并重,在短短时间内,精益求精,修订了《小逻辑》,使它能与瓦拉士的英译本相媲美;新译了《黑格尔早期神学著作》;还与王太庆、王玖兴合作完成了《精神现象人学》(下)和《哲学史讲演录》(四)的出版。黑格尔一系列重要著作的中文本问世,都凝聚了贺麟的心血,也为由他担任名誉主任的《黑格尔全集》在中国早日问世准备了充分的条件。

在黑格尔哲学研究方面,先生写了大量的论文。为了庆贺他的 85 岁寿诞和从事教学、科研、翻译 55 周年,1986 年出版了《黑格尔哲学讲演集》一书。这是他研究黑格尔哲学硕果累累的真实记录,也是他毕生孜孜以求学术道路的真实写照。在这本《讲演集》中,收集了先生各个时期有关黑格尔哲学的论文 24 篇,除历史哲学与宗教哲学外,他对黑格尔哲学体系的各个部分都有专题论述。从中可以看到,作者掌握黑格尔哲学知识的渊博,研究的深入以及成果的精深。其中,属于本时期发表的新作,有《黑格尔的时代》、《黑格尔的早期思想》、《黑格尔哲学体系与方法的一些问题》、《黑格尔论同一、差别和矛盾范畴的辩证发展》、《黑格尔论自然现象的辩证发展》、《黑格尔〈法哲学原理〉》与《黑格尔的艺术哲学》等。在这些文章中,有意义的是,他对国内过去黑格尔哲学研究中未曾涉及的诸多问题,发表了他的独到见解:

例如,在《黑格尔的时代》中论述黑格尔与康德的关系时,认为尽管他们的时代是相同的,但黑格尔哲学的任务却是:"依照康德提出的问题和开辟的道路,有所批判、提高、发展"①。这主要表现在,他们对必然与自由关系的处理上。作者指出,在这个问题上,康德调和必然与自由的矛盾,有一定的进步意义。然而,黑格尔尽管同意康德从人的主观能动性方面去争取自由,但是,"康德的自由是主观上、道德上应该有的公设,从善良意志、从自己立法出发,缺乏矛盾的辩证发展过程。黑格尔认为自由不是从形式的抽象的理性得来的。主体和对象对立,和异己的东西对立,异化自

_____

① 贺麟:《黑格尔的时代》,见《黑格尔哲学讲演集》,第 18 页,上海人民出版社,1986 年。

己,过渡到对方,回复到自由。生来就有的自由,原始的自由,天真朴素的自由,以及形式的先验的自由,非真自由。经过辩证发展过程,失而复得的自由,才是真正的自由"①。换言之,"黑格尔讲自由,则是讲世界精神的自由,历史性的自由。自由是在人类历史上从世界精神各发展阶段体现出来的,有它的发展过程。自由是世界精神、绝对理性的核心。个人的自由,哪怕是历史英雄人物的自由,都是世界精神的体现"②。

又如,在《黑格尔的早期思想》中,针对国外某些学者对青年黑格尔的歪曲,他从探讨黑格尔早年的启蒙思想、历史观和经济思想入手进行了驳斥。其中,对黑格尔的早期启蒙思想考察,作者认为,黑格尔"反对传统基督教的彼岸性和权威性;向往古希腊城邦伦理社会的政治生活,注意人和人的现世生活"③。不过,"黑格尔所反对的基督教,主要是天主教。他并不反对宗教本身。他非常注重宗教,并为路德的新教辩护。他对古希腊的向往,至多可以说是在启蒙思想影响下想借以反衬传统权威基督教的缺点。他的注重现世的人文、道德、伦理生活,是从历史地去看人对政治、宗教的态度的变化中得出来的"④。通过这一点以及其他两点分析,作者指出,年轻时期的黑格尔已具有萌芽状态的辩证思想,并用它来考察和论述了法国革命、拿破仑统治、英国产业革命以及英国古典政治经济学等问题。

----

①　贺麟:《黑格尔的时代》,见《黑格尔哲学讲演集》,第19页,上海人民出版社,1986年。

②　同上书,第18—19页。

③　贺麟:《黑格尔的早期思想》,见《黑格尔哲学讲演集》,第35页,上海人民出版社,1986年。

④　同上。

再如,《黑格尔论同一、差别和矛盾诸范畴的辩证发展》,这是他参加在南斯拉夫举行的第十三届国际黑格尔大会上的发言。在剖析了论文标题中的诸范畴后,作者做出了三点概括,表现了他对这些问题研究达到的理论深度。这些概括是:"第一,黑格尔关于同一、差别和矛盾辩证发展的过程和他对于抽象形式的矛盾的排斥、中介的批判,对于旧的形而上学世界观以及经院哲学给予了沉重的打击,揭露了它们的片面性、抽象性、外在性和孤立静止的观点。第二,黑格尔对于这些反思范畴的辩证关系表述了辩证法的核心:对立的统一,并且强调了这些范畴的具体性和丰富内容。第三,黑格尔提示存在、运动、差别、对立、矛盾都是内在的、在自身内的。可以说这些思想是合理的。从历史上来说,黑格尔吸收了亚里士多德的隐德来希(Entelechy)和斯宾诺莎的内在的冲力(conatus)。我们可以公平地说:黑格尔的辩证法作为思辨逻辑对我们理解自然和人生、历史和现代社会的发展规律,是一种重要的方法和认识论的钥匙。当然还要用马克思主义的观点和方法,从当前实际出发,实事求是地加以批判、吸收和改造"①。这些概括,反映了贺麟对黑格尔辩证法研究的新进展。

作为当代中国著名的哲学家、翻译家、黑格尔哲学专家,贺麟教授为西方哲学东渐,倾注了毕生的精力,做出了多方面的贡献。1986年10月,贺麟从事教学与研究55周年,中国社会科学院和中华外国哲学史学会等联合举行了"贺麟学术思想讨论会",对他的贡献进行了亲切的回顾和热情的赞扬。1992年9月20日,贺麟90寿辰,来自全国的二百多位学者聚集北京,再次举行贺麟学

---

① 贺麟:《黑格尔的同一、差别和矛盾诸范畴的辩证发展》,见《黑格尔哲学讲演集》,第470页,上海人民出版社,1986年。

术讨论会。代表们就他的哲学体系、学术贡献、治学方法、品格风范、人生道路等问题进行了热烈讨论。"大家一致认为,贺麟先生在长达 70 年的学术生涯中,学贯中西,造诣深厚,为我国思想理论界留下了丰富的哲学遗产,对我国的学术文化事业做出了重要贡献"①。不幸的是,就在大会期间,9 月 23 日,他走完了 90 年的人生旅程,溘然长逝。中国社会科学院哲学所在《沉重悼念贺麟先生》中对他的一生进行了全面的总结和充分的肯定。其中,对他的学术成就写道:"贺麟同志是老一辈知识分子的代表,他有一颗不断追求真理的赤子之心,因而能以顽强的毅力完成了从唯心主义到唯物主义世界观的转变,使自己从一位非马克思主义的学者转变为马克思主义者……在学术上,他在中、西哲学的广阔领域中,都有很高的造诣,取得了丰硕的成果,做出了杰出的贡献。他将翻译与研究相结合,成为中国黑格尔研究的一代宗师"②。

二、张世英研究德国古典哲学的理论成就

改革开放后,为了推动德国古典哲学在中国的传播,促进中西哲学交流,张世英进行了多方面的努力,成就显著。首先,他主编了《德国哲学》与《中西哲学与文化》两个不定期辑刊,主持了在中国举行的有关德国哲学的国际学术会议,培养了一批研究德国哲学的博士生与硕士生,并经常应邀在国内不少高等学府讲学。还积极地以自己的研究成果出席了在西方国家举行的有关德国

哲学的学术讨论会,开展了与国外学者的对话。所有这些活动,对于德国古典哲学在中国的进一步传播,都具有直接的推动作用。

其次,在德国古典哲学,特别是黑格尔哲学的学术研究方面,他重新修订了《论黑格尔的〈逻辑学〉》,成为作者以及国内近三十年《逻辑学》研究的系统总结;1982 年出版的《黑格尔〈小逻辑〉译注》,取材宏富、注释精到,体现了作者研究《逻辑学》的新进展;他主编的《黑格尔辞典》,工程浩大、内容全面,为研究黑格尔思想以及研究有关的马列主义经典原著提供了重要的参考材料。而且,他还把研究的重点从黑格尔的逻辑学转到精神哲学上来,并出版了《论黑格尔精神哲学》一书。

这本书同《论黑格尔的〈逻辑学〉》一样,也是我国系统地论述黑格尔哲学体系中有关部分的第一部专著。据作者说,1965 年前,他就为写作这本书做了资料准备,动乱开始后被迫搁置下来,直到 1984 年才真正集中精力回到这个题目上来,不过"文化大革命"这段人生经历,使他对哲学有了新的认识。张世英写道:"二十年来的人世沧桑使我深深感到,哲学的中心课题应该是研究人,回避人的问题而言哲学,这种哲学必然是苍白无力的。我现在以为,能否认识这一点,是能否真正理解黑格尔思想的关键"①。他指出,尽管 1965 年以前为写这本书做了些准备,但那时他还没有这种想法,至少对这一点体会不深。当时即使写出来了,也不可能以现在的面貌出现。这样,也就不可能真正揭示黑格尔精神哲学的精髓。

---

① 张世英:《论黑格尔的精神哲学》"序",第 1 页,上海人民出版社,1986 年。

　　对人生的这种深刻领悟,成了作者研究上述课题的独特思路以及这样写出的上述著作的理论特色。他写道:"黑格尔的精神哲学是他的全部哲学体系的顶峰,用他自己的话来说,是'最高的学问'。而精神哲学就是关于人的哲学。人的本质在黑格尔看来是精神,是自由。我正是想把黑格尔的这个基本观点贯穿全书"①。因为在他看来,黑格尔的《精神哲学》从"主观精神"到"客观精神",是在讲人如何从一般动物的意识区分开来,达到人所特有的自我意识、自由以及精神、自由的发展史。人的精神本质或自由本质是在《精神哲学》所描述的诸如自我意识、理论、实践、法权、道德、家庭、社会、需要、劳动、国家、艺术、宗教、哲学等一系列的环节或阶段中来逐步实现的,精神、自由和上述这些环节所构成的整个体系是一而二、二而一的统一体。离开这些环节而谈精神、自由,则精神、自由必然是空洞抽象的,人生的意义也必然是虚无缥缈的。反之,离开人的精神本质和自由本质而谈其中任何一个环节,则这些环节必然成为僵死的、无灵魂的躯壳。张世英指出:"黑格尔的这些思想是建立在唯心主义基础之上的,但又确实是深刻的,比起一切旧唯物主义在这方面的论述要高明得多"②。因此,他认为,"黑格尔强调,西方近代哲学的一个重要特征是重视人的精神本质或自由本质、重视人的'主体性'(subjektivitaäet)。我们需要批判地吸取西方近代哲学的这个优点"③。

　　作者正是依据这一思路撰成上述著作的。因此,在内容的安排上,除了在阐述"主观精神",即现代心理学;"客观精神",即伦

―――――――

　　①　张世英:《论黑格尔的精神哲学》"序",第2页,上海人民出版社,1986年。

　　②　同上。

　　③　同上。

理学与政治哲学;"绝对精神",即艺术观、宗教哲学与哲学观时,突出地论述了关于人的本质与学说以外,还辟有一章"精神哲学与人",集中对黑格尔关于人的学说进行了论述,使黑格尔的这个学说在得以更为鲜明地表达的同时还得到了进一步的升华。在这样论述的基础上,张世英还指出,在黑格尔的哲学体系中,精神哲学本应比他的逻辑学部分受到更大的重视。但是,黑格尔却过分地强调了"绝对精神"的优越地位,起了压制人的个体性的作用。所以,黑格尔死后,许多现代西方哲学家纷纷起来撕裂他的"绝对"。书中提出的这些观点,对于从总体上揭开和把握"精神哲学"的精神实质,无疑都具有积极的意义。

　　在黑格尔哲学研究方面,张世英几乎系统地研究了黑格尔哲学体系的各个部分。但他并不以此为满足,而是"勇于将黑格尔放在西方哲学发展的大背景下客观地加以审视,指出黑格尔是西方形而上学传统的集大成者,从而也是人的个性、具体性和自由本质的压抑者。于是,他果断地跳出黑格尔哲学乃至德国古典哲学的范围,把目光指向了反映具体人性的现代西方哲学家。近年来,他最喜欢、研究最多的是尼采、海德格尔、伽达默尔、狄尔泰等人的哲学"①。在这样研究的基础上,他还"着重从中西哲学的比较入手,试图梳理出中西哲学各自的发展线索以及双方的结合点,为未来哲学及理想人格提供一种可供选择的方向"②。通过他的这些深刻而独特的研究及其取得的大量成果,使一批又一批中青年学者在研究黑格尔哲学时受益匪浅,由此"确立了他在该领域的无

---

　　① 李超杰:《探究天人古今卓成一家之言——张世英教授的哲学研究》,载《北京大学学报》,1996 年第 1 期,第 116 页。
　　② 同上。

可置疑的权威地位"①,被国内哲学界誉为"中国著名的黑格尔专家"②,而且,由于他从此开始在西方哲学领域的广泛研究以及对天人古今哲学的探究,还由此确立了"他的哲学史家的地位"以及"哲学家的地位"③。

三、杨祖陶推出的著作精品

在本时期德国古典哲学的研究领域,杨祖陶推出的几部著作,无论从总体上还是专题上,都代表了中国学者学术上达到的新水平。

杨祖陶(1927—　　),四川大竹人。1945 年至 1950 年,就读于西南联大与北京大学哲学系。毕业后留校任教。1959 年调到武汉大学哲学系,长期从事西方哲学史教学与研究,专攻德国古典哲学,特别是康德黑格尔哲学。在这一领域中,取得了十分突出的成就。

杨先生是我国著名的康德黑格尔哲学专家。这集中表现在,改革开放以来他同邓晓芒一道,共同译出了康德"三大批判",还先后出版了《德国古典哲学逻辑进程》、《康德〈纯粹理性批判〉指要》与《康德黑格尔哲学研究》三部著作。这些著作都是他长期深入研究德国古典哲学、慎思明辨的心得之作。其中,《康德〈纯粹理性批判〉指要》,是一部全面介绍与深刻阐释《纯粹理性批判》的导读教材。它逻辑严谨、语言明晰、解析精到,不但激发了不少读者以强烈的求知欲去直接阅读康德的原著,而且透过阅读这本书

---

①　李超杰:《探究天人古今卓成一家之言——张世英教授的哲学研究》,载《北京大学学报》,1996 年第 1 期,第 116 页。

②　同上。

③　同上书,第 116—117 页。

还能在阅读康德著作的过程中极大地得到精神享受。又如《康德黑格尔哲学研究》。这是他积数十年潜心研究之结晶。它的鲜明特色是：1、严格的历史主义眼光。这不仅表现在对整个德国古典哲学产生和发展的思想背景的历史考察以及德国古典哲学本身的总体发展进程的分析上，而且还体现在对每个哲学家自己哲学思想前后变化的解释上。2、深入的逻辑分析。它不是对康德黑格尔哲学的所有问题平均用力，而是把重点放在攻破难点上。如康德范畴演绎的构成问题，黑格尔哲学的"四统一"和主体性问题等，历来都是理解康德黑格尔哲学最困难的问题，只有凭借严密的逻辑分析才能揭开其神秘面纱。书中对这些哲学史上公认的难题，都作了创造性的推进。3、"逻辑和历史相一致"方法的熟练运用。作者自觉地从哲学思维的历史进程中揭示思维本身的逻辑层次，将思维的发展显示为一个有内在必然规律的进程，并由此使读者受到一种范畴体系的训练。如在德国哲学革命持续发展的逻辑进程中，就紧紧抓住以康德到费尔巴哈围绕"主体能动性与客体制约性"这一对矛盾所展开的螺旋式的上升运动，阐明了人类思维在这个发展阶段上思维层次的逐步提高，并由此必然地发展到它的逻辑结论——马克思的"实践唯物主义"。

特别是《德国古典哲学逻辑进程》，更是受到学术界的普遍重视。这是他呕心沥血、精益求精，经过长期艰苦探索后铸就的一部独创性著作。

在这部著作中，杨祖陶以主观能动性和客观制约性的矛盾为纲，在详尽地阐明了德国古典哲学的实践基础之后，论述了这对矛盾及其制约的各个矛盾在从康德开始到费尔巴哈为止的德国古典哲学中的自身必然的辩证运动的进程，从而全面地揭示了德国古典哲学的发展规律。不过，他在揭示这个发展过程的规律时，不是把它独立起来,而是联系在此之前和在此之后的西方哲学发展,阐明了它是怎样从过去的哲学发展而来,又朝着什么方向发展而去,因而还全面地展现了德国古典哲学在西方哲学发展过程中的地位及其重要性。

论述和揭示德国古典哲学的逻辑进程,是全书最能体现作者理论功力的篇章。作者认为,德国古典哲学是在继续解决近代西方哲学提出的思维与存在这一对基本矛盾中逐步发展起来的。在他看来,这对矛盾虽然在休谟到法国唯物论那里,表现为主观性和客观性两个原则的矛盾,但是这种矛盾仍然是外在的,只是当康德将理性派自身内孕育着主体能动性原则和体现休谟唯心论与怀疑论里的主观性原则以及体现在法国唯物论里的客观性原则结合在一个体系里时,才将主体能动性和客观制约性(必然性)之间的本质冲突、思维和存在的关系不再作为是两种思维(我的思维和上帝的思维)和两种存在(我的存在和物质世界的存在)的外在关系,而是绝对能动的思维主体和绝对必然的思维客体不可分割的关系,思维的主观能动性才第一次被有意识地提到主体和客体的关系上,作为达到主体和客体同一的先决条件看待了。主观和客观的矛盾就由此上升到一个新的层次,即人的主观必须符合客观才能获得必然的知识。但人的主观又必须具有自发的能动性才能成其为主观,也才能获得知识。对此,杨祖陶写道:"康德以后的德国古典哲学作为他所开始的哲学革命的继续,从总体趋势上看,也都是力图发展主体能动性原则,超越认识范围,逐步深入社会生活和实践的各个领域,以解决主体和客体的矛盾,达到两者统一的努力的表现。因此,在这个意义上,整个德国古典哲学也就是主体和客体,即主观能动性和客观制约性的矛盾运动的体现,而这一矛盾运动所经历的那些依次发展阶段即是德国古典哲学的逻辑进程"①。

　　具体说来,这个进程经历了五个阶段:第一,康德阶段,这是主体与客体的根本对立批判地呈现出来的阶段;第二,费希特阶段,这是在行动的主观主义条件下主体和客体的对立达到极端的阶段;第三,谢林阶段,这是在静观的客观主义条件下主体和客体之间精神的、虚幻的、形而上学的同一阶段;第四,黑格尔阶段,这是在主观能动性和客观制约性的唯心辩证法条件下,主体和外部感性现实世界的对立原封不动、持续存在的阶段;第五,费尔巴哈阶段,这是在直观的唯物主义条件下,主体和现实的感性世界之间抽象的统一、实际分裂的阶段。

　　在逐次详尽地剖析和论述了德国古典哲学这个逻辑进程后,作者指出:"德国古典哲学的逻辑进程至此并没有达到它的逻辑终点,因为从康德开始的德国古典哲学不同于其先行阶段的特殊本质在于,它把主观能动性原则引入了主客关系以解决主客的矛盾,达到主客的统一。而到费尔巴哈这里,在德国古典唯心主义中生长起来而为黑格尔所完成了的主观能动性和客观制约性的唯心辩证法被置之不顾,主观能动性原则没有被引入到唯物主义理解的主客关系中,因而也就说不到真正解决主客矛盾,总的说来,哲学的进程又回到了 18 世纪的旧唯物主义"②。于是,我们看到从康德到黑格尔的德国古典哲学的全部成果:"要么就是毫无意义的不结果实的花,要么这一哲学运动的最终结果就应当是从它创造出来的全部条件即全部成果中所必然得出的结论:一种以本身

---

①　杨祖陶:《论德国古典哲学逻辑进程》,载《哲学研究》,1992 年第 10 期,第 45 页。

②　杨祖陶:《德国古典哲学逻辑进程》,第 357—358 页,武汉大学出版社,1993 年。

即是主观能动性和客观制约性的辩证统一的人实践活动为出发点或最高原则的全新哲学,这就是紧接费尔巴哈之后马克思所创造出来的现代唯物主义"①。正是从这里出发,杨祖陶认为,尽管在德国古典哲学的发展过程中,从高峰陷入低谷,几经曲折,"它既然已经这样后退到底了,出路也就只能是回过头来攀上山顶,这就是马克思的以人的实践活动为出发点的'实践的唯物主义'哲学"②。并且,在阐明了德国古典哲学向马克思主义哲学的发展者写道:"总之,马克思主义哲学作为'实践的唯物主义'或者说辩证唯物主义或历史唯物主义的体系,是从德古典哲学的全部成果中,首先是在批判地吸取了黑格尔辩证法的'合理内核'和费尔巴哈唯物主义的'基本内核'的基础上,产生和发展起来的,它是德国古典哲学发展的最后成果和逻辑终结。只有在马克思这里,德国古典哲学的主体与客体这一基本矛盾,广而言之,整个近代哲学的思维和存在这一基本矛盾,才得到了真正彻底的、合理的解决"③。

要指出的是,作者经过对历史材料的精心筛选,在这样系统地阐释从康德到费尔巴哈思维发展的逻辑过程中,不但深刻地论证了德国古典哲学向马克思的实践唯物论发展的内在必然性,而且还细腻而精辟地析解了康德、费希特、谢林、黑格尔和费尔巴哈的相当精深的理论,其中尤其对黑格尔辩证法的本质及其体系的内在张力的论述,更是新意盎然,创见迭出。特别是在这个基础上,作者从理论自身的演进逻辑地把握对象,即通过德国古典哲学自身矛盾进展内在必然之谜的解开,把这个时期人类思维发展过程

---

①　杨祖陶:《德国古典哲学逻辑进程》,第358页,武汉大学出版社,1993年。
②　同上书,第360页。
③　同上书,第360—361页。

中的理论经验和思维教训淋漓尽致地呈现出来,从而使人们能够
清晰地与全面地认识和把握它的发展规律及其理论成就。这对于
从整体上理解德国古典哲学及其发展过程,对于深刻理解马克思
主义哲学的本质,对于提高人们的理论思维能力,都"具有重要的
理论意义和学术价值"①。它的理论特色在于,"不仅逻辑严谨,思
辨绵密,而且充分体现了古今贯通精神,使历史感与现实感紧密结
合"②。正如萧萐父教授指出的那样:"清理历史,为了现实。出于
自觉的责任感,所以作者能站在时代的高度,在本书的取向和选材
上都注意突出那些与时代脉搏息息相关的问题。这是本书引古筹
今的写作意图,引人入胜,发人深思"③。可以说,它是本时期德国
古典哲学研究中不可多得的精品著作之一。

四、李泽厚对康德批判哲学精神的阐发

　　在康德哲学研究中,李泽厚的《批判哲学的批判——康德述
评》,是本时期问世最早的一本。

　　李泽厚(1930—　　),湖南长沙人。1954年北京大学哲学系毕
业后,一直在中国科学院(社会科学院)哲学所从事美学与中国思
想史研究。他的上述一书,以它特有的面貌受到学术界的欢迎。

　　在李泽厚看来,康德哲学的影响是巨大的。然而,包括黑格尔
在内的资产阶级哲学家并没有真正揭开它的秘密,这个任务只能
由马克思主义者才能完成。过去,经典作家对康德哲学的社会阶
级特征及其政治倾向,有过明确的论述;今天我们应该在这个基础

---

　　①　萧萐父:《让逻辑之光照亮历史》,载《中国社会科学》,1996年第1期,第
201页。
　　②　同上书,第202页。
　　③　同上。

上,"具体揭示这个体系的基本矛盾,在批判中肯定它的唯物主义和其他合理的成分;更为重要的是,深入分析它的唯心主义先验论。因为正是这一方面才是康德哲学的独特贡献"①。他认为,"康德哲学的巨大功绩在于,他超过了也优越于以前的一切唯物论者和唯心论者,第一次全面地提出了这个主体性问题,康德哲学的价值和意义主要不在他的'物自体'有多少唯物主义的成分和内容,而在于他的这套先验论体系(尽管是在谬误的唯心主义框架里),因为正是这套体系把人性(也就是把人的主体性)非常突出地提出来了。现在的问题是要用马克思主义哲学来分析康德所提出的问题,做出符合时代精神的回答"②。

在阐发上述他所理解的康德哲学精神时,首先,针对康德哲学在中国传播的现状,李泽厚全面地介绍与批判了康德的哲学体系。不过,这里讲的"批判",既不意味着简单的否定,也不是动乱期间那种对人类文化遗产的粗暴践踏,而是像康德对待传统哲学进行的批判那样,只是对它的"探讨、考虑、分析、审察"③。就是说,在这样批判的过程中,考察、解剖、评述康德哲学体系,判定其理论是非,即通过这种科学意义的批判,达到向中国读者全面客观介绍康德哲学的目的。因此,作者在这本书中,除第一章详尽地阐述过了康德哲学的思想来源及其发展过程外,其余篇幅都是全力以赴地阐述康德的批判哲学体系各部分的具体内容。其中,第二章至第七章,阐明了康德的认识论;第八章至第九章,阐述了康德的伦理思想以及政治、宗教与历史观点;最后一章,论述了康德的美学和

① 李泽厚:《批判哲学的批判》(修订本),第49页,人民出版社,1984年。
② 李泽厚:《康德哲学与建立主体性论纲》,见《论康德黑格尔哲学》,第3页,上海人民出版社,1981年。
③ 李泽厚:《批判哲学的批判》(修订本),第61页,人民出版社,1984年。

目的论思想。

其次,在这样介绍与评述康德批判哲学体系的过程中,作者通过对康德关于人类主观心理结构的分析,探索了人类精神在认识、伦理、审美领域中的能动性因素及其表现,以此深入地阐发了康德批判哲学的基本精神。在李泽厚看来,通过分析康德哲学中关于人的主体性结构,不但对于揭开康德哲学的真正秘密是一大关键所在,而且也是发展马克思主义哲学的需要。因为在今天的精神文明建设中,"为共产主义新人的塑造提供哲学考虑,自觉地研究人类主体自身建构就成为必要条件"①。正是在这一点上,通过对康德主体能动性学说的研究,对于建立马克思主义关于人类主体性以及文化心理结构的哲学学说,具有启发和借鉴意义。

不过,在康德哲学中,它又是通过先验论表现出来的。然而李泽厚指出,这却是康德哲学的突出贡献所在。因为在旧唯物主义那里,宣称从经验中能够获得普遍的必然的认识,即科学真理。但是,休谟对此提出了诘难,认为经验总是特殊的和偶然的,不管有多少经验,仅仅依靠它是产生不出普遍性认识的。这样一来,科学在休谟的诘难下便失去了得以成立的基础。康德坚信科学真理,尽管他承认休谟对科学提出的挑战有合理性,但不同意他对科学的否定。因此,他从承认科学真理存在出发,通过对人类先天认识能力的考察,提出了一套主体能动性学说,即康德的先验论,以此论证了科学真理得以成立的基础和根据。具体说来,在认识领域中,感性阶段有纯粹直观形式——时间与空间,知性阶段有纯粹思维形式——因果性等 12 个范畴或概念,而它们又都从属于主体的"先验统觉"或自我意识。李泽厚指出,康德"认

_____

① 李泽厚:《批判哲学的批判》(修订本),第 57 页,人民出版社,1984 年。

为人类先验地具有这一套认识形式，才能把感觉材料组成知识。如果没有这套主体的认识形式，我们就不能得到普遍必然的科学知识，也就是说不可能认识客观世界"①。对此，作者给予了充分的肯定。他认为，"这个看来似乎是荒谬的先验论，实际上比旧唯物论从哲学上说要深刻，从科学上说要正确"②。因为"近代科学已经证明，认识并不像旧唯物论所理解的那样，是一种从感觉、知觉到概念的循序渐进的单纯简单过程。不是那种被动的、静止的、镜子式的反映。实际上，从感觉一开始就有一套主观方面的因素在里面"③。对于康德的先验论，在西方哲学东渐史上，虽然有些学者早就提出与论述过，但对它的实质及其在西方哲学史上的意义，却没有谁这样清晰地把它揭示出来。

然而，李泽厚没有到此止步，他还指出，康德的这套学说又是建立在唯心主义的沙滩之上，因此，他花了很大的力气运用马克思主义对它的错误进行了批评和改造。在他看来，关键是要把康德那套基于"自我意识"的主体能动性结构及其功能建立在社会实践的基础之上。因此，他在书里反复强调使用工具、制造工具是这种基本的人类实践活动对塑造和形成人的整个心理结构的决定性作用。例如，康德提出的科学知识的普遍性与必然性，其根源就是建立在实践基础上的。他写道："康德当年心目中的那些所谓普遍必然的科学知识，也都是相对真理，只是在人类社会实践的一定水平的意义上具有普遍必然的客观有效性"④。又如，康德认为，

---

① 李泽厚：《批判哲学的批判》（修订本），第424—425页，人民出版社，1984年。
② 同上书，第425页。
③ 李泽厚：《康德哲学与建立之体论纲》，见《论康德黑格尔哲学》，第4页，上海人民出版社，1981年。
④ 李泽厚：《批判哲学的批判》（修订本），第76—77页，人民出版社，1984年。

时空表象不同于被动的感官知觉,它们作为直观形式具有主动综合的性质。作者指出,这种见解是重要而深刻的,但康德不知道,这个"综合"也是历史实践的成果。因为"人们的时间和空间的表象、观念作为反映,是通过社会实践而历史地形成和出现的"①。再如,康德反复强调和论证的客观性和能动性为主要特征的纯粹概念,即范畴,原来也不外是社会实践的客观性和能动性的反映。在剖析康德认识论中与此有关的观点时,也都是这样以实践为出发点进行的。总之,人类的实践活动是形成人类整个心理结构的基础。从感性知觉到概念思维等认识主体的全部能动性结构,只有建立在社会实践的基础上才能科学的说明。因为"多种多样的自然合规律性的结构、形式,首先是保存、积累在这种实践之中,然后才转化为语言、符号和文化的信息体系,最终积淀为人的心理结构,这才产生了和动物根本不同的人类认识世界的主体性"②。由此可见,"人类所特有的认识形式是人类认识能动性的表征,它们根本上是来源于人类实践的"③。因此,"认识如何可能,只能建筑在'人类(社会实践)如何可能'的基础上来解答"④。这种对社会实践有理有据的阐述和发挥,对于纠正康德批判哲学的局限性,并从中吸取思维教训,发展马克思主义哲学,都具有不可忽视的意义。

这本书问世于改革开放之初,以它崭新的面貌不仅推动了西方哲学史领域的拨乱反正,而且,它是新中国成立后出版的系统论

---

① 李泽厚:《批判哲学的批判》(修订本),第110页,人民出版社,1984年。

② 李泽厚:《康德哲学与建立主体论纲》,见《论康德黑格尔哲学》,第5页,上海人民出版社,1981年。

③ 李泽厚:《批判哲学的批判》(修订本),第202页,人民出版社,1984年。

④ 同上书,第255页。

述康德哲学的第一部著作,由于作者在书中"思想富有联想与暗示的感染力以及文笔明快流畅"①,因此,当它上市后很快受到欢迎和好评。正如黄枬森指出的那样,它"是近年来难得的一本研究西方哲学的专门学术著作,是我国西方哲学史研究中的一个可喜的成果"②。

五、梁志学对于费希特哲学东渐的推进

为推进德国古典哲学某些薄弱环节在中国的传播,特别是费希特哲学东渐,梁志学进行了多方面的努力。

染志学(1931—　),山西定襄人。1956 年北京大学哲学系研究生班毕业后,分配到中国科学院哲学所,长期主要从事德国古典哲学的翻译与研究工作。

进入本时期后,在翻译方面除了同钱广华等译出了黑格尔的《自然哲学》之外,还在译出有关单篇的基础上,主持了《费希特著作选集》五卷本的翻译和出版。这部选集收录了费希特的 38 部(篇)论著,占其亲自发表作品的五分之四,约 260 万字。选集的篇目均按第一版发表的时间顺序编排。第一卷是 1792 年至 1794 年间的著作,第二卷是 1794 年至 1798 年间的著作,第三卷是 1798 年至 1800 年间的著作,第四卷是 1800 年至 1806 年间的著作,第五卷是 1806 年至 1813 年间的著作。均据《费希特全集》巴伐利亚科学院德文版译出。从 1986 年 3 月开始,到 2002 年全部出齐,历时 15 年。这是费希特著作具有学术水准的相当系统的翻译。随

---

① 钱广华:《我所知道的 50 年来的中国康德哲学》,载《世界哲学》2002 年增刊,第 83 页。

② 黄枬森:《〈批判哲学批判〉简评》,载《哲学研究》,1980 年第 5 期,第 73 页。

着这些著作在中国的问世,"改变了人们长期以来形成的对于费希特过分简单粗糙的评价,展现了他的思想的丰富性和创造性,揭示了知识学从以自我为最高原理到以理念为最高原理的发展演化的全貌。除了在哲学史上独树一帜的知识学以外,人们还会在伦理、法理、政治、社会、经济、历史和宗教等学说领域发现费希特思想的独特魅力和不朽价值"①。因此出版后,即刻得到国内学者的好评与国外同行的赞扬。

在进行翻译的同时,梁志学把翻译与研究结合起来,针对德国古典哲学研究的一些薄弱环节,除发表了若干综合性论文、出版了《论黑格尔自然哲学》一书外,特别为费希特哲学东渐进行了艰苦的探索。

在他看来,包括费希特在内的德国古典哲学,是马克思主义哲学的直接理论来源,不研究前者,对后者的研究就难以深入下去。然而在我国的德国古典哲学研究领域,费希特哲学却没有引起应有的重视,成果更是寥寥无几。为此,梁志学在翻译费希特著作的过程中,从批判地吸取人类文明成果的角度出发,认为费希特哲学不仅是构成德国古典哲学的组成部分,是马克思主义哲学的先驱,而且,他还是一位道德巨人,其人格和信念,对我们的精神文明建设也有重要的借鉴意义。因此,在深入钻研费希特著作的基础上,先后撰成《费希特青年时期的哲学创作》与《费希特耶拿时期的思想体系》两本著作。

在编译第一卷的过程中,梁志学萌生了一个想法,"那就是把这位德国古典哲学家的思想成长过程介绍给我国知识界的追求真

---

① 郭大为:《重估费希特的价值》,载《哲学动态》,2000 年,第 10 期,第 27 页。

理的朋友们,向他们说明我们科学社会主义者为什么应该以继承了费希特而感到骄傲"①。他认为,为了实现上述目的,不仅要把费希特的著作译成质量上乘的作品,而且还要在这个基础上摸到原著作者脉搏跳动,经过艰苦的探索,创作出有理论深度的论著来。《费希特青年时期的哲学创作》一书,便是作者这样探索的产物。

他在书中对自己进行这项研究提出的要求是:"第一,费希特生活的时代是欧洲各国从封建主义过渡到资本主义的时代,费希特参加的那场由康德开始的德国哲学革命就是这个伟大时代的精神在理论上的表现,因此,青年费希特在自己的哲学创作道路上取得的任何重要成果都应该被看作是促进这个时代前进的巨大精神力量;第二,康德的学说是在法国革命尚未爆发的时期形成的,费希特的学说则是法国革命激烈进行的时期形成的,因此,无论是谈到费希特把康德哲学发展为一个彻底的哲学体系,还是谈到费希特比康德得出了更为激进的社会政治结论,都应该认为这不仅是德国哲学革命发展的内在逻辑使然,而且是当时的历史进程在理论上的升华"②。这些要求的提出,表明作者在研究费希特哲学时,要把费希特的思想形成与他的时代联系起来,认为只有这样才能把握他的哲学真谛。

为了实现这些要求,作者首先从整体上论述了费希特的哲学创作过程。在这里,一方面具体考察了费希特对康德哲学的研究,阐明了当他接受康德在思维方式上实行变革的成果后,进而"试图把康德哲学改造成为一个在理论上具有科学形态的、在实践上

---

① 梁志学:《费希特青年时期的哲学创作》"前言",第 III 页,中国社科出版社,1991 年。

② 同上书,第 III—IV 页。

符合时代要求的哲学体系"①。另一方面又指出,正是接受了康德思维方式变革的成果,费希特才有可能在哲学创作中接受法国革命的影响,并且当他深入探讨了法国革命的过程后,他又"试图从哲学上回答这场具有世界历史意义的事件提出的社会历史问题"②。作者强调指出,"青年费希特从事的这两个方面的工作,就像德国哲学革命与法国政治革命都属于欧洲各主要国家从封建主义过渡到资本主义的同一历史过程一样,在他的哲学创作过程中也是不可分离地结合在一起的"③。这样,就从社会历史条件和理论背景上,阐明了费希特进行哲学创作的源泉,从而为人们正确认识费希特建立的哲学体系的真实性质提供了坚实的基础。

其次,在发掘和剖析收集在第一卷中费希特创作的哲学成果的基础上,作者论述了两个问题。"一项是发展康德的批判哲学,建立自己的知识学体系,另一项是对天赋人权进行加工,使之成为自己哲学体系的重要有机组成部分"④。对于前者,梁志学认为费希特在继承和改造康德主体能动性原则时是朝着主观唯心主义新高度向前发展康德批判哲学的。他指出,在以取消和克服康德哲学中的自在之物因素为代价这一点上,这是后退表现。"但是,退步的同时也是进步,因为发展过程的一个方面受到压抑,必然会使其他方面获得长足进步。知识学体系在德国古典哲学发展中的情况是也如此"⑤。这样,就把费希特建立主观唯心主义体系的必然

---

① 梁志学:《费希特青年时期的哲学创作》,第2页,中国社科出版社,1991年。

② 同上。

③ 同上。

④ 同上。

⑤ 同上书,第10页。

性揭示出来。特别是通过作者对它的具体分析,不但纠正了过去介绍中形成的对费希特哲学的片面看法,而且从总结思维的经验教训来说,也有一定的启迪作用。对于后者,即对天赋人权的加工,梁志学通过对费希特关于自然状态和社会契约学说考察,认为费希特在这个问题上对霍布斯简直不屑一顾,而对洛克只有短暂的同意,只有对卢梭的学说才表示了真正的赞同与继承。不过,作者指出,"虽然费希特所梦寐以求的完善社会也同卢梭向往的理想境界一样,在实践上只能是资产阶级的民主共和国,但从理论上来说,构成费希特的实践哲学的社会契约论思想却包含着对法国革命经验的概括,因而也就比在卢梭那里更加丰富,更加深刻"①。

　　在通过这样论述后,梁志学把费希特青年时期的哲学创作集中到一点,"就是要论证自我的使命"②。并且经过一番详细论证,最后对费特提出的"自我"学说的实质,做出了概括与揭示:"从哲学方面来看,这个自我是从笛卡儿到康德的理性主义发展的结晶,但又是对于这个进步的资产阶级哲学传统中的缺陷的克服。它既不像在笛卡儿那里那样永远与自在之物处于对峙地位,而是一个既能进行严密的逻辑思维,又能创造合理的现实事物的能动理性实体。所以,费希特的这个自我是与现代西方哲学中所讲的那类抛弃逻辑思维而靠本能驱动自身的非理性自我根本对立的。从社会方面来看,费希特要建立主观唯心主义哲学体系,去反映德国市民在法国革命影响下的变革要求,这当然属于德国资产阶级民主革命力量不足的表现;但是,那个在理论上构成他的体系的出发点

---

① 梁志学:《费希特青年时期的哲学创作》,第 14 页,中国社科出版社,1991年。
② 同上。

的自我，在实践上则是在当时要求进行革命的德国人民大众。……所以，费希特所要建立的知识学体系从它在封建主义过渡到资本主义的时代所能发挥的作用来看，是一个主张革命变革的哲学体系"①。通过这些精到的概括，把费希特青年时期哲学创作的实质及其体现的时代精神充分表达出来了。

　　因此，这本著作深得张世英的好评。他认为，由于作者的分析与概括，"简明扼要地把费希特的抽象的、似乎悬在天空中的'自我'，按照费希特的思想和原貌，还原成了站在地上的现实的人，使读者对费希特的整个哲学产生了生动新鲜之感"②。并指出，"梁著讲的是二百年前德国的历史，但历史的原本通过深邃的解释，可以在我们今天中国的读者面前展现一个新的世界"③。这是作者研究费希特哲学的成就所在。

　　同样，在《费希特耶拿时期的思想体系》中，针对德国古典哲学研究中否认费希特思想体系具有相对独立地位的片面性，全面而又深入地阐明了费希特的思想体系是建立在知识学基础之上的，是一个由多门学科构成的先验体系。它有独特的构思和自身的逻辑结构，有系统的原则与丰富的内容，既不同于康德的批判哲学，也不同于黑格尔的绝对唯心论。一句话，是从康德发展到黑格尔的过程中的一个独立体系。通过作者对这个体系的建立、结构及其内容的充分论述，像有的学者指出的那样，"就为我们进一步研究德国哲学变革，打通从康德到黑格尔的道路，揭示马克思主义

---

　　① 梁志学:《费希特青年时期的哲学创作》,第14页,中国社科出版社,1991年。

　　② 张世英:《为了人类美好的未来——评〈费希特青年时期的哲学创作〉》,载《哲学研究》,1994年,第2期,第75页。

　　③ 同上。

的哲学来源,奠定了一个良好的基础"①。

六、王树人的黑格尔思辨哲学新探

在黑格尔哲学研究方面,王树人以其著作思想新颖,得到了哲学界的好评。

王树人(1936—　　),山东茗县人。1962年北京大学哲学系本科毕业后,进入中国社会科学院哲学所读研究生,后一直在这里工作,担任研究员,现任中华外国哲学史学会会长。

长期以来,王树人主要从事西方哲学史、美学和中西文化比较研究。都有论著问世。特别在黑格尔哲学研究方面,成绩突出。除发表了一系列论文,译有《黑格尔哲学新研究》外,还先后出版了《思辨哲学新探》与《历史哲学的反思——关于〈精神现象学〉研究》等著作。

其中,《思辨哲学新探》,是作者研究黑格尔哲学成果的综合。它产生在拨乱反正期间。因此,当阅读这本著作时,就会感到有一股新的气息扑面而来。这主要是因为作者研究黑格尔哲学时思路新颖,视角得当的缘故。在国内过去的黑格尔哲学研究中,多半侧重于逐字逐句释义,评论黑格尔的原著,或就黑格尔的本义去探讨黑格尔某本著作的"合理内核"。这种研究虽然也是必要的,但是,在王树人看来,哲学史研究的"真正目的,应当是进一步从历史中接受启发,并对其合理思想加以发挥,以为今天理论与实践发展之需要"②。如果从这一视角去研究黑格尔哲学,那么,尽管它作为德国古典哲学之集大成,已经成为历史,但是,它那雄伟的

---

①　温纯如:《完整阐明费希特思想的历史地位》,载《中国社会科学》,1998年,第1期,第200页。

②　王树人:《思辨哲学新探》"自序",第1页,人民出版社,1985年。

余音至今还回荡在世界的各个角落;即使经过一个多世纪各国学者的共同努力,对它的研究达到了相当的程度,不过,其中有些具有永恒价值的遗产,并没有完全发掘出来。王树人认为,"黑格尔哲学给予当今世界的影响主要是在借鉴意义上。这主要是指,对于黑格尔所深刻阐述的问题,仍然可以从今天的需要的角度上得到启发并对之加以发挥。同时,问题还在于,对于历史上像黑格尔这样的深刻思想家来说,其作品中有些内容,是需要漫长的时间才能消化的"①。特别从西方哲学的发展考察,"那些具有深刻内容的东西,即凝结和反映一个时代思想文化精华的东西,除了有些内容需要漫长的时间才能发现和消化外,从其可发挥这个角度上看,都是具有永恒价值的"②。对此,作者在"绪论"中论述"黑格尔哲学的现实意义"时,扼要地阐明了今天有待我们发掘的几个方面。如对于培养和锻炼理论思维能力的重要性;如对于文化反作用的规律性和历史发展的复杂性的深刻洞察;如对于哲学与具体科学关系的见解等。因此,在当代中国的西方哲学研究领域中,研究黑格尔哲学,"无论对于马克思主义哲学研究,还是对于其他哲学学科,包括逻辑、美学、中外哲学史等,迄今为止,都是一个发挥重要影响的因素。可以说,在给予当代中国哲学研究以积极影响的西方资产阶级哲学家中,还没有另外一个人能够与黑格尔相匹敌"③。

从这一视角或认识出发,虽然这本书的副标题是"关于黑格尔哲学体系的研究",但他在书中却不是对黑格尔哲学体系面面俱到的评述。因为在他看来,黑格尔的哲学体系本来就具有人为

---

① 王树人:《思辨哲学新探》"自序",第2页,人民出版社,1985年。
② 同上。
③ 王树人:《思辨哲学新探》,第26页,人民出版社,1985年。

的强制性质，只有把它打碎后才能发现其中的合理内核。更为重要的是，由于上述确定的研究角度，因此，他只是根据自己的眼光，就其中具有合理意义的一些理论问题进行剖析。在论述中，他首先把那些确实受到启发的方面叙述出来；而在"这些叙述中，不仅包含指出作者所受启发的合理思想，而且尽可能按照这些合理思想的发展趋势加以发挥"①。这就是王树人说的，在对史实原貌做出确切审定的基础上，把它作为研究进程的阶梯，进一步对它加以发挥，从而超越它，使之为今天理论与实践的发展服务。因此，书中尽管没有全面阐述黑格尔哲学体系的各个部分，但却探讨了广泛的内容；而且，在论述的这些问题中，不少是过去尚未明确提出，或者只是提出而未加以讨论过的。

例如，"有"与"无"的问题。过去对《逻辑学》中"存在论"的研究，多把注意力集中在量变与质变等范畴和规律的论述上，对"有"与"无"范畴重视不够。作者认为，这对范畴是黑格尔整个体系中具有基础性的范畴，它所包括的思想贯穿于黑格尔的整个哲学体系，是理解整个逻辑学的一把钥匙。然而在以往的研究中，却只注意它的直接性、无规定性、纯粹性的一面，以此解释从抽象到具体的开端的抽象性。王树人指出，"有"与"无"虽然是逻辑学中最空疏、抽象的概念，但它和以往形而上学包括康德所理解的概念相比，已经是具体概念。它是思维的形式和内容的统一。它包括有感性和理性的具体内容，具有内在的否定性，因而它是运动、变化和发展的。过去，由于我们对它的这种特性缺乏正确的理解，使人对黑格尔"从有到无"这一命题觉得玄妙不解，并因此简单地进行斥责了事。然而在该书作者看来，"从其所包含的合理意义上

---

① 王树人：《思辨哲学新探》"自序"，第 1 页，人民出版社，1985 年。

看,它可以理解为否定之否定的另一种说法"①。因为"有与无,事实上总是和有什么无什么相联系而存在的。脱离一切特殊东西的存在的有与无这种抽象,只能存在于对此进行思维的人们的思维之中。这一点,黑格尔并不否认。而且正因为承认这个事实,他才指出,有与无在纯粹状态下,只是抽象的肯定与否定。就具体的事实存在而言,它们是'不真实的'。然而,人类终于能使自己的认识,不是作为零星无系统的东西,而是作为体系的世界观,达到摆脱一切特殊,上升到抽象出事物最一般的共性东西。这在人类认识史上,不能不说是一次重要的飞跃。这次飞跃,标志着人类理性在能动、全面、深刻认识和把握客观世界方面,迈出了重要一步。黑格尔论述的出发点虽然是唯心主义的,但这并没有影响他的广阔视野。黑格尔的视野广阔,在这里主要表现为,他始终坚持从整体出发,以发展的观点,来分析和考察一切。正因为如此,他才能够洞察到,有与无这对范畴的出现是哲学史上的一次飞跃"②。

又如关于黑格尔实践观的探讨。作者从黑格尔的实践观中概括出人类实践的三个重要特征:目的性、中介活动、实践包括理论而又高于理论;并且围绕这三个特征,详细地考察了黑格尔的有关论述。作者指出在黑格尔那里,实践的主体是人,人的任何实践活动,都表现了特有的目的性,而动物的本能活动却没有目的性,这是人与动物的根本区别。工具既是目的性活动有机的一环,又是由概念所规定的客体,因而工具成为联结主体与客体并使之统一的中介。实践必须包括理论,因为理论能建立起实践的目的性;但实践又高于理论,因为实践才能创造世界,并证明理论的真理性。

---

① 　王树人:《思辨哲学新探》,第63页,人民出版社,1985年。
② 　同上书,第64—65页。

这三个重要特征说出了人类实践的基本环节:创造和使用工具,改造和创造世界,达到人的预期目的和自由。这些看法,实际上是对黑格尔实践观的总结。

就是在这样论述黑格尔哲学的过程中,对于哲学界反复讨论过的问题,作者另辟新径,力求创新。特别结合学术界有争议的问题,通过作者全面而深刻的阐述使不少问题得到了澄清和深化。不过,最应该重视的,就是王树人对学术界尚未明确提出或虽然提出过但尚未着重探讨的许多问题发表的见解。其中,给人印象最深刻的是他对黑格尔人本主义的分析。在我国以往对欧洲近代哲学史的研究中,往往只是从康德以前和黑格尔以后的唯物主义哲学中去探讨人的学说,因而跳过了中间的德国古典唯心主义这一大阶段。这不能不说是一个很大的疏漏。王树人在这本书中,根据人本主义的本义,相当系统地阐明了黑格尔哲学中的人本主义,认为"黑格尔精神哲学的内容,实质上是以理念形式所概括的社会诸方面和思维诸方面的发展。例如作为精神哲学的诸环节,现象学阐述个体人的意识发展,法哲学阐述家庭与国家的本质,历史哲学阐述社会本质及其发展,美学阐述艺术本质及其发展规律,宗教哲学阐述信仰与道德的本质,哲学史则阐述理性认识的本质及其发展规律。所有这些方面及其发展,无疑都是以人为中心的"①。这种观点的提出,在黑格尔哲学的研究中,不愧为一个大胆的创见。"这对经常与黑格尔无人身的绝对理念打交道的人来说,真是吹来一阵清风"②。

---

①　王树人:《思辨哲学新探》,第 211 页,人民出版社,1985 年。

②　宋祖良:《从新的角度研究黑格尔哲学》,载《中国社会科学》,1986 年第 6 期,第 163 页。

总之,作者为实现自己提出的任务,他在书中选择了新的视角与思路,通过深入的论述,获得了相当的成功。正如有的学者指出的,"它透过黑格尔哲学唯心主义的迷雾和晦涩艰奥的语言外壳所发掘的大量的珍宝,对于推动德国古典哲学的研究,提高民族的理论思维水平,发展当代中国哲学,都有重要价值"[①]。

七、邓晓芒新论黑格尔辩证法

在新时期涌现出来的研究西方哲学的学者中,邓晓芒是其中著名的代表之一。

邓晓芒(1948—),湖南耒阳人。1964年初中毕业后因故辍学,在农村插队与在长沙当搬运工的过程中,强烈的求知欲使他以极大的毅力,利用一切业余时间反复阅读了当时他能找到的各种哲学、历史和文学书籍。其中,1970年为了搞清一些理论问题,他花了一年时间精读了黑格尔的《小逻辑》。而且,在博览群书的同时,还结合自己的生活体验进行了积极的沉思。这为他日后走上西方哲学的学术研究道路奠定了基础。

1979年,他把研究马克思博士论文写成的文章,寄给武汉大学哲学系陈修斋和杨祖陶两位教授。先生们看后,被其出色的思辨,深透的理解和新颖的观点打动了,决定以同等学历招收他为硕士研究生。从此,他在两位教授的指导下,如鱼得水,在哲学的殿堂里充分地展示了他的才华。1982年毕业留校任教后,他涉足的学术领域非常广泛,而且都有成果问世。特别在德国古典哲学领域,在译介哲学家原著方面,除译有康德的《实用人类学》、《自然科学的形而上

---

① 陈世夫、侯宗肇:《黑格尔哲研究的新究破》,载《人文杂志》,1987年第1期,第42页。

学基础》外,还同杨祖陶一起译出了康德的《纯粹理性批判》、《实践理性批判》、《判断力批判》与《康德三大批判精粹》;在康德黑格尔哲学研究方面,除发表了一系列论文,与杨祖陶合作撰有《康德〈纯粹理性批判〉指要》外,还出版了《思辨的张力——黑格尔辩证法新探》与《冥河的摆渡者——康德的〈判断力批判〉》等著作。

其中,《思辨的张力》,是研究黑格尔辩证法的一部专著。在研究这一论题时,首先遇到的一个问题是,如何推进和深化黑格尔辩证法的研究。因为相对说来,黑格尔哲学,特别是他的辩证法,由于它与马克思哲学的特殊关系,在我国不但对它的研究较为重视,而且在研究的广度、深度以及取得的成果方面,都使中国学者在国际黑格尔哲学研究中占有不可忽视的地位。"面对这样的形势,一些人不免兴叹,研究已达'穷尽',再难创新,随着改革开放的大潮,五光十色的西方现代哲学思潮蜂涌而至,其价值观、现实感似乎在青年人中产生了一种格外的亲和力。一些人认为黑格尔哲学既属'古典',研究何益? 这一切给黑格尔哲学研究带来了真正的困惑,提出了一些非常值得深思的问题:黑格尔哲学还有没有当代的意义和价值,黑格尔哲学研究需不需要深化? 能不能深化? 如何深化? 如此等等"①。在长期从事黑格尔哲学研究的杨祖陶教授看来,"回答这些问题不仅需要理论反思,更需要有真正具有新意和时代气息的研究作品问世"②。而要达到这个目标,即要在黑格尔辩证法的研究中推出新意,写出反映时代精神的著作则更"需要新的视角、新的思路,需要有理论的勇气、冷静的钻研精神"③。

---

① 杨祖陶:《思辨的张力》"序",第 1 页,湖南教育出版社,1992 年。
② 同上。
③ 同上。

《思辨的张力》一书的问世,既是邓晓芒对上述问题的回答,又是上述精神的体现。在这部著作中,作者立足当代,力求对"原版"的黑格尔思想尽量作出准确的与客观的表述,在黑格尔辩证法这个"古典"的主题上,发前人所未发,展示了一系列的新意和创见。

第一,对黑格尔辩证法的研究,在论述它同西方文化的整个历史背景的联系时,首先耳目一新地挖掘出了黑格尔辩证法的两个起源——语言学与生存论起源,追溯了作者独具慧眼所发现的黑格尔辩证法在古希腊哲学中的源头。他认为,这些因素作为一种文化精神的潜在构架不因历史时代的更替而消失,反而以不同的变体决定着各个时代的思想方式和理论导向,这就是西方传统的努斯精神和逻各斯精神。它们的二元对立、分裂和统一,发展出西方哲学史上的一系列思想形态,而在黑格尔这里第一次达到了完整的融合。黑格尔辩证法的张力系统就是由这两大因素的对立统一构成的。同时,在题为"黑格尔辩证"开端的第二章,别开生面地对《精神现象学》和《逻辑学》的开端和方法进行了比较研究。作者在这里经过反复诘难,铮铮有据地提出了他对马克思的著名论断——《精神现象学》是"黑格尔哲学的真正诞生地和秘密"的解释。

第二,着重考察了黑格尔辩证法的核心和实质。在这里作者突出地阐发和论证了:以否定的辩证法为代表的努斯冲动在黑格尔哲学中具有最根本的地位和作用,它构成黑格尔辩证法的能动的灵魂,其他一切辩证法规律都是由这一核心规律派生出来的。而真正的否定是"自否定",它最直接地表达了辩证法的自由和自我意识的主体性,表达了万物"自己运动"的本原和动力。"自否定"在黑格尔那里具有神秘抽象的唯心主义形式,但它包含的革命因素和合理内核却值得肯定,并且只有抓住了这一点,才能深刻理解黑格尔关于飞跃、矛盾和圆圈式概念发展的学说。

第三,对黑格尔的反思学说进行了全面的探讨。作者认为,否定或自否定的学说,仅属于黑格尔辩证法的内容方面,而反思学说则属于黑格尔辩证法的表达或形式方面,从而突破了把黑格尔的反思学说看作仅与本质论相关的传统观念。反思便是黑格尔的辩证主体的进展获得了自身肯定的确定性形式,成为了有规律的、合理的和合乎"逻辑"的过程;它为自由建立起内在的必然性,为无定形的否定冲动确立了肯定的步骤、客观的现实形态,使消极的理性成了积极的"思辨理性"。思辨的张力由自否定和反思构成,但它们不是两个东西,而是同一个"理性",是同一个能动过程的内容和形式。

第四,书中最后一章,作者用了极大的篇幅对似乎已是老生常谈的"黑格尔辩证法作为逻辑学、认识论、本体论的统一"问题,从黑格尔辩证法作为逻辑学、认识论、本体论三个方面进行了系统的再考察。他认为,黑格尔辩证法作为一个张力系统所具有的内在的有机生命结构,使它在哲学的每一领域都具有超出本领域而与另一领域相汇合的动态关系。辩证法作为逻辑,它是超语言的,因而是认识论;作为认识论,它是超理性的,因而是本体论;作为本体论,它又是超现存事物的,因而是逻辑。黑格尔的辩证法作为逻辑、认识论和本体论的统一体,第一次成为一种贯穿于自然界、历史和人类精神中的普遍规律和法则。

上面列出的,只是书中对黑格尔辩证法进行"新探"后取得的具有重要学术价值的部分成果。实际上,"作者在这里通过多方

面、多层次的分析综合,探幽发微,剥离清洗,新见迭出,令人应接
不暇"①。其中,不仅系统讨论了许多国内研究甚少甚至没有研究
过的问题,而且还就一些陈旧的论题也独辟蹊径,进行全新的探
索,得到了不少崭新的发现。特别是他在这样研究时,以马克思主
义哲学为指导,以黑格尔哲学原著为基础,审视和把握当代西方哲
学思潮的动向及其对黑格尔哲学的批评,在与国内外黑格尔哲学
的研究者、批评者,以及黑格尔这位不朽的哲学家本人的对话中,
对"原版的"黑格尔思想做出尽可能客观的、准确的表述和重新评
价,并揭示它所蕴涵的当代的意义和价值。邓晓芒就是这样,"以
其犀利的眼光,独创的精神,严密的逻辑,流畅的文笔,把一个理论
难题表达得如此淋漓尽致,新意盎然,引人入胜,这的确是一件难
能可贵的事情"②。因此,当杨祖陶教授看过书稿后激动不已,在
为其写"序"时,称赞"这本书,无论就其部分或整体来看,称之为
'黑格尔辩证法新探'都是当之无愧的"③。由于这部著作的问
世,把黑格尔辩证法研究的学术水平,推进到了一个新的阶段。

第六节　现代西方哲学东渐中的几个热点

　　在新时期西方哲学东渐过程中,从前面几节的论述可知,对西
方古典哲学的传播是较为均衡地向前推进的,而现代西方哲学的
东渐,则经历了一个此消彼涨的过程。主要表现是,20 世纪 70 年
代末到 80 年代中期先后出现的"萨特热"、"弗洛伊德热"与"尼采

---

① 杨祖陶:《思辨的张力》"序",第 2 页,湖南教育出版社,1992 年。
② 同上书,第 4 页。
③ 同上书,第 2 页。

热"，是这个过程的起始，然而，对于现代西方哲学的深入研究并取得成绩，却是发生在 80 年代末、特别是 90 年代以后。因此，在阐述新时期现代西方哲学在中国大陆传播时，这一节首先从宏观上展示一下拨乱反正阶段上述热点的出现及其热烈景象，然后用几节的篇幅分别着重阐述对于几个学派研究中取得的成就及其发展趋势。

一、拨乱反正中的传播热点

萨特及其存在主义哲学，弗洛伊德及其精神分析论，以及尼采及其唯意志主义，在拨乱反正开始后成为现代西方哲学传播的热点，有着多方面的原因。首先，正本清源，还这些哲学家的本面目。因为在"左"倾政治路线和社会动乱时期，这些哲学家及其哲学都遭到过严厉的批判和简单的否定，因此，随着政治上拨乱反正开始，在西方哲学、特别是现代西方哲学纷至沓来的过程中，萨特、弗洛伊德与尼采，备受社会各界的关注。例如，以尼采为例来说。"人们对他毁誉不一，依据不同的观点对他的思想做出各种各样的解释。尼采也常常遭到误解，有一位研究尼采的西方学者说：'尼采的生平和著作是近代文学史上和思想史上受到最严重的曲解现象。'德国纳粹分子曾经别有用心地利用他，把他奉为法西斯哲学的先驱；另一些人，其中包括某些资本主义社会的深刻的批评者和反法西斯人士，则把他尊为 20 世纪新时代的'预言者'。不管评价如何分歧，有一点是肯定的，那就是尼采思想对现代西方哲学和社会思想以及文学艺术产生了巨大的深远的影响，而且在第二次世界大战后直到现在，这种影响越来越大，有人甚至认为，如果不读尼采的著作，就无法理解 20 世纪西欧大陆思想和文学艺术的发展。这就需要对尼采进行认真研究和重新认识，用马克思主义观点做出客观的评价。"①这里提出的问题是,如果不通过研究还尼采及其哲学的真实面貌,并对其做出正确的评价,不仅难以纠正过去传播中出现的歪曲,而且更为重要的是,还涉及到对受其深刻影响的西方哲学流派和文学艺术,也难以取得正确的认识。尼采哲学如此,萨特和弗洛伊德哲学也是这样。

其次,也是当时特定的社会历史条件决定的。因为"四人帮"被粉碎后,随着政治上拨乱反正和改革开放政策的推行,中国大陆的政治、经济和文化都呈现出新的格局。在这种格局中,当时的社会环境和人们的心理状态,都产生了新的需求。这主要是"文化大革命"结束后,工作重点转移到经济建设上来,使大陆进入了社会主义现代化建设的新时期。一方面改革开放的社会转型的现实,从思想观念和思维方式,都向人们提出了如何适应现代化需要的强烈要求。然而,社会现实又不断地证明我们既有的文化价值观念与现实的社会发展形势,存在着一定的脱节和矛盾,而且这种矛盾越来越严重,急切地需要进行调整。另一方面,社会急剧变化给人们的思想带来了普遍的心理波动,尤其处在反思"文化大革命"过程中的年轻一代,首先提出了解除因动乱积郁在心里的种种困惑的要求。然而,由于在文化大革命中马克思主义遭到"四人帮"的割裂与篡改,严重地损害了它在人民群众心目中的崇高威望。当它的科学体系还没有得到澄清和恢复的时候,在这种条件下造成的逆反心理,使不少人把对上述问题解决的目光,很容易地投向了上述这些现代西方哲学中的人本主义思潮,特别是它们代表人物的哲学思想。

所以,在这种社会条件下,这些哲学家的思想恰好适应了拨乱

---

① 汝信:《尼采的美学文艺思想》,载《红旗》杂志,1978 年,第 3 期,第 32 页。

反正中一些人思想上的特殊要求,也有直接的关系。例如,萨特的思想引起人们的兴趣,就是由于经历了十年动乱的中国人,特别是年轻一代,在过去复杂和严峻的现实中,由于社会主义的优越性没有显露和发挥出来,尤其是在"左"的政治路线支配下,人的尊严和价值遭到了严重的践踏和蹂躏。在这样的社会背景下,一些人对马克思主义的信念发生了动摇,对社会、集体失去了信任。当他们对不久前发生的这一切进行反思时,存在主义,特别是萨特著作中对人的生存问题的关注与探讨,即刻引起了人们对它的兴趣和共鸣。因为经历了一场浩劫后的人们,痛感个人存在的被忽视和无意义,同时,又强烈要求以某种方式来重新确立自己的存在和价值。正是在这些方面,萨特的存在主义哲学把处于烦恼、焦虑、厌倦和畏惧等情绪与心态中的人,作为本体状态进行研究,试图给苦恼的人们提出一条人生的新路。人们不一定完全接受他的观点,但认为它有助于重新思考原来那些被认为不成问题的问题,却是有意义的。这样,萨特提出和研究的一些问题,便同大陆一些人在特定条件下关心与思考的问题一拍即合,引起了他们浓厚的兴趣和强烈的共鸣。其中,如萨特对人的存在的"心理学描述",似乎印证了当时许多青年对人生的体验。还有,萨特绝对自由的价值观,似乎满足了部分年轻人要求重新寻找自我、实现自我的精神渴望。这样,萨特的"自我设计"和"自我选择"学说,便被一些人狂热地接受过来。"萨特热"就是这个时候在这样的条件下出现的。有的学者指出,它"是现时代中国青年,尤其是青年知识分子关注和反思人生价值问题的又一次重大反响"①。

————————

① 万俊人:《试析现代西方伦理思潮对我国青年道德观念的冲击》,载《中国社会科学》,1989 年第 2 期,第 14 页。

又如,"尼采热"的出现,实际上,不过是"萨特热"的延伸。即一些在人生意义探求中感到迷惘痛苦的青年学者和青年艺术家,"在某种'精神危机'的感悟及由此引起的焦虑中产生的心理共鸣"①。因为改革开放后,中国大陆进入了一个新旧社会体制的变动时期。在这里,新的合理的东西和旧的不合理的东西共存。因此,在不断摆脱旧传统观念的同时,又面临新观念在生成之中,不少不合理的东西依然存在。当敏感的青年知识分子思考这些问题时,他们既为改革开放带来的巨大经济成就而欢欣鼓舞,但与此同时,一方面他们感到了封建文化传统中积淀下来的消极因素还对社会的发展起着不少的阻碍作用,表现出越来越强烈的不满情绪;另一方面,他们又对发展商品经济过程中出现的实利主义("一切向钱看","有钱即有一切")对人们的精神理想的闭障而深感忧虑。在这种现实面前,由于前一方面,他们对"国民性"、"民族劣根性"的批判意识日趋强化,然而,当着手这项工作时又感到它的艰巨与复杂。"因此,勇气与果敢,进取精神与开拓精神就成了中国青年知识分子亟待具备的思想品格,尼采对西方传统文化的批判态度和锐意创新精神,显然对中国青年知识分子的批判革新意识有着特殊的强化作用"②。由于后一方面,"他们力图超越狭隘功利主义的人生境界,却又置身于来自社会实利主义风气和自身生活经验痛苦的双重挤压之中。这是一种追求超越与被超越的矛盾,这一矛盾所铸造的精神心理在尼采思想的危机感与超越感中找到了某些平衡和依托"③。这样,"尼采热"的出现也不是偶然

---

① 万俊人:《试析现代西方伦理思潮对我国青年道德观念的冲击》,载《中国社会科学》,1989年第2期,第15页。

② 同上书,第22页。

③ 同上。

的。对此,有的学者指出,"如果说,萨特存在主义对现代中国青年的影响更多地限于表层情绪而不具备持久性的话,那么,尼采思想的影响则在于它直接触动了当代中国青年知识分子内心底层的隐痛和危机感,因此具有更深刻的历史意味"①。事实就是这样。随着改革开放的发展和思想战线上拨乱反正的胜利,由于对个人迷信的批判,领袖从神坛走向人间,一部分青年知识分子心目中的偶像消失了,传统价值观念动摇了。经过十年内乱,在这种理想失落,指导思想遭到毁弃,前辈人的信仰不屑一顾,真诚的信念尚未确立时,心理便产生了一种急切焦虑的充实求助感。就这样,尼采那些高扬自我,否定传统,重估一切价值的格言和观念,就和当代中国部分青年的心态相合。于是,包括那些极端个人主义的思想都似懂非懂地进入了青年人的生活圈子,也由此引起了哲学界对尼采哲学的热情研究与传播。

同样,"弗洛伊德热"的出现,也是基于大体相同的原因。由此可见,拨乱反正中这些热点的出现,并不是偶然的。

二、杜小真对萨特存在主义基本精神的理解

上述热点的先后出现,生动地反映了新时期现代西方哲学东渐在拨乱反正阶段上的热烈景象。主要表现是:第一,译出了一批萨特、弗洛伊德、尼采的著作与国外学者研究他们的成果。据不完全统计,其中,从1979年到1992年,译出有关存在主义的原著与国外学者的研究成果,共计27部;80年代译出有关精神分析论的

---

① 万俊人:《试析现代西方伦理思潮对我国青年道德观念的冲击》,载《中国社会科学》,1989年第2期,第21页。

原著与国外学者的研究成果，共计40部①。而且，通过各种形式或渠道，暴雨倾盆地在社会上广泛传播开来。第二，举办了形式多样的全国性与地区性有关这些哲学家思想的讨论会或专题讲座，而且，每次讨论会，出席者踊跃，气氛十分热烈；有关这些哲学家思想的讲演，往往坐无虚席，堂堂爆满，盛况空前，使有关哲学家的思想一时间成为年轻人日常谈论中最多的话题。第三，发表了难以计数谈论上述哲学家的文章，并在初步研究的基础上出版了一些介绍性或评述性的著作。其中，文章之多，可以说是空前的，几乎当时全国所有报刊都毫无例外地为它辟出了醒目的版面。出版的著作数量相对少些，阐述萨特思想的有16部，阐述弗洛伊德思想的有4部②，尽管其学术价值都不是很高，但因书中作者的客观与热情的态度，却深深地感染了读者。例如周国平的《尼采：在世纪的转折点上》一书，由于论述客观，文字流畅，受到年轻人的热烈欢迎，便是最生动的证明。因此，为了说明拨乱反正中这些热点的真实景象，下面选择一部分有代表性的著作进行介绍。首先介绍一下杜小真的著作。

　　杜小真（1946—　　　），福建人。1977年开始从事现代法国哲学研究。1980年至1982年赴巴黎大学进修，主要研究萨特及当代法国哲学。现为北京大学哲学系教授。

　　存在主义对中国青年的影响，主要来自萨特哲学。在拨乱反正过程中，在一般性介绍的基础上，正确地阐明萨特哲学的基本精神，是正确认识和评价萨特及其哲学的关键。正如让松说的，在批

---

①　参见《中国哲学年鉴》中这几年的新书目录。
②　具体篇目参见黄见德著《西方哲学在当代中国》，第334、336页，华中理工大学出版社，1996年。

评萨特哲学的公式时,首先要深入到他的精神中去。在当时出版的有关萨特的著作中,杜小真的《一个绝望者的希望——萨特引论》,便是从这里出发进行阐述的。

在这本书的"绪论"中,杜小真针对关于萨特哲学产生的分歧,认为"给萨特本人贴个标签,给萨特的哲学戴顶帽子是毫无意义的"①。相反,无论批评还是赞扬,正确的态度"都应首先了解、研究萨特思想的根本精神"②。要真正做到这一点,"关键在于弄清他的哲学产生的具体背景,他的哲学发展的来龙去脉,关键在于追寻这种哲学深藏的意图,只有这样才能得出比较客观的、实事求是的认识"③。杜小真指出,她写这本书的目的,就是力图客观地介绍萨特的基本思想,"以期在了解他的思想及其本人各方面的情况的基础上,能对他作出实事求是的评价"④。为此,作者从掌握第一手材料入手,在深入钻研原著,并在对它作出正确解释的基础上,努力揭示萨特存在主义哲学的根本精神。这就是:"人本身就是自由的,而他不断地表现(显现)自己就意味着他的存在。对于人来说,一切都被规定,而一切都没有被规定:被规定意味着人一生下来就被判定为自由的,他无法摆脱自由选择的'命运';而没有被规定则意味着人一被抛到世上来就完全可以自己改造自己,没有任何预先决定的东西"⑤。

为了具体而全面地阐明萨特存在主义的这个根本精神,杜小

①　杜小真:《一个绝望者的希望——萨特引论》,第3页,上海人民出版社,1988年。
②　同上书,第3页。
③　同上书,第3页。
④　同上书,第9页。
⑤　同上书,第248页。

真从各个角度对它进行了揭示。从形成这个思想的社会背景及其影响考察,作者认为,20世纪的西方人面对着一个动荡不安、风云变幻的世界,特别是连续不断的灾难与不幸,如两次世界大战以及科学危机和信仰危机,使人们急于寻求解决自身面临的一系列问题的答案。存在主义就是为着求得这些问题的答案而产生的。因此,它的"最根本的特点是要把人的存在—人的个体存在作为哲学研究的首要对象"①。萨特是存在主义哲学中最有影响的哲学家。他的哲学影响即来自这种精神:"它貌似悖论的论述实际要说明世上绝没有什么绝对的价值,人应该创造自己的存在,应该从世俗的安之若素的沉梦中猛醒过来,去进行选择,去介入,去干预。……这种精神集中体现了一代人的精神追求和理论倾向"②。即使在50年代末以后,存在主义的影响逐渐减弱,然而,现代西方哲学中的不少学派,"都继承了萨特的精神,他们置身于时代的洪流中,与时代的脉搏息息相通,有一种顽强地表现自己、改造世界的渴望。如果我们细读德勒兹、德里达、施特劳斯、里约达乃至格鲁克斯曼等新一代思想家的著作,就会发现这种非纯哲学的精神的体现"③。

这些阐述无疑都有助于对萨特存在主义基本精神的理解。然而,作者全力以赴者,却是对萨特思想的发展及其理论观点的阐明,特别是对于《存在与虚无》和《辩证理性批判》的解释和辨析。在这里,作者通过系统的分析和简洁的概括,相当精彩地阐明了体现萨特上述精神的一系列理论观点。或者说,就是在剖析这些理

---

① 杜小真:《一个绝望者的希望——萨特引论》,第5页,上海人民出版社,1988年。

② 同上书,第7页。

③ 同上书,第8—9页。

论观点的基础上,才有作者对萨特基本精神的理论概括。例如,上述两部著作的问世,前后相隔17年,而且在内容上,也发生了某些变化。因此,有些人以此为理由对萨特哲学的精神进行了片面的宣扬。针对这种做法,作者使用了一章的篇幅,通过两本著作主要理论观点的比较,认为萨特在许多重要观点上有进一步的发展,甚至发生了重大而深刻的变化,这种发展和变化应该引起重视。但是,另一方面,这两部书从存在主义基本立场出发的主要精神、基本线索并没有根本的改变。例如以自由学说来说,通过作品细致的考察,指出两者尽管前后有变化,但仍然是个人的自由,是从心理学观点的自由过渡到社会历史的自由。"但无论有什么样的演变,萨特的自由从始至终还是建立在个人意识基础上的自由之上的。在这个根本问题上他并没有改变"①。这种有理有据的辨析,对于帮助人们正确理解萨特存在主义的基本精神,是有一定作用的。

三、车文博等又评又论弗洛伊德主义

自20世纪50年代以来,对于弗洛伊德及其精神分析学说,一直很少有人涉猎,从而成为一个不敢问津的"禁区"。改革开放后有些人开始接触。然而在拨乱反正中,尽管论文汗牛充栋,但泛泛而论的一般性介绍多,而且其中不少作品还存在片面的认识。为了引导人们正确对待弗洛伊德的精神分析论,取其精华,去其糟粕,从80年代中期开始由车文博牵头组成的"弗洛伊德主义研究"课题组,从全面钻研原著入手,在翻译与出版了《弗洛伊德主

---

① 杜小真:《一个绝望者的希望——萨特引论》,第192页,上海人民出版社,1988年。

义原著选读》的基础上,经过深入的研究,于1992年出版了《弗洛伊德主义论评》一书。

车文博(1931—　　),吉林扶余人。1952年北京师范大学研究生毕业后,一直在吉林大学从事心理学、西方哲学的教学与研究工作。现为吉林大学哲学系教授。

上述著作是至今我国研究弗洛伊德主义最为系统的一部著作。全书由一个"绪论"和上下两篇构成。在"绪论"中,从正名开始,阐述了精神分析学、弗洛伊德学说和弗洛伊德主义的联系与区别,概述了精神分析学派的特点,指出了弗洛伊德主义有一个从古典的学派到新的学派发展过程,因而从宏观上展示了弗洛伊德主义的整体面貌。

接着在上篇中,论述了古典弗洛伊德主义。在这里,作者生动地描述了弗洛伊德的生平,分析了弗洛伊德主义产生的历史背景、形成过程及其方法,论述了弗洛伊德主义的主要内容:潜意识论、本能论、性欲论、梦论、心理和人格结构论,焦虑与心理防范机制,以及社会学心理、宗教观、道德观、犯罪观、战争观、妇女观、教育观、美学观和哲学观构成的社会系统理论,评述了它对现代西方哲学和科学的影响,阐明了它的贡献与错误,指出了中国当时出现"弗洛伊德热"的缘由。

最后在下篇中,论述了新弗洛伊德主义。在这里,首先概述和评价了新弗洛伊德主义,然后,按照发展过程分别介绍了荣格的"分析心理学"、阿德勒的"个体心理学"、霍妮的"文化和哲学的精神病理学"、卡丁纳的"文化与人格相互作用理论"、沙利文的"人际关系理论"安娜·弗洛伊德的"自我防御机制"与"儿童精神分析的理论"、哈特曼的"自我心理学"、埃里克森的"自我心理学"、赖希的"弗洛伊德—马克思主义"、弗罗姆的"人本主义精神分析"

与马尔库塞的"爱欲解放理论"。

从上可以看到,《弗洛伊德主义论评》一书,篇幅宏大,全书近100万字;内容全面,从古典的弗洛伊德主义到新出现的弗洛伊德主义,从它们产生的历史背景、发展过程到理论观点,又论又评,评述结合,相当具体地揭示了弗洛伊德主义的真实面貌。这对于纠正过往对它的片面介绍,全面系统地了解弗洛伊德主义的来龙去脉及其理论主张,无疑具有直接的帮助。

不过,书中最应该受到重视的地方不在这里,而是作者针对"弗洛伊德热"传播过程中出现的情况,即论著问世的多,但评论得少;泛泛谈论得多,深入研究的少等现象,采取了在钻研原著基础上着眼于进行评论,在正确介绍的同时,实事求是地对它作出实事求是的评价,以便引导读者分清其中的精华与糟粕,从而使弗洛伊德精神分析论的传播走上健康发展的道路。为此,作者做出了多方面的努力,而且取得了相当的成功。

四、周国平对尼采哲学主题的解读

改革开放后,当现代西方哲学开始传播时,尼采在哲学上提出了一些什么问题? 他对现代西方哲学的发展起了什么样的作用? 这些问题不仅在广大读者,就是哲学界不少人的头脑里也是茫然一片。更有甚者的是,由于过去站在"左"倾政治立场上对尼采的猛烈批判,使他在一些人心目中形成的形象是不真实的。尼采哲学在大陆的这种状态,不但使人难以对尼采及其哲学做出公正的评价,也妨碍了我们对现代西方哲学及其发展的正确理解与深入研究。因此,在拨乱反正中,认真研究尼采,实事求是地按照尼采哲学的本来面目作出科学的重新估价,是现代西方哲学研究的一项迫切任务。

出于这种责任感,周国平在刻苦翻译和认真钻研尼采著作的基础上,经过独立思考和深入的研究,1984 年出版了《尼采:在世纪的转折点上》一书。

周国平(1945—　),上海人。1978 年入中国社会科学院研究生院,先后获哲学硕士和哲学博士学位。现为中国社会科学院哲学所研究员。著述颇丰。译有《悲剧的诞生—尼采美学文选》、《尼采诗集》、《偶像的黄昏》、编有《诗人哲学家》、著有《尼采与形而上学》、《人与永恒》、《周国平文集》等。

在上述著作中,他认为,"尼采提出的主要问题是:在传统价值全面崩溃的时代,人如何重新确立生活的意义。"①他指出,尼采正"是怀抱着对人生意义的苦苦寻求走上哲学家之路的……但是,他不愿追随叔本华得出否定人生的结论,试图为这痛苦而悲惨的人生寻找一个理由,一种意义,一条拯救之道"②。由此可以看出,"尼采哲学的主题是生命的意义问题"③。正是从这里出发,尼采规定了自己哲学的使命,"是一种个人的哲学,从独立的个人开始,就其禀性着手,使个人对于他自己的一切不幸、需要和限制有一番深刻的认识,并且追寻出抚慰它们的补救方法来"④。探求人生意义成了尼采哲学惟一的使命。根据尼采对这个问题提出和阐明的思想,周国平"把尼采当做一位人生哲学家来看待"⑤。

作者根据上述对尼采哲学主题的理解,从下述几个方面对它

---

① 周国平:《尼采:在世纪的转折点上》,第 243 页,上海人民出版社,1984年。

② 周国平:《存在主义哲学》,第 82 页,中国社科出版社,1986 年。

③ 周国平:《略论尼采哲学》,载《哲学研究》,1986 年第 6 期,第 18 页。

④ 周国平:《存在主义哲学》,第 84 页,中国社科出版社,1986 年。

⑤ 周国平:《尼采:在世纪的转折点上》,第 28 页,上海人民出版社,1984 年。

进行了解读与论证：

第一，从西方哲学价值观念的转换上。周国平写道："尼采生活的时代，西方资产阶级物质文明和精神文明的危机征兆已经日趋明显，并且引起了知识界中那些敏感的人的深思"①。尼采就是其中的一个。这种危机在哲学上的主要表现是以崇尚科学理性为特征的西方近代哲学，进到德国古典哲学阶段，人们开始对它的万能发生怀疑。尼采认为科学是有极限的，它不可能把握到存在的深渊。这是因为它不但不能为人生提供目标和意义，相反，它还会导致人性片面发展和严重压抑。这样，一方面尼采便开展了对建立在科学理性基础上的整个欧洲传统文明的批判。"在尼采看来，'理性的最大原罪'，就是压抑了生命的本能。在理性支配下，人类的物质文明奇迹般地增长了，可是人的生命本能却日益被削弱，造成了一个颓废的社会"②。另一方面，由于尼采对人的现状极为不满，"这种不满甚至成为他的哲学思考的一个重要出发点"③，使他"以'改善'人类为自己的最高使命"④。由此不见，"尼采个性中对于人生追求之真诚，与资本主义世界普通价值危机的时代背景结合起来，使尼采成了 20 世纪西方哲学中人学主义潮流的一位开启者"⑤。

第二，从尼采哲学的主要内容上。就是从尼采提出的人生意义进行论证。周国平经过考察，就尼采最后对这个问题的答案，做出了如下概括："一、解除理性和道德对于生命本能的压抑，使生

① 周国平：《存在主义哲学》，第 75 页，中国社科出版社，1986 年。
② 同上书，第 93 页。
③ 周国平：《尼采论人》，载《德国哲学》，第二辑，第 87 页，1987 年。
④ 周国平：《存在主义哲学》，第 78 页，中国社科出版社，1986 年。
⑤ 周国平：《尼采：在世纪的转折点上》，第 28 页，上海人民出版社，1984 年。

命本能健康发展;二、发扬人的超越性,做精神文化价值的创造者;三、以审美的人生态度取代科学和伦理的人生态度"①。实际上,在这前后作者发表的有关尼采哲学的论著,都是围绕这几点进行阐述的。例如谈到对现状的不满时,认为尼采采取了一种积极的态度。他指出,"尼采的不满并非那种冷嘲者的不满,心中没有理想的光,一味怨天尤人。相反,这是一位热望者的不满,其源盖出于对人性所包含的可能性的高度估价,出于对一种真正的人的形象的热烈向往"②。他与叔本华的悲观主义不同,尽管承认人有悲剧的性质,但他对人的这种悲剧,在承认它的前提下要肯定人生;另一方面,他在肯定人生时,与马克思不同,他离开人性形成的客观社会机制,只是注重人性形成的内部心理机制。在具体观点上,为了"改善"人类,尼采提倡"强力意志",鼓吹生命本能的发扬光大,提出"超人"理想,把改善人类的希望寄托在强力意志旺盛、生命机制兴旺的新型人,即"超人"身上;要求根本改变人类的价值观念,以强力意志的扩张为尺度重估一切价值。在论述这些看法时,作者认为,"在资产阶级哲学家营垒里,尼采第一个明确地把握住西方价值观念转换的趋势,思考和提出了激动着现代西方人心灵的一系列问题,开了现代西方哲学中非理性主义潮流的先河"③。不过,由于"尼采脱离人的社会历史考察人性,因而不可能为人性的进步提出一个现实的方向"④。这是尼采哲学的局限性所在。

　　第三,从尼采哲学的现实意义上。周国平认为,尼采哲学在西

---

① 周国平:《尼采:在世纪的转折点上》,第 243 页,上海人民出版社,1984年。

② 周国平:《尼采论人》,载《德国哲学》,第二辑,第 87 页,1987 年。

③ 周国平:《存在主义哲学》,第 78 页,中国社科出版社,1986 年。

④ 周国平:《尼采论人》,载《德国哲学》,第二辑,第 100 页,1987 年。

方哲学的发展过程中,"用非理性的生命取代理性,哲学的主题变成了对生命意义的寻求,方法是一种非理性的情绪体验——酒神式的陶醉,因而,哲学成了一种通过某种特殊情绪状态体验生命意义的活动"①这是西方哲学与文化从近代向现代发展过程中的一个重大转折,而了解尼采则是理解这个转折的关键。这里,不在于尼采身后没有留下一个以他的名字命名的学派,而是在于他的哲学影响已经渗透在现代西方许多哲学流派之中。可以说,"重视人和人生意义问题,重视价值问题,重视个人对价值的选择,几乎是现代思潮的共同特征"②。因此,我们必须重视和充分估计尼采哲学对于现代西方哲学与文化发展过程中的现实意义。基于这种认识,作者从不同的角度出发阐明了尼采对现代西方哲学的影响。例如,以尼采对人生意义的三个答案来说,在第一点上发现了生命哲学家和弗洛伊德主义者,在第二点上看见了存在主义哲学家的身影,在第三点上遇到了高举艺术革命旗帜的浪漫主义骑士马尔库塞。其余,如非理性主义的影响,作者分别还从哲学观、认识论、人性观和对现代文明的批判四个方面,具体地阐明了尼采与现代西方哲学诸多流派的联系与影响。

　　这是尼采在长期遭到批判后,由一位年轻学者经过深入钻研对尼采哲学精神做出的解读。它根据充分、论述深入、评判稳妥,对于恢复尼采哲学真实面貌发挥了积极的作用。

五、复杂的影响与热点的消退

　　十分明显,所有这些"热点"都是在特定的历史条件下产生的

---

① 周国平:《略论尼采哲学》,载《哲学研究》,1986年第6期,第22页。
② 周国平:《尼采:在世纪的转折点上》,第243页,上海人民出版社,1986年。

文化现象。因此,它在当时产生的影响也是复杂的。

从积极方面说,三位哲学家思想的大量输入和广泛传播,不仅纠正了过去激烈批判中造成的对这些哲学家的歪曲,更为重要还在于:一是通过上述哲学家思想中积极因素的引进与吸收,开拓了广大读者的认识视野,对于更新思维方式和价值观念,冲破传统文化中消极因素的束缚,具有一定的推动意义。例如,关于"自由、选择、设计和创造等价值观念,对于强化当代青年的独立意识和自主能力,摆脱心理上和行动上的依附性、保守性就有积极作用"①。二是有助于我国人民对于现代西方社会现实和西方文化的理解。"这种文化观念的沟通在客观上有利于提高中国青年的认知能力和适应能力,因而也有助于新一代国民文化素质的提高"②。这些,都是应该加以肯定的。

但是,这种积极影响又是历史的和有限的。主要是,上述热点的产生及其发展,与当时政治上的拨乱反正和对"文化大革命"进行反思是同步进行的。因此从政治上着眼输入和传播这些哲学家的学说,运用这些学说来为当时的拨乱反正服务,便成为引进与接受萨特、尼采学说的出发点。这种做法虽然有一定的历史根据,在现实生活中也发挥了一定的积极作用,然而在这里,长期以来西方哲学东渐中哲学为当下政治服务的那种使哲学政治化的倾向依然存在。所以,尽管传播气氛热烈、论著发表的数量很多,但是从总体上考察,它们多是直接的、表面的、情绪化的宣泄,真正学理上的探究很少,因而过后发现留下的有影响的、有重要学术价值的学术

---

① 万俊人:《试析现代西方伦理思潮对我国青年道德观念的冲击》,载《中国社会科学》,1989年第2期,第24页。

② 同上。

成果不多。事实说明,这是不可能长久的。

因此,随着大陆现代化建设与西方哲学东渐拨乱反正的发展,随着人们对这些哲学家学说的认识日益深入与全面,表面的热烈情绪逐渐被里层的理智思考所代替。例如,不久出现的"告别萨特"、"告别存在主义"的反省中,许多人逐渐自觉地领悟到:"萨特仅仅为我们描述了资本主义异化和战争条件下的人的生存状态和心理状态,提出了自由、选择和创造之于人生价值的理论意义,但对于究竟如何实现人的自由和价值,萨特的存在主义就显得苍白无力,提供不了令人信服的答案。短短几年后,生活的实践使很多人从轻信中自觉过来"①。这一事实说明,在拨乱反正中出现的"萨特热"及其影响,随着社会条件的变化必然发生变化。其实,"弗洛伊德热"与"尼采热",也是这样。因此,它们都在一阵热浪之后不久便消退与沉寂下去。

第七节　现象学思潮研究的长足进步

随着改革开放的发展,以及马克思主义科学体系的全面恢复与发扬,在取得拨乱反正胜利的基础上,西方哲学东渐进到 80 年代的后期,不但迅速地走上了健康发展的轨道,而且,中国学者在对西方哲学进行全方位研究的过程中,开始深入现代西方各个哲学流派的内部,探其渊源,究其精华,使它在中国大陆的传播进到了一个新的阶段。其中,基于不同的原因,现象学思潮、分析哲学、实用主义与后现代主义的研究,取得的进展及其成果较为突出,充

---

① 陈中亚:《我告别了存在主义》,载《中国青年》,1982 年第 10 期,第 30—31 页。

分体现了新时期西方哲学东渐的繁荣与发展。

下面,分节论述这些哲学流派本时期在大陆的传播。这一节,阐述现象学思潮。

一、现象学思潮东渐综述

这里讲的现象学思潮是广义的。它涉及德国的现象学(胡塞尔、海德格尔)、法国存在主义(萨特、加谬、梅洛·庞蒂)和解释学(施莱尔马赫、狄尔泰、海德格尔、伽达默尔、利科尔、哈贝马斯、贝蒂、赫施)。它是20世纪西方哲学中最富创新力和最具影响力的哲学流派之一。通过其对哲学的理解建构的哲学体系,希望以此来为其他一切科学奠定方法论和认识论的基础。实际上,胡塞尔在创立现象学时,首先就是将它视为一种新的哲学态度和方法,迫使人们去严格地思维和精确地表达。因此,由于方法上的突破,使它能够处理各种以前哲学处理不了的问题,而且处理得还有独到之处。后来在现象学运动的发展过程中,把它的主要成员联结在一起的因素也主要是一种方法意识。"从这个意义上说,现象学的确代表了哲学的一种基本思想和态度:例如,它直接'面对事实本身'而不是历史传统与文本,这使它有别于历史发生学;它对问题进行'如其所是的描述'而不是因果的说明,这使它有别于自然科学;它'听从思的召唤'而不从事形象的勾画,这使它有别于文学艺术探索,如此等等。可以说,现象学是其他学科无法替代的一种哲学精神……任何一门想在这些方向上有所创新和突破的学科,都可以考虑对现象学思想方法的借鉴"①。在研究中,始终又

----

① 倪梁康:《现象学的研究及其效应》,载《哲学动态》,2001年第6期,第10页。

是围绕着胡塞尔的学说进行的。而且从现代西方哲学和文化的发展中可以看到,它的影响几乎是经久不衰和无处不在的,特别是这种影响主要是一种理论效应意义上的。因此,自其诞生之日开始,就引起了众多的哲学研究者聚集在它的旗帜之下。虽然在二战期间因受到纳粹法西斯的迫害,使得对它的研究与传播成为不可能,但二战结束以后,它在西方便很快引起了高度的关注。尤其是随着胡塞尔文库的建立,《胡塞尔全集》的陆续出版,以及国际性与地区性现象学研究会的成立,更是大大推动了对其研究广泛而深入的开展。所以,自60年代以来,现象学思潮便已经成为一个日益开放的国际学术领域。临近20世纪的末叶,国际哲学界进入对以往哲学进行反思、再理解和消化的阶段,对于现象学思潮的研究,更是朝着既专且深的方向向前推进。

然而,在我国的西方哲学研究中,尽管早在三四十年代,有些学者进行过一些零星的介绍,但是,与传播其他有影响的西方哲学思潮比较起来,不仅十分有限,而且自这以后直到80年代初,仍然没有发生变化。只是当"萨特热"等一些传播热点逐渐沉寂下来以后,才把目光转到胡塞尔现象学身上来。这是凭借其内在品质和外在机缘才出现的。因为在这个过程中,一方面不少中国学者感到,传播萨特及其存在主义发生的热烈景象,虽然有其产生的必然性,但是另一方面,从学术研究的角度考察,要取得研究现代西方哲学的进展与成果,离开了对深刻影响它们的胡塞尔现象学的深入研究,是难以想像的。正如倪梁康指出的,"要想深刻理解和研究20世纪哲学的任何一个学派,不以现象学的认识为前提,几乎是不可能的"①。改革开放后出现的一些传播热点,所以不久便

---

① 倪梁康:《现象学方法》"译者的话",第1页,译文出版社,1994年。

先后消退下来,这是其中重要的原因之一。如果这样发展下去,对新时期的西方哲学东渐事业是极为不利的。因为现象学研究的这种落后状况,不但严重制约着对某些现代西方哲学思潮研究的进展,而且,这与现象学在国际上受到普遍重视形成了鲜明的对比,与新时期提出西方哲学研究要与国际哲学界接轨也产生了巨大的反差。要是让这种状况继续存在下去,将会阻碍我国西方哲研究学术水平的提高与文化变迁的实现。相反,恰恰在所有这些方面,通过对现象学思潮的引进与传播,都具有直接的积极意义。例如,"借助于胡塞尔对现象学研究方法和研究领域的指明,我们有可能达到一个超越出特定的思维方式和特定的区域文化之上,并同时包容这些思维方式和文化的高度"①。不仅如此,由于现象学的出现,还"为我们中国和东方思想进入世界哲学的话语世界提供了一个契机,这里潜藏着未来哲学发展的新的可能性"②。

就这样,自 20 世纪 80 年代后期开始,特别是 90 年代以来,中国大陆的现象学思潮研究便扎扎实实地开展起来了。一些有志于现象学在中国传播的学者,主要是一批年轻学者,有的多年留学胡塞尔研究中心,有的来自著名现象学家的门下,都汇集到这个领域中来了。他们从翻译现象学家的著作和进行一般性介绍开始,然后在这个基础上进行了热情而刻苦的研究。为了推动这项研究的持续与深入的发展,大陆和港台的有关学者,于 1994 年成立了中国现象学专业委员会,由它牵头先后在南京、合肥、香港、上海、杭州、海口、北京、武汉、广州定期地举行现象学专题研讨会。同时,还创办了专门以传播现象学为目的的不定期刊物《中国现象学与

---

① 倪梁康:《现象学及其效应》,第 372 页,三联书店,1995 年。
② 张祥龙:《朝向事实本身》,第 4 页,团结出版社,2003 年。

哲学评论》，已先后出版了 8 辑和 2 期特辑。此外，北京大学现象学文献——研究中心，中山大学现象学研究所亦于 21 世纪之初诞生了。这标志着中国现象学研究史上一个新阶段的开始。

如果对上述现象学的传播活动进一步考察，那么就会清楚地发现，新时期在现象学思潮东渐过程中发生的一些变化。第一，在传播的社会气氛上，虽然没有 70 年代末 80 年代初那么热闹，但是，学者们投身到这个领域来，却是经过冷静的理性思考后采取的行动。因此，在研究与传播时，都能持之以恒、坚持不懈，具有耐得十年寒窗和甘坐冷板凳的精神。第二，在参与传播的队伍上，虽然没有那些"热点"发生时那么广泛，而是局限在理论界。然而，他们在研究与传播时，不但独立钻研，大胆探索，积极开展两岸三地学者之间的交流，而且还把它同国际现象学的研究结合起来，力争做到同步进行。第三，在发表的论著数量上，虽然没有"热点"时问世的那么多，但是，它们都是经过深入钻研后取得的，材料扎实，论述充分，视野开阔，饶有新意，在一定程度上摆脱了长期以来哲学研究的政治化倾向，以一种崭新的面貌展现在世人面前。

正是这些变化或特点，哺育了一批很有希望的现象学研究人才，并取得了一批具有重要价值的成果。其中，除翻译与出版了这个思潮主要代表的重要著作与国外学者研究这个思潮的重要成果外，中国学者撰写与发表了大量论文与不少专著。

仅研究有关胡塞尔现象学的著作，就有：

思·史·诗——现象学与 存在主义研究	叶秀山著	人民出版社	1988 年
语言·心灵与意义分析	尚杰著	辽宁教育出版社	1989 年
从现象学到存在主义的 演变:现象学纵向研究	罗克汀著	广州文化出版社	1990 年

现象学的使命	涂成林著	广东人民出版社	1994 年
现象学及其效应	倪梁康著	三联书店	1995 年
自我的觉悟——论笛卡儿与胡塞尔的自我学说	汪堂家著	复旦大学出版社	1995 年
熊十力的新唯识论与胡塞尔现象学	张庆熊著	上海人民出版社	1995 年
现象学与海德格	熊伟主编	远流出版公司	1995 年
胡塞尔传	李鹏程著	河北人民出版社	1997 年
胡塞尔现象学概念通释	倪梁康著	三联书店	1999 年
胡塞尔与西方主体性哲学	高秉江著	武汉大学出版社	2000 年
反思与自识——近现代西方哲学的基本问题	倪梁康著	商务印书馆	2002 年
胡塞尔传	谢劲松著	长江文艺出版社	2002 年
重建经验世界	张廷国著	华中科技大学出版社	2003 年
现象学的始基——对胡塞尔《逻辑研究》的理解与思考	倪梁康著	广东人民出版社	2004 年

　　为了进一步说明现象学东渐的上述变化与进展,有必要介绍为此做出了显著成绩的几位学者及其研究成果。

二、倪梁康传播现象学思潮的推动作用

　　在新时期西方哲学东渐涌现出来的学者中,倪梁康是有代表性的一位。

　　倪梁康(1956—　　),江苏南京人。1985 年取得南京大学哲学系硕士学位后,赴德国弗莱堡大学深造,专攻现象学,特别是胡塞尔。1991 年通过论文《胡塞尔现象学中的存在信仰问题》答辩获得博士学位。现任中山大学哲学系教授,现象学研究所所长。

　　回国后,为了推进现象学思潮在中国的传播,他联系两岸三地

学者为此开展了卓有成效的工作。新时期现象学传播在中国取得的进展，与他的多方面努力是分不开的。这里，仅就他的胡塞尔现象学研究及其成果进行说明。在这一方面，他译出了《现象学的观念》（上海译文出版社，1986 年）、《逻辑研究》（上海译文出版社，1994～1999）、《哲学作为严格的科学》（商务印书馆，1999年）、《伦理学中的形式主义与质料的价值伦理学》（舍勒著，三联书店，2004 年）；主持编译了《胡塞尔选集》（上下两卷，上海三联书店，1997 年）与《面对事实本身——现象学经典文选》（东方出版社，2000 年），在这些译著出版时，通过"译者的话"等形式，介绍与论述了胡塞尔的现象学说；他发表了一批论文，其中如《胡塞尔：通向先验本质现象学之路——论现象学的方法》（《文化：中国与世界》，第二辑，三联书店，1987 年）、《胡塞尔与海德格尔的哲学观》（《浙江学刊》，1993 年第 2 期）与《现象学运动的基本意义——纪念现象学运动一百周年》（《中国社会科学》，2000 年第 4 期）等，在学术界都颇受重视；他出版的著作有：《现象学及其效应——胡塞尔与当代德国哲学》、《胡塞尔现象学中的存在信仰》（德文版，克伦威尔国际学术出版社，1999 年）、《胡塞尔现象学概念通释》与《自识与反思——近现代西方哲学的基本问题》、《现象学的始基——对胡塞尔〈逻辑研究〉的理解与思考》等。

　　在这些著作中，《现象学及其效应——胡塞尔与当代德国哲学》，是倪梁康出版的第一部关于现象学的专著。他在确定这个课题的研究时，首先考察了国际现象学的研究现状，发现几十年来有关胡塞尔现象学以及现象学运动的著述，虽然可谓汗牛充栋，但是，它们"都是对现象学本身发生和发展的展示和反思，而不是一个哲学家和一个哲学流派本身广义上的'效果史'或'作用史'"①。在他看来,任何一个哲学学说都可以具有理论的效应和实践的影响,这在20世纪西方哲学各个流派的发展过程中,是一个可以亲切感受到的事实。因此,从胡塞尔现象学在西方哲学的整个视域的位置出发,倪梁康决定他的研究课题为:"现象学运动,并且更进一步说:胡塞尔的现象学以及它所产生的效应"②。

不过,由于胡塞尔哲学的晦涩特征,以及由此带来的对其理解与传播的艰难,因此,作者在论述时,为了使读者进入和包容胡塞尔的思想视域,又决定在书中尽可能地充分提供与胡塞尔以及现象学运动有关的历史材料和理论材料。然后在这个基础上,分析胡塞尔现象学的"得"与"失"。作者指出,"在这里,'得'是指胡塞尔哲学在哲学史、思想史上所具有的重要地位,其中包括它所阐明的新的思维方式和思路可能性,它对后来的各种哲学思潮所产生的革命性、突破性影响;'失'则意味着这门哲学的局限性(实际上也是人类思维的局限性),它之所以被后人改造、被后人逾越的原因和理由"③。

根据上述目的和思路,作者在这部著作的上半部分,有重点地介绍了胡塞尔在《逻辑研究》、《纯粹现象原与现象原哲学的观念》、《笛卡儿式的沉思》与《危机》四部主要著作中的一些基本思想,以此论述了胡塞尔创立现象学的过程及其主要学说;后半部分围绕胡塞尔对海德格尔存在主义、舍勒哲学人类学、伽达默尔解释学和哈贝马斯法兰克福学派影响的展开,阐明了胡塞尔现象学对20世纪西方哲学界曾经红极一时,至今仍然兴盛不衰的学派的渊

---

① 倪梁康:《现象学及其效应——胡塞尔与当代德国哲学》,第5页,三联书店,1995年。
② 同上书,第9—10页。
③ 同上书,第5页。

源关系。这是书中论述胡塞尔现象学及其在德国的效应阐明的两个基本问题。

作者在论述这些内容时的一个突出特点是,采用了西方通常采用的范例式分析方法。简单说来,这种方法是:"先取某一阶段和几个主要代表人物,或几个大师的几本主要著作,或某本经典中的几个主要段落,逐字逐句,读通读懂,然后举一反三,推而广之"①。例如,凡是略知现象学一二的人,都能说出"还原"、"直观"和"悬搁"这些概念以及"回到现象本身"这个口号。但是进一步问,现象学方法是什么,如何达到本质和先验还原,怎么进行描述性现象学分析等这些在概念和口号后的问题时,往往不知所以然。为此,作者在书的上篇便使用上述方法,原汁原味地介绍和解读了胡塞尔现象学的主要内容。如对感知和想像这两个意识行为的描述分析。其中,涉及到一系列现象学的特有名词,作者不仅从概念、特征方面,还以时间意识现象和感知进行了区分。又如第五节对本质直观这一思想的形成与发展,也是这样分析与阐明的。通过这种范例性分析,的确能够把读者带入到了胡塞尔的视域,从而大大减轻了理解与接受时的困难,使人对胡塞尔关于意识分析和本质直观这些基本理论,得到了清晰的印象与正确的认识。正是在这里,表现出了作者对胡塞尔原著理解与把握的深度,因此在阐述胡塞尔的学说时,既能抓住根本,又能辨析入微,在一定程度上体现了胡塞尔的"工作哲学"的特色。

在"下篇"中论述胡塞尔现象学与海德格尔的关系时,作者认为虽然前者的《逻辑研究》对后者有过极其重要的影响,但这并不能因此否认海德格尔的思想从一开始就与胡塞尔存在着不少的区

---

① 张慎:《学术之反逆与传统》,载《读书》,1996年第4期,第98页。

别。对此,倪梁康指出,"胡塞尔和海德格尔之间的分歧起源于,并且首先起源于传统哲学与现代哲学的兴趣差异,起源于近代哲学和现代哲学的'代沟',尽管这个分歧与他们两个各自的气质与个性也不无关系"①。因此,海德格尔式的现象学在"现代"气氛中产生了更大的影响。又如在阐述胡塞尔对伽达默尔的影响时,作者特别把"视域"及其在胡塞尔分析时间意识,交互主体性和生活世界中的作用提出来加以论究。这种做法体现了作者思考的深度。因为正是在这些论题上,胡塞尔的现象学与伽达默尔的解释学存在着内在的联系,只有把这些论题弄清楚了,才能明白胡塞尔对伽达默尔的影响。其余,对于胡塞尔与舍勒和哈贝马斯的关系,也进行了这种有见地的论述。

　　总之,这是现象学思潮传播中推出的一部研究性力作。一方面,作者在书中对胡塞尔现象学产生、特征、影响与理论思路的分析与评论,不但与20世纪80年代的介绍比起来有了明显的进步,而且充分体现了作者真正进入原著(包括胡塞尔的原著和研究者们的原著)后进行理论研究的那种熟稔与信心。另一方面,在探讨胡塞尔与德国几位重要哲学家的关系时,以唯物史观为指导,大量地运用了80年代以来国际现象学界研究取得的最新成果。所以,无论阐明胡塞尔提出的新的思维方式及其对后来各种思潮所产生的突破性影响,还是指出它之所以被后人逾越的原因,都能抓住现象学思潮的内在逻辑,从而使胡塞尔现象学在德国所产生的效应及其发展过程的规律性,都较为清晰地展现出来了,充分体现了作者的现象学研究力争与国际现象学研究做到同步发展的努

---

　　① 倪梁康:《现象学及其效应——胡塞尔与当代德国哲学》,第175页,三联书店,1995年。

力。因此,当它问世后,即刻得到了学术界热情而充分的肯定。

然而,倪梁康不以此为满足,认为由于原初的写作动机,导致这本著作缺乏系统性①。因此,为了把他理解的胡塞尔现象"较为系统地"介绍给国内有兴趣的人们,利用洪堡基金会提供的研究机会,于1995年至1997年期间,撰写了《胡塞尔现象学概念通释》一书。在这部书中,他翻译、解释了六百多个胡塞尔现象学的概念术语。例如,映像、范畴直观、先天、外视域、意指、含义意向、(存在)信仰、描述、搁置、本我,等等。在他看来,这些概念都是胡塞尔现象学的核心范畴。所以进行这项工作,倪梁康指出,目的在于:一方面,"为胡塞尔现象学的研究者和爱好者提供一个提要,使他在遭遇生疏的概念时不至于无所适从。但这六百多个概念并不是一些独立的块片,并非只有在把它们组成一幅拼图之后才能完整地看到胡塞尔现象学的全貌。它们更多像是一幢思想大厦上的砖瓦和钢筋,对它们之中每一个的理解都与对大厦的总体理解有一定的关系。另一方面,这部书还想为日益增多的胡塞尔著作的中译提供译名选择的可能。换句话说,它想为胡塞尔概念译名的统一准备一个讨论的平台。如果这种统一能够达成,那就可以为胡塞尔中文本读者免除许多不便,使他们不至于在阅读不同的中译本时陷入译名的混乱"②。

这些,是倪梁康在新时期现象学研究及其为推动现象学在中国的传播,已经做出的重要贡献。要指出的是,这些贡献对于他来说,只是初步的。因为从其当下学术研究思路蕴涵的发展势头中,

---

① 倪梁康:《现象学的研究及其效应》,载《哲学动态》,2001年第6期,第11页。

② 同上。

可以看到,具有更为重要价值、必然产生更加重要影响的学术成果,在不久的将来一定问世。

三、张祥龙研究现象学的努力方向

在新时期涌现出来的学者中,张祥龙以其研究现象学思潮的努力方向及其成果,颇受学界的重视。

张祥龙(1949—),河北深县人。北京大学哲学系毕业后赴美留学,1988年与1992年,分别获得俄亥俄州托莱多大学硕士与纽约州立布法罗大学博士学位。现任北京大学哲学系教授,现象学文献中心主任。

回国后在从事现象学研究的过程中,他在国内外发表了一系列研究这个思潮与东方思想关系的论文。其中,有代表性的有:《胡塞尔·海德格尔与东方哲学》(《中国社会科学》,1993年第6期)、《胡塞尔的"生活世界"学说的含义与问题》(《场与有》第二辑)、《现象学的构成与中国哲学》(《中国现象学与哲学评论》第一辑)、《现象学如何影响了当代西方哲学》(《天津社会科学》,2004年第3期)等。2001年,张祥龙把这些文章收集起来,经过有目的的挑选和修改,取名为《从现象学到孔夫子》交由商务印书馆付梓问世。虽然这是一部论文集,但在这部书中,却形成了张祥龙特有的问题视野和研究语境,反映了作者在中国研究与传播现象学思潮的努力方向与追寻目标。同时在这个过程中,他出版的其他著作,如《海德格尔思想与中国天道——终极视域的开启与交融》(三联书店,1996年)、《海德格尔传》(河北人民出版社,1998年)与《朝向事情本身——现象学导论七讲》(团结出版社,2003年)中,虽然都有对胡塞尔与海德格尔等哲学思想的热情介绍与论述,但是,实际上它始终都是围绕上述精神或主题展开的;就是说,都是上述研究语境的进一步展示,以及为现象学与中国哲学的会通做出的努力。

所以这样,自有张祥龙极其深沉的考虑。在为《从现象学到孔夫子》写的"序——中华古学的当代生命"中,他怀着颇为沉重的心情回忆了近代以来传统文化在中国的的遭遇与中西文化交流中出现的片面性后写道:"我最关心的是如何通过更合适的方法或视域来理解中国古学,找到那能使她重焕生机的路子,因而时时留心着任何有可能在这件事上起作用的东西"①。接着,他具体地指出,"我能做的只是尝试着在西学中寻找那最可能帮助华夏古树发出新芽的东西,那不再从方法上就贬抑她、切割她、整死她,而是可以善待她、引动她,让它从容调整自己、更新自己、升华自己的一个视域"②。他的现象学研究目标与方向,就是在这样考虑后提出来的,他的现象学有关论著就是依据上述要求与思路撰写出来的。

因此,在这本论文集以及其他著作中,主要探讨的问题是两个:"第一,相比于古典西方哲学,现代西方哲学发生了什么样的重大变化;尤其是,这种变化提供了什么样的新的方法论视野? 第二,这种新的视野对于我们重新理解自己的传统文化有什么关系? 如果这种关系不能只从概念上说明的话,就要给出语境中的阐释例子或对话例子"③。

论文集中的第一部分,即"西方哲学的转机",回答了第一个问题。在这里,通过审视胡塞尔和海德格尔不同特质的现象学说以及其他几位现代西方哲学家的学说,阐明了一个多世纪以来西

---

① 张祥龙:《从现象学到孔夫子》"序",第8页,商务印书馆,2001年。
② 同上书,第9页。
③ 同上书,第6页。

方哲学所经历的方法上的转机。张祥龙指出,尽管这些哲学家中的每一位都有强烈的个人特色,但他们都在某一点上突破了西方的概念形而上学传统,发展出了贴近直观,看重构成功能和"象"(Bild picture)思维,一切以人的生存形势或时机境域为转移的新方法和新学说。例如,在胡塞尔的现象学理论中,认为西方哲学的特点是对于一种观念化了的无限性的追求,而他的现象学则提供了新的方法来看待这种"观念"。这就是"到事情本身中去"的意向性的直观方法。它既不同于传统理性主义的概念化方法,又不同于经验主义的只注重感性直观的方法。在他看来,(广义的)直观不是被动的、一个个地接受感官提供的印象或简单观念,而是一种意向性的构成行为。就是说,在感知这种起奠基作用的原本直观中,已经有激活感觉材料而构成意义和意向对象的统握活动。所以,胡塞尔讲:"'一切问题中最大的问题乃是功能的问题',或'意识的对象性的构成'的问题"①。而且,正是这种直观中的意向构成行为牵涉到了"边缘域"(Horizont)的必要及其关键作用,由此还通向胡塞尔晚期的生活世界思想。正是这个理论上的重大发现,使胡塞尔的现象学从方法上突破了传统的形而上学,形成了直观行为必然包含有内在超越的思路。同样,对海德格尔等其余哲学家在方法上的转机,也作出了这样的揭示。

对于第二个问题的回答,则是通过论文集第二、三部分,即"现象学与中国古代思想"、"神与美"的讨论进行的。张祥龙认为,前一部分的阐述说明,在西方哲学,主要是现象学转机中,确实提供了适合理解中国古代哲学、并与之进行对话的视野。原因在

---

① 张祥龙:《胡塞尔、海德格尔与东方哲学》,载《中国社会科学》,1993 年第6 期,第50 页。

于,从根本上说,现象学的思维方式是境域构成的,而非概念化和观念化的,由此在无形中便消除了中西哲学对话的最大障碍。这样一来,在现象学与中国哲学之间,就确乎"有一肚子话"可以进行对话与交流了①。因此,在这两部分里,作者对儒家、道家等学术流派的再解释,对"时间"、"语言"、"象"、"构成"等等在中国古学中体现方式的展示,对东西方在"神性"和"美的本意"等问题上不同进路乃至新的理解可能的探讨,都是要使中西两方在一个新的境域中以更活泼有趣的方式进行对话与交流的努力和表现。除此之外,在《海德格尔思想与中国天道——终极视域的开启与交融》一书中,通过两者的比较,从时间观、历史观、神、人的本性、技艺、现代技术与语言等问题上,他还具体地阐明了它们对话与交流的可能性。在论述这些话题的过程中,对前人未及或未深究的一些问题,作者提出了不少新见。

四、张庆熊的现象学与唯识论比较研究

在研究现象学思潮的成果中,张庆熊的一本比较研究现象学与唯识论的著作,值得重视。

张庆熊(1950—),上海市人。1979 年复旦大学哲学系研究生班毕业后留校任教。这个时候现象学便引起了他的浓厚兴趣,并且发表了文章。1983 年,为了研究胡塞尔现象学,他前往瑞士苏黎世大学和弗兰堡大学学习,先后获得哲学硕士与博士学位。现任复旦大学哲学系教授,现代哲学研究所副所长。研究成果除《熊十力的新唯识论与胡塞尔的现象学》外,还有一本《自我、主体

---

① 张祥龙:《现象学的构成与中国哲学》,载《中国现象学与哲学评论》,第 1辑,第 342—343 页,译文出版社,1995 年。

际性与文化交流》。

前者是张庆熊的博士论文。其中有关熊十力新唯识论部分，1993 年由欧洲科学出版社出版；有关两者比较部分以及胡塞尔现象学的个别章节，用英文改写后，也以《现象学作为一种认识批判》为题发表在《胡塞尔研究文选》第 47 卷上。回国后，张庆熊根据读者对象的变化，对该书的内容和论述方式作了一些修改，并译成中文以《熊十力的新唯识论与胡塞尔的现象学》为书名，于 1995 年出版同读者见面了。

通过书名便不难明白，这是一部进行中西哲学比较研究的著作。所以进行这项研究，是因为在作者看来，虽然熊十力和胡塞尔是当代中西两个哲学派别的代表人物，但他们在意识结构和认识方式问题上，却存在着很多相似的观点。如果对他们的哲学进行比较，那么，就可以"使人不仅对佛家唯识论，而且对儒家对佛家唯识论的批评和改造有所理解；更为重要的是，由于儒家思想代表了中国传统哲学的主流，通过这一比较使人对中国哲学和西方哲学各自的基本特征会有更清楚的理解"[1]。而在进行比较时，作者考虑到，研究西方哲学的读者大多不很熟悉熊十力的新唯识论，研究中国哲学的读者又大多不怎么了解胡塞尔的现象学，为了避免比较时不至于感到突然或产生误解，所以在书中的安排上，作者首先分别对胡塞尔的现象学和熊十力的新唯识论进行了系统的介绍与论述，然后才在这个基础上对他的比较研究。这样，该书便由胡塞尔的现象学、熊十力的新唯识论以及两者的比较三个既相对独立又连为一体的面貌展现在读者面前。

_____

① 张庆熊：《熊十力的新唯识论与胡塞尔的现象学》，"前言"，第 3 页，上海人民出版社，1995 年。

　　在书的第一部分中,通过若干概念与有关论题的阐述,作者以此论述了胡塞尔的现象学学说。在这里,除阐述了胡塞尔现象学的基本概念,如"意向性"、"内在时间意识"、"本质的还原"、"先验的还原"外,还讨论了胡塞尔关于数学的见解。这在过去的研究中是很少有人论及的。而且,对于所有这些论题的论述,都是建立在作者长期钻研胡塞尔原著与经常跟西方现象学家对话的基础之上,都是依据胡塞尔创立现象学的思路逐层追溯、一环扣一环地进行的。因此,言之有据,论之有理,准确地把胡塞尔现象学的真实含义再现出来了。

　　书的第二部分,作者依据熊十力的《新唯识论》(语体文本),通过对"明宗"、"唯识"、"转变"、"动能"、"成物"、"明心"等术语的阐述,以此论述了熊十力的新唯识论学说。在阐释时,为了重构熊十力哲学思想的内在逻辑结构,以便使读者清楚地把握其思想的内在联系,在叙述的顺序上与《新唯识论》比较,又进行了一些调整。不过,要讲清新唯识论前面提到的这些术语,不是一件容易的事情。为此,作者不但反复阅读了熊十力的《佛家名相通释》与玄奘的《成唯识论》,还充分利用了国外学者的有关成果,如梵文原典与佛学辞典(德文译本与德英梵对照本),在充分考证唐代以来它们在中国演变的基础上,进一步确切地阐释了它们的深刻含义。就是经过这样的充分论述,作者用熊十力的一句话,概括与揭示了新唯识论的宗旨:"今造此论,为欲悟诸究玄学者,令知一切物的本体,非是离自心外在境界,及非知识所行境界,唯是反求实证相应故"①。

---

　　① 张庆熊:《熊十力的新唯识论与胡塞尔的现象学》,第150页,(见《熊十力论著之一》,第247页),上海人民出版社,1995年。

最后一部分,在前面论述的基础上对胡塞尔的现象学与熊十力的新唯识论,进行了比较研究。在这里,通过对两者哲学背景、哲学观、意识结构、本体学说与哲学方法的介绍,阐明了它们之间的相同与不同。例如在哲学观上,熊十力认为西方哲学只重视认识客观的世界,不重视向内认识人的心灵,不懂得人的心灵是与宇宙的本体相通的。因而它囿于量智,而未获得性智,即直觉地认识本体的能力。胡塞尔则认为中国或印度文明属于经验人类学的类型,缺乏科学知识所要求的自明的开端和理念目标。所以,他认为"一切其他文明的欧洲化不是一种历史的荒唐胡闹,而具有绝对的世界意义"①。对此,张庆熊指出,"两位大哲学家对东西方哲学的评价都切中要害"②。因为在他看来,一方面,"西方哲学有利推动对外在的物质世界的研究和建设,但不注意从根本上挖掘和发扬人的内在的德性,这样会导致一个物欲横流、道德精神沦落的社会,再好的社会政治体制也将无济于事"③。另一方面,"中国的传统哲学把仁义的道德精神建立在人的本心的基础上……使人知道安身立命的根本道理。但是中国的传统哲学基本上停留在经验的层次看待外部世界,没有认识到或认真考虑过客观世界的知识在理论上的统一性的问题,因而不力求建立统一的、完整的、以自明的公理为基础的科学理论体系。这样,中国的科学技术的水准就难以提高"④。通过这种比较,作者认为,"作为一种有责任心的哲学家不能不看到这两方面的问题,以便取长补短,推进哲学

---

① 张庆熊:《熊十力的新唯识论与胡塞尔现象学》,第261页,上海人民出版社,1995年。

② 同上。

③ 同上书,第264页。

④ 同上。

事业的发展"①。不仅如此,在这几个方面比较的基础上,还有对现象学与新唯识论比较的总体归纳,就是:"其共同点在于:他们在建构本体论的体系时,都注意探究意识的结构,发现意识总是对于某种东西的意识,换句话说,意识行为总是以某种方式与对象相关联。他们强调:直觉,特别是反省的直觉在哲学认识中的重要性,对本体论的研究必须首先要注意到意识在认识活动中的构成作用。他们的区别点在于:熊十力主张哲学的真知灼见与道德修养相辅相成,因为本心既是本体论上的太一,又是伦理上的第一原则,本心显现在万事万物中,与人的通常的心相联结。因此,人必须遵循本心安身之命,以便获得最大的生命幸福和觉悟。胡塞尔的思路与此不同,他持理智主义的立场,只注意到从理性出发研究伦理问题,没有看到道德修养是体认本体论的真理的必要途径"②。

虽然这些归纳还有进一步讨论的余地,但它却不但是作者长期潜心研究基础上提出来的,表述简洁,论述充分,而且更为重要的是,通过上述比较有理有据地阐明了进行中西哲学比较与会通研究的必要性与可能性。这样进行研究对于中西哲学的进步与推动社会的发展,都具有积极意义。

五、熊伟与海德格尔哲学东渐

在热情地引进与传播胡塞尔现象学的推动下,对于深受其影响的海德格尔"此在现象学"的研究,也有了明显的进展。而当谈

---

① 张庆熊:《熊十力的新唯识论与胡塞尔的现象学》,第 264 页,上海人民出版社,1995 年。

② 张庆熊:《熊十力的新唯识论与胡塞尔的现象学》,"前言",第 8—9 页,上海人民出版社,1995 年。

到海德格尔哲学东渐时,便必然首先想到熊伟为此做出的贡献。

熊伟(1911—1994),贵州贵阳人。北京大学哲学系毕业后赴德留学;1933年至1936年在弗莱堡大学时师从胡塞尔与海德格尔,1937年转波恩大学深造,1939年获得哲学博士学位。在柏林大学工作了一段时间后于1941年回国,先后担任过南京大学、同济大学与北京大学教授、系主任,外国哲学研究所副所长,中国现代外国哲学研究会副会长。

作为海德格尔的亲炙弟子,熊伟也是海德格尔哲学东渐的奠基人。主要表现在:

首先,是他最早把海德格尔哲学介绍到中国来。40年代初回国后,在路过昆明时做的一次学术报告中,他即提到了海德格尔及其哲学。不久,又在中央大学《文史哲》学报(1942年第2期)上,刊出了他的《说、可说;不可说、不说》一文。尽管因为当时国内学界对海德格尔甚为陌生,反应不怎么热烈,但从中可以看到他对海氏哲学的独到理解及其哲学研究上的敏锐与力度。例如,对海德格尔思想中刚刚显露出来的"语言转向",他在前面提到的这篇文章中,就从中西比较哲学的角度阐发了海氏关于"语言"与"存在"的理论。值得一提出的是,文章写成于海德格尔对语言问题尚处于苦苦探索的过程中,他便意识到了海氏对语言本质思考的重要性。这充分表现了作者哲学上深刻的洞察力。

后来,在"戴着口罩掏垃圾箱"的条件下①,虽然他沉默了一些时间,但这不但没有阻碍他的深思,倒是反而使其思更加深沉了。

---

① 这是熊伟1952年思想改造运动中讲的一句话。参见朱德生《戴着口罩掏垃圾箱——纪念熊伟教授逝世五周年》,载《安徽师范大学学报》,2000年第3期。

所以,当改革开放的春风吹来,他即以一种从未有过的精神状态全身心地投入并有力地推动着海德格尔哲学在中国的传播。仅就继续介绍与诠释海氏哲学来说,长期以来,熊伟总是把海德格尔哲学当做一种人生哲学来理解、来实践;在这一方面,他有点儿像中国的古之贤哲,述而不做,少有论著发表。然而,科学的春天到来后,他不但说,而且还写。在一段不长的时间里,通过各种形式仅发表专论海德格尔哲学的文章,就有《海德格尔是一个哲学家——我的回忆》、《海德格尔》、《海德格尔与马克思》、《恬然于不居所成》、《"在"的澄明——谈海德格尔的〈存在与时间〉》、《自由的真谛》、《道家与海德格尔》、《海德格尔与中国哲学——1987年全德哲学大会报告》、《海德格尔论自由》与《现象学思潮研究》等。这些文章后来都收集在《自由的真谛——熊伟文选》一书中①。此外,还主编有两岸三地学者研究现象学思潮的《现象学与海德格》论文集一本,在台湾出版。

在数量上,这些论文在新时期海氏哲学的传播中,显然不算突出。但它的价值不在这里,而是在内容上。不过,在这一方面,不但透过这些文章,大大深化了对海德格尔哲学的认识,而且更重要的是,运用中国传统哲学的智慧,指明了在中国引进与研究海德格尔哲学的方向。正如有的学者肯定的那样:熊伟"对本世纪西方这一精深博大的哲学思想的领悟与解释,从一开始就有意识地建筑在对中国文化传统的深层关切之上。这一深层的对中国文化的关切可以说伴随了先生一生,这不仅使先生有别于其他与他同时的专研西方哲学的中国学者,而且更使他的工作在70年代末以来的中国新一轮思想开放大潮中,预示着中国思想学术发展在吸取

---

① 这些文章发表的刊物与时间,在该书中都可查到。

与批判西方思想上不可或缺的一个新方向"①。这是在中国研究海德格尔哲学的主要意义所在。

其次,是他最早把海德格尔的著作翻译成中文。1962 年,熊伟译的海德格尔《论人道主义(的信)》,刊登在《现代外国资产阶级哲学资料》的第二、三辑合刊上。1964 年,在商务印书馆出版的《存在主义哲学》(中国科学院哲学所编)与《现代资产阶级哲学论著选辑》(洪谦主编)中,前者有他译的海氏《存在与时间》的扉页语与第 4、6、14、26、27、38、40、41、53、65、74 共 12 节,使海氏这本成名之作的概貌进入了中国读者的视野;后者有他译的海氏《形而上学是什么》、《林中路》的扉页语和其中的《诗人何为》,以及《存在与时间》的扉页语和导论的第 4、6 两节。这些译著的问世,虽还处在海氏著作译成中文的起步阶段,然而通过它们不但使海德格尔为国人所知晓,而且还为新时期海德格尔著作系统地译成中文提供了条件。例如,1987 年,由陈嘉映和王庆节合译、熊伟校订的《存在与时间》在三联书店出版时,两位译者在"译者序"中指出,熊伟 60 年代译出的该书 12 节,"是本书的重要部分,虽然这次为了全书译名与风格的统一,我们重译了这几节,但熊伟先生的译文毕竟为翻译全书奠定了基础"②。原因在于,"那 12 节,是那本书'起、承、转、合'的关节点(尽管还比较稀疏),其中出现了一大批最重的术语或思想线索。因此,说熊伟的译文'为翻译全书奠定了基础'是一点也不过分的"③。

而且,在本时期中,熊伟除校订了《存在与时间》外,由他翻译

---

① 王庆节:《亲在与中国情怀——怀念熊伟教授》,见《自由的真谛》"附录",第 396 页,中央编译出版社,1997 年。

② 陈嘉映、王庆节:《存在与时间》"译者序",第 3 页,三联书店,1987 年。

③ 张祥龙:《现象学思潮在中国》,第 68 页,首都师大出版社,2002 年。

的《形而上学导论》(第二、三章)、《只还有一个上帝能救渡我们》,均收入在上海三联书店出版的《海德格尔选集》中。从数量上说,这仍然不甚突出。然而,熊伟上述译著的译文,渗透着中国古文的体悟,易为中国人接受,且真正体现了海德格尔哲学的神髓。例如,在《形而上学是什么》中,认为"无"(das Nichts)要比知性的"逻辑"或概念的"否定"更根本,它将一切可对象化的存在者充分否定,从而启示出来一个原始的超越的境界,即早期海德格尔心目中的"形而上学"或存在本身的境界。这对于任何稍知老庄、《易传》或禅宗的人来说,是会感到特别亲切的。又如,他将揭示"无"的"Angst"(恐惧、忧虑)译作"畏",既有"畏惧"之意,又能让人想起孔子讲的"君子有三畏"之畏,因而带有比简单的"害怕"更为深广、更有精神性("畏天命")的意味。可以说,国内现在许多海德格尔著作术语的译名,诸如"亲在"(dasein)、"在"(sein)、"烦"(sorge)、"畏"(Angst)、"地平线"(Horzont)等等,都是出自熊伟的笔下,都无不浸透着他对中国文化传统的深切关怀与对海氏哲学的深刻领悟。就以将"Dasein"译为"亲在"来说,既透露了一种"亲密"的意味,又显露了儒、禅的意味,让人看到后感到海德格尔思想新颖的效果。后来,由他指导的研究生把"亲在"改译为"此在",尽管他高兴地承认这样译出在文字上顺畅一些,但也有不可否认的缺点。主要是"此"过于呆滞,似乎"Da"在海德格尔那里,只意味着"当下一处一刻",让人联想到那把持自身的主体,进而断言海氏早期思想是主体主义的。实际上,"亲"既有"总是与我不可分的"的含义,又有明显的"原发关系"的"虚"义和"新"义,因而容易让人想到"亲情"一类的人际关系和人与世界、家园的关系。可见,把"Dasein"译为"亲在"比译成"此在"更接近海德格尔的原意。对此,后来王庆节谈到他们的改译时,他写道,"随着对海德格尔理解的加深,我愈益感到,'此在'一译,固然对初步理解海德格尔与在具体的翻译实践中有许多便当之处,但在吃透海德格尔'Dasein'的深意方面尚有欠缺。相形之下,熊伟先生的旧译'亲在'除了在许多方面深得海德格尔 Dasein 概念的精髓之外,还更多地体现出先生在中国文化的深切关怀与中学根基"①。这段含有"亲在"意味的反思,足以说明熊伟译著的特点及其价值所在。主要是熊伟把对海德格尔的阐释体现在他的汉译中,为我们理解海氏哲学架起了一座桥梁。因此,他译出的这些术语,具有很强的生命力,其中不少早已融入到了当代汉语语境里,成为普遍使用的学术语言。

最后,由他精心培育的一批研究人才,对于海德格尔哲学东渐的推动作用,更是十分直接的。总之,"一批青年学者渐渐从学理上了解到了海德格尔的哲学,一步一步深入到现象学——存在哲学——解释学传统之中。20 世纪最重要的一个西方思想传统,从学界几无所知,到毫无所知却大批判,再到如今,海德格尔哲学在中国学界几成'显学',这不能不在很大程度上归功于熊伟先生"②。

六、孙周兴的海德格尔著作翻译与阐释

在新时期崭露头角的年轻学者中,孙周兴在海德格尔著作翻译与研究方面,作出了显著成绩。

孙周兴(1963—),浙江绍兴人。1989 年与 1992 年,先后取得浙江大学哲学硕士和杭州大学哲学博士学位。1999 年到 2000

---

① 王庆节:《亲在与中国情怀——怀念熊伟教授》,见《自由的真谛》"附录",第 396 页,中央编译出版社,1997 年。
② 王炜、陈嘉映:《于天人之际·求自由之真谛——忆熊伟先生》,见《自由之真谛》,"附录",第 393 页,中央编译出版社,1997 年。

年,得到洪堡基金会的资助,在德国从事海德格尔哲学研究。现为同济大学哲学与社会学系教授、系主任、德国哲学与文化研究所所长。

他的研究成果首先表现在,1994 年由上海三联书店出版的《说不可说之神秘——海德格尔后期思想研究》一书。这是孙周兴的博士论文。作者写这本书的基本意图,是要追踪海德格尔的思想道路,"对海德格尔后期思想作了一种类似于'体系化'的清理和重构,借此来澄清海德格尔的思想主题——'语言与存在',并揭示海氏超越西方形而上学传统的思想努力的深层意蕴"①。为了有效地进行这项清理与重构工作,首先,他阐明了海德格尔从前期"转向"后期的含义,认为前期以"存在与时间"为代表的基本存在论,依然"停留在主体哲学的'后唯心主义阶段'"②,指出了海氏向后期的转向,实际上意味着"返回"到早期希腊思想。因为在这里,他借助于开端处存在思想的基本语词——"涌现"(physis)、"解救"(Aletheia)和"聚集"(Logos)等,才在一种"返回步伐"中,形成了自己的"语言——存在"思想的大体轮廓。

接着,围绕上述基本语词论述了海德格尔的后期思想。在第三章中,把海氏 30—40 年代关于艺术和诗的沉思归纳为 Aletheia 之论,以此阐明了存在本身由隐到显。在第四章中,把海氏 50 年代关于物的思考归纳为 Logos 之论,以此阐述了存在本身由显到隐。第五章则集中论述海氏思想的中心词语 Ereignis(大道)和 Sage(道说),"借此挑明后期海德格尔思想的目标和宗旨"③。在

---

① 孙周兴:《说不可说之神秘》"前言",第 1 页,上海三联书店,1994 年。
② 同上。
③ 同上书,第 2 页。

作者看来，"大道"是后期海德格尔超越形而上学及其概念方式运思努力的集中体现。它高于"有"与"无"，集解蔽和聚集于一身，人在"大道"中应合"道说"。而所谓"道说"，乃是海德格尔在非形而上学意义上所思的语言，是"大道"的运行和展开。通过这一番论述，作者认为，"后期海德格尔的'大道'明显有着汉语思想中的'道'的一些烙印。汉语的'道'、'道说'和'道路'等含义被海德格尔采纳在 Ereignis 中了"①。这说明海氏在超越西方形而上学传统的努力中，已经体会到了东方思想的魅力。在这一点上，他的思想超越了"种族中心主义"，在"语言——思想"的维面上开启了一道世界性的眼光。

通过对后期海德格尔语言思想的具体分析，揭示了海氏神秘语言之思的底蕴。作者指出，后期海德格尔思想的奥秘所在就是他的"两重性"学说，表现为"解蔽——聚集"、"澄明——遮蔽"、"在场——不在场"、"人言——道说"、"可说——不可说"等。这两重性实即"大道"（存在）本身，也是"道说"（语言）本身。人归属于"两重性"，应合于"二重性"。诗人和思者的天命，即在于突入这一"二重性"的转换界面：说不可说之神秘。可见，"二重性"是语言发生源。作者指出，这是"后期海德格尔的玄奥运思的宏旨要义，亦标征着海德格尔重解人类语言（文化）生成之谜的不懈努力"②。

这是一位刚出现在哲学舞台上的青年学者对海德格尔后期思想作出的阐释。虽然用"解蔽"和"聚集"来"重构"海氏后期思想的做法还有进一步讨论的地方，但它依据丰富的原著材料，突出了

---

① 孙周兴：《说不可说之神秘》"前言"，第 3 页，上海三联书店，1994 年。
② 同上。

对 Ereignis 的重视,以及它与"道说"及汉语之"道"关系的分析,不但有文本根据,解读也是颇有见地的。其中,特别"是以'显'和'隐'的互动关系来理解作为后期海德格尔思想中枢的'二重性',并以细密的文本阐释将其一次次(比如海德格尔对早期希腊之思的解说,'真理的本质',艺术、语言等)贴切的显示出来,最后集中于'大道'和'道说'的分析中,是很有启发力的"①。

其次,孙周兴的成果还表现在海德哲尔著作的翻译上。前述著作问世后不久,他译出了海德格尔后期思想中有关"路"(Weg)的三本著作,即:《在通向语言的途中》(商务印书馆,1997 年)、《林中路》(上海译文出版社,1997 年)与《路标》(台北时报文化出版公司,1998 年)。透过这些译著,表现了作者对"'道路'这个形象在海德格尔那里居有特别重要的地位"的认同②。在这期间,他还主持编译出版了《海德格尔选集》(上海三联书店,1996 年)。这部由 42 篇文章构成的两卷本选集,提供了了解海氏前后期思想的基本文本。书中有 26 篇是由孙周兴亲自翻译的,而且在"编者引论"的最后,他发表了一段富有深意的话:"'问乃思之思之虔诚'。而在这个'无思'的技术时代里,谁人能理解海德格尔之思和问的惊心动魄"?③ 这个问题值得提出,也能够引发人的深思。进到世纪之交的几年,1999 年至 2002 年,他更是利用在德国研究的机会译出了《尼采》一书(商务印书馆,2003 年),它的内容包括1936 年至 1942 年海德格尔在弗莱堡大学做的六个尼采专题讲座。中译本是孙周兴根据单行本增补第六版(德国京特·纳斯克

---

① 张祥龙:《现象学思潮在中国》,第 81 页,首都师大出版社,2002 年。
② 孙周兴:《说不可说之神秘》,第 2 页,上海三联书店,1994 年。
③ 孙周兴:《说不可说之神秘》,"前言",第 3 页,上海三联书店,1994 年。

莱特——科塔出版社,斯图加特,1998 年)译出的。

这些译著的问世,使海德格尔著作的东渐形成了一次不少的浪潮,有力地推动了海德格尔哲学全面而深入的研究。而且,在翻译上也有值得肯定的价值。主要是由于孙周兴的翻译是在经过长期艰苦钻研之后进行的,因此,他的译文都有对海德格尔哲学理解上的充分支持。其中,译者感受到了海氏语言的隐喻力和游戏技巧,即是一个最佳的例证。表现在他对"语言的本质"这篇文章的翻译中,便不仅注意到了以"道路"(Weg)为根的一组词的相互关联;像"在途中"(unterwegs)、"让通达"(gelangen lassen)、"地带"(Gegend 境域)、"地带化"(Gegende 境域化)、"开辟道路"(Be-Weegen)、"提供道路"(Weegen)和中国的"道"(Tao),而且在译文中通过一些方式把它们表现出来了。从中可以看到,体现这"道路"的存在论开道本性的"说"(Sage)与老子之"道"的内在关联,所以把它译作"道说",这是颇能体现海氏著作原意的。正是因为有了这种理解和工夫,才有可能使英译者感到过于困难而不敢译的语言游戏的段落都译出来了。

总之,他的译著和他的著作一样,虽然都有进一步推敲的地方,但是,从他的译著与著作中又可以看到新世纪西方哲学东渐的希望。

七、靳希平的海德格尔早期思想研究

在本时期海德格尔哲学研究中,除了前面论述过的孙周兴的《说不可说之神秘》外,还先后有下列作品问世。它们是:俞宣孟的《现代西方的超越思考——海德格尔的哲学》(上海人民出版社,1989 年)、宋祖良的《拯救地球和人类未来——海德格尔的后期思想》(中国社科出版社,1993 年)、靳希平的《海德格尔早期思

想研究》(上海人民出版社,1995年)、陈嘉映的《海德格尔哲学概论》(三联书店,1995年),张汝伦的《海德格尔与现代哲学(复旦大学出版社,1995年)、张祥龙的《海德格尔思想与中国天道》(三联书店,1996年)与《海德格尔传》(河北人民出版社,1996年)、黄裕生的《时间与永恒》(中国社科出版社,1997年)、刘敬鲁的《海德格尔人学思想研究》(四川人民出版社,2001年)、胡自信的《黑格尔与海德格尔》(中华书局,2002年)、周民峰的《走向大智慧——与海德格尔对话》(四川人民出版社,2002年)与李智的《海德格尔的现代性批判——另一种后现代主义》(首都师大出版社,2003年)等。把这些著作综合起来,不但可以看到中国学者研究海德格尔哲学的进展,而且它们都分别具有一些不同的特点。这里,以靳希平对海德格尔早期思想的研究进行说明。

靳希平(1949—　),陕西西安人。1972年进入北京大学哲学系学习,毕业后留校任教。1980年至1984年在德国 Tuebingen 大学师从 Klaus Hartmann 读研究生,获哲学硕士学位。现为北京大学哲学系教授。

回国后为了把胡塞尔现象学方法输入到中国来,他发表了不少文章。其中,发表在《德国哲学》第7、8辑上的《现象学知识论述评》,便是他为此作出努力的表现。他认为,现象学的特点,既是一种认识论,又是一种方法论。从这种认识出发,他就胡塞尔现象学的各种问题,如意识的意向性结构、直观和对象、感性直观、范畴直观、本质直观、本质性知识、经验性知识的真理性问题,进行了相当详尽的介绍,并在这个基础上依据自己的理解对它作出了整体描述。他指出,这种意向性认识论,"实际把人们在认识活动中主体的主动性突出到在认识的构成中起决定性作用的地位……所以胡塞尔认为,一切认识活动都是以这种主动的意向性活动为基础的"①。在进一步的研究过程中,他从胡塞尔推进到海德格尔,并先后出版了专著《海德格尔早期思想研究》与译著《海德格尔传》(根据 R·Safranski 的《出自德意志的大师——海德格尔与他的时代》1994 年德文本译出,以现书名 1999 年由商务印书馆出版)。

在《海德格尔早期思想研究》中,靳希平依据大量的原始材料,其中有些是过去国内"海学"界从未涉足过的,如 Hugo Ott 的《马丁·海德格尔——在通向其传记的途中》(1988 年)、Victor Farias 的《海德格尔与国家社会主义》(1989 年)以及上述由他译出的《海德格尔传》,阐述了自 1909 年至 1916 年间海德格尔的早年生活及其思想。在阐述时,他突破了西方流行的同类著作中的解释框架,集中通过对海氏早年发表的文章进行分析,以此找寻他的思想形成的足迹,进而揭示他的早期思想。在这一方面,靳希平进行了开拓性研究,提出了不少独到并富有启发性的论点。

例如,在第五章"对外部世界实在性的辩护"中,作者认为,"海德格尔在自然观、宇宙观上,从青年时起,就是一个实在论者:承认外部世界的存在是独立于人的主观意识的现实存在,它是人类认识的直接对象,是知识上客观性有效性的最终来源。至于如何在哲学上对外在世界的实在性加以规定,他既不同意朴素实在论的做法,也不同意批判实在论的修正方案"②。在他看来,正是在这个问题的解决上,使海德格尔走上了《存在与时间》的道路。

---

① 靳希平:《现象学知识论述评》,载《德国哲学》,第八辑,第 137 页,1990年。

② 靳希平:《海德格尔早期思想研究》,第 51 页,上海人民出版社,1995 年。

因为"这个基本观点是《存在与时间》中的基础本体论的哲学基本前提,或者叫自然哲学前提。了解这一点也是正确理解海德格尔哲学的必然前提"①。

又如,在第六章"自然科学、数学、符号逻辑"中,作者针对研究中一些人宣称海德格尔不谙自然科学和逻辑学的错误看法,使用了大量的材料,明确指出海德格尔哲学与英美科学哲学传统来自同一个源头,是从自然科学、数学及逻辑哲学基础问题的研究发展出来的。因此,他写道:"海德格尔并不是凭诗人的浪漫气质看到数理逻辑的局限性,而是凭借他对传统形而上学问题、逻辑基础问题的广博知识和逻辑问题本身的深刻的直接的体会看到了这一点"②。例如,他从逻辑学内容看到了数理逻辑的局限性,使他不但没有陷入形式化的陷阱,相反,还使他得以独辟蹊径发展出自己独立的思想。这个观点的提出,有利于纠正有的人草率地把海德格尔的思想归之为"反理性主义"或单纯的"人文"诉求的流行看法。

再如,在第十二章"海德格尔同胡塞尔现象学殊异"中,作者从两位哲学家为《大英百科全书》共同撰写"现象学"条目时,因观点分歧而最终未能统一这一史实出发,在使用大量篇幅具体地阐明了他们的分歧所在的基础上,揭示了两者产生分歧的根源。靳希平写道:"海德格尔认为,胡塞尔的现象学之所以不符合他自己提出的现象原则,就在于胡塞尔在其整个哲学思考中一直站在传统认识论的立场上"③。这种认识论把人作为与其他各种不同的

① 靳希平:《海德格尔早期思想研究》,第50—51页,上海人民出版社,1995年。
② 同上书,第79页。
③ 同上书,第272—273页。

东西对立的意识性主体来把握和规定，而其他东西则作为客体来把握。由此便"产生了这样的问题：主体与客体二者是如何统一的？或者二者中谁在本质上是第一性的？或者二者中谁更根本"？① 西方近代所进行的哲学思考，就总是在这样的两极对立中往来迁回。在海德格尔看来，胡塞尔通过他创立的现象学方法，本来有可能使他的哲学从上述哲学传统的立场中解放出来，然而，由于他的哲学内容的出发点，及其现象学工作的实际领域，却恰恰是传统的，使他又回到主体中来寻找解决的途径。这说明，胡塞尔没有把自己的现象学原则贯彻到底。相反，"海德格尔要努力彻底贯彻现象学精神，完全从传统哲学中解放出来。他要超越两千多年的欧洲哲学传统，回到欧洲哲学的起点去批判这个传统的起源本身，即从巴门尼德和柏拉图哲学思考中去批判地探索欧洲哲学两千多年'迷误'的根源，克服近代的认识论的统治，从新的角度重新提出本体论问题，并且用全新的方法来处理这一问题"②。可见，他们的分歧源于怎样看待与超越近代西方的认识论传统。这是有充分事实根据的，也是能令人信服的。

八、洪汉鼎的解释学著作的翻译和研究

虽说解释学源远流长，但在其哲学化进程中，只是到 1838 年施莱尔马赫的《解释学与批判》一书发表，才标志着解释学哲学诞生。因为在此之前的解释学，主要是作为语文学、神学和法学的解释方法进行阐述的，从施氏的这本著作问世开始，才越出具体的领域，以一般意义的理解作为它的研究对象。不过，现代意义上的解

---

① 靳希平：《海德格尔早期思想研究》，第 273 页，上海人民出版社，1995 年。
② 同上书，第 274 页。

释学,又是在 20 世纪的 60 年代,随着伽达默尔《真理与方法》的出版兴起的。在这部书中,伽达默尔从本体论语言观出发,阐明了解释学的普遍性,尤其经过 70 年代与哈贝马斯的争论和对话,更是使他自觉地将解释学向实践、应用的领域拓展,真正实现了解释学的普通性,使其影响愈来愈大。

早在 80 年代初,解释学一词通过一些哲学译文传到中国来了,但是,它的传播真正起步,却是 80 年代的中后期。进入 90 年代以来,在现象学传播的带动下,更是受到了学术界的重视。例如,为了推动对它的研究,1981 年、1991 年与 2002 年,先后在深圳、成都与威海举行过解释学研讨会;其中在深圳会上,德国杜塞尔多夫大学的 L·盖尔塞策教授还就解释学的正当含义和德法解释学的不同方向作了报告。又如,不少期刊辟出版面,登载有关解释学的译文或专文;其中,《哲学译丛》1986 年第 3 期"解释学专辑",可以说是解释学全面起步传播的标志。此外,邀请当代德法著名的解释学家利科尔、哈贝马斯、德里达访问北京、上海、南京等地与中国学者开展了十分热情的对话。通过这些活动,都有力地加速了它在中国大陆的传播步伐。

因此,解释学输入到中国来的时间虽然不长,然而由于学者们的多方面努力,使它在传播过程中,通过译文、专文、译著、专著以及教材等文献形式,取得了一批学术成果。据初步统计,1990 年到 2002 年间,仅发表的有关论文即有 247 篇①;译出解释学的原著仅伽达默尔的就有:《美的现实性》、《真理与方法》、《伽达默尔论柏拉图》、《伽达默尔论黑格尔》、《哲学解释学》、《伽达默尔

---

① 这些论文的篇名、登载期刊与发表时间,请参看何卫平:《西方解释学在中国的传播及效应》,载《世界哲学》2000 年增刊,135、140—150 页。

集》、《理解与解释：诠释学经典文选》与《科学时代的理性》、《赞美理论》①等；中国学者出版的专著有：张汝伦的《意义的探究——当代西方释义学》、殷鼎的《理解的命运——解释学初论》、施雁飞的《科学解释学》、郑涌的《批判哲学和解释哲学》、李超杰的《理解生命》、严平的《走向解释学的真理——伽达默尔哲学述评》、章启群的《伽达默尔传》、王泉川的《现象学和解释学文论》、邓安庆的《施莱尔马赫》、洪汉鼎的《诠释学：它的历史和当代发展》与《伽达默尔〈真理与方法〉导读》、何卫平的《通向解释辩证之途——伽达默尔哲学研究》、章启群的《意义的本体论：哲学诠释学》、李建盛的《理解事件与文本意义——文学诠释学》、韩云等的《历史·理解·意义——历史诠释学》、谢晖等的《法律：诠释与应用——法律诠释学》、杨慧林等的《圣人·圣言——神学诠解学》、黄小寒的《"自然之书"解读——神学诠释学》、黄松华的《诠释学与先秦诸家之意义生成》与喻吾金的《实践诠释学：重新解读马克思主义哲学和一般哲学理论》等②。

从这些成果中可以看到，中国学者对解释学逐步有了比较准确和全面的认识，通过它们的传播，还潜移默化地促进了国人思维方式的变革与当今人文科学和社会科学的研究。例如以后者来说，就使不少人感到要从事人文科学研究，必须接受解释学的训练，并且随着传播的进展，有些学者还开始尝试把它和人文社会科学结合起来，提出了建立马克思主义解释学与中国解释学的设想。

在这个过程中，有些学者为此做出了重要贡献。为了具体地

---

① 这些译著出版的时间与出版社，请参看何卫平：《西方解释学在中国的传播及效应》，载《世界哲学》2000年增刊，第138—139页。

② 这些著作的出版社、出版时间，请参看何卫平：《西方解释学在中国的传播及效应》，载《世界哲学》2000年增刊，第135、138—139页。

阐明解释学在中国的传播及其进展,有必要介绍其中几位学者的传播活动及其成果。

首先,这一题要提到的是,洪汉鼎的解释学著作的翻译和他对解释学的阐述。自80年代中期以来,他几乎全身心地投入到解释学东渐事业上来。表现之一是,对解释学家著作的艰苦翻译。在这期间,除译出了伽达默尔的《真理与方法》(上卷,1992年;下卷,1999年,上海译文出版社)、《诠释学I:真理与方法——补充和索引》(台湾时报文化出版有限公司,1993年)、《诠释为II:真理与方法——补充和索引》(同前一出版社,1995年)外,他还主编了《理解和解释:诠释学经典文选》(东方出版社,2001年)。

其中,《真理与方法》在当代西方哲学的发展中,是继胡塞尔的《逻辑研究》、海德格尔的《存在与时间》之后又一部重要的经典哲学著作。自它问世以来,不仅西方哲学和美学深受它的影响,而且这种影响迅速地波及西方的文艺批评理论、历史学、法学和神学等各人文科学领域。把它译成中文出版,对于解释学东渐具有关键的意义。然而,它的难度又是明摆着的。正像翻译过程中,为一些概念的译名洪汉鼎同伽达默尔进行讨论时,伽氏甚至提出的一条"不可翻译性"的诠释学原理那样。不过,这没有使他退却,而是迎难而上。在他看来,"如果我们把翻译同样也视为一种理解、解释或再现的话,我们也不可因为翻译不能正确复制原书的原本意义而贬低翻译的价值"①。原因在于,"正如一切艺术作品的再现一样,一本书的翻译也是一种解释,因而也是该书继续存在的方式"②。因此,他使用了几年的工夫,不仅把它译出来了,而且还在

---

① 洪汉鼎:《真理与方法》"译者序言",第13页,上海译文出版社,1992年。
② 同上。

海峡两岸先后出版了。对此，有的学者认为，"它的出版极大地促进了国内西方解释学的研究的深入和发展，赢得了人们的普遍赞誉"①。

另外，由他主编的《理解与解释：诠释学经典文选》，也在这段时间内与读者见面了。这是国内第一部较为全面、系统的解释学经典文选，从近代的阿斯特、施莱尔马赫、狄尔泰到现代的海德格尔、伽达默尔、哈贝马斯、阿佩尔、贝蒂、利科尔与罗蒂的有代表性的论著都被收入进去了。其中，阿斯特的《解释学》、施莱尔马赫的《解释学箴言》与《解释学讲演》、狄尔泰的《解释学的起源》与《对他人及其生命表现的理解》、贝蒂的《作为精神科学一般方法论的解释学》，都是非常珍贵的解释学经典文献。因此，它们的问世，对于全面了解解释学的理论主张，推动解释学的进一步研究都具有重要的作用。

表现之二是，对解释学哲学的全面阐释。洪汉鼎把翻译和研究结合起来，并且，为了推进解释学在中国的传播，他还运用其取得的成果在海峡两岸的有关学术会议的讲坛上或高等学校的课堂上，进行了轮番讲演。后来，他把这些讲稿进行整理，于2001年出版了《伽达默尔〈真理与方法〉解读》和《诠释学——它的历史和当代发展》两本著作。前者是《真理与方法》的导读性著作。在西方，人文教育非常重视原著解读。因此，曾经出版过不少此类导读性著作。如伽达默尔的学生、《真理与方法》的英译者C·威舍默的《伽达默尔的解释学：〈真理与方法〉导读》一书，在英语世界中便产生了广泛的影响，被许多大学的有关专业指定为必读之书。

---

① 何卫平：《西方解释学在中国的传播及效应》，载《世界哲学》2002年增刊，第127页。

同样,洪汉鼎对《真理与方法》的解读,对于中国读者正确地理解与接受伽达默尔的解释学,也有重要的引导作用。

后者则是国内第一部全面阐释西方解释学说史的著作。在这本书中,作者从历史的角度展示了西方解释学思想发生、发展的过程。读过之后,不仅使人对它的来龙去脉有了比较系统、深入的了解,而且,书中最后提出的总结,还有利于帮助读者从整体上与发展上把握解释学。例如,论述伽达默尔的解释学时,认为它"包含一个更加广泛的意义,因为他们主张,不仅我们关于文本和精神产品的知识,而且我们自身的发展都依据于某种理解,理解不是主体的行为方式,而是此在本身的存在方式"①。又如谈到解释学的最新发展时,认为它已经成为一种"作为理论和实践双重任务的诠释学,或者说是作为实践哲学的诠释学。这种诠释学既不是一种理论的一般知识,又不是一种应用的技术知识,而是综合理论与实践双重任务的一门人文学科,这门学科本身就包含了批判和反思"②。这些精到的归纳,相当准确地揭示了解释学哲学的真谛,在解释学的传播过程中,它的出版"具有补白的性质和意义"③。这些评价都是实事求是的。

九、张汝伦对解释学"原意"的阐发

在解释学东渐的过程中,张汝伦是崭露头角的年轻学者之一。

张汝伦(1953—　　),上海市人。1984 年与 1987 年,先后取得

---

①　洪汉鼎:《诠释学——它的历史和当代发展》,第 334 页,人民出版社,2001 年。

②　同上书,第 335 页。

③　何卫平:《西方解释学在中国的传播及效应》,载《世界哲学》2002 年增刊,第 129 页。

复旦大学哲学硕士与博士学位。1988 年获洪堡基金奖学金赴德留学,在杜宾根大学与弗莱堡大学从事博士后研究。现为复旦大学哲学系教授。在其颇为丰硕的著述中,有关解释学的论著占有很大的比例。

在这一方面,他是在中国传播解释学最早的学者之一。早在1984 年,他便在《复旦学报》第 6 期上,刊出了《理解:历史性和语言性——哲学释义学简述》一文,相当全面地阐明了解释学的理论主张及其基本面貌。后来,通过多种形式发表了一批论述解释学的论文,依次有:《哲学释义学的发展——利科的哲学释义学》、《伽达默尔哲学释义学》、《哲学释义学还是意识形态批判——伽达默尔和哈贝马斯争论述评》、《释义学的"实践哲学"》、《释义学的语言哲学和语言实践哲学》与《解释学在 20 世纪》等①。它们从不同的角度,既阐明了解释学几位主要代表人物的论理学说,还探讨了它在当代的发展趋势。

要指出的是,解释学在中国传播起步时,张汝伦还出版了《意义的探究——当代西方释义学》一书。他认为,把 hermeneutics 这个词译成"释义学"要比译成"解释学"、"阐释学"或"诠释学"要好,因为它体现了 hermeneutics 这个词的特点。在这部书中,他沿着解释学发展的脉络,以评价伽达默尔的思想为主,但又不拘泥于它,而是着眼从整体上把解释学输入到中国来。其中,值得重视的是,作者在又述又评过程中对解释学家思想"原意"的阐发。

例如,狄尔泰在解释学发展过程中的重要性,是众所周知的。不过,解释学只是他的整个哲学构思的一部分,只有联系其所关注

---

① 这些论文发表的杂志与发表的时间,请参看何卫生平:《西方解释学在中国的传播及效应》,见《世界哲学》2002 年增刊,第 135、136、141—143 页。

的基本哲学问题以及这种关注的产生,才能更好地理解狄尔泰的解释学思想。因此,在该书的第二章中,张汝伦首先谈到了狄尔泰面临实证主义和历史主义挑战,并以此从理论背景上阐明了狄尔泰解释学的产生,认为是既包容又拒斥实证主义和历史主义二者的结果。并且在这里,还具体地论述了狄尔泰从实证主义那里吸收了它重视经验的思想,又拒绝了实证主义把自然经验等同于所有经验的思想;从历史主义那里吸收了它重视人类现象独特性的思想,又拒斥了历史主义把一切都相对化的怀疑主义的思想。由此可见,狄尔泰的哲学产生在实证主义和历史主义的夹缝之中。他"最初打算把人文世界与自然世界分开,从而为人类的创造精神留下余地,以此来对付实证主义;同时,他又主张对于这个精神创造的人文世界的研究,即人文科学研究是像自然科学一样既是经验的又是客观的,以为这样就可以战胜历史主义"①。这些看法真实地反映了狄尔泰思想产生的背景,也为正确地理解他的解释学思想从理论上提供了必要的前提。

又如,怎样把海德格尔著作中晦涩的解释学思想准确地表达出来,曾经难倒过一些学者。张汝伦在这一方面的努力得到了学术界的肯定。他在《意义的探究》第四章"释义学的本体论的转折"论述海德格尔的解释学思想时,只是阐述了《存在与时间》中提出的观点,而没有提及海氏后期有关的一些看法。这种做法是有道理的。一方面海德格尔哲学并不都是解释学(至少海氏本人不认为是这样),另一方面谈到他的解释学时,主要表现在《存在与时间》中。只是在这里,海德格尔才明确地把他的"此在"的"基

① 张汝伦:《意义的探究——当代西方释义学》,第39页,辽宁人民出版社,1986年。

础本体论"称为"解释学"。所以,张汝伦把海德格尔的解释学放到他的整个"存在哲学"的背景中,联系存在与此在以及二者的关系,阐明了海德格尔在这里虽然实现了"本体论转折",但它像海德格尔的现象学一样,仍然是一种"方法论",是一种直接从属于本体论的方法论。对此,张汝伦写道:"释义学在海德格尔那里并不是一种狭义的方法论,而是显示在者之在的本体论的方法论,从在者之在或者此在的存在只有通过它来揭示这一点看,也可直接把它看作就是海德格尔那种广义上的原初的本体论"①。这样作者就从《存在与时间》的导论出发,具体地指明了海德格尔在哲学探讨中是从"方法"的角度上来谈论解释学的。这种从属于基础本体论的方法论是其他一切解释学的基础,尤其是传统意义上的以对文本进行理解的解释为己任的解释学的基础。通过作者上述对海德格尔解释学的定位,使人明白了海德格尔是在什么意义上实现了解释学的"本体论转折",避免了简单化地断言海氏解释学不是认识论和方法论而是本体论的通病,在这个基础上进一步阐明海德格尔解释学的基本观点,如理解、解释和理解、解释和前结构等,就轻松得多了。

　　再如,伽达默尔解释学在解释学中的地位及其对现代解释学思潮的影响,也是有目共睹的。然而,它究竟提出和论述了一些什么哲理,并在正确理解的基础上把它引进,却同样是摆在中国传播者面前的难题。有的学者认为,克服这个难题的关键,不在复述他的一系列基本概念和基本命题,而在于把握伽达默尔讨论问题的基本思路,就是说,只有搞清楚了伽达默尔在他的解释学中究竟要

---

　　① 张汝伦:《意义的探究——当代西方释义学》,第141页,辽宁人民出版社,1986年。

做一件什么事情之后,才能真正进入伽达默尔的解释学,并且作出符合其"原意"的阐发。这是有文本根据的。伽达默尔说过,"我本人的真正主张过去是、现在仍然是一种哲学的主张:问题不是我们做什么,也不是我们应当做什么,而是什么东西超越我们的愿望和行动与我们一起发生"①。基于这种理解,张汝论在《意义的探究》第五章,首先以"释义学现象基本上不是一个方法问题"为题,发挥了伽达默尔的上述主张。他写道:"哲学释义学就是要发现一切理解模式共同的东西,而不是要提供一种一般的解释理论和一种对于解释方法的不同说明。所以,哲学释义学不是任何意义上的方法论。哲学释义学要说明一切理解现象的基本条件,这些理解条件使理解成为一个最终不是由解释主体操纵的事件,即不是主观意识的活动。哲学释义学通过研究和分析理解的种种条件与特点,来论述作为此在的人在传统、历史和世界中的经验,以及人的语言本性,最后达到对于世界、历史和人生释义的理解和解释"②。这段对伽达默尔解释学思路的理解和归纳,正确地指明了伽氏解释学超越方法论趋向本体论的运思方向。

就是在这种理解的基础上,张汝伦准确地阐发了伽达默尔提出的诸项理解条件,如成见、权威、传统、解释学循环、视界融合、效果历史意识、解释学经验、语言的本体论地位、问答辩证法等的具体内容。而且,不但把伽氏的"原意"真实地再现出来了,还热情地批评了他对待这些理解条件态度上的片面性。

这是张汝伦步入西方哲学研究队伍后撰写的第一部著作,也

----

① 伽达默尔:《真理与方法》"第二版序言",第 4 页,上海译文出版社,1992年。

② 张汝伦:《意义的探究——当代西方释义学》,第 161—162 页,辽宁人民出版社,1986 年。

是解释学东渐起步阶段出版最早的著作之一。它以平实流畅的语言,浅显易懂的表达,相当系统地介绍和评论了解释学及其在西方的发展过程。因此,它的问世"对于帮助国人初步了解西方解释学的基本面貌和内容方面起到了很大的作用"①,时至今日,它"仍是许多中国学子了解解释学的入门书"②。

第八节　分析哲学的研究与传播

分析哲学是20世纪西方哲学中的一个重要思潮。这种哲学宣称可以通过对语言的逻辑分析解决传统哲学问题,甚至倡导使用分析手段研究一切哲学问题。虽然早在20年代随着罗素的访华,张申府的译述以及三四十年代金岳霖与洪谦的引介,使分析哲学初步地输入到中国来了,但是在这以后的一段时间内,却因把它作为现代资产阶级的反动哲学进行批判,进而被简单地置于学术研究的视野之外了。

不过,从20世纪80年代开始,在西方思潮纷至沓来的过程中,分析哲学重新引起了学术界的重视。例如,为了推动对它的深入研究与广泛传播,在一年一度的现代外国哲学年会上,仅以分析哲学为主题的专题研讨,于1987年在长沙、1988年在郑洲、1990年在武汉、1991年在香港、1994年在北京、1999年在昆明、2000年在苏州便先后举行过7次;又如,为了推进中外分析哲学家之间的交流与对话,除开展了颇具规模的相互访问外,从1989年开始定

①　何卫平:《西方解释学在中国的传播及效应》,载《世界哲学》2002年增刊,第125页。

②　同上。

期举办的中英澳暑期哲学院开设的内容，主要也是围绕分析哲学进行讲授的；再如，为了培养分析哲学的研究人才，在所有高等学校与研究机构的相关专业中，都开出了分析哲学的课程，招收了一批攻读分析哲学的博士生与硕士生，等等。就是在这个过程中，几代学者对分析哲学的研究不但开展起来了，而且在80年代一般性介绍的基础上，进入90年代以来，注重不同分析哲学家之间理论联系的探索，跟踪分析哲学发展趋势，还提出了在中国建设马克思主义语言哲学的设想。在所有这几个方面都取得了不少成果。其中，除翻译了一批分析哲学家与国外学者研究分析哲学的著作，发表了数量可观的论文外，据不完全统计，仅中国大陆学者撰写与出版的著作，便有：

波普尔哲学述评	夏基松著	黑龙江人民出版社	
维特根斯坦哲学述评	舒炜光著	三联书店	1982 年
爱因斯坦问答	舒炜光著	辽宁人民出版社	1983 年
当代西方科学哲学	江天骥著	中国社科出版社	1984 年
科学哲学简论	舒炜光著	山西人民出版社	1985 年
西方数学哲学	夏基松著	人民出版社	1986 年
孔德及其实证主义	欧力同著	上海社科出版社	
当代西方科学哲学述评	舒炜光等	人民出版社	1987 年
现代西方语言哲学	车铭洲著	四川人民出版社	1984 年
分析哲学及其在美国的发展	涂纪亮著	中国社科出版社	1987 年
英美语言哲学概论	涂纪亮著	人民出版社	1988 年
罗素哲学译述	张申府著	教育科学出版社	1989 年
早期实证主义哲学观—— 孔德、穆勒与斯宾塞	邱觉心著	四川人民出版社	1990 年
西方现代语言哲学	周昌忠著	上海人民出版社	1992 年
寻找家园——多维视野中的 维特根斯坦语言哲学	尚志英著	人民出版社	1992 年

英美语言哲学	涂纪亮主编	中国社科出版社	1993 年
现代欧洲大陆语言哲学	涂纪亮主编	中国社科出版社	1994 年
"哥白尼式"的革命—— 哲学中的语言转向	徐友渔等著	上海三联书店	1994 年
本质主义与知识问题——维特 根斯坦后期哲学扩展研究	张志林著	广东人民出版社	1995 年
弗雷格思想研究	王路著	社科文献出版社	1996 年
语言与哲学——当代英美与 法德传统比较研究	徐友渔等著	三联书店	1996 年
维特根斯坦:一种后哲学文化	江怡著	社科文献出版社	1996 年
维特根斯坦哲学之路	韩林合著	云南大学出版社	1996 年
维特根斯坦传	江怡著	河北人民出版社	1997 年
奎因哲学研究	陈波著	三联书店	1998 年
论逻辑经验主义	洪谦著	商务印书馆	1999 年
世纪转折处的哲学巨匠—— 弗雷格	王路著	社科文献出版社	1999 年
走进分析哲学	王路著	三联书店	1999 年
维特根斯坦	江怡著	湖南教育出版社	1999 年
走出语言的迷宫——后期 维特根斯坦哲学概论	王晓升著	社科文献出版社	1999 年
语词的透视;分析哲学	文聘元主编	鹭江出版社	1999 年
维特根斯坦论语言的明晰性	邱文元著	山东大学出版社	2001 年

为了具体地阐明新时期分析哲学在中国大陆的研究与传播,有必要介绍几位学者为此做出的努力及其成果。

一、洪谦对逻辑经验论的进一步研究及其贡献

逻辑实证论是分析哲学中的重要部分。为了使其东渐,洪谦贡献出了毕生的精力。早在 40 年代,在发表了大量论文的同时,

还出版了《维也纳学派的哲学》一书。1949年以后,虽然他始终没有放弃对这个学派的关注和研究,但因种种原因却很少发表有关的文字。只是改革开放以后,尽管已过古稀之年,但他却以从未有过的精神风貌,为逻辑实证论在中国的传播,进行了多方面卓有成效的工作。例如,为了推进分析哲学的进一步研究,他积极地开展了国际间的学术交流活动,不但由他邀请了一些西方著名分析哲学家来华讲学,而且,他还不顾年事已高,于1980年、1982年、1984年、1986年与1988年,先后到奥地利维也纳大学、英国牛津大学、日本东京大学与中国香港中文大学访问、开会,作学术报告。特别是在他的推动下,成功举办的中英澳暑期哲学学院,对于分析哲学在中国传播的促进作用,更是显而易见的。

不过,在他的这些活动中最有意义的,还是他对逻辑经验论的进一步研究与传播。主要表现在:

一是由他主持系统地翻译和出版了逻辑经验主义哲学家的著作,为准确地了解逻辑经验主义的基本思想和发展过程,提供了一套第一手材料。第二次世界大战后,逻辑实证主义经历了显著的变化,并把变化后的学说称为"新经验主义"或"逻辑经验主义"。它不但是现代西方哲学的重要流派之一,而且严格意义上的现代西方科学哲学,主要就是指逻辑经验主义。然而在国内,有关这个流派的著作甚至信息,都非常缺乏。而要研究西方科学哲学,只有弄清了逻辑经验主义,才能真正把握它的基本论题及其发展。为了帮助哲学界对逻辑经验论,特别是在第二次世界大战以后的发展变化有全面的认识和正确的理解,并推动对它的深入研究,洪谦组织力量进行翻译,主编出版了《逻辑经验主义》一书(两卷本,上卷1982年、下卷1984年出版)。在这套译文集中,洪谦根据维也纳学派的一些代表人物的主要著作,特别是着眼于60年代以来所讨论的主要问题进行选择,并把这些问题分为五大类:(1)哲学的语意分析,(2)逻辑和语言,(3)因果问题和概率性,(4)心物问题,(5)伦理学问题。要指出的是,他在编译的过程中,得到了尚健在的维也纳学派成员和朋友费格尔、亨佩尔、乌尔默、施太格谬勒、内斯、克拉夫特夫人、石里克夫人从资料到选题等多方面帮助,从而使这套文集的选材具有很高的水准。

二是阐发了逻辑经验主义的理论观点,并提出了自己对它的最新看法。在新时期中,洪谦长期被压抑的哲学创作热情焕发出来了。一贯从不苟作的他,把自己长期的研究心得,通过各种形式发表了一批论文。其中,主要有:《国际维特根斯坦哲学讨论会观感》、《克拉夫特哲学简述》、《维特根斯坦和石里克》、《欧行哲学见闻》、《莫里衷·石里克和逻辑经验论》、《谈谈马赫》、《论确证》、《关于逻辑经验主义——我个人的见解》、《逻辑经验主义概述》、《〈哲学家马赫〉译后记》、《艾耶尔和维也纳学派》、《关于逻辑经验主义的几个问题》、《评石里克的〈哲学诸问题及其相互关联〉》、《怀念费格尔》、《艾耶尔和逻辑经验主义》与《鲁道夫·卡尔纳普》等①。这些论文既是他进一步研究逻辑经验主义的记录,也是他在中国传播逻辑经验主义的生动体现。后来,这些文章绝大部分都收集在1990在香港三联书店出版的《逻辑经验主义论文集》与1999年由商务印书馆出版的《论逻辑经验主义》中。通过这些论文,洪谦阐述了30年代维也纳学派的兴起及其在世界传播的条件,评述了维也纳学派成员石里克、卡尔纳普、艾耶尔、费格尔、克拉夫特、纽拉特的哲学观点,回应了西方一些哲学家如波普

---

① 这些论文发表的时间与刊物,请参见洪谦:《论逻辑经验主义》,"附录"第388—339页,商务印书馆,1999年。

尔、库恩、蒯因对它的批评,阐明了自己对这个学派的一些新的看法。例如,他不同意把逻辑实证主义看作是马赫主义的简单继承,认为两者之间存在着根本的区别,既强调了逻辑实证主义思想所追求的科学逻辑方法,又对卡尔纳普等人把物理主义作为人类知识绝对确实的还原论做了深刻批判。又如,他不同意库恩、费耶阿本德对逻辑实证主义的批评,认为这在一定意义上是对科学哲学研究的一种倒退。因为逻辑经验论者为了分析哲学的结构,尽量把问题简化,但仍有很大的困难,而历史学派则把社会、历史、文化等因素都考虑在内,就更难以分析澄清了。因而洪谦认为,我们可以把分析方法和历史方法看作一种互斥互补的关系。再如,他不同意蒯因对分析与综合两分法的抛弃,也不同意关于逻辑经验主义已经死亡的说法,认为这种哲学在欧美等许多国家仍然具有强大的生命力,但他也同时指出,缺少对伦理学的足够重视是维也纳学派以及整个分析哲学的一大弱点。

通过这些论文,使中国读者进一步了解了逻辑经验主义的理论观点及其过去与现在,在英美分析哲学界中也产生了一定的影响。半个多世纪以来,洪谦就是这样笔耕言教,培养和影响了中国几代哲学工作者,为分析哲学和逻辑经验论在中国的传播作出了卓越的贡献,赢得了国际哲学界的高度评价。1984 年,维也纳大学在他获该校博士学位 50 周年之际,特邀请他前去参加纪念大会。会上,向他颁发了荣誉博士证书。该校马尔特院长盛赞他"在哲学上,尤其在维也纳学派哲学上作出了卓越的贡献。"英国哲学期刊《理性》认为,当今没有几个哲学家比洪谦教授更有资格评论石里克的著作(1989 年 6 月号第 105 页)。洪谦逝世后,英国《泰悟士报》、《卫报》、《独立报》都及时地发表了长篇讣告。这些都足以表明洪谦在国际哲学界享有的巨大声望。国内《哲学研

究》在悼念他的文章中追述了他的学术道路及其各个时期的学术
成就,认为他:"无论对西方古典哲学还是现代西方哲学都有精湛
的研究和很深的造诣",特别是"在我国研究逻辑经验主义的园地
中做了开拓性的工作。"最后写道:"洪谦先生具有强烈的爱国民
主思想,一贯追求进步,热爱祖国的社会主义事业。尽管在'文
革'期间,遭到各种不公正的批判,但他并未动摇追求真理的信
念,依然兢兢业业从事学术工作。他从教逾半个世纪,培育了大批
人才,他的许多学生已成为国内外知名的学者"①。这些评价都是
实事求是的。

二、江天骥论述科学哲学的特点

科学哲学是分析哲学的重要内容。江天骥推出的《当代西方
科学哲学》一书,以其系统、客观与准确的特点,引起了哲学界人
士的广泛关注。

江天骥(1915—　　),广东廉江人。青年时期,曾在西南联大
和美国科罗拉多大学学习哲学。后来,先后任教于北京大学与武
汉大学等校。现为武汉大学哲学系教授。他是我国知名的逻辑学
家和现代分析哲学家。早在50年代便撰有《逻辑经验主义的认
识论》(上海人民出版社,1958年)一书。改革开放后,主要以事科
学哲学的教学与研究工作。在这一方面,除1984年问世的《当代
西方科学哲学》外,还主持编译了《科学哲学名著选读》(湖北人民
出版社,1988年)一书。前者是他对西方科学哲学的历史发展与
现状进行深入研究的结晶,是我国第一部评介西方科学哲学的

---

① 《哲学研究》:《沉痛悼念著名哲学家洪谦先生》,载《哲学研究》,1992年
第4期封三。

专著。

20世纪以来,在西方兴起的科学哲学是一个已经迅速发展的哲学学科,而且,各个学派都十分活跃。为了帮助人们从整体上认识和把握它的基本面貌,作者在这本书中,首先用了一章的篇幅,以"什么是科学哲学"为题,阐述了科学哲学在对象和内容上的几个主要学派的不同看法,得到的结论是:"总的说来,科学哲学并不是单纯的认识论和归纳逻辑,像逻辑实证主义者所强调的;也不是单纯的认识论和科学合理性的理论,像波普学派和卡拉托斯学派所强调的;更不是和科学史、科学心理学与科学社会学糅合在一起的学科,像库恩和法伊尔阿本德所强调的;而是包括上述三方面问题的一门哲学学科,它不仅是方法论和合理性的理论,也是认识论的最重要部分,这是比较正确的看法"[1]。

在这个鸟瞰式阐述的基础上,接着分章评述了维也纳学派和逻辑经验主义、波普的科学哲学、库恩关于科学发展的理论、拉卡托斯的科学研究纲领方法论、法伊尔阿本德的多元主义方法论以及夏皮尔的科学实在论。在这里,江天骥围绕西方科学哲学的逻辑主义到历史主义的转变,由科学结构的逻辑模型到科学模型的转变问题,对上述各派主要代表人物的理论观点进行了全面的介绍和颇为客观的评价。

其中值得重视的是,作者对各派理论观点功过是非的分析。例如逻辑经验主义。他指出,在西方科学哲学界它占据统治地位达40年之久。在这个过程中,它对若干科学概念进行的逻辑分析,澄清了一些思想混乱。这是它对科学哲学的贡献。但是,它的归纳方法过于简单化,它的基础主义认识论和两种语言的理论结

---

① 江天骥:《现代西方科学哲学》,第23页,中国社科出版社,1984年。

构是错误的。波普批评了它的归纳主义方法论,但仍坚持把认识论当作逻辑先于科学的规范学说,因此,波普并不是历史主义者,而是逻辑主义者。又如历史主义学派。认为以库恩为代表的这一派在反对逻辑经验主义关于观察与理论、发现与辩护、理论与方法的绝对分离观点的同时,还论证了他们的反基础主义、反归纳主义和非逻辑主义的科学哲学观点。再如拉卡托斯。作者认为,他肯定科学史与科学哲学直接相关,同时还把科学发现的逻辑与发现的心理学和社会学严格区别开来,是新的历史主义者的第一人。但是,他主张自己的规范方法论必须为科学所尊崇却是错误的,特别是他把科学哲学定义为"科学合理性的理论",更是过于狭隘。

最后,依据从逻辑主义到历史主义、由科学结构的逻辑模型到科学模型的转变这一线索,揭示了科学哲学的发展趋势,比较了逻辑主义和历史主义在认识论和方法论上的异同,并在批评其错误倾向的同时,还肯定了其中的合理因素。作者认为,纯逻辑主义和历史主义,是西方科学哲学的两个极端,大多数科学哲学家都是介于这两个极端之间,或者偏于逻辑主义,或者偏于历史主义。不过,就其发展趋势来说,60年代以前,以波普为代表的逻辑主义学派的科学哲学理论曾经占据统治地位。60年代以后,历史主义学派在批评逻辑主义的主要理论观点中逐步强大,大有取而代之的势头。并且,以不同学派提出的模型问题为例,江天骥还发表了对这种趋势的评论。他认为"一个科学模型要是合适的,起码的要求是:它不能蕴涵有违反那些公认为科学所具有的特性的结论,而且最好能够说明科学的这些特征:(1)是合理的;(2)是发展的;(3)是客观的和(4)可容纳作出实在论即唯物论的解释"①。根据以上标准,他指出,夏皮尔的"关照主义模型"吸收了其他模型的优点,因而是比较合适的。它可能导致毫无限制的历史主义的结束,而成为科学哲学发展的一个新的转折点。作者从这里出发提出,我们以关照主义为基础,加强对科学唯物论的解释,"进一步修改这个模型,容许科学以揭露客观事物的本质,以探讨理解客观世界为目标,从而使我们的科学模型达到同实际科学和科学史的更大一致性"②。

在论述科学哲学各派的观点时,江天骥强调对科学哲学研究本身的科学性,即从哲学家的原著出发作出客观与准确的阐释。而且,还从历史的回顾入手,把它和其他派别联系起来,从而使西方科学哲学从维也纳的逻辑经验主义,到波普学派,以及后来的历史主义学派发展的全过程条理清晰地呈现出来,为读者提供了一幅当代西方科学哲学的整体的与历史的画面。由此可见,"他在科学哲学研究中注重引入一种广泛的文化视野,强调从整个西方文化的演变中考察科学哲学本身的发展。这也是他近年来主要从事的研究工作,即把科学哲学和分析哲学放到西方文化的背景中,特别是当代西方后现代思潮的背景中,注意把握西方哲学发展的最新动态"③。这对于人们全面理解和进一步研究当代西方科学哲学,都有一定的积极意义。

三、舒炜光对维特根斯坦哲学的阐释

20 世纪 80 年代初,舒炜光的一本《维特根斯坦哲学述评》,对

---

① 江天骥:《当代西方科学哲学》,第 285 页,中国社科出版社,1984 年。
② 同上书,第 286 页。
③ 江怡:《分析哲学在中国的传播与研究》,载《江海学刊》,2000 年,第 5 期,第 78—79 页。

晦涩的维氏哲学简洁而明了的叙述,得到了读者的欢迎。

舒炜光(1932—1988),安徽黔山人。1955 年吉林大学研究生毕业后留校任教,长期从事哲学教学与研究工作。著述颇丰。仅与科学哲学有关的就有:《达尔文学说与哲学》(上海人民出版社,1959 年)、《维特根斯坦哲学述评》(三联书店,1982 年)、《爱因斯坦问答》(辽宁人民出版社,1983 年)、《科学哲学简论》(山西人民出版社,1985 年)。

在西方,维特根斯坦被公认为是一位伟大的哲学家。他对当代科学哲学产生了极其深远的影响。例如,他的《逻辑哲学论》从诞生之日起,就被捧为现代哲学的"经典",普遍认为在相当大的程度上,至少在它的早期,树立了维也纳学派所仿效的典范。而《哲学研究》,虽有它对前者观点的批判和否定,却由此形成了所谓分析运动或语言哲学运动。这个运动支配了今天的英国哲学,并且传播到盎格鲁—萨克逊世界及其势力强大的诸国。像这样同一个哲学家在一生中写了两部观点迥异的著作,而它们又都在相当的范围内直接推动了现代分析哲学里两个主要流派——逻辑经验论和日常语言哲学的产生和发展,在哲学史上实属不曾多见的现象。正如舒炜光说的,"一位现代哲学家享有专门学会的荣誉为数很少。维特根斯坦却是这样的哲学家之一。在奥地利有维特根斯坦学会。在国际上已经出现一批研究维特根斯坦的专门家。关于维特根斯坦的国际学术交流也很活跃"①。然而在中国,尽管他的著作与观点,早在 20 年代便被介绍进来,可是进入 80 年代,"维特根斯坦的哲学思想究竟是怎么回事,为什么它在西方哲学中占有重要地位,我们究竟怎样认识和评价他的哲学基本

———————————

① 舒炜光:《维特根斯坦哲学述评》,第 1 页,三联书店,1982 年。

立场?"①对于这些问题,不仅一般读者,就是哲学界也不是十分清楚的。

特别是,要对这些问题作出全面而深刻的解答,由于理论本身的复杂,加上维氏表述上的极为晦涩,因此,确实是一项难度很大的开拓性工作。不过,早在60年代"左"倾思想控制的条件下,年轻的舒炜光便有志于这项工作,并且迎难而上,经过数年的潜心研究,写出了《维特根斯坦前期哲学》书稿。因为"文革"动乱的降临,挣扎中诞生的这部分成果却难以问世。只是当浩劫过后,科学重现生机,他才得以对原稿加以修改,并对维特根斯坦后期哲学思想进行了深入研究,最后把"前期"和"后期"合二而一,撰成《维特根斯坦哲学述评》一书。

在这本书中,首先,作者依据西方的普遍看法,把维特根斯坦的哲学思想分为前后两个时期进行分析和论述。前期主要根据《逻辑哲学论》,后期主要根据《哲学研究》,并参阅各家研究者的大量资料,在此基础上,详细地剖析和阐明了维特根斯坦哲学思想的各种论题。例如,舒炜光认为,图式说是其前期哲学家的核心思想,并且通过命题图式的具体分析,指出它所表达的是我的经验中的事实,或者说,描绘我的经验中的实在。我只有领先我自己的经验构造关于事实的命题,只有我经验到的实在才能为我所描述。可见,它是与"唯心主义、形式主义、不可知结合在一起的一种象形文字论"②。因为在他看来,命题的意义标准是可证实性。这个标准存在于主观之中,而不是存在于客观之中。维特根斯坦为思

---

① 洪汉鼎:《〈维特根斯坦哲学述评〉读后》,载《读书》,1983年第3期,第28页。

② 舒炜光:《维特根斯坦哲学述评》,第125页,三联书店,1982年。

维或思想的表现规定界限,结果导致不可知、唯我主义和神秘主义。舒炜光认为,维特根斯坦后期的"语言游戏"理论,是作为逻辑原子主义命题理论和图式说的对立物和代替物出现的。并且指出,就其实质来说,可以把它叫做"家族相似"的语言观。作者在这里,独具慧眼地抓住维特根斯坦本人论述不多的"生活形式"这一概念,认为它与"语言游戏"概念一起构成其后期语言观的两大支柱。而维氏在谈到生活形式时,实际上强调的是语言以及与语言有关的活动,这表明他要在语言使用的活动中来理解语言。能否意识到这一点,在一定程度上是了解维特根斯坦哲学深度的标志。

其次,作者还把维氏前期和后期的哲学思想联系起来,以系统的形式揭示了它的发展线索及其本质。他从考察维特根斯坦从前期向后期的转变开始,认为实现这一转变的时间是1929年,其原因在于前期语言理论里存在着不可克服的困难。其中主要的困难是,逻辑形式不能用命题来描述,图式说迫使维特根斯坦把逻辑形式放在语言的界限之外,促使他去划分"可分的"和"不可分的",并使他在《逻辑哲学论》中采取了重新解释语言的性质和功能的步骤。然后以语言和世界的关系为例,作者把维特根斯坦前期和后期在这个问题上的思想加以比较,认为在前期,维氏以为语言通过命题而与现实世界相对应,在后期却提出实在并不在语言的结构中反映出来。语言游戏的规则的随意性与否定性语言和实在的联系相应,词的意义并不来自实在对象。在前期主张单一反映实在结构的"理想语言"观念,而后期却宣称这种观念缺乏根据。这样,他就由一个极端跳到另一个极端,完全否认语言的命题系统中反映现实,认为了解命题也就是了解语言,而不意味着了解观念的事态。作者最后指出,维氏后期哲学虽然与前期有很大差别,但在事实上却是相同的。正如前期本质上属于巴克莱——主观唯心主义一样,后期哲学思想的转变,并没有摆脱这条路线的束缚。由此得到的结论是:"在维特根斯坦那里,实际情形是:两种哲学,一条路线"①。正是囿于这种种立场和方法,他虽然希望走出哲学迷宫,探索了摆脱哲学的困境,但是,并没有取得成功。

这些阐释与看法,是维特根斯坦哲学在中国重新起步时提出来的,尽管还没有超出国外研究的范围,但舒炜光在各种不同的理解中选择了一种自己认为合理的解释,并通过流畅的语言,把维氏晦涩难懂的哲学,以简洁而明了的叙述,客观中肯的评价呈现出来,为人们全面理解维氏哲学,提供了极好的条件。不过,对于维氏著作中一些费解的难处,作者不是轻易地回避了,就是解释得模棱两可,"特别是对于维特根斯坦这样思想复杂的人物,采取单线条的描绘是不够的,我们还需要从多方面加以注意和考虑"②。对于书中存在的这种不足,则有待后来者通过进一步的研究加以克服了。

四、涂纪亮对语言哲学的开拓研究

在语言哲学传播的过程中,涂纪亮的成果占有显著的位置。

涂纪亮(1926—),贵州遵义人。1948 年毕业于浙江大学外语系。1956 年调入中国科学院哲学所从事西方哲学的研究工作。1980 年至 1982 年,赴美国研究当代美国哲学。现为中国社会科学院哲学所研究员,全国现代外国哲学学会副会长。

---

① 舒炜光:《维特根斯坦哲学述评》,第 316 页,三联书店,1982 年。
② 洪汉鼎:《〈维特根斯坦哲学述评〉读后》,载《读书》,1983 年第 3 期,第 30 页。

　　在传播西方哲学方面，除译有《费尔巴哈的哲学》（中国科学院出版社，1958 年）、《费尔巴哈哲学著作集》（三卷本，商务印书馆，1978 年、1962 年）与《康德与康德主义》（人民出版社，1987年）外，其成果主要集中表现在对西方语言哲学的开拓研究上。首先，他主持编译了《英美语言哲学名著选辑》（三联书店，1988年）与《维特根斯坦全集》（河北教育出版社，2002 年）；前者较为全面地译出了当代西方语言哲学的重要著作，后者则是国内出版的第一位分析哲学家的全集，也是维特根斯坦著作除德文本外最早问世的外文本全集。其次，他主编了《英美语言哲学》与《当代西方著名哲学家评传》（"语言哲学"卷），还出版了《分析哲学及其在美国的发展》、《英美语言哲学概论》、《现代欧洲大陆语言哲学》与《现代西方语言哲学比较研究》四本专著。

　　在这些著作中，涂纪亮坚持把语言哲学看作是哲学研究中的一个独立分支，与科学哲学、历史哲学、政治哲学、法哲学等等属于相同的层次，因而不同的哲学家都可以有自己的语言哲学，不同的哲学传统中也可以存在不同的语言哲学流派并进行了开拓研究。例如，他的《分析哲学及其在美国的发展》，并非完全论述语言哲学，而是"我国第一部全面研究和综合评述西方分析哲学的专著"①，目的在于系统阐述半个世纪以来在英美分析哲学中一直居于主导地位的分析哲学诸流派的形成和演变，特别是二三十年来在美国的发展过程。然而，语言哲学的发展与分析哲学的发展紧密相连，因此在作者按历史顺序阐述分析哲学家的观点时，书中使用大部分的篇幅介绍了分析哲学创始人弗雷格、罗素、摩尔、维特

---

　　① 李树琦：《以"辩证分析"对待"分析哲学"》，载《中国社会科学》，1988 年第 2 期，第 119 页。

根斯坦；逻辑经验论者石里克、纽拉特、卡尔纳普、艾耶尔、日常语言学派赖尔、奥斯汀、塞尔以及60年代后语言哲学新进展如乔姆斯基等的语言哲学观点。而且在介绍这些观点与评论它们的发展趋势时，作者能"以辩证分析的方法认真对待分析哲学的每一观点，不是表层而是内在，不是机械而是辩证地给予评论，确实达到了肯定得合情，批评得入理的程度"①。

又如，他的《英美语言哲学概论》与《现代欧洲大陆语言哲学》，则完全是论述语言哲学的。它们以语言哲学的基本问题为纲，对英美与欧洲大陆的语言哲学分别进行了综合性的评述。由于现代西方语言哲学家对语言哲学的研究对象和研究范围缺乏一定的认识，因此，对它的研究课题也没有统一的认识。于是涂纪亮在书中，只能根据自己的研究，在前者中探讨了如下几个问题：(1)词、语句以及语言分析；(2)指称理论；(3)意义理论；(4)意义经验理论；(5)真理理论；(6)必然性问题；(7)言语行为理论；(8)意向性理论；(9)语言与事实。通过对这些问题的阐述，不仅使人对英美语言哲学的理论现状有了较为全面的了解，而且在评述英美语言哲学家对这些问题的观点时，"作者还试图以马克思主义的哲学思想为指导，对语言哲学的一些基本观点提出自己的看法和批评意见"②。在后者中，由于欧洲大陆语言哲学基本上是沿着三条线索，即(1)从布伦塔诺、现象学到存在主义；(2)从古典释义学、释义学理论到哲学释义学至批判释义学；(3)从普遍语言学、结构语言学到结构主义和后结构主义向前发展的，因此，

书中对欧洲大陆语言哲学的阐述，也是沿着上述三条发展线索展开的。在这里分别考察和论述了19世纪末至20世纪初德国的语言哲学理论、现象学和存在主义的语言哲学理论、释义学与结构主义的语言哲学理论。作者认为，他在这部书中所探讨的是一块尚待开发的处女地，因此他在书中，"只是根据欧洲大陆各哲学流派代表人物的原著，把他们的语言哲学观点发掘出来，加以归纳整理，为进一步深入研究欧洲大陆语言哲学先铺下一块奠基石"①。

再如，在《现代西方语言哲学比较研究》中，作者"试图以语言哲学的基本问题为纲，对英美哲学家和欧洲大陆哲学家的语言哲学观点，进行多方位、多层次的分析和比较"②。因此，在这本书中，在概述了语言哲学在现代西方哲学中的地位及其历史发展线索之后，比较了他们采用的语言研究方法，及其在语言的要素、结构、类型、功能等关于语言的一般性质上的不同观点，并探讨了语言哲学的一些基本理论以及语言与社会的关系问题。在论述这些问题时，作者既从纵向的角度考察有关观点的历史演变，也以横向的角度考察不同流派对于这些问题的不同看法。值得提出的是，他还从马克思主义观点出发提出了自己简短的评论。在这样进行比较中，特别阐明了两种语言哲学的共同兴趣，即把语言作为哲学研究的对象，突出强调了理解和解释在语言表达中的作用以及意义分析的重要性。通过这种比较，加深了人们对西方语言哲学的了解，推动了哲学界对语言哲学的研究。有的学者认为，"这种比

---

① 涂纪亮：《开拓与推动语言哲学研究》，见《今日中国哲学》，第923—924页，广西人民出版社，1996年。
② 同上书，第924页。

较研究在国内的语言哲学研究中为首创,在国际上的语言哲学研究中也为之罕见"①。因此,称涂纪亮为新时期西方语言哲学研究的代表,是当之无愧的。

五、王路走进分析哲学后的发现

在新时期研究西方哲学崭露头角的年轻学者中,王路取得的成绩也是突出的。

王路(1955—　　),山西安襄县人。1981 年中国社会科学院研究生院取得哲学硕士学位后,曾先后到德国、英国、日本等国家进修、访问与讲学。现为清华大学哲学系教授。译著有:《辩证法的语言和语言的辩证法》(商务印书馆,1990 年)、《方法论导论》(三联书店,1991 年)、《弗雷格哲学论著选择》(商务印书馆,1999 年)、《真的追求》(三联书店,1999 年)、《经院辩证法》(上海三联书店,2000 年)。著作有:《亚里士多德的逻辑学说》(中国社科出版社,1991 年)、《弗雷格思想研究》(社科文献出版社,1996 年)、《走进分析哲学》(三联书店,1999 年)、《理性与智慧》(上海三联书店,2000 年)、《寂寞求真》(文联出版社,2000 年)与《"是"与"真"——形而上学的基石》(人民出版社,2003 年)。

在这些著作中,由于王路是从逻辑学研究进入西方哲学研究领域的,因此,他在研究分析哲学和语言哲学时,决定通过阐述这些哲学的思想内容来分析其中使用的现代逻辑方法,揭示现代逻辑方法在形成语言哲学思想内容过程中所起的作用和重要性。而

---

① 江怡:《分析哲学在中国的传播和研究》,载《江海学刊》,2000 年,第 5 期,第 79 页。

《走进分析哲学》一书，便集中体现了他的这一思路。就是说，在这本书的七章和一个附录中，都是依据这种思路进行阐述的。例如第一章"导论"，在介绍了分析哲学和语言哲学研究现状，分析了当代西方哲学中"语言的转向"的由来、动机与形成后，便令人信服地指出了分析哲学导源于现代逻辑的历史事实。又如第二章"分析哲学的领袖及其思想"，在论述了弗雷格、罗素、前期维特根斯坦和卡尔纳普等人的哲学思想后，特别阐明了逻辑分析方法在这些哲学家思想中的决定性作用。再如第四章"挑战常识"，以20世纪关于"存在"、"分析与综合"与"真"等几个方面的研究成果为例，进一步说明了现代逻辑在语言哲学中所起的作用。还有第五章"日常语言学派"，通过对摩尔、赖尔、奥斯汀、斯特劳森以及后期维特根斯坦等的语言哲学的具体考察，更是证明了现代逻辑知识的多少和修养的深浅，直接影响了这些哲学家思想的深度和力度。最后第六章"语言分析"，在介绍了语言分析方法在亚里士多德、中世纪哲学家以及海德格尔等人那里的不同表现形式后，指出了语言哲学的实质不在于语言分析，而是在于用现代逻辑的方法进行语言分析。

通过这些从不同角度对分析哲学的阐述，充分说明逻辑分析对于分析哲学和语言哲学形成、发展及其内容深化具有关键性的意义。因此，在王路看来，"不掌握现代逻辑的理论方法，不要说我们无法研究哲学中一些重大问题，比如关于真、存在、必然、可能、意义、所指、时间，关系等等，即使理解当代许多著名哲学家的著作也是有困难的……比如，为什么弗雷格会说句子的意义是其思想，而句子的意谓是其真值，为什么罗素和维特根斯坦会说世界是事实的总和，为什么奎因会说存在是变元的值，等等……如果不懂现代逻辑，那么就无法理解这些人的思想，因而也无法基于他们的研究成果把问题深入地研究下去"①。可见,掌握现代逻辑既是理解分析的必要条件,也是哲学研究取得进步的重要条件。对此,他写道,"哲学有思辨与分析两种方式。从思辨到分析体现了哲学的进步。而这种进步是以逻辑作为一门科学而出现为标志的。因此,尽管可以说哲学的分析多种多样,但是逻辑分析乃是最主要和最重要的分析"②。正是从这种认识出发,王路认为"不仅要把握这种方法,而且还要把这种方法运用到我们的一般哲学理论研究中,突出逻辑方法对哲学研究的重要作用"③。这就是作者走进分析哲学后的发现与思考。

"这部著作,立意甚高,且多卓见,内容充实,言皆有据,而文字平实、明白、畅达,许多专业性很强的的问题,都以通俗易懂的语言表达出来,诚属不易"④。特别是走进分析哲学后作者的一些发现和思考,更应引起重视。例如,"对理想语言派和日常语言派的具体考察进一步揭示;现代逻辑知识之多少与修养之深浅,直接影响其哲学研究的深度和力度。这是启人深思的"⑤。对分析哲学的这种研究充满了现实感。

六、江怡对维特根斯坦哲学的执著研究

在维特根斯坦哲学东渐过程中,江怡对维氏哲学的执著研究精神,颇受哲学界的好评。

---

① 王路:《走进分析哲学》,第320—321页,三联书店,1999年。
② 同上书,第320页。
③ 江怡:《分析哲学在中国的传播与研究》,载《江海学刊》,2000年,第5期,第78页。
④ 陈启伟:《走进分析哲学》封底,三联书店,1999年。
⑤ 同上。

江怡（1961— ），辽宁丹东人。1985年与1991年，先后取得南开大学哲学硕士与中国社会科学院研究生院哲学博士学位。1996年与2002年，又先后到英国牛津大学与美国哈佛大学进行学术访问与交流。现为中国社会科学院哲学所研究员。

自步入西方哲学研究行列后，江怡一直辛勤耕耘在分析哲学的园地里，尤其对于维特根斯坦哲学，更是锲而不舍、执著研究，成果突出。其中译著有：《弗雷格》（中国社科出版社，1989年）、《理想主义者》（辽宁教育出版社，1998年）、《维特根斯坦全集》（第2、12卷，河北教育出版社，2002年）；著作除主编了《走向新世纪的西方哲学》（中国社科出版社，1998年）外，尚有：《维特根斯坦：一种后哲学文化》、《维特根斯坦传》、《维特根斯坦》与《〈逻辑哲学〉导论》。

一眼望去，便不难明白，这些成果都是围绕维特根斯坦哲学的东渐进行的。其中《维特根斯坦：一种后哲学文化》，是江怡研究维氏哲学最先问世的一部著作。在以往的研究中，一般都把维特根斯坦附列在分析哲学运动的范围内，然而在本书中，作者把维氏哲学置于欧洲大陆哲学的背景下进行考察，认为维特根斯坦哲学并不是一个典型的分析哲学家，而是更像一位欧陆哲学家。他还以自己的方式"超脱"出了20世纪的哲学气氛。所以，应当把他的哲学看作是沟通英美哲学和欧洲大陆哲学的桥梁。就是基于这种看法，江怡将维特根斯坦思想定位为"后哲学的文化"。并且在书中，通过四个部分的明快阐述，从"后哲学文化"的角度重新解释了维特根斯坦哲学的真实意蕴。

不过，江怡对维特根斯坦哲学研究的推进，主要表现在《维特根斯坦》一书中。这是他继《维特根斯坦：一种后哲学文化》与《维特根斯坦传》后出版的第三部研究维氏哲学的专著。在这部著作中,除了导言"维特根斯坦是谁"外,共有上、中、下三篇12章。上篇"思想的守望者",介绍了维氏的生平、思想背景和以《逻辑哲学论》为代表的他的早期哲学。中篇"哲学的探路者",阐述了维氏从《逻辑哲学论》到《哲学研究》过渡阶段的思想,认为这7年中维特根斯坦的哲学思考构成了其思想发展的一个独立阶段。这是本书和其他论者不同的地方,因此"它开掘了维特根斯坦研究的一个新方面、新维度"①。下篇"语言的游戏者",论述了维氏以语言游戏说为核心的后期思想,认为它对传统哲学与整个西方文化的否定作用远比其积极作用更大、更深刻得多。主要表现在它对当代西方哲学中"语言的转向"发挥了决定性的影响,以及它否定追求本质存在,强调语言游戏多样性的思想倾向。所有这些,都在当代西方的后现代文化中得到了回应。而且,由于维特根斯坦主张把哲学消解在人类的语言游戏中,宣称改造哲学的惟一出路是彻底抛弃哲学,所以作者指出,维特根斯坦对待哲学的态度不是一种"后哲学"的态度,而是一种"无哲学"的态度。从而,"它使人们对哲学本身的性质有了更为深刻的也是更有时代性的认识"②。

要指出的是,通过上述内容的阐述,形成了江怡研究维特根斯坦哲学的新特点:"一是对维特根斯坦的思想作了更全面、细致的阐述和评论,不仅着重考察了他前期、中期和后期的哲学思想,而且叙述了他一生的经历,考察了德奥社会文化传统和他的家庭环境对他的影响,分析了他独特的性格和文风,以及他对现代西方哲学的影响。这样有助于人们对他的哲学思想作出全面深入的理解。二是在深入考察维特根斯坦本人思想的基础上,进一步把他

① 罗嘉昌:《维特根斯坦》,载《中国哲学年鉴》,2000年,第183页。
② 同上书,第184页。

的哲学与同时代或其后的某些有关的哲学思潮,如当代现象学、当代欧洲大陆人本主义思潮、后现代主义思潮等等联系起来进行比较研究,分析它们之间的异同,从而加深了对维特根斯坦在现代西方哲学中的独特地位和影响的了解"①。通过上述特点的阐述,反映了江怡研究维特根斯坦哲学取得的进展及其成就,也体现了作者研究维特根斯坦哲学的执著精神。

第九节　实用主义重评与美国哲学研究

相对来说,改革开放后美国实用主义哲学在中国大陆的传播,起步较晚。原因是,由于20世纪50年代中期那场对它大规模的批判运动,不但使它受到了严重的伤害,更为严重的是由此对中国当代西方哲学东渐造成了难以估量的消极影响。在"一定程度上甚至可以说,这场运动在我国哲学界几乎起了支配的作用,至少在评价实用主义上起了支配作用"②。因此,直到拨乱反正、批判"四人帮"时,不少文章仍然把矛头指向它,认为"四人帮"是实用主义的忠实信徒。从中可以看到,这些批判者对实用主义仍然持全盘否定的态度。这说明,虽然改革开放的春风已经唤醒了神州大地,然而实用主义在中国的命运却没有发生明显的变化。时到1987年,刘放桐在论述这种影响的严重性时,他说,"我自己近几年来在谈实用主义时虽然已感到这种模式不实事求是,也企图能有所突破,但终因种种顾虑而未敢迈出大步"③。关于这一点,只要翻

---

① 罗嘉昌:《维特根斯坦》,载《中国哲学年鉴》,2000年,第183页。

② 刘放桐:《重新评价实用主义》,见《现代外国哲学》,第10辑,第3页,人民出版社,1987年。

③ 同上书,第1页。

阅一下 70 年代末 80 年代初报刊杂志的实用主义的文章,便能得到充分的说明。

　　然而,随着改革开放的向前发展,通过拨乱反正学术界对待现代西方哲学科学态度的全面确立,以及中外文化交流在更高层次与更大规模的频繁开展,在西方哲学东渐逐步走向繁荣的过程中,重新评价实用主义的问题便随之提出来了。1988 年 5 月,在成都举行的"实用主义哲学讨论会",便是上述要求的体现。在这次会上,就怎样认识与评价实用主义的一些问题,诸如它的基本特征与基本精神、它的实践观与马克思主义实践观的异同、它的真理观以及这个学派的发展趋势等,都进行了热烈的讨论。在讨论会中,还特别总结了中国大陆 1949 年以来批判实用主义的历史经验与教训①。这对于统一对实用主义哲学的认识,推动对它的重新研究,都具有一定的促进作用。

　　而且,在改革开放形势的推动上,在重新评价和继续开展对古典实用主义研究的同时,学术界还提出了对实用主义新发展进行全面探讨的要求。因为在他们看来,"实用主义是美国工业文明中的竞争哲学,对美国走向现代化起过很大作用,认真研究实用主义,吸收那些马克思主义可以接受的积极的东西,对于人们解放思想、更新观念,促进我国改革开放的健康发展,促进我国社会主义现代化建设的发展也会有一定积极作用"②。1995 年 9 月桂林的"美国新实用主义讨论会",即是为了满足上述愿望而举行的。会上,学者们一致认为,新实用主义已经成为一个在西方有影响的思

---

　　①　罗喜昌:《实用主义哲学的新研讨》,载《光明日报》,1988 年 8 月 8 日。
　　②　王元明:《行动与效果:美国实主义研究》,第 421 页,中国社科出版社,1988 年。

潮，因此号召开展对它的全面而深入的研究。并且，就它产生和发展的背景、新老实用主义的异同，新实用主义的总体特征、新实用主义的评价等论题进行了热烈的探讨。这次会议对于新实用主义以至美国哲学的全面研究，都发挥了积极的推动作用①。

要指出的是，在这个过程中，还有一批中国学者通过多种渠道与形式，亲赴美国对实用主义进行了深入系统的研究，也有不少美国实用主义哲学家，如罗蒂、普特南先后来华讲学，进行学术交流，以及通过采取的其他一系列措施，使美国哲学研究扎扎实实地开展起来了。因此，虽然重新研究起步较晚，但是几代学者取得的成果却以它们的崭新面貌，生动地体现了新时期西方哲学东渐的繁荣景象。

在这些成果中，仅中国学者出版的著作，据不完全统计，即有：

杜威评传	徐崇温著		
詹姆士评传	徐崇温著		
实用主义述评	刘放桐著	天津人民出版社	1983 年
当代美国哲学	涂纪亮主编	上海人民出版社	1987 年
现代美国哲学	王守昌等著	人民出版社	1990 年
美国哲学史	罗志野著	广西师大出版社	1990 年
实用主义新论	杨文极等著	陕西教育出版社	1990 年
实用主义大师杜威	邹铁军著	吉林教育出版社	1990 年
爱默生和中国——对个人主义的反思	钱满素著	三联书店	1996 年
行动与效果——美国实用主义研究	王元明著	中国社科出版社	1996 年

---

① 参见李绍猛：《新实用主义讨论会综述》，载《哲学动态》，1996 年第 10 期。

从自然之镜到信念之网—— 罗蒂哲学述评	蒋劲松著	湖南教育出版社	1998 年
哲学的改造——从实用主义到 新实用主义	陈亚军著	中国社科出版社	1998 年
语言、辩明与实用主义—— 普特南哲学研究	辛强国著	西南财大出版社	1998 年
无根时代的精神状态—— 罗蒂哲学思想研究	张国清著	上海三联书店	1999 年
实用主义:从皮尔士到普特南	陈亚军著	湖南教育出版社	1999 年
实用主义的解读:杜威哲学对 中国现代哲学的影响	顾红亮著	华东师大出版社	2000 年
美国哲学史	涂纪亮著	河北教育出版社	2000 年
杜威与中国	元青著	人民出版社	2001 年
美国世俗化的宗教与威廉·詹姆 士的彻底经验主义	尚建新著	上海人民出版社	2002 年
从分析哲学走向实用主义	陈亚军著	东方出版社	2002 年
美国精神的象征——杜威社会 思想研究	孙有中著	上海人民出版社	2002 年

这些著作的主要内容,一是重新评价实用主义,二是对美国哲学开始进行全面研究。而且,不论前者还是后者,都有整体考察或个案阐述的。下面,选择其中一些有代表性的成果进行评析。

一、刘放桐论重新评价实用主义

突破 50 年代批判实用主义形成的对待现代西方哲学的模式,首先必须从重新评价实用主义开始。为此,刘放桐从理论上开展了这一工作。1987 年,发表在《现代外国哲学》第 10 辑上的长篇专文《重新评价实用主义》,是这一工作的集中体现。

在这篇文章中,首先论述了重新评价实用主义的缘由。他从正名开始,说"重评不是企图全盘肯定实用主义,更不是为了宣扬实用主义,而只是主张应当按照马克思主义的实事求是的原则全面地、客观地评价实用主义"①。接着,他提出了重评实用主义的理由。归纳起来,一是为了纠正过去批判中出现的片面性,即把实用主义当作一种纯粹的反面理论,二是实用主义并不是一个孤立的哲学派别,对它的评价正确与否必然影响到对其他西方哲学派别的评价。"如果对实用主义全盘否定,又怎能谈得上对其他哲学流派作出包含着某种肯定的评价呢"②? 而且,在分析了过去由于评价实用主义简单否定倾向形成对待现代西方哲学的"左"的模式原因后,他还进一步指出了重新评价的必要性和迫切性,认为"如果在对实用主义的研究中能打破过去'左'的模式,那它将促使对整个现代西方哲学客观的、实事求是的研究"③。

其次,通过对实用主义哲学内容的论述,推倒了过去批判中强加给它的错误结论。经过考察,作者认为,第一,不能把实用主义归结为帝国主义的反动哲学;第二,实用主义不是十足的主观唯心主义;第三,不能把实用主义归结为市侩哲学;第四,不能把实用主义归结为诡辩论,等等。并且对这些观点进行了深入的分析。其中在论述第一点时,刘放桐认为,实用主义产生和形成的背景是复杂的,不能简单地说它只是适应帝国主义的需要的哲学。例如,皮尔士等人的政治态度,也并非都是垄断资产阶级的代表。因为他

---

① 刘放桐:《重新评价实用主义》,载《现代外国哲学》第10辑,第1页,人民出版社,1987年。

② 同上书,第2页。

③ 同上书,第4页。

主要是作为一个自然科学家活动的,他提出的实用主义,也主要是当作一种科学方法。即便是杜威把实用主义运用于社会政治领域,其中有的言论的确适应了垄断资产阶段的需要,但就其主要倾向来说,更体现了资产阶级自由派的呼声。如他反对垄断制度和极权主义、强调民主自由。因此,作者指出,"在评价各种现代哲学思潮时,我们必须抛弃曾长期被采用的这么一个逻辑:不是属于革命无产阶级的。便是属于反动资产阶级的。不是马克思主义便是反马克思主义,不是进步就是反动"①。

最后,作者认为,对待实用主义应当采取具体分析的态度。他写道,"实用主义的理论内容是多方面的。在社会政治、伦理宗教、教育等方面,实用主义(特别是杜威)都做了不少阐述。过去我们同样对之采取全盘否定的态度"②。在他看来,这些方面与前面他提出的几个方面一样,其中"不少理论的确是片面的、错误的、甚至是荒谬的。但是,实用主义无论在理论上还是社会基础和作用上,都是很复杂的,其中不仅有合理的、积极的因素,甚至也包含可资我们借鉴的因素,因而将它们全盘简单否定显然是不妥当的"③。例如,杜威的社会政治理论尽管带有明显地为资本主义制度辩护的性质,但他鼓吹实现普遍的民主、自由和平等;他要求官吏民选并始终对选民负责、接受选民监督;他反对官吏的任何特权,要求他们的"私欲"服从"公德";他反对官吏的终身制,世袭制,而主张任期制,这些都不是没有道理的,甚至还可以给我们的改革以某些启迪。因此,对待实用主义应当采取具体分析的态度,

---

①　刘放桐:《重新评价实用主义》,载《现代外国哲学》第 10 辑,第 7 页,人民出版社,1987 年。

②　同上书,第 22 页。

③　同上书,第 1—2 页。

并通过研究吸取其中有积极意义的因素。

这篇文章发表在改革开放后不久，是当时客观地评述实用主义的第一篇文章。它对于冲破对待西方哲学的"左"的批判模式，推动对实用主义哲学的重新研究，都发挥了不小的积极作用。

二、杨文极等从整体上重评实用主义

如果说，前述刘放桐的文章，只是着眼于从理论上阐明重新评价实用主义的理由，那么，杨文极等的《实用主义新论》一书，则在于通过对实用主义理论体系的全面考察，从整体上重新评价实用主义，以此还实用主义哲学的本来面貌。

这本书是由杨文极、罗志野、石倬英、汪永康、邓遇芳与余怀彦共同撰成的。他们的目的在于，"力图对实用主义进行客观的、全面的，比较准确的介绍，澄清以往在介绍中的表面性、片面性和主观性的错误倾向；我们也力图运用马克思主义的立场、观点和方法，对实用主义进行客观的、正确的科学评价，澄清以往在评价中的主观武断、简单粗暴和形而上学否定等不正确的倾向，以便使我们对实用主义这种工业社会文明的'竞争主义'，有一个客观地了解和正确地评价"①。

根据这样确定的目标，作者把该书的内容按一个概论和四编正文进行论述。在概论中，从总体上考察与评价实用主义的哲学思潮。作者在纠正过去对实用主义的片面看法的基础上，认为尽管它与马克思主义在理论体系上是对立的，"但是，它们具有同时代性，都是西方资本主义工业社会历史条件下的产物，因而又具有

---

① 杨文极等：《实用主义新论》"前言"，第 5 页，陕西教育出版社，1990 年。

某些相似性"①。实用主义作为一种运动，它具有开放性、多元性、综合性和实践性等特点。它"为我们的哲学研究提供了新的视角，新的角度，它以经验、生活和实践为中心，以独立自主的行动者的眼光看待世界，审视人生，运用数学的、物理的、生物的、生理的和心理的科学方法研究哲学问题，突出了科学精神及其在社会历史领域中运用的民主精神，以自己独特的方式解决了许多传统哲学中的棘手问题。因而，从局部上讲，它对传统哲学中一些棘手问题的解决，并且又提出了许多新的问题，都是值得我们认真思考和做出马克思主义回答的"②。因此，既不能有意去美化它，也不要任意贬损它，而应该深入地研究它。

在正文各编中，全面而具体地论述了实用主义哲学。其中，第一编，从美国式的实践和美国的立国精神、多元的和开放的文化，以及经验论的新综合三个方面较为详尽地探讨和分析美国实用主义产生、发展的社会历史条件和思想理论渊源；第二编，是全书的主体部分，分别论述了实用主义奠基人皮尔士、实用主义基本理论系统化和通俗化者詹姆士以及实用主义理论集大成者杜威的哲学思维方式和理论观点，相当全面地阐明了古典实用主义的基本理论体系；第三编，以实用主义的演变和分化为主要线索，分别评述了德兰的实用主义价值观、刘易斯的概念论实用主义、莫里斯的实用主义指导学、布里奇曼的实用主义操作论、奎因的逻辑实用主义等，并且还考察了二战后实用主义与欧洲各国哲学思潮的结合，评述了存在主义、现象学、人格主义、科学哲学以及文化哲学、心理哲学、艺术哲学、宗教哲学、社会政治哲学同美国实用主义的关系，以

---

① 杨文极等：《实用主义新论》，第26页，陕西教育出版社，1990年。
② 同上书，第26—27页。

便使读者从横的联系和纵向的发展中理解和把握实用主义分化和演变的基本趋势,从而进一步理解和掌握它的哲学思维方式和基本理论;第四编,阐明了实用主义在中国的历史命运,总结了它在中国传播的经验和教训,指明了在当时改革开放的形势下,如何重新开展对实用主义的研究。

书中在阐述这些内容时,通过有根有据和入情入理的分析,在消除"左"倾批判模式造成的消极影响的基础上,从整体上较为客观地展现了实用主义哲学的基本理论面貌。其中,给人印象最深的地方,一是对实用主义产生的社会历史条件和思想理论渊源的分析,二是对古典实用主义哲学家皮尔士、詹姆士和杜威基本理论的分析。以后者来说,作者认为,实用主义的理论是非常庞杂的。在这种哲学中,不仅有形而上学世界观理论,而且还有方法论和真理论的理论,不仅有科学主义精神,还有人本主义风貌。由于它的世界观和方法论的基础是个人主义,所以,它以独立自主的、有利害关系的行动者的眼光来审视世界、人生和知识时,就产生了一系列与传统哲学相悖的新的理论。这是上述三位哲学家的共同特征。但是,具体表现在不同哲学家的理论体系中,又具有各自不同的个性,要进行具体分析,否则会得不到符合实际的结论。正是因为作者把实用主义的共同特征和各个哲学家的不同个性有机地结合起来,并且通过以哲学家原著为根据进行了深入的分析与论述,所以,介绍准确,评价中允,这对于克服过去由于"左"的批判形成的片面认识,全面地把握实用主义,都具有重要的意义。

这本著作在从整体上恢复实用主义的本来面貌方面,具有一定的代表性。因此,有的学者指出,它的出版,"标志着我国对实用主义的研究走出了 50 年代'左'的僵化模式,进入一个新的发展阶段"①。

三、邹铁军重塑杜威哲学的真实形象

虽然都是重新评价实用主义,但角度略有不同,前面杨文极的著作是从整体上,而邹铁军的《实用主义大师杜威》,则是通过个案进行论述的。

邹铁军(1939—　　),吉林蛟河人。1964 年毕业于吉林大学哲学系,后留校任教,从事西方哲学教学与研究工作。现为吉林大学哲学系教授。

杜威是中国人最熟悉的西方哲学家之一。但是,是否真的熟悉,却是值得冷静反思的。高清海指出,"我们所谓的'熟悉',由于种种条件的制约,包括旧的思维方式的束缚,其实是带有很大的主观成分的。过去,在我们的头脑中,杜威的形象是一个被扭曲了的形象。对这个扭曲的形象越熟悉,离真实的杜威就愈远,对真实的杜威便愈不熟悉"②。事实正是这样。

1989 年 10 月 20 日,是杜威诞辰 130 周年。为了纪念这位世界著名的思想家,经过多年的深入钻研,邹铁军撰成《实用主义大师杜威》一书。在这本书中,作者以评传的形式,热情洋溢的语言,奔放流畅的笔触,翔实丰富的材料,对杜威及其哲学,探源溯流,从美国精神的形成到实用主义运动的兴起,从杜威荣登实用主义哲学殿堂,到其哲学的演进及其哲学的具体内容,如经验自然主义、工具主义等,从杜威在中国到杜威对中国的影响,都进行了全

---

① 　王元明:《实用主义在中国》,见《行动与效果美国:实用主义研究》,"附",第 420 页,中国社会科学出版社,1998 年。

② 　高清海:《实用主义大师杜威》"序言",第 1 页,吉林教育出版社,1990年。

面的探索和论述，以此全面地恢复实用主义大师杜威及其哲学的真实形象。为了圆满地实现这个目的，作者对自己提出的要求是：

第一，在论述中，必须要有严谨的治学态度和实事求是的科学精神。邹铁军寒窗十年研究杜威哲学，阅读和掌握了大量的资料，在这个基础上运用具体问题具体分析的方法，把杜威及其哲学放到一定的历史时代的范围内进行考察、论述和评价。因此，书中每得到一个结论，都是建立在有充分根据的基础上和经过充分的论证后得到的。例如，杜威作为一个有世界影响的哲学家，要全面理解他的思想及其真谛，如果不把他的思想的产生、形成和发展同美国的历史环境和时代精神，以及同整个世界文化背景联系起来进行分析，显然是难以办到的。作者在这里，运用丰富的历史与现实材料，从传统哲学，主要是柏拉图、黑格尔和孔德的影响，从达尔文进化论与现代生物心理学的决定作用，以及美国文化及其时代精神等三个方面阐明了杜威哲学体系的建立。作者指出，这样产生的杜威哲学，"在美国现代哲学史上树立了不朽的丰碑，反映了或者说体现了美国精神"①。因此，"杜威是美国文化的解释者，他代表了美国精神，是美国人心目中的宠儿"②。由于根据充分、分析深入，看后使人感到这样的结论是真实可信的。

第二，在评价时必须贯彻批判和吸取的原则。这里的关键是，在摆脱"左"的批判观的同时，运用科学的批判观对杜威及其哲学进行全面考察评价。在"左"的批判观看来，西方资产阶级哲学发展到德国古典哲学已经达到了顶峰，从此开始便一直走下坡路，到了当代则完全陷入了理论的荒谬性与政治的反动性之中。依据这

---

① 邹铁军：《实用主义大师杜威》，第17页，吉林教育出版社，1990年。
② 同上。

种看法,一段时间中对现代西方哲学的研究,实际上是在批倒批臭后给予简单的否定。然而在真正的批判观看来,批判固然是一种否定,但并非全盘否定,它同时也是一种肯定,即运用理性进行实事求是的分析。作者正是根据这种批判观对待与评述杜威及其哲学的。在这里,他探讨和阐述了杜威的哲学观、认识论、真理观、社会历史观等。一方面,他揭露和批评了包含在其中的片面的或错误的观点,另一方面,又评述和肯定了杜威哲学作为特定的思维方式,认为它表达了他那个时代美国精神的某一个侧面。例如,重视实践的思想,求实的精神,教育改革的理论,认识是一个过程的观点,以及主张中西文化进行交流等,都包含着合理的因素,都是杜威在美国和世界哲学长河中做出的贡献。该书"经验与自然的结合"一章中的论述,便能充分说明之一点。在这里,他在具体分析了"经验与自然的结合"、"杜威经验的本质和特征"与"实验的经验主义"以后,作者问道:"在跟随杜威博士在经验王国的遨游之后,不妨坐下来冷静地回味一下,杜威的经验论哲学究竟告诉我们些什么呢? 杜威究竟为人类、为思想发展提供了哪些有价值的思想? 杜威经验论的实质又是什么呢?"①对此,作者通过分析提出了五条结论性概括,从五个方面回答了上面的问题。其中第三条结论是:"杜威否认单纯从心理上、精神上看经验,也反对传统经验论把经验单纯归结为感官的感觉,他认为经验首先是在做的事情,他主张从知与行的结合上把握经验,行动是观念的核心,认知本身就是行动,世界上不存在固定不变的感觉对象和知觉对象,经验就是生活,生活就是适应环境。经验与行动是二而一、一而二的,知与行是统一的。杜威是现代西方哲学中第一个最详细、最系

---

① 邹铁军:《实用主义大师杜威》,第 260 页,吉林教育出版社,1990 年。

统地论证了知与行统一的哲学家"①。其余几条虽然概括的内容不同,但如此这般进行概括依据的原则是相同的。从中可以看出,这些结论是充满了具体问题具体分析的辩证精神的。

在这里,作者没有因过去的简单否定走到另一个极端,即全面的肯定和美化杜威,而是把他放在美国社会发展的过程中,既充分估价了他的哲学中的积极成分,也实事求是地指明了他的理论的某些偏颇与局限性。这样,一个有血有肉,真实可信的实用主义哲学大师的形象便栩栩如生地树立起来了。这是从个案上重评实用主义取得的成果。

四、王守昌有重点地评述现代美国哲学

前面读到的一些论著,主要着眼于拨乱反正,重所评价。与此不同,从本题开始评析的一些著作,则是重新开始全面研究美国哲学的产物。其中,王守昌、苏玉昆的《现代美国哲学》一书,是最早问世的一本。

王守昌(1936—),安徽芜湖人。1961年复旦大学哲学系毕业。曾先后在山东大学与湘潭大学任教。现为华南师范大学哲学所教授。研究西方哲学的成果除《现代美国哲学》外,尚有《现代西方哲学概论》(合著,商务印书馆,1985)、《西方社会哲学》(东方出版社,1996)、《新思潮——西方非理性主义述评》(东方出版社,1998)等。

1984年和1987年,王守昌两度访美,先后在马萨诸塞州立大学哲学系和波士顿学院哲学系研究现代美国哲学。1990年出版的《现代美国哲学》一书,就是在这个过程中同美籍华人学者苏玉昆合作撰成的。在这本书中,作者给自己确定的任务是,"根据美

---

① 邹铁军:《实用主义大师杜威》,第261—262页,吉林教育出版社,1990年。

国哲学的历史和现状，着重介绍在美国现代哲学史上起过重要作用的流派和人物，并突出地介绍他们中的几个主要分支"①。按照这一思路，所以书中只是有重点地介绍和评述了实用主义、过程哲学、语言分析哲学、科学哲学、道德哲学与社会哲学中的主要哲学家的哲学思想，而对于在现代美国哲学发展过程中只是产生过一定影响的存在主义和现象学运动、新托马斯主义和宗教哲学、马克思主义哲学，都没有进行专门的介绍与评述。这说明，作者的目的不在于全面地论述美国哲学，而是有重点地突出某些在美国社会生活中曾经发生过重大影响的哲学流派。

值得提出的是，在这样确定的重点中，有的却是一般谈美国哲学的人不曾论及的内容，如道德哲学与社会哲学。其中，在论述美国当代的道德哲学前，作者细致地阐明了美国道德和伦理思想发展的历史，揭示了当代美国伦理思想的欧洲传统和美国本土传统，由此决定了"美国伦理思想的一个特点就是多元化"②。而在论述美国当代的道德哲学的理论观点时，只是集中地讨论了约翰·罗尔斯（Tonn Rowis）和阿拉斯塔·麦肯泰尔（A. Macrntyre）的观点，因为"他们对当今道德价值和道德规范以及其他一些伦理问题的讨论，直到现在还有重大影响"③。值得指出的是，这部分的内容是由长期生活在美国的华人学者执笔的；材料丰富，论述充分，概括简练，加上融入了自己的亲身体验，因此，这样对美国道德哲学的阐述，在帮助人们全面了解哲学的同时，还能加深对美国社会及其时代精神的认识。

---

① 王守昌，苏玉昆：《现代美国哲学》，第27页，人民出版社，1990年。
② 同上书，第297页。
③ 同上书，第298页。

　　对于那些一般谈论美国哲学时都要提到的内容，本书的论述也有自己的理论特色。首先，作者虽然强调突出重点，但它都是在全面介绍的基础上进行的。正如全书重点的确定，是在"绪论"中对美国哲学的历史与现状进行了全面考察的基础上，读者从整体上对美国哲学的产生及其发展过程有了基本认识以后做出的一样，本书对各章重点的论述，也都是先在"概论"中阐明了各个学派的宏观面貌以后进行的。例如，"实用主义或实效哲学家"一章，突出地论述的是皮尔士、詹姆士、杜威和胡克四位哲学家的哲学思想，但在这一章的"概论"中，却有对实用主义哲学的全面叙述。其中不仅从经济、政治、科学等方面分析了实用主义产生和发展的社会历史条件，从早、中、晚三个时期阐述了实用主义的发展过程，以及每个时期的主要代表人物，而且还在全书"绪论"中概述美国哲学的基础上，进一步阐述了实用主义哲学基本精神的特点，评述了西方三种对实用主义的不同观点。通过这些内容的阐明，读者对实用主义的全貌有了基本的了解。因此，随后有关重点内容的展开，并不使人感到突然和浮浅，而是给人以水到渠成的印象。这有利于对重点的理解和接受。

　　其次，在论述书中确定的重点内容时，作者对哲学家的观点，介绍详尽，分析深入，归纳简洁，评价中肯。例如，最后对杜威哲学内部矛盾的论述，王守昌写道："杜威虽然一再声明说，他并不企图否认世界先于人类经验而存在，并且断言，我们所经验的许多事情是先于我们对它们经验的；但他又扩大了经验的范围，把经验的对象自然界、环境都当作经验本身，这就不免陷入唯心主义经验论；他一方面强调价值的客观性，没有绝对固定不变的价值，另一方面，他又认为生长（growth）本身就是一种绝对价值和自在目的；在真理观上，他反对用令人满意的后果作为真理的标准。但是，他在使用'后果'一词时,包含着歧义。在科学认识论范围内,'后果'是与意义等同的,一种科学假说被解释为预测的,如果所预言之后果产生,假设就得到证明,假设与后果符合,假设就是真的,这里'后果'与令人主观上满意似乎无关。但是,当他解释社会政治领域问题时,'后果'就被解释为一种'意向性',所愿望的东西,这就很难与是否令人满意分开了"①。

可见,书中论述的重点实际上有两个方面:一是过往研究中很少有人探讨过的学派及其哲学,二是在广为传播的学派中只是阐述对美国哲学有影响的哲学家及其思想。前者如道德哲学,后者如杜威哲学。其目的不在全面介绍而在有重点的深入。在西方哲学研究中,以这种视角进行探讨,也是有必要的。由于作者的努力,本书取得了相当的成功。

五、涂纪亮全景式地展示美国哲学的发展

在西方哲学研究中,涂纪亮除了对语言哲学进行了开拓性探索外,传播美国哲学的成果也是突出的。其中,由他主编于1987年出版的《当代美国哲学》一书,如果说,只是介绍了第二次世界大战后、特别是七八十年代以来美国哲学的最新发展,那么,耗费五年时间于2000年推出的三卷本巨著《美国哲学史》,则是美国哲学发展的全景式展示。

美国的历史虽然不长,但自1607年第一批英国人抵达美洲算起,欧洲人在这块土地上不仅已经生息繁衍将近400年的历史,而且,随着欧洲人的到来,欧洲大陆的哲学思想也在这里生根发芽,从而衍生出自己独有的哲学形态及其观念,如人格主义思想、实用

---

① 王守昌,苏玉昆:《现代美国哲学》,第85—86页,人民出版社,1990年。

主义精神。特别是进入20世纪后,美国哲学更是出现了前所未有的发展,不仅直接地吸纳了来自欧洲大陆的逻辑实证主义、现象学、存在哲学以及后现代主义等重要思潮,而且与本土哲学融合起来,进而产生了具有美国特色的哲学思潮,如逻辑实证主义、操作主义、普通语义学以及科学中的历史学派等等。临近20世纪的末叶,美国哲学更是成为当今世界哲学舞台上的重要带头人。最近12届世界哲学大会相继在美国举行,即是最好的证明。然而,与我们对美国政治、经济、文化等领域的研究工作相比,我国对美国哲学的研究却十分不够。其中,主要是对美国哲学发展的全过程缺乏系统和深入的探讨。涂纪亮《美国哲学史》一书的问世,是西方哲学研究中这项空白的填补。

在这部书中,作者根据自己的研究,把美国哲学将近400年的发展历程,分为六个时期,即:(1)17世纪到18世纪上半叶的殖民时期;(2)18世纪中叶到18世纪末的独立战争和建国时期;(3)19世纪初到南北战争爆发前夕的"保守时期";(4)南北战争到19世纪末自由资本主义蓬勃发展的时期;(5)19世纪末到第二次世界大战、从自由资本主义过渡到垄断资本主义时期,也是美国开始形成自己独立哲学流派或哲学体系的"黄金时代";(6)第二次世界大战到20世纪末在西方哲学舞台上跻身前列的时期。作者依据这六个时期的发展历程,通过对100多位在美国哲学史上发挥过重大影响的哲学家思想的深入评述,阐明了美国哲学近400年的发展历程。在评述的这些哲学家中,有我们熟悉的一些哲学家,如在20世纪美国哲学舞台上比较活跃的詹姆斯、杜威、胡克、桑塔亚纳、卡尔纳普、布里奇曼、法伯、怀特海、蒯因、库恩、塞拉斯、普特南、罗蒂、罗尔斯、马尔库塞等人,还有我们不熟悉的但在美哲学发展中曾经产生过重要影响的哲学家,如实在论创始人之一麦科什、先验论代表钱宁、爱默生、进化论代表格雷、思辨唯心论代表布兰沙德、人格主义代表豪伊森、自然主义代表柯恩、现象学代表图来尼斯卡、自由主义代表加尔布雷斯等人。

书中在这样阐述时，不仅为读者了解美国哲学及其发展脉络提供了十分丰富而有价值的资料，更为重要的是，作者认为哲学史著作的主要任务在于揭示哲学思想形成与发展的规律。因此，在全景式地展示美国哲学的发展过程时，涂纪亮对美国哲学的发展规律下工夫进行了有益的探索，并取得了不少成果。例如，在论述美国哲学的发展动力时，既阐明了美国社会经济、政治与科学对它的推动作用，还深入地分析了美国哲学的自身动力。在这里，作者首先把美国哲学的发展与整个西方哲学的发展联系起来，指出了前者对后者的历史依附关系。不过作者又认为，在这个前提下，美国哲学也有自身的发展规律，即开始一个阶段对欧洲哲学的简单依附，随着美国社会的向前发展逐渐在西方哲学中占据了核心地位。作者认为，在这个过程中，实用主义精神起了关键的作用。并且根据他对百余位哲学家思想的分析，认为"美国哲学的特点是多元性即不同观点的哲学流派在美国哲学舞台上各展风姿，各显其能，平行发展。这个特征在美国哲学发展前期业已呈现，到20世纪下半叶最为突出。同时，以实用主义为代表的开放、宽容、简洁、实用等特点，也在美国哲学发展中表现得非常明显。可以说，正是由于这样一些特点，才使得美国哲学能够兼容并蓄，最终形成多元化的哲学格局。而且，正是由于这些特征，才使得这种多元化格局在新的世纪中将继续保持下去"①。最后，他对美国哲学最近

---

① 江怡：《美国哲学的历史把握——读涂纪亮的新著〈美国哲学史〉（三卷本）》，载《哲学动态》2000年第7期，第25页。

几十年发展中出现的四种趋势的归纳,便是基于上述分析提出来的。

总之,这部著作遵循以客观介绍为主,作者评论为辅,叙述与评论分开的原则,在全景式地展示美国哲学发展历程波澜壮阔的过程中,还全力以赴地发掘和揭示了美国哲学发展的独特规律。它充分显示了作者宏观把握美国哲学及其发展的深度,为人们全面认识和亲切理解美国哲学提供了极为有利的条件。这是本时期西方哲学传播中取得的一个有重要价值的学术成果。

六、王元明阐发实用主义的着眼点

从现象上看去,也是从发展过程全面介绍实用主义,但是,王元明的《行动与效果:美国实用主义研究》一书,却有作者自己独特的着眼点。

王元明(1944—　　),河北涞源人。1969 年南开大学哲学系毕业后留校任教。现为南开大学哲学系教授。他的学术成果除前述著作外,还有《灵魂的奥秘》、《弗洛姆人道主义精神分析》、《人性的探索》与《现代西方的时代精神》(合著)等。

在《行动与效果:美国实用主义研究》中,王元明认为,美国的实用主义哲学家们,研究的问题和具体的理论观点不尽相同,有时甚至还会发生激烈的争论。但是,"作为一种哲学流派的美国实用主义还是有其共同特征的"①。具体说来,就是:"强调行动,注重效果,提倡开拓进取"②。他指出,这是美国实用主义哲

---

① 王元明:《行动与效果:美国实用主义研究》,第 26 页,中国社会科学出版社,1998 年。

② 同上。

学的主导思想和基本精神。他的这本著作,虽然是要从发展过程上全面介绍实用主义,但作者的主要着眼点却不在这里,而是要使用全部精力清晰地与有层次地阐发实用主义的上述共同特征。

首先,在第一题:《行动与效果:美国的实用主义》中,从产生、演化与表现三个方面,概论式地探索与阐发了实用主义的共同特征。作者认为,它"是对美国社会历史发展中人们形成的社会心理和民族精神的理论概括,是对现代自然科学迅速发展从一定角度进行的哲学思考,是对欧洲哲学的继承和发展"[1];认为在其产生以后,经历了皮尔士、詹姆士、杜威与米德等古典实用主义、胡克、刘易斯、布里奇曼、莫里斯等把实用主义与分析哲学结合与蒯因、罗蒂、普特南、戴维森新实用主义三个发展阶段;认为其共同特征的主要表现有三:行动哲学、效用哲学、进取哲学。并且,作者对自己提出的这些看法,在简洁地阐述的基础上,都有精到的归纳。例如,叙述完"实用主义是一种效用哲学"后,他写道:"实用主义认为,哲学首先要同价值、同人为之行动的目的发生关系。对人的活动有利的,可以促使人的行动成功和取得效果的东西,就是有意义的,有价值的。在事物的本体性质与事物的价值性质即效用的关系上,实用主义是以效用为中心的,把效用既作为判断是否有意义的标准,又作为判断观念真假即是不是真理的标准。从这个意义上说,实用主义是一种效用哲学"[2]。同样,对实用主义的另外两个特征,也作出了这样的概括。并且,作者最后还画龙点睛地强

---

① 王元明:《行动与效果:美国实用主义研究》,第13页,中国社会科学出版社,1998年。

② 同上书,第36—37页。

调指出,"总之,美国实用主义的基本精神就是强调行动、效果和进取,主张人以行动求生存,以效果定优劣,以进取求发展"①。通过这些阐述与归纳,美国实用主义独有的共同特征,从整体上便在人们的心目中初步地形成了。

其次,该书的最后十题,从实用主义发展过程中选择了几位最具影响力的哲学体系,即"皮尔士的实效主义"、"詹姆士的实用主义"、"杜威的实验主义和工具主义"、"米德的社会行为主义"、"胡克的社会的科学的实用主义"、"刘易斯的概念论实用主义"、"布里奇曼的操作主义"、"莫里斯的科学经验主义"、"蒯因的逻辑实用主义"与"罗蒂的认识论行为主义",通过对它们的细致分析和论述,一方面分别阐明了这些哲学家在实用主义理论体系中的不同特色,另一方面,还从发展过程上阐发了实用主义共同特征的演化及其在不同阶段上的表现。例如,古典实用主义阶段杜威的实验主义和工具主义,实用主义与分析哲学结合阶段莫里斯的科学的经验主义与新实用主义阶段罗蒂的认识论行为主义,都既是这些哲学家实用主义思想的全面概括,又是实用主义共同特征在不同阶段上的生动体现。经过这个层次的分析与阐发,实用主义共同特征在读者心目中留下的印象,更是十分清晰和极为深刻的。

而且,无论对实用主义哲学家理论体系,还是对实用主义共同特征的阐发,作者不但有经过深入分析后的肯定,还有经过充分论证后的批评,肯定有根据,批评有道理,体现了作者运用马克思主义研究实用主义的探索精神与水平。

---

① 王元明:《行动与效果:美国实用主义研究》,第45页,中国社会科学出版社,1998年。

七、陈亚军多层次地探讨实用主义哲学

在实用主义哲学传播过程中,陈亚军对它的有层次的探讨及其成果,受到了哲学界的重视。

陈亚军(1960—　),江苏响水人。1982 年武汉大学哲学系本科毕业,并先后取得厦门大学哲学系硕士与北京大学哲学系博士学位。1993 年到 1994 年,曾赴哈佛大学作访问研究。现为南京大学哲学系教授。已经取得的学术成果,除和万俊人合作主持编译了《詹姆斯集》(上海远东出版社,1997 年)外,主要出版了有关实用主义的三本著作:《哲学的改造——从实用主义到新实用主义》、《实用主义:从皮尔士到普特南》与《从分析哲学走向实用主义——普特南哲学研究》。

在这些著作中,前面两本在论述层次上基本相同。即前者从"纵"(历史)与"横"(问题)两个方面,对实用主义进行了鸟瞰式的描述,以此阐明了从古典实用主义到新实用主义的宏观面貌;后者则选择了六位在实用主义历史上有重大影响的哲学家为对象,通过对他们理论观点及其在实用主义历史上地位的阐释,以此论述了从古典实用主义到新实用主义的发展过程的整个面貌。通过这个层次上对实用主义的介绍与评论,可以帮助读者从整体上认识和把握实用主义的整个家族及其发展。在这一方面,作者的探索是成功的。

和前述两本著作不同,《从分析哲学走向实用主义——普特南哲学研究》的研究对象,却只有实用主义中的一位哲学家。陈亚军所以研究普特南,在"前言"中他认为,"普特南是一位处于两大哲学路线交汇点上的人物,在他身上既折射出美国分析哲学的

演变,同时也反映了实用主义的最新发展"①。因此,研究他的哲
学,具"有双重的学术意义,它可以使我们不仅对分析哲学而且也
对实用主义有更深切的理解,对于它们之间的相互补充有更清晰
的明察"②。这是从研究普特南哲学本身的意义说明他研究普特
南的原因。除此之外,在"后记"中,还深情地谈到了他研究普特
南的个人机缘。他写道:"回想9年前旁听普特南课程的情景,其
博学机智、和蔼风趣,至今仍历历在目,恍如昨天。当时的普特南,
正是英美哲学界炙手可热的人物,学术声誉如日中天,其学品、人
品、学术界口碑载道。出于瞻仰风采的动机,我踏进了这位大师的
讲堂。我绝不曾想到,我是在踏入一座磁场,以至后来改变了自己
的学术走向。普特南的演讲不仅将我领入了美国实用主义的大
门,而且也使我初步窥见了他自己的哲学殿堂。从此,关注普特
南,研读普特南,便成了我的主要学术兴趣之一,撰写一部著作,专
门阐释普特南的哲学,也就成了我多年以来的学术志向和心
愿"③。就是前述对普特南哲学研究意义的认识,以及这里由对普
特南个人印象引起的研究冲动驱使陈亚军经过多年潜心钻研,终
于在前一个层次阐述的基础上撰成《从分析哲学走向实用主
义——普特南哲学研究》一书。

在这本著作中,陈亚军采用历时性的方法,在介绍普特南观点
内涵的同时,还注重这些观点之间的演变和发展。因此,书中对普
特南观点的阐述,基本上是按其思想进展的顺序进行的。

---

① 陈亚军:《从分析哲学走向实用主义——普特南哲学研究》"前言",第
1—2页,东方出版社,2002年。

② 同上书,第2页。

③ 陈亚军:《从分析哲学走向实用主义——普特南哲学研究》"后记",第
278页,东方出版社,2002年。

　　具体说来,第一部分只有一章,通过对普特南思想及其演变的叙述,使读者对普特南思想的总体及其演变进程的基本脉络有一个素描式的印象。第二部分有两章,通过普特南科学实在论主要内容的探讨,阐明 70 年代中期以前的普特南,是一位典型的科学实在论者。并从这一认识出发,解释了他后来由科学实在论转向内在实在论的契机。第三部分有五章,探讨了普特南内在实在论的基本内涵;主要是介绍了普氏否定形而上学实在论的三个著名论证("缸中之脑论证"、"模型理论论证"、"概念框架相对性论证");讨论了内在实在论的核心,即内在真理说;解释了事实与价值、科学与伦理、"民主"与"平等"概念,说明普特南在这个阶段中,已经开始摆脱科学主义的束缚,并表现出走向人文主义的努力。但是,他不愿像罗蒂那样陷入相对主义的泥坑,却又没有找到一条更合适的中间道路,使他的理论处于分裂状态。主要表现在,科学主义的阴影仍然笼罩着他,传统的二元式思维方式尚未真正克服。所以,这个阶段中他为超越主观/客观、相对主义、绝对主义做出的努力,没有真正达到目的。第四部分有四章,阐述普特南20 世纪 90 年代以后的哲学主张,包括对内在实在论理论困境的分析、对"心灵"概念的重新审视、对新的哲学立场的述说,说明普特南由于摆脱了传统二元论式思维方式与科学主义的束缚,为他再次超越主观/客观、相对主义、绝对主义作出的努力,进展到了较为彻底的程度,使他在由科学主义走向人文主义的途中显得目标更加明确,观点表述更加融贯自然。第五部分有两章,讨论了普特南与詹姆斯、罗蒂等实用主义者的关系。从中可以看到,普特南思想的最新发展是从分析哲学走向实用主义;就是说,他的哲学转变方向是朝着实在主义的,在其后期思想发展中,实用主义起了重要作用。不过,他主张的实用主义,既不同于罗蒂理解的实用主义,也不同于对实用主义的流行理解,而是以生活和实践为基础的后期维特根斯坦式的实用主义。由此可见,"普特南既受到实用主义的改造,也反过来改造了实用主义"①。

在这个层次上对实用主义的研究,虽然其对象只有一位哲学家,但是,作者通过对普特南思想细致的分析与深刻的论述,不但使普特南的哲学思想及其演变的方向,以极其清晰的形象呈现在读者面前,而且通过对普特南哲学的研究,还加深了对分析哲学与实用主义以及它们两者之间相互补充关系的理解。在这两个方面,作者相当出色地完成了从学术上研究普特南的双重任务,也深化了对实用主义哲学的认识。

第十节　后现代主义在中国大陆的传播

把后现代主义同其他西方哲学在中国的传播比较一下,不难发现,它的传播具有一些不同的特点或特殊性。

一、后现代主义传播的特点

后现代主义,并不是一个单纯的哲学思潮。本来,它只是指称一切以背离古典和现代设计风格为特征的建筑倾向,后来,被移植到文学、艺术、美学、哲学、社会学、政治学甚至自然科学领域而形成为一种共同具有的类似性倾向,即20世纪60年代以来后现代主义反对现代性的文化思潮。表现在哲学上,虽然后现代哲学家之间分歧不少,但也存在一些共同之处,并且还是这些共同之处把

①　陈亚军:《从分析哲学走向实用主义——普特南哲学研究》"前言",第11页,东方出版社,2002年。

他们和后现代主义联系起来。这些共同之处主要是,他们几乎都反对(否定、超越)传统形而上学、体系哲学、心物二元论、基础主义、本质主义、理性主义和道德理想主义、主体主义和人类中心主义(人道主义)、一元论和决定论(惟一性和确定性、简单性和绝对性)。这是他们在哲学上批判现代性的具体表现,也是人类对社会与人类自身前途进行的新的思考。

值得注意的是,当后现代主义思潮输入进来后,却使中国文化的现代化建设与西方哲学东渐事业变得复杂起来。原因在于,首先是来自后现代主义思潮本身的双重影响。一方面,它对现代性的批判反省与对近现代西方哲学局限性的揭露,对于我们开拓新思路,全面认识现代化与近现代西方哲学,以及在中国的现代化建设与近现代西方哲学研究中如何避免和克服它们在西方社会发展过程中的弊病,都有积极的警示作用。然而另一方面,由于后现代主义缺乏历史感和建构性,容易导致虚无主义,对于中国现代化建设中需要的理性、科学、统一、秩序、平衡,必然造成不利的消极影响。

其次,更为重要的是,在此之前,中国文化的现代化建设与西方哲学东渐之路尽管坎坷,但从前现代走向现代的基本取向却是单一的与清晰的。可是,当后现代主义输入进来后,在它的比照之下,我们依然以现代化为基本价值取向,然而在西方依次出现的前现代、现代与后现代的历时性文化现象,在当代中国却一下子被挤压在一个平台上,以共时性形态出现在人们面前。就是说,当中国还处在从前现代走向现代的途中时,西方后现代主义对现代化及其理论总结——近现代西方哲学的弊病却提出了全面的批评与无情的否定。

这样一来,通过前者,提出了一个如何认识和评价后现代主义、是否有必要输入,若要输入又如何进行研究的问题? 通过后者,面对后现代主义对近现代西方哲学的批评,是否还有继续研究近现代西方哲学的必要,若有必要,又怎样看待后现代主义对它的批评,以及如何继续研究? 这些问题的存在与提出,说明随着后现代主义的引进使西方哲学研究陷入了两难的境地。这是新世纪西方哲学传播的复杂性,也是后现代主义研究的特殊性。因此,要想把西方哲学东渐事业向前推进,对于这些问题必须严肃对待,并认真加以回答。

实际上,中国学术界基本上也是采取这种态度的。虽然自80年代初后现代主义开始输入后,除了由于研究对象与研究主体的复杂性,在对传统、对现代、对后现代进行共时性反思时不时出现过一些顾此失彼,或未曾经过深入研究便有对它的情绪化宣泄与仅凭个人好恶加以排斥外,但总的说来,对后现代主义这一复杂的文化思潮,从学理上开展了热情而认真的研究。并且为了推动这一研究健康地向前发展,学术界还采取了一系列措施。例如,仅90年代便先后在北京、西安与澳门举行过有关后现代主义的专题学术讨论会。通过热情的讨论与激烈的争论,使各个领域的学者用共同对话取代话语对抗,从而在交流对话中逐渐加深了对后现代主义的理解。

又如,为了推动与深化对后现代主义的研究,把后现代主义的基本著作翻译过来,是一件十分重要的基础性工作。在这一方面,除了一些散见的译文外,最早出版的是杰姆逊的《后现代主义文化理论》(唐水兵译,陕西师大出版社,1986年)。这是他在北大讲演的整理稿,书中对当今世界范围内的后现代文化现象进行了马克思主义的阐释,在中国后现代文化研究中起了较为广泛的作用。到90年代初,问世的此类译著明显地多了起来。其中主要有:佛克马·伯顿斯的《走向后现代主义》(王宁译,北京大学出版社,

1991 年）、王岳川,尚水编:《后现代主义文化与美学》(北京大学出版社,1992 年)、中国社科院外文所编:《后现代主义》(中国社会科学出版社,1993 年)、哈桑的《后现代的转折》(1994 年)、大卫·格里芬的《后现代科学》(马季方译,中央编译出版社,1995 年)、N·霍兰德的《后现代精神分析》(潘国庆译,上海译文出版社,1995 年)、利奥塔的《后现代状况》(李槿山译,三联书店,1997 年)、德里达的《文学行动》(赵国兴译、中国社会科学出版社,1998 年)、卡勒的《论解构》(陆杨译,中国社会科学出版社,1998 年)、罗斯诺的《后现代主义与社会科学》(强国清译,上海译文出版社,1998 年)、克斯洛夫斯基的《后现代文化》(毛怡红译,中央编译出版社,1999 年)等。除此以外,中国社会科学出版社出版的《知识分子图书馆》丛书中,有关后现代主义的译著,如杰姆逊的《快感:文化与政治》、米勒的《重申解构主义》与佛克马等的《国际后现代主义》等质量均属上乘。三联书店推出的"学术前沿"丛书中福柯的《疯癫与文明》、《规划与惩罚》、萨义德的《东方学》、《文化与帝国主义》等,皆为"后学"方面的经典著作。特别是由江怡主编的《理性与启蒙——后现代经典文选》一书于世纪之交的问世,更是为国内研究提供了一套真实可靠的原著文本。

　　学者们就是在这种学术条件下,逐渐进入了严谨对话的学术研究之中。因此,后现代主义虽然在中国大陆的传播时间不长,但是取得的成果在数量上却十分突出,在学术上也有不少值得肯定的地方。据有的学者统计,自 1990 年到 2003 年,发表的论文有 1150 篇之多①。另外,这期间中国学者还出版了一批有关后现代

---

　　① 论文篇名,发表杂志与时间,见岳川王编《中国后现代后话语》,第 397—446 页,中山大学出版社,2002 年。

主义的著作,其中从哲学上或主要从哲学角度进行研究的,即有:

后现代主义文化研究	王岳川著	北京大学出版社	1992 年
扑朔迷离的游戏—后现代哲学思潮研究	王治河著	社科文献出版社	1993 年
在边缘外追索	张颐武著	作家出版社	1993 年
解构的踪迹	陈晓明著	中国社会科学出版社	1994 年
后现代科学实在论	郭贵春著	知识出版社	1995 年
欧美新学尝析	赵一化著	中央编译出版社	1996 年
东方后现代	曹艳兵著	广西师大出版社	1996 年
走向后现代与后殖民	徐贲著	中国社会科学出版社	1996 年
反美学	潘知常著	南京大学出版社	1996 年
人文困惑与反思—西方后现代主义思潮批判	盛宁著	三联书店	1997 年
精神生成语言	徐友渔著	四川人民出版社	1997 年
从现代性到后现代性	张颐武著	广西教育出版社	1997 年
中心与边缘	张国清著	中国社会科学出版社	1998 年
文本的世界	杨大春著	中国社会科学出版社	1998 年
哲学的改造	陈亚军著	中国社会科学出版社	1998 年
现代与后现代	河清 著	中国美术学院出版社	1998 年
后现代主义之后	王宁 著	中国文学出版社	1998 年
仿真的年代	陈晓明著	山西教育出版社	1999 年
破碎的镜中像:后现代哲学	文聘元主编	鹭江出版社	1999 年
维特根斯坦:一种后哲学文化	江怡著	社科文献出版社	1999 年
后现代主义文化心理	方汉文著	上海三联书店	2000 年
后现代哲学述评	赵光武主编	西苑出版社	2000 年
现代性的意义与局限	佘碧平著	上海三联书店	2000 年
后现代性的文本解释:福柯与德里达	陆杨 著	上海三联书店	2000 年

走出时代的困境—哈贝马斯对现代性的反思	汪行福著	上海社会科学院出版社	2000 年
现代性与后现代性	陈嘉明等著	人民出版社	2001 年
后现代性与辩证解释学	金惠敏著	中国社会科学出版社	2002 年
西方后现代主义哲学思潮研究	佟立著	天津人民出版社	2003 年
后现代主义哲学讲演录	冯俊等著	商务印书馆	2003 年
中国后现代话语	王岳川主编	中山大学出版社	2004 年

毫无疑问,在这些论文与著作中,由于研究者各自的价值归宿、精神意向、思想资源和学术意趣不同,导致他们对后现代主义的认识与评价,出现了观点分歧与价值判断多元并生的现象。其中,既有对后现代主义的客观研究者与积极推进者,也有尖锐的批判者。当今,对后现代主义的研究的学术取向,已进入严谨对话并力求达到共识的学术考辨层面。如果后学研究继续沿着这个轨迹向前发展,取得具有重大意义的学术成果将是大有希望的。

为了进一步说明上面提出的看法,下面从论文与著作中选择一些学者有代表性的论述进行具体介绍。

二、论文中对待后现代主义的不同态度

不但因为学术领域不同,即使都是研究哲学的学者,由于从不同角度出发对后现代主义这一复杂对象进行的探讨,都有可能得出具有个体性意味的独立阐述。这是后现代主义传播过程中不可避免的现象。不过,通过话语论战和思想延伸,还可以看到后现代哲学问题得到新的整合的可能性。在这一题里,首先从大量的论文中,选择一些论述有一定代表性观点的作品进行分析。

在这些研究者中,有一类研究态度和方法都相对客观的学者。他们不盲目追"新"逐"热",而是以学者的冷峻眼光分析后现代主义的正负效应及其得失利害。在文章中,既为后现代主义颠覆伪价值形态和意识权力话语秩序而欣喜,也为后现代主义"越过边界"否定普遍性文化价值根基所造成的虚无倾向而表示担忧,并进一步给予了坦率的批评。

例如张世英。他在《中国传统哲学与西方后现代主义哲学》一文中讨论中国哲学的走向时,他写道:"当我们今天公开明确提出和讨论主体性问题之时,西方人已经对主客体二分式和主体性原则带给他们的好处日益淡漠,而一味强调它的弊端,于是产生了一种反主客二分式,反主体性的思潮,后现代主义是其集中表现。面对这种国际思潮,中国传统哲学应走向何方? 是固守天人合一的老传统,拒西方传统的主客二分和主体性于千里之外呢? 还是亦步亦趋地先走完西方传统的主客二分式道路,再走后现代主义反主客二分的道路呢? 我以为这两者都是不可取、不可行的,我们应该走中西结合的道路,走主客二分与天人合一相结合的道路"①。

在这里,张世英把问题直接提到我们的面前,即西方人走过的弯路或死路,是否当代中国哲学得重新走一遍,如果不亦步亦趋地走死路,那么中国哲学的新世纪之路应该怎么走? 在他看来,只能走中西哲学思想结合的道路:"如果把中国传统哲学自明清之际至今对西方主客二分和主体性的召唤叫做'西化',那么,西方现代哲学,后现代主义哲学之主张人与物,人与自然和谐交融,提倡

---

① 张世英:《中国传统哲学与西方后现代主义哲学》,载《社会科学战线》,1994 年第 2 期,第 95 页。

诗化哲学,就可以叫做'东化'。后现代主义哲学的语言转向,把世界万物都看成是语言上的,而非独立自在的,认为真理存在于语言或言说者与现实之间,这正是一种人与世界万物和谐交融思想观点的表现,与中国天人合一的思想相近。一个重要的不同之点是中国传统哲学缺乏语言转向……我们的传统哲学为什么不可以迎上去同这些素不相识的客人结成联盟呢?只是我们应该告诉他们:不要抛弃你们的老祖宗,我们还要学习你们的主客二分和主体性的老传统"①。

在这一段话里,张世英在回答前面自己提出的问题时,还表达了他对后现代主义的态度。他突出强调的是,既不走西方现代哲学主客二分的道路,也不走后现代的反主客二分的道路。而是走中西结合即主客二分与天人合一相结合的道路。这种既超越现代哲学又超越后现代哲学的思想,既关注现代哲学又关注后现代哲学中所具有的东方精神,进而主张中西结合的思想,体现了一种新的哲学精神,具有相当的合理性。因为,中国哲学的发展既要召唤主客二分和主体性以发展科学民主,又要超越主客二分和主体性以过渡到天人合一和人与自然和谐交融的自由境界。没有主客二分和主体性就没有科学民主精神,而停留于主客二分则终因主客彼此外在限制而达不到心灵自由。

又如刘放桐。他在《后现代主义与西方哲学的现当代走向》一文中论述后现代主义与现代哲学的关系时,认为后现代主义者大都指责现代西方哲学家对传统形而上学批判的不彻底,认为他们在批判基础主义时又往往陷入另一种形式的基础主义,需要克

---

① 张世英:《中国传统哲学与西方后现代主义哲学》,载《社会科学战线》,1994 年第 2 期,第 98 页。

服这种不彻底性;还认为他们进一步发挥了某些现代西方哲学家的反主体性和人类中心论倾向,对现代西方哲学中的非理性主义做了改造。特别是一些当代的后现代主义者把传统和现代西方哲学的超越发展成了对哲学本身的超越,消解了哲学本来的意义,使哲学变成了某种非哲学的东西。接着,他从后现代和现代性之间的关系着眼,有限地肯定了后现代主义出现的科学发展性意义和思想价值的分析性意义。对此,他并不认为后现代主义的出现具有多么重大的现实意义,而是对西方心物、主客二分的哲学思维的一种极端形式的反抗。在论述中他还对整个哲学的发展,特别是哲学成为某种非哲学的东西,表示了一定程度的担忧,从而使他对后现代主义的定位成为具有严肃的、学术探究性的思想定位问题,并将这一问题形成一个敞开的、不断向前推进的发展过程。

在这样综述的基础上,刘放桐在其另一篇文章中还进一步指出:"当代后现代主义哲学家所进行的种种批判和变更不管激烈和奇特,都是在现代西方哲学思维模式这个总的框架内进行的……它的出现是现代西方哲学发展中一个非常值得注意的事件,至少具有如下几点意义:第一,它对近代等西方传统哲学的批判虽有片面性和极端性,但毕竟揭示了后者的许多缺陷和矛盾,由此可以看到西方哲学由近代向现代的转向作为基本哲学思维模式变换的必然性和进步性。第二,它对西方现代哲学的批判暴露了后者的种种矛盾以及所陷入的困境。这意味着现代西方哲学所体现的现代哲学思维方式是有严重缺陷的,必须加以批判和超越。第三,它虽然在基本哲学思维模式上没有超越现代西方哲学,从而未能体现当代哲学的现实走向,但毕竟为实现这种超越做出了某种尝试,为研究当代哲学的走向提供了某些值得思索的设想"①。虽然在这一段话中,同前述把后现代性看成是现代性的看法有某种程度的一致性,但是,必须指出,刘放桐还注意到了不能把它们等同起来。因为后现代对现代的缺陷和矛盾加以纠偏,超越了现代哲学思维方式的局限性,并为走出现代性哲学研究定式做了先行性尝试。更为有意义的是,作者注意到后现代对西方传统哲学的纠偏功能,进而强调其暴露了现代西方哲学思维方式的弊端,并为超越和批判提供了诸多可供思索的东西,但是他并不认为后现代哲学是一种超越了现代哲学的新文化哲学思潮,而是将后现代限定在现代哲学的基本框架内去定位,从而确认作为一种学派或学科的后现代哲学不能成立,而只能纳入现代西方哲学研究体系中进行处理的理由。这种看法是冷静的,也是有着诸多学理考虑的,尽管后现代主义的推进者会有不同的意见。

在"后学"的研究者群体中,虽然毫无批判地接受的人为数极少,但也有一些在主导倾向上肯定多于否定、接受多于批判的研究者。例如尹树广。首先,在《后现代理论与形而上学的命运》中,他认为后现代理论在总体思辨人学、道德神学、实证主义终结前面,宣称自己没有追求真理的兴趣,但在反对总体论、本体论、认识论、辩证法、目的论时,在想发现形而上学终结中的陷阱并找到逃避的策略时,主张安排形而上学的命运。因此,他写道:"今天仍然是必须以形而上学和经验结合研究人的可能性问题的时代,后现代理论也许让我们把这种研究放在一个敞开的领域并且策略地拒绝着绝对化的东西"②。

---

① 刘放桐:《关于后现代主义的定位问题》,载《天津社会科学》,1996 年第 5 期,第 8—9 页。

② 尹树广:《后现代理论与形而上学的命运》,载《求是学刊》,1995 年第 6 期,第 25 页。

其次,在《面对后现代理论,走出评价中的误区》中,对学界批评后现代主义的负面问题,他还进行了全面的辩护:"首先,后现代主义并不是庸俗唯物主义,也就是说后现代理论并没有主张把人的生活看成是彻底地沉溺于物质享受,把人的幸福归于感官欲望的满足和时髦风尚的追求。其次,后现代理论并不具有虚无主义层面……后现代主义反对意志主体中心理性的形而上学道德理想主义正是解构了虚无主义。再次,后现代理论本质上不是思维方式。很多观点都强调后现代理论的方法论和认识论特征是一味解构,反规范、反方法。然而,后现代主义要是一种修辞化的哲学理论,它的思维方法是策略"①。这些对后现代平面化、虚无倾向、思维方式上一反众说的辩护,在西方并不少见,但在中国却不多见,因而实属独自出新。不过,作者认为后现代理论不具有虚无主义,甚至是"解构了虚无主义"的说法,可能很少会有人同意。同样,说后现代理论不是思维方式而是修辞化的哲学理论的说法,也可能因为遁入非此即彼的二元对立的逻辑中,从而违背了作者张扬后现代精神的看法。

除了上述两种倾向外,还有一些对后现代主义的激烈批评者。例如徐友渔。在其对后现代的批评中显示了自己的思想倾向。把他的批评内容归纳起来,有以下几个方面:

第一,后现代主义在中国是一种思想的错位。在《后现代主义及其对当代中国文化的挑战》中,徐友渔明确指出,"在今日之中国,要拥护后现代主义,恐怕是一种急性病。这种急性病在本世纪二三十年代就曾在中国知识界流行过……大半个世纪的社会动

---

①　尹树广,南丽军:《面对后现代理论,走出评价中的误区》,载《哲学动态》,1996 年第 1 期,第 26—27 页。

荡和政治冲击,使得学术规范尚未在中国知识界、学术界很好地确立,有些人又急不可耐地要反规范、反方法,提倡'怎么都行'了"①。在这样批评中国某些人的急性病基础上,他进一步揭露了后现代主义的反整体主义倾向和多元主义的张扬,以及这种以偏概全、以奇为新思维走向片面性的本质,认为由此带来了中国后现代主义极强的扩张性和排斥性的后果。例如,它所起的作用越来越偏向于排斥现代性话语。因此,他写道:"我想用'错位'这个概念来说明我的观点:后现代主义在西方社会的批判性、革命性和平面移植到中国后的保守性的错位,以及中华民族现代化历史目标和后现代的先锋性、超前性之间的错位"②。并且针对某些后学推荐者的观点指出,他的"理由在我看来极为随心所欲、不负责任。他举出的理由有两条,一是全球化进程改变了中国在世界上的位置,二是中国成了跨国资本投入的焦点和国际贸易的新中心。全球化进程是一个缓慢、渐进的进程,它并没有在八九十年代之交发生突变。至于中国在90年代成了跨国资本投入的焦点和国际贸易中心,这完全没有经济数据的支持。这一类话,与其说是严谨的分析,不如说是文人的信口开河"③。虽然徐友渔的这些话说得较重,但从中可以看到他对现代性的坚决维护,以及对某些中国后现代主义者对当代问题过分乐观所隐藏的深层问题的质疑。

第二,认为后现代对启蒙精神的否定是一种话语误读。在《"后主义"与启蒙》中,徐友渔针对后学对启蒙的否定态度,认为

---

① 徐友渔:《后现代主义及其对当代中国文化的挑战》,载《中国社会科学》,1995年第1期,第144页。

② 王岳川等笔谈:《后现代与中国文化建设》,载香港《中国社会科学季刊》,1997,春夏季号,第12页。

③ 同上书,第4页。

应辨清以下问题:五四的启蒙是否在传播西方殖民话语? 20 世纪 80 年代的启蒙是不是无条件的属于西方话语的结果? 启蒙在中国受挫的原因何在? 我们应该坚持启蒙还是应该拒斥启蒙? 面对这些问题,"中国的某些'后学'家往往指责坚持启蒙传统和现代化导向的人是反传统的激进派,对西方话语顶礼膜拜。但以上分析表明,他们对中国近代史,对中国近代思想文化传统缺乏基本知识。他们的兴趣、训练和写作内容及风格充分证明,他们并不丰富的话语全来自西方,而且仅局限于西方的某种'后主义'。我认为,将西方话语在中国做横向移植的,不是启蒙派知识分子,而是这些'后学'家自己。在 80 年代末,文化热骤然降温,启蒙话语大受狙击。一些'后学'家对此兴高采烈,以为用'后主义'话语取代启蒙话语的时候终于来到了。张颐武宣称,'话语的转换已不可避免',他认为,其原因就国际方面说是全球化,就国内方面说是市场化。我认为,这种立场和分析是短视和肤浅的,它出于对事实的回避和曲解"①。作者这种只认事实,坚持启蒙思想和全球化思路的立论,不要简单地看作是过时的现代性思想。而且,尽管批评意见相当率直,但因其直面当代中国问题,无疑是值得认真倾听的。

　　第三,强调"批判"一词的本真含义。徐友渔认为,"不论在西方还是在中国,'批判'都具有褒扬的含义,后学引为自傲的,是它对当代西方主流话语的批判,它谴责的是无批判地接受,称之为投降。问题在于'批判'的正面意义,来自于批判者对自身所处传统的批判。也就是说,批判应该是自我批判……自鸦片战争以来,中国思想文化史的特征之一就是对自身文化传统的批判,这种批判

---

① 　徐友渔:《"后主义"和启蒙》,载《天涯》,1998 年第 6 期,第 9 页。

是中国弃旧图新、实现现代化的前提条件"①。在他看来,后现代主义推进者只批判西方现代性,却对中国当下问题和语境缺乏反思批判,这种视角的偏颇有可能使中国现代思想的反省走上一条保守主义的道路。中国后现代主义者对现实权力的认同和对中心重建的热衷,已经背离真正的批判——自我批判精神,使得文化批判仅仅成为对西方现代性的批判,而对中国现实性问题的回避和对后现代自身的批判的阙如,实际上已经构成了一个重大的思想史问题,这个问题成为后现代精神非彻底性的一个严重症候。这里,徐友渔以尖锐的语言提出的观点中隐含了问题解决的急迫性。这种不断审理的自我批判立场,使他的批判并非是要退回到传统的文化语境中去,而是要走向一条新的道路,一条通向新的精神生成之路。

通观论文的内容,可以看到,中国学者对后现代主义大都是从自己不同的角度对它加以阐述,观点分歧,态度不一。这说明中国的后学研究已经走出了一元化模式,而在多元化气氛中进行探索。这对中国新世纪的思想开拓,有着不可低估的意义。不过,要发现研究中取得的有价值的成果,必须进一步考察学者们出版的有关著作。

三、王岳川为中国后学传播发挥的作用

在后现代主义东渐过程中,王岳川是后现代主义思潮的重要研究者,也是它在中国传播的主要推动者。

王岳川(1955—),四川安岳人。1982年与1988年,先后取得四川大学中文系学士与北京大学中文系文艺学硕士学位。现为

---

① 徐友渔:《保守与错位》,载香港《二十一世纪》,1997年第2期。

北京大学中文系教授，主要从事文学理论与当代文化研究。著述颇丰。仅出版与后现代主义有关的著作即有：《后现代主义文化研究》、《文化话语与意义踪迹》、《后殖民与新历史主义文论》、《目击道存：九十年代文化研究散论》、《中国镜像：九十年代文化研究》、《发现东方——西方中心主义走向终结和中国形象的文化重建》、《全球化与价值重建》、《后现代后殖民主义在中国》，主编有：《中国后现代话语》，等。在这些著作中，他对当代中西文化问题进行了多方面的探讨与论述。这里，着重从哲学的角度介绍他对后现代主义思潮的研究及其在中国的传播。

第一，全面地介绍了后现代主义思潮的具体内容、基本精神及其在哲学上的主要表现。他的这一工作，是从三方面着手的。一是通过自己撰写的著作，如在《后现代主义文化研究》中，最早把这个思潮的方方面面介绍进来了；二是通过主编的著作，如在《中国后现代话语》中，汇集了国内学者对后现代问题的讨论，有重点地把它的主要理论主张突出出来了；三是通过评介中国学者研究后现代主义的成果，如在《后现代后殖民主义在中国》中，分类把后现代主义的理论观点再现出来了。

在这些著作中，通过上述形式不仅有对后现代主义思潮源起、发展、嬗变、撒播及其论争的全面分析评介，而且，还有对其基本精神及其表现的综合归纳。在他看来，"后现代主义思潮是人们对现代性问题的一种全盘反省和基本价值的消解"①，其显著标志是："反乌托邦、反历史决定论、反体系性、反本质主义、反意义确定性，而倡导多元主义、世俗化、历史偶然性、非体系性、语言游戏、

---

① 王岳川：《后现代后殖民文化哲学的思想踪迹》，见《中国后现代话语》，第3页，中山大学出版社，2004年。

意义不确定性"①。表现在：它"以激进的方式扭转了现代精神价值，而抵达一种'无深度的平面'的临界点：在这里，一切选择不复是被选择的，'怎么都行'（费耶阿本德语）使个体选择具有了随意性；在这里，现代精神所追求的确定性和明晰性让位于不确定性和模糊性，断裂的文化使断裂的话语获得了无价值的宣泄；在这里，中心性和秩序性被置换成边缘性和无序性，于是中心隐遁，主体死亡，作者瓦解，只有本文在言说。一言以蔽之，在后现代景观中，那被解释的不再是原初的意义，而是对解释的重新解释；那被消解的不是被摧毁和抛弃的二元对立，而是被重新铭写的"②。

不仅如此，在全面介绍的同时，王岳川还阐明了西方学者对后现代主义的看法与评价。他指出，由于后现代主义理论上的前述性格，以及它在世界上的巨大影响，不仅引起了学者们的高度关注，而且还逼得他们从不同的方面对它进行价值判断。事实上，在围绕着后现代主义的论争中，许多世界一流的思想家都作出了对它的评价。对此，王岳川写道："在他们看来，后现代理论的正负面效应都十分明显。后学的贡献在于：拒斥那种将自我观点或特有偏见强加给其他人的文化帝国主义，尊重那些不能被同化到某种同质化的普遍理论中去的差异性和非连续性。对现代性制度与话语及其对主体实行规范惩戒的具体方法所作的详尽历史系谱学分析（福柯）；对欲望在资本主义制度中如何被殖民化以及如何导致潜在的法西斯主体的微观分析（德勒兹与加塔利）；对大众媒体信息系统以及高新技术等改变政治、主体性和日常生活性质的新

---

① 王岳川：《后现代后殖民文化哲学的思想踪迹》，见《中国后现代话语》，第3—4页，中山大学出版社，2004年。

② 王岳川：《后现代主义文化研究》，第1—2页，北京大学出版社，1992年。

型统治方式的理论阐述(布希亚德与杰姆逊);对微观政治和新的社会运动以及新的社会改造策略重要性的强调(福柯、德勒兹、加塔利、利奥塔、拉克劳、墨非);对现代性的那些有缺陷的哲学要素的批判(德里达、罗蒂、利奥塔);以及对女性主义和后现代理论的新的综合(弗兰克斯、弗雷泽、尼科尔森等)。尽管这样,后现代理论仍然存在着一些根本性的缺陷,如简单化独断地排斥竞争性的观点;局限于文化研究领域而忽视政治经济学相关学科的研究;攻击现代理论的独断论和还原论但却常常陷入独断论和还原论;攻击理性同时呼吁造就新的主体性形式——新的躯体、欲望以及话语"①。王岳川指出,西方学者对后现代理论局限性的这些"分析是内在而深刻的,触及到了后现代主义问题的实质,阐明了后现代主义同样具有现代的缺陷,并非是一种充满希望的建构主义,而是一种需要保持警惕的非主体学说"②。

这是王岳川在引进西方后现代主义思潮时对它进行介绍的特点。就是不仅采取全面地阐述了它的理论学说的基本面貌,而且还客观地指明了西方学术界对它的看法与评价。这对国人全面认识与正确接纳后现代主义,具有重要的引导作用。

第二,反复地阐明了研究后现代主义时应有的理论视野与引进的真正目的,以及为此应当采取的态度。进入90年代后,人们在研究后现代主义时,已不像80年代那样简单地谈论在所谓"前现代"的中国是否存在着所谓的后现代"主义",而是进一步探讨应该怎样面对和分析后现代性这一复杂"问题"。因为他们认识

---

① 王岳川:《后现代后殖民文化哲学的思想踪迹》,见《中国后现代话语》,第14—15页,中山大学出版社,2004年。

② 同上书,第15页。

到,后现代主义作为一种全球性的文化现象,对其发生发展的文化轨迹、多元思维论意向、价值消解问题,以及其对中国当代文化学术产生的影响进行深入的学术研究,无疑具有不可忽视的当代意义。问题是,研究时必须在全球化的语境中联系当代中国的问题进行。

在这一点上,从后现代的视野中便可以看到:"全球化并不是全球'同质化',也不是全球'一体化',而是要让人类将尊重差别作为精神生态信条,作为'人类性'的底色,让东西方学会正确理解对方,让东西方变成人类的集合体"①。王岳川指出,"如果说,前现代是一元中心主义的,现代成为了二元对立的文化(传统对现代,先进对落后,保守对激进),那么,后现代主义提出多元或一分为三,使人们变得更宽容,心态更平和。开放社会实际上扩大了人的内在空间,缩小了外在空间,人的精神自由和尊重这种自由成为人的本质规定性——无论是东方人还是西方人,都毫无例外"②。

正是从这种理论视野出发,王岳川提出了在中国研究后现代主义的真实目的或最终目的:"通过'后学'研究发现后现代后殖民主义对西方现代性霸权的批判,使'边缘话语'得以获得某种发声的可能性,使西方中心主义的合法性受到质疑,使第三世界同第一世界对话的互动成为可能。因此,研究后现代后殖民主义不是目的,相反通过这种研究,应力求找到几个世纪以来不断被边缘化的中国文化自己发言的机会,寻求中国形象和中国文化身份的重

① 王岳川:《后现代后殖民文化哲学思想踪迹》,见《中国后现代话语》,第29页,中山大学出版社,2004年。
② 同上。

新阐释和重新确立,进而在中国知识界重新发现和创造中国文化的魅力中实行'文化输出'战略,从而打破全球化的西方中心主义和文化单边主义,在新世纪世界文化中发出中国的声音,展示新世纪中国文化的精神魅力"①。就是说,通过对它的广泛的跨文化研究,使我们在后现代开拓的多元文化的语境中"发现东方",开创超越后现代文化的新格局。

不过,要达到上述目的,在研究时除了处理好前现代、现代与后现代的关系外,王岳川认为更重要的是,坚持正确的学术态度。因为"后现代主义的悖论性格,使它的理论本身包含着含混、偏颇的谬误,需要我们既不简单批判、又不盲目认同,而是从大处着眼、小处着手加以区分、扬弃和批判。摆在我们面前的重要课题,不是回避后现代论争中的重大问题,而是直面各种层面上的尖锐问题,对后现代主义中的富有建设性批判性的思维向度加以肯定,对其虚无主义和价值消解加以批判,使我们对这一风靡世界的思潮始终保持一种学术批判的眼光"②。简单说,就是要在分清它的积极因素与消极因素后,吸纳前者,克服后者,并力争进一步超越它。

研究后现代主义时,王岳川的篇篇论文与本本著作,都是上述理论视野与学术态度的体现。更为重要的是,王岳川提出的这些主张与做法,还为现代主义的研究沿着健康道路向前发展与取得成果,提供了必要的保证。

第三,及时地评介了中国学者研究后现代主义的成果,通过分类指明了它们的得失利弊。实际上,这项工作从后现代主义思潮

---

① 王岳川:《后现代后殖民文化哲学思想踪迹》,见《中国后现代话语》,第29—30页,中山大学出版社,2002年。

② 王岳川:《后现代主义文化研究》,第3页,北京大学出版社,1992年。

输入之始,王岳川在研究时就着手进行了。由他主编的《中国后现代话语》中有两个附录,一是"中国后现代主义研究著作",一是"中国后现代主义研究论文目录",即是生动的证明。前者汇集了从1984年到2003年中国学者研究后现代主义出版的专著与译著,共计286本,后者汇集了从1980年2003年中国学者研究后现代主义发表的作文,共计1150篇。两个目录,虽然不能说毫无遗漏,但有根据说,它是相当完备的,从宏观上反映了后学研究在中国的热烈景象。这是王岳川关注与跟踪中国后学研究的直接证明。

　　更为重要的是,在《后现代后殖民主义在中国》一书中,不但进一步讨论了后现代哲学的基本特征,它与本体论、认识论、辩证法的关系,以及与当代信息社会、科学哲学、女权主义、神学问题的关联,还及时地对20多年来中国学者的后学研究进行详细的梳理。在这里,他把中国学者在全球化语境中对后现代主义开展的研究分为三类;一是后现代思想的客观研究者,二是后现代主义的积极推行者,三是后现代主义的尖锐反对者,并引用他们的大量论著进行分析,介绍了他们的观点,评价了他们的得失。另外,他还指出,除了从学理上认真研究的学者外,也可以看到一些情绪化的宣泄者。他认为,"这类跻身于学界然而却是非学术态度的情绪,对学术知识增长难以增添任何东西"①。因此,王岳川不把这样的作品作为论列的对象。在这里,还有对中国后学研究发展过程的估计与发展趋势的预测。他认为,20世纪80年代末到90年代初,后学研究停留在一般的译介与论文水平上,具有深度的学术专

————————

①　王岳川:《后现代后殖民主义在中国》,第36页,首都师大出版社,2002年。

著不多。90 年代中期后,由于"不少学者开始对 80 年代的激进思潮和乌托邦情绪深加反省,并从后现代主义那里获得了新的学术资源和进入问题的新突破口,于是后现代主义研究迅速发展起来"①。一些有分量的论著和译著的出版,就是在这段时间内问世的。而且自此之后,"后学研究的主要学术取向,已进入严谨对话并力求达到共识的考辨层面"②。实际上,这是作者对 20 多年来后现代主义思潮在中国传播的初步总结。它对后现代主义进一步研究及其东渐向前发展的促进作用是不可低估的。

上述三个方面,是王岳川在后现代主义东渐过程中发挥的积极作用,使他成为当代中国后学研究的著名学者,并得到了学术界的充分肯定。

四、冯俊研究后现代主义的原创作品

在后学传播中,冯俊推出的《后现代主义哲学讲演录》一书,不但完全是从哲学的角度上论述的,而且还是与国外学者共同研究的成果。

冯俊(1958—),湖北英山人。1984 年与 1988 年,先后获得武汉大学与中国人民大学哲学硕士与博士学位。1994 年至 1995 年,在英国牛津大学进行访问课题研究。现为中国人民大学哲学系教授。曾经出版的著作主要有:《笛卡儿第一哲学研究》(中国人民大学出版社,1989 年)、《当代法国伦理思想概论》(台湾远流出版公司、1994 年)、《近代法国哲学》(台湾远流出版公司、1995

---

① 王岳川:《后现代后殖民主义在中国》,第 39 页,首都师大出版社,2002年。

② 同上书,第 37 页。

年）。他对后现代主义的研究，是他研究法国哲学的继续和深化。早在撰写当代法国哲学的著作时，德里达、福柯和德勒兹等人的思想，便引起了他的兴趣与思考，后来在牛津访问研究时，更是广泛地接触到了法国后现代主义的资料，并为此两次前往法国，使他下定决心把它作为一个课题进行探讨。

当他设计完课题的提纲后，想到如果组织不同国别和地区的学者合作进行研究，那么，由于学术背景的不同有可能阐述出后现代主义哲学的不同意蕴。而且，这种做法也符合后现代主义方法论的风格。因此，他邀请了美国丹佛大学的弗·西格博教授、英国伦敦大学的冯·霍布森教授、法籍华人学者高宣扬与台湾东吴大学的石计生博士加盟共同进行研究。最终成果是由冯俊主编的《后现代主义哲学讲演录》一书。

可见，这部著作是中外学者在相互交流过程中合作研究的产物。它的目的在于，"从法国的几位后现代主义哲学家的思想本身入手，从学理上弄清楚后现代主义哲学的基本特征、思想来源、主要学说，使读者对于到底什么是后现代主义哲学的基本内容，后现代主义哲学大师们到底说了些什么、写了些什么有一个比较清楚的认识，以避免对后现代主义哲学人云亦云、泡沫式刻意炒作的倾向"[1]。因此，根据设计，这部著作由四部分，即"导言"、"后现代主义哲学通论"、"后现代主义哲学的直接思想来源"与"后现代主义哲学的主要代表"构成。在"导言"中通过"'后现代'与'现代性'"、"后现代主义的哲学转向"与"如何看待后现代主义哲学"三个论题，阐明了现代主义向后现代主义的哲学转向、后现代主义对现代主义批判以及对待后现代主义应该采取的态度，为人

---

① 冯俊主编：《后现代主义哲学讲演录》，第 1 页，商务印书馆，2003 年。

们认识与理解后现代主义的基本面貌,从宏观上准备了思想条件。后面三篇分别对后现代主义的哲学学说、理论渊源及其主要哲学家的著作与观点,进行了有层次的具体而深入的论述,为人们把握与接纳后现代主义从微观上提供了必须具备的学术基础。可以说,通过如此共同完成的这部著作,是后学研究中一部具有原创性的作品。它资料翔实,内容丰富,论述深入,具有重要的学术价值,相当圆满地使设计者的愿望变成了现实。

所以能够这样,原因是多方面的。首先,担任该书撰写的这些作者,不但有着不同的文化和学术背景,而且在研究过程中都是在钻研后现代主义原典的基础上,把翻译与著述结合起来,从不同的视角出发对其学说进行解析,从而使他们对后现代主义哲学内涵的理解有深厚的文本根据,论述极具特色和深度。例如,冯俊在"导论"中关于后现代主义的总体评述、西格博在"通论"中关于"现代性和后现代性:争论的维度"的阐述,高宣扬在"后现代主义哲学的主要代表"中关于德里达的"'延伸'和'解构'"的述说,便都是相当精彩的篇章。

其次,虽说它是多位学者合作完成的,但与冯俊倾注的大量心血也是分不开的。为了这项研究顺利进行并取得预期的成果,一方面冯俊通过课题设计与提纲拟定,把研究的内容、目的、要求与方式,以清晰的方式告诉了参加研究的学者,使他们的认识统一到他提出的研究目标上来。另一方面,各位学者依据冯俊拟定的提纲分别研究、撰写、最后给学生们讲演。而且在这个过程中,把翻译与著述、研究与教学结合起来,既充分发挥了学者们各自的学术专长,又通过这些环节使研究在相互交流中得到了深化,从而使这部由冯俊统编的著作,以崭新的面貌呈现在世人面前。在西方哲学东渐史上,中外学者围绕同一课题进行研究,这是一次成功的尝试。

五、陈嘉明研究现代性的着思点

在研究后现代主义的过程中,陈嘉明的《现代性与后现代性》一书,思考的重点却是在现代性上。

陈嘉明(1952—),福建闽侯人。1985 年与 1988 年,先后取得厦门大学哲学硕士与中国社会科学院研究生院哲学博士学位。1993 年赴德国马堡大学访问研究。现为厦门大学哲学系教授。曾经出版的有关西方哲学的著作有:《建构与范导——康德哲学方法论》(社科文献出版社,1992 年)、《当代西方哲学方法论与社会科学》(厦门大学出版社,1991 年),等。

由他主持撰写的《现代性与后现代性》一书,是一本系统研究现代性的著作。所以这样,因为在他看来,一方面,由于这个问题本身的重要性,并不是人人都清楚的,加上后现代主义对它的尖锐批判,更是引起了人们对它的高度与广泛的关注。另一方面,更为重要的是,开展现代性研究,"对处于现代化进程中的中国,从学理上辨明这一进程所要建成的现代社会从观念形态、制度层面到行为方式诸方面的本质特性,不仅具有其理论意义,而且尤其有现实的意义,它能够为我们社会与文化的现代性提供一些有益的思想资源,并有助于我们借鉴其中的历史经验"①。

因此,上述书名中虽然出现了后现代性,但作者的着思点却不在这里,而是现代性。不仅如此,后来发表的《理性与现代性——并论当代中国现代性的建构》(《厦门大学学报》2004 年第 5 期)一文,还突出了他的这个着思点。在这些论著中,他对这个着思点从下述几方面进行了论证。首先,从现代性的内涵和特征上,阐明

---

① 陈嘉明等:《现代性与后现代性》,第 28 页,人民出版社,2001 年。

了它对西方社会现代化发展的意义及局限性。作者认为,哲学上的现代性,主要是一套思想观念与行为方式,基本要素是理性与自由。前者是它的核心概念,是现代的精神与灵魂,是现代价值观念的来源,也是现代历史进程的方向与准绳;后者则是它的根本价值,是人的基本权利,是现代人与社会得以生存与发展的第一前提,也是现代人与社会同以往社会的根本分水岭。

为了具体地阐明这些思想,作者在书中用了两章的篇幅,分别深入地剖析了康德与黑格尔关于理性与自由的论述。他认为康德"以理性概念为核心,高扬了人的主体性这一根本条件,以人为目的本身,肯定了人自身所具有的无限价值。他树立起一种人为自然立法、为道德立法、为社会立法的现代性精神"①;还认为,黑格尔继康德之后,把理性概念推向了高峰,把自由视为一切权力的根本与伦理、政治与社会思想的主导原则。并且指出,随着这些观念的形成,"改变了人们的思想方式与世界观,形成了人们的理性意识,推动了反宗教蒙昧迷信运动,催生了主体性意识,产生了现代的自由、平等、博爱等价值观念,所有这些为现代资本主义社会的产生提供了思想基础,它们也因此构成了哲学意义上的现代性的基本特征"②。而且,在西方社会的发展过程中,"它们既促成了现代化的形成,同时又在现代化的过程中表现为它的结果,并相应地形成现代人的特有人格,以及社会在经济、政治与文化等方面的特定属性"③。可见,体现现代性基本观念的西方近代哲学,既是西方社会现代化发展的思想条件,又是它一定发展阶段上的理论总

---

　　① 陈嘉明等:《现代性与后现代性》,第82页,人民出版社,2001年。
　　② 同上书,第3页。
　　③ 陈嘉明:《现性与现代性——兼论当代中国现代性的建构》,载《厦门大学学报》,2005年第5期,第5页。

结。它发挥的积极作用,是应该加以肯定的。

不过,在作者看来,现代性也存在局限性。例如,以理性来说,在黑格尔那里,由于他"对理性观念的弘扬走向了另一个极端,达到了登峰造极的地步。理性既是思想,又是事物的本质、存在的真理,同时又是真理的实现。一言以蔽之,理性就是一切,它成了一种无所不能的东西,成了一种'神话'"①。又如,以自由来说,在康德那里,"虽然他确立了以只能作为目的、而不能被当做手段的、道德上平等的个体自我为中心的价值系统,不过他的这种个体主义既与认知环境、科学共同体无关,也与生活世界、道德习俗无关"②。这样,由于它的这种内在矛盾,就给现代性与近代西方哲学带来了极其严重的消极后果。例如,"启蒙哲学高举'理性'大旗的本意,原本在于否定造成世间迷信与蒙昧之根源的'神',以便使现代社会成为'属人'的社会。但是思辨哲学发展的结果却使自身走上科学思维的反面"③。

这些,是作者从理论上对现代性的阐述;内容全面,评价客观。它们对于人们形成对现代性的正确认识,有直接的帮助。

其次,评述了围绕现代性发生的争论,从批判和辩护两个方面进一步阐明了现代性理论。为了进一步说明现代性哲学的得失利弊,作者在书中用了很大的篇幅在前面阐述的基础上,具体地介绍了20世纪西方哲学发展过程中一些哲学家对现代性的看法,特别是围绕对它开展的争论,评析了后现代主义对它的批判与哈贝马斯对它的辩护。在后现代主义的批判中,作者认为,虽然批判的方

---

① 陈嘉明等:《现代性与后现代性》,第129页,人民出版社,2001年。
② 同上书,第7页。
③ 同上书,第5页。

面不少,但其中有一个共同点,即对技术理性的批判。他们指出,"随着现代科学技术的迅速发展,科学技术在促进社会生产与提高物质生活水平的同时发生了异化,它取得了决定一切的主宰地位,成为一种新形式的'意识形态',技术理性成了具有合法性的社会统治力量;这导致科技至上的非人性化的控制形式,结果一方面人的生存的意义被遗忘了,人成了失去超越维度与批判维度的'单向度的人',另一方面,在人与自然的关系中,人对自然的统治导致对自然的掠夺,其结果是自然反过来对人的报复"①。在作者看来,后现代主义的这些批判,有不少是合理的。但是,它们的批判纯粹是否定性的,就是说,它们只是停留在批判的立场上,而没有提出建设性的解决方案。与此相反,哈贝马斯不同。他认为现代性是一项未完成的构想,后现代主义只强调它的消极方面,是错误的。他指出,"现代性既有压迫性和破坏性的方面,也有进步的方面,我们所要批判的是其压迫和破坏的方面,要保持和发扬的是其进步的方面。而批判的目的是为了进一步发扬现代性的基本价值,并不是对现代性的全盘否定"②。因此,他进一步从哲学的角度分析批判了德法两国的后现代理论,探讨了如何重建现代性的哲学基础,指出了克服现代性困境的出路,即他提出的"交往理性"理论。在他看来,"这种交往理性以主体间的相互交往,通过协商对话达成理解,并形成非强迫性的共识为目的……因此交往理论能够构成现代性重建的基础"③。对此,作者的评价是:"哈贝

---

　　① 陈嘉明:《理性与现代性——兼论当代中国现代性的建构》,载《厦门大学学报》,2004年第5期第8页。

　　② 陈嘉明:《现代性与后现代性》,第38页,人民出版社,2001年。

　　③ 陈嘉明:《理性与现代性——兼论当代中国现代性的建构》,载《厦门大学学报》,2004年,第5期,第8页。

马斯在坚持现代性以回应后现代理论对现代性的批判时,不是简单地与之对立,而是充分注意后现代理论的合理方面。他反对后现代理论的基本倾向、基本立场,认为需要的是对工具理性加以限制,而不是完全否定现代性,走向非理性。哈贝马斯吸纳了后现代理论对现代性的许多具体批判,来推进现代性事业"①。因此,作者认为,虽然哈贝马斯的交往理性具有广大而空疏的缺陷,但在"告别现代性"的后现代主义思潮的声浪中,他"坚持启蒙精神和理性立场,努力为现代性寻找出路,这本身就值及充分肯定。因为正是他的力战群雄,批判质疑才造成了对现代性更为深入的理解和把握"②。

通过上述对现代性批判与辩护的分析,使人们从积极作用与消极影响上对它有了更为全的认识。更为重要的是,从这里还启发了作者对于如何推进现代性的思索。

再次,在前面多方面对现代性阐述的基础上,探讨了当代中国现代性建构的设想。如果说,通过前面的介绍,是要引导人们正确认识西方的现代性,那么,这里对当代中国现代性建构的提出的设想,则是作者研究现代性的真正目的。作者认为,虽然现代性在西方哲学中饱受批判,然而现在中国还不是侈谈"后现代"的时候。"因为社会的发展有一个循序渐进的过程,一些阶段是无法跳跃的。在现代性的进程上,无疑我们与西方社会之间存在一个时间差"③。例如,现代性的许多规范,在我们这里还尚未建立或完善起来,而它们是要依靠现代性来建立和完善的。作者指出,在当代

① 陈嘉明:《现代性与后现代性》,第452—453页,人民出版社,2001年。
② 同上书,第453页。
③ 陈嘉明:《理性与现代性——兼论当代中国现代性的建构》,载《厦门大学学报》,2004年,第5期,第10页。

中国进行现代性建构时,关键是加深对现代性核心或本质的认识,并以此建立起相应的社会规范。早在五四时期,国人认为现代性的本质是"德先生"与"赛先生"。然而在作者看来,这仍然没有抓住事情的根本。因为"科学与民主都是手段,其背后需要有'人'这么一个运作者,假如此类人是愚昧的,就无法动作起来;此外,假如此类运作者没有权利的保障,也无法运作起来,因此,理性与自由是比科学与民主更为根本的东西,它们构成现代性的本质要素。有理性的思维,才可能有科学;有自由的权利,才可能有民主"①。可见,"现代性首先是人的现代性,是人的思想认识到社会变革的目的所在,据之确定了行为所追求的价值,从而按照这样的目的与价值来变革社会,并作出从经济、政治到法律等一系列的制度安排"②。所以,既然我们当务之急是建构从经济、政治到社会的全面的、合理的秩序和规范,那么,当代中国要建构的现代性就必须是能够体现理性与自由精神的现代性。在这一方面,我们不仅应当吸取中国走向现代化过程中的经验教训,还必须吸取后现代主义批判现代性的积极成果,以免重蹈它在西方社会中出现的覆辙。这是作者在全面考察了现代性的内涵以及后现代主义对它的批判后,在总结中西现代化建设经验教训的基础上提出来的。通过对现代性的系统研究,最后把着思点落实到中国的现代性建构上来,充分体现了作者研究后现代主义时的责任感与现实感。

---

① 陈嘉明:《理性与现代性——兼论当代中国现代性的建构》,载《厦门大学学报》,2004 年,第 5 期,第 9 页。
② 同上。

第十一节　综合性研究与中西哲学会通成果

开展对西方哲学的综合与会通研究,是本时期西方哲学东渐繁荣的一个生动体现。把收获的果实和过去出版的此类著述比较,不但数量惊人地增加了,而且更为重要的是,开辟了不少新的研究领域;如除了通常有的西方哲学史、现代西方哲学史的研究外,还有本体论史、唯物论史、辩证法史、认识论史、范畴史、伦理学史、命题史话、评传、传略等专题综合研究。并且在所有这些领域中,从发表的论著考察,内容上都展示了新意,理论上都明显地有了深化。其中,特别突出地表现在对于西方哲学发展规律的探索上。

下面,在列出各领域出版的著作篇名后,选择其中有学术价值的成果进行评述。

一、多卷本《西方哲学史》隆重问世

哲学史是一种独特的历史。它不同于其他的科学史,比如生物学史,它本身并不是生物学。哲学史不同,它不仅展示哲学内容发展的外在的偶然事实,还要昭示哲学发展的内在逻辑和哲学内容本身。因此,哲学史本身就是哲学。然而,在西方哲学史上,流派众多,典籍汗牛充栋,资料纷然杂陈,要把它的发展规律揭示出来,不是一件容易的事情。不过,中国学者迎难而上,对于西方哲学不同层次的发展规律都进行了艰苦的探索,并且出版了一批著作。其中,仅有关古典西方哲学史的(不包括断代史、国别哲学史),有:

欧洲哲学史　　　　北大编写组　　　　商务印书馆　　　　1977 年

简明欧洲哲学史	朱德生等	人民出版社	1979 年
欧洲哲学史纲	高清海等	吉林人民出版社	1979 年
欧洲哲学史	李志逵等	中国人民大学出版社	1981 年
欧洲哲学史稿	陈修斋等	湖北人民出版社	1983 年
西方哲学史(上、下)	全增嘏等	上海人民出版社	1983 年
西欧哲学史稿	13 所师范院校	河北人民出版社	1984 年
欧洲哲学发展史	文秉模等	重庆出版社	1984 年
欧洲哲学史(上、下)	冒从虎等	南开大学出版社	1985 年
欧洲哲学史简明教程	黄澎林等	山东人民出版社	1986 年
欧洲哲学史便览	张尚仁著	江苏人民出版社	1986 年
简明西方哲学史	郜庭台等	天津人民出版社	1987 年
欧洲哲学史再编	李志逵等	湖南人民出版社	1987 年
西方哲学史教材	李武林等	山东大学出版社	1987 年
中西哲学简史	夏军、张桂兵	江西人民出版社	1987 年
西方哲学概论	任厚奎等	四川大学出版社	1988 年
欧洲哲学发展史	钱广华等	安徽大学出版社	1988 年
古今西方哲学教程	盛先明等	浙江大学出版社	1989 年
西方哲学(上、下)	蒋永福等	中央党校出版社	1990 年
西方哲学史新编	苗力田等	人民出版社	1990 年
西方哲学的发展轨迹	黄见德著	华中理工大学出版社	1992 年
欧洲哲学史教程	刘青华等	首都师大出版社	1993 年
西方哲学教程	谭鑫田等	山东大学出版社	1996 年
西方哲学初步	彭越等	广东人民出版社	1996 年
西方哲学通史(第一卷)	赵敦华著	北京大学出版社	1996 年
世界哲学史话	万方著	四川大学出版社	1997 年
西方哲学简史	赵敦华著	北京大学出版社	2000 年
西方哲学史	杜志清编	高等教育出版社	2001 年

西方哲学新论　　　　严春友著　　　　中国社会科学出版社　2001 年
西方哲学史(8 卷本)　叶秀山　王树人等　江苏人民出版社　　2004 年

　　这些作品大多是改革开放初期，为了适应高校西方哲学史的教学而编写的一些单行本或简写本。虽然其中如陈修斋、杨祖陶的《欧洲哲学史稿》、全增嘏主编的《西方哲学史》，在探索西方哲学的发展规律方面作出了可贵努力，但是大多都没有超出 20 世纪下半叶以来中国有关西方哲学史著作占统治地位的基本思路和理论框架。因此，随着改革开放的发展与西方哲学研究的深入，学界深感过去出版的西方哲学史著作已经不能满足形势发展的需要，并由此发出了撰写一套能比较充分体现中国学者观点的多卷本西方哲学史的呼声。就是在这个时候，1998 年，由著名学者叶秀山、王树人任总主编的多卷本《西方哲学史》(学术版)，作为中国社会科学院的重大课题立项了。

　　课题原设计为 5 卷，约 200 万字。后经课题组反复讨论，本着实事求是、知难而进与力争精品的精神，把原设计扩展为 8 卷，约 500 万字。具体说来，第 1 卷，"总论"；第 2 卷，"古代哲学"；第 3 卷，"中古哲学"；第 4 卷，"近代理性主义与经验主义哲学，英国哲学"；第 5 卷，"18 世纪法国哲学"；第 6 卷，"德国古典哲学"；第 7 卷，"现代欧洲大陆哲学"；第 8 卷，"现代英美哲学"。除总主编，各卷主编均由哲学所研究人员承担外，撰稿者中还聘请了少量外单位的学者。经过学者们多年艰苦而深入的探索，各卷先后以它们新意盎然的崭新面貌，于世纪之初隆重地问世了。

　　其中第 1 卷，是全书的"总论"。这种独立成卷的"总论"写法是我国西方哲学史著作中迄今绝无仅有的。它凝聚着两位总主编对西方哲学及中、西哲学关系的总体把握，具有较高的理论价值。它由上、下两篇构成。叶秀山写的上篇"西方哲学观念之变迁"，从分析西方哲学发展的基本脉络入手,对各种概念的形成、发展、相互关系和理论形态作了精要的刻画,凸显了西方哲学的深刻内涵,阐明了它的历史影响和现实意义。王树人写的下篇"中西哲学、文化在西学东渐中的融合",勾勒出"西学东渐的历史,中西思想的碰撞、融合、互进的过程,通过大量史料分析,揭示这一历史过程给中华文明带来的影响和启迪"①。

第2卷"古代哲学",由姚介厚主编。他从西方遥远的古代开始,系统地介绍了早期希腊城邦与科学思想的起源、自然哲学的基本概念,阐述了希腊古典哲学的发展、鼎盛及基本特征,试图厘清古希腊、罗马文明以及晚期希腊哲学的发展脉络,分析了晚期希腊罗马哲学衰落的原因,提出了自己对西方古代文明的特点、意义和影响的看法。

第3卷"中世纪哲学",由黄裕生主编。他认为"中世纪哲学"是国内研究比较薄弱的领域。西方中世纪哲学与后来启蒙哲学的发展有密切关系,在西方的神学文化背景下,研究中世纪哲学对于理解后来乃至当代西方哲学的发展都有重要意义。作者强调,哲学是以理性的态度去理解和思考宗教信仰提出或隐含的基本问题与基本观念,从而逐渐消除宗教信仰里的狂热与盲从等迷信成分,使信仰逐渐理性化,最终成为康德意义上的"理性范围内的宗教"。西方中世纪哲学是科学性与宗教性相交融的产物,宗教使哲学扩大了视野,而哲学使宗教更加理性化。他进一步提出,古希腊哲学的核心问题是真理问题,自由并没有得到哲学的真正理解。西方宗教哲学不仅丰富了哲学本身,而且使哲学走上了神圣化的

---

① 中国社会科学院院报:《反映我国西方哲学研究总体面貌》,载《中国社会科学院院报》,2004年8月10日。

道路:哲学不仅以追求真理为目标,而且以捍卫人的自由与权利为使命。他的研究力图为重新理解西方哲学史,特别是中世纪宗教哲学,提供了新的思路,也对理性与宗教之间的关系问题提出了自己的理解。

第4卷"理性主义与经验主义、英国哲学",由周晓亮主编。在这一卷里,它以16—18世纪欧洲理性主义和经验主义哲学,以及英国哲学的发展为主要内容,通过对欧洲启蒙时代的历史背景、哲学特点、主要哲学家的思想观点的阐述,不但突出了当时哲学研究的认识论主流,而且还客观地评述了政治哲学、宗教哲学、伦理思想及其发展;对国内研究比较薄弱的赫伯特哲学、剑桥柏拉图学派、苏格兰常识学派、英国理神论等,也进行了认真的评介。

第5卷"18世纪法国哲学",由尚杰主编。他一反以往以人物、年代写历史的传统方法,采用富有哲理的优美的语言客观介绍了具有浪漫主义色彩的法国启蒙哲学。其中,对过去研究中的一些薄弱环节,特别是对国内学界不熟悉的法国人类学家布丰、有丰富哲学思想的文学家萨德、帕斯卡尔提出的情感哲学等,均进行了详尽的阐述。

第6卷"德国古典哲学",由张慎主编。她以德国古典哲学的代表人物康德、费希特、谢林、黑格尔为主线,从启蒙运动对宗教的批判、德国文学和科学的发展与大学的学术自由等角度,揭示了德国古典哲学产生的内在原因,介绍了马克思主义对德国古典哲学的批判。

第7卷"现代欧洲大陆哲学",由谢地坤主编。这一卷论述的内容,从19世纪中叶的叔本华一直到当代的后现代主义,涉及的学派杂、哲学家多。如何把握和分析如此众多的哲学派是该卷必须处理好的一个难题。为此,主编聘请了国内研究现代西方哲学的有关专家参加编写。可以说,这一卷是中国学者集体智慧的结晶。

第8卷"现代英美哲学",由江怡主编。他着重对英美分析哲学中的重要问题、哲学家及其思想进行了深入的研究。在方法上坚持历史与逻辑的结合,打破了以往以人本主义与科学主义划界的旧框架。他关注来自不同哲学传统的哲学家对相同问题的讨论,并力图更清楚准确地揭示当代西方哲学发展的逻辑线索。在对当代英美哲学的把握上提出了一些新的见解,对有些哲学家进行了重新定位和评价。

凡是读过本书的人,都会被它的学术性与研究性特色所深深感染。正如两位总主编在"前言"中指出的,"本书之所以标出'学术版',只是想告诉读者:这部书的各部分都是作者经过独立研究的成果,是各位作者的研究心得"①。可见,与学术性相联系的是它的研究性。在遵守西方哲学史著作基本规范的前提下,更强调学术性与研究性,这既是对作者撰写本书提出的要求,也是本书的鲜明特色。

主要表现在,一方面,为了确保成果的学术严谨性,书中阐述的各种论题,均以外文"经典原著"为主,借鉴中文译著等第二手材料为辅,努力使材料的组织与运用有较高的可信度和准确性,做到立论"言之有据"。这个"据",来自研究对象。另一方面,提倡独立思考和理论创新,使作品既体现发挥作者各自的专业特长,又不要求他们的学术观点和写作风格绝对统一,而是鼓励他们创造

---

① 叶秀山、王树人:《西方哲学史》(学术版,第1卷),"前言",第1页,江苏人民出版社,2004年。

地进行研究,写出自己的特色,写出新意与理度深度;并且在探索与著述中,注意从中国学者的视角理解和阐明西方哲学的各种论题,厘清以往作品中机械地阐述西方哲学的一些观点,力图全面反映我国百余年来,尤其是改革开放以来中国学者研究和阐释西方哲学的总体面貌。

因此,在一定意义上,通过学者们这样共同努力完成的多卷本《西方哲学史》(学术版),是中国社会科学院多年来西方哲学研究的一个总结,是世纪之交西方哲学史研究推出的一项精品。它相当圆满地实现了作者"把西方历史上那些载入史册的哲学大师们如何创造性——自由地'思想'哲学问题真正客观地介绍给大家"的目的①,也在一定范围内,反映了中国学者研究西方哲学史取得的新进展。

二、赵敦华《西方哲学通史》的追求

随着西方哲学研究的深入与满足高校教学上提出的要求,进入 20 世纪 90 年代中期后,哲学界感到有必要编写能够反映西方哲学研究最新成果的西方哲学史著作了。由朱德生主编的《西方哲学通史》,就是在这种条件下问世的。这部书由三卷构成:第一卷为古代中世纪部分,从公元前 6 世纪至公元 16 世纪;第二卷为近代部分,从公元 17 世纪至 19 世纪中叶;第三卷为现代部分,从19 世纪中叶开始,直至最近。

其中,第一卷由赵敦华执笔,已于 1996 年出版。在这本书中,反映了作者研究西方哲学史学术上的一种强烈追求。在他看来,

---

① 叶秀山、王树人:《西方哲学史》(学术版,第 1 卷),"前言",第 3 页,江苏人民出版社,2004 年。

"西方哲学史"是一门传统学科,学科的体系和基本材料已经成熟定型,国内外已往出版的此类著作也基本上大同小异。集中表现在进行哲学史研究时,不是"我注六经",就是"六经注我"。就是说,在研究的角度与方法上,前者从历史的角度客观地叙述哲学史,如梯利的《西方哲学史》,后者则通过哲学史的阐述来表达作者自己的某种哲学观点,如罗素的《西方哲学史》。虽然这两种哲学史的写作方式各有利弊,但理想的哲学史应该是,既坚持客观的态度,又能体现作者的学术个性,既踏实地叙述史实,又在叙述中看到作者经过创造性研究提出的见解。一句话,在接受前人成果积极因素的基础上,把它们综合起来,并超出它们。这就是赵敦华研究西方哲学史追求的目标。

因此,在这本书中,他把对哲学史的宏观把握与对哲学史的客观叙述结合起来,在掌握第一手资料的基础上,通过对哲学家著作、观点、学派演变以及它们在哲学史上影响的创造性阐述,全面地展示了西方哲学在古代希腊与中世纪产生、发展的轨迹。

关于这一点,只要读过这卷哲学史,古代希腊与中世纪各有关流派演变的脉络,便会清晰地呈现在眼前。例如,在古代希腊时期。作者指出,哲学起源于希腊自然哲学对世界起源的思考,由此决定它研究的主要内容是探索世界的本原与寻求世界存在的意义。就是在寻求解答"如何认识本原"的过程中,出现了理智与感觉两条不同的认识路线,提出了后来成为形而上学对象的"存在"概念。发展到智者派,把对自然的思辨与社会生活实际联系起来,一方面,开启了注重论辩方式的辩证法,另一方面,又取消了道德与普遍知识的确定性。由此迫使柏拉图与亚里士多德在解决知识确定性的过程中,分别建立了以理性为核心的灵魂观、以美德为中心的伦理学和以思维形式为内容的逻辑学等庞大的哲学体系。这些体系中包含的一些与神学相通的因素，如理念论，第一推动者，都随希腊哲学的发展，后来在基督教神学中得到了延伸与发展。又如，在中世纪经院哲学时期。由于自黑格尔以来，受到他以"穿七里靴尽速跨过"的影响，轻视或几笔带过几乎成了哲学史家阐述这段哲学史的通行做法。正是在这一方面，赵敦华在这卷哲学史中，利用自己长期研究的成果，辟出近一半的篇幅对它作了浓墨重彩的述评。在详细地阐明中世纪经院哲学发展过程的基础上，他认为中世纪哲学是西方哲学发展史上一个重要而独特的时期，它在基督教文化的背景中改造、丰富和发展了古代希腊哲学。其中，对自然律、意志自由、善与恶等伦理问题的研究，更是具有独创性。特别是，当时神学语境中讨论的很多问题，后来随着自然科学的发展与人文精神的兴起，在新的历史条件下都合理地转化为近代哲学观念。因此，他指出，中世纪哲学具有由古代哲学向近代哲学过渡的桥梁性质。这样，通过中世纪哲学在西方哲学史上的应有地位的肯定，从而避免了以往哲学史忽视理论连续性的独断倾向。

而且，在这样系统展示这两个时期哲学发展线索的过程中，有重点地突出了那些有重大影响的哲学家的阐述。例如，古希腊时期的柏拉图和亚里士多德。作者认为，他们是希腊哲学史上承前启后的人物，对哲学的发展都作出过重要贡献。因此书中在论述他们时，以逻辑学、自然观、形而上学、灵魂学说、社会伦理五大论题为经，以不同阶段哲学家对这些论题的论述为纬，经纬交织，逐层深入展开，把横的比较与纵的探究统一起来，更是使古代希腊哲学的发展线索有层次地展示出来了。与此同时，还充分借鉴了国内外研究的最新成就，对哲学史上的一些疑难问题，如柏拉图的理念型相论、亚里士多德的实体学说，都在考证的基础上提出了自己的看法；对一些尚有争议的问题，如《形而上学》研究中遗留问题，则摆出各家观点供读者鉴别判断。所有这些，都充分体现了作者驾驭哲学材料的功力，以及进行哲学史研究的理论勇气和科学态度。

所以，当它出版后，便受到了学术界的欢迎。正如有的学者指出的，它"资料翔实，视野广阔，持论公允，融学院式理论探讨性与教材的理论规范性于一体，超越了西方哲学史两种通行的写作范式，标志着我国西方哲学通史撰写在学术水准和方法论上的重要突破"①。

要指出的是，为完成"面向21世纪教学改革和课程建设"项目，赵敦华后来推出的《西方哲学简史》与《现代西方哲学新编》两本教科书，更是进一步体现了他研究西方哲学史的上述学术追求。而这又贯穿在他对西方哲学发展规律的探索和论述上。他认为，哲学史课程的任务，除了通过西方哲学把握西方文明的成果和西方文化的精髓外，更加重要的是，"通过哲学史的训练提高哲学素质和哲学思辨能力"②。就是说，"学习哲学史是培养创造性思维的方式，也是启迪批判性思维的试验过程"③。他指出，为了达到这个目的，在哲学史著作中必须努力探索哲学思维的发展规律。在他看来，哲学家的哲学思维是有线索的，哲学史上哲学思想的发展是有规律的；没有线索与规律的哲学史，"只是思想材料的堆

---

① 汪正龙：《对西方哲学史两种写作范式的超越——由〈西方哲学通史〉（第一卷）说起》，载《哲学研究》，1998年第2期，第75页。

② 赵敦华：《西方哲学简史》"前言"，见《西方哲学的中国式解读》，第72页，黑龙江人民出版社，2002年。

③ 同上书，第70页。

砌,而不是可被理解的历史"①,问题是要通过艰苦的研究把这些规律发掘和总结出来,并通过对它们的深刻论述,才能使读者受到哲学思维的训练,以此帮助那些已经形成思维定势的人改变看问题的方式,进而能够提出和解决新的问题。可见,哲学史著作阐明哲学思想的发展规律,是十分重要的。

为此,赵敦华提出了在这些著作中探索哲学史上哲学思想发展规律的基本思路。他写道:"我接受了前辈对哲学史这样一些看法:哲学从来都不是死记硬背的学问,更不是僵化的教条;哲学是历史的科学、实践的学问;历史已经并将继续证明,只有那些大无畏地探索真理、身体力行地践履真理的人才能发现真理,这样的人才是名副其实的哲学家;哲学史不提供现成的真理,西方哲学史是哲学家们爱智慧、求真理的探索过程;在此过程中,问题的提出比问题的答案更有意义,理解历史上任何一个哲学家都要首先理解他的问题"②。从这种哲学史观与锻炼思维能力出发,他在选择和编排哲学史材料时,"把那些最有独创性、启发性和代表性的思想观点挑选出来,按照哲学史发展的内在线索,按哲学思维的逻辑,或某一个哲学家提出问题和解决问题的特殊思路,把精选出来的材料建构成有思辨性的哲学论证"③。由此他认为,哲学史的编写实际上是一项理论重建工作。在这个过程中,一方面,必须选择好哲学史那些人类心灵的永恒问题作为论述的焦点。因为这些问题的提出、转变和持续,以及围绕这些问题展开的争论和所达到的结论,就是哲学史发展的逻辑线索。另一方面,在论述这些问题

①　赵敦华:《西方哲学简史》"前言",第2页,北京大学出版社,2001年。
②　同上。
③　赵敦华:《现代西方哲学新编》,"前言",第5页,北京大学出版社,2001年。

时,应该有这样的意识:"哲学史中的问题比答案更重要,论证的过程比结果更重要,资料的释义比资料的数量更重要"①。因为"历史上和现实中的哲学家提出了一个又一个的答案,但一个接着一个被推翻、被修改、被重写。哲学史展现的就是高尚心灵的更迭,思想英雄的较量。虽然没有一个西方哲学家的结论能够经受历史的检验,没有一种直到现在还被普遍认可的哲学真理,但是,哲学家们为解决哲学问题而提出的论辩证明至今仍给人以启发,成为人类精神的宝贵财富。从哲学史的观点看问题,问题的提出比答案更有意义,解决问题的过程比达到的结论更有价值"②。

　　赵敦华的西方哲学史著作,都是这一思路的产物,也是他追求超越传统哲学史范式结出的果实。因此,随着这些西方哲学史著作的问世,把中国研究西方哲学史的水平,明显地向前推进了一步。

三、刘放桐研究现代西方哲学的广泛影响

　　本时期的现代西方哲学研究,是西方哲学东渐取得进展最为明显的一个领域。表现在综合性研究上,出版的著作即有:

现代西方哲学	刘放桐等	人民出版社	1981 年
现代西方哲学概论	车铭洲 王守昌	商务印书馆	1983 年
现代西方哲学流派	王克千等	中国青年出版社	1983 年
当代西方哲学	夏基松等	黑龙江人民出版社	1983 年
现代西方哲学讲演集	贺麟著	上海人民出版社	1984 年
现代外国哲学	葛力著	山西人民出版社	1984 年

---

　　① 赵敦华:《现代西方哲学新编》,"前言",第5页,北京大学出版社,2001年。

　　② 赵敦华:《西方哲学简史》"前言",第3页,北京大学出版社,2001年。

现代西方哲学教程	夏基松等	上海人民出版社	1985 年
现代外国哲学评论讲座	总参宣传部	军事译文出版社	1985 年
现代西方哲学思潮	李步楼等	华夏出版社	1986 年
现代西方哲学	赵修义等	华东师范大学出版社	1986 年
现代西方哲学纲要	夏基松等	江苏人民出版社	1986 年
现代西方社会思潮	夏基松等	南京大学出版社	1986 年
现代西方哲学论集	罗克汀著	广东人民出版社	1986 年
现代西方哲学概论	复旦大学哲学系	复旦大学出版社	1986 年
现代西方哲学简明教程	尹全忠等	湖南人民出版社	1987 年
现代西方哲学简编	冯玉珍等	河南人民出版社	1987 年
当代西方哲学思潮纲要	郑杭生等	中国人民大学出版社	1987 年
现代西方学术思潮	黄颂杰等	浙江人民出版社	1987 年
现代西方时代精神	车铭洲等	中国青年出版社	1988 年
当代西方哲学思潮	韩毅著	海军出版社	1988 年
现代西方哲学简编	朱庆祚等	上海社会科学出版社	1988 年
现代西方哲学源流	车铭洲著	天津教育出版社	1988 年
现代西方哲学主要流派	郦达夫著	外语教学与研究出版社	1988 年
当代西方哲学评介	岳长林等	求实出版社	1988 年
现代西方哲学	吴锦琴等	华中师范大学出版社	1989 年
现代西方哲学导论	宋全贵主编	天津人民出版社	1989 年
现代西方哲学评介	汪永康等	云南人民出版社	1989 年
现代西方哲学(修订本)	刘放桐等	人民出版社	1990 年
现代西方哲学思潮述评	黄美来等	清华大学出版社	1990 年
二十世纪十大哲学家	樊波等	新华出版社	1990 年
西方人本主义哲学研究	李小兵著	中央党校出版社	1991 年
现代西方哲学思潮述评	张明等	石油大学出版社	1992 年
现代西方人本主义哲学 研究	黄见德等	华中理工大学出版社	1993 年

现代西方哲学	袁义江等	兰州大学出版社	1993 年
现代西方哲学思潮举要	韩秋红等	吉林教育出版社	1993 年
现代西方哲学评介	薛文华著	高等教育出版社	1995 年
现代西方哲学三大思潮	漠良坚著	新疆人民出版社	1995 年
现代西方哲学概论	杨振坚著	厦门大学出版社	1995 年
现代西方哲学	于铭松等	经济科学出版社	1996 年
新编现代西方哲学	刘放桐等	人民出版社	2000 年
现代西方哲学新编	赵敦华著	北京大学出版社	2000 年
现代西方哲学	邹铁军等	吉林大学出版社	2001 年

在这些著作中，由刘放桐主编，并经过反复修订的三个版本，即《现代西方哲学》（初版）、《现代西方哲学》（修订本）与《新编现代西方哲学》，对于本时期现代西方哲学的研究，发挥了广泛而深刻的影响。

刘放桐（1934—　），湖南桃江人。1956 年进中国人民大学哲学系读西方哲学专业的副博士研究生。1960 年底毕业，分配到复旦大学，并一直在这里从事现代西方哲学的教学与研究工作。现为该校哲学系教授。

虽然从 60 年代初开始，他就把主要精力放在现代西方哲学研究上，但真正取得成果却是改革开放以后。首先，随着西方哲学研究的恢复，为了适应社会发展和学科重建的需要，使他在文革前编写教材的意念重新涌动，并决定着手编撰一本较为系统的现代西方哲学教材。在当时的条件下，尽管困难不少，但在一些学者的合作与参与下，经过几年的努力，由他主持编写的《现代西方哲学》（初版）一书，作为教育部的统编教材，于 1981 年付梓问世了。

这是一部最早尝试构建现代西方哲学教材理论框架的著作。从内容上考察，它不但力求以科学的态度全面地介绍和评价现代西方哲学发展过程中各个流派的基本观点，而且给人印象最深的是,在论述某些学派纷繁庞杂的思想体系时,对其中的世界观、认识论、方法论上具有启迪意义或反映了社会实践发展的观点,通过充分的分析和论证,都毫不含糊地加以肯定了。例如,法德等现象学家后期学说中的唯物主义倾向;逻辑实证主义等分析哲学家分析方法的可取因素;实用主义者提倡的实验——探索方法;某些哲学家在褒扬相对主义、诡辩论的同时,往往发挥了辩证法的某些主张。此外,还有不少西方哲学家对机械论的批判,以及对人的主观能动性的强调,等等。尽管肯定时由于过分谨慎,使不少该肯定的没有肯定,特别是没有对其思维方式上取得的进展给予肯定,但是,它却在实事求是地评价现代西方哲学的道路上迈出了重要的一步,在当时的背景下给人耳目一新的强烈感觉。因此,出版后受到了哲学界和广大读者的热烈欢迎。

　　然而,在改革开放形势的有力推动下,20世纪80年代西方哲学东渐取得了重大的进展,从而暴露出初版《现代西方哲学》的不少缺陷。主要是:"它对有些哲学流派的介绍不够具体和细致,偏离了它们本身的思想逻辑,往往把它们的理论纳入世界观、认识论、社会历史观、方法论等预设的理论框架中,这必然产生削足适履之弊,从而必然存在不够准确和错误之处;对它们的评价虽与'左'的一套有所不同,但并未摆脱旧的批判模式"①。为了克服这些缺陷,使之能够体现本学科研究的发展和进步,从1984年酝酿开始,经过几年的努力,1990年推出了修订本。作者在修订时,对各个流派的原始材料重新进行了研究,并借鉴了国内外的近期研究成果。因此,在新版中补充了一些流派的内容,对原有的论述也都重新改写了,并力图对各派理论做出更为客观和准确的介绍,

① 刘放桐:《新编现代西方哲学》,"序言",第3页,人民出版社,2000年。

特别在突破旧的批判模式上,更是做出了巨大的努力。例如,不单以唯物唯心来为各派哲学划界和定是非,而是尽可能对之作出具体分析。对于西方现代哲学与马克思主义哲学的关系,提出的看法也与初版大不相同。特别是,在肯定现代哲学对近代哲学的进步时,还肯定了它与克马思主义哲学在超越近代哲学上的同一性。因此,"与初版相比,修订本在论述的科学性和评价的客观性方面都有较大提高"①。

不过,刘放桐并没有因此而感到满足,而是再接再厉,把这项研究继续向前推进。进入90年代,我国哲学研究的各个领域都取得了重要进步。特别是由于国际交流的扩展,一批年轻哲学家迅速成长起来,使西方哲学研究的学术水平有了明显的提高,甚至在某些学派的研究上,做到了同国外同步推进的程度。此外,有些马克思主义哲学家克服了以往对现代西方哲学的偏见后,开始了对它的认真研究,并在他们的论著中吸取了现象学、结构主义与后结构主义、哲学解释学等的一些术语和观念。这是世纪末哲学研究领域出现的新气象,从中也提出了新世纪哲学研究必须解决的一些问题。"这些问题主要包括:如何从整体上看待现代西方哲学?它之取代近代西方哲学是具有进步意义的哲学思维方式的转型呢,还是只是局部性的变化、甚至倒退? 它与马克思主义在哲学上的革命变革有何联系? 彼此在超越近代哲学的局限性上是殊途同归呢,还是仅仅根本对立?"②这是哲学研究过程中提出的新问题,回答这些问题则是对现代西方哲学研究提出的新要求。以此要求衡量修订本,虽然它对这些问题提出了一些不同于初版的看法,但

---

① 刘放桐:《新编现代西方哲学》"序言",第5页,人民出版社,2000年。
② 同上书,第6页。

论述不充分,更没有明确而全面地将其运用于分析和评价各个具体的西方哲学流派,甚至对一些流派的评价仍然尚未完全摆脱旧的评价模式。"这说明修订本在对各派哲学的评价上存在内在矛盾,在一定意义上可以说它还是新旧哲学思维和评价方式交织的产物"①。因此,与现代西方哲学研究取得的重大进步相比,它显得相对陈旧了。

为了解答上述问题,把现代西方哲学研究推进一步,刘放桐认为,关键在于把对它的研究与对马克思主义哲学的研究结合起来。一方面,现代西方哲学的研究应当坚持以马克思主义为指导,超越西方哲学学者研究方式的界限,将对它的研究与对马克思主义哲学的研究结合起来,自觉地以丰富和发展马克思主义哲学为目标;另一方面,马克思主义哲学研究也应当与对现代西方哲学的研究结合起来。在坚持马克思主义哲学的基本原则的基础上重新审视以往在这方面的成败得失,更好地吸取现代西方哲学发展的经验教训,使马克思主义哲学更能体现开放时代的要求,从而更加具有生命力和战斗力。

从上述认识与要求出发,刘放桐又对修订本进行了新的修订,其结果是世纪末问世的《新编现代西方哲学》一书。在这部80多万字的巨著中,经过再次修订的内容,既包括进一步克服修订本中仍然存在的对各派哲学介绍中的片面、不实和错误之处,还吸取哲学界研究的最新成果,增补了一些新的内容,使它对现代西方哲学有更加准确和全面的介绍。但更重要的是,从指导思想上克服了过去对各派哲学评价上存在的内在矛盾,提出了贯穿在全书中的两个基本观点:一是"西方现代哲学取代近代哲学

---

① 刘放桐:《新编现代西方哲学》"序言",第 7 页,人民出版社,2000 年。

是哲学思维方式的重要转型,它使西方哲学发展上升到一个新的、更高的阶段"①;二是"马克思主义在哲学上的革命变更与西方哲学的现当代转型有着原则的区别,但在超越西方近代哲学上二者殊途同归,二者都属于现代哲学思维方式"②。这些观点的提出与论证,实际上是作者艰苦探索后对前述重大问题作出的明确回答。

只是刘放桐感到,《新论》作为教材因其有规范性的要求,对这些问题不能在理论上做出尽可能有说服力的充分论证。为此,他又把它和另一个课题,即《马克思主义与西方哲学的现当代走向》结合起来进行研究。因为在他看来,虽然二者主旨一致,但又有所分工。前者的重点是客观和具体地阐释现代西方哲学的各个流派和理论、它们彼此之间及它们与西方近代哲学之间的关系,并在这个基础上来揭示它们与马克思主义哲学的关系。后者的重点则是从整体上重新考察西方哲学从近代到现代哲学转型的性质、现代西方哲学的发展历程及其与西方社会各方面变化的联系、现代西方哲学的矛盾和危机及其在当代的走向;而对这些问题的探讨又与对马克思主义哲学上的革命变革的意义和马克思主义哲学发展的曲折道路的重新认识,以及对马克思主义所开辟的哲学发展道路是当代世界哲学发展的惟一道路等的论证结合在一起。而且,它不受教材规范性的约束,可以采取多种形式针对上述问题进行充分的论述。因此,通过他发表的一系列论文,以及后来汇集起来出版的《马克思主义与西方哲学的现当代走向》一书,从理论上对前述问题展开的全面而深入的论证,在深化《新论》对上述问题认识的基础上,使那些问题得到了圆满的解答。

---

① 刘放桐:《新编现代西方哲学》"序言",第7页,人民出版社,2000年。
② 同上。

可以说,刘放桐有关现代西方哲学各个版本的先后问世,从重建学科的理论框架,到把现代西方哲学研究提高到与马克思主义哲学相结合的新阶段,真实地反映了新时期中国学者研究现代西方哲学前进的步伐。不过,要着重指出的是,在这个过程中,这些著作对于现代西方哲学研究产生的广泛影响与发挥的积极作用。仅以初版来说,由于它是本学科停滞和中断几十年后最早出版的,内容相对系统和完整,适应了当时人们了解现代西方哲学的要求,加之它初步克服了过去全盘否定的倾向,又是重建学科理论框架的最早尝试,因此,当它出版后,"一些报刊把它当作我国现代西方哲学学科建设的重要事件之一,先后作了报道和评论,特别是强调它对推动和促进我国本学科的教学和研究可能起到的积极作用"①。例如,有的学者指出,"像该书这样将一百多年来现代西方哲学作为一个具有一定的有机联系的整体而加以系统的论述,还不曾有过。从这个意义上说,它填补了一个空缺"②。当时它受到热烈欢迎的程度,仅1989年,销售逾12万册,并被众多高校选作教材使用,就足以得到证明。其他版本问世后,情形也是这样。最突出的表现是,有些年轻人就是在读过这些书的激励下,进一步走上了研究现代西方哲学的道路。这是这些著作的影响和作用,也是刘放桐为西方哲学东渐做出的重要贡献。

四、汝信等主编的《评传》对西方哲学研究的作用

在综合研究西方哲学的过程中,以西方著名哲学家为对象,采

---

①　刘放桐:《风雨中的现代西方哲学研究》,见《今日中国哲学》,第974页,广西人民出版社,1996年。

②　袁淑娟:《评〈现代西方哲学〉》,载《光明日报》,1982年7月17日。

用评传、传略或述评等形式进行介绍和论述的著作,占有一定的数量。它们是:

现代西方著名哲学家述评	杜任之主编	三联书店	1980年
西方著名哲学家评传(8卷)	汝信等主编	山东人民出版社	1984年
西方一百个哲学家	谢庆绵主编	江西人民出版社	1986年
西方著名哲学家介绍	王宏等	吉林人民出版社	1986年
西方著名哲学家评传续编(2卷)	侯鸿勋等	山东人民出版社	1987年
西方哲学家传略	王树人等	山东人民出版社	1987年
现代西方著名哲学家评传	袁淑娟主编	四川人民出版社	1988年
欧洲哲学明星思想家	冒从虎等	中国青年出版社	1988年
现代西方著名哲学家述评	王金淼主编	西北工业大学出版社	1989年
当代著名哲学家评传(10卷)	涂纪亮等主编	山东人民出版社	1996年

其中,汝信等主编的《西方著名哲学家评传》,内容全面,信息量大,表述生动,工程浩大,颇受学术界的重视。

汝信(1931—　　),江苏吴江人。年轻时在圣约翰大学学习,后参军在部队从事翻译等工作。1957年至1959年进中国科学院哲学所读副博士研究生。1981年至1982年赴哈佛大学作访问研究。曾任中国社会科学院副院长。主要从事西方哲学与美学研究。出版的著作有:《黑格尔范畴论批判》、《西方美学史论丛》与《西方美学史论丛续编》等。

上述由汝信等主编的《评传》,共有8卷,评述了从古代希腊到20世纪初西方100多位哲学家的生平、哲学活动和理论观点。其中,第1、2卷,评述古代希腊和中世纪哲学家;第3、4卷,评述经验派和理性派哲学家;第5、6卷,评述18世纪法国哲学和19世纪德国哲学家;第7、8卷,评述空想社会主义者以及20世纪初的哲学家。在我国出版如此卷帙浩繁的大部头有关西方哲学家的评传,这是第一次。

更为重要的是,它既为西方哲学研究和教学提供了内容丰富的资料,还"能够起一般哲学史所不能起的作用"①。表现在:首先,由于《评传》通过它特有的体裁,生动活泼,摆脱了一般哲学史著作的某些限制,特别是注意到了西方哲学史中存在的某些空白和薄弱环节,并尽量进行了必要的填补和补充。例如,古代希腊哲学中的毕达哥拉斯和巴门尼德,他们提出的一些范畴和问题,至今仍然是应该进行思索的课题,然而,过去却常常因戴上神秘主义和唯心主义的大帽子遭到贬斥或摒弃,导致他们提出问题的意义与价值被长期忽视。对此,《评传》作者在深入研究的基础上,吸取了当代国外哲学史研究的成果,不但使西方哲学研究中的这些薄弱环节得到了补救,"而且也补得非常之好"②。

其次,通过《评传》体裁,大量提供了哲学家的生平事迹,对于深入了解哲学家的思想,更有其特殊意义。因为一般哲学史,即使是写得成功的著作,也往往难免产生这样的缺陷,就是只重视把哲学家思想中具有普遍性的因素抽象出来,而忽视了他们的个性。一个哲学家进入哲学史,便常常失去了他作为"这一个"哲学家的独特性。因此,我们在哲学史著作中看到的哲学家和表现在本人著作里的哲学家总有一定的距离。然而在汝信看来,哲学家的哲

---

① 汝信:《西方著名哲学家评者》"序",第一卷,第4页,山东人民出版社,1984年。
② 李泽厚:《读〈西方著名哲学家评传〉》,载《人民日报》,1985年3月22日。

学思想都有自己的个性。即使处于同一时代的哲学家,也各有不同的特点。而这与哲学家因受到各种不同偶然因素的影响有关。为了缩小哲学史中哲学家与其著作中哲学家的距离,作者们通过哲学家的生平活动去阐明这些偶然因素。对此,汝信写道:"事实上,任何一个配称为哲学家的人……都是有独特的个性的,在这个性中凝聚着他的全部生活经历、性格、理想和追求,而渗透在他的整个哲学思想里。因此,要深刻地理解一个哲学家,除了认真阅读他的著作之外,也要了解其人"①。在这一点上,通过《评传》一篇篇对哲学家生平事迹的生动描述,使一个个哲学家栩栩如生地出现在读者面前,既缩短了哲学史中与真实的哲学家之间的距离,也帮助读者更好地去理解哲学家的思想。

正是这些作用,充分体现了它的学术价值。例如,在《评传》里,过去那种单调的千篇一律的或漫画式的两军对战不见了,而是力求客观地叙述哲学家的生平和思想,并力图找出固有的规律来。第一卷中对苏格拉底的分析便是这样。通过作者的努力,"揭示出苏格拉底的'理念'比巴门尼德的'存在'发展了一步,是由感觉主义向理性主义过渡的'中心环节',是一种由'自然'到'自我'的哥白尼式的革命'预演',等等"②虽然这些看法还可以进一步研究,但是,这种提纲挈领的概括和细致入微的论述,却能够帮助读者去深入领会西方哲学发展的内在的必然逻辑。像这样的例子,书中比比皆是,不胜枚举。因此,尽管它不像一般哲学史那样有体系上的前后一贯,然而,就每一位哲学家的论述来说,却在某

---

① 汝信:《西方著名哲学家评传》"序",第1卷,第6页,山东人民出版社,1984年。

② 李泽厚:《读〈西方著名哲学家评传〉》,载《人民日报》,1985年3月22日。

些方面程度不同地有所深化。

　　总之,这类卷帙浩繁,资料丰富,论述生动,个性鲜明的著作,确实起到了补充和深化一般哲学史著作的作用。

五、钱广华等研究本体论流变的意义

　　对西方哲学中的某些专题进行综合研究,是本时期西方哲学东渐的一大特色。据初步统计,此类著作有:

西方认识论史纲	朱德生等	江苏人民出版社	1983 年
欧洲认识论纲要	张尚仁著	人民出版社	1983 年
西方认识论史	章树嵘著	吉林人民出版社	1983 年
唯物论史话	夏基松等	江苏人民出版社	1983 年
辩证法史话	肖焜焘编	江苏人民出版社	1983 年
现代西方法律哲学	沈宝灵著	法律出版社	1983 年
西方伦理学史	章海山编	辽宁人民出版社	1984 年
西方哲学史上唯心主义命题选评	郑裕硕著	上海人民出版社	1984 年
西方逻辑史(上、下)	李匡武编	上海人民出版社	1985 年
现代西方非理性主义思潮	夏军等	辽宁人民出版社	1986 年
西方哲学范畴史	谢庆绵等	江西人民出版社	1987 年
欧洲哲学范畴史	李武林等	山东人民出版社	1987 年
西方哲学史百题探释	高清海等	福建人民出版社	1987 年
西方伦理学史	罗国杰等	中国人民大学出版社	1988 年
欧洲哲学史著名命题史话	陶济等	北京出版社	1989 年
西方辩证法思想发展史	张澄清等	厦门大学出版社	1989 年
西方哲学命题史	谢应瑞主编	厦门大学出版社	1990 年
西方哲学名著菁华	朱德生主编	中国青年出版社	1991 年
现代西方伦理学史(上、下)	万俊人著	北京大学出版社	1992 年

现代西方哲学史的真理观	李步楼等	湖北教育出版社	1992 年
西方哲学范畴理论	谭鑫田等	山东大学出版社	1993 年
西方人学发展史纲	张步仁著	江苏人民出版社	1993 年
现代西方价值观透视	冯景源著	中国人民大学出版社	1993 年
西方文化精神探源	俞吾金著	上海文化出版社	1993 年
西方法哲学史纲	张乃根著	中国政治大学出版社	1993 年
现代西方三大人本主义思潮 评介	袁远林著	首都师大出版社	1993 年
现代西方本体论哲学研究	戴文麟著	浙江人民出版社	1993 年
当代西方法哲学主要流派	张乃根著	复旦大学出版社	1993 年
现代西方教育哲学	陈有诠著	湖南教育出版社	1993 年
中西哲学源流	林可济著	福建教育出版社	1995 年
西方社会哲学	王守昌著	东方出版社	1996 年
西方社会思想的历史演进	张传有著	武汉大学出版社	1997 年
近现代西方政治哲学引论	陈闻桐著	安徽大学出版社	1997 年
西方哲学认识论	葛力著	中央党校出版社	1997 年
西方价值哲学简史	张书理著	当代中国出版社	1998 年
西方非理性主义述评	王守昌著	东方出版社	1998 年
西方哲学史上的真理观	温纯如著	黑龙江人民出版社	1998 年
西方政治哲学	张桂林著	中国政法大学	1999 年
近现代西方本体论学说之 流变	钱广华等	安徽大学出版社	2001 年

　　在这些著作中,钱广华等的一本《近现代西方本体论学说之流变》,不论对哲学研究还是人生思考,都颇有启示。

　　钱广华(1930—),安徽巢县人。1956 年北京大学哲学系本科毕业后,师从郑昕读研究生,并留校任教。现为安徽大学哲学系教授。主要著作有:《西欧近代哲学史》(合著)、《西方哲学发展史》、《现代西方哲学评析》,译著有黑格尔的《自然哲学》(合译)等。

前面提到的著作,是钱广华和他的几位弟子张能为、温纯如等共同完成的。在哲学中,本体论是一个重要问题,甚至可以说是最重要的问题。人类思维的成熟常常与对这个问题的理解联系在一起,所以,这方面的研究成果是一个哲学家和一个国家哲学理论水平的标志。然而他们看到,一方面,由于近代以来有一股反形而上学和本体论的倾向,导致一些人认为认识论已经取代本体论的地位,似乎本体论不再有什么意义了。另一方面,在现实中有些人把形而下的世界当成惟一实在的世界,把追求现实的利益当成最高的目标。这些问题的存在引起了他们的高度重视,决定通过阐明西方近代本体论学说的流变,证明本体论在西方哲学上的重要性,并用这种实际行动来参与形而上世界的重建。因为在他们看来,"尽管对本体论问题难以作出最终的结论性回答,但是,人们仍然能够通过描述不同时代条件下本体思想的建立、转换和演变来揭明本体论的基本内涵,展现出人类哲学的反思与进步、人类文化的运思底蕴及其方向"①。这是他们研究本体论流变的要旨,也是阐明这个论题的意义所在。

因此,在这本书中,作者"不要求重新提出关于本体论的所谓框架与性质上的根本性规定,而是力求对近现代西方本体论学说的动态运演作一历史的纵向梳理,呈现出不同哲学精神下所涵摄的异彩纷呈的本体论思想,并从前景上对哲学本体论的发展作出恰当的思考、评论和展望"②。依据这一思路,书中以西方本体论学说的演变为主轴,用上、下两篇进行了论述。上篇作为理论背

---

① 钱广华等:《近现代西方本体论学说之流变》,第1页,安徽大学出版社,2001年。

② 同上。

景,阐明了从康德,经过费希特、谢林、特别是黑格尔、费尔巴哈到马克思对近代西方形而上学的批判反思与理论重建。他们认为,在西方近代哲学史上,康德的批判哲学第一次对西方传统形而上学(本体论)提出了根本性的批判,并以他们对康德哲学深刻理解的特长,通过对康德关于人的理性认识能力的有限性解释,阐明了上帝、心灵和宇宙乃是经验领域之外的对象,是超越的本体,是不可认知的,从而揭示了纯理性抽象思辨的自身矛盾,论证了形而上学作为科学之不可能,从根本上动摇了传统形而上学的神圣地位和传统本体论绝对真理的地位,由此揭开了形而上学的新篇章。不过,钱广华指出,"康德的这种努力在现代西方哲学中却产生了双重的影响。一方面,康德对无限整体的道德形而上学的论述直接影响了现当代人本主义哲学对世界的理解,另一方面,康德知识论思想中的将形而上学排除在科学之外的认识又对现当代科学主义产生了直接的影响"①。只是他们认为,现代西方哲学中"反形而上学"浪潮虽然与对康德的上述思想的理解与继承有关,但这是不全面的,甚至是错误的。

下篇在上篇论述的基础上,阐明了从19世纪中叶直到20世纪80年代西方现当代哲学本体论的流变。一方面,在各种各样的学派中出现了一股排斥形而上学的思潮,并通过对卡尔纳普、奎因、塞拉斯、怀特海等人关于本体论问题的思考,反映出本体论学说在现当代科学主义思潮中的消解、转换与创新的过程;另一方面,在反形而上学呼声甚嚣尘上的过程中,还有的哲学家提出了"本体论的承诺"这个命题,重新确立了本体论在科学中的积极作

----

① 钱广华等:《近现代西方本体论学说之流变》,第347页,安徽大学出版社,2001年。

用与合法地位。特别是通过对海德格尔、萨特和伽达默尔本体论的分析，阐明了本体论在人本主义哲学中的新变化与新特点。例如，通过对萨特的"我思"、"自在之在"与"自为之在"的思想理论来诠释萨特现象学本体论的构建和纲要，以此说明萨特的现象学本体论已经改变了具有时间性、派生性的实体性本体观，而把"第一存在"仅仅作为万物显现的基础和"意义的激发者"。这种本体论不再坚持自亚里士多德以来西方哲学所固有的本体性原则，而试图以一种非实体非人格性的本体来消除传统哲学的二元论而代之以现象一元论。伽达默尔则在哲学解释学基础上，从人的理解经验出发，构建起了"理解本体论"。

　　通过上述对西方近现代本体论学说线索的梳理、分析和聚焦，为人们描绘了一幅清晰的本体论学说的图景，展现了西方本体论学说在当代的面貌和意义。更为重要的是，从中还能获得对于今天的认识和未来的展望。因为通过作者的研究，说明本体论问题虽然在近代西方哲学肇始之际遭受挫折，但是，它的理论内涵及其对人类社会生活的支撑作用仍然在发挥着自己的作用，从而使我们在驶向那未知世界的海洋时，有一个准确的罗盘。特别是作者把本体论的研究，最终落实到人的问题上，认为"人之所以成其为人，正在于它对存在问题的不断追向。这正是永恒人性的显示"①。又说，"人的问题不仅是一个认识论问题，不是出于好奇或求知，而更是一个疑难、一种烦恼，是人遇到困难、窘境的问题，是一个存在的问题。对这个问题的解决，就必须把传统的认识论与本体论结合起来"②。这是作者

---

　　①　钱广华等:《近现代西方本体论学说之流变》，第351页，安徽大学出版社，2001年。
　　②　同上。

研究得到的结论,也是它对今天的哲学研究与人生追求的启示。

所以,"该书慎思明辨,多有真知灼见"①,从中使人获益甚多。正如朱德生指出的那样,"它既有丰富而深刻的学术理论价值,又具有强烈的现实针对性和实践意义"②。这个评价充分反映了作者研究近现代西方本体论学说流变的意义。

六、朱德生等对西方认识论史规律的探索

在专题史中,朱德生等的一本《西方认识论史纲》,以假说的形式对西方认识论史发展规律进行了探索,也受到了学术界的重视。

朱德生(1931—),江苏武进人。1956 年北京大学哲学系马克思主义哲学研究生班毕业后留校任教,一直从事西方哲学的教学与研究工作。现为该系教授。著作有《简明欧洲哲学史》(合著)、《实践、异化与人性》、《未名湖畔哲学思考录》等多种。在哲学研究中,早在 1981 年,他就指出,过去的哲学史著作一般都是按社会经济形态划分哲学思想的发展阶段,这是不科学的。因为在他看来,"哲学发展史应该有自己的特点,有它自己的规律,有它自己的内在逻辑,否则它就不是一门独立的科学了"③。为了正确揭示哲学思想发展的内在必然性和规律,就"既要把哲学思想当作独立发展的,仅仅服从自身规律的独立本质来处理,又要揭示这种独立的相对性"④。西方哲学史发展中特有的规律性和内在逻

---

① 朱德生:《近现代西方本体论学说之流变》,"序",第 7 页,安徽大学出版社,2001 年。

② 同上。

③ 朱德生:《关于哲学史的分段原则和阶段分析方法》,载《外国哲学》,第一辑,第 10 页,商务印书馆,1981 年。

④ 同上书,第 12 页。

辑究竟是什么? 朱德生认为,各个时代的哲学,无非是对本时代的人类认识发展的成果和认识发展水平所作出的理论概括。因此,从主客体关系(本质上也是思维与存在的关系)入手来探讨哲学思想发展的规律性是合适的。对此,他的具体说明是:"西方哲学史似可分三大段来叙述,即从客体入手来研究认识论的阶段,从主体入手来研究认识论的阶段,从主客体的统一性入手来研究认识论的阶段"①。在此之后,他循此思路进行探索,并分别与张尚仁合著有《认识论史话》、与冒从虎、雷永生合著有《西方认识论史纲》。这里只是介绍后者。

在该书的"后记"中,作者指出,他们"在书中提出的关于思想发展线索的看法,还只能说是一种假设"②。科学史证明,"假设"或"假说",往往能为科学真理的发现开辟道路。《西方认识论史纲》提出的观点,便是从这个角度提出来的。

首先,作者认为,他们提出的"假说"根据,在于认识论理论的发展,是由各个时代人类改造客观世界的具体历史实践,以及当时人们的具备的思维能力和前人所积累的思想资料等状况所决定的。就是说,划分认识论发展的历史阶段,应该依据人类实践经验状况,以及在这个基础上形成的人类的思维水平。因此,实践的发展和认识的发展具有一致性。阐明和揭示这种一致性及其具体表现,便是认识论史的任务。

其次,在《史纲》中,通过大量史料的详细分析,阐明了"假说"的具体内容。作者认为,人原是自然界的一部分,是改造客观世界

---

① 朱德生:《关于哲学史的分段原则和阶段分析方法》,载《外国哲学》,第一辑,第 15 页,商务印书馆,1981 年。

② 朱德生等:《西方认识论史纲》,第 363 页,江苏人民出版社,1983 年。

的实践活动使人获得了和提高了思维的能力,并从自然界中分化出来后,形成了思维和存在的关系问题、主体和客体的关系问题。所以,实践活动的深度和广度,制约着人们认识能力的发展,同时,已有的认识也会影响进一步的实践和认识。这样,哲学家对认识论的研究,不同时期便会有不同的表现了。具体说来:

在人类文明发展的早期阶段上,生产能力低下,人们生产的果实似乎都是从自然界索取来的,智力的作用不明显。因此,基于这种条件形成的认识,目光都是向外的,主要表现在说出认识到了什么。这就是认识论史上对于客体规定性的探求。这样进行探索是在古代希腊罗马和中世纪时期。

文艺复兴以后,由于生产力的发展,使人们感到了自己的力量,开始把眼光转向主体,探索认识世界的道路和方法问题。这种研究主要表现在 17 世纪至 18 世纪经验主义和理性主义哲学时期。

德国古典哲学在经验论和理性论研究认识论陷入泥潭之后,在社会实践大步向前发展的形势下登上了哲学舞台。他们为了克服经验主义和理性主义的片面性,从主体和客体的统一入手解决认识论问题。不过,这个任务只是随着马克思主义哲学的产生,从人的社会性、人的历史发展观念,人类认识的发展,把实践纳入认识论,把辩证法应用于反映论,才在基础和方向上得到了解决,从而实现人类认识史的伟大变革。

作者在这样探索西方认识论史的发展时,具体地指出了认识论的研究如何从一个阶段过渡到下一个阶段,并把各个大阶段分成若干小阶段,以便揭示认识论逐步深化的过程。而且,还从复杂的思想史料中概括出认识论史的发展规律,使二千年来西方各种哲学流派和代表人物,都被整理成为整个认识论史发展链条上的不可或缺的环节。通过这种探索,既能使人对西方认识论史的发展过程有清晰的认识,还有助于明确马克思主义哲学进一步发展的方向。"因此,这本书无论对于读者学习西方哲学史还是学习马克思主义哲学,都是有参考价值的"①。

七、万俊人对现代西方伦理学史的系统阐述

在专题综合研究中,万俊人的一部《现代西方伦理学史》,以它系统而全面的特点,适应了学术研究与高校教学的需要。

万俊人(1958—),湖南岳阳人。1983年中山大学哲学系毕业后,师从周辅成读研究生,1986年获北京大学伦理学硕士学位,并于1994年赴哈佛大学燕京学社访问研究。现为清华大学哲学系教授。已经取得的学术成果,除前面提到的外,尚有:《西方著名伦理学家评传》、《萨特伦理思想研究》、《于无声处——重读萨特》、《人学词典》,主编有译著《詹姆士集》(上海远东出版社,1997年)等。

从这里可以看到,在哲学研究中,他是围绕西方伦理学史开展的。据其自述,早在读研究生时,便有志于这项研究,并为此"开始披阅群籍,搜集经典"②。不过,原先的计划只想写一部较为简明的现代西方伦理学教科书,然而当他动笔时看到,国内在现代西方伦理学研究领域,已有一些概论性的著作出版,认为再去作这种概述性的工作,已经不能满足高校师生与伦理学爱好者的需要了。因此,他"立意写一部较为系统、较为全面,有一定深度的现代西

---

① 怀双:《西方认识论史的新探索》,载《中国社会科学》,1985年第1期第167页。

② 万俊人:《现代西方伦理学史》(下),第770页,北京大学出版社,1992年。

方伦理学史,尽可能使较完整的系统与较充实的史料兼容一体,尽可能地把教学需要与深入地科学研究统一起来,使本书既能满足高等学校教学要求,又能为有志于这一领域的研究者和爱好者的进一步探讨打下基础、提供方便"①。

历经五载,依据上述思路与要求写出的《现代西方伦理学史》,分为上下两卷,100余万字,可谓宏篇巨著。全书除导论外,共有五编,在打通西方古典与现代伦理思想之起承转合的基础上,详细论述了19世纪中后期以来至20世纪80年代西方最重要的哲学流派的衍生、递嬗和基本内涵。首先在导论中,作者立足于整个西方论理学史发展的视域,从西方政治、经济和文化的总体发展图景中,阐述了西方伦理学的古典终结与现代转折,及其现代形成和发展的条件、流变脉络与理论特征。

其次在第一编中,分析了19世纪末至20世纪初唯意志论、进化论、生命伦理和新黑格尔主义四个伦理学流派。作者指出,它们构成了现代西方伦理学史形成时期的基本内容。其中,唯意志论伦理学与生命伦理学是西方传统理性主义伦理学的反动,是现代人本主义伦理学潮流的前锋。进化论伦理是对经验主义伦理学传统的科学突展,可以视为20世纪英美伦理学唯科学主义倾向的先兆。新黑格尔主义伦理学则是在英国特定条件下理性主义伦理学的一次短暂渗透,印证了世纪之交西方伦理学处于新旧交替时期的特点。

再次,在第二编至第五编中,分析了20世纪初至60年代现代西方哲学伦理学全面发展时期中的三大主脉,即元伦理学、人本主

---

① 万俊人:《现代西方伦理学史》"前言",第1页,北京大学出版社,1990年。

义伦理学与现代宗教伦理学的发展及其学说。其中,元伦理学的发展经历了直觉主义、情感主义与规定主义或语言分析伦理学三个阶段。直觉主义伦理学处于元伦理学的产生阶段,它的出现标志着西方规范伦理学传统受到挑战;情感伦理学是元伦理学大潮中的主流,它也有其产生、发展与成熟的过程;规定主义伦理学既是对情感主义伦理学的逻辑修正,又是对整个元伦理学的发展和调整,同时还表现出对规范伦理学的某种退让和复归。在分析人本主义伦理伦学时,集中评述了现象学价值伦理学、存在主义伦理学、精神分析伦理学、美国实用主义伦理学的思想流变及其基本特点。作者认为,现象学价值伦理学堪为 20 世纪西方人学伦理学的先河,它与存在主义伦理学一起构成了 20 世纪最为强烈的人学伦理主流,而后者又是西方现代进程之反复扭曲的现实回应;精神分析伦理学以全新的探索方法洞开了伦理学的新视野,它对现代伦理学研究产生了巨大影响;美国实用主义伦理学乃是生长于美国文化、哲学和经济生活之特殊土壤上的价值精神,有着深刻的文化历史内涵。在分析现代西方宗教伦理学时,着重评价了人格主义、新托马斯主义与新正教伦理学三派。作者指出,人格主义是一个以美国为重心、以改革传统宗教伦理为方向的神学伦理流派;新托马斯主义伦理学以重振基督教官方道德为目标,而新正教伦理则以光复正统基督教为宗旨。它们的共同意向和特征,都是企图使西方宗教传统伦理观,借助现代西方社会中各种矛盾激化造成的特殊文化氛围,在使其自身世俗化、人道化的基础上,以达到增强其现实参与力的目标。

最后在第五编中,阐述了 20 世纪 60 年代初至 80 年代中期西方伦理学的当代发展。作者认为,这个时期的西方伦理学虽是现代西方伦理嬗变的总体继续,但是,它却是一种转型的回归,表现

了对西方古典伦理的某种新形态意义上的复归。其中弗莱彻尔的
"境遇伦理学",是现代西方宗教伦理世俗化运动的一个特例;新
功利主义伦理学则是更高理论层次上的传统重建;以"行为技术
伦理"和"新人道主义伦理"为代表的当代心理学伦理学派代表了
以新方法来发展传统伦理的两极运动态势;而当今美国的两种政
治伦理学更是西方古典社会伦理学的当代复兴。主要是在罗尔斯
的正义论和诺齐克的人权论中,既富有时代特色,又是西方民主主
义与自由主义价值传统的新延伸,与前述三派一起构成了当代西
方伦理正朝复归规范伦理的方向趋进的崭新动向,预示着西方伦
理学又一个发展时期的到来。

万俊人的这部《现代西方伦理学史》,系统而全面,是中国学
者研究现代西方伦理学史出版的第一部学术著作。它内容丰富,
资料翔实,论述严谨,分析透彻,文笔清新,深入浅出,把学术研究
与教材建设结合起来,既为高校有关课程提供了一份优秀的教材,
又为现代西方伦理学史进一步研究,从观点到材料奠定了坚实的
基础。因此,"颇受学界好评,曾先后多次获奖"①。

八、张世英的中西哲学比较与会通研究

相对说来,在本时期大陆综合研究西方哲学的过程中,开展中
西哲学比较与会通研究,是一个较为薄弱的环节。不过,无论比较
方面还是会通方面,有些学者还是进行了不少有益的探索。例如,
王淼洋与范明生的东西方哲学比较研究,赵敦华、王晓朝与孙尚扬
的基督教与中国儒学比较研究,张祥龙与张庆熊的现象学与孔子、

---

① 陈勇:《勤思力作积深厚,继往开来探远悠——万俊人教授的伦理学(史)
研究》,载《北京大学学报》,第114页,1995年,第4期。

唯识论比较研究,以及冯契从中国哲学出发与高清海从马克思主义出发与西方哲学进行的会通研究,都留下了一些有启迪意义的成果。尤其是张世英教授,世纪末为究天人之际,探澄明之境而先后出版的《天人之际——中西哲学的困惑与选择》、《进入澄明之境——哲学的新方向》与《学术文化随笔》三部著作①,在西方哲学东渐史上,更是提供了进行中西哲学比较与会通研究的一条新思路。

众所周知,在 20 世纪 80 年代中期以前,张世英主要研究西方古典哲学,特别是德国古典哲学。在这一方面,他是我国公认的黑格尔哲学专家。在黑格尔哲学研究与推动德国古典哲学在中国的传播方面都做出了重要贡献。然而,进到 20 世纪 80 年代,当时哲学界开展的关于主体性的讨论,引起了他的极大兴趣,而且,讨论中存在与提出的许多问题,也促使他对中国哲学的前途进行思考。这些问题是:"人对世界万物的关系是否只是主体对客体的关系问题? 西方传统哲学的主客关系问题是否囊括了哲学问题的全部? 西方当代哲学的许多重要思想学说,特别是人文主义思潮,能用主客二分的模式说明吗? 中国传统哲学能用主客二分的模式来涵盖吗? 一些西方当代思想家提出的'主体死亡'的口号有什么深刻的含义? 中国哲学今后的发展与西方现当代哲学发生什么样的相互作用和影响?"②

为了找到这些问题的答案,并进一步探寻中国哲学发展的前途,张世英从西方古典哲学研究转移到西方现当代哲学与中国哲

---

①　这些著作分别于 1995 年、1999 年与 2002 年,由人民出版社、商务印书馆与中国青年出版社出版。

②　张世英:《天人之际——中西哲学的困惑与选择》"序",第 1 页,人民出版社,1995 年。

学上来。一方面,集中精力大量阅读了尼采、狄尔泰、海德格尔、伽达默尔、德里达的著作,另一方面,又以极大的热情阅读了中国传统哲学、特别是道家的著作。他的这个读书过程,实际上是进行中西哲学比较研究的过程。在他看来,比较的目的是要取得对中西哲学全面而深刻的认识,以便从中为中西哲学会通找到一条可供选择的道路。为此,他提出在进行比较时,不能只对它们"作横向的、静止的比较,而应着重于把它们放在同一条历史长河中、同一棵大树的成长过程中作纵向的考察,考察其各自所占的历史地位、阶段性和发展趋势"①。

因此,首先在《天人之际》中,通过中西哲学比较,从哲学史的角度论述了由主客关系的思维方式到主客融合思维方式的转向。在这里,他指出,人对世界万物的基本态度或关系有两种:一是主客二分,一是天人合一(指主客不分,物我交融)。通过比较,他认为中国传统哲学以天人合一为主导,西方传统哲学以主客二分为主导,并以此为纲论述了中西哲学的发展线索和各自的一系列特征。从前者来说,"中国哲学史是长期以天人合一为主导原则到转向主客二分式的发展史,明清之际是转折点;西方哲学史是从古希腊早期的主客不分思想到长期以主客二分为主导原则又到现当代反对主客二分的发展史,也可以粗略地说是从'天人合一'到主客二分又到'天人合一'的发展史"②。从后者来说,中国传统哲学重天人合一,与此相联系的是重人生意义和价值,重本末之分,重知觉;西方传统哲学则偏重主客二分,进而重认识和对自然的研

---

① 张世英:《天人之际——中西哲学的困惑与选择》"序",第3页,人民出版社,1995年。

② 同上书,第2—3页。

究,重本质与现象之分,重思维与逻辑。他认为,虽然中国传统哲学的"天人合一",有它的优点,但也有它的弊端。他写道:"天人合一的传统思想给中国带来了人与物、人与自然交融和谐的高远境界,但也由于缺乏主客二分思想和主体性原则而产生了科学和物质文明不发达之弊,尤其是儒家传统把封建'天理'的整体性和不变性同天人合一说结合在一起,压制了人欲和个性。明清之际,特别是鸦片战争以后,开始了主客二分思想的转向,开始了召唤西方近代哲学的主体性的新时期,可是西方哲学已经前进得很远了,西方现当代哲学中的人文主义思潮,特别是后现代主义,已淡化了主客二分思想和主体性原则之利而强调其弊……提倡人与物的融合和诗化哲学,强调差异性和不确定性"①。

　　从这里,他得到启发。他指出,"面对这种国际思潮,中国哲学将向何处去? 是固守中国的老传统呢? 还是一步一趋地补完西方近代哲学的主客二分与主体性原则之课后再走西方当代哲学之路呢? 还是预为之计,走中西结合的道路呢?"②这是通过哲学发展趋势的比较后,张世英对中国哲学发展前途的思考。

　　其次,在《进入澄明之境》中,在前面比较的基础上,论述了由"在场形而上学"到在场与不在场相结合的思想转向。在这里,他认为,西方的旧形而上学主张哲学的最高任务,就是从感性中直接的东西上升到理解中的东西("逻各斯"),从而以"永恒在场的"抽象同一性或本质概念为万事万物之根底。这种哲学观点把人引

---

　　①　张世英:《天人之际——中西哲学的困惑与选择》"序",第3—4页,人民出版社,1995年。

　　②　同上书,第4页。

向抽象的概念世界,就像黑格尔的逻辑概念体系那样,哲学变得苍白无力,枯燥乏味,使人们感到畏惧。而现当代西方人本主义哲学思潮却不满足于这种"在场形而上学",其中不少哲学家如胡塞尔、海德格尔、伽达默尔、德里达等,都强调构成事物背后的隐蔽方面的重要性,强调把在场的具体的东西与不在场的然而同样是具体的东西结合为一个无尽的整体,认为这才是人们实际生活中、实践于其中的活生生的世界。只有这样,形而上学所崇尚的抽象性便被代之以现实性,纯理论性便被代之以实践性(广义的,而非仅指阶级斗争、生产斗争的狭义的实践)。也只有这样,哲学才能变得生动活泼,富有诗意,能够引导人们进入澄明之境。值得提出的是,他在阐明西方哲学这个转向时,还特别联系中国古代哲学和中国古典诗词的实际,认为中国古典哲学有重实际、重想像、重哲学与文学相结合的优点。在这一方面,它与西方现当代哲学有相通之处。

正是基于对西方现当代哲学新方向的这种理解,促使张世英从西方旧形而上学的狭窄圈子中勇敢地走出来。因为在哲学的研究中,他"愈来愈感到时代正要求哲学有一个新的指向"①。正如他指出的那样,"哲学不能老停留于抽象概念,而应该重现实,不能老停留于思维和理论而应当重想像重实践,不能老停留于哲学本身,而应当与人生相结合,与诗和文学相结合"②,认为只有这样,才能"把哲学变成真正贴近于人、贴近于生活的有激情的东西"③。而为了

_____

① 张世英:《进入澄明之境——哲学的新方向》"序",第4页,商务印书馆,1999年。

② 张世英:《进入澄明之境——哲学的新方向》,第3页,商务印书馆,1999年。

③ 同上书,第3页。

达到这个目的,在哲学研究中必须"拓展想像,超越当前,超越自我,超越自己所属的领域,一句话,超越一切当场的东西的藩篱和限制,放眼一切未出场的东西,就会展现出一个无限广阔的天地,这就是新哲学所指引我们的方向"①。

前面提出的这些观点,是张世英在上述两本书中得到的主要结论和启示。而且,在探索"哲学为何"与"中国哲学向何处去"的过程中,还阐明了他对这些问题的答案。关于前者,他认为,"主客二分和主体性所给我们的是无穷进展、执著追求的精神,'天人合一'、物我交融所给我们的是胸怀旷达、高远脱俗的境界。理想的人格应该是二者的结合。哲学为何? 也许就是通过修养、陶冶,超越自我(主体)、提高境界"。② 关于后者,他问道,"我们为什么不可以与西方现当代哲学的这种思潮结成联盟呢? 未来中国哲学的发展也许是一种既有西方近代的主客二分和主体性的进取精神,又有天人合一,人物交融的诗意境界的哲学,是个体性、差异性和流变性从传统的整体性和凝滞性中获得解放的哲学"③。这两个答案说明,为了把中国哲学建设成为提高人们境界的哲学,必须走中西哲学会通的道路。不仅如此,作为打通中西哲学的尝试,他为此还设想了会通中西哲学时应该研究的哲学范畴。如:在场与不在场、显现与隐蔽、相同与相通、有穷与无穷、有与无、资始与资生、思维与想像、思与诗、古与今、理解与误解、言与无言、超越与限制、中心与边缘等等,并对它们进行了初步的讨论。

---

① 张世英:《进入澄明之境——哲学的新方向》,第17—18页,商务印书馆,1999年。

② 张世英:《天人之际——中西哲学的困惑与选择》"序",第6页,人民出版社,1995年。

③ 同上书,第4页。

再次,在《学术文化随笔》中,除讲了显现的东西本身的有穷尽性即有限性与隐蔽的东西的无穷尽性即无限性的关系,以补充《进入澄明之境》论述在场与不在场关系的不充分外,主要从理论上全面地阐述了中西哲学会通的诸多有关问题。在这里,张世英把这个问题同经济全球化文化多元化联系起来,以此论述了中西哲学会通的迫切性。他写道:"为了顺应国际上各种交往过程全球化的潮流,我们一方面在经济上要积极参加全球性生产与市场网络,特别是与跨国公司建立战略伙伴关系;一方面在文化上特别是在观念形态上要更大幅度地实行'门户开放',要适应时代要求,批判继承,着力于使中华文化与世界文化发展的大道接轨。文化是民族的,但不应是狭隘的民族主义的。否则,就会造成文化上的故步自封,从而也会造成中国经济上的孤立和现代化的延误"①。

接着,从人类文化作为一个整体,存在相通之处出发,论述了中西哲学会通的可能性。在他看来,"整个宇宙是一个整体,同理整个人类思想文化或哲学思想也是一个整体,不同国度和不同民族的哲学只是从不同角度反映了这整体的某一方面、某一阶段。中国、西方、印度的各种哲学思想尽管千差万别,但都是整个人类思想这棵参天大树上的枝枝丫丫。所以我们应该把中、西、印诸民族的哲学打通,而不是简单地比较其相同与相异"②。正是他把"万有相通,学贯中西"作为会通中西哲学的理论原则,分别把中西哲学放到整个人类思想文化发展的历史长河中考察了它们的地位、作用和意义后,他"一方面感到中国传统哲学与西方现当代人

①　张世英:《学术文化随笔》,第7页,中国青年出版社,2002年。
②　同上书,第9页。

文主义思潮的哲学思想有不少相似相通之处……或者说，中国古代哲学闪现了西方现当代哲学的某些火花，但另一方面又深感中国古代哲学之素朴和直观，认识论和方法论讲得简单。从整个人类思想发展史来看，中西哲学的发展道路有步伐上的不一致和时代性、阶段性的先后，也有中西民族之间气质上、传统上的差异。时至今日，我们中国哲学的研究仍缺乏足够的逻辑上的论证与细致的分析，西方的现代哲学家对于中国传统哲学所讲的精神境界亦少深层的领会”①。因此，为了克服各自的弱点，开展中西哲学家之间的交流与对话，使之达到会通，中西哲学就必然得到发展，并不断走向繁荣。

　　而且，在具体讨论中西哲学会通时，还论述了许多值得注意的问题。例如，谈到如何处理传统与现实的关系时，他认为，解释历史传统的根本要义就在于指向现在，使过去了的、已经确定了的东西生动起来，使远离我们的东西化为贴近我们的东西。正是由于传统与现在的这种结合，才在传统继承人面前展开了一个新的、贴近自己的视域，一个新的世界。他根据这种“通古今之变”的观点，认为在会通中西哲学的过程中，必须联系我们现时代的参照系对传统作出新的解释。这种参照系既包括现今中国的现状，也应包括中国之外的世界。因此，处在当今改革开放之时，为了使中国的哲学研究大放异彩，我们不仅应当从世界的角度衡量中国哲学，而且应与外国学者直接对话，让外国学者了解中国哲学，同时也让中国哲学与西方的思想相互撞击、互相融合。又如，论及会通过程中的冲突与融合关系时，认为冲突是融合的前奏，没有冲突就没有融合。印度佛教传入中国与中国的儒道相结合，就是经过了冲突

---

① 张世英：《学术文化随笔》，第12—13页，中国青年出版社，2002年。

才取得的。不过,"融合不是混合,也不是取消差异、取消民族特色,而是你中有我,我中有你。但在时代潮流的冲击下,一种民族性中、一种文化中,越是具有生命力的因素越能保持其相对长期的稳定性,甚至可以在新的融合体中占有较重要的地位,而那些生命力较差或无生命力的因素则在新的融合体中无足轻重,甚至从根本上丧失自己的位置。一种民族文化传统能否延续和发展,最终依据其是否具有生命力,是否经得起时代性的冲突和检验。违反时代潮流,硬性地维护某种民族文化传统,是不切实际的。不能仅仅因为某种文化传统是本民族所固有的,就不管其是否具有生命力而一味加以维护;而且,即便是对于某些值得维护和扶持的东西,其本身也必须作出相应的、适当的调整。一个圆的周边变了,中心还自岿然不动,是不可能的"①。这些论点的提出,都是有针对性的。

总之,通过艰苦的开拓研究提出的上述观点,对于新世纪中西哲学会通与推进西方哲学东渐,都会产生积极的影响。值得提出的是,张世英教授虽已年逾古稀,但精神矍铄,为了追寻真正哲学家的最高境界,仍然辛勤地耕耘在哲学的园地里。在未来的岁月中,有望获得更加具有重要价值的学术成果。

---

① 张世英:《学术文化随笔》,第6页,中国青年出版社,2002年。

第九章 社会转型时期西方哲学在中国台湾传播的进展

（20 世纪 70 年代中期以来）

在经济发展以及社会各种因素的作用下，台湾当局于 20 世纪 80 年代的中期解除了"戒严令"。这是台湾地区社会开始全面转型的重要标志。在这个过程中，随着各种社会文化思潮的变化，西方哲学东渐取得了一些进展。

第一节 社会全面转型与文化思潮的演进

由于经济的发展以及随之带来社会结构的变化，台湾当局在内外交困的形势下，被迫开始对内外政策进行调整。解除"戒严令"，便是其中重要的一项。由此在社会全面转型与社会多元化发展趋势的推动下，各种文化思潮也随之发生了某些变化。

一、从经济发展到社会全面转型

在 20 世纪 60 年代经济开始起飞的基础上，从 70 年代开始，台湾当局提出了"一切为经济、一切为出口"的口号，在继续大力推进出口扩张工业的同时，实行第二次进口"替代"，即在岛内用与制造资本密集和技术密集的产品,来替代同类的进口产品。具体说来,主要是发展重工业产品以替代进口,建立较为完整的工业发展体系。同时,大力建设电力、交通等基础设施,以改善投资环境。为此,从1976年开始,先后进行了"十项建设"和"十二项建设"。由于上述措施的贯彻与建设的完成,尽管有第一次石油危机的冲击,但70年代的台湾经济仍然得到了较快速度的发展。例如,1972年至1980年间,经济每年平均实际增长率达到8.9%,工业生产和出口平均实质增长率分别为11.4%和12.8%;人均国民生产总值达522美元,到1980年上升为2344美元。

到20世纪80年代,台湾当局针对当时经济环境发生的许多变化,适应经济发展的内在要求,给经济"松绑",提出了"经济革新"的国际化、自由化、制度化的方针。根据台湾决策者的解释,所谓国际化,是要将台湾经济纳入到国际经济体系中去,以扩大经济活动空间,开放内部市场,促进内外经济、科技、文化交流,增强对外实质关系;所谓自由化,指尊重市场价值机制,减少对各种经济活动不必要的行政干预,使市场机制在经济运行中发挥主导作用;所谓制度化,是要制定一套合理的法规,用法制调节控制经济运行。并且,为了推进上述"三化"的进程,先后在产业、对外贸易、税务、外汇、金融等方面制定了一系列新的经济法规条例,实施了一系列涉及经济发展各个方面的措施,在实践上进行了"十四项建设"。这些政策措施在处理经济问题时,虽然角度各有不同,但在下述方面却是一致的。即:都是围绕着强化市场机制,减少行政干预,增强财政行政部门对企业的政策性扶植,以刺激投资;都是致力于增强台湾经济对国际市场经济的应变能力,积极发展进出口贸易,使经济更加直接地面对外部市场。通过这些政策措施使台湾经济逐步向新的形态过渡。

进入 20 世纪 90 年代,台湾当局还通过《促进产业升级条例》,以便引导经济资源由低效率的部分农业及劳力密集型产业向竞争力的资本及技术密集产业转变。在策略上则主要是:(1)鼓励传统部门的创新投资;(2)确保对新兴部门生产资料的有效供应;(3)以工业的科技化支援服务业的发展。

上述事实说明,自 20 世纪 80 年代中期以来,经过对经济体制的大幅度革新和对经济结构的宏观调整,台湾经济发生了一系列重大变化,出现了一些新的重要特征。主要表现在:增长速度趋于较为稳定的中速发展,并更多地依靠内需扩张带动;服务业开始成为主导产业;产业升级初见成效,资本技术密集型产业成为制造业的主力;出口市场趋于多元化,贸易重点移向亚太地区;已经成为由资本净输入地区转变为资本输出地区。经济上这些特征的出现,标志着台湾进入了"亚洲四小龙"的行列。

随着经济的发展带来了社会结构的变化。这种变化首先表现在农村中。由于 50 年代土地改革的完成,农村的封建经济体系瓦解了,地主作为一个阶级已不复存在,农民成为农村最重要的力量,而自耕农又是其中的主体。不过在这个时期,就台湾社会的整体而言,仍是以农民为主体的社会。

时到 20 世纪 60 年代以后,随着工业化的发展,产业结构发生变化,社会结构和阶级结构因而也发生了明显的变化。大批农民进入城市,农民阶级逐渐衰微。80 年代中期,自耕农阶级在台湾只占人口的 19% 左右。相反,劳工阶级包括工厂工人、服务业从业人员等所有以劳力换取酬劳的人,随着台湾经济由传统农业向工业过渡,得到了迅速的增长。50 年代初,劳工阶级人数约为 100 万人,60 年代中期增至 200 万人,1980 年总数高达 680 万人,占就业总人口的 40%—45%。值得注意的是,因为城市中间阶层的不断壮大,形成了一个中产阶级。其中包括"传统中产阶级"与"新中产阶级"。前者包括中小工厂的老板,中小商店的经理等。后者指白领阶级的管理阶级,他们并不具有资本,而是以拥有知识及发挥专门知识才能为职业。对其人数估计不一,一般认为占有人口的30%—40%。中产阶级的迅速兴起及其力量的不断壮大,对台湾社会政治和经济的发展都产生了深刻的影响。除了这些阶级以外,还有"上层阶级",主要是大资本家。它在台湾社会中是最具政治经济实力的阶层。需要指出的是,随着社会结构的上述变迁,中国台湾社会不但出现了都市化现象,形成了以台北、台中、高雄为中心的都会区,80年代都市化人口已达到总人口的80%左右,而且由此推动了教育的发展与知识分子队伍的扩大。这些变化说明,台湾开始由传统农业社会向新兴的工商社会转变。

不过,中国台湾社会的全面转型,在一定意义上主要依赖政治领域变革的完成。在这一方面,长期以来蒋介石、蒋经国对台湾实行的是强权政治与封闭、高压、管制式的专制统治体制。然而,进入70年代,随着内外形势的变化,蒋氏父子的这种统治出现了外挫和内困的严重局面。以前者来说,1971年台湾当局的代表被驱逐出联合国及其一切所属机构后,先后又与美国、日本等国断交。接着,美国调整了对华政策,特别是"江南命案"发生后,透过"悄悄外交"途径对台湾当局施加压力,要求台湾"加速民主化进程"。这些都使长期依赖美国的台湾当局顿时陷入了空前的危机,在国际社会中日益孤立。以后者来说,由于社会结构的变化,70年代末80年代初,台湾社会不仅"党外运动"迅速发展,民众自发性的"公民救济运动"蓬勃兴起;中产阶级要求参与政治,反对毫无民主的"民意机构"和专制统治;就是国民党内的台籍新生代也对传统的政治秩序提出了批评,要求改变限制台籍人士参与政治的各种做法。

与此同时,一批学术界的青年,以《大学》杂志为阵地,议论国是,倡言政治革新,直接触及了统治体制和一般视为政治禁区的"法统"问题,给国民党当局造成了很大压力。这些情况表明,国民党当局不仅在国际上失去了依靠,在岛内的统治也遇到了问题。

20世纪70年代,蒋经国面对这种内外交困的局面,为了应变求存,开始对内外政策进行调整,实行新人新政,推行了一系列"革新保台"的措施。其核心是"本土化",即向社会内部寻求支持,笼络台湾本土的政治、经济精英,以达到巩固国民党统治的目的。尽管通过这些措施,使国民党当局与台湾民众之间的矛盾有所缓和,并为蒋经国集党政军最高权力于一身奠定了基础。但这是在强有力的反对力量尚未形成以前进行的。就是说,"它的开放,是向社会的精英,而不是向广大的民众。它是在台湾化,但并不是在自由化"①。

到20世纪80年代中期,随着社会多元化趋势的发展,环保运动、校园民主运动、劳工运动及原住民运动等各种自发性群众"自由救济运动"相继出现,街头请愿、游行、抗议事件频繁发生。正在这时又发生了"江南命案"与"十信弊案",充分暴露了专制体制政治结构的弊病。特别是中国大陆改革开放以来取得的辉煌成就与香港、澳门即将先后回归的冲击,蒋经国于1986年3月29日在国民党十二届三中全会上提出"政治革新"的主张,声称要"以党的革新带动行政革新,以行政革新带动全面革新"②。而所谓全面革新的内容,包括"政治建设"、"经济建设"、"社会和生活建设"、

---

① 王振寰:《资本·劳工与国家机器》,载《台湾社会研究丛刊》,第44页,1993年。

② 台湾《联合报》,1986年4月3日。

"教育建设"与"国防建设"五个方面。会后,在"政治革新"方面,针对社会上的反映还将三中全会上不曾提及的"开放党禁"、"解除戒严"、"开放民众赴大陆探亲"等列为"革新"的内容。其中,解除实行了38年,台湾人民深恶痛绝的"戒严令",在"政治革新"中具有关键的意义。因为恢复社会的正常状态,是实行"政治革新"的前提条件。戒严不解除,无异于在人民头上悬着一把随时可以落下的利剑,任何其他一切改革措施都难以付诸实施。对于这一点,蒋经国也承认在所有"革新"项目中,"解严问题应列为第一优先"。解除戒严之后,虽然公布了《动员戡乱时期国家安全法》,说明解严并不彻底,但是实行了38年的"戒严"状态终究还是结束了。在一定意义上,这可以说是台湾地区社会进入全面转型的标志。此外,在各种因素的推动下,台湾当局开始调整"大陆政策",在处理两岸关系上出现了一些政策性的松动。例如,开放民众赴大陆探亲便是其中的一项。特别是中国政府为了实现中国的最终统一,提出了"和平统一"与"一国两制"方针,并采取了一系列有利于缓和两岸关系的措施,使两岸关系日趋缓和。虽然由于台湾当局顽固坚持"不接触、不谈判、不妥协"的立场,使两岸在政治上仍然处于僵持的局面。不过,总的说来,随着台湾当局大陆政策的调整,毕竟在最终实现国家统一的道路上迈开了可喜的一步。

二、在逐步多元化趋势中社会文化思潮的发展

进入20世纪70年代,特别是80年代后期以来,随着台湾地区社会的全面转型,在社会走向多元化与自由化的趋势中,各种文化思潮都发生了不小的变化。

其中,变化较为明显的是自由主义思潮。在权威时代,它长期受到政治上与文化上专制主义的压抑与摧残,命运多舛。在这种

形势下,仅就西方哲学传播来说,使它的活动范围有限,主要是在台湾大学哲学系;使它的研究对象有限,主要是英美分析哲学的传统。因此,虽然它主张积极引进西方哲学,然而取得的成果却不甚理想。但是进入70年代,特别是80年代,由于民主运动的兴起,教育的普及,以及中产阶级力量的壮大,自由主义思潮在台湾社会中不但有了较大的言论空间,而且如果用从前的自由主义概念进行概括,显然都难以全面地确切地反映它的真实面貌。

在这些变化中,就它作为一个文化思潮考察,无论对传统文化还是引进西方哲学,无论是认识上还是行动上发生的变化,都给人以十分深刻的印象。在这些方面,林毓生的一系列论述,具有代表性。他在反思五四以来,特别是1949年以后自由主义在台湾的处境时,认为当时台湾的政治情况与思想准备,都已经落后于社会与经济的发展。因此,为了使台湾的自由主义建立在一个更加有生机的基础上,学者们必须在理论上提出新的思路。从这种认识出发,林毓生在检讨自由主义在台湾遇到的困境时,深感自由主义者在推行其自由主义主张的过程中,它的前述命运与它没有正确地对待传统文化与正确引进西方哲学的关系密切。主要表现是,在对待传统文化上采取了激烈反对与全面否定的态度,在输入西方哲学时出现了"全盘西化"的倾向。对此,林毓生进行了积极的反省与探索。

首先,对待传统文化。他认为,为了"维持社会与文化的稳定而又同时促进社会与文化的进步(易言之,维护与滋养自由的)最重要的条件之一是一个丰富而有生机的传统"①。并指出,"自由、理性、法治与民主不能经由打倒传统而获得,只能在传统经由创造的转化而逐渐建立起一个新的、有生机的传统的时候才

---

① 林毓生:《中国传统的创造性转化》"自序",第5页,三联书店,1988年。

能逐步获得"①。因此,在林毓生看来,自由主义目标的实现,在意识形态上绝对不可持五四式整体性反传统的思想,而只能使它得到创造性的转化。具体说来,就是:"第一,它必须是创造的,即必须是创新,创造过去没有的东西;第二,这种创造,除了需要精密与深刻地了解西方的文化外,而且需要精密而深刻了解我们的文化传统在这个深刻了解交互影响的过程中产生了与传统辩证的连续性,在这种辩证的连续中产生了对传统的转化,在这种转化中产生了我们过去所没有的东西,同时这种新东西却与传统有辩证地衔接"②。他认为,如果传统文化一旦实现创造性转化,那么,它在文化与道德上便可以成为民主自由国家与多元性社会的基础。

其次,在引进西方文化时,不能采取"全盘西化"的态度。在他看来,这是一种五四的传统思想中衍生出来的形式主义思想,或者说,它"是直接受了中国传统一元论思想模式——在中国传统文化结构解体之后——演变成的有机整体式思想模式之影响所致"③。他认为,"这种思想是指:一种根据未对实质问题仔细考察而武断采用的前提,机械地演绎出来的结论"④。意思是说,它只是在形式上演绎打转,并没有接触与把握到中西文化相互冲击后发生的文化演变及其实质。因此,把它运用到中西文化、哲学交流中是"绝对行不通"的⑤。

同时,在引进西方文化哲学时,也不可持简单"接受"的做法。因为"西方思想本质上是为了解决他们本身社会经济文化各方面

① 林毓生:《中国传统的创造性转化》"自序",第5页,三联书店,1988年。
② 林毓生:《中国传统的创造性转化》,第63—64页,三联书店,1988年。
③ 同上书,第239页。
④ 同上书,第238页。
⑤ 同上书,第235页。

的问题而产生的。其思想来源自有其故，我们只能作为参考而不能加以接受。但这种'参考'非常重要，因为今天在实质上我们不能摒除西方的影响，西方的文化虽非一定好，但也有其优异的地方；例如自由与民主，是属于开放的系统"①。所以，要是把中国传统的基本观念，如"仁"的价值与观念，与康德的道德自主观念加以创造性的整合，就可以建立中国自由主义的新系统。因此，在输入与研究西方文化与哲学时，"不能只接受西方的观念，而是要对西方加以了解批判，对其基点明确认识"②。而为了避免简单地接受，他还要求"必须要超脱'教科书的心理和信仰'，因为西方教科书多是对西方文化简单化甚至误解的介绍"③。所以，在研究西方文化、哲学时，要从熟读西方的重要典籍入手，并且以开放的心灵对它加以选择与吸收，才能为中国的文化作出贡献。

基于上述认识，林毓生提出，新的中国文化、哲学的创建，"必须建立在对传统中国文化及西方文化真正的了解上。惟有真正了解西方文化才会发现西方文化不能机械式的接受。而对待传统文化更不能武断的否定，因为中国现有的问题，与中国文化息息相关，我们既不愿意，也不可能完全做西方人，更不能与过去传统血缘断绝，即使要求断绝，这种断绝也不足以了解西方文化"④。所以，只有"我们对传统之复杂性与独特性要有开放心灵的了解，对西方文化之复杂性与独特性也要有开放心灵的真实的了解，这样才能建立中国的新的文化"⑤。显然，这些对传统文化与西方文化

---

① 林毓生：《中国传统的创造性转化》，第236页，三联书店，1988年。
② 同上。
③ 同上。
④ 同上书，第234页。
⑤ 同上书，第334页。

的认识,以及在这种认识基础上提出的理论主张,在传统自由主义者那里是找不到的。就是因为有了这些变化,所以林毓生进一步提出,"超越五四时代对自由、理性、法治与民主的口号式的了解层次,进而掌握这些理念的实质内容与它们之间的相互关系"①。并且指出,胡适与殷海光等老一辈自由主义者在当时的政治环境中为了自由主义的理想,做了他们应该做的呼吁和努力,但是,他们的思想也呈现出历史的局限性与内在困境。因此,"如果我们要想促使理性、法治、自由与民主在中国往前推进一步的话,那么我们就必须突破胡、殷两先生所遗留下来的历史性的局限"②。

林毓生在对待传统文化与对待西方哲学认识上发生的变化,虽然是自由主义思潮发生变化的一部分,但从中可以发现这个思潮在理论思路与视野上前进的步伐。值得注意的是,伴随着理论思路的进步,除了林毓生等一代外,更为年轻的一批自由主义学者涌现出来了。20世纪80年代到90年代西方哲学在台湾的传播,一些重要的研究课题都是由他们承担的,并且已经取得了一批成果。

同样,现代新儒家发生的变化也引人注目。它的主要特点是,在社会转型过程中成长起来的几代现代新儒家,在对儒家文化价值共同承诺的基础上,呈现出多样的发展方向。他们既守师传又能创发新意,无论对传统儒学的诠释还是对西方哲学的评价,在文化视野上都开辟和展现了新的境界。

其中,20世纪60年代至70年代成长起来的一代,如刘述先、杜维明、成中英等,到80年代,已经活跃在国际哲学舞台上。他们

---

① 林毓生:《中国传统的创造性转化》"自序",第4页,三联书店,1988年。
② 林毓生:《中国传统的创造性转化》,第99页,三联书店,1988年。

都是方东美、唐君毅、牟宗三的学生,因而在理论方向上与方、唐、牟并无原则的不同。但是,由于他们有长期生活于西方文化环境中的经历,有亲自与西方学者面对面缠斗奋战的持久经验,还有完全陶冶浸润于西方哲学中的长期思考,使他们的心智更具分析的触角,心灵更加开拓开放。因此,如果说前几代新儒家哲学活动的目标,主要表现在传统儒学的重建上,那么,新一代儒家则将儒学复兴与当代整个人类精神危机的解决统一起来思考,在努力摆脱传统儒学困境的同时,还尝试着为现代人的精神困境打开一条出路,在人类社会步入"后现代"的情况下,为人类寻找一个自我安顿的精神家园。为此,他们在检讨前代新儒家理论得失的基础上,还提出了新的理论主张。例如,刘述先写道:"我们上一代的学者在 1958 年元旦发表《中国文化与世界宣告》,他们透显出一种深切的存亡继绝之情,故此一方面他们强调要吸纳西方的科学与民主,另一方面也突出道统的观念。然而时至今日,我们这一代要面对的是完全不同的问题。苏共集团崩溃,冷战时代结束。美国霸权也因韩战、越战而减弱。亚洲经济起飞,未来世界形成一个美、欧、亚三个中心的秩序,彼此不同,却又互相依赖,亟须彼此对话、沟通的局面"①。在这样的视域下,他们看到前一代新儒家,虽然主张中西哲学会通,但对西方哲学的接触与选择的范围狭窄,忽略了现代西方哲学的最新发展;注意到了对西方哲学精微而细密的解析和铺陈,但没有主动与当代西方哲学产生的问题相观面,更没有参与问题的解决过程。因此,成中英认为,"就他们对西方传统凝注成的理想范型的理解来看,仍系传统的护教者。因为,他们与

---

①　刘述先:《中华文化在多元文化中的位置》,载香港《二十一世纪》,2000 年第 4 期,第 13 页。

西方之间仍然缺乏完整的沟通和往返。他们也因受限于时间,而不曾深入地体认当代西方朝气蓬勃的勉力前进精神。换言之,他们并没有与西方面对面的亲身缠斗奋战的持久经验。他们虽为后世的继承者开拓了一条精致雅驯的理解大道,但其概念思考资具仍未充分发挥。而就处理中西交流问题所必须开发的共同据点而言,他们尚未能达到理想的目标"①。因此,"新儒家要继续发展就必须探求新的路子"②。这里所谓探求"新路子",就是在克服儒家文化中心主义立场,建立适应全球化的开放观念与文化心态。实际上,现代新儒家的这一代学者都是这样做的。例如刘述先,即是其中态度最为鲜明的一位。他说,"未来的世界并不需要发展成为一个无差别的统一世界,尽管东西方的交流可以加剧,但它不必一定要妨碍到保留东西有别的特色"③。又说,"在现代多元的框架下新儒家无意排斥异己,而采取一种开放交流的态度"④。他提出的"理一分殊"的奥旨,并且认为把它运用到中西哲学比较与会通上去,就会"开辟出丰富、广阔的园地"⑤。

通过这些事实可以看到,现代新儒家的新一代,在一定程度上已经放弃了儒家文化中心主义立场,为寻找中西哲学会通的新路子进行了积极的探索,并且取得了一些值得重视的成果。要指出的一点,就是在这一代学者的探索过程中,到 80 年代还涌现出更

---

　　① 　成中英:《世纪之交的抉择》,第 297—298 页,知识出版社,1991 年。
　　② 　郑家栋:《现代新儒家的逻辑推展及其引发的问题》,见《新儒家评论》第 1 辑,第 183 页,中国广电出版社,1992 年。
　　③ 　刘述先:《"理"的现代解释》,见《新儒家与现代化》,第 529 页,中国广电出版社,1992 年。
　　④ 　同上。
　　⑤ 　刘述先:《当代儒家发展的新契机》,见《新儒家评论》第二辑,第 13 页,中国广电出版社,1995 年。

为年轻的新儒家学者,如杨祖汉、李明辉等。他们已经活跃在台湾的哲学界,并且开始崭露头角,在一定程度上反映了新儒家在台湾地区的变化。

至于台湾新士林哲学思潮发生的变化,如果从外在表现上看去,除了他们还存在共同的宗教信仰外,在其他如研究方向、思想资料、哲学立场、方法等方面,不但与过去比较有了变化,就是思潮内部也颇多歧异,一时很难理出一个相互统属的线索来。因此,在这个意义上,它"并不具有明显的学派特征"①。或者如有的学者所说,它已经"不代表一种哲学的方向或严格意义上的学派,最多只是一种师友渊源的网络"②。一个明显的事实是,有天主教背景的辅仁大学哲学系,其势力曾经扩展到了政治大学、东海大学,甚至台湾大学。但是从目前的情况来看,这些高校中即便是辅仁出身或与辅仁有关的学者,在研究方向上也并非都集中在中世纪士林哲学,而是出现了不同的发展方向。例如在台湾哲学界具有一定影响的沈清松与傅佩荣。前者十分熟悉当代西方哲学,近年来还关注儒学的诠释,并谋求对应生活世界的哲学综合。后者不但关注士林哲学,还把儒家思想的诠释向社会文化层面调适,以便扩大学术对文化的渗透和影响。

这些外在的变化是台湾新士林哲学学者面对当代挑战,促使其在理论视野上发生变化的结果。因为在他们看来,新士林哲学面对的最大挑战之一,"是科技所带领的现代化历程"。这种现代化及其发展,向士林哲学提出的挑战是:一、如何吸取西方近代以

---

① 郑家栋:《中西融合的另一趋向》,载《读书》,1993 年第 10 期,第 92 页。
② 陈来:《分化与重组:台湾学界一瞥》,载《读书》,1993 年第 1 期,第 140 页。

来已多元化发展的近现代哲学的积极成果;二、如何使基督宗教传统中所包含的超越智慧与本民族的文化传统相结合。要是继续坚持新士林哲学原先的学术立场,要完成上述任务显然是难以办到的。因而在这种形势下,促使他们从理论视野上开始作出调整。在这一方面,无论老一辈还是新一代的学者,都具有相当的自觉性。他们认为,今后对士林哲学的研究,必须具有多元文化的视野与胸襟;在同其他哲学交流时,必须努力克服单一文化中心的哲学观①。在理论思路上从这种要求出发,他们认为为了创造他们称之为"新时代的中国哲学"②,"必须一方面对多元文化情境,另一方面摄取世界文化资源,发挥自家文化优点,创造崭新的文化面貌"③。为此,就要克服过去中西哲学比较与融合中集中在某些时期或某些哲学家的现象。而且,这种中西哲学比较与融合工作,不能像罗光或新儒家那样停留在观念系统上,而应该通过逆变中的"生活世界",重振哲学的创造性,使哲学成为这个形成中的世界的建构因素。

前面这些事实说明,发生变化后的台湾士林哲学,"一方面继承13世纪以来的圣多玛斯(更好说是亚里士多德——多玛斯)传统,另方面设法将之与现代思潮交谈,俾使士林哲学既拥有优良的传统,又有适应时代的内涵。这种传统与当代的双向脉动,使欧陆哲学重新拥有生命活力,以定位宇宙,以安顿人生"④。所以,如果

---

① 沈清松:《哲学在台湾发展的现况与展望》,载台湾《哲学杂志》,1996年8月,第17期,第14页。
② 同上。
③ 同上书,第15页。
④ 邬昆如:《欧陆现代思潮在台省的创新与发展》,载台湾《哲学杂志》,1998年第25期,第26—27页。

我们认为他们继续过分强调它的宗教背景,指称他们从事哲学研究的宗旨只是为了传教,那就未免过于简单化了。

当然,台湾新士林哲学的兴起和发展,固然有它宗教上的背景,但是却不可把其发展的动力简单地归结为某种狭隘的神学动机。例如罗光。他身为台湾地区的总主教,对上帝毫无疑问是极其虔诚的。但是谈到他的《中国哲学思想史》时,他认为"并不是基于自己的宗教立场来讲中国哲学的,而是按照中国哲学的本来精神和发展线索来讲中国哲学的"①。由此我们看到,台湾新士林哲学学者在 80 年代以来的哲学研究工作中,不但涉及了中西哲学的诸多思潮,而且在融会中西哲学方面开启了与新儒家不同的新的会通导向,认为"儒家与基督教可以互相合作,汲取在彼此的传统之中最好的资源,协助现代人类走过此一现代化冲击下形成的虚无主义的幽谷,重建一个有意义的生命"②。

不过,需要指出的是,虽然上述三种思潮发生了这些变化,但在深层的思想内涵和总体的精神方向上,仍然可以找出它们各自的共性所在。因此,在当代台湾地区的文化思潮中,除了官方思潮以外,自由主义、现代新儒家与新士林哲学,仍然可以作为我们分析台湾哲学状况的基础。只是有一点,必须特别加以强调。就是:上述文化思想在发生变化的过程中,在分化的基础上还开始逐渐重新组合,出现了一个被有的学者称为"正统学院派"的派别③。这个新学派由政治大学哲学系,以及台湾大学哲学系与辅仁大学

---

① 郑家栋:《中西融合的另一趋向》,载《读书》,1993 年第 10 期,第 94 页。
② 沈清松:《儒家与基督教的会通》,载《哲学与文化》,第 18 卷,第 13 期,1991 年 12 月。
③ 陈来:《分化与重组:台湾学界一瞥》,载《读书》,1993 年第 1 期,第 140页。

哲学系的部分学者组成。他们中有的本来属于现代新儒家或新士林哲学，有的甚至带有强烈的自由主义倾向。经过重新组合后形成的这个学派，具有以下一些共同的特征：

第一，它在各高等学校中承担着教学任务，在哲学研究方面，与国际学术界保持着密切的联系，具有为国际哲学界所承认的学术成就；

第二，注意研究欧洲大陆的传统哲学及其在现代的最新发展，近年来尤其注意解释学、存在主义、西方马克思主义、现象学与结构主义的输入与传播；

第三，重视人的价值和终极关怀，提倡加强中西哲学经典的修养；

第四，文化观念上比较注重"规范"与"价值"；

第五，对最近以来在台湾发起的"解构"、"后现代"及虚无主义潮流持批评态度，主张对现有秩序的改善和提升，而不是盲目的破坏和解构，等。

在一定意义上，《中国论坛》与《当代》杂志，反映了正统学派的上述学术主张及其特征。例如1975年10月由联合报系创办的《中国论坛》半月刊，在其发刊辞中表达的抱负与希望，便是一个有力的证明。其中写道："我们的抱负就是要结合知识分子，为知识分子提供发表意见的园地；更要藉此互通声气，相互激荡，而形成这一代知识分子的呼声，把理论与现实紧紧地配合起来，使一个开放社会、开放政府获得知识力量的匡范与推动"①。自该刊创立以来，它秉着舆论报国、理性论政、民主开放的方针，对于台湾社会及其发展过程中的各种问题或刊出论著，或组织座谈，或举办课题

---

① 《中国论坛》"发刊词"，第1期，1975年10月。

讨论会,由于海内外知识分子的高度热忱与参与,使它成为一份受到各界关注的政论刊物。又如金恒炜夫妇主办的《当代》杂志,由于具有当代世界与中国文化课题的敏感性,以及与世界各地华人(裔)学者的广泛联系,使它表现出了努力传播和吸收西方文化的鲜明性格。在这一方面,它的"适应性很广,容纳了多元的文化观念。如果说它自己有何倾向,可以说具有反主流的色彩,无论以《当代》创刊开始的傅柯专辑,德里达专辑以及新马克思主义专辑,乃至后来的市民社会专辑,后现代后殖民专辑,都是如此。同时,《当代》有意识地以法国、欧洲其他地区及日本文化较多比较,以平衡或抵消美国文化帝国主义的强势影响"①。特别是,由于它的撰稿人"不限于岛内及香港、大陆,海外联系甚广,使得它的方向与功能客观上具有某种'文化中国'的意涵"②,在一定程度上反映了台港各种文化思潮的变化与发展。

　　社会转型前后,台湾学者就是在上述社会条件下与各种文化思潮变化中开展西方哲学研究的。尽管台湾当局推行的文化专制主义,在一定范围内仍然制约着西方哲学东渐的进展,但是就总的发展趋势来说,不但台湾学者的研究在前一时期的基础上取得了一定的进展,而且,他们与大陆学者之间的学术交流,也在一定程度上开展起来了。

第二节　古代希腊哲学的继续引介

　　20世纪70年代中期以来,台湾学者对于古代希腊与中世纪

---

① 陈来:《分化与重组:台湾学界一瞥》,载《读书》,第143—144页,1993年,第1期。

② 同上书,第144页。

哲学的研究发生了一些变化,主要表现在哲学家原著与国外学者研究成果的翻译与出版上。不过,就学者们的著作来说,却变化不大。特别在理论深度上,取得的进展不甚明显。而且,出版的此类著作,也仅有:

希腊哲学史	李震著	三民书局	1982 年
西洋古代哲学史	吴康著	台湾商务印书馆	1984 年
寻访爱智国度:关于苏格拉底、 柏拉图、亚里士多德	向培丰著	台湾商务印书馆	2001 年
苏格拉底	蔡坤鸿著	联经出版社	1980 年
苏格拉底灵魂论与佛教轮回学说 比较研究	李开济著	文史哲	2001 年
柏拉图三论	程石泉著	东大图书公司	1980 年
柏拉图美育思想研究	杨深坑著	水牛出版社	1983 年
柏拉图	傅佩荣著	东大图书公司	1998 年
柏拉图理想国导读	刘若韶著	台湾书店	1998 年
亚里士多德的伦理学	孙振青著	台湾书店	1996 年
亚里士多德	曾仰如著	东大图书公司	1989 年
四因说演讲录	牟宗三著	鹅湖出版社	1997 年
圣多玛斯论文集	罗光著		1976 年
士林哲学	邬昆如著	五南图书公司	1996 年
中世纪哲学精神	沈清松著	台湾商务印书馆	2001 年

为了进一步了解这些著作内容的大概,下面介绍其中的部分作品。

一、李震有简有繁地介绍希腊哲学史

在几本希腊哲学史中,李震有简有繁地展示了古代希腊哲学的基本面貌。

　　李震(1929—　)，天津人。意大利传信大学神学、哲学硕士，米兰圣心大学哲学博士。曾任辅仁大学校长。现为辅仁大学哲学系教授。著有《由存在到永恒》、《人的探讨》、《基本哲学问题》、《灵心雨路》、《中外形上学比较研究》等。

　　他的《希腊哲学史》，首先一个特点是，既全面展示了古代希腊哲学家的观点及其发展过程的全貌，又依据其理论内容在古代希腊哲学史上的地位，在篇幅上分别给予了有简有繁的处理。因为作为西方哲学的一部断代史，研究与出版的一个基本目的，就在于把这个时期哲学发展的全貌，以鲜明的方式展现在读者面前。在这一方面，该书共有 23 章，有的一章讨论一个学派，有的一章论述一位哲学家，从公元前 7 世纪西方哲学的第一个学派——米利都学派诞生开始，一直到公元前 2 世纪希腊被罗马征服后，到希腊哲学逐步衰微过程中最后一个学派——新柏拉图主义为止，这个过程中或大或小的哲学流派以及在各学派中重要性各不相同的哲学家，都全部提出来加以介绍了。显然，这是全面的。

　　不过，在这样展现时，如果对它进一步考察，则可以把这 23 章分为三个有联系的部分。即：第 1 章到第 9 章，叙述希腊哲学在自然哲学阶段上的哲学及其发展过程；第 10 章到第 16 章，论述希腊哲学在体系创建阶段上的哲学及其发展过程；第 17 章到第 23 章，阐述希腊化阶段上的哲学及其发展过程。然而，从章节或从标题上看去，虽然第一部分与第三部分占据了该书的绝大部分，但是在实际篇幅上，把这两部分加在一起还不足第二部分的分量。因为这一部分论述的内容是希腊哲学在繁荣时期，其间出现的几位建立庞大体系的哲学家柏拉图与亚里士多德，不论其哲学内容的丰富性还是它对后世哲学影响的深刻性，在希腊哲学史上，都是没有任何一个哲学家能够和他们进行比较的。因此，为了说明与突出他们在希腊哲学史上的这种重要性,作者在阐明他们哲学观点的内容时,都使用了比其他哲学家要多得多的篇幅。这样一来,书中在全面展示与分析哲学家的哲学观点时,在篇幅上便有简有繁,而不是平均使用力量。这种做法是符合古代希腊哲学发展过程的实际的。

其次一个特点是,在陈述哲学思潮或哲学家的观点时,突出了希腊哲学在不同的阶段上哲学探讨的问题各有不同的重点,并采用不同的表述方式把它们呈现出来。

例如,前面9章,介绍了希腊哲学史上自然哲学发展阶段的哲学。在这里,作者分别阐明了米利都学派、毕达哥拉斯学派、赫拉克利特、埃里亚学派与原子论哲学家对哲学的探讨及其提出的哲学观点。在希腊哲学史上,这是超越神话后开始进行哲学思维的萌芽阶段,也是人类思维史上的童年时期。在这个阶段上希腊哲学家共同探讨的对象是宇宙的本源或始基问题。正如作者说的那样,古人面对万物,最先发现无时不在变化。问题是:"变化的来源是什么? 变化的背后,如果没有不变;殊多的背后,如果没有合一,我们将无从了解宇宙"①。因此,他们提出哲学研究就是寻求宇宙的原理,以便为无时不在变化的宇宙找到一个坚定不移的基础。这是希腊哲学在这个阶段上探讨的中心课题。几乎当时所有的哲学家都是带着这个问题走上哲学舞台,并且经过探讨后都提出了对这个问题的答案。例如,泰利斯的"水",毕达哥拉斯的"数",赫拉克利特的"火",巴门尼德的"存在",德谟克利特的"原子"等。值得提出的是,作者在阐述哲学家的这些观点时,不以把观点提出来了为满足,而是还阐明了哲学家提出观点的思维过程,

---

① 李震:《希腊哲学史》,第5页,台湾三民书局,1982年。

以及他们对其观点的论证,并把前后的观点联系起来,指明了它们在这段哲学发展过程中的意义与得失,从而不但把哲学家的观点较为全面地陈述出来了,而且从中可以看到,围绕始基问题的探讨人类思维的发展与哲学研究的深化。

又如,中间7章,介绍了希腊哲学在创立体系阶段上的哲学。在这里,除集中力量阐明了柏拉图与亚里士多德创立的哲学体系及其理论内容外,还叙述了从自然哲学阶段经过智者与苏格拉底向本阶段的过渡。在希腊哲学史上,通过柏、亚二氏哲学体系的建立,说明希腊哲学进入了繁荣时期。表现在柏拉图那里,他"对于哲学探讨所作的努力,博大深远,气度雄伟,成就辉煌,令人叹服,也使他在人类思想和文化的历史上,成为一颗永远明亮的星"①。表现在亚里士多德哲学中,他"集希腊古代思想的大成,建立了前所未有的哲学体系,博大精深,对后世西方文化思想的影响,难以衡量"②。因此,全面地展现这两个哲学体系的丰富内容,以便把希腊哲学的繁荣盛况反映出来,便成为书中作者全力以赴论述的重点。所以,在论述时,不仅分别介绍了柏亚二氏的生平、著作以及他们与其哲学前辈的关系,而且还把他们的哲学体系归纳为若干论题;例如在阐述柏拉图哲学体系时,把它概括为"认识与理型"、"爱情"、"正义"、"哲学家"、"模仿的艺术"、"命运与自由"、"再论认识与理型"、"有与善"、"自然世界"、"再论政治问题"、"哲学探讨"等论题;又如在阐明亚里士多德哲学体系时,把它概括为"第一哲学"、"实体"、"对柏氏的批判"、"实体与变化"、"物质世界"、"灵魂"、"伦理学"、"政治"、"文学"、"理则学"等论题,

---

① 李震:《希腊哲学史》,第106页,台湾三民书局,1982年。
② 同上书,第157页。

然后根据原著,把构成他们哲学体系各部分的理论观点,十分细致地陈述出来了。就是在这样展现柏亚二氏哲学内容丰富的过程中,不仅阐明了他们为人类哲学作出的杰出贡献及其在西方哲学史上的重要地位,而且也充分体现了希腊哲学在这个阶段上的繁荣与辉煌。

再如,最后7章,介绍了希腊哲学在衰微阶段上的哲学。作者指出,亚里士多德的逝世,象征着古希腊哲学的衰微。特别是"罗马帝国兴起之后,希腊变成罗马帝国的一个省,于是希腊文明正式敲起了丧钟"①。在这个逐步衰落的过程中,为了寻找个人生活的安顿,学者们只是注重一种褊狭的伦理研究,完全失去了对自然哲学或形上学的兴趣。然而没有深入的理论作基础,这种伦理研究多半流于肤浅,理论上很少有新的创作。因此,作者在这里介绍斯多亚学派、伊必古鲁学派、怀疑学派、综合学派、新柏拉图主义时,与前面的论述方式不同;虽然也极其扼要地提到了他们的一些其他方面的观点,但主要是围绕伦理的研究,着力阐明了希腊哲学逐步走向衰落的发展趋势。

上述两个特点说明,作者在介绍与论述后代希腊哲学时,依据哲学思想或哲学家观点在其发展过程中重要性的不同,使用不同的篇幅,以不同的表述方式,在平面上较为全面地把它们展示出来。在这个意义上,李震的《希腊哲学史》是成功的。全书较为薄弱的只是,无论对于哲学家观点的介绍,对于希腊哲学在不同阶段上特点的分析,还是对于希腊哲学整个过程的论述,由于整理、提炼与归纳不够,因此在读过全书后,使人感到在上述几个方面都相当松散,显得缺乏理论深度。如果在这一点上多

---

① 李震:《希腊哲学史》,第157页,台湾三民书局,1982年。

付出一点儿劳动,那么,整个书的面貌及其学术价值,将是另一种评价了。

二、吴康著作的学术价值

同是论述希腊哲学史,吴康却使用了另外一个书名:《西洋古代哲学史》。

在这本书中,他把西方哲学的发展,首先分为古代、中世与近代三个时期。后来,在修改其《近代西洋哲学要论》时,把其中自19世纪初或中叶至今的西方哲学,从原先主张从十六七世纪迄今为近代哲学的划分中分割出来,称它为现代哲学。这样一来,一部完整的西方哲学史就被分为古代、中世、近代与现代四个时期。

在吴康这里,所谓古代西方哲学,他认为即是希腊哲学。吴康指出,希腊哲学的发展有前后两个时期。前期为自然哲学时期,探讨了形而上学之本体与变易原理;后期为精神哲学时期,研究了人生、知识与道德问题。"二者皆为希腊爱知精神活泼腾涌之表现"[1]。吴康认为,作为希腊哲学初期表现的自然哲学,其内容是"探自然之奥秘,究宇宙之始终,以本体问题发其端,变易问题大其业"[2]。具体一点儿说,它"研究所资,观察所寄,不在内心之生活,而在外界之'自然',日月何以经天,江河何以行地,风云雷雨之变,花鸟草木之奇,诸天何以成,大地何以立,寒燠之互易,人物之生死,凡兹外象所寄,皆在覃思之中,故其理论全部,亚里士多德名之曰'物理学',即谓讨论自然现象之学,其诸思想家或学者,曰

---

① 吴康:《西洋古代哲学史》,第168页,台湾商务印书馆,1984年。
② 同上书,第168页。

'自然学家'"①。这样进行哲学研究的,有米勒学派②、爱利亚学派、赫腊颉利图③、毕达哥拉斯、原子论学派。而作为希腊哲学第二期的精神哲学,"乃探究吾人心灵智慧之内容与其能力活动,以逮道德哲学政治社会各种问题之研究总称也"④。具体一点儿说,"知者学派导源于前⑤,而诡辩为说,未立表准,苏格拉底继亦于后,所彼正义,破敌妄执。柏拉图、亚里士多德、覃思研精,发皇大业,极唯心论思想波澜壮阔之大观。自是依壁鸠鲁,画廊学派,揭道德哲学之洪波,述人生活动之真义。而怀疑学派、新柏拉图学派,于形而上学逮道德人生之说,为怀疑批评,或以宗教神秘之论,代逻辑鰓思之言,要皆致力人生知识问题,探讨道德伦理真谛"⑥。

　　根据上述认识与思路写成的这本《西洋古代哲学史》,作者在阐述这些哲学派别的理论学说时,广泛参考和运用了国外流行的哲学史著作的材料,如布拉特的《早期希腊哲学》,以及韦伯、梯利、罗素和欧德曼等的有关著述。经过自己的消化与概括,"循其发展历程,溯其思溯衍变,考其派别,述其要凡"⑦,对各派哲学家的观点进行了相当评尽的叙述,基本上把西方哲学在古代希腊时期的发展过程及其面貌展现出来了。加上每章结束时,都有提要勾玄之结论,使中心突出,给人以深刻的印象。因此,尽管该书只写到了苏格拉底,不是一部完整的希腊哲学史,但就他阐述的希腊自然哲学时期的这一部分的内容来说,对于正确引导读者去接受

---

①　吴康:《西洋古代哲学史》,第2—3页,台湾商务印书馆,1984年。
②　米勒学派,Miletus,大陆学者一般释为米利都学派。
③　赫腊颉利图,Heracliuns,大陆学者一般译为赫拉克利特。
④　吴康:《西洋古代哲学史》,第169页,台湾商务印书馆,1984年。
⑤　知者,Sophist,大陆学者一般译为智者。
⑥　吴康:《西洋古代哲学史》,第169页,台湾商务印书馆,1984年。
⑦　吴康:《西洋古代哲学史》"绪言",第21页,台湾商务印书馆,1984年。

希腊古代哲学的作用,是应该首先必须加以肯定的。

除此之外,还有一点需要指出,就是作者在论述希腊各派哲学以及各位哲学家的思想时,注意到了不同学派及不同哲学家在哲学发展过程中相互之间联系与变化的探索。吴康认为,"凡一学说之兴,必非无故而然,在时间方面,有其历史之渊源,在空间方面,有其周遭之环境"①。在这种认识的基础上,作者在阐明希腊哲学的发展过程时,通过对各位哲学家思想的叙述,还就前后不同阶段、各派哲学以及哲学家的思想之间的关系、发展的具体表现,进行了有益的探索。

例如,他认为,希腊哲学有两个时期:前者为自然哲学,后者为精神哲学。它们各自在理论上的具体主张,前面已经分析过,问题是,在希腊哲学的发展过程中,为什么会发生这种从前者向后者的演变? 作者通过智者派的兴起,回答了这个问题。他指出,从历史方面说,自希腊民族初期以来,虽然当时主要关心自然哲学,但对人生问题的探讨却从未间断过。从环境来说,希腊半岛本为海国,各城邦之间的贸易与人员往来,使道德伦理宗教事务,逐渐成为有知识的人探讨的中心。然而在探讨的过程中,到公元前5世纪的后半叶,宗教热忱与道德信仰,却渐入衰微伦胥之境。表现在:"忠厚审慎者,诋为怯弱,诘诈成事者,颂为贤良,择利而趋,如百川赴海,不可复止。而老成守旧者,则太息痛恨,叹古之不可复作,而悲狂澜之莫挽也。盖当日富于破坏性之自由思想,个人主义诸事,实随物质生活之恢扩而大张"②。就这样,智者学派产生了。在这里,运用社会政治与经济发展的事实,描述了希腊哲学从对自

---

① 吴康:《西洋古代哲学史》,第169页,台湾商务印书馆,1984年。
② 同上书,第170页。

然的探讨发展到对人的研究转变的根源。尽管没有从这些现象的分析中作出更深的规律性的归纳，但从作者的这种描述中，也可以发现希腊哲学从前期向后期在研究对象上的转变和发展。

又如，在阐述自然哲学研究时期从"本体"到"变易"的发展时，作者认为，米利都学派对"本体"的探讨，只是提出了若干基本概念，如"水"、"亚裴龙"①、"气"。继起的学派为了探寻这些观念自身的意义，究其内容，明其功用，因而进一步追问：这些作为本体的存在，自身本性如何？存在与非存在二者能否并存？于是便在"本体"问题探讨之后有"变易"问题的提出与研究。

再如，在叙述米利都学派三位哲学家关于"本源"观念后，作者有如下归纳："泰列士以'水'为万物之成体本因②，水感官可接之实体也。亚纳西曼德则以此本因为'亚裴龙'③，进而为抽象，非感官所及者矣。亚纳西明纳又代之以'气'④，以稀散凝聚之功能，解释其变化成形之故，稀散则为减少，凝聚则为增加，以是说明一既定的体积内物质之变化，此指出其理论将性质化为分量，为后来原子论派导其先路。故亚纳西明纳承先辈二人之后，为具体系统之说，而完成米勒派之宇宙论"⑤。

这三个例子，有的分析了希腊哲学从前期转变到后期的社会根源，有的阐明了前后两期研究对象的不同，有的叙述了同一学派哲学家探讨始基问题逐步进展。所有这些，都从哲学发展内在逻辑的角度，阐明了希腊哲学无论从前期到后期，还是就其一学派来

① 亚裴龙，Toapeiron，大陆学者一般译为"无限者"或"无定形"。
② 泰列士，Theles，大陆学者一般译为泰利斯。
③ 亚纳西曼德，Anaximader，大般学者一般译为阿拉克西曼德。
④ 亚纳西明纳，Anaximenes，大般学者一般译为阿拉克西米尼。
⑤ 吴康：《西洋古代哲学史》，第9—10页，台湾商务印书馆，1984年。

说,都经历了一个发展过程。在哲学史研究中透过哲学曲折与深化过程的揭示,不仅把哲学发展的真实面貌反映出来了,而且这对于锻炼与提高人们的理论思维能力,都具有不可忽视的意义。这是吴著的学术价值所在。

三、程石泉三论柏拉图

原原本本地介绍柏拉图哲学,是程石泉《柏拉图三论》的显著特点。

程石泉,美国华盛顿大学哲学博士。曾任美国匹兹堡大学、宾州大学、台湾大学、台湾师范大学教授。现为东海大学教授,在这里讲授中西哲学与大乘佛教课程。

在《柏拉图三论》中,作者论述了"理型论"、"灵魂论"与"爱取论"。显然,这三论在柏拉图的哲学体系中,虽然占有十分重要的位置,但它们只是其内容的一部分。不过,作者希望通过对这三个论题提纲挈领的阐明,达到"略窥柏拉图智海之波澜"[1],以便引导读者进入柏拉图哲学的殿堂。

首先在阐述"理型(观念)论"时[2],作者提出,在西方哲学史上,一般认为柏拉图主义,指的就是柏拉图的理型论。可见,它在柏拉图哲学体系中具有重要地拉。"但是柏氏理型论的真实含义何在? 柏氏采用理型论企图解决什么问题? 理型论的哲学目的何在?"[3]如果这些不搞清楚,那么,要认识理型论并进一步把握柏拉图的哲学体系,都是难以办到的。而为了做到这一点,则必须依据

---

①　程石泉:《柏拉图三论》,第1页,东大图书公司,1992年。

②　理型(idea, eidos),大陆一般译为"理念"。陈康译为"相",汪子嵩等在《希腊哲学史》中亦然。

③　程石泉:《柏拉图三论》,第37页,东大图书公司,1992,年。

柏氏的著作,"深入探讨其最初的起源和其最终的开展"①。只有这样,才有可能。为此,作者把柏拉图前后对"理型论"论述的观点综合起来,分别从它具有的认识论功能、价值功能与宇宙论功能三个方面进行了分析和介绍。

在阐述认识论功能时,作者认为,在柏拉图那里,首先,他把知识区分为"意见"与"科学",说在性质上它们二者各不相同,在价值上也各不相等。"意见是可真可假的,而科学是非常真的"②。然后,又把知识的对象区分为感觉对象与认识对象。前者是变动不居,前后不一致的,由它提供的知识只能是"意见"。惟有后者才是科学对象,而且在科学中是"理想中的美满知识"③,它能够为人们"提供智慧"④。因为在柏拉图看来,这个对象乃是理型。它是可理解的对象。它"是先乎经验的,是独立而不依靠心而存在的,是一项本体性单元"⑤,"是永恒的、不变的、必需的"⑥。它在认识上的目的就是以此"解释真理的知识"⑦。通过这些论证,说明了理型是知识的基础。

在阐述价值论功能时,作者认为,理型不仅是客观知识必备的条件,而且也是永恒必需的真理的基本性质。因为"真理是一切思想的规范,根据这个规范,思想主体从事于选择,以期达到意志所向往的最高目标"⑧。为此,需要找到判断人们行为价值的标准

---

① 程石泉:《柏拉图三论》,第37页,东大图书公司,1992年。
② 同上书,第41页。
③ 同上。
④ 同上书,第37页。
⑤ 同上书,第44页。
⑥ 同上书,第45页。
⑦ 同上。
⑧ 同上书,第68页。

或尺度。正是在这一点上,柏拉图理型论建立的科学,取得了有关道德标准的确实而又客观的知识,找到了一个道德判断准绳,从而完成了理型论在价值论上的使命,以此说明了理型是价值与道德的基础。

在述说宇宙论功能时,作者认为,柏拉图哲学的基本信念是:宇宙乃是一个有目的的有机体,不论其结构如何错综复杂,但是在客观存在的每一事物之间,都是无不通体相关的。这是因为,理型"是一切存在的真正理由"①。它是符合"一项内在的迫切要求'普遍统一'而生的。又从那项'普遍统一'的内在要求产生了美满宇宙"②。因此,"这世界是一个精心结构的艺术品,这便是它创造的目的"③。由此说明,理型是可认知的宇宙基础。

总之,"理型是知识、行为与存在的理由"④。因此,"当我们宣称发现事物理型(观念),也无异在说我们在内心中发现了真理,而那时内心充满了超越的光亮。同时,也无异在说为'内在迫切的要求'提供知识的可能性,又为一切精神活动提供了规范,加诸我们意志之上,并且提供了一切存在的价值与意义"⑤。

其次,在阐释"灵魂论"时,作者认为,这一学说在柏拉图那里是混乱不清的。因此,必须把他的著作中有关这个论题的观点综合起来,才能窥得其灵魂学说的全貌。为此,作者首先把柏拉图论述灵魂性质及其活动的有关观点集中起来,并作出了概括。他写道,"柏拉图认为'灵魂是宇宙运动第一原理',用以说明'灵魂'最

---

① 程石泉:《柏拉图三论》,第 75 页,东大图书公司,1992 年。
② 同上。
③ 同上书,第 83 页。
④ 同上。
⑤ 同上。

重要的性质是不朽:'灵魂'是继续不断地在运动,它的运动不是由其他事物所引起的,永无休止的。因为'灵魂'是永无休止的运动者,所以它是永恒不朽的"①。例如,天地开辟、阴阳造化、寒暑迭来,日月更出、孚萌庶类、亨毒群品,都无一不是灵魂的显现与裁决。在这种概括的基础上,作者还引用原著相当详细地阐明了柏拉图对"灵魂不朽"学说的论证。然后指出:"灵魂不仅是宇宙间一切变化与运动的原动力,同时它又具有理智和聪慧,它能在变化中挑出原理,并能为万事万物安排得自然有序,使各事各物各尽其职,各得其所"②。这集中体现在他的灵魂三分学说中。

所谓灵魂三分,是指统治阶级、武装部队和生产百工,他们分别是由理性灵魂、豪情(精神)灵魂和欲念灵魂构成的。因为灵魂不同,因此,它们各有不同的追求与导向:理性灵魂追求知识,豪情(精神)灵魂追求勇敢,欲念灵魂追求饮食男女。作者指出,在柏拉图看来,在一个城邦中,如果统治者酷爱智慧,身心两方面都能接受理性的约束与训练,而武士和百工,又都能各尽其力,恪尽职守,那么,这便是一个合乎理性的城邦。反之,要是在这三者之间,有一者凸显甚至控制其他两者,那么,他便是一个不称职与不快乐的人。因此,在处理他们三者的关系时,最好的办法是疏导、调和与策励,而不必运用理性来强制地压抑豪情与欲念。这样,才能不损害人格的完整。

最后,在阐释"爱取论"时,作者首先谈到了柏拉图提出这一理论的原因。前面说过,三种灵魂各有不同的功能。其中,"除了理性功能外,尚有豪情壮志的意志力(豪情)和易于陷溺的肉欲冲

---

① 程石泉:《柏拉图三论》,第88页,东大图书公司,1992年。
② 同上书,第89页。

动(欲念)"①。如果后面两者让其任意发展,那么,不论是城邦还是个人的人格都必然遭到极大的损害。因此,为了使肉体冲动得到驯服,不致违背"中和节"的原则,并且把它们的冲动引导到往高尚的方面发展,柏拉图提出了他的"爱取论"或"爱神论"。因为在柏拉图看来,"在灵魂三项功能之上,更有一项冲动,名之曰'爱取'。这项爱的冲动由低级的、肉欲的提高向上达到理性的、智慧的,由单一的、个体的一步一步提高达于多元的、普遍的,由具体、感官的提升到抽象、理性的。更高的层次便是那些真、善、美、圣,绝对的、永恒的价值"②。在这里,"'爱取'作为生命和原动力,是灵魂向上攀升的主力,是人生追求不朽的根源"③。因此,随着"理型论"与"灵魂论"的进展,必然进入"爱取论"。它不但在其哲学体系中居于关键的地位,而且也只有进展到这一步,"方能构成相互连贯的思想体系"④。

接着,作者在书中引用《会饮篇》中的材料,通过六位发言人对爱神厄罗斯(EROS)的称颂,详细地描述了他的真正性质与功能,以此阐明了生命的不朽、名誉的不朽与永恒价值的不朽。在柏拉图看来,灵魂虽然不朽,然其运作有赖于"爱取"。"爱取"作为"内心迫切之要求"与价值取向,能够一步一步地把灵魂提高到新的境界。例如,由个体之美,提升为普遍之美型;由普遍之美型,提升到制度、法律、秩序之美;由制度、法律、秩序之美,提升到纯理知识之美,最终实现生命的不朽,流芳千古的不朽与教化的不朽。

通过前面三论的介绍,还把柏拉图有关宇宙论、认识论、道德

---

① 程石泉:《柏拉图三论》,第120页,东大图书公司,1992年。
② 同上书,第121页。
③ 同上书,第123页。
④ 同上书,第124页。

论、国家论与人性论的学说展现出来了,使作者"略窥柏拉图智海之波澜"的愿望,在一定程度上得到了实现。值得注意的是,作者在阐明柏拉图的这些学说时,不但是在原原本本地分析原著的基础上进行的,而且,为了说清这些观点,还把它们同中国传统哲学、佛学、印度奥义书时代的有关论点加以比较,甚至有时直接用来进行说明。如果不牵强附会,援引恰当,比较得法,对于帮助读者正确地理解与接受柏拉图的哲学学说是有作用的。

四、杨深坑专论柏拉图的美育思想

如果说,前述程著的三论,在一定程度上展示了柏拉图哲学的基本面貌,那么,杨深坑的《柏拉图美育思想研究》,则在于专门论究柏拉图美育思想的理论精华及其价值。

为了进行这一课题的研究,杨深坑曾经负笈希腊六载,现任职于台湾师范大学教育研究所。他在研究中,曾经先后发表过一些有关的论文。如《柏拉图"飨宴篇"中的教育爱》(台湾师范大学教育研究所集刊,21辑,1979年)、《柏拉图"费多篇"哲学内涵述评》(台湾师范大学学报,第27期,1982年)、《柏拉图美育思想的概念架构及其历史根源》(台湾师范大学教育研究所集刊,24辑,1982年)等。而《柏拉图美育思想研究》则是研究这一课题取得成果的集中体现。

所以开展这一课题的研究,是因为杨深坑看到,一方面,教育活动的根本任务在于使人类的精神动力得到多元而统整的发展,以此培养完美成熟的人格,而在所有的教育活动中,美育能兼筹并顾人类精神活动的各个层面,对于促进人格的全面发展,具有十分重大的意义。然而另一方面,在台湾当时讲求经济效益的条件下,这种优良的美育传统,由于它一时难以收到立竿见影的效果而变得黯然失色。因此,很有必要重新诠释发扬,以便使它和现代生活结合起来。特别是,"在社会迈向现代化的过程中,文化消费形态趋于表现感官刺激的满足,颇有侵蚀高级精微文化之危,更须赖美育提升全民精神生活水准"①。例如在中外文化交流接触过程中,那些诉诸感官层次的粗俗文化,往往易为大众接受,而那些属于精神层次的高级文化反而常常遭到排斥。因此,出现了一种去精华取糟粕的反淘汰现象。这说明,中国文化的发展面临着严重的挑战与新的抉择。为了迎接挑战并作出正确的抉择,如何使传统文化的精华融贯于青年的心灵中,使其成为青年人格的一部分,并进一步作为再创造新文化的动力,作者认为最根本的一条是,"以教育入手,以美的陶冶来促进国民健全人格的发展"②。或者说,"透过美育的实施,导文化发展于正途,实为当务之急"③。

　　而且,作者还指出,在运用美育促进民族文化健全发展,提升全民族的精神境界的过程中,柏拉图的美育思想是一项重要文化资源。因为"柏拉图生长在黄金时代的末期,正是希腊文化发展的转型时期。当时,古典精神已遭到感觉主义、相对主义的侵蚀,艺术风格繁复多变,徒以刺激感官的快乐为能,缺乏智性的凝炼。在这种文化走向粗俗的潮流中,柏拉图力挽狂澜,融贯古希腊哲学与艺术精神,提出'理念论'为基底的美育观,以美的陶冶,来提振人类精神拯救理性之沉沦,克服文化之危机。其以民族文化为本之美育理论,理想至为高远,洵足为我国当前文化建设之借镜"④。为此,杨深坑根据柏拉图著作的希腊文原典,运用诠释学方法,阐

---

① 杨深坑:《柏拉图美育思想研究》"自序",水牛出版社,1985 年。
② 杨深坑:《柏拉图美育思想研究》,第 2 页,水牛出版社,1985 年。
③ 同上书,第 3 页。
④ 同上书,第 2 页。

幽发微,撰成《柏拉图美育思想研究》一书。

在这本书中,作者在追溯了柏拉图美育思想的时代背景与历史渊源后,就柏拉图美育思想的主要内容及其理论价值,进行了扼要的论述。

首先,在第三章对柏拉图美育思想的形上基础进行分析时,阐明了柏拉图美育观的形上根基——理念论、美育的最高境界——善的理念、美的特征、艺术理论及其教育功能与美育历程观点。

作者认为,柏拉图融贯前苏格拉底哲学与艺术精神提出的美育思想是根植于他的"理念论"而建立起来的。这既为它取得了坚实的形上基础,也使它具有高瞻远瞩超时代的性格。同时,柏拉图的理念论又与他的二元论世界有极为密切的关系。因为柏拉图承认有两个世界,即理念世界与现象世界。前者是真实的,永恒不移的,后者是虚拟的,变动不居的。后者虽然存在,但它是前者的摹本。从这种哲学立场出发,柏拉图认为在理念世界中,"美的理念最为光亮,最广为人所喜爱,美以其最显著的形象,照辉人类心灵,使人类心灵产生向上提振的功力"①。所以,真正的美只存在于理念世界,它以永恒、纯净、单一、适度、和谐为特征。现象世界的美只有分有了理念世界的美,才能呈现出美的形式。而且,它作为发动教育的动力因素,最终必然把人类导向美育的最高境界——善的理念。在这一形上基础上,柏拉图把艺术区分为真正的艺术与虚假的艺术。前者以理念界真正的美为范型,它能使人类避免感性的激情,培养智澄卓超的心灵境界。后者只是诉诸繁复的节奏,华丽的词藻,以刺激人类感官快乐为满足,从而阻断了心灵追求直通理念世界的道路。不过,在这两者之间,通过美把它

---

① 杨深坑:《柏拉图美育思想研究》,第3页,水牛出版社,1985年。

们联系起来了。因为真正的艺术,既然是理念世界真实美的体现,那么,它不但对于在感觉世界具有净化心灵的功能,而且,它作为精神动力能够引导人们走向理智澄澈之境。因此,真正的艺术还"成为联系理念世界与感觉世界之间的桥梁,成为沟通人类感性与理性,以达通观美之理念的一条通路"①。教育的过程,就是使人从虚幻的束缚中解脱出来后,引导到理智无限澄澈与精神无限自由的过程。

其次,在第四章对柏拉图美育思想的心理基础进行分析时,"从主体层面分析了客观美的心理效应以及美育的精神动力及其与其他心理动力的关系"②,从而阐明了上述美育过程是如何完成的。

简单说来,在柏拉图那里,这个过程的完成"是建基在心灵与理念之间有极为密切的关系上"③。主要表现是:由于心灵与理念的密切结合,使心灵具有生命与运动两个特征;又由于心灵是生命,使它永恒不灭,处在永恒的律动之中,并因此透过辩证的途径逐步接近永恒的美的理念。然而,人的心灵在结构层次上,有理性灵魂与嗜欲灵魂之分。"理性灵魂的生命动力系理性和爱,通过此种生命动力,引导人类精神向上提升。嗜欲之魂仅追求感官的快乐,常与理性灵魂所持原则相违背,因而两者之间经常处于永不止息的争衡之中。在理性与嗜欲的竞争与对立中,意志之魂常为理性之魂的助力,助其平服嗜欲之横流。然则,意志之魂若不为理性所驶,则也有流于毫无节制之奔勇或懦弱。只有理性控制意志

① 杨深坑:《柏拉图美育思想研究》,第 78 页,水牛出版社,1985 年。
② 同上书,第 98 页。
③ 同上书,第 171 页。

与嗜欲,使三者处于一种和谐平衡的状态下,人类心灵才能展现其创造的生机,导向客观价值的创造"①。

在这种情况下,为了培养心灵的创造生机,柏拉图不仅认为必须接受美的陶冶;通过严格的艺术陶冶,使心灵得到净化,达到人格的完美。因为"美育正是使心灵从感觉到激情超脱,以直观睿智美的重要教育手段"②。而且还指出,这些教育措施的贯彻与完成,必须依赖人类心灵中最重要的精神动力——爱。它是所有精神力量的统合,构成人类的动态精神世界。它是贯穿于人类灵魂三个层次的精神力量。"因此,爱能使人类生活于感觉世界中,但又不受感官的激情所囿,而能从感性世界的纷扰中超脱,达到理智清明的境界"③。同时,"这种使美的不断追求与完成,也带动了整体人类文化的进展,而臻永恒圣福的境界"④。

再次,在前述柏拉图美育思想与艺术教育理论的基础上,通过第五章和第六章,阐明了柏氏关于各种类型艺术的教育功能与批评以及艺术治疗的理念。

在作者看来,由于柏拉图认为存在两类艺术,它们的功能不相同,表现在各种艺术类型上也是这样。只有真正的艺术才能成为教化的工具,而虚假的艺术则会阻碍人类精神境界的提升。"因此,在理想国的教育规划中,对于各种艺术都必须给予严格的管制,勿使虚假的艺术腐蚀人心"⑤。从这一点出发,柏氏在音乐中反对当时调式繁复、节奏多变的新音乐,提倡能够表达适度、节度

---

① 　杨深坑:《柏拉图美育思想研究》,第104页,水牛出版社,1985年。
② 　同上书,第171页。
③ 　同上。
④ 　同上。
⑤ 　同上书,第172页。

和谐的音乐。在舞蹈上认为只有那些能够表达道德价值与智慧、陶冶人格的作品，才最有教育意义。反之，对于那些流于粗俗而产生教育作用的作品，必须给予批评与限制。在文学形式上，主张必须描述理性的认知，反对停留在感官肤浅的印象上。从这里可以看到，"柏拉图对于各种类型的艺术批判，完全植基于艺术教化功能之考虑，期透过严肃的艺术的陶冶，培育身心和谐，人格健全的市民，完成合乎正义之理想社会的建立"①。

而且，柏拉图还指出，如果人类灵魂中的非理性情欲得不到理性的适当控制，则必然破坏人类整体人格的统整，从而闹出各种心灵疾病来。例如，恶、丑、不对称、失衡、愚昧等。一旦这些心灵疾病发生，柏氏认为治疗的最好方式或有效利器，就只能依靠艺术了。因为"真正的艺术既模仿了理念世界真实的美，因此对于无知、不正义、无节制、懦弱等心灵有所偏差者而言，提供了一种极佳的认同对象，使其在真正美的涵泳下涤去心灵上不纯正的激情与污点，以健全人格的发展"②。

最后，作者指出，柏拉图建立在理念论基础上的美育思想，体现了一种高远的文化理想。尽管其中有些思想为人们所訾，但它对后世美育思想的影响极为深远。例如在我国，"蔡元培先生以美感教育来完成道德、完成世界观教育的根本来源仍可溯诸柏拉图"③。

杨深坑针对台湾社会的现状，这样开展对柏拉图美育思想的研究，充满了现实感。这是很有意义的。而且在书中，通过柏拉图

---

①　杨深坑:《柏拉图美育思想研究》，第172—173页，水牛出版社，1985年。

②　同上书，第173页。

③　同上书，第174页。

美育思想的形上基础,实施美育的过程,以及各种艺术教育功能的论述,较为全面而清晰地把柏拉图的美育思想发掘与概括出来了。这充分体现了作者钻进柏拉图著作中进行辛勤耕耘的工夫。如果还能站在当代实践与美育思想的高度上,再对它给予必要的评论与批评,那么,作者的这一研究成果对于其目标的实现,效果可能会好一些。

五、牟宗三评述"四因说"的思考

在引介亚里士多德哲学的作品中,牟宗三的《四因说演讲录》,虽然并不完全是讲亚里士多德哲学的,但他对"四因说"的阐述,却反映了作者研究亚里士多德哲学的深沉思考。

这部为人们明示学问入路的著作,是1991年春牟宗三在香港诚明堂(新亚研究所)讲课的内容。总共二十讲,由卢雪昆录音整理,《鹅湖》月刊从1994年9月起逐期刊出,后于1997年3月结集由台北鹅湖出版社发行①。

在该书的前两讲中,作者集中阐述了亚里士多德的"四因说"。他写道,"亚里士多德讲一个东西之完成靠四个原因"②。又指出,所谓"四因"(four caues),即:"'形式因'(formal cause)、'质料因'(material cause)、'动力因'(efficient cause)、'目的因'(final cause)"③。在阐明亚里士多德的这个理论时,牟宗三没有面面俱到地展开,而是在指出其中"最重要的是'形式因'与'质料因'"的基础上④,只是突出地强调了"形式因"的极端重要性。

---

① 　这本书在大陆于1998年由上海古籍出版社出版。
② 　牟宗三:《四因说演讲录》,第3页,上海古籍出版社,1998年。
③ 　同上。
④ 　同上。

他认为,在亚里士多德那里,一个事物由"四因"构成,这是对事物的静态分析。这样分析,"'质料因'是一面,'动力因'、'目的因'、'形式因'这三因又是一面,是同属于理的一面"①。然而,事物的形成是一个动态的过程。在这个过程中,形式作为事物追求的目的,"目的因"与"形式因"合二为一;形式作为事物发展的动力,"动力因"与"形式因"合二为一。这样,"目的因"与"动力因"都归之为"形式因"。因此,四因就变成了两因。

而且,虽然质料加上形式,就可以成为一个东西,但是亚里士多德认为,只有质料获得了形式以后才能是一个现实的东西。没有取得形式前,质料作为潜能性,只有成为一个"是什么"的现实事的可能性而已。在亚里士多德看来,这个质料取得形式的过程,是一个从潜能到现实的过程。"通过'动力因',形式可以实现到质料上。实现到质料上,一物就达到了目的,完成了它的目的。总起来讲,天地万物一把抓,全宇宙的'动力因'是 unmoved mover,就是上帝。全宇宙的最后目的是'纯粹的形式'(pure form),纯粹的形式就是上帝。这是哲学家讲的上帝"②。由此可见,"形式因"比"质料因"更为重要。

这些观点,在亚里士多德哲学传播过程中,早已成为常识。值得提出的是,牟宗三把它们这样提出来并加以强调,目的在于为人们做学问"作一个入路"③,以此论衡古希腊、康德、儒、道、佛五大智慧,通过中西互为考量,继续打通一条会通中西哲学的道路。这是牟宗三消化圆融康德哲学,提出以康德作为会通中西哲学的桥

---

① 牟宗三:《四因说演讲录》,第6页,上海古籍出版社,1998年。
② 同上书,第7页。
③ 同上书,第16页。

梁,并以此建构了他的道德理想主义哲学体系后,进一步探索会通新路的思考。

原因在于,一方面,他看到古代希腊不但是西方哲学与文化的源头,而且其中还有不少具有普遍性的原理。例如,亚里士多德的"四因说"即是。因此,书中他开宗明义地指出,"亚里士多德首创'潜能性'(potentiality)与'现实性'(actuality)原理,两千多年前提出来,一直到现在没有人能反对"①。又说,"'四因说'的分析可以普遍应用,没有人能反对,只是你了解不了解,你应用得恰当不恰当"②。这说明,他选择"四因说"为入路,其根据在人类共通的理性。就是说,亚里士多德提出的"四因说",乃是人们说明与理解宇宙万物的通则。运用"四因说"论衡人类各大智慧,固然在考量中就能比较出两种思想不一样,但其论旨却不在各显其殊,互较短长,而在审明与判定人类社会共通的普遍原理。牟宗三拿"四因说"考量中西各大智慧系统,目的就在这里。所以,他在书中,从"四因说"契入,既以希腊哲学、西方哲学考量中国哲学,又以中国哲学考量希腊哲学、西方哲学。通过考量,对显各自的精义、不同与不足,使之"比量辩证,有判有通"③,从中发现中西哲学的共通性。此共通性,即哲学发展中具有普遍意义的原理。这是会通中西哲学的根据。

另一方面,作者以"四因说"为入路,通过对希腊哲学传统的追溯,并在康德那里使中西贯通起来。在书中,牟宗三从"四因说"出发,回溯了柏拉图以来的西方哲学传统,并以柏氏的理念论

---

　　①　牟宗三:《四因说演讲录》,第1页,上海古籍出版社,1998年。
　　②　同上书,第14页。
　　③　罗义俊:《读牟宗三先生〈四因说演讲录〉》,见《四因说演讲录》"附录",第237页,上海古籍出版社,1998年。

论衡了巴克莱依希腊古义而用的 Idea 观、基督教《创世纪》的神学思想以及康德超越的观念论。在牟氏看来,通过这种综合贯通的论衡,说明康德讲的 Idea 是继承柏拉图最高圆满的观念而来,进而判定柏拉图原初讲的 Idea 完全属于理性,因此,所有这些观念各就各位,互有分际,清晰地融合在一起,从而组成康德哲学的大间架。如此,康德思想不但与希腊传统贯通了起来,而且,依据"四因说"论衡,指明了由希腊哲学通向康德的基本脉络,在进一步肯定康德为桥梁的同时,还展示了牟宗三会通中西哲学导向的一贯性。

这就是牟宗三研究亚里士多德"四因说"的深沉思考。虽然他在以"四因说"论衡中西各大智慧系统提出的观点中,有的还有进一步讨论的余地,但他的这项工作绝不是简单的比较,而是"凭着综合的心量,贯通的智慧,以理性把限制撑开,而透出共同性。每一哲学,不论东方与西方,只要能客观化,皆是共同的,即是世界的,人类的。此乃牟老师的真知灼见"[1]。而且,如果把他以"四因说"为入路与过去的会通研究比较,这一进路无疑是不同的新思考。在一定意义上,它体现了牟宗三先生孜孜以求的不断探索精神。

第三节 近代西方哲学的继续传播

同古代与中世纪西方哲学的引介一样,本时期台湾学者的近代西方哲学传播,整个说来,也是一个较为薄弱的环节。不过,在这个过程中,台湾学者进行了一件有意义的工作,就是由郭博文主

---

[1] 卢雪昆:《四因说演讲录》"序",第 1 页,上海古籍出版社,1998 年。

编的一套近代西方哲学家丛书的翻译和出版。在这里首先陈述一下。

郭氏认为,要使近代西方哲学在台湾得到较好的传播,虽然需要做的工作很多,但是他指出,有一件事是不但首先要做的,而且也是能够做到的。就是把这段哲学史上一些出类拔萃的哲学家,分别作深入而有系统的介绍与评论。他写道,"这种评介工作具有双重的目的:第一,使一般人对西洋哲学的认识,不为普通入门书和哲学史教本所局限或误导;第二,使有志进一步研读经典著作的人,能有较为充分的准备,收到事半功倍的效果"①。因此,他又指出,"要是我们有一套优良的中文参考书,介绍大哲学家的时代背景和思想传承,分析他们所关心的问题,提示他们学说的重点和价值,那么情形就会大为改观"②。

而且,在他看来,这样的作品虽然台湾学者尚未写出,但在国外它们早已存在。因此,根据西方哲学在台湾传播的实际情况,决定着手翻译国外现有的此类著作。因为在这种情况下,"与其自行撰写专书(由于整个研究水平有限,所谓自行撰写,往往只是翻抄编译的别名而已),不如把西方已有定评的好书译成中文,更为直截了当"③。所以,根据他确定的标准,特别挑出肯尼的《笛卡儿》、韩普夏的《斯宾诺莎》、肖莉德的《莱布尼茨》、华特金斯的《霍布斯》、欧康纳的《洛克》、华诺克的《柏克莱》、麦克纳的《休谟》、肯勒的《康德》首先译出。因为这几本书,除了符合他提出的选书标准外,"还具有几点特色:第一,各书作者本身在哲学上都

---

① 郭博文:《西洋哲学丛书》"主编序言",第2页,远景出版公司,1985年。
② 同上。
③ 同上书,第3页。

有相当成就,例如韩普夏、华诺克、肯勒都是目前很有地位的哲学家。第二,虽然八本书的着眼点不完全相同,有的注重学说内容各部分的分析,有的注重整体的联系和统一的理解,但是各书的作者都能从现代的眼光去衡量那些哲学家的贡献和得失,并由此引申出对于当前哲学问题的提示。第三,所讨论的都是 17 世纪和 18 世纪的哲学家,十七、十八世纪本来就是西洋哲学发展史上少数几个巅峰时期之一,而主要代表人物就是我们所要评介的这八位。所以,这八本书可以放在一起,互相印证,构成对西洋近代哲学的一个完整的认识"①。这段话说明了编者对西方近代哲学的认识、这八本书的特点以及把它们翻译过来的目的。的确,通过这套书的翻译和出版,使近代西方哲学在台湾传播中出现的不足得到了一定程度的弥补。

要指出的是,值得重视的还是台湾学者传播近代西方哲学发表的有关论著。在这一方面,除了少量综合性的著作,如赵雅博的《近代西洋哲学的起源》与赵君影的《西洋近代哲学家的上帝信仰》外,主要是一些对某些重要哲学家的专题研究。下面,介绍其中有代表性的作品。

一、蔡信安笔下的洛克与巴克莱哲学

在本时期传播经验论哲学的作品中,除了余丽嫦的《霍布斯》(东大图书公司,1995)、谢启武的《洛克》(东大图书公司,1997)与陈永兴的《柏克莱沉思》(自立晚报社,1986)外,还有蔡信安的《洛克的悟性哲学》(东大图书公司,1988)与《巴克莱》(东大图书公

---

① 郭博文:《西洋哲学丛书》"主编序言",第 3—4 页,远景出版公司,1985年。

司,1992)以及李瑞泉的《休谟》(东大图书公司、1993)。这里,只评述后面三本。

首先,在这些作品中蔡信安不但有两本,虽然它们也是普及性的读物,但在论述中却提出了一些值得重视的看法。

蔡信安,台湾高雄人。70年代台湾大学毕业后赴美国圣路易大学留学,先后在这里取得哲学硕士与博士学位。回台后,在台湾大学为学生讲授《欧陆理性论》与《英国经验论》课程的同时,还先后出版了《洛克的悟性哲学》与《巴克莱》两本著作。虽然它们都是洛克与巴克莱哲学在台湾起步传播时的作品,但作者在钻研的基础上就洛克与巴克莱哲学基本倾向提出的一些观点,对于促进英国经验论哲学的研究有一定的意义。

在西方哲学史上,洛克、巴克莱与休谟哲学被称之为经验论,他们三人被称为经验论者。然而,作者对英国经验论哲学基本倾向的这样概括却提出了质疑。蔡信安问道,"到底'经验论'(empiricism)一词是否适于这三位哲人?"①作者所以这样提出问题是因为在这个问题上有他的不同看法。

首先,在《洛克的悟性哲学》中,作者认为,在洛克的著作中,最重要的要算《人类悟性论》。他指出,在这本书中,洛克"倡言人类的知识都是由于观念的介入才有可能,又观念之存在也惟有透过感官和反省才有可能,没有经验即没有观念的存在,也就没有知识可言。这样,大家就称这种哲学为经验论"②。然而,蔡信安"不认为这种称呼是恰当的"③。在他看来,尽管洛克强调一切观念都

---

① 蔡信安:《巴克莱》,第27页,东大图书公司,1992年。
② 蔡信安:《洛克的悟性哲学》,第3页,东大图书公司,1998年。
③ 同上。

是从经验而来,没有任何天赋观念,但是,"这一点并不是他的主要论点"①。因为在洛克哲学中,有了观念不等于取得了知识,知识不是观念的堆积,只有达到"能够确定观念之间有意义的关联时,这样确信的知识才算知识"②。由此可见,观念不能只是在心灵之中存在,还必须使它有所指谓,形成具有记号性的存在。洛克认为,使观念成为记号性存在,必须依赖于心灵的特殊功能。具体说来,是经由悟性的能力实现的。在说明这个观点时,作者引征了洛克的话:"识觉的功能即悟性,悟性的行动所做的识觉可以分为三类:(1)对于心中观念的识觉;(2)对于记号意义的识觉;(3)对于观念间的联结、矛盾、一致或不一致的识觉。这些都是属于悟性或识觉能力(perceptive power),也惟有后面两者,即(2)跟(3)才可以让我们说,我们了解了"③。作者通过分析这段话具体阐明了悟性的功能后指出,"从识觉心中的观念存在,了解它们的存在意义,到确定这些观念的种种关系,这便达到'知识的'境界了"④。经过上面的论述,作者提出了如下看法:悟性在知识形成过程中的上述功能,证明洛克是把它视为人类灵魂中最崇高的官能与人类存在的基本能力。

而且,作者进一步指出,悟性除了在知识论上这种功能外,它还含有存在学和诠释学的意义。这不是指像前面讨论知识论时说悟性的能力有多大,而是指在论述人类以诠释观念当作存在模式时,就是用悟性作为解释契机的。因为在洛克看来,人只有透过语言与命题,才能表达心中的了解;一旦了解了,就会促进解释成为

---

①　蔡信安:《洛克的悟性哲学》,第 3 页,东大图书公司,1998 年。
②　同上。
③　同上书,第 4 页。
④　同上。

有意义。"并且就是以这种方式去沟通,作为纯正的'世界内的存有';也从诠释观念、记号、语言到了解自我的实存、存在的根源——神和世界内存有,以这种'了解'当作存有的模式"①。蔡信安认为,所有这些问题的探讨及其提出的理论观点,在洛克那里,都是在"悟性"这个概念之下进行的。正是基于上述这些理由,所以他提出,把洛克哲学"称之为'悟性哲学'(philosophy of wnderstanding)应该比'经验论'来得恰当"②。

论述到这里,作者并没有停下来,而是在这种论证的基础上,还追溯了产生洛克悟性哲学的社会历史条件。他指出,洛克的悟性哲学是他的时代的产物。他"一方面要为新兴科学知识提供哲学诠释,以至于能够为生活实践提供生活原则,也为伦理学提供基础使它成为一门严密的'科学'"③。为此,洛克在《人类悟性论》中提出这本书要达到的目标是:"(1)对于人类知识能力、悟性做探讨和批判。(2)探究获得知识的管道、方式、范围。(3)彰显人类存在的模式,以及开导致幸福的大道"④。

为了达到这个目标,他认为,都只有透过"观念"才有可能。因为在知识论上,观念是悟性的惟一对象,思想和认知都只有透过观念才能认识事物;观念是构成知识最基本的要素,没有观念就没有知识。在诠释学上,理解的最直接对象也是观念,只有通过理解观念才能理解世界及其存在。所以,观念是洛克悟性哲学中最基本的概念,也是《人类悟性论》中讨论最多的概念。要了解或解开洛克的悟性哲学体系,都必须从剖析观念课题入手。从这种认识

---

① 蔡信安:《洛克的悟性哲学》,第4—5页,东大图书公司,1998年。
② 同上书,第12页。
③ 同上书,第99页。
④ 同上。

出发,蔡信安顺着洛克的探索思路,确定以观念作为探讨的基石,用它来展现洛克的悟性哲学。因而在他的《洛克的悟性哲学》中,围绕着观念这个概念分别通过"观念的意义"、"观念的分类"、"初性与次性"、"实体观念"、"观念与语言"、"观念与知识"以及"悟性与实践"等六个论题,陈述了他对洛克悟性哲学基本倾向的观点,即认为它是以人类悟性作为一切认识、行动和存有为基础的悟性哲学。这种哲学"是一种完全的智慧"①。在这个体系中,"知识、悟性、幸福三位一体"②。用作者的话来说,这是洛克悟性的极致的展现。

其次,在《巴克莱》中,蔡信安指出,在一般哲学史研究中,都称巴克莱同洛克和休谟一样,属于英国经验派。但是他又提出,这些哲学家都是具有独创性,因此在介绍和研究中,应该避免使用对该思潮的概括来湮灭他们各自独有的见解。例如在巴克莱的著作中,知识论讨论多于其课题的讨论,而且这也是巴克莱为哲学深受后代学者重视的地方。但是他却认为,知识论并非他的哲学重心所在,"巴克莱哲学的中心是神"③。理由是:

第一,从巴克莱提出其哲学所要达到的目标,便能充分地表现出来。1710 年,巴克莱出版了《人类知识原理》一书。毫无疑问,这是一部知识论的著作。但是,他的主要目标在副标题上显露出来却是:"探讨科学中错误和困难的主要原因,以及怀疑论、无神论和非宗教的根基"。蔡信安认为,这"就是为知识和宗教信仰找寻基础"④。因为在巴克莱那里,虽然知识也可以让人得到幸福,

---

① 蔡信安:《洛克的悟性哲学》,第 99 页,东大图书公司,1998 年。
② 同上。
③ 蔡信安:《巴克莱》,第 109 页,东大图书公司,1992 年。
④ 同上书,第 13 页。

但他认为这样得到的幸福只是物质上的享受,并非是人的真正幸福;在他看来,人的真正幸福是使人的"原罪"得到赦免,改变人的本质,变成神的真正儿女,与众天使共享"天国的喜悦"。所以,巴克莱在这本书的最后一节中表示,他的整个哲学研究完成的任务是论证"义务"的必要与"神"的存在两项。并且指出,如果他的著作不能激发人对神的敬畏,放弃无谓的玄思,使人崇敬和追求福音中的真理,引导人性向善,那么,他的整部作品便是徒劳无功。因此,蔡信安认定在巴克莱的哲学中,"宗教信仰是目的,哲学探究乃是工具……让宗教信仰在学术领域中占据首位,使人类的知识和宗教信仰在生命中结合,也使它们更能服侍人生,获得真正的幸福。这是巴克莱一生中第一部最重要的哲学作品所要达成的目标,其实也是其他所有作品共同的总目标。不光是著作上,实际生活上他更是为此目标而奋斗,甚至去当主教来达成这个目标"①。

　　第二,从巴克莱哲学内容探讨的主题更能反映出来。作者在介绍与论述巴克莱哲学的内容时,虽然使用了两章的篇幅,即第二章"知识"与第三章"存在",但是前者不过是后者的导论;实际上他把知识论与形而上学结合起来,都是放在"存在"的标题下进行论述的。在这里,作者一开头便指明了巴克莱存在论解决的课题,是"重新诠释所熟悉的自然界以及精神性存有,并且否认不可知的物质(matter)之概念"②。而且根据当时哲学界的争论,展示了巴克莱在知识论与形上学上必须回答的问题。例如,"物质实体"是怎样的实体? 神在整个宇宙秩序中扮演什么样的角色。人类追求的"至善"是什么? 如何才能获得? 等。接着他在"感官与知

----

① 蔡信安:《巴克莱》,第14页,东大图书公司,1992年。
② 同上书,第68页。

识"、"感官与对象"、"初性与次性"、"精神"、"灵魂与先天观念"、"神"、"神与恶"等标题下,分别阐述了巴克莱的知识论与形上学观点。最后得出的结论就是开头引证过的那句话:"巴克莱哲学的中心是神"①。无论在他的知识论与形上学还是在道德哲学中,神"都是最主要的"②。具体一点说,表现在知识论上,认为要获得自然界的知识,必须依靠神;而观念是神的语言,是神使这语言稳定化,秩序化,人类才能够知晓自然律,并用自然律来预测未来,说明世界。表现在形上学上,宇宙的一切的存在都是由神而来,一切存在得以继续存在,也是因为有神的存在。表现在道德哲学中,神是道德法则的创造者,没有这些法则,就会天下大乱。凡是符合道德法则的行为即是道德的善。神所喜爱的人就是有道德的人,只有具备了道德的人才能蒙受这种特别的赏赐。"所以,没有神,则巴克莱的哲学将不复存在,也不再是巴克莱哲学了"③。

前面的介绍说明,在蔡信安的笔下,洛克哲学的基本倾向是悟性论,巴克莱哲学的中心是神。这是西方哲学史研究中提出的一种新的看法。尽管在论述中缺乏理论深度,但大体上能持之有据,言之成理,对于学者们的继续探索是有意义的。

二、李瑞泉对休谟哲学目标的理解

在传播经验论的著作中,李瑞泉在《休谟》中提出了他对休谟哲学目标的理解。

李瑞泉,1974 年香港中文大学新亚学院哲学系毕业。后来赴

---

① 蔡信安:《巴克莱》,第 109 页,东大图书公司,1992 年。
② 同上。
③ 同上。

美国南伊利诺州立大学学习,并于 1976 年与 1981 年分别取得哲学硕士与博士学位。现为香港中文大学教育学院教授。

为了纠正由于片面取材带来对休谟哲学的种种误解,他在《休谟》一书中,以《人性论》讨论的课题为主,辅以休谟的其他著述,以此从三个方面阐述了他对休谟哲学目标的理解。

第一,通过《人性论》主题阐明,指出了休谟的哲学规模和他所期望达到的哲学目标。为了论述这个问题,作者把休谟《人性论》同洛克的《人类理解论》与巴克莱的《人类知识原理》进行比较,认为从中可以看出:"洛克与巴克莱都比较集中在知识及知识的根源问题的分析上"①,休谟的计划比他们"远为庞大,是要探讨人性本身的问题"②。在他看来,尽管《人性论》中的第一部分《知识论》,"也是人性的一部份,甚至是相当重要的一部份,但并非全部"③。因为在《人性论》中还有《论情绪》与《论道德》两部分,它们在分量上与"论知识"相当。因此,在各自哲学的主题上是有区别的。

而且,值得提出的是,《人性论》还有一个副标题,即:"把推理之实验方法引入道德学科的一个尝试"。这表明休谟在哲学上的"主要目的是在建立一套科学的'道德学科'"④。对此,作者的解释是:"所谓'道德学科',依休谟在此书的导论中所述,即是指逻辑、道德、文学评论及政治。这些学科的目标是分别就人之推理机能、品位、感情及社会等表现去寻求它们的原理与运作方式。因此,道德学科既不同于自然科学与数学,也不只是指道德方面,即

---

① 李瑞泉:《休谟》,第 15 页,东大图书公司,1993 年。
② 同上。
③ 同上。
④ 同上。

善恶对错的问题,而是指与人的各方面活动有关的学科。总括来说,就是对人性本身的理解"①。他认为,"依休谟的观点,不但这些学科与人性有直接而明显的关系,其他表面好像与人性无关的学科,如数学、自然科学及自然宗教也都与人性有关,因为这些学科都是在人类的认知能力之下,都是由人类的能力与机能来判断的。因此,一切人类的学科的建立最后都是建立在人性的理论上"②。所以,在哲学目标上,休谟远远超出了对知识论的探究。

在这些论述的基础上,李瑞泉做出了如下结论:"休谟从事的不是发展洛克与巴克莱哲学未彻尽之处,而是从头去建立一套人的科学。这套人的科学是以人性为焦点的科学"③。因此,"休谟不但较诸洛克及巴克莱有更广泛、更深入的哲学构思,同时亦是要成就一套有经验基础及无可争论的哲学系统"④。他在提出这个结论后还指出,要是把休谟的整个哲学构思,只是把它看作是洛克与巴克莱哲学的完成者,显然"不是一个适当的评价"⑤。因为依照休谟自己的说法,他是从培根开始,至洛克、沙南土布利、孟德维尔、赫其森与巴特勒等的集大成者。所以,"忽视他在知识论之外的论述显然不足以全面评价他的哲学贡献"⑥。

第二,在展示休谟的哲学内容及其理论成就时,虽然没有完全摆脱长期流行的取向;例如,书中知识论的内容仍然分量较多,但是,认为他的著作"在结构与行文中表达出休谟哲学的真

① 李瑞泉:《休谟》,第15—16页,东大图书公司,1993年。
② 同上书,第16页。
③ 同上书,第17页。
④ 同上书,第16页。
⑤ 同上书,第17页。
⑥ 同上。

正核心和整体的面貌,希望有助读者理解及进入休谟哲学的丰富内涵"①。因此,他尽量以充分的篇幅论述了休谟的道德和社会政治学说。例如在书中,第六章"激情、理性与自由",分析了休谟关于(1)激情之性质与运作,(2)自由与必然,(3)理性在行动中之作用的观点;第七章"道德与理性",阐述了休谟关于(1)道德与理性的关系,(2)道德判断的根源、道德情感论,(3)实然与应然之困惑的理论;第八章"美德、公义与政府之起源",论述了休谟关于(1)两种美德与同情共感,(2)公义、财产与社会之形成,(3)政府之起源与国民之效忠的学说。这些内容就是作者在书中对休谟哲学的全面阐述。

　　要说明的是,有关知识论的内容,书中仍然显得相当突出。作者为此声明,这是出于学术上的理由。因为"休谟哲学在这方面的讨论远多于其他,而且学术水平也极高"②。不过,他接着指出,在知识论上虽然休谟与洛克、巴克莱等古典经验主义者在基本立场上是相同的,但是,休谟从这里却"引申出他的哲学方法,及通过方法的发挥而表述出他对人性的基本观点"③。例如后面关于激情的讨论,"它所处理的问题可说是休谟的整个哲学构想的一个核心部分。因为,如前所指出的,休谟要建立的是一套关于人类心灵运作的原理,而其中相当重要的是它在情感方面的表现,这包括激情和情感所意指的诸如自豪、羞愧、爱、恨等流露。休谟通过这些情感的表现而勾画出心灵的性质和运作的方式,而且藉此说明理性对人类行动的决定所具有的能力为何,这也可说是第三卷关于道德方面的分析的一个基础"④。因此,这些内容常常被归结

---

① 李瑞泉:《休谟》,"自序",第ⅲ页,东大图书公司,1993 年。
② 同上。
③ 李瑞泉:《休谟》,第 19 页,东大图书公司,1993 年。
④ 同上书,第 105 页。

为心理学的问题。但在休谟那里,不但是他的人性论的一个组成部分,而且还是了解休谟对人类的行为和道德理论的根据。其他如道德伦理问题,也都具有同样的重要性。就这样,通过上述具体内容的阐述,展示了休谟哲学的丰富内涵及其为人类哲学事业作出的贡献,说明了长期以来流行的一些对休谟哲学的评价,并非是休谟哲学的真实面貌的全面反映。

第三,通过休谟哲学现代意义及其对西方哲学发展促进作用的阐明,进一步肯定了休谟哲学的贡献以及他在西方哲学史上的重要地位。作者认为,在前面论述的基础上,不但有理由肯定休谟哲学"不是消极的破而不立,消极的怀疑主义或不可知论"[1],而且通过休谟哲学现代意义的阐述,还能使人们对他的理论贡献有更为全面的认识。他在论述这个观点时,主要是从休谟哲学的取向对现代哲学发展的促进作用阐述的。作者指出,由于休谟接受了牛顿物理学上的经验方法,并尝试着把它运用到对人的研究上去,因而决定了"休谟的取向是回到人类心灵的基本运作上说明人类的一切知情意的活动。而这一切活动,依休谟的发现,主要动力是人类的激情,而不是理性"[2]。从这里出发,休谟主张"人类的一切活动与表现均可追寻其基础于人类的自然情状,并由此表明其真实性质"[3]。李瑞泉认为,"这就是休谟式的自然主义"[4]。这种自然主义在取向上是要追溯每个概念在心灵上的产生与形成过程。因此,表现在休谟哲学中,其"特色是剖析一观念生起时所依据的人类心灵所自然而有的需求和运作方式,以说明其真正

---

[1]　李瑞泉:《休谟》,第155页,东大图书公司,1995年。
[2]　同上书,第156页。
[3]　同上。
[4]　同上书,第156—157页。

的意义"①。他指出,休谟的这种自然主义虽然在理论上有些困难,"但是,他的方法与取向却无疑有积极的哲学意义与贡献"②。主要表现在,"他的生起的说明可说积极而正面地检视了人类的的基本概念和信念的本质与根源,对一直以来的误解作出严厉的批判。像所有的大哲学家一样,休谟让我们看到传统思想的盲点,及提供对经验的一个全新的图像,进一步推进现代哲学对人类理解能力的分析和了解。他的自然主义的取向使得古典经验主义之缺点,即对人类经验的过分简化,和对心灵的主动能力之正视不足,明显地暴露出来。而康德的批判哲学即依此而得以进一步表明心灵的主动能力与乎我们所经验的是一个怎样的世界"③。由此可见,休谟"自然主义的取向正好表明我们的知识、道德和美感等价值,都离不开人类的心灵作用,而这正是人文主义的核心所在"④。

　　李瑞泉在这里对休谟哲学提出的一种理解,虽然存在一些值得进一步探讨的地方,但是他的理解对于休谟哲学的研究有一点值得重视。就是他认为,在研究休谟哲学时,不能只是着眼在他的《人类理解研究》及其认识论,而应该重视他的《人性论》及其伦理学说等,只有这样才能全面把握和正确评价休谟哲学。这是正确的,对于推动对休谟哲学的深入研究是有意义的。

三、孙振青阐明笛卡儿理论观点的功夫

　　在传播理性论的作品中,孙振青的《笛卡儿》一书,在阐明笛

---

① 李瑞泉:《休谟》,第157—158页,东大图书公司,1995年。
② 同上书,第159页。
③ 同上。
④ 同上。

卡儿的理论观点上下了工夫。

孙振青(1927—　)，江苏砀山人。早年曾在加拿大拉瓦尔读书，并取得哲学博士学位。到台后，曾先后任辅仁大学哲学系、政治学校政治研究所教授。在西方哲学研究方面，除撰有《笛卡儿》外，还有《西洋哲学导论:观念与知识》、《士林哲学的基本观念》、《中西知识论比较研究》、《康德的批判哲学》、《神学哲学》与《教育哲学》等。

笛卡儿是欧洲理性主义思潮的奠基人。作者写道，"笛卡儿对于真理及人类理性的能力具有坚定的信心，相信真理存在，并且人类能够认识它们"[1]。认为在笛卡儿的哲学中，"方法论和知识论贡献较大，形上学部分比较弱"[2]。在这样做出总体评价的基础上，根据笛卡儿的著作，通过对"方法论"、"我思考，所以我存在"、"我是什么"、"天生观念"、"上帝存在"、"上帝的属性"、"灵魂与肉体"、"伦理学"与"物质世界"等九个论题的分析，把笛卡儿哲学的基本面貌表现出来了。值得重视的是，作者在阐述笛卡儿上述论题的观点时，确实下了一番工夫。

例如，在讨论"一般方法"时，作者首先指出，由于哲学上自古以来争论不休，真假不明，在笛卡儿看来，认为一定是方法不对造成的。因此，他把注意力集中到方法论问题上来，并且为此写了两本有关方法论的书。在这些书中，笛卡儿一方面认为，"求得确定知识的方式只有两种:一是直观，一是演绎"[3]，宣称凡不是通过直观或演绎得来的知识，都不是确定的，只是一些不可靠的意见。另

---

[1]　孙振青:《笛卡儿》，第10页，三民书局，1990年。
[2]　孙振青:《笛卡儿》"序"，三民书局，1990年。
[3]　孙振青:《笛卡儿》，第10页，三民书局，1990年。

一方面他在建立自己的新方法时,又主张排除逻辑的、几何学的与代数的等一切传统方法。在对这两点分别进行了"检讨"后,作者接着指出,笛卡儿的方法论就是在这个基础上提出来的,并在把其方法所包含的四条规律全部引证出来后,对这些规律逐条地进行了"说明"与"检讨"。在"说明"中,分别阐明了笛卡儿方法论规则的具体含义;在"检讨"中,分别肯定了它们在知识论上的重要性,指出了运用它们时应该注意的问题。最后作者指出:"笛卡儿建立的这些规则,大体而言,是很有价值的。如果我们严格地、正确地遵守这些规则,至少可以避免错误"①。

又如,在讨论"天生观念"时,作者首先指出,观念(idea)这个词,在不同的党派里有不同的意义。具体到笛卡儿这里,作者在摆明了笛氏对于观念的各种说法后,认为"他的观念论似乎有些混淆不清"②。并且在阐述观念的起源时,谈了笛卡儿关于观念起源分类的思想,认为除了求得的与制造的外,还有天生的观念,并引述了笛卡儿的原话。接着,着重阐述了笛卡儿"天生观念"的含义。他写道,"天生的"或"天赋的",有两层意义:"一个是,观念存在于心中,如同存在于仓库中,需要时就取出来使用。笛卡儿在讲论上帝之观念时,就采用了这个比喻……另一个意思是指形成观念的能力……虽然有人不理会自己拥有这个能力,这并不能证明他们不拥有它"③。在阐明这两个观点时,在援引笛卡儿原话对它们作出说明的同时,还因这些观点与经验事实不符受到质疑,作者也运用笛卡儿的有关论述给予了回答。在这样从各种角度分析

---

① 孙振青:《笛卡儿》,第 17 页,三民书局,1990 年。
② 同上书,第 84 页。
③ 同上书,第 88—89 页。

后,作者还就笛卡儿的这个观点提出了批评。他写道,"如果'天生的观念'是指已经完成的观念,它们隐藏在心中,如同储存在仓库里的东西那样,那么它的可信度并不很大。因为这个理论不符合我们的经验"①。而"如果'天生的观念'是指形成观念的能力,这个思想似乎比较合理。事实上许多其他哲学家也都具有这样的意见。不过,依照笛卡儿,在没有经验材料的情况下,我们也能够形成观念……这样的说法似乎也不符合人类的经验……所以就这另一层意思言笛卡儿的天生观念说也是不妥当的"②。这些批评尽管理论上还缺乏深度,但在哲学方向上却是正确的。

再如,在讨论"上帝存在"时,孙振青认为,在笛卡儿的哲学体系中,上帝是确定知识的保障,所以,上帝是存在的。而且,他还为此提出了若干论证,以此证明上帝的存在。归纳起来,这些论证有四个,其中先天论证一个,后天论证三个(从"拥有上帝之观念"证明上帝存在,从"拥有上帝之观念的我的存在"证明上帝存在,从"保存"我的存在的观念证明上帝存在)。作者在介绍这些论证时,不但相当详细地阐明了笛卡儿关于各个论证的具体内容,而且还有他对各个论证的分析与评价。要指出的是,在这里,作者除了自己直接发表看法外,还有时引用西方哲学史上一些哲学家对这些论证的批评,以此加强了他的评价的分量。例如,在阐述了笛卡儿对上帝存在的先天证明之后,作者接着指出,这种论证实质上是安瑟伦本体论论证的翻版,不仅托马斯早已进行过批评,而且,他还把康德、伽桑狄、霍布斯等对它的批评加以综合作为他的批评进一步对这个论证展开了全面的反驳。最后指出这些哲学家所以不

---

① 孙振青:《笛卡儿》,第92页,三民书局,1990年。
② 同上。

接受笛卡儿关于上帝存在的先天论证,是有他们的理由的。在他看来,理由就在于,"理性的观念或推论固然有其价值,然而必须有经验作基础。若没有经验作基础,任何观念或推论都是不可靠的……现在,笛卡儿所说的观念都是天生的,并非导源于经验。他藉着分析绝对完美之物的观念而证出上帝存在,也没有经验基础。所以,依照我们的看法,他的先天论证注定是无效的"①。

这几个例子足以说明,孙振青在阐述笛卡儿理论观点时,是多角度、有层次地进行的。既有直接对笛卡儿观点的诠译,还有通过回答对笛卡儿观点的质疑对他的观点的陈述,从而使笛卡儿的理论观点较为清晰地呈现出来。在"检讨"笛卡儿的理论观点时,既有热情的肯定,也有中肯的批评,有的直接地提出,有的则运用哲学史上的材料,从而使他的批评显得有理有据。这种深入钻研后对笛卡儿理论观点的阐述功夫,在西方哲学研究上是值得提倡与肯定的。

四、黄振华对康德哲学基本概念的剖析

在近代西方哲学传播中,台湾学者对康德哲学的研究较为重视。这与他们对康德哲学及其影响的认识有关。例如,有的学者写道:"康德源于启蒙精神,以知性为自然立法,为科学立根基,以理性为行动立法,为法权奠基,以开启西方自由主义人权思想,实可为现代中国追求科学民主理想之楷模"②。又如牟宗三,不但把康德作为会通中西哲学的桥梁,而且还提出了"消化康德就是消

---

① 孙振青:《笛卡儿》,第 107 页,三民书局,1990 年。
② 王钦贤:《立足康德,会通中华文化道统》,载《鹅湖》杂志,第 227 期,1998年 7 月。

化西方"的口号。对此,黄振华的解释是:"康德是西方 18 世纪的大哲学家,他的哲学思想与中国儒家不约而同。一般人了解西方文化,大抵都指西方民主、科学和宗教而言,牟先生不说消化西方的民主、科学和宗教,而说消化康德,确有独到的知见。因为中国文化与西方民主、科学和宗教,不易直接沟通,但是这些西方文化的要素,在康德哲学中已加以消化,因此消化康德,也便间接消化了西方"①。这样,在这种认识的基础上,通过研究发表的论著也多些。除译著外,仅出版有关康德的专著,便有孙振青的《康德的批判哲学》(黎明文化公司,1984 年)、牟宗三的《圆善论》(学生书局,1985 年)、胡鸿文的《从形而上论康德哲学》(弘扬出版社,1986 年)、杨祖汉的《儒家与康德道德哲学》(文津出版社,1987 年)、李明辉的《儒家与康德》(联经出版公司,1990 年)、邝芷人的《康德伦理学原理》(文津出版社,1992 年)、李明辉的《康德伦理学与孟子道德之重建》(台湾中研院,1994 年)、卢雪昆的《意志与自由:康德道德哲学研究》(文史哲出版社,1997 年)与黄振华的《康德哲学论文集》(时英出版社,1999 年)。

这一题,论述黄振华对康德哲学的研究。

黄振华(1919—1998),广东兴宁人。去台湾前,曾就读于南京中央大学哲学系。50 年代初台湾大学哲学系毕业后留校任教,直到 1986 年夏季。在此期间,曾两度赴德国研究康德哲学,并于 1974 年通过论文《论康德哲学中的理论理性与实践理性之联结》答辩,取得波恩大学哲学博士学位。在康德哲学研究中,他对康德哲学中一些重要概念进行过长期深入的钻研,并发表

---

① 黄振华:《康德哲学中"一心开二门"的思想》,见《当代新儒家人物论》,第 76 页,文津出版社。

了一些论文。1976 年,他把这些文章收集起来,自费出版了《康德哲学论文集》一书。(黄振华逝世后,1999 年由时英出版社公开出版。)

这本书中的各篇文章,充分体现了作者钻研康德哲学付出的艰辛劳动,也反映了作者理解康德哲学达到的理论深度。所有这些都集中表现在对康德哲学基本概念的剖析功夫及其阐明的观点上。例如,本书有篇题为《论康德哲学中之"必然性"概念》的文章,就有一定的代表性。"必然性"在康德哲学中是一个重要概念。可是在研究过程中,学者们却有不同的理解。为此,黄振华对这个概念进行了深入的专题探索,并撰成上述文章,阐明了他的看法。在这篇文章中,作者依据康德理论理性与实践理性联结的理论,探讨了康德哲学中的"必然性"概念,以及由此引起的各种问题。

其中一个问题是,"必然性"概念究竟属于何种能力? 作者认为,在这个问题上,"在康德哲学中是颇为含混的"[1]。为了阐明这一点,他提出了自己的论证:一方面,"必然性"概念是"先验分析论"中列在"样式"范畴之下的,显然是纯粹的概念。"从这方面看,它是隶属于悟性的"[2]。然而另一方面,从康德著作中其他有关谈及"必然性"概念的地方考察,似乎应该"属于理性"[3]。在这里,作者从康德著作中大量地引证了他从各个角度有关对"必然性"概念的论述,并依据自己的研究心得分别对它们作出了原汁原味的阐述,然后在这个基础上通过作者合逻辑地提出的观点认

---

[1]　黄振华:《论康德哲学中之"必然性"概念》,见《康德哲学论文集》,第 326 页,作者发行,1976 年。

[2]　同上书,第 330 页。

[3]　同上。

为"必然性"概念是理性的机能而非悟性的能力,它只和理性认识能力发生关联,不和悟性的认识能力发生关联,以此证实了他的看法是有根据的。就是说,"必然性"概念"究竟属于哪一种能力,在康德哲学中是颇为含混的"①。

那么,在康德哲学中,"必然性"概念到底是一个什么概念呢?为了回答这个问题,作者通过康德理论理性与实践理性的探讨,认为"必然性"概念"既不属于悟性,也不属于理性,而乃属于反省判断力"②。因为在他看来,"必然性"概念是一个只有通过"道德善之象征"的规则才有可能的概念,而"无条件者"便是"道德善之象征"。因此,"必然性"概念何以可能,实际上是通过作为"道德善之象征"的"无条件者"的规则才可能的。问题是,这个规则是什么? 在这里,作者同前面一样,大量引证了康德的论述,并通过对它们的阐明,即对这个规则的说明,最后得出的结论是,"必然性"概念在"根源上出于断言令式即出于实践理性,由于反省判断力的作用,转移至理论理性即自然法则之上而成'道德善之象征'。是以从理论理性亦即自然法则的观点言,'必然性'概念属于反省判断力"③。在理论理性与实践理性的客观联结中,通过作为"道德善之象征"的"无条件者"概念,它一方面通过断言令式的第一原理之类比而与实践理性联结,另一方面又通过三个"关系"范畴而与理论理性相结合。因此,"必然性"概念是一个通过作为"道德善之象征"的"无条件者"概念,即是一个联结理论理性与实践理性的能力。由此,作者指出,"必然性"概念在康德哲学中"是根

---

① 黄振华:《论康德哲学中之"必然性"概念》,见《康德哲学论文集》,第326页,作者发行,1976年。
② 同上书,第331页。
③ 同上书,第350页。

源的、无条件的,换句话说是即绝对的"①。不但如此,通过上述对
"必然性"概念的讨论,还由此引申出对康德哲学中其他一些问题
的看法。主要是,首先,"由于,'必然性'概念在康德范畴表中属
于'样式'范畴之第三范畴,……即'可能性'和'存在性'二范畴
结合而生的,因此,此'可能性'和'存在性'二范畴亦属于反省判
断力而不属于悟性(即不是悟性范畴)。其次,由于理论理性通过
'必然性'概念而与实践理性发生关联,因而自然法则与道德法则
亦通过此概念而发生关联。再其次,在康德哲学中自然法则的
'普遍性'是纯粹实践判断力的模型,而'普遍性'与'必然性'是
不可分的相互归属的,因而'必然性'概念亦是纯粹实践判断力的
模型,即'道德善之象征'"②。

　　除了在这本书中这样下工夫剖析康德哲学的基本概念外,黄
振华在以后发表的一些文章中,也具有同样的特点。例如,发表在
台大《文史哲学报》(第27期,1978年)上的《论康德哲学中"理性"
一词之涵义》即可以证明。他对康德哲学提出的许多看法,就是在
剖析康德基本概念的基础上进行的。其中,有对康德哲学概念涵义
的诠释,也有消化后对它的评说与批评。在康德哲学研究中,这种
扎扎实实扣紧原著钻研其基本概念的工作,是一项基础建设,只有
这项工作搞好了,才有可能全面认识与把握康德哲学。因此,虽然
黄振华有关康德的论著不多,但有的台湾学者认为他"对台湾哲
学界之康德哲学研究有奠基作用"③。这一评价是有根据的。

―――――――

　　① 黄振华:《论康德哲学中之"必然性"概念》,见《康德哲学论文集》,第334
页,作者发行,1976年。
　　② 同上书,第350页。
　　③ 引自台湾《哲学杂志》主编王浩仁先生1999年8月8日给本书作者的来
信。

五、李明辉的康德著作翻译与研究

在康德哲学研究中,李明辉师从牟宗三与黄振华,是台湾新一代学者中的著名代表。

李明辉(1953——　　),台湾屏东人。台湾政治大学哲学系毕业,台湾大学哲学所硕士。1982年获得"德国学术交流服务处"(DAAD)奖学金,赴德国波恩大学深造,1986年取得该校哲学博士学位。曾任台湾大学客座副教授,中国文化大学哲学系副教授。现任台湾"中研院"中国文史哲所研究员。先后在联经出版事业公司出版的译著有:H. M. Baumgrtner的《康德〈纯粹理性批判〉导读》(1988年)、康德的《通灵者之梦》(1988年)、《道德底形上学之基础》(1990年)与《康德历史哲学论文集》(2002年);著作主要有:《康德伦理学发展中的道德情感问题》(德文本)、《儒家与康德》(联经出版事业公司,1990年)、《儒学与现代意识》(文津出版社,1991年)、《康德伦理学与孟子道德思考之重建》(中研院文史哲所,1994年)与《当代儒学的自我转化》(中国社科出版社,2001年)等。

在这些成果中,所有的译著都是有关康德哲学的。有西方学者研究康德哲学的作品,但主要是康德的原著。其中,有前批判时期的,不过多数是批判时期的。这些著作在台湾的译出,是牟宗三译出三大批判后的重要进展,使康德的主要著作都译成中文同台湾读者见面了。而且,李明辉的这些译著,都是直接从德文原本译出的。更为重要的是,他把翻译与研究结合起来,通过以各种形式发表的研究成果,帮助读者理解与掌握康德书中论述的思想。这些译著出版时,把它们作为前言或导论,就是其中常常采用的一种。例如在《通灵者之梦》中,在阐明了该书的写作背景、写作过程以及它在康德早期哲学发展的意义后,李明辉有一个总结,便是这样。他写道:"此书基本上已包含他在《纯粹理性批判》一书底"先验辩证论"中对传统形上学所作的全面批判,并且指出思辨形上学底限度。由于这种认识,他试图根据理性底实践兴趣去建立对上帝存在及灵魂不朽的道德信仰。因此,康德此时已形成了《纯粹理性批判》第二版〈前言〉中那句名言——我必须扬弃知识,以便为信仰取得地位——所包含的哲学构想,以及《实践理性批判》中关于'纯粹实践理性底设准'的基本思想,但是由于他在形上学方面尚未发现一切知识之主观的形式条件(时间、空间和范畴),而在伦理学方面亦未发现足以说明道德底本质的理性原则(定言令式),因此其批判哲学底基本架构尚未确立。这使得《通灵者之梦》一书具有一种过渡性格,而这种性格也是该书难以理解的原因之一"①。这个总结把《通灵者之梦》与康德的批判哲学联系起来进行考察,这对认识康德思想的发展具有重要意义。又如在《康德历史哲学论文集》中,通过长篇"导论"对康德"历史"概念的详细勾勒,充分显示了其历史哲学的特点,不但使人对康德哲学中这个一向未被受到重视与研究的问题有了初步的了解,而且通过对康德历史哲学的阐明,对全面认识康德批判哲学的本质也很有帮助。

这些成果值得重视,不过,更有价值的是他研究康德的著作,特别是康德哲学与儒学的比较。在这一方面,牟宗三提出过一种看法,就是认为在中国哲学研究中,绝不能回避西方哲学的挑战;中国哲学不能停留在传统形态中,而需与西方哲学相照应,相摩

---

① 李明辉:《康德的〈通灵者之梦〉在其早期哲学发展中的意义与地位》,见《通灵者之梦》,第40页,联经出版事业公司,1988年。

荡,才有可能开发新的局面;而在这两大传统彼此会通的过程中,康德哲学占有一个关键的地位。然而,牟先生的这种看法,却招来了一些人的质疑与批评。从他对儒家思想的诠释来说,最集中的一种批评是,认为牟先生将康德哲学的概念硬套在儒家头上,实质上曲解了康德。例如在儒家那里,便没有"物自身"、"自律"、"定言命令式"等概念。要是把这些概念加在儒家头上,这便是比附,在哲学上是难以说通的。对于这种批评,在深受牟宗三影响的李明辉看来,却认为这样提出批评的人,是不了解概念与思想内涵的分别。他提出,传统儒家虽然没有"自律"概念,但这绝不表示儒家义理中不包含康德"自律"概念所表达的思想。例如,在孟子的"仁义内在"学说中,就可以看到康德"自律"概念所包含的全部思想。这绝不是比附。因此,如果这些批评意见是正确的,那么,"不但中西哲学不可能相互比较,甚至在同一文化中的不同的哲学系统亦不可能相互比较;因为在哲学的领域里,不但每个系统各有不同的概念,甚至同一个概念在不同的系统中也不会有完全相同的涵义"①。

　　为了回答各种对牟先生的责难,李明辉回台后围绕这些问题发表了一些文章,由于在内容上它们都是直接涉及儒家与康德观点的比较,故在结集出版时取书名为《儒家与康德》。在这些文章中,有的是为牟先生的观点进行辩护,有的是对其他学者批评的回应。在内容上都是讨论儒家与康德的伦理学说。这里,着重介绍其中的第二篇,即《孟子与康德的自律伦理学》。

　　作者在具体比较孟子与康德的自律伦理学之前,首先谈到了收入这本书中的第一篇文章《儒家与自律道德》。他说,在这篇文

---

① 李明辉:《儒家与康德》"序言",第3页,联经出版事业公司,1995年。

章中,讨论了以"自律"(Antonomie)概念解释儒家伦理学的合时宜性问题,目的在于"试图证明牟宗三先生底论断:在儒家主流(孔、孟以及宋明儒中的陆、王系与五峰、蕺山系)中的伦理学基本上属于自律伦理学,而荀子和伊川、朱子为歧出,只能成就他律伦理学"①。然而他发现,这个论断近年引起了不少批评与质疑。批评前者多半强调儒家伦理学与康德伦理学之间的差异以此证明康德的"自律"概念不宜用来解释儒家思想。在李明辉看来,虽然儒家思想(即使就其主流而言)与康德伦理学是由不同的文化根源中发展出来的两种思想体系,在不同的文化背景中各有其特殊的问题与关切,显然不可能完全相同。但是,光是列举一些差异并不足以推翻上述论断。"因为这些差异可能只是由于特殊的文化条件而产生,在整个学说系统中只居于边缘的地位"②。正是在这一点上,被这些批评者忽略了。因此,在进行这种比较时,一定要把康德的"自律"原则与其基于此原则而建立的伦理学体系分别看待,并且还要承认自律伦理学的可能形态不会只有一种。在这里,关键是要看到,"决定一伦理学系统是否属于自律伦理学的,并非康德底整个伦理学系统,而是其'自律'原则"③。

　　为了进一步论证上述看法,李明辉写了书中的第二篇论文《孟子与康德的自律伦理学》,希望在前一篇文章阐述的基础上,"就细节方面进一步说明:何以孟子底道德哲学是自律?"④为此,文章通过8个论题,即"道德之绝对性"、"存心伦理学"、"形式主义伦理学"、"道德之普遍性"、"人格之尊严"、"道德之自律"与

---

① 李明辉:《儒家与康德》,第47页,联经出版事业公司,1995年。
② 同上。
③ 同上书,第49页。
④ 同上。

"意志之自由"具体地阐明了这个问题。

例如,在讨论"道德之普遍性"时,作者指出,康德的道德法则,"事实上只包含一项形式的要求:普遍化"①。在康德那里,这个形式的要求隐含于一般人的道德意识中,因此我们只要分析道德法则的概念,便可挖掘出这项要求来。这点不需要教导,只需要加以指导,便能使人注意到它。"因此,康德提出定言令式底第一个程式,即是:'仅依据你能同时意愿它成为一项普遍法则的那项格律而行动'"②。在这个问题上,作者认为,"同样的,孟子也肯定道德法则之普遍性"③。例如,《告子上》篇有一段话,即可以得到证明。这段话是:"……故曰:口之于味也,有同耆焉;耳之于声也,有同听焉;目之于色也,有同美焉。至于心,独无所同然呼?心之所同然者何也?谓理也,义也。圣人先得我心之所同然耳"④。他指出,这里的"心","即所谓'本心',也就是指道德主体本身"⑤。尽管感官知觉没有绝对的普遍性,但依孟子之见,"道德主体所规定的道德法则必然有绝对的普遍性。这不能以一般人未必皆依道德法则行事为由而加以怀疑"⑥。这是因为,"我们有共同的本性,故能证知普遍的法则"⑦。

通过这个例子,以及其他有关论题的分析,李明辉得到了如下的结论:"凡康德底'自律'概念所包括主要内涵均见于孟子底学

①　李明辉:《儒家与康德》,第59页,联经出版事业公司,1995年。
②　同上。
③　同上。
④　同上书,第59—60页。
⑤　同上书,第60页。
⑥　同上。
⑦　同上。

说中,其对应可谓<u>丝丝入扣,无所遗漏</u>"①。由此他进一步断言,孟子与康德同样肯定"自律为道德的本质"的立场,因而其"伦理学属于自律伦理学"②。

不过,作者并不因为有了这个结论就使讨论停下来。因为他还认为,"孟子与康德底自律伦理学各有其独特的形态,因而在某一方面具有基本的差异"③。正如他强调的那样,"必须把康德底'自律'原则与其基于此原则而建立的伦理学系统区别开来;接受其'自律'原则者,并不必然接受其整个伦理学系统"④。具体说来,"就'道德的本质在于自律'这个观点而言,孟子与康德底看法并无出入,所不同者在于其道德主体底架构"⑤。

这种不同表现在康德哲学中,他的道德主体是"意志"(Wille)。但他使用"意志"一词时,有广义与狭义之分。狭义的"意志"与"意念"(Willkur)有别,专指道德法则的制定者。广义的"意志"则包括意念在内,而"意念"是道德法则的服从者,属于经验的性格。可见,道德主体只是狭义的"意志",亦即"实践理性本身",一切感情因素均被排除在道德主体之外,由此决定了"康德的道德主体之架构是一个理性与情感二分的架构"⑥。在这里,他坚持义务与爱好的二分。在道德主体性架构上,孟子是否也有这样一个预设呢? 作者认为,要回答这个问题,关键在于对孟子的"四端之心"学说作出正确的解释。为此,他首先完整地引证了

①　李明辉:《儒家与康德》,第71页,联经出版事业公司,1995年。
②　同上。
③　同上。
④　同上。
⑤　同上。
⑥　同上书,第72页。

《公孙丑上篇》中有关论述这个问题的全文,然后指出,在宋明儒家的讨论中,各家解释都根据他们对引文中的"心"、"理"、"情"三个概念关系的理解方式而定。并且,"在各家理解此关系的方式中即透显出其所预设的主体性架构"①。接着,作者分别分析了朱子与陆象山对引文的解释。最后,他依据后者的看法,认为"依象山底解释方式,孟子实打破康德底情感与理性之二元架构"②。并且指出,"象山'心即理'的义理架构与孟子伦理学之系统相应;此正是孟子伦理学与康德伦理学底基本差异所在"③。这种差异说明,两者所依据的道德主体的架构是不同的。"康德底伦理学预设一个情感与理性二分的架构,而将一切情感(包括道德情感)排除于道德主体之外。孟子则采'心即理'的主理架构,从四端之心说本心,本心即性"④。然而在作者看来,虽然有这些差别存在,但"并不影响两者之同为自律伦理学,因为其差异是在哲学人类学底层面,而非在伦理学的原则论底层面上表现。在后一层面上,这两套伦理学相互对应,若合符节。因此,以'自律'概念来解释孟子底伦理学,绝非比附,而是相应的"⑤。正是由于这一点,李明辉认为他的这项比较研究,"有助于澄清近年来的有关康德解释儒家的合宜性问题的争论"⑥。

李明辉的这篇文章,篇幅不长,但内容充实。主要是在进行儒家与康德比较时,着力从中西哲学思想的内涵上深入发掘,并从中

①　李明辉:《儒家与康德》,第74页,联经出版事业公司,1995年。
②　同上书,第79页。
③　同上。
④　同上。
⑤　同上书,第79—80页。
⑥　同上书,第80页。

找到与归纳它们之间的相同与相异之处。而且在比较与分析中，依据充分，论述深入，得出的结论具有较强的说服力。作者在这种比较研究中，作出的努力，取得了相当的成功。

六、台湾学者对康德伦理学说的传播

在台湾学者研究康德哲学的过程中，有一点值得重视，就是他们对康德伦理学说的热情关注与积极传播。

这一现象的发生，是由几代台湾学者对康德道德哲学以及引进对台湾社会的作用的认识决定的。首先，从对康德道德哲学的评价来说，牟宗三在创建其道德理想主义哲学体系的过程中，曾经把西方哲学梳理为三个骨干于其中的传统：柏拉图传统，莱布尼茨罗素传统，康德传统。然而，他认为在这三个传统中，从来没有一个人能像康德这样达到真正哲学家的地步。因为在西方哲学的发展过程中，它是一个极其重要的转折点。表现在通过他提出的实践理性、道德意志的自律，一方面扭转了柏拉图的他律，另一方面引起了在他之后哲学诸多流派的批判或称道。由此，促使他们以极大的热情开展了康德哲学研究。在康德哲学中，牟宗三最为欣赏的，是康德有关道德法则的先验性和普遍性的观念及其论证。具体说来，康德认为，人们道德行为的根源不在人们的自然属性，也不源于人们的感性经验，更不发自对上帝的服从。道德之为道德，只在于服从或执行纯粹的道德律令。所谓道德律令，一是指人们所遵循的任何行为准则必须具有普遍客观的有效性、适用性。二是指这些准则必须以人作为目的，而不能把人作为手段。三是指这些准则都必须出自理性意志的自我立法，必须以能够克制对外的欲望要求的自由作为条件。牟宗三指出，康德对这些观念的论证，在西方哲学史上令人信服地说明了道德法则的崇高和严整，

因而给它以很高的评价。

其次，从引进康德道德哲学的意义来说。在这一方面，他们主要是出于对台湾社会现实的考虑。例如，孙振青指出，康德的道德哲学"是极有价值的"①。特别是，"他所讲的道德动机十分高尚，绝非其他快乐说、功利说、幸福说、情感说所可比拟"②。因此，对于康德道德哲学的许多论点，不但"可以接受"③；如他对道德精神重视的主张，就首先值得学习，而且，对台湾社会中出现的种种问题，如"物欲猖獗，人心彷徨，道德沦丧"④，他更以急切的心情呼吁，对于康德这些高尚而严肃的道德学说，"应该加以研究与反省，以解救国家和世界的危机"⑤。

基于上述认识和考虑，几代学者在传播康德哲学的过程中，对他的道德哲学给予了较多的关注与研究。关于这一点，前面列出当代台湾出版的有关康德著作的篇目，便能充分反映出来。在这个书目中，除了有些学者在他们的综合性撰述中，突出地介绍了康德的道德哲学外，在其他学者的著作中，印象最为深刻的一个是牟宗三的；除了译注有《康德的道德哲学》外，他的大部分作品都是研究康德道德哲学的产物。另一个是年轻学者的一批著作，基本上都是论述有关康德道德哲学的。几代学者从不同的角度出发围绕康德道德哲学进行的这些研究，取得的成果在康德哲学传播中是引人注目的。

在内容上，这些著作大体上可以归纳为两类。一类是通过对

---

① 孙振青：《康德的批判哲学》，第 300 页，黎明文化公司，1984 年。
② 同上。
③ 同上。
④ 同上。
⑤ 同上。

康德伦理学说的研究,进一步用来与中国某些伦理学说进行比较与会通的作品。其中,牟宗三为此进行了艰苦的探索,付出了极大的心血,取得了具有重要影响的成果。这一内容留待本章第六节论述牟宗三建立其道德理想主义哲学体系时阐述。其余,前面介绍李明辉的康德哲学研究成果,以及杨祖汉的《儒家与康德的道德哲学》,也都同属于此类。

　　另一种是对康德道德哲学思想的诠释与评述。如卢雪昆的《意志与自由:康德道德哲学研究》、邝芷人的《康德伦理学原理》。前者围绕意志与自由两个概念,相当全面地阐明了康德的伦理学说。后者则不满足于原原本本地阐述康德的道德学说,还提出要"重建康德伦理学理论"①。对此,作者的解释是:康德有关伦理学的论著,有《道德形而上学的基本原理》、《实践理性批判》、《全然在理性范围的宗教》与《道德形上学》等。这些书是在12年内写成的。其中有些理念明显地缺乏一致性。而且,在康德一些非伦理学的著作中,也直接或间接地涉及不少伦理学问题。例如,《纯粹理性批判》是知识论之作,但康德在该书中却企图论证意志自由的可能性。加上康德有关道德哲学的著作同他的其他著作一样,晦涩难懂,令人望而生畏。不用说普通读者,就是哲学系的学生在研究康德的伦理学时,也往往停留在《道德形而上学的基本原理》上,只有个别不畏艰苦者才会进一步去阅读《实践理性批判》。可是,如果要想掌握康德伦理学的奥义,那么,其他两本书是绝不可缺少的。例如,若要认识康德的人性论,必须读《全然在理性范围内的宗教》;若要进一步了解康德对"责任"问题的理论观点,还必须读《道德形上学》。因此,作者在写作《康德伦理学原

---

① 邝芷人:《康德伦理学原理》,第1页,文津出版社,1992年。

理》时,把上述四本书以及其他著作中的伦理学说,经过分析把众多文献与其浩瀚的思想,归纳与整理为若干有内在联系的论题,以"去除繁芜而握其条理"①,然后依据哲学研究的要求,在对它们分别论述的过程中,"化艰涩为易解"②,力争做到理念通畅,论点明确,使"有关的问题或概念讲得较康德的原著"更深入与更清晰③。依据这一思路写成的这本书,作者认为,他对所有论题的讨论,都"不是直述的,而是分析的和建构的。分析是对理论及文献的主要环节加以剖析,建构是针对各环节之间藉着诠释而使之接合起来。这样,就使得康德的伦理学原理仿佛成为一幅树状图,或是一个理论的结构体。这就是所谓理论的重建"④。作者这种探索及其在书中做出的努力,从一个侧面体现了学者们研究康德道德哲学的创新精神。

七、王克俭传播黑格尔哲学的政治化倾向

本书第七章在阐述黑格尔哲学在台湾传播时,曾经指出,由于台湾当局层层动员把黑格尔哲学作为"反攻复国"的工具,因而这样发表的论著大多都染上了政治化的色彩,严重地损害了研究黑格尔哲学的学术价值。进入80年代以后,这种状况发生了一些变化,主要是在传播内容上很少有人把它直接同台湾当局的政治需要联系起来。例如以出版的著作来说,李荣添的《历史之理性——黑格尔历史哲学导论述析》(学生书局,1993年)、王章陵的《思辨历史哲学》(三民书局,1994年)、赖贤宗的《康德、费希特和

---

① 邝芷人:《康德伦理学原理》,第1页,文津出版社,1992年。
② 同上。
③ 同上书,第2页。
④ 同上书,第2—3页。

青年黑格尔论伦理学》(桂冠图书公司,1998 年),作者对黑格尔哲学有关论题的阐述,都是从研究对象出发,态度相当客观。

不过,在出版的著作中,也有个别作者不是这样。例如,有位王克俭先生。在这个时期中,他不但撰有专书《黑格尔与马克思主义》(黎明文化事业股份有限公司,1990 年),还发表有如下论文:《黑格尔逻辑析论》(《国魂》,1980 年)、《论黑格尔的逻辑学》(复兴岗学报,1980 年第 6 期)、《黑格尔的辩证法思想与马克思的唯物史观》(《复兴岗论文集》,1988 年)、《论黑格尔的辩证法思想》(《复兴岗学报》,1989 年)。只要翻阅一下这本著作与这些论文的内容,可以说,它们仍然在 50 年代蒋介石说过的那些话的框子里翻来覆去。下面,着重分析一下《黑格尔与马克思主义》中的政治化倾向。

这本书是在台湾解除戒严法,两岸关系有所松动与学术交流开始之后写的。作者认为,"在这个关键的时刻,正确认识马列主义是有其必要的"①。问题是,为了正确认识马列主义,确切地说,为了批判和反对马列主义,他为什么要把马列主义和黑格尔联系起来?作者在"自序"中对此作出了说明。他认为,不管什么样的马克思主义,他们都同样地把辩证法视为马克思主义最主要的方法;而且,不管在谈辩证法时他们有些什么不同的看法,但是,"总离不了黑格尔辩证逻辑的那些范畴"②。因为"马列主义的辩证法来自黑格尔"③。"因此,要认识马列主义,首先就应该对黑格尔的

---

① 王克俭:《黑格尔与马克思主义》"自序",第 2 页,黎明文化事业有限公司,1990 年。

② 同上书,第 1 页。

③ 王克俭:《马克思主义与黑格尔》"导论",第 2 页,黎明文化事业有限公司,1990 年。

辩证逻辑有一个概要的了解"①。可见,不但"了解黑格尔的辩证法思想就是必要的事"②,而且,这也是作者在本书中为什么"把黑格尔与马列主义联系在一起的根本道理"③。毫无疑问,在理论渊源上,马克思的辩证法的确是继承和改造黑格尔辩证法的成果。因此,通过对黑格尔辩证法的探讨与阐明,对于正确认识和深入理解马克思的辩证法,确实具有重要意义。然而通过对这本书的内容分析,作者提出的所谓"全面认识马列主义",实际上仍然站在当年蒋介石的立场上,开展对马列主义的歪曲与攻击,以便阻止马克思主义在台湾传播开来。王克俭研究黑格尔辩证法,是为了直接服务于这一政治目的的。这充分说明,书中谈论黑格尔的辩证法,是从服务于台湾当局反对马克思主义的政治需要出发的。

因此,在这本书中,虽然有一章"黑格尔的辩证逻辑",依照作者的说法,"在这里……扼要地论述了黑格尔辩证法思想的主要概念,说明了黑格尔是如何以他的辩证法思想来说明宇宙一切的"④。然而,我们看到,书中使用了四节,即"形式逻辑与辩证逻辑"、"辩证的思维系统"、"具体概念"与"绝对唯心论"来阐明黑格尔的辩证法思想,并且在评价黑格尔的辩证法时,说过"黑格尔哲学中的辩证法,并不是如一般人想像的那

① 王克俭:《黑格尔与马克思主义》"自序",第 1 页,黎明文化事业有限公司,1990 年。

② 王克俭:《马克思主义与黑格尔》"导论",第 2 页,黎明文化事业有限公司,1990 年。

③ 王克俭:《黑格尔与马克思主义》"自序",第 1 页,黎明文化事业有限公司,1990 年。

④ 王克俭:《马克思主义与黑格尔》"导论",第 2 页,黎明文化事业有限公司,1990 年。

么可恶"①,甚至说,"他把辩证的方法,已发挥到了顶峰"②。但
是,读过作者写的上述几节内容后,黑格尔的辩证法何以不是那么
"可恶",他的辩证法何以把辩证法发挥到了顶峰,却使人感到茫
然,至于说黑格尔如何使用辩证法来说明宇宙一切变化和发展,更
可以说是不了了之。这是因为,书中在叙述各节内容时,特别是谈
论"辩证思想"时,尽管接触到了黑格尔辩证法的一些主要概念,
可是作者只是依据黑格尔的哲学体系描述了从一个概念到另一个
概念的推演,至于这些概念在黑格尔辩证法中的涵义是什么,却都
没有起码的交代和必要的分析。因此,黑格尔辩证法的内容究竟
是什么,都没有起码的概括和必要的阐述,更遑论作者上面提出的
那些论题了。

这是台湾戒严法解除后发生的事情。这一现象的产生与作者
受到政治因素的制约,因而一味追求政治献媚而把著作的学术价
值探讨放在一边,有着直接的关系。从该书的字里行间可以看到,
作者不但对黑格尔的辩证法思想缺乏基本的了解,就是对于哲学
中的一般辩证法也没有正确的认识。例如,他在叙述了黑格尔关
于形式逻辑与辩证逻辑的观点后,谈到了他对一般辩证法的看法。
他说,他"认为辩证的方法,可以使我们扩大思想领域,使我们想
得更周全一点,这是它的优点。它的坏处是由于没有一种严格的
思维规律,以至于可以凭一己之见去随意想像,使这种辩证的方法
变成了一种漫无限制的胡思乱想"③。为了从政治上反对马克思
主义的辩证法,进而这样歪曲与丑化一般辩证法,是可以理解的。

---

① 王克俭:《黑格尔与马克思主义》,第26页,黎明文化事业有限公司,1990
年。
② 同上书,第7页。
③ 同上书,第16页。

但是,略知古今中外辩证法常识的人,却都能看得出来,作者的上述观点与真正的辩证法之间的距离,何止十万八千里!

这是黑格尔哲学的不幸,也是西方哲学东渐事业的不幸。

第四节　现代西方哲学引介与研究

像台湾学者指出的那样,由于开展对现代西方哲学的传播,既是认识西方社会的重要根据,又是日后融合中西哲学的预备。因此,和近代西方哲学的传播比较起来,解除戒严令后不但投身到这个领域进行研究的学者较多,而且,取得的成果也较为显著。其中,现象学思潮、西方马克思主义、分析哲学与后现代主义的引介与研究,虽然发展仍然不十分平衡,但是总的说来,都取得了一些成绩。

一、沈清松的整体性研究成果

对现代西方哲学进行整体性、综合性研究的作品,有邬昆如的《现代哲学趣谈》(东大图书公司,1976 年)与《现代西洋哲学思潮》(黎明文化公司,1977 年)、赵雅博的《改变近代世界的三大哲学家》(台湾商务印书馆,1987 年)、沈清松的《现代哲学论衡》(黎明文化公司,1989 年)等。在这些著作中,有的以学派为对象,有的以哲学家为对象进行论述。这里,只介绍沈清松的著作。

自 20 世纪 80 年代以来,沈清松在台湾哲学界是一位十分活跃的人物。

沈清松(1949—　),台湾云林人。曾赴比利时卢汶大学学习,取得哲学博士学位。现任台湾政治大学教授,兼任《哲学杂志》主编。主要著作有:《解除世界的魔咒——科技文化之冲击与展望》(时报出版公司,1984 年)、《为现代文化把脉》(光启出版社,1986 年)与《现代哲学论衡》。

在《现代哲学论衡》中,沈清松从整体上论述了现代西方哲学与现代西方社会相互影响的关系。其中书的第二章"现代哲学与现代社会",是从理论上对这种关系的阐明。他认为,"社会不能没有哲学,哲学亦不能没有社会。社会若缺乏哲学思想,则是盲目的社会;哲学若不关怀社会,则是空洞的哲学"①。在考察哲学与社会的这种关系时,通过孔丘与柏拉图学说的分析,他指出这种关系的主要表现是:首先,"从哲学观点来看,它指的是现代哲学家如何表现他的社会关怀,从哲学的角度,来看待社会,提出针砭,并为社会的发展提出长期性的思考。其次,从社会的观点来看,则是在探讨现代社会纷纭的社会现象中有什么哲学意含,可以提供哲学家在从事思考时的参考"②。依据哲学与社会关系的这种看法,沈清松认为现代西方社会在其发展过程中提出的基本问题是:(1)科学技术发展的合理性问题;(2)人性在科学技术社会中的意义问题;(3)社会发展过程中人与人之间的沟通与批判问题;(4)传统与现代,中国文化与西方文化衔接和融合问题。并且指出,现代西方哲学家为了适应现代西方社会的发展,不但开展了对上述问题的探讨,而且取得的成果构成了现代西方哲学的基本内容。这些内容是:"(1)科技之后设探讨;(2)意义探讨;(3)社会批判;(4)传统与现代,中国文化与西方文化衔接与融合"③。通过对这些问题的探讨,回答了"哲学有什么用"这个问题,论述了现代哲

---

① 沈清松:《现代哲学论衡》,第 29 页,黎明文化公司,1989 年。
② 同上书,第 2 页。
③ 沈清松:《现代哲学论衡》"序言",第 2 页,黎明文化公司,1989 年。

学与现代社会的关系。作者把自己的看法归纳起来,主要是:"哲学在现代社会之用,就是从后设的观点,协助我们从事有自觉的科技活动;从事意义的探讨,使吾人生活的全体能有饱饫和充实之感;藉意识形态的批判,使社会从宰制的势力中求得解放,达到自由而负责任的沟通;最后,哲学以整合的态度衔接传统与现代,使现代社会不致漂浮无根,却能温故知新,创造新的传统"①。

作者就是在这种认识的基础上,把现代西方哲学的各个派别加以整理,分别把它们安置在回答与论述上述问题相适应的位置上。然后,根据这样整理出来的现代西方哲学的各个思潮,把它们与现代西方社会的发展联系起来,进行了相当详细的介绍。而在介绍时,不求完整,不引经据典,不讨论细节,而是仅求典要,综合各家之论通过自己的语言把它们的整体轮廓勾画出来。

具体说来,有关第一类问题,即对科技后没问题的探讨,作者介绍了当代西方的语言哲学,怀德海的科技观与形上学,怀德海论意识与身体,以及结构主义的解析与评价。通过这些内容的阐述,目的在于为科学的发展提供哲学基础。

在这一部分中,虽然概述了语言现象和语言学对于当代科学研究的相关性,并从语言的语法层面、语意层面与语用层面的各个层次,探讨了语言功能和限制。但是,作者的兴趣显然在形上学、社会、人生诸方面人文关系问题的解决。因此在论述时,科技和形上的关系便成为重点;在学派中,结构主义则特别显得突出;在哲学家中,怀德海则独钟情怀。因为在作者看来,现代社会是科技社会。科技活动是本世纪最突出的活动。它还带动着现代历史的发展,构成现代人经验的重要内容。因此,"科技活动有其形上意

---

① 沈清松:《现代哲学论衡》,第 21 页,黎明文化公司,1989 年。

义,科技时代的形上学不能不予以考虑"①。而在当代的形上学家中,怀德海"肯定科技,但认为必须加以深刻反省,将其扩充到人类及宇宙的全体经验中予以定位"②。怀德海正是以对科学经验的哲学反省作为起点,通过对科技特性的考察确定了自己形上学的方向。就是:"首先,科技经验中的客观性,使它明白全体经验中皆有其客观和理想层面,因而促使他引用一些理性的、独立于经验变迁的永恒对象,来说明一般经验的客观面之理性基础。其次,科技经验中的运作性,启发地肯定哲学一定要致力于建构范畴总纲,才能为全宇宙的合理架构提供一个由普遍概念所构成的运作体系。最后,对于科技的创新性的冥想,导使他肯定全宇宙的历程皆是一动态的、创新的历程——全体经验皆为创新之历程"③。

怀德海这样建立起来的形上学体系,叫做默观哲学,"旨在提供足以显示全体经验之结构与动力,和全体宇宙的可理解性之观念体系"④。它包含理性面和经验面,前者在于其普遍观念体系必须合乎融贯性和逻辑性两个标准,后者则在于其必须合乎应用性和充分性两项标准。为了满足这些要求,怀德海提出了范畴总纲。在这个总纲中,有究极范畴、存在范畴、解释范畴与规范范畴四类。究极范围涉及怀氏思想中最统摄性的普遍观念——创新性,其他范畴的存在都是假定了究极范畴的存在,因此,"'创新'实为怀德海形上学之冠冕,亦为究极范畴之顶峰"⑤。它既为共相之共相,又为究极之事实。总之,它取代了亚里士多德以来的"存在"概

---

① 沈清松:《现代哲学论衡》,第85页,黎明文化公司,1989年。
② 同上。
③ 同上书,第89页。
④ 同上书,第104页。
⑤ 同上书,第115页。

念,在西方哲学史上具有划时代的意义。

在关第二类问题,即对意义问题的探讨,是书中作者用力最勤的地方。在这一部分中,讨论了现代西方哲学中现象学和解释学最为关心的意义理论。

首先,作者使用三章的篇幅介绍了胡塞尔的哲学理想、方法,他的晚年思想以及他关于生活世界与理性的学说,认为胡塞尔创立的现象学是现代西方哲学中最具有原创性的哲学思潮。在这里,不但着重探讨了胡氏晚年关于一般意义的理论,而且还提示了它同当代西方哲学的关系。说他"在世之时,其思想就重要地影响到结构主义、逻辑实证论,并直接衍生了风气一世纪的存在主义。胡塞尔逝世以后,其思想仍然影响到批判理论和诠释学"①。

其次,介绍了诠释学对于意义的探讨。作者认为它不但是当代探讨意义的显学,而且通过这种探讨还为把意义与结构衔接起来提供了新的途经。其中,作者对伽达默尔关于传统的看法尤为推崇,认为诠释学给我们的最大启示,就是要重视历史与传统。他写道,"'传统'这个观念在高达美的思想中扮演着一个相当重要的角色。要理解意义单只是依赖对未来的展望是不充分的。我们必须同时根据某一传统来面对这个世界,如此我们才能对此世界有所理解"②。

最后,还论述了海德格尔的存在哲学,以此一方面呼应前一类怀德海对科学的形上思考,另一方面还以此为桥梁,通过海德格尔的存在哲学从现象学过渡到诠释学。

有关第三类问题,即对于社会批判理论的探讨,作者在展示哈

---

① 沈清松:《现代哲学论衡》,第 195 页,黎明文化公司,1989 年。
② 同上书,第 306—307 页。

贝马斯与波普尔关于社会科学不同观点的基础上,进一步把它们
联系起来,加以对照和比较。毫无疑问,在这一方面,哈贝马斯与
波普尔的看法存在着相当多的歧见与争论。表现在,波普尔是
"从研究自然科学起家,所以也认为自然科学的方法能够转移到
社会科学上"①。相反,哈贝马斯"却是长久置身于人文与社会传
统之中,对于自然科学毋宁是采取一种批判的态度,而非盲目的跟
随"②。因此,他对社会科学的看法与波普尔有所不同,或者更好
说他"不想把社会科学区限于自然科学内,而主张把社会科学的
领域加以扩大"③。

　　通过这种比较,作者的目标是要告诉读者,在这个问题上不要
偏执于一端,而应该同时观照这里的两种思潮,认识到"我们应该
既有工程家的谨慎、严格及技术专长,同时更应该拥有先知的眼光
及革命热忱"④。就像波普尔那样,虽然身为科学哲学工作者,但
在时局的动荡下,他仍然毅然担负起知识分子的责任,批判纳粹的
所作所为,并反省历史悲剧的症结所在。特别是当社会上出现危
机时,"我们应该重拾人文的胸怀,使自己更有远见,更有器识,才
能以恢弘的理想和踏实的步骤来化除社会危机,提升社会境
界"⑤。因此,"社会科学家不应该独断地固着于某一个特定的模
式,以致对社会现象的解析有所偏颇。"⑥从这种认识出发,作者提
出:"身为一个社会科学的学者,应该扩大自己的视野,多方面地

---

① 沈清松:《现代哲学论衡》,第380页,黎明文化公司,1989年。
② 同上。
③ 同上。
④ 同上书,第388页。
⑤ 同上。
⑥ 同上书,第372页。

涉及知识,因为社会科学所处理的是活生生的人以及瞬息万变的社会现象,与自然科学所处理的对象大不相同。社会科学研究者,不但需要学得一套方法,更需要具有一种深刻、成熟的心灵"①。

有关第四类问题,即对传统与现代、中国与西方的衔接和融合的探讨,作者首先从西方当代思潮来反观中国文化的前途。在这里,通过以科技、人文价值到意义显现的核心、道通为一境界的追溯,认为只有改变文化的依赖地位,使中华文化达到独立的发展,"才能创造出新的人文价值,再透过人文价值,来整理全部文化与科技世界。惟有如此我们才能产生新的意义,产生新的文化结构与社会结构"②。

其次,检讨了"五四"以来中国的文化运动,认为文化、哲学在今后台湾发展的重点,必须"重新诠释传统,加深认识西方,发展纯理结构与合理社会结构,改变对于主体性的片面强调,并致力于消解共产主义情结"③。在这一点上,作者认为知识分子作为社会的中坚,负有特殊的使命,即:"一方面在科技社会里发掘科技社会的意义富藏,寻求人文的意义所在;一方面用深刻的意义来开发新的结构,并使其越健康、越严谨、越扩大地发展下去"④。他指出,如果台湾的知识分子能够作集思广益,并且作到这些,那么,中国文化的未来发展则一定是辉煌灿烂的。

通过上述介绍,说明作者在研究与阐明现代西方哲学与现代西方社会的关系时,表现了一种"六经注我"的学术态度,从中反映了作者强烈的人文关怀精神。虽然在概述现代哲学各家各派的

---

①　沈清松:《现代哲学论衡》,第 372 页,黎明文化公司,1989 年。
②　同上书,第 447 页。
③　同上书,第 449 页。
④　同上书,第 450 页。

观点时,存在一些值得进一步探讨的地方,但就其对现代西方哲学
与现代西方社会关系提出的看法来说,却能给人以启发,对于推动
这种关系的进一步研究,具有促进作用。

二、蔡美丽阐述胡塞尔现象学的思路

胡塞尔现象学在台湾的传播,虽然早在 60 年代即有李贵良的
零星引介,但从总体上说,起步较晚。对此,有的台湾学者指出,
"现象学方法一来是西方当代思想的共同渊源,因而其哲学理论
性甚深,二来现象学本身检讨西方哲学历来方法论之利弊得失,学
术气氛太浓,不易成为大众哲学之题材;因而,在台省 70 年代期
间,现象学并未预期地发展,至多也只是在大学哲学系所内作为专
题研究之一"①。

不过,由于它在现代西方哲学发展过程中的重要性,主要是它
提出的一套现象学方法,早已成为接受西方欧陆思想入门的必备
课目,加上现象学对主体性、意识和意义的探讨,颇能和中国哲学
结合,因而自 80 年代以后,特别是随着晚近从欧美学成归国的年
轻学者的到来,使它在学院中这个范围内的研究得到了一定程度
的开展。仅出版有关胡塞尔现象学的著作,就有邬昆如的《现象
学论文集》(黎明文化公司,1981 年)、熊伟主编的《现象学与海德
格》(远流出版公司,1994 年)、汪文圣的《胡塞尔与海德格》(远流
出版公司,1997 年)、蔡美丽的《胡塞尔》(三民书局,1990 年)、张
灿辉的《海德格与胡塞尔现象学》(东大图书公司,1996 年)与吴
汝钧的《胡塞尔现象学解析》(台湾商务印书馆,2001 年)等。在

---

① 邬昆如:《欧陆现代思潮在台省的创新与发展》,载台湾《哲学杂志》,第
25 期,第 24 页,1998 年 8 月。

这些书目中,邬昆如与熊伟主编的著作,都是有关胡塞尔现象学的论文汇编。这里只介绍其中的两本著作。

一本是蔡美丽的《胡塞尔》。

蔡美丽,属于新近成长起来的年轻学者。曾在加拿大留学。现在香港从事教育工作。据其自述,她的这本书是在杂乱琐碎的日常生活中用了三四年的时间孵化出来的,真可说来之不易。主要是她在这本书中阐述胡塞尔的哲学思想时选择了一条恰当的思路。

从表现上看去,胡塞尔终其一生,似乎并没有建立起一个完整的哲学体系。而且,自从《逻辑研究》问世以来,日后出版的每一本著作都好像一而再、再而三地复述过去阐明的论题。因此,"胡塞尔容易给人一种未完成,千头万绪,繁琐散乱的感觉"①。但是,蔡美丽指出,如果我们仔细地研读胡塞尔三个时期的作品,跳出因胡氏论述的重复而产生在原地徘徊的感觉,并随着他一生哲学探索的时序性进展,便会发现他对这个主题严谨地深入下去。所以,胡塞尔哲学有一个主题,也有一个体系。问题是,这个主题是什么。这是选择与确定在阐发胡塞尔现象学思路时,首先必须把握与解决的。

为此,蔡美丽通过胡塞尔对19世纪末西方哲学中心理主义的批判,以及"严格哲学"提出的考察,认为胡塞尔从"作为严格之学的哲学"开始,为了满足人类高亢的、对至高纯正学问的渴求,提出的哲学研究方案是:"首先,哲学把它的研究标的由'实有的'事物移转到超时空的、非经验性的万象的本质的研究之上。如此,哲学研究一则可以闪避对研究对象之实有性假定的毛病,另方面,则

---

① 蔡美丽:《胡塞尔》,第12页,三民书局,1990年。

免除经验科学中绝对性真理不克获至的憾失。其次,为着避免对知识成立据点的研探的忽视,胡塞尔由人类的认知机能,所谓意识的种种作用的研探,展开他的整个哲学探索工作"①。作者认为,通过这种研究,胡塞尔的目的是要使他希望建构的哲学成为一种严格的学问,即使它提升到不带相对性、或然性的学问层次,以此满足西方人自希腊哲学以来,那种高尚的对真理的渴求。

根据对胡塞尔现象学目标及基本精神的这种理解,蔡美丽通过对胡氏著作的钻研,把胡塞尔哲学整理成一个一个的论题。然后,在她的《胡塞尔》一书中,循着胡氏建构其现象学亦时序、亦逻辑发展的脉络,通过一个论题必然进展到另一个论题的阐述,从而把胡塞尔的现象学思想清晰地展示出来。

首先表现在,对胡塞尔哲学体系的整体阐发上。这方面的内容是在该书的中篇"现象学的主要论题"中展开的。前面说过,作者把胡塞尔关于现象学的思想整理成一个一个的论题,而在这些论题之间存在着必然的联系。因此,如果把这种联系以及各个论题的内容阐释清楚了,那么,胡塞尔的现象学体系及其哲学观点便陈述出来了。作者在这样具体阐发时,是严格地根据胡氏建构其体系时"亦时序、亦逻辑的脉络"进行的。

简单说来,胡塞尔为了把现象学建立成为一种严格的学问,他采用现象学的"存而不论"的方法,把不能在经验中直接显现出来的现象,排拒在研究范围之外。这样,一方面,将剩下的意识流作为现象学研讨的出发点,另一方面,把意识流以外的"意识对象"乃至意识对象总体的"外在世界"存放到括弧中,使它们都先行置诸不议。胡塞尔就是以探究这个所谓"它的不存在绝对无法想

---

① 蔡美丽:《胡塞尔》,第39页,三民书局,1990年。

像"的意识流的特征来展开他的现象学体系的。在这里,他继承布伦塔诺的学说,认为意识流的本质性的特征是它的指向对象性,即在于它的必然性具有对象性的特征;而意识不只是必须地会有意识对象,而且必然地要以某种方式来意识对象。所以,在胡塞尔的现象学中,还要探索意识知觉对象时所运用的种种不同方式,并且透过意识必然有着意识对象的特质的说明,使外在世界又能被胡塞尔以极其严格的方式索回到现象学中。

接着,胡塞尔指出,组成世界的意义对象之所以是有某种性质或架构,完全来自上述种种被意识的方式。可见,意识流是所有对象乃至对象整体的外在世界所具有的意义的总源头或总基础,或者说,意识流是其对象或外在世界发生架构或赋予意义的主导性存在。问题是,意识流是一道变动不居的精神系列,这个变动不居的意识刹那如何有能力去综合变动不居、多样化的对象而使之成为同一对象的不同侧面。为此,胡塞尔透过对"自我"功能以及"自我"与意识流关系的剖析,使这个问题得到了解决。不过,胡塞尔以意识流作为现象学绝对无可怀疑的出发点,为了避免陷入笛卡儿式的独断论陷阱,于是,他在自我的意识流中引申出"他我"的存在。"外在世界"不外是"自我"与"他我"通过沟通而构筑起来的一个体现"自我"与"他我"不同角度的世界。而且胡塞尔还提出,在"自我"与"他我"之间存在的主体际世界是一个有层次的组织,其中最基本的是共有的文化世界。

最后,胡塞尔还指出,自17世纪新科学萌芽以来,欧洲文化中缓缓地形成了一个极其独有的"共同世界",这就是一个自然科学的量化的数理世界。当他晚年看到欧洲现实危机出现时,他认为这种危机实际上就是来自这个"自然科学的世界"。由此,他通过对朴素的科学主义精神的反省、思考和提出了其体系的最后一个论题，即"生命世界"问题。胡塞尔的现象学体系，就是以对"生命世界"的分析与论述结束的。从上述作者对胡塞尔哲学体系的扼要概述可以看到，作者对胡塞尔从一个论题进展到另一个论题的阐述，是一环扣一环，很有逻辑地向前推进的。

其次表现在，对胡塞尔现象学主要论题的阐发上。这方面的内容也在该书的中篇中。不过，是在论述各个论题的内容时展开的。就是说，胡塞尔不仅在其建立其体系时，是由一个论题必然发展到下一个论题，而且在阐明每一个论题时，也是由一个论点必然地进展到另一个论点进行分析的。

例如，在解释现象学方法时，作者认为，胡塞尔提出的现象学方法，是为了使他创立的现象学真正成为一种严格的学问，而设计出来进行哲学探索必然采取的步骤或程序。这种方法由两大部分组成：一是"存而不论"法，二是现象学的描述法。前者是对研究对象进行过滤，排除其中驳杂可疑成分的方法。然而，因为过滤对象不同，由此便形成三种截然不同的"存而不论"方法，即对应于自然主义态度的狭义的"现象学存而不论"方法、为把现象学提升为本质性学问的"本质性存而不论"方法，以及把现象学转化为一种研讨"超验的主体"的"超验性存而不论"方法。后者是在通过"存而不论"方法获得了"绝对正确"作为哲学体系的出发点以后，对剩下的研讨对象尽其所能在意识流中直接呈现出来的现象，排斥出研讨范围之外，这样就获得了一个构建严格学问的出发点。"现象学的描述法"则对意识流中呈现出来的一切，尽可能地作如其所表现的描述，以此对研究对象进行探索。这样，作者通过对胡塞尔方法的提出、种类、性质及其作用的分析，从而就把现象学方法这个论题得以清晰地阐述清楚了。

除了这个例子外，对其他论题的阐述也是这样进行的。从中可以看到，从论点的提出，内容的阐明，到各个论题在其哲学体系中的意义，都被整理在胡塞尔现象学中的一定位置上。这样一来，随着对胡塞尔论题的一个个得到阐明，他的现象学哲学体系的全貌也就被读者全面理解和接受了。蔡美丽运用这种思路来阐述胡塞尔的现象学，减少了读者阅读胡塞尔著作时的不少困难，是应该肯定的。

三、张灿辉论胡塞尔对海德格尔早期思想的影响

无论在胡塞尔哲学研究中，还是在海德格尔哲学研究中，他们二者哲学之间的关系，常常是学者们热心讨论的一个重要问题。张灿辉关于胡塞尔对海德格尔早期思想影响的探讨，就是一个生动的表现。

张灿辉，在香港中文大学哲学系取得硕士学位后，赴德国弗莱堡大学深造，1982 年获哲学博士学位。回港任教于母校哲学系期间，一边讲课，一边还把他的博士论文进行翻译和改写，出版了《海德格与胡塞现象学》一书。

在这本书中，作者着力探索并阐明胡塞尔与海德格尔早期思想的关系。他之所以"重视海德格早期思想，意图由此清理环绕海德格哲学之始点的种种疑团"①。因为这个问题，实际上早在1927 年随着海德格尔《存在与时间》在胡塞尔创办的《现象学与哲学研究年鉴》上的发表，便被提出来了。虽然当时海德格尔以这本书献给胡塞尔，表示了对他的极大尊敬。然而，《年鉴》的读者很快从中发现，《存在与时间》与其他在《年鉴》发表的现象学著

① 劳思光：《海德格与胡塞尔现象学》"劳序"，第 2—3 页，东大图书公司，1996 年。

作,尤其是与胡塞尔的论著,存在着很大的差别。例如,"在此书中,差不多完全没有胡塞尔超验现象学的术语,没有提到和阐述胡塞尔的基本问题,如现象学的悬搁、还原或超验主体性。事实上在《存在与时间》中甚至没有'意识'这个词语。海德格在此书第七节讨论现象学的方法中,完全不遵循胡塞尔现象学的进路"①。于是,由此在现象学运动史上,便引出了一串重要的问题:"海德格与胡塞尔的现象学之关系是怎样的?《存在与时间》中提出的基本存在论与超验现象学的区别何在? 海德格的现象学是否意味着对胡塞尔现象学的一种发展? 或者改造? 如果是发展,为什么海德格放弃胡塞尔现象学的词赟? 如果是改造,则海德格的现象学如何规定自己? 他的现象学方法的特征何在?"②

可以说,自《存在与时间》发表以来,这些问题即被研究现象学的学者所关心和探索,并且在认真辨析后提出过各种各样的看法。例如,早在 20 年代末,有些学者指出,海德格尔与胡塞尔的思想有根本的区别。其中如贝克(Beek)与米施(Misch)认为,海德格尔的根本动机在于将现象学彻底化。有的则宣称海德格尔的哲学,是在胡塞尔与舍勒(MaxScher)之外第三种现象学方向。而更多的人因海德格尔是从人类生命存在出发考察"此在"(Dasein),而且他的"人类学"观念受到克尔凯郭尔存在概念的影响,因此,把他的哲学理解为存在现象学。以至后来从这种认识出发,把他的哲学与雅士贝尔斯、萨特放在一起,称它们是一种存在主义。

对于这些看法,张灿辉似乎都不够满意。因此,出于学者的责任感,对胡塞尔与海德格尔的关系,他决心作出进一步的探索。

————————

① 张灿辉:《海德格与胡塞尔现象学》,第3页,东大图书公司,1996年。

② 同上。

首先,他认为,在探索他们二者哲学的关系时,"单纯地对比胡塞尔和海德格,这条路是行不通的"①。因为在他看来,他们二人的哲学是"奠基在于不同的哲学问题之上。从胡塞尔的超验现象学到海德格的存活——存在论的现象学根本没有一条连续的路"②。在这里,作者运用新发表的《马堡讲座》的材料作为证据,有力地阐明了这一点。根据这些材料,说明胡塞尔与海德格尔之间的分歧,早在 20 年代《存在与时间》出版前就已经发生了。主要表现在,"海德格从一开始就试图说明,他的哲学的出发点不是意识问题,而是由存在问题所规定"③。

在这一点上,海德格尔接受了来自布伦塔诺关于存在的意义,以及希腊哲学中关于无蔽、真理和现在的存在规定性的启发。作者在具体阐明了这些受到启发的内容后写道:"因此很清楚,现象学作为方法的概念是和存在问题紧密相联系的。如果不考虑存在问题,就永远不能理解海德格的现象学观点"④。作者还引用海德格尔回顾其哲学创作道路时说的话,进一步肯定"海德格一开始就与胡塞尔奠定的现象学运动保持距离。他认为必须更本源地研究'现象学',才能获得更深层的本质和独特的哲学史位置"⑤。为了论证这个观点,他还举出在讨论现象学和可能性的联系时,有些人把可能性意义误解为潜在性为例,指出"这就是说,海德格的现象学是关于胡塞尔超验现象学所奠定的方法来发展的潜在性。这样人们就忽略了海德格与胡塞尔的基本区别,忽略了海德格对

---

① 张灿辉:《海德格与胡塞尔现象学》,第 185 页,东大图书公司,1996 年。
② 同上书,第 185—186 页。
③ 同上书,第 186 页。
④ 同上书,第 187 页。
⑤ 同上。

可能性的强调"①。因为在他看来,可能性概念在海德格尔哲学中,"从来不是一种范畴,即与现实性和必然性相关的潜在性,而是一种鉴于存在的存在论规定"②。关于这一点,在为胡塞尔70寿辰所写的论文《论根据的本质》中,海德格尔也明确地表达了他的思想与胡塞尔现象学的根本区别。他指出,"如果人们将所有的存在者的行为都标记为意向性的,那么意向性只有超越性的基础上才是可能的,但是意向性并不等于超越性,也不反过来使超越性成为可能"③。作者在引证这段话后写道,"很明显的,对海德格而言,作为胡塞尔现象学的本质现象之意向性并不是最本质的,而是一个此在(Dasein)中被奠基的现象。在这里,海德格的目的并非在于改造意向性的概念,或将它彻底化,而是此在的存在论分析比超验现象学的意向性分析更为基本"④。在胡塞尔与海德格尔的哲学中,所以出现这个本质的差别,就是因为它们各自奠基在不同的哲学问题上。因此,对于他们二者哲学的关系,要是使用单纯对比的方法进行探讨,显然是难以得出全面而正确的判断的。

其次,作者认为,也不能因为他们之间存在着上述的本质差别,就否认胡塞尔现象学对海德格尔哲学的影响。在张灿辉看来,上述根本差别,只是他们关系的一个方面,除此以外,海德格尔还有受胡塞尔哲学影响的一个方面。正如他所说,"撇开这个本质差别不论,无可置疑的事实是:海德格的思想在早期受到胡塞尔启发,尤其是受《逻辑研究》中现象学方法所影响而得到了

———————

①　张灿辉:《海德格与胡塞尔现象学》,第187页,东大图书公司,1996年。

②　同上书,第187—188页。

③　同上书,第5页。

④　同上。

突破"①。突出的表现是,胡塞尔在《逻辑研究》中所显示的现象学思维原则,为海德格尔的基本存在论研究提供了基础。因此,如果把这个基础的意义揭示出来,那么,胡塞尔对海德格尔早期思想的影响,也就随之自然而然地清楚了。

不过,作者提出,对于这个基础,可以从不同的角度去考察。如果角度选择不当,也有可能产生误解或偏颇。例如,卡普托(P. Caputo)曾经试图将此在概念回溯到超验现象学去,认为此在是超验主体衍变出来的,并且以此解释这个基础的意义。根据卡普托与其他一些与他相同的观点,即如果此在是从超验主体性来理解,或存在论差别是以意向性的超验相关性作为解释的根据,那么,海德格尔的现象学便是奠基于胡塞尔所确立的超验现象学的概念与课题上。就是说,超验现象学是此在现象学的基础。张灿辉认为,"这一类的解释从开始便误解了海德格的根本问题"②。因为在他看来,"与胡塞尔不同,海德格的根源问题并不是知识论问题,而是存在问题。此在分析与意向性分析有着本质性的差异"③。

因此,作者指出,"如果要正确了解海德格如何受胡塞尔的《逻辑研究》的影响而开展出此在现象学,则我们必须回到《逻辑研究》去,必须了解海德格如何解释和批判这本作为此在现象学基础的书"④。这首先体现在《存在与时间》中。进入这本书是了解胡塞尔现象学对海德格尔思想影响的第一步。除此以外,海德格尔的遗稿《马堡讲座》,也是理解海德格尔与胡塞尔关系的宝贵

---

① 张灿辉:《海德格与胡塞尔现象学》,第6页,东大图书公司,1996年。
② 同上书,第7垴页。
③ 同上。
④ 同上。

资料。因为它与《存在与时间》的撰写是同时进行的。在这些讲座中,尤其是在 1925 年夏季学期的讲座《时间概念历史引》,以及 1925 年冬季学期讲座《逻辑学:真理问题》,海德格尔对胡塞尔现象学进行了详尽的阐述和批判,表现了他如何积极地从胡塞尔所确立的现象学基础上,运用现象学观去分析事实,指出胡塞尔的超验现象学如何局限于传统中,而不能真正实现现象学的要求:回到事实本身(Zuden Sachen selbst)。因此,张灿辉决定,在他的书中以《存在与时间》与胡塞尔《逻辑研究》的内在联系,阐明胡塞尔现象学对海德格尔早期思想的影响。

为此,作者在书中使用了三章的篇幅,即第 2 章"海德格对胡塞尔心理主义批判的现象学阐述"、第三章"海德格对胡塞尔现象学的划界"、第四章"海德格对胡塞尔现象学的超越"来进行这项工作。书中在阐述这些论题的特点是,时时处处通过胡塞尔与海德格尔哲学中一些关键性概念的澄清,以此透显海德格尔早期某些理论形成的背景,达到指明胡塞尔现象学对海德格尔早期思想影响的目的。

例如,在第 2 章中,作者在考察了海德格尔对胡塞尔意向性、范畴直观、先验的本源意义等三大发现,并引证了海德格尔评价胡塞尔这些发现的话后指出"现象学是通过对心理主义批判,以及其基本发现论述,而达到了本质的理解。现象学首先是一种研究探讨,或者更确切地说,是一种方法"①。作者认为在这里,海德格尔的"现象学"这一概念还是在胡塞尔的意义上被运用。他的现象学与胡塞尔的现象学的区别,在这个时候还只是隐含着的。不过,尽管将来他们的现象学有不同的方向,但是透过海德格尔对胡

---

① 张灿辉:《海德格与胡塞尔现象学》,第 76 页,东大图书公司,1996 年。

塞尔上述概念的考察,却可以看到,"在它们之间存在着一种奠基关系。它们的共同性在于,现象学从一开始便被理解为一种方法"①。

通过这个例子以及其他两章中有关事例的分析,作者得到的结论是,胡塞尔的现象学显然"是对海德格的思维之路的巨大推动"②。对于这种推动作用,后来海德格尔在《我的现象学之路》中追述他进入现象学的途径时,便"宣称这是他努力钻研《逻辑研究》的结果"③。可见,他也是乐意承认的。这就足以说明,胡塞尔的现象学对于海德格尔的早期思想,是产生过重要影响的。

在这本书中,不论前面对于胡塞尔与海德格尔哲学区别的阐明,还是后面胡塞尔哲学对于海德格尔早期思想影响的论证,都可说是"取材甚富,析论甚详"④。如果在材料的提炼和归纳上,能够再下一些工夫,那么,它便是一本坚实之作了。对于一个青年学者来说,实在是难能可贵。除此之外,书中在探讨不同哲学家哲学思想之间的关系时,反对简单化,主张具体分析,这对于不同哲学体系之间关系的探索,并得出正确结论,也是很有意义的。

四、陈俊辉引介克尔凯郭尔哲学的热情态度

同现象学的研究比较,台湾学者对存在主义的引介,不但时间较早,而且曾经一度出现过颇为热烈的景象。进入 80 年代后,发表有关存在主义的论著仍然不少。其中仅出版的著作即有:

---

① 张灿辉:《海德格与胡塞尔现象学》,第 76 页,东大图书公司,1996 年。
② 同上书,第 186 页。
③ 同上书,第 6 页。
④ 劳思光:《海德格与胡塞尔现象学》"劳序",第 3 页,东大图书公司,1996年。

认识沙特	赵雅博著	台湾商务印书馆	1984 年
萨特传	高宣扬著	香港三联书店	1986 年
齐克果存在概念①	蔡美珠著	水牛出版社	1986 年
齐克果与现代人生	陈俊辉著	黎明文化公司	1987 年
齐克果	陈俊辉著	东大图书公司	1989 年
从齐克果到黎柯尔	陈俊辉著	唐山出版社	1989 年
海德格	项退结著	东大图书公司	1989 年
雅仕培	黄藿著	东大图书公司	1992 年
存在主义概论	高宣扬著	香港天地图书公司	1992 年
存在主义	高宣扬著	远流文化公司	1993 年
祁克果新传——存在与系统的 辩证	陈俊辉著	水牛出版社	1994 年
心理分析与齐克果之存在概念	吴东晨著	台湾商务印书馆	1996 年
海德格	滕守尧著	先智出版社	1996 年
给生命一个理由——关于萨特的 《存在与虚无》	李杰作著	笙易出版社	2001 年

在这些著作中,有综合性的阐述,但多是个案研究。下面介绍三位学者的作品。其中,陈俊辉热情引介克尔凯郭尔的态度,值得称道。

陈俊辉(1951—　　),台湾台北县人。曾就读于台湾大学哲学系与哲学所,于 1991 年取得哲学博士学位。现任教于台湾大学。据其自述,早在读本科学习西方哲学时,克尔凯郭尔对个人生命特征的探究,就深刻地吸引了他的注意,特别留校任教讲授克尔凯郭尔存在哲学后,还促使他走上了研究其哲学的道路。他认为,克尔

---

① A. Kierkegaard,台湾学者译为齐克果或祁克果,大陆学者一般译为克尔凯郭尔。

凯郭尔对人性存在真理的追求,正在鼓舞着那些有志于探索个人存在"永福"的人们,因此,对其作出进一步的探索,"有它的适时性与迫切性"①。在这种认识的基础上,他编译了《齐克果语录》,并出版了论述克尔凯郭尔存在哲学的多种著作。其中,值得重视的是他对"存在与系统的辩证"的研究。在他看来,这是克尔凯郭尔哲学的精华部分,它在深度上触及到了"人之为人"这一存在的玄思秘想。其结果是以《附笔》为主要资料,采用结构分析、衬托比较与综合诠释方法撰成的《齐克果新传——存在与系统的辩证》一书。

在这本书中,第一章考察了克氏对时代问题的反思,阐明了他对传统与时代的诊视,并提出了"对治之道",即"在到处充斥系统(反省),而欠缺激情的时代潮流中,唤醒主体个人之对生存蕴义的注意,以及对'永福'的期盼"②。第二章通过"存在与系统的辩证"方法学进路的展示,分别阐释了"存在"、"系统"和"存在与系统的辩证"的本义。第三章探讨了"存在与系统的辩证"的辩证内涵,即从神与存在的灵(个人)双重角度,论证了对神而言,存在与系统是可能的;对人而言,系统是不可能的,并从其原始动机出发,阐述了克尔凯郭尔对"存在真理"的终极关怀及其"新伦理"(观)的建立。第四章综合地展示了"存在与系统的辩证"可能的思考向度,即在学理上有经验真理与概念真理的区别,在实际认识上有存在(者)与思想(本质)在假设上的合一,以及阐发了主体个人的优越地位。认为在存在立场上,主体个人是语言的创造者,在存在

---

① 陈俊辉:《齐克果新传——存在与系统的辩证》,第 11 页,水牛出版社,1994 年。

② 同上书,第 325 页。

地位上,主体个人是历史发现者兼(实质)真理的取用者。由此说明,主体个人"虽然他陷身在变化的历程中,或者居处在客观纷纭的历史世界里,他都依然能够藉内向性、主体性、决断性或激情,而和伦理、宗教、神或永福建立一种存在关系"①。

总之,陈俊辉认为,克尔凯郭尔在"存在"与"系统"等论题上,确实探讨了许多问题,如逻辑思考、知识真理论、形上学、价值哲学、宗教哲学等。而且,他还"想突破一般哲学化的语言规范,企图就(主体个人)存在的实践力行,以证得生命'智慧'的最高意境"②。不能说,作者对这些内容都说清楚了,更不能说作者的论述有多少理论深度。但是,作者引介克尔凯郭尔哲学的热情态度,是要首先加以肯定的。在西方哲学研究中,只要有了这种态度,就有可能进一步取得满意的学术成果。

五、项退结钻研海德格尔著作的功夫

在专题著作中,项退结的《海德格》一书,从中可以看到,为了准确地把握海德格尔的哲学思想,作者锲而不舍地刻苦钻研海氏著作的功夫。据项退结说,从正式阅读海德格尔的著作,到完成《海德格》一书的写作,他一边研读、一边为学生讲授,一边撰写,前后经历了十几个年头。到80年代中期,他对这个过程进行了总结。他写道:"经过这么多年来的努力,我相信自己对海德格思想能够把握下面几个重点:第一,海氏思想跟西方哲学的形上学传统完全不同……因此,把他的思想比附于传统的任何形上学系统,都

---

① 陈俊辉:《齐克果新传——存在与系统的辩证》,第320页,水牛出版社,1994年。

② 同上书,第337页。

基于臆测和武断,在海氏著作中找不到依据。第二,尽管海氏……说要破坏存有学的历史,实际上他不过是要以人之存在性徵为起点而建立起形上学的存有基础……第三,海氏在 1962 年发表的《时间与存有》演辞中所云'放弃存有者思想存有'一语仍应和《存有与时间》一起才能获得正确的了解……不顾及前期所指出的存在性徵会曲解或无法理解后期思想……第四,海氏思想的'基调'却似乎倾向于实际生活所显示的信仰,而不借助于任何理性推理(这正是他所云形上学)……海氏并未否定形上学的有效性。他只认为形上学已使人类趋于灭亡,因而我人今天需要的是另一类型的思想"①。这几点是项退结对海德格尔哲学精神的理解,也是他研读海氏著作功夫的结晶。

由于有了这种功夫,所以作者对海德格尔的存在哲学进行了较好的阐述。这集中体现在《存在与时间》一书的分析上。毫无疑问,要了解海德格尔的存在思想,阅读这本书是具有关键的意义。过去,项退结在讲授这本书时,因为还未摸到此书的究竟,因此只是顺着原书的次序进行介绍。他认为这种做法只能说是《存在与时间》的导读,不是剖析,这种讲授难以把海氏著作的精神实质揭示出来。根据对《存在与时间》主旨及其内容的理解,他认为海氏孜孜以求是被遗忘的存在意义问题,因此在海氏那里,"如何使被遗忘的存有问题重新彰显,这就是此书的中心题旨,同时也是海氏思想的核心"②。围绕这个核心,本来在海氏的书中,是用上下两部分,每一部分各有六编进行论述。然而,项退结为了突出主旨而把海氏讨论的问题归结为四个论题进行分析。这四个论题

① 项退结:《海德格》,第 13—16 页,东大图书公司,1989 年。
② 同上书,第 56 页。

是:"(1)此有、存在与自我;(2)在世存有的'在'和它的世界;(3)观念、其整体性与属己性;(4)时间性与历史性"①。在分析时,作者首先对《存有与时间》产生的背景及其所讨论的问题作出了导论式的介绍,然后运用易为读者领悟的方式把该书讨论同一论题的有关内容,在阐明上述四个论题的过程中一一进行了分析,从而把海氏的存在哲学较好地陈述出来了。

值得注意的是,在探讨海氏存在哲学时,还表达了作者一股浓烈的人文主义关怀。甚至可以说,这种情怀贯穿在这本书的始终。不过,最为集中的表现是在书的最后一章,即"海德格对中国人及现代人的意义"中。项退结自己承认,他"个人非常赞同海德格的存有思想"②。而且,他指出,"作为理性思考的补充,存有思想在今日世界的确有其特殊使命。对中国文化圈中的东亚世界来说,它的确是能够帮助我们理解固有文化的暮鼓晨钟"③。具体表现是,他"对'每一自我'(此有)的强调"④。项退结认为,这是海德格尔对中国及东亚的最大贡献。因为在他看来,虽然在中国数千年的文化中有"非常靠近个人尊严的肯定,却没有明显地加以肯定"⑤。特别是在现实生活中,不断发生只讲社会关系不知尊重个人的现象。"面对这一情况,海德格哲学之强调'每一自我'(此有)之属己性与真实性,应该是一副对症良药"⑥。不过,他还指出,"海氏虽强调'每一自我'实现其属己性,却并不主张个人主

①　项退结:《海德格》,第63页,东大图书公司,1989年。
②　同上书,第16页。
③　同上。
④　同上书,第206页。
⑤　同上书,第210页。
⑥　同上书,第212页。

义;因为'每一自我'因存在投设所开显的世界,必然是和别人分享的'共同世界'。海氏之反对一味走'人们自我'的路,也并不是离群索居,而是要每个人以属己的自我的资格跟别的'共同此有'作真诚的交往"①。因此,虽然海德格尔的哲学很难消化,但在这个过分群众化的时代,他的思想却没有失去其时代意义。

所有这些,都充分体现了项退结钻研海德格尔著作的功夫。而且从这里,正像《哲学与文化》编者在他70寿辰时指出的那样,在西方哲学研究中还"表现了简练、精辟、直探核心的特色,使读者受益极多"②。

六、赵雅博作品对萨特思想的认识

在当代台湾的学者中,赵雅博是以传播萨特存在主义思想而著名的。

赵雅博(1917—　　),河北望都人。早年在北平辅仁大学神学系与中文系学习。1949年赴西班牙马德里大学留学,1952年取得博士学位。1955年到台湾,先后担任台湾师范大学、政治大学教授,并兼任辅仁大学、文化学院哲学所教授。在传播存在主义方面,早在60年代,出版了《存在主义论丛》,进入本时期又出版了《认识沙特》一书③。

后面这本书,是作者研究存在主义的一部带有总结性的著作。就像书名所标明的那样,这本书是要通过他对萨特的认识,进一步要人们依据他的认识去接受萨特的思想。全书共五章,除第一章

---

① 项退结:《海德格》,第212页,东大图书公司,1989年。

② 《哲学与文化》编者:《祝项退结70寿辰》,载《哲学与文化》,第20卷,第11期,1993年11月。

③ 沙特,Sartre,这是台湾学者的译名,大陆学者一般译为萨特。

叙述萨特的生平及其著作外,其余几章是:萨特的存在哲学、无神思想、美学思想以及萨特与法国存在主义对现代思想的影响。毫无疑问,通过这些内容的阐述,能够大体窥见萨特及其哲学的基本面貌。

首先,在阐述对萨特存在哲学的认识时,作者指出,《存在与虚无》是构成萨特哲学体系的巨著,认为在这本"书的纲领中,我们可以看到沙氏的思想纲领,如果了解了这部书,其余的事,便容易了然了"①。在这里,赵雅博特别强调了把握《存在与虚无》,对于认识萨特思想的意义。并且依据这一思路,围绕萨特的三个论题,即"物在自己"、"物为自己"以及"物为他人(即他物)",以此阐明了萨特的存在哲学的思想。其中,在论述"物在自己",或"自在的存在"时,作者指出,萨特对这个论题的讨论虽然很短,但这却是他的"思想的基本点,其余的主张不过是随之而来的结论而已"②通过这个论题,讨论的是客观存在的问题。赵雅博认为,这个"物在自己","不是被创造的,它在那里面,对我们乃是非被创造的"③。它展现在我们面前的是:(1)物在自己或者只是客体,它在自身中,不包含任何关系;(2)物在自己是关闭在自己以内,它的存在是自在的;(3)它不从任何东西来,不附属于任何必要物而达成自己的存在。它是一个如其所是的实在性,并且只是这个实在性。赵雅博指出,"这样的物,在沙特认为是一个悖理与不可了解,然后这并不足以使我们反对给它作现象的分析"④。而且在作者看来,萨特的形而上学,就是从这种分析中

① 赵雅博:《认识沙特》,第15页,台湾商务印书馆,1984年。
② 同上书,第16页。
③ 同上。
④ 同上书,第17页。

产生出来的。其余,"物为自己"与"物为他人",也进行了这样的解说。

其次,在阐述对萨特无神论思想的认识时,作者认为,存在主义哲学家与政治上的派系有着某种相似之处,即他们也被分为左右两派。其中"右派可以说是软心肠的一派,在思想上承认神的存在。左派则是硬心肠的一派,坚决否认神的实有。沙特则是属于后者"①从这种认识出发,作者在一般地论述了无神论的主张后,分别介绍了萨特的无神论及其反神论证,并针对萨特否定神存在的三条理由,逐条地进行了驳斥,最后指出,萨特论证神不存在的三条理由,不但得不出神不存在的结论,相反,倒使我们找出了神的存在。所以,"沙特的否定神的说法,不但否定不了神的存在,并且还更证实了真正神的实有"②。

再次,在阐述对萨特美学思想的认识时,作者指出,"在萨特的著作中,用不同的方式,来关心美的问题,为此研究沙特的思想,很难不注意到他的美学思想"③。而在具体讨论萨特的美学思想时,作者还特别把它同萨特整体思想特征联系起来。因为在他看来,这与萨特的美学思想有直接的联系。对此,赵雅博提出的看法是:"沙特的思想,其主要的特征是否定的,然后是人文的。这可以说是沙特思想的两个内观与外观,也可以说是沙特美学思想的两大源泉"④。在这种认识的基础上,作者分析叙述了萨特关于"文学与诗"以及"艺术思想",认为萨特的美学思想及其在文学上

---

① 赵雅博:《认识沙特》,第43页,台湾商务印书馆,1984年。
② 同上书,第83页。
③ 同上书,第94页。
④ 同上书,第92页。

的表现,"已经与正统的美学思想和写作的表现不同了"①。主要是他"将文学分析成为不同的类型,将美学也作了分别,为此在观念上与过去的传统多有冲突。但是如果站在分别分开的观点上,美学与文学的作品表现,分开来讨论乃是更合宜的"②。

这些就是赵雅博对萨特思想的认识。所有这些对萨特思想的说法和评价,只能说是代表了台湾士林哲学界一部分学者的认识。由于受到作者的这种哲学立场的制约,要求赵著全面客观地展现萨特的存在主义思想,显然是难以办到的。

七、史文鸿对马尔库塞批判理论的阐释

"戒严令"解除后,随着以法兰克福学派为代表的西方马克思主义的引进,与此有关的古典马克思主义与新马克思主义,在台湾社会中也引起了社会各方的特殊关注。

这一现象的出现,有着极其深刻的社会历史原因。首先,从台湾社会的发展来说,80年后期,随着台湾当局宣布解除戒严、解除党禁与报禁,使台湾政局在一定程度上带来了自由化和民主化。加上两岸关系的互动,海外学者从欧美捎回的新知,以及知识界主体意识的提高,使社会上对自由与民主的要求,不仅落实在议会和街头,也扩展到了高等学府、书肆和新闻界,给一向在台湾被视为禁忌的马克思主义与西方马克思主义学说,逐渐成为学术界亟待认识和探讨的对象。

其次,也反映了台湾知识界的觉醒。正如傅伟勋所说,"随着急速的经济成长与社会结构的巨大变动,种种棘手的社会问题接

---

① 赵雅博:《认识沙特》,第146页,台湾商务印书馆,1984年。
② 同上书,第146—147页。

踵而生……极待理论与实践的双层探讨与解决。多年来,'沙特热'、'韦伯热'等热潮所催生的探索道路,都无法提供全盘解决诸社会问题的新时代思维灵感;'新马热'潮的涌现,也可以看成一些有心的知识分子急寻探此类思维灵感的一个当前情境的反映"①。他认为,如果"从60年代的存在主义热潮到近年来的'韦伯热'等等,处处反映着有心的知识分子的挫折感和无力感"②,那么,"最近戒严法的解除以及其他有关政策与措施的日趋开放,自然促使他们在多元开放的思想文化新气氛里广泛涉猎左右派思潮的书刊,从中探索可获共识的主导原则或理论指南"③。开展新马克思主义以及传统马克思主义与西方马克思主义的研究,就是在这种社会形势的需要下产生的。

于是,在这些因素的推动下,西方马克思主义、传统马克思主义与新马克思主义的研究与传播,逐步地在台湾开展起来了。例如,讨论与传播这些思潮的理论观点,不但成为重要刊物如《文星》、《当代》、《中国论坛》、《中华杂志》、《哲学杂志》、《思与言》、《哲学与文化》的主题之一,而且还成为青年学生追求新知,热烈问学的对象。又如,在各类公私学校中,纷纷开设马克思主义以及与此有关的课程。一些有远见的西学输入商,像森大图书有限公司和金石堂书店,甚至不惜血本引进境外的这类最新图书,使它们在社会上得到广泛传播。另外,由于开放大陆探亲,使不少文化人得以自由进出大陆,并从这里带来了各种马克思主义与西方马克思主义的书籍,回台后在台湾大量翻制。在这种情形下,有关这些

---

① 洪镰德:《新马克思主义和现代社会科学》,第204页,东大图书公司,1988年。

② 同上。

③ 同上。

思潮的原著译本或境外学者的研究成果,甚至大陆学者的著作,在台湾的书店里都能容易地购得。

因此,传播中虽然阻力不小,但台湾社会已经不是50年代,也不是60年代了。正如有的学者描述的那样,"凡是努力吸收新知的人,哪有躲得过马克思主义幽灵的魅力? 于是台湾的知识分子,在沙特热、韦伯热之余,接着马克思热"①。在我们看来,这些思潮的传播虽然说不上"热",但有一点温度也是不能否定的。只要把80年代以来,台湾学者有关这些思潮的著作纷纷问世,即足以说明各方关注的程度。据不完全统计,出版的此类著作,有:

哈伯玛斯	李英明著	东大图书公司	1986 年
科西与西方马克思主义	陈墇津著	森大图书公司	1987 年
新马克思主义和现代社会科学	洪镰德著	森大图书公司	1988 年
超越新马克思主义	冯沪祥著	嵩山出版社	1988 年
新马克思主义引论	高宣扬著	洞山出版社	1989 年
新马克思主义思潮	李超宗著	桂冠图书公司	1989 年
西方马克思主义论文集	洪镰德著	森大图书公司	1990 年
霍克海默与阿尔多诺文化工业批判	洪翠娥著	唐山出版社	1991 年
卢卡奇及其哲学思想	刘昌元著	联经出版公司	1991 年
马库色—马库色及其批判理论	史文鸿著	东大图书公司	1991 年
从"新马"到韦伯	丁学良著	联经出版公司	1991 年
新马克思主义与当代理论结构群	姜新立著	远流出版社	1993 年
弗洛姆人道主义精神分析学	王元明著	远流出版社	1990 年
马克思理论的诠释	闫啸平著	桂冠图书公司	1990 年

---

① 洪镰德:《新马克思主义和现代社会科学》,第202—203页,东大图书公司,1988年。

哈伯玛斯对历史唯物论的重建	罗晓南著	远流出版社	1993 年
批判理论与现代社会学	黄瑞祺著	巨流图书公司	1985 年
论马克思的历史哲学	王章陵著	幼狮出版社	1985 年
马克思	洪镰德著	东大图书公司	2000 年
人的解放—21 世纪马克思学说新探	洪镰德著	杨智文化公司	2000 年

要指出的是,在这些著作中,除个别由于受到台湾当局高压政策的影响,仍然染有浓烈的政治化色彩外,绝大多数的作者在传播时都采取了客观的态度。

例如,史文鸿的《马库色—马库色及其批判理论》一书①,就是一个很好的证明。在这本书中,作者认为,研究马尔库塞的思想,是认识批判理论的重要途经之一。而要了解他的思想,又一定"要透过分析他的著作来解释他的心路历程及思想的意义"②,才有可能。因此,根据这一思路,书中对马尔库塞思想发展过程中有代表性的著作进行了解释,以此阐明了他的批判理论。

其中,在阐述马氏成熟时期的著作时,认为他虽然早在 40 年代有《理性与革命》一书的出版,但值得重视的却是 1955 年《爱欲与文明—对弗洛伊德的哲学探究》与 1964 年《一维空间的人》等专著的问世。前者要回答的问题是:"如何解释历史不同阶段中的社会和物质条件的限制? 禁制在这些境况下如何出现及怎样出现? 这些客观条件如何改变? 解放如何可能? 乌托邦的目的或整体幸福又会是些什么?"③为了找到马尔库塞对这些问题的答案,作者在书中通过"弗洛伊德的社会心理范畴和批判

---

① 马库色,Marcuse,大陆学者一般译为马尔库塞。

② 史文鸿:《马库色——马库色及其批判理论》,第 4 页,东大图书公司,1991 年。

③ 同上书,第 106 页。

理论的文化范畴”、“个人的及文化的禁制史”、“文明的辩证”、“哲学史上的爱欲”、“既定现实原则的历史限制和突破”与“爱欲的社会意义”等内容的分析,认为“它能把弗洛伊德的‘社会心理’的观点,放在历史及哲学的层面来看,使我们了解到希腊文明,经柏拉图及亚里士多德到康德、席勒、黑格尔及弗氏,都是一脉相承的。他们都关心理性、幸福及社会价值的实现问题。”①又指出,更通过他对弗洛伊德心理学分析的解释,赋予了文明发展一套社会心理的解释,使马克思主义对政治经济学的批判,可结合在社会和文化价值的领域之上”②。由此可见,这本书“把哲学思想带到社会科学最新发展里,使人类对社会的研究,可以表现出它的精神”③。因此,《爱欲与文明》不但成为马尔库塞社会理论的基础,而且从它的综合能力以及对文明发展解释的广度或深度,“都超出了当时文化哲学的成就,至今还是文化哲学理论中的佼佼者”④。

不过,作者认为,比较起来,“《一维空间的人》可以算是马库色在社会批判中,最受人注意及讲论的著作”⑤。在这本书中,他要解决的问题是:人类的物质文明已经发展到了一个极高的阶段,从理论上讲,它的生产水平能够满足一切人的基本需要,本来可以使历史上产生的压迫现象消失。然而现实并非如此。例如,“第三世界仍有饥荒,世界上战争频仍,即使在发展了的西方国家,仍

---

① 史文鸿:《马库色——马库色及其批判理论》,第158页,东大图书公司,1991年。
② 同上。
③ 同上书,第159页。
④ 同上。
⑤ 同上书,第161页。

然有贫困及高度的社会不平等"①。这是为什么？作者指出，马尔库塞在探讨这个问题时，"我们不能不承认一个事实，就是马库色对晚期资本主义的发展，的确具有先知先觉的敏锐察觉力"②。因为当《一维空间的人》出版时，美国在世界政治舞台上还处于霸主的地位，而他在这人人相信美国是"自由的使者"的年代，却通过这本书开展了对美国社会不理性和不自由的批判，揭露了美国当权者采用新的方式进行统治，使美国成了一维空间的社会，使生活在这个社会中的人只有一维空间的思想。

　　这些就是在这两本著作中考察晚期资本主义后对上述问题的回答。书中通过前述观点的提出，的确唤醒了不少人。不过，马尔库塞的批判理论，并不像马克思主义那样，乐观地相信及预期无产阶级解放的一天，或共产主义的来临，以取替正在崩溃的资本主义，"相反，马库色……并不相信乌托邦一定会来临，他们相信人类社会面对一种抉择——理性或野蛮主义（barbarism），人类要为整体的命运及幸福而努力，否则人类社会只会走向毁灭"③。因此，当这本书出版后在思想界很快引起了广泛的讨论。而且，在这样剖析了马尔库塞的著作后，作者还有对其批判理论的概括。他写道：一方面，"它是一套涵盖很广泛的理论，由反省历史及社会发展理论、意识形态的批判，到新的价值观的建立。另一方面，找到马库色批判理论的独特之处，他丰富的艺术及哲学背景知识，使他的理论带有强烈的哲学反省及批判的能力"④。

---

①　史文鸿：《马库色——马库色及其批判理论》，第 161 页，东大图书公司，1991 年。

②　同上。

③　同上书，第 176 页。

④　同上书，第 179 页。

总之,无论前面对马尔库塞著作的分析,还是最后对其批判理论的概括,都相当客观地把马尔库塞批判理论的基本面貌陈述出来了。虽然在理论上,作者并没有提出多少较有价值的观点,但这本著作对于读者客观地理解与接受马尔库塞的学说,是有帮助的。

八、洪镰德展示新马克思主义的理论观点

在引介新马克思主义的著作中,洪镰德的《新马克思主义和现代社会科学》一书,虽是一本论文集,但书中客观地展示新马克思主义的理论观点,给人深刻的印象。

在这本书中,作者引证了一些学者对"新马"的看法,以此回答"新马克思主义究竟是什么东西?"其中,大陆学者徐崇温的看法是:"西方所谓的'新马',既包括'西马'又包括苏共20大之后,在东欧意识形态领域中出现的一些'异端'理论"①。不过,在他看来,"西马"与"新马"又是有区别的。"西马"讨论的对象,主要是西方发达资本主义社会的种种弊端,而"新马"诸派则不仅批判现代西方资本主义社会的意识形态与现状,而且连同东欧社会主义国家异化、理论与实践脱节以及人道主义问题,也都在剖析与攻评之内。然后,书中使用大量篇幅阐明了新马克思主义的理论观点。

首先,在第3章"新马克思主义和当代社会科学的互动"中,从总体上论述了新马克思主义对当代社会科学的贡献,认为"在当代社会科学中处处都可以发现马克思的幽灵浮现"②。作者指

---

① 洪镰德:《新马克思主义和现代社会科学》,第3页,森大图书公司,1988年。

② 同上书,第38页。

出,虽然新马克思主义在理论研究中有把它意识形态化的倾向,"但比起资产阶级社会学的囿于经验、限于事实、单向度而缺乏历史卓识来,的确大有借鉴处。在这一意义下,新马克思主义与西方社会科学的辩证互动,固然有助于吾人对社会与历史的理解,也有助于公平合理的社会之建立"①。

其次,在第 7、8、9、10、11、12 各章中,分别阐述了新马克思主义关于历史学、地理学、社会学、人类学、政治经济学与国家论的观点。这是书中作者颇下工夫的地方。例如在介绍历史学观点时,不仅对英美法东欧学者霍布邦、汤普森、葛诺维士、列费伏尔等人的历史观的形成及其内容进行了叙述,而且还在分析基础上作出的概括。他写道,"一般而言,新马克思主义丰富了历史研究的内涵,它抬高研究者对社会和经济因素的意识,也引发他们对历史发展何去何从的关怀。霍布邦和葛诺维士曾公开指摘庸俗马克思主义者以狭隘的经济观点来解释历史。他们虽不同意列宁要求学者具有'党的思想'(partinosti),却鼓舞历史学家对政治要积极介入参与。他们认为马克思学派史学家的特征为对历史上发生的重大社会事件和政治事件,怀有深切的感受,而力求理解"②。

同样,对其他各个学科的理论观点也这样进行了阐述,从而把新马克思主义的理论主张全面地展示出来了。而且,在阐明这些理论观点时,作者不是把它们孤立起来,而是把它们放在与此有关的理论探索过程中进行分析与评论。例如,对总体观点的评述,首先考察了传统马克思主义在社会科学观点的出发点,认为它一开

---

①　洪镰德:《新马克思主义和现代社会科学》,第 38 页,森大图书公司,1988年。

②　同上书,第 103 页。

始就与资产阶级的社会科学处于对立的地位。所以,在其从事社会科学研究时,它遵循"辩证的、宏观的、唯物的(以经济因素为主的)、历史的、批判的、实践的研究原则"①。接着,又阐明了资产阶级学者对它的反驳,以及西方马克思主义对于苏联社会主义模式造成马克思主义教条化,社会科学沦为政权意识形态的批评。最后,作者才指出,新马克思主义就是在这种形势下,"一方面吸收了资产阶级先进的哲学与社会科学的养分,另一方面回应了后者的挑战"②,在与当代社会科学开展辩证性互动的过程中,才提出和形成了自己的社会科学观。因此,"从这个角度来看,资产阶级蓬勃发展的社会科学学说对新马克思主义也有一定的冲击"③。通过这样的论述,在一定程度把它与资产阶级的社会科学区别开来的基础上,还进一步使新马克思主义的理论观点更为清晰地呈现出来。这是作者在这本书中取得成功的地方。

九、哈贝马斯重建历史唯物论引发的争论

历史唯物论是马克思的两大发现之一。无论从理论上还是实践上说,它在马克思主义学说中都具有举足轻重的地位。因此,它"始终是受人瞩目的论题,不仅在政治现实中是如此,而且在学术界也是一样"④。马克思主义在台湾的传播过程中,围绕哈贝马斯重建历史唯物论引起两岸学者之间的论争,是一个生动

---

① 洪镰德:《新马克思义和现代社会科学》,第23页,森大图书公司,1988年。
② 同上书,第28页。
③ 同上。
④ 罗晓南:《哈伯玛斯对历史唯物论的重建》,第14页,远流出版公司,1993年。

的体现。

对此,要从台湾青年学者罗晓南写的《哈伯玛斯对历史唯物论的重建》一书说起①。在这本书中,作者首先阐明了哈贝马斯重建历史唯物论的缘由与目的。认为这一"重建"的发生,一方面是由于历史唯物论因其理论上的经济决定论引起了危机,以及它在社会实践中遭到了失败,另一方面是西方资本主义进入发达时期,使社会关系发生了许多变化。这是"重建"历史唯物论的起点,也是"重建"历史唯物论的"进路"。即为了使历史唯物论从过度僵化的框架中解放出来,改而采用经济和人本主义决定论这种较具弹性的说法,以便使"危机"得到消弥和缓和,"就有必要回到马克思的原典对它作重新理解、重新诠释"②。可见,哈氏对历史唯物论的"重建","其旨趣并不在'复原'或'复兴'马克思主义……换言之,他并不以回到原典为满足,他的'重建'还涉及对马克思原先论点的批判与修正。之所以如此,是因为在他看来,'正统'马克思主义的化约论调在马克思自己的论说中亦有其根源,也因此,他摒弃对马克思原典所采取的教条主义的态度,转向采取一种较实用的策略"③。作者指出,这是对待马克思主义的一种反省的态度,它的"特点还在于能够凸显'尊重理性'及'迈向个性解放'这两项价值"④。罗晓南认为,"这两项价值,不仅为马克思主义的创始者所欲追求而未得,它们也是当代所正视而予肯定的价值,哈伯玛斯重建历史唯物论的新进路既然同时体现这两项价值,自然值

---

① 哈伯玛斯,Habermas,大陆学者一般译为哈贝马斯。
② 罗晓南:《哈伯玛斯对历史唯物论的重建》,第24页,远流出版公司,1993年。
③ 同上书,第25页。
④ 同上书,第27—28页。

得我们深入加以研究"①。

其次,论述了哈贝马斯重建历史唯物论的具体内容。具体说来,作者以对马克思的《政治经济学批判》的诠释成果为依据,分别从概念、方法与典范三个层次上重建了历史唯物论。其中在概念的层次上,哈贝马斯的重建理论中关于生产力、生产关系、阶级、阶级斗争及宰制等概念,不但与马克思本人的理解不同,而且他还提出了"劳动"与"互助"两个新概念,认为前面的那些概念都是这两个概念衍生出来的。作者指出,这对重建理论的定位具有极其深刻的意义。

最后,评价了哈贝马斯重建历史唯物论的意义。在总结哈氏"重建"历史唯物论的内容后,作者认为,这是对马克思历史唯物论的超越。他写道,"这种超越,一方面表现在概念重新理解的层次,而另方面则表现在方法论的转折,而最终言之,则可归结为'沟通典范'的引进"②。这表明,它"已经超越了马克思原先的理论框架"③。由此作者肯定了哈贝马斯"重建"的意义,指出他"的重建工作可以说已为现代人提供了重要的解决参考"④。

值得提出的是,作者在书中还以他阐明的上述哈贝马斯重建的历史唯物论为依据,对大陆学者有关历史唯物论的观点开展了批判。他认为,不论在哪个角度上,都说明大陆"目前对历史唯物论的提法仍脱不了'经济决定论'的窠臼"⑤,甚至指出,"如果只

---

① 罗晓南:《哈伯玛斯对历史唯物论的重建》,第 28 页,远流出版公司,1993年。

② 同上书,第 230 页。

③ 同上书,第 287 页。

④ 同上书,第 290 页。

⑤ 同上书,第 313 页。

是用'经济决定论'一词来概括它,并不足以点出它的特色,严格言之,它已经十足的反映了'生产力决定论'或'唯生产力论'的典型"①。在他看来,这种"生产力决定论"与正统的"经济决定论",既有相通之处,亦有相异之点。因此,他不但主张对它进行批判,而且还表示,要对大陆学者徐崇温对哈贝马斯重建历史唯物论的批评做出回应。

不过,这项工作在罗晓南那里,只是一个动议罢了,真正作出了回应的是东海大学的陈荣灼先生。他在为罗晓南这本书写的"序"中,一方面就重建的原因与重建的内容为哈贝马斯进行了辩护,宣称"徐崇温之反对哈伯玛斯关于历史唯物论的重建,是在于要维护'生产典范'的合法性"②。在这里,没有必要评价论争双方的是与非,只是要指出在研究马克思历史唯物论的过程中,不能说大陆学者关于历史唯物论的观点都是完全正确的,其中没有值得进一步探讨的地方;也不能说台湾学者对历史唯物论的看法是完全错误的,其中没有启迪的方面。但是,只要有了这种理论探讨,不仅可以促进两岸学者之间的相互了解,通过这种讨论或争论,像陈荣灼所言,可以把这种争论提升到一个新的理论水平来理解与分析,这对于促进两岸学术水平的提高,也是十分必要的。所以,对于围绕哈贝马斯重建历史唯物论开展的讨论,我们认为,这是一种好现象,应该积极加以提倡。

---

① 罗晓南:《哈伯玛斯对历史唯物论的重建》,第 313 页,远流出版公司,1993 年。

② 陈荣灼:《哈伯玛斯对历史唯物论的重建》"陈序",第 6 页,远流出版公司,1993 年。

十、林正弘与分析哲学在台湾的传播

20世纪五六十年代,分析哲学在台湾是一个被监控的学术领域。80年代后,随着台湾社会多元化趋势的发展,使学者们对它的研究能在相对自由的气氛中开展起来。尤其因为殷海光的几位继承者,从西方国家学成回来后,更是加强了分析哲学研究的力量。在他们的推动下,先后在台大、清华、中正等高校开出了一系列有关分析哲学的课程。并且,为了促进台湾与西方分析哲学界的学术交流,于1992年创办了一个 *Philosophy and the History of Science:A Tai Wanese Juornal* 的哲学期刊。此外,通过中大哲学系、中研院欧美所与中山人文社会科学所的努力,还邀请了国外不少学者前来参加研讨会。通过这些活动的开展,发表了不少论文,出版了一批著作,还涌现了几位有影响的学者。

在这些学者中,首先要提到的是林正弘。殷海光逝世后,分析哲学在台湾的传播,与他的推动作用是分不开的。

林正弘,台湾大学法律系毕业后赴美国加州大学柏克莱分校深造,取得博士学位。现为台湾大学哲学系教授。他是分析哲学在当代台湾传播过程中的重要代表人物之一。主要表现在他研究分析哲学出版的三本著作。其中《逻辑》一书是现在台湾高校中通用的标准教科书;《伽利略·波柏·科学哲学》,为科学哲学教材。它以西方自伽利略以来确立的实验研究法作为主题从哲学上作出解释,成为台湾哲学界引进西方科学哲学的重要标志之一;《知识·逻辑·科学哲学》,把60年代至70年代英美所关注的"知识之充分条件"这一中心问题引入台湾。直到现在为止,这本书仍然是台湾地区哲学系所学习现代西方知识论与科学哲学不可

缺少的基本参考书。

　　这里,扼要地介绍一下上述三本书的最后一本。据作者自述,这本书是他发表有关知识论、逻辑与科学哲学的四篇论文,收集起来出版的一个论文集。其中第一篇,《知识与合理的真实信念》,讨论的问题是:知识是否等于合理的真实信念? 这是近二三十年来知识论的热门问题。该文只作了初步的分析,作者希望以后有机会对有关的知识论问题再做进一步的探讨。第二篇《逻辑悖论与公设集合论》,集中对各公设集合论系统解消逻辑悖论的方法进行了简略的说明与比较。第三篇和第四篇,介绍了两种消除抽象概念(或理论性词)的方法,并讨论了这些消除法与科学工具论之间的关系。这是西方科学哲学中的问题。其中第三篇《瑞姆济的理论性概念消除法》,主要指出了瑞姆济的消除法无法用来支持科学工具论。第四篇《克雷格定理及其在科学哲学上的应用》,收入该书出版时与前面各篇的情况有些不同。这些文章中的一部分,曾以相同的题目刊登在台湾大学《哲学杂志》第四期(1981 年 1 月)上。当时,作者相信,克雷格的理论性词消除法有助于科学工具论的建立。因此,文中一方面反驳了许多哲学家对克雷格方法的批评,另一方面指出了一条联系克雷格定理与科学工具论之间的线索。但是,对于两者之间的关联未详细讨论。因此,在这篇文章刊出后,作者即感到不够满意。

　　原因在于:"科学理论乃是由科学定律所构成的,其主要功能在说明或推测单独事象的发生。科学理论往往含有普遍性极高的定律,而必须使用一些非常抽象的概念,诸如:引力、质量、电子等概念。这些概念所指的事物或性质不是用我们的感觉器官可以直接知觉到的。这类概念叫做'理论性概念',表达这类概念的词叫做'理论性词'"①。在科学中有关理性概念的问题,常常引起争论。争论中最多的问题是:第一,科学理论是否真的需要理论性概念? 第二,理论性词的所指物是否实有其物? 作者指出,"科学哲学家在讨论上面两个问题时,常常会提到克雷格定理。有些哲学家认为克雷格定理有助于上述问题的解决;另外有些哲学家则持相反意见,认为该定理与上述问题并无多大关联"②。为此,作者在详细考察该定理的细节基础上,探讨了这个定理与上述问题之间的关联。这就是原先他发表在《哲学杂志》上的那篇文章。由于他感到对于克雷格定理与这些问题之间的关联并没有阐述清楚,因此他决定对这个问题继续进行探讨。

经过一两年的艰苦研究,作者发现克雷格的消除法有一个重大缺陷,即一个科学理论使用克雷格方法消除了理论性词之后,有可能丧失其原有的说明功能。作者认为,这一缺陷似乎是向来讨论克雷格方法的哲学家所忽略的。于是,作者一方面汇集有关科学说明的论著,从各方面探讨克雷格的消除法与说明功能之间的关系,另一方面开始修改原文,并在这个基础上充实内容写成新的文章。后来,收集在这本书中的第四篇论文,就是这样经过充分研究后写出来的作品。如果把它和原来的那篇文章进行比较,虽然原文前面的四节没有变动,但第五节却有大幅度的修改,第六节则完全被删除,而新的第六节到第八节更是原文中所没有的。在这几节中,作者通过"可观察词与理论性词之区分"、"克雷格的理论词消除法与归纳法"、"克雷格方法与科学理论的说明功能"以及"克雷格定理与科学工具"等论题的阐述,对克雷格定理及其在解

①　林正弘:《知识·逻辑·科学哲学》,第73页,东大图书公司,1985年。
②　同上书,第71页。

决科学理论中的作用提出了新的观点。认为克雷格消除法无助科学工具论的建立,换句话说,它无法用来否认抽象体的存在。而且,经过修改后的这几部分,根据充分,论述深入,内容显得更为充实。

通过上述三本著作的简要介绍,用台湾学者的话来说,足以说明西方分析哲学在台湾的传播过程中,林正弘的工作具有全面起步与精审化的作用①。

十一、何秀煌对分析哲学的具体分析

在传播分析哲学方面,何秀煌也是重要的一位。

何秀煌(1938—　),台湾宜兰人。台湾大学哲学系硕士,美国密西根大学哲学博士。曾任教于美国加州州立大学。现为香港中文大学哲学系教授。主要著作有:《思想方法导论》、《现代社会与现代人》、《哲学智慧的寻求》、《哲学的智慧与历史的聪明》与《人性·记号与文明——语言·逻辑与记号世界》等,译著有《知识论》与《语言的哲学》等。通过这些著作,在台湾地区相当全面地介绍了分析哲学思潮中关于认识论与方法论的理论。这里,只是分析一下他的《人性·记号与文明——语言、逻辑与记号世界》一书,以此透视作者研究分析哲学的特点。

这是何秀煌1992年由东大图书公司出版的一本论文集。作者在"前言"中透露,这是他近10年来从事分析哲学研究取得的部分成果。其中有一篇文章是专门讨论分析哲学的,即"《哲学何处去:分析哲学的热潮过后——兼评王浩〈分析哲学之外〉》",篇幅

---

① 转引自台湾《哲学杂志》主编王浩仁先生1999年8月8日给本书作者的信。

虽然不长,却高度概括,不但分析了分析哲学在哲学上取得成就与陷入困境的原因和表现,指出了它为 21 世纪人类未来哲学发展可能作出的贡献。其中,值得重视的是他对分析哲学的评述,坚持了具体分析的态度。何秀煌是一位研究分析哲学有一定学术造诣的学者,受到分析哲学的影响是毫不怀疑的。但是,从其评述分析哲学的过程中可以看到,他基本上打破了分析哲学理论框架的束缚,能够站在自由主义立场上考察与评价它的成就与缺失。

例如,他对分析哲学陷入困境与表现的分析。何秀煌认为,20世纪是科学的时代。本来,科学事业是人类心灵活动与精神追求的结晶。可是一方面,由于"它能发展机械,带动技术,留给平常人无限实用的感觉,一时科学的追求几乎变成人类文化的最高形态,科学的知识与认识差不多成了人类知识和认识的典范和榜样。在这样的心态之下,不足为奇地形成人们一种过分信仰科学的态度,甚至进一步演成科学万能的错觉,以为科学能够解决人类的所有问题,而且只有科学的解决才是真正而且是最后的解决"①。何秀煌指出,由于这样过分信奉科学,进而认为哲学也应该像科学一样,以为必需的知识就是像数学或逻辑那样精确严密的系统构建,然而数学和逻辑只是基于概念演绎的结果,其中不曾含有经验的内容。这样一来,即使哲学建构有成,对于人生又有什么价值呢?正是因为这种误解与想法,就把分析哲学的发展推进了狭隘的胡同里。另一方面,由于把科学的发展与成就归功于它使用的方法,而把科学的方法,又简单地直接等同于实证主义方法,并从这里出发进一步推论,宣称"只有使用这种方法才有可望获取真知灼见

---

① 何秀煌:《人性·记号与文明——语言·逻辑与记号世界》,第100页,东大图书公司,1992年。

以及一切有益文明发展的知识。于是在哲学上也提倡这种实证的方法"①。这样一来,实证主义的概念、语意、语言与逻辑分析,便大行其道。特别是日常语言学派流行后,宣扬过去哲学上的一切疑难与迷惑,都是因为哲学误用语言的缘故,认为只有回到自然语言的用法上来,哲学中的迷津便一点即破,从而使分析哲学沦为语言病理学,却远离了人生的关怀。

又如,他对分析哲学在 20 世纪西方哲学中的总体评价。在这个论题上,何秀煌一方面认为,分析哲学作为一种狭隘的哲学论旨,从其正面所探讨的问题来说,"它的许多努力都趋于失败。比如,早期逻辑实证论者所寻求的'经验意念判证'(认识意义判准)无法建立起来,科学和形上学之间的区分无法明确标定,现象主义与化约主义沦为失败,形式分析(语法分析)无法兼容语意层次或语用层面,科学理论的结论无法准确标定,科学说明的逻辑也复杂得难以捉摸等等"②。所以,何秀煌指出,"分析哲学在整个人类文化传统中的地位已经显得愈来愈捉襟见肘了"③。

然而另一方面,他又认为,如果采取另外一个角度,把它看作是一种哲学训练,甚至把它当作是一种哲学方法,那么,分析哲学在西方哲学发展过程中的正面贡献,就必须加以肯定。一个表现是,"由于逻辑实论证者重视逻辑分析,影响所及,逻辑的研究与讨论成了 20 世纪(至少中叶左右)哲学界的普遍兴趣。这种逻辑的研讨不但促进了种种逻辑系统的建构,更重要的是它导致后设理论的研究以及系统基础的研究。这类研究令我们对于建构理论

---

① 何秀煌:《人性·记号与文明——语言·逻辑与记号世界》,第 100 页,东大图书公司,1992 年。
② 同上书,第 104 页。
③ 同上书,第 100 页。

所牵涉到的方法论问题加深加强了认识:比如概念形成问题,理论的一贯性与完全性问题,理论与理论之间的比较与化约问题等等"①。正是基于这些问题的研究及其成果,不但使20世纪方法论的探讨进展到了历史的高峰,而且因为方法论研究的自觉,还促进"人类的智性成果愈来愈成熟和健康"②。另一个表现是,"对于语言的哲理研究"③。何秀煌认为,不论逻辑实证主义,牛津哲学,还是较早的罗素哲学与穆尔哲学,都以不同的方式,不同的角度和不同的层面对语言问题进行了哲学探讨。正是由于它们的研究,"不但增进我们对记号学的一般了解(包括语用学、语言学和语法学的基本知识),更值得注意的是,它带来我们对人类语言行为的深层认识。这类的深层认识将是日后开拓人性论(包括人类理性论与人类感性论)的重要通道"④。

　　通过这两个例子,反映了作者对分析哲学的评价及其发展趋势的看法。它们都是何秀煌对分析哲学进行具体分析后提出来的,具有较强的说服力。这是作者在这本书中研究与传播分析哲学的特点。从中可以看到,何秀煌为此付出的劳动及其把握分析哲学的深度。就是在这个基础上,他不但在具体分析的过程中还有对分析哲学的概括,而且经过选择,吸取了分析哲学的某些成分,以记号为中心,连结人类的心灵与文明,以此建构了他的人性演化论。

---

① 何秀煌:《人性·记号与文明——语言·逻辑与记号世界》,第104—105页,东大图书公司,1992年。
② 同上书,第105页。
③ 同上。
④ 同上。

十二、刘福增等对维特根斯坦哲学的引介

在引介著名分析哲学家的成果中,首先是有关维特根斯坦的著作。在这一方面,先后有陈荣波的《科学的分析天才——维根斯坦》(允晨文化公司,1982 年)、刘福增的《维根斯坦哲学,他的前期哲学的诠释、批判和研究》(自费出版,1987 年)与范光棣的《维根斯坦——哲学家的哲学家》(东大图书公司,1994 年)问世①。虽然它们都是初步介绍的作品,但在阐述维特根斯哲学时,也有一些值得重视的地方。

例如台湾大学刘福增教授的著作。这是作者研究维特根斯坦哲学的论文集。它由两部分构成,前面 10 篇文章是刘福增的研究心得,后面 4 篇附录,是译出的维氏的对话与作者参加第 9 届国际维特根斯坦学术会议的追记。在内容上,主要是通过分析维特根斯坦的《逻辑哲学论》,来探讨维氏的早期思想。其中作者提出的几个观点,值得重视。

第一,在《维特根斯坦〈论说〉语言理论中的两个语言》②、《维特根斯坦〈论说〉中的记号语言》与《一个还是两个维特根斯坦?》三篇文章中,作者认为,在《逻辑哲学论》一书中,维特根斯坦实际上论述了三种语言。一种是人们的日常生活语言,另一种是记号语言,它相当于一种人工语言,还有一种是形上学语言。不过,他还指出,该书最重要的,也是维特根斯坦所着力研究的,却是形上学语言。然而在维氏哲学的研究中,甚至维特根

---

① 维根斯坦,L. Wittgenstein,大陆学者一般译为维特根斯坦。

② Logisch-philosophische Abhandoung,台湾学者译为《论说》或《逻辑哲学简论》,大陆学者一般译为《逻辑哲学论》。

斯坦本人，并不清楚存在着这几种语言的区分，因此出现了不少混乱与争论。作者指出，如果明白了这些区别，将有助于更好地理解维特根斯坦的语言哲学理论。比如，关于"命题是基本命题的真价函项"，图像论是否适用于复合命题等问题，都只有在懂得了《逻辑哲学论》中的语言理论是以形上学语言为对象这一点之后才能获得圆满的解决。

第二，在这些文章中，对罗素误解《逻辑哲学论》主旨的原因，作者作出了自己的解释。他认为，罗素在为该书写的"导言"中说，维特根斯坦的这本书要处理的问题之一，是要寻找一个逻辑上完善语言所应满足的条件。就该书讨论的语言确实不是日常语言而言，这是对的。因此，引起了维氏对罗素"导言"的不满，不愿让它刊登在他的这本书首。

第三，在学术界对维氏哲学的研究中，关于维特根斯坦前后期提出的理论是不是两种截然不同的理论，他的后期思想是不是在否定和驳斥他的前期主张，是一直存在争论的。作者认为，维特根斯坦的前期和后期，并没有提出两种不同的甚至相反的理论主张。他在《逻辑哲学论》中，论究的是形上学语言，而在《哲学研究》中论究的则是日常语言。所以，只能说，维特根斯坦只有一个，但这同一个人却对最抽象的语言和最实际的语言提出了一种最深刻的哲学见解。

第四，还就《逻辑哲学论》一书中若干重要论题，阐明了作者的独到看法。比如，在论及"基本命题"时，他否定了波普关于基本命题就是观察陈述的主张。又如，作者还有根据的提出，以"可能世界"这个概念来代替"实在"概念，可以解决波契尔提出的理解该书的一个难题，即：世界究竟是由肯定事实构成的，还是既由肯定事实又由否定事实构成的？维特根斯坦在书中的观点是，推演规则在辩护推理时是无意义的和多余的,而作者在论证后提出的主张则是,推演规则是必不可少的,维特根斯坦在书中认为逻辑命题什么也没有说,而作者对此提出了挑战,认为他利用了"可能世界"概念论证的逻辑命题是说了一些东西的。

十三、高宣扬等对罗素哲学的引介

在罗素哲学传播上,台湾学者译出了罗素的一些原著,还由刘福增主编出版了一套罗素论著汇编,如《罗素论权威与个体》、《罗素论社会主义与自由主义》、《罗素论世界的新希望》、《罗素论战争伦理学》、《罗素论社会哲学》与《罗素论哲学与政治》等。学者撰写的著作,只有郑实的《罗素》与高宣扬的《罗素哲学概论》,都是传播起步时的启蒙性读物。这里介绍一下后者。

该书先于 1983 年在香港问世,后于 1991 年在台湾再版。这是作者为初学罗素哲学的年轻人写的"概论"性的书。其中对罗素哲学前后发生变化作出的解释,对于人们正确认识罗素哲学具有一定的意义。高宣扬写道:"罗素的哲学体系,不论就其内容和成分以及各成分间的比例和结构来说,也不论就其方法而言,都不断发生变化。有人因此指责罗素没有一贯性,指责罗素缺乏理论原则方面的坚定性"①。

为了回应这些指责,作者首先阐明了罗素哲学前后发生变化的原因。在他看来,所以如此,一是有深刻的社会历史根源,即"在罗素所生活的近一个世纪中,整个世界也像英国一样发生了急剧的变化。罗素不仅经受了两次世界大战的考验,亲自看到了世界的政治、经济和社会生活方面的变迁,也观察到了人类在文

---

① 高宣扬:《罗素哲学概论》"序言",第 5 页,香港天地图书公司,1982 年。

化、科学技术和哲学思想方面的发展和变化过程"①。这说明,是罗素经历的这些丰富而复杂的生活经验,在客观上推动着罗素在哲学上创立、发展以及不断修正自己的哲学体系。二是罗素本人"在一生中始终都保持着敏锐的观察力,永不满足的求知欲以及严谨的思维习惯"②。正是这些优良品质使他能坚持不懈地追求科学真理,并一步一步地获得成功。这是使他"成为一个杰出的哲学家的决定性因素"③。

在这些主客观条件下,作者指出,罗素毕生追求的目标是:"为建立以科学真理为基础的哲学和以对全人类命运的善意同情为基础的社会政治伦理思想而奋斗。"④罗素的哲学体系就是他追求上述两大目标的体现。不过,由于罗素哲学的不断演变和发展,体现这两大目标的因素也出现过引人注目的戏剧性变化。简单说来,在罗素哲学的最初发展阶级,他的重点在于探求一种能够用精确的方法进行证明的所谓"科学的真理"。这便是他以数学证明为基础的逻辑原子论哲学。后来,随着生活经历的丰富和他的哲学逐步成熟,社会伦理的因素不断地扩大。罗素越到老年,越用更多的时间投身于人类的正义事业。最后,他得出了这样的结论:"哲学应该为正义事业服务"⑤。正是在这个原则指导下,他不断地修正自己的哲学原则,改正错误的成分,增厚正确的因素。

对此,作者指出,罗素哲学的这种变化,"是在追求真理和正

①　高宣扬:《罗素哲学概论》"序言",第1—2页,香港天地图书公司,1982年。

②　同上书,第2页。

③　同上。

④　同上。

⑤　同上书,第4页。

义的宗旨下改变自己的哲学原则的。因此,这种变化并不是罗素毫无主见的表现,而恰恰是他富有创造性和主动性的表现。同时,由于这种改变是罗素根据时局和认识的发展而进行的深思熟虑的结果,所以,这种改变是有严格的逻辑性的,是前后一贯的"①。如果对这种变化进一步加以分析,那么还可以从中看到:"在罗素一生中所经历的各个不同阶段之间,在他的思想发展的不同阶段之间,存在着一条令人信服的和富有生命力的原则。这一原则是罗素哲学的灵魂,这就是他所说的对真理和正义的追求。在这个意义上说,罗素哲学的不同形态是他的追求真理和正义的历程中不同发展阶段"②。这些分析与看法是有根据的,是有说服力的。对于读者从整体上理解与接受罗素的哲学学说,是有帮助的。

可惜的是,作者在阐明罗素的哲学观点时,虽然使用了不少篇幅,举出了不少例子,希望以较为通俗的方式表达出来,但是缺乏充分的分析与必要的归纳。因此,从这样的阐述中,读者对罗素的哲学观点是难以获得清晰的印象的。

十四、杨士毅等对怀特海哲学的引介

引介怀特海哲学的作品,有朱建民的《现代形而上学的祭酒——怀德海》(允晨文化公司,1982 年)、杨士毅的《怀德海哲学》(东大图书公司,1987 年)与陈在德的《怀德海》(东大图书公司,1994 年)③。其中朱建民(1952—　)说,他写这本书的目的,"只在于介绍怀德海这个人与他的思想"④。因此,书中除用了一

---

① 高宣扬:《罗素哲学概论》"序言",第 5 页,香港天地图书公司,1982 年。
② 同上。
③ 怀德海,A. N. Whitehead,大陆学者一般译为怀特海。
④ 朱建民:《现代形上学的祭酒——怀德海》,第 36 页,允晨文化公司,1982 年。

章阐明了怀特海的生平、著作、人格风范与哲学活动外，其余四章分别介绍了怀特海的科学哲学、形上学、文化哲学的观点及其思想的影响。虽然用深入浅出的语言大体上把怀特海哲学的基本面貌展示出来了，可惜的是该下工夫阐述的怀特海的科学哲学思想一章，显得过于薄弱了一些。在这一点上，后来问世的杨士毅的《怀德海哲学》一书，得到了一定程度的补救。

杨士毅(1943—)，早在台湾大学哲学系念硕士班时，他的硕士论文《怀德海事件概念探讨》，即开始研究怀特海哲学。后来，在这个基础上进一步钻研，撰成《怀德海哲学》一书。

在这本书中，第一章"时代问题的起源、解决方式与存在原理"，追述了怀特海生活的时代在科学与哲学中出现的新问题，阐明了怀特海关于实际事物理论的起源，以及他的形上学三大原理之一的存有原理。在这里，作者把怀氏建构形上学体系的方法称之为"合理想像的普遍化"，认为他正是使用这个方法才把"一切事物都在流动"作为其过程哲学的基础。第二章"历程"，诠释了"实际事物"作为过程的含义，认为"实际事物"就是"任何具体存在的任一刹那的活动历程及其作用"。在这样解释的过程中，还描述了这种活动历程的普遍形式结构，并以此为基础论述了怀特海关于价值、因果关系的观点。第三章"社会"，从怀特海的"集结"(nexus)这个特定概念出发论述了社会的基本意义，讨论了社会的等级结构，找出了把社会区分高级的与低级的决定性因素，并在形上学意义上为民主社会提供理论基础的同时，还从起源、结构、活动三个方面论证了民主社会是最高级形式的社会理论。第四章"上帝—伟大神圣的实际事物"，根据怀特海关于上帝的"先进性、后得性、超主体性"概念，并联系他的存在原理，论证了其哲学体系中上帝的必然存在，阐释了其中可能蕴涵的各种神明理论与解决信仰纷争的方法。最后根据怀特海的思想论述了人在宇宙中的地位、人性与道德问题。从作者在这本书中论述的这些内容考察，相对说来，突出了怀特海哲学思想的篇幅，这是台湾学者在引介怀特海哲学过程中的一个明显进展。

其中，抓住怀特海"实际事物"（actualentties）这个中心概念，颇能反映作者的研究功夫。这集中体现在分析与论述怀特海解决时代对哲学提出的四大问题上。这四个问题是：（1）形上学如何解释当代数学、逻辑、物理学、生物学、心理学等科学中突破性进展所发现的新事实、新理论？（2）如何使形上学成为务实哲学、成为自由主义、多元化、民主化的开放社会的理论基础？（3）如何通过形上学来解决不同时代、不同地区的神明理论的差别所引起的宗教信仰冲突，以及在自然科学发展冲突下可能形成的信仰危机？（4）如何解决由于上述各具体科学所产生的有关传统文化对人性与道德，以及人在宇宙中地位的传统见解所形成的各种困惑与问题。通过怀特海对这些问题的解答以及作者对其观点的细微阐述，不仅使怀特海哲学的中心内容被集中地突显出来，而且也使读者清楚地认识到了怀特海哲学在当代的价值与意义。在这些方面，都是对朱建民作品的深化。

十五、罗青引介后现代主义的意义

后现代主义思潮在台湾的传播，与大陆几乎是同步进行的。而且，最早的传播也都是文学界的学者。他们把它看作是一种西方的新思潮加以引进与研究。为此，除翻译了不少后现代主义的文章与著作外，他们还撰写了一批论述后现代主义的论文与专著。其中，仅出版的此类著作，有蔡源煌的《从浪漫主义到后现代主义》（雅典出版社，1988 年）、罗青的《什么是后现代主义》（五四书店,1989 年)、路况的《后现代主义及其不满》(唐山出版社,1990年)、廖炳惠的《形式与意识形态》(联经出版公司,1990 年)与《回顾现代:后现代与后殖民论文集》(麦田出版公司,1994 年)、丘延亮的《后现代政治》(唐山出版社,1995 年)、唐维敏的《后现代文化导论》(五南图书公司,1999 年)、高宣扬的《后现代论》(五南图书公司,1999 年),郑福祥的《后现代主义》(杨智文化公司,1999年),蔡铮云的《从现象学到后现代》(五南图书公司,2000 年)与黄瑞琪的《现代与后现代:后现代论》(巨流出版公司,2001 年)等。从台湾学者谈论后现代主义的这些著作中,可以看到他们的一种特殊的文化心态。下面,介绍几位学者的著作。

这一题介绍《什么是后现代主义》。这是台湾现代诗人罗青的代表作。1989 年在五四书店出版后,1993 年还由学生书局再版。该书由十部分组成。在"导论"中,简单谈到了欧美各国的后现代学术状况和学者思想,并对台湾地区的后现代主义者和研究状况加以坐标式的定位,以此作为研究纲要,使人从中获得对后现代主义的总体印象。在"文学篇"、"艺术篇"与"哲学篇"中,则分别译出了后现代主义理论家哈桑《后现代转折》与利奥塔德的《后现代状况》,在一定程度上,把后现代主义的基本观点输入进来了。在后面的"年表篇"与"本土篇"中,前者把欧美的后现代阶段和台湾地区的后现代状况发生的大事以年表的形式罗列出来,使人能清楚地在时间的推移中把握到西方后现代和台湾后现代的发生发展和基本轨迹,后者则是对台湾地区的后现代状况以及艺术发展进行了一些描述。这是后现代主义思潮在台湾的最早最全面的介绍。

而且,在这样引介的过程中,有几点值得重视。一是在讨论西方后现代主义思潮时,提出要联系台湾乃至中国社会的发展进行思考。对此,罗青认为,"在引进新的诠释说法时,最好能罗列提供与此一思想相关的本土发展,以具体资料及数据,作为引进解说的根据。同时,也应该根据本土的实际情况,对新引进的理论及说法做一番修正,产生自家的看法或变奏"①。他指出,就台湾输入后现代主义的时间来说,大约1980年左右,便开始有了"后现代主义"式的说法,后来,有关后现代主义的诗歌、建筑、绘画、讨论相继出现,并在1980年前后达到高峰,由此还引发了台湾地区是否进入后现代的激烈争论。在争论中,有的认为台湾已经从工业社会进入了后工业社会,有些则认为还停留在农业社会和工业社会之间。这一方面反映了台湾社会存在着农业、工业、后工业三者混杂的状况,另一方面从这里还可以看到,后现代主义已经成为一种对当代社会进行解释的方法。甚至有的还以后现代主义的观点来诠释中国的历史文化现象。

正是从这种泛后现代思维方式出发,使得罗青进一步认为,中国的古代早就存在后现代的因素了。他写道:"中国文字记号及图案记号的模拟复制,开始得很早,例如中国书法在唐太宗时,便出现了《晋右将军王羲之之书大唐三藏圣教序》这样的作品。这是唐僧沙门怀仁把当时公私收藏王羲之书法,先加以复制,再用剪刀将之解构成个别的单字,然后重组成一篇新的文章。从此出现的画谱及彩色套印笺谱,都是利用这种复制、分裂、重组的模式来制作的。明朝出现的城市造园,也充分地利用了此一记号学式的模拟复制手法,把三度空间及二度空间中的各种资讯单元,复制重组,形成了中国最早期的后现代式建筑风格"②。在这一段话中,

---

① 罗青:《什么是后现代主义》,第11页,学生书局,1993年。
② 同上书,第14—15页。

作者大胆地将后现代的复制和拼贴手法,往前推到唐代或明代。但是,必须指出,后现代不仅是一种复制重组的技术,而且是一种在后工业信息社会中出现的大规模的信息传递方式,一种整体性对传统思维方式的颠覆方式,简单地说中国唐代书法明代建筑已经"形成了中国最早的后现代式"风格,恐怕会出现很多理论难点,而且这种过分地将西方他者理论本土化,也要冒一些时间上空间上的巨大文化差异的风险。

二是"本土篇"中,用了三讲的篇幅阐述了他对后现代主义的理解。他认为后现代主义文化是后工业社会的反映,其知识发展的方式获得新的突破,社会的价值观及生活形态朝向多元主义迈进。在思想解构中,所有的观念意义与价值都从过去固定结构中解构出来而可以自由漂流重组。"资讯的交流重组与复制再生,便成了后工业社会的主要生活及生产方式。强大的复制能力,促进社会走向一种以不断生产不断消费为主的运作模式之中,所谓的消费社会,便应运而生"①。在这种消费主义的生活方式中,人们逐渐改变着自己的生存方式和生活观念。从20世纪60年代开始,台湾在衣食住行、娱乐出版、生命遗传工程等方面都出现了后工业社会信息膨胀和标新立异的新症候。例如,在音乐、绘画、文学方面,一些艺术家也改变过去的艺术思维方式,有意识地采用西方的后现代主义手法,作品中的后现代表现因素逐渐增多,风格各异。而且,从作者具体列举台湾后现代文化艺术发展的轨迹中,还可以看到后现代信息传播和思维方式对传统模式的解构式重组和多元共生式创造。

在罗青看来,后现代主义除了采用复制拼贴以及多元混杂的

---

① 罗青:《什么是后现代主义》,第317页,学生书局,1993年。

特征外,另一个特色是把庸俗的世俗文化与严肃的精英文化融合起来,但是二者杂糅又时时造成矛盾的反效果。因此,在文化艺术中使大众通俗与严肃高尚相结合并未能成为后现代主义驾轻就熟的转型方式,而是需要进一步探究。罗青坚持,在当代社会巨变中,后现代主义是一种思维的转型:文学上关注后设语言而消解中心主义的价值模式;社会思潮方面是消费主义的盛行和个人主义的特殊性的张扬;艺术方面则是创新的尺度成为整个领域的新规范,从而使任何僵化的体制和规范归于解体。后现代以一种反现代的方式登上历史舞台,突破了传统的藩篱,走出了一条在信息社会中的后现代的不归路。

总起来说,罗青推出的这本书的功绩不在于他的理论研究上;在这一方面,从该书的理论建树考察,并不能称为是很厚重的。它的意义在于,首先将西方的后现代文学艺术和哲学思想方面的代表性著作翻译介绍到了本土,使人见微知著,从而使台湾地区的后现代研究走出了初期介绍的格局,将后现代的研究转入到一个新的研究层面,推进了台湾学者进一步更深入地进行后现代文学艺术和后现代哲学思想研究。在这本书中,罗青对艺术的敏感和对后现代观念的正确把握,使台湾的后现代艺术具有了一个试验空间。这种把翻译引介和身体力行的后现代诗歌绘画创作结合起来,显示了罗青的基本特色,当然也留下了一些有待提升和系统化的学术问题。

十六、廖炳惠对后殖民理论的审视

在传播后现代主义的著作中,有一本《回顾现代:后现代与后殖民论文集》。这是台湾清华大学教授廖炳惠的重要著作。在这本书中,作者把现代性问题与后现代后殖民性问题联系起来进行研究。在他看来,后现代话语在台湾曾经风靡一时,如今则被后殖民论述所取代。不过流行起来后,人们对它的思想的来龙去脉及其代表人物,却依旧是想当然地加以理解,因而产生了不少误解。他指出,不论张扬后殖民的时髦话语,还是排斥者对后殖民望文生义的言说,实际上大多是没有了解后殖民论述形成过程及其理论主张的表现。正如他写的那样:"一般人对后现代与后殖民论述,不是太轻易接受,信手拿来便套到台湾或用在任何遭到压抑的肤色、性别、阶层上;要不就是以跨国联盟的左派思想去驳斥后殖民论述,认为后殖民知识分子无法真正契入世界之间的不均发展及更加恶化的跨国剥削。不管是采取完全接受或彻底排斥,这两种学者都把问题看得过分简单,同时也没注意到地区文化的特殊性及文化理论的不适切性"①。因此,作者在这本书中,计划通过后现代与后殖民话语文化意涵的阐明,并在对西方学者福柯、哈贝马斯、泰勒等有关现代文化话语的分析中,以此超越前述两种彼此对立的观点,进一步引申出对台湾社会面临的一些问题的思考。

这里,着重介绍一下作者对后殖民理论的论述。

首先,从后殖民主义谈到台湾当代文化的现状。后殖民批评家在检视帝国与殖民在文化和学术研究中隐含的政治经济殖民的延伸意义时,用"殖民主义"取代历史学与社会学中惯用的"帝国主义"一词,而用"新殖民主义"替代"文化帝国主义"一词。廖炳惠认为,这样一来,"随着新殖民与后殖民的并行,殖民地的文化社群被迫要重新界定本身的传统,针对本土与环球文化生产模式之间的辩证关系,提出自我及他人再现的文化政治问题,以坚持文

---

① 廖炳惠:《回顾现代:后现代与后殖民论文集》,第 5 页,麦田出版公司,1994 年。

化差异。绝大部分的'后殖民批评家'或'后殖民知识分子'是在此种社会环境(越战及冷战结束)里受高等教育,而且通常是到英、美上大学、研究所,然后留在英美或回到本国,形成其'后殖民'观点,与欧美正崛起的女权主义、多元文化、后现代及后结构主义彼此搭配,在推波助澜之下,俨然是文化批评及文化研究的一大重点"①。在这里,他注意到了在上述环境中形成的后殖民知识分子身份的差异性,以及他们强调知识话语具有本土化和普遍性的双重性。因此,他们在重新阐述自身的传统并确立自己的表述方式时,都无法脱离西方中心模式,尤其是在亚洲,由于被殖民经验的错综复杂,使这些学者用后殖民的理论来分析台湾文化与文学时,仍然受制于中心话语理论。例如,"台湾在连串的殖民、移民过程中,语言与文化的承袭、抗拒、吸收行为一再演变,目前是在晚期殖民(late colonialism)与新殖民主义(neocolonialism)彼此交汇,而本土化运动又受到大中国主义的质疑,整个社会是在微妙而流动的多元变数中,试图找出新旧殖民体制之中的幸存策略"②。从这里可以看到,由于台湾历史的艰难历程,使得其文化和文学呈现出相当复杂的景观。在这种复杂的文化景观下呈现的是曲折多维的心理结构,而知识分子在这种后殖民语境中,一种刻骨铭心的殖民经历与话语挤压的内在创痛,便在当代文化研究的文本中表现出来。

其次,运用后殖民理论分析了台湾文化政治文本。廖炳惠认为,由于后殖民话语在东西方有不同的语境,难以确定其普遍有效

---

① 廖炳惠:《回顾现代:后现代与后殖民论文集》,第18页,麦田出版公司,1994年。

② 同上书,第22页。

性,把这种理论用来分析台湾文化,只能在局部分析中具有某种程度的合法性,或有选择地描述、解释或预设某些层面而已,无法深入洞悉台湾目前的文化状况。从对后殖民理论基础的这种有限性认识以及对西方文化中心论的警惕出发,所以,当后殖民理论进入台湾时,他采取了一种设界和划定有效范围的学术态度。表现在具体论述中,他不仅采用后殖民理论的有效性,而且能通过这一理论看到本土学者或双语精英的现实问题。例如,他在分析《刚下船的中国移民》一剧时,便充分采用了后殖民理论的正面性效应;使其阐释能够见微知著:"此剧本主要是探讨中国移民到了美国之后,与当地生长的华人所发生的种种冲突……两种华人因为来美背景的差异,产生非常不同的地位,然而他们同样都遭受到道地美国白人的鄙视。由于在外面得不到应有的尊重,他们于是对自己的亲人、同胞产生可怕的敌意。在这种可笑又可怜的局面里,ABC(美国出生的华人)所扮演的角色,基本上是一种东方主义者(orientalist)将自己所强调的差异与道地中国的差距,经由各种刻板印象的方式,来排挤与自己肤色非常接近而外人无法分辨的人身上。他们把许多美国人引以为然的东方人的形象,投射到对自己同胞的鄙夷和打击上面,借此讨好美国,以求得向上发展的机会"①。廖炳惠认为,剧作者在此剧中写出了双重的后殖民问题,一是透过美国生长的华人来排斥刚来的中国移民,反映华人之间的族群差异所形成的彼此剥削现象,二是美国白人对华人移民的鄙夷,表现出美国本土对于种族问题的暴力。其中所隐含的意识形态的分歧和族群社会的矛盾,成为后殖民社会中无可回避的现

①　廖炳惠:《回顾现代:后现代与后殖民论文集》,第 179—180 页,麦田出版公司,1994 年。

实问题。

不仅如此,廖炳惠还从后殖民角度阐释了大陆的一些文化现象。例如他对《黄土地》、《大红灯笼高高挂》等电影的分析往往就有相当深切的透视。而且,他提出运用后殖民理论讨论当代中国文化现象,必须约定在学术圈层中进行。原因在于,"如果我们将这些论述当成东方主义论(orientaiism)来处理的话,势必会落入反帝国主义、反东方主义的论述,而其内在的差异与微妙的文化,以及历史层次所呈现出来的多层现实,往往被这种政治观点所抹杀,而且也无法转化既有的社会刻板印象,反而经由彼此对立的方式加深种族之间的文化误解。因此,如何就多重的文化经验来作颠覆性的解读,而不至于将颠覆性看成是一种乌托邦式的政治,便是一个相当重要的阅读策略"[1]。有了这种从正面和反面看问题的理论视野,便不但能够避免很多后学理论的滥用和误区,而且可以使自己兼有一份平和的文化分析心态,因而不致使文化研究具有太浓厚的政治意识形态色彩。

再次,批评了台湾后殖民理论研究中的不足。廖炳惠指在,后殖民理论在台湾的学术研究中,存在着不少误解。一是反对后殖民理论的学者对"何谓后殖民"所指涉的内容(what)表示不解,进而质疑后殖民话语只是解构主义的解读策略。例如,他们以"何时可算后殖民(whew)"与"在何地发展出后殖民理论(where)","去抨击后殖民学者将各种仍处在殖民阶段的社会当作后殖民俱乐部的成员,而且是在欧美第一世界的精英大学中高唱后殖民的论调,对第三世界里真正的跨国剥削、政府暴力、种族冲突、性别歧

---

[1]　廖炳惠:《回顾现代:后现代与后殖民论文集》,第177页,麦田出版公司,1994年。

视等日常政治视若无睹，甚至于以'番易'、'应变'、'挪用'、'创造性误用'的模糊词汇，把具体的历史、社会事件加以升华、遗忘，以至于与后现代主义及环球帝国主义沆瀣一气"①。二是对后殖民的历史脉络，"未能细究时间、历史的面向，不管新旧殖民或后现代的跨国活动均列为后殖民的范畴，而且也忽视后殖民理论代表之间彼此之间的明显差异，一律冠以同样的头衔"②。廖炳惠对后殖民理论在台湾传播中提出的这些批评，都是有针对性的。因为那种把殖民与后殖民主义混为一谈，统称为"口号化学术"而不进行真正分析的做法，的确是一种简单化和意气用事的倾向。问题只是后殖民理论作为一种思维方式，却值得重视，不应轻易地加以简缩和曲解。

可以说，廖炳惠上述对后殖民理论的研究，"在台湾学者中无疑是相当有理论体系性建树的，这种建树建立在他清明的理论价值分析和辩证的逻辑方法上。他一方面注意跨国现象中的概念隐喻及其文化分析策略，透视后殖民社会中的各种具体话语权力冲突及欲望动力，另一方面，强调不能脱离当代中国自身的语境，应就亚太地区的多层殖民后殖民经验加以分析，建立相对应的新的区域研究模式。同时，还注意到后殖民研究中的种种误区，以及这些误区所表征出来的中国学界的内部问题及其解决方略。这种全方位的后殖民的理论审理，使论者的后殖民分析中的宏观理论视野与微观的分析方法获得了较好的统一"③。

---

① 廖炳惠：《后殖民研究的问题及其前景》，见简瑛瑛编：《认同·差异·主体性：从女性主义到后殖民文化现象》，第114页，立绪文化实业公司，1997年。
② 同上书，第122页。
③ 王岳川：《后现代后殖民主义在中国》，第262—263页，首都师范大学出版社，2002年。

第五节 西方哲学专题、中西哲学
比较与会通研究

本时期西方哲学专题、中西哲学比较与会通三个方面的研究，都得到了台湾学者一定程度的重视，并且都取得了一些成果。下面，各选择其中一部分有代表性的著作进行分析与评述。

一、张振东探讨西方认识论史的得失

在西方哲学专题研究方面，主要有两类：一是根据西方哲学的内容分成若干专题，如本体论、形上学、认识论、历史观、自然哲学等，综合起来进行研究；二是根据西方哲学的功能，有的着重其社会作用的发挥，有的则从其对人类心灵的启迪，结合起来进行探讨。从这种视角开展研究，对于深化对西方哲学的认识有一定的意义。这样的著作，前者有张振东的《西洋哲学导论：观念与知识》（学生书局，1974 年）与《哲学的主要问题》（台湾书店，1975年），李震的《基本哲学问题》（辅仁大学出版社、1991 年）、吴汝钧的《西洋哲学析论》（文津出版社，1992 年），后者有冯沪祥的《哲学与现代世界》（学生书局，1985 年）、傅佩荣的《西方心灵的品味》（台湾洪建教育文化基金会，1994 年）等。

在这些著作中，张振东的《西洋哲学导论：观念与知识》，是一本专题探讨西方认识论史的作品。在他看来，"'观念'与'知识'是哲学的基本要素，'观念'是哲学的基础，'知识'是系统的学问"[①]。他认为，如果依据先哲们的思想对这两个基本

---

① 张振东：《西洋哲学导论：观念与知识》，第 283 页，学生书局，1994 年。

点作出系统的讨论,那么,就足以引导初学哲学的人进入哲学的殿堂。所以,他把他对这两个基本点的探讨称为西方哲学的"导论"。

这样写成的这本书,分为上下两篇。上篇在论述理则学的内容时,阐明了概念、名词、命题、判断、推论等传统形式逻辑的一些基本知识。所占篇幅很少,不足全书的1/5。下篇在论述"知识"时,首先作者指出,"认识论是透过生理的认识现象,以正确性的思维之结构形式,讲解认识的内容与价值"①,并就认识论的一些概念作出了简要的介绍。然后,作者在这个基础上,相当系统地阐述了西方哲学从古代希腊到当代的发展过程中众多哲学家或流派的认识论思想。

就是在这样阐述中,他把西方认识论史的面貌陈述出来了。其中特别重视的是,除了一般哲学史著作都必然论述的那些哲学家的认识论思想,在这本书中都有必要的介绍外,而且,还补充介绍了一般哲学史著作不曾提到的哲学家的认识论思想,或者在一般哲学史中虽然提出,但内容十分简单,在这本书中都给予了较为详细的阐述。最突出的例子,是对中世纪认识论学说的诠释。因此,仅就介绍西方认识论的学说观点来说,无疑是全面的。在这个意义上,它是一部不折不扣的西方认识论史。在这一点上,作者是付出了不少劳动的。

不过,在论述中也存在一些不足的地方。主要是有些应该说清楚的,没有说清楚;有些说了,但没有把哲学家的真正思想概括与表达出来;特别是在论述哲学家的认识论思想时,只是在平面上把不同的哲学家的观点摆出来了,既没有对哲学家的观

---

① 张振东:《西洋哲学导论:观念与知识》,第69页,学生书局,1994年。

点进行必要的归结,也没有对不同时期哲学家提出的认识论思想进行比较。因此,读过全书后,使人感到它像是西方认识论观点的推积,不但看不到不同哲学家认识论思想的特色与价值,也难以发现不同时期西方认识论的不同理论水平及其前后发展与深化的规律。一部成功的认识论史,主要取决于对于这些问题提出的观点及其理论深度。在这一方面,还存在一定的距离。

二、傅佩荣品味西方哲学对人类心灵的启迪

同是专题研究,傅佩荣的《西方心灵的品味》一书,主要探讨了西方哲学对人类心灵的启迪。他认为,研究西方哲学,可以选择不同的角度进行。例如,以一种纯粹欣赏的眼光,从理论深度上去品味西方哲学,从中可以使自己的心灵受到启迪。具体说来就是,在阅读西方哲学时,不奢望在读了柏拉图或康德的著作之后,就能改善人际关系,或增加个人资产。而是通过阅读西方哲学,"让自己的心灵由平地走向高原"[1]。虽然这里的空气较为稀薄,不一定适合长久驻足留步。但是,站在高原使人感到"视野辽阔,或许可以'望尽天涯路',对于人生面貌及价值层次可以作整体的了解与评估"[2]。因此,只要不在高原定居,而是偶尔体会一下"走向高原的心路历程,也是人生一件有趣的事"[3]。

实际上,这是从人生修养得到启迪出发研究西方哲学。不过,他又指出,要真正达到上述目的,必须对西方哲学的内容进行认真

---

[1]　傅佩荣:《西方心灵的品味》"总序",见《心灵的曙光》,第 12 页,洪建全教育文化基金会,1994 年。

[2]　同上。

[3]　同上。

的选择。因为从这角度研究西方哲学,不在广度而在深度。在西方哲学中,要真正搞清一位哲学家的思想,本来就需大费周章,更"何况西方哲学史中,可以列出一连串闪亮的名单,个个头角峥嵘,自成一家之言,我们如何可能全部认识? 同时,有无必要做呢"①? 这样,就要选择那些确实能够对现实人生有启示作用的西方哲学家的思想进行研究。问题是,这样的哲学家有哪些? 为此,傅佩荣提出了一个选择的原则,就是这样的哲学家在哲学思想上,必须"见解明确、方法清晰、系统完备,并且对现实人生有深刻的启发"②。他的《西方心灵的品味》,便是他依据上述原则挑选出来的一批哲学家思想进行论述后结集而成的作品。

要说明的是,作者在论述时,依据西方哲学家的思想特色,各选出四位具有相同启迪的哲学家放在一起进行阐述,然后汇成一册,并冠以一个书名。因此,便有《心灵的曙光》、《爱智的趣味》、《境界的向往》与《自然的魅力》四本书的问世。可见,《西方心灵的品味》,只是一个总的标题,具体内容则表现在这四本书中。傅佩荣认为,"若能把这十六位哲学家的思想浏览一遍,对于西方心灵的发展主轴与特定风格,就不会觉得陌生了"③。

举个例子来说。在《心灵的曙光》中,作者指出,"凡是有生之物,在时间过程中,必然走向灭亡。谁能从存在与虚无的两极中,把握到生命的意义与价值,谁就是万物之灵"④。在他看来,在世界万物之中,只有人类得此殊荣才是当之无愧的。不过,这只是指

---

①　傅佩荣:《西方心灵的品味》"总序",见《心灵的曙光》,第10页,洪建全教育文化基金会,1994年。
②　同上书,第13页。
③　同上。
④　同上书,第14页。

有此可能而言,要使可能变成现实,人类必须为此经过自己的努力才行。例如,"人是什么"这个问题本身,向来就有许多争论,更不用说对生命意义与价值的深刻把握了。在这个问题上,能够讲出一些道理的,无疑是以追求真理为职志的哲学家。而在众多的西方哲学家中,在寻求人的生命意义与价值方面,能够"扭转时代风气,为心灵打开新局面的代表,就是:苏格拉底、笛卡儿、马克思、尼采"①。

其中,如苏格拉底。在希腊时代,他面对两大潮流:研究自然现象的科学主义,与引动社会风气的智者学派。"前者罔顾人生的真切问题,后者沦为相对主义与怀疑主义。苏格拉底采取第三条路:以理性思辨为工具,探讨人生的价值问题"②。其结果是:既肯定了科学主义实事求是的精神,又不愿忽略人的价值有其恒定的基础。他提出的"知识就是德行"这个命题,即是这种结果的集中体现。通过这个命题,说明苏格拉底要求人生必须知行合一,要以实践来判断理性活动的虚实。认为如果少了这一步,则人生除了依赖盲目信仰外,便没有别的生路。在这种认识的基础上,他还提出,"没有经过反省的人生,是不值得活的"③,认为人们如果通过理性反省,能够遵循一定的规范生活时,"便不再觉得它是一个束缚,反而会有一种解脱的快乐"④。这样,"由于他充分发挥了理性的潜能,去探讨真理,列举出一些方法,要求自己找到德行的'普遍概念',然后一步一步开展上去,将他生平所碰到的具体事实,表现在对生命的信念上,得到印证的机会。凡此种种特色加起

---

① 傅佩荣:《西方心灵的品味》"总序",见《心灵的曙光》,第15页,洪建全教育文化基金会,1994年。

② 同上。

③ 傅佩荣:《心灵的曙光》,第20页,洪建全教育文化基金会,1994年。

④ 同上。

来,使我们发现这样一个人,的确为很多人带来重要的希望。"①在这本书中,对笛卡儿、马克思、尼采也作出了这样的阐述。并在阐述的基础上,傅佩荣从他们对人生启迪的角度,作出了如下的归纳:他们"在自己的时代都是思想上的勇者,敢于在门窗紧闭的世俗观念中,举头天外望,看出新的契机。他们的角色属于先驱性、突破性,较少注意系统的建构。但是,没有他们,就找不到转折点"②。当然,转折的结果有好有坏,则不是这些哲学家预见知道的。他们的责任只是以真诚的思考为特色,并将思考的结果公诸于世,希望后之来者精益求精。不过,心灵的曙光既可以照亮人生的道路,也能够指引人们在这条道路上前进,"但是真正走向何方,则是每个人自己的责任"③。

其余三本,阐述哲学对人类心灵的启示的方式基本一样,只是不同的哲学家对人类心灵启迪的内容不同罢了。实际上,所有这些都是从功能上发掘哲学可能发挥的作用,即就人生境界、智慧探求等方面阐明了西方哲学对人生心灵的启迪。作者在书中的整个论述过程中,亲切感人,充满了炽热的人文关怀。所以,篇幅虽然很长,但读者却乐意读下去。这说明,这套书的确具有较强的吸引力。

三、吴森提出的中西哲学比较方法

中西哲学比较研究,是中西哲学会通的第一步,其目的在于集两者之所长,来创造我们未来的哲学。因此,在西方哲学东渐过程中,台湾学者为此采取了一些具体措施,使这项研究逐步开展起

---

① 傅佩荣:《心灵的曙光》,第75页,洪建全教育文化基金会,1994年。
② 同上书,第18页。
③ 同上。

来。从取得的成果来说,除发表了一批论文外,出版的著作据不完全统计,有:

朱熹与多玛斯形上思想比较	黎建球著	台湾商务印书馆	1977 年
中西哲学思想中的天道与上帝	李杜著	联经出版公司	1978 年
比较哲学与文化	吴森著	东大图书公司	1978 年
中西哲学比较论丛	程石泉著	东海大学	1980 年
中外形上学比较研究	李震著	中央文物供应社	1982 年
中外政治哲学比较研究	邬昆如著	中央文物供应社	1982 年
中外哲学概论比较研究	赵雅搏著	中央文物供应社	1982 年
中西知识论比较研究	张振东著	中央文物供应社	1983 年
道家思想与西方哲学	杨汝舟著	中央文物供应社	1983 年
中国先秦与希腊哲学比较	高怀民著	中央文物供应社	1983 年
中外伦理哲学比较研究	高思谦著	中央文物供应社	1983 年
颜习斋与马克思主义比较研究	郑世兴著	中央文物供应社	1984 年
中外社会思想比较研究	谢康著	中央文物供应社	1984 年
从西方哲学到禅佛教	傅伟勋著	东大图书公司	1986 年
现象学诠释与中西雄浑观	王建光著	东大图书公司	1988 年
中西哲学比较论文集	文化大学编	新文丰出版社	1992 年
康德伦理学与孟子道德思考之重建	李明辉著	中研院文哲所	1994 年
康德与儒家	李明辉著	联经出版公司	1995 年

在这些著作中,吴森的《比较哲学与文化》,是一部论文集,由两册构成。其中有一篇《哲学与文化的比较研究》,是专门论述中西哲学与文化比较方法问题的。他写道,"本书写作的目的,不在讨论什么重大问题,而在介绍几种哲学和文化研究的方法"①。在

---

① 吴森:《比较哲学与文化》,第 12 页,东大图书公司,1978 年。

这篇文章中,他提出了进行中西哲学比较的五种方法,即:通观式的比较、局部式的比较、衬托式的比较、批评式的比较与融合式的比较。

其中,在阐述通观式的比较时,作者指出,"所谓通盘性,并不是研究者对该文化的内容什么都懂,而是研究者对该文化有概括性的认识,能把握该文化的精神和特性"①。因此,凡是进行这一类哲学比较的学者,必须对他们比较的哲学一定要有通盘性的了解。他认为,在前辈学者的著作中,梁漱溟的《东西文化及其哲学》便是一个典型的例子。因为在这本书中,虽然也有可议之处,但"他把中国、印度和西洋三个文化传统作一个通观式或全盘性的比较,从而肯定中国文化的价值"②。在作者看来,这对通观式比较研究来说,"实在有着创山林之功"③。不过,使他感到遗憾的是,在梁著之后中国学术界很少再有此类作品问世,倒是在美国出版了一本可以和梁著比较的书。此即耶鲁大学教授那托甫(F. Northrop)所撰《东西之会合(The Meeting of East and West)一书。它取材范围极广,而且对东西两方面的文化也都有较细微的分析。作者认为,运用通观式比较研究取得的成果,虽然有时会得到一些知心人的赏识与赞许,但也可能遇到不少学者的吹毛求疵的批评。因此,只有那些学术造诣深厚的学者才能在这条康庄大道上悠悠自得,一般刚入此道的学者则很少采用这个方法。

对于其余几种方法,也这样进行了阐述。最后指出,在这些方法中局部比较法是一种脚踏实地往深处钻研的方法,在现代学界

①　吴森:《比较哲学与文化》,第12—13页,东大图书公司,1978年。
②　同上书,第13页。
③　同上。

较为推行。然而,一些学术水平较高的学者较为喜欢通观、衬托地描述以及批评地分析。只有这样,局部比较才能深入下去。至于融会众说自成一家之言,则是五种方法中顶峰的一种,应在下了多年工夫后才可尝试。如果工夫不够便贸然高攀,很有可能翻跌下来,落得粉身碎骨。

除此以外,书中还有《比较哲学十戒》一文,提出在进行中西哲学比较时,要戒除十种现象。据作者说,这是他根据自己的研究心得提出来的。不过,从内容上考察,这些现象虽然是应该加以避免的,但在阐述时与前面谈论五种比较方法一样,只是对中西哲学比较时某些外在现象的描述,缺乏深入的理论分析。中西哲学比较的目的,在于揭示中西哲学发展的本质及其规律,运用作者提出的上述方法,恐怕难以达到这个目的。

四、李震中西形上学比较研究

在台湾出版的一套《中华文化丛书》中,有李震的《中外形上学比较研究》。作者指出,"世界各大文化,即使有不同的历史背景,但是对于许多根本问题的体认与了解,基于共同人性的需要,有许多类似和可以沟通的地方。中国哲学中的'道'与西方哲学的'存有',同是两个最根本的观念,虽然发展的背景不同,但是在意义上,有许多地方可以会通"①。从这种认识出发,作为会通的第一步,他抓住这个论题进行探讨,并撰成《中外形上学比较研究》一书。

这部书分为上下两册。上册为"中国形上学探讨",下册为"西方形上学探讨"。要指出的是,书名虽然是"中外",然而内容

---

① 李震:《中外形上学比较研究》(上),第1页,中央文物供应社,1982年。

却是"中西",而且,通观全书,上下两册均是各说各的形上学思想,即上册只是叙述中国哲学中的形上学思想,下册只是叙述西方哲学中的形上学思想。在这个意义上,可以说作者在分别对中西形上学思想的整理与归纳上,做出了一定的努力,而对两者形上学思想的比较,却是十分薄弱的。

不过,该书在这个总体倾向中,在下册阐述西方形上学的思想的,却有几个地方联系中国的形上学思想进行了简单的比较。例如第10章第5节,阐明了"中西哲学本质与存在的不同"。首先,作者认为,西方哲学中虽以探讨形上学为本,并发展出对本质与存在的看法,然而,它只是着重"探讨有限存在的形上学结构,不以人性作为讨论的中心"①。例如理性心理学,尽管讨论了人与其他生命的不同,却仍然缺乏完整的人性论。至于近代西方各种人本主义学说,更是使人走上了绝对化的道路。中国哲学不同,它"以人为本,但是并不反对形上学"②。就拿《易经》来说,它"以人与天地并列,是为三才。天在上,地在下,人居中。人性论在中国哲学占有重要的地位"③。其次,在本质观念上,西方哲学对它有了很多理论上的发挥,并把它应用到包括人在内的全部有限存在上。这种对存在本质的重视,足以证明西方哲学家"对于事物经常的、普遍的、必要的意义、知识、原理和价值的重视"④。而在中国哲学中,虽然没有忽视"本性"一般意义的探究,但他们在论述时,"其兴趣不在为有限存在的形上结构建立体系,而在于透过对物的了

---

① 李震:《中外形上学比较研究》(下),第158页,中央文物供应社,1982年。

② 同上书,第58页。

③ 同上书,第158页。

④ 同上。

解,烘托出人为万物之灵的中心地位"①。此外,西方哲学对于存在和个体性,都是依据形上学原理进行说明,"使我们看到本质或本性也好,存在和个体也好,都能在完整的、合乎逻辑的形上学的体系中,找到适当而贴切的位置"②。而在中国哲学中由于本性观念,"比存在观念更重要,一体范畴比位格范畴重要"③。因此,"在万物一体的观念中,个人并未受到重视"④。

除此以外,在第 12 章第 4 节,进行了"中西哲学对物质与精神问题之态度的一些比较",在第 13 章第 3 节,开展了"中西天道观的一些比较"。因此,从总体上说,虽然李震的这部著作没有真正全面展开对中西形上学的比较,但通过这些局部观点的比较,在一定程度上也补救了该书的某些不足。

五、傅伟勋自由主义会通导向的展示

在中西哲学会通研究方面,进入 20 世纪 80 年代以后,各派文化思潮的学者一方面对于他们的前辈会通中西哲学的活动与成果,进行了充满理性的反思,另一方面,在社会发展的推动下,经过艰苦的探索都把会通中西哲学的研究工作向前推进了一步。

在自由主义思潮的学者中,傅伟勋的成果具有代表性。这集中表现在他提出的"中西互为体用论"的文化主张以及由此出发全面展示的自由主义会通中西哲学的导向中。

所谓"中西互为体用论",实际上是一种新的文化心态或新的

---

① 李震:《中外形上学比较研究》(下),第 159 页,中央文物供应社,1982年。

② 同上书,第 161 页。

③ 同上书,第 162 页。

④ 同上。

思维方式。傅伟勋认为,只要有了这种健康的文化心态,又能以它为指导开展中西文化与哲学交流,就会像过去消化印度佛教,创造地转化而为我们中国本位的思想文化一样,也一定能够"扬弃(扬取精华而弃去糟粕)康德、黑格尔、海德格、维根斯坦、脍因(Quine)、波帕(Popper)等西方第一流哲学家的思想,综合地创造未来中国的哲学思想"①。依据这种文化心态,傅伟勋为推动自由主义思潮会通中西哲学之路的进一步探索,进行了多方面的艰苦努力。

一是从"中西互为体用论"体现的时代精神出发,在批评"中体西用"局限性的基础上,进一步揭发了中国传统哲学存在的缺陷,阐明了使其得到创造性发展的途径与措施,以此开出一条为中国哲学继往开来的现代理路。

在过去中西哲学的交往中,有的学者发现西方哲学界对中国哲学的"哲学性"一直抱着怀疑的态度。对此,傅伟勋指出,这种看法虽然暴露了西方学者的成见,但就以儒道佛三家为主的中国传统哲学中具有的内在问题而言,"不能不说中国哲学的'哲学性'确实不足"②。例如,表现在思维方式上,"传统的中国哲学家多半以被动保守的诠释家姿态去作哲学思维,又因急于提出实践性的结论,动辄忽略哲学思维的程序展现与哲学立场的订正功夫,而以生命体验与个人直观的笼统方式表达哲学与宗教分际暧昧的思想"③。又如,表现在哲学内容上,"中国传统哲学语言的过分美化,逻辑思考的薄弱,知识论的奇缺,高层次的方法论工夫不足,德

---

① 傅伟勋:《从西方哲学到禅佛教》,第433页,三联书店。1989年。
② 同上书,第428页。
③ 同上。

性之知的偏重与闻见之知的贬低等等,都是构成中国哲学缺乏高度哲学性的主要因素"①。

因此,怎样提高中国哲学的哲学性,便成为台湾哲学研究的一个现代课题。为此,傅伟勋花了好几年的时间,根据"中西互为体用论"的时代精神,为中国哲学走向世界提过了十条建议。实际上,这十条建议就是为了实现上述目的而提出的一套初步的、然而却是一套完整的方案。把它们归纳起来,主要有:

第一,在目标上,为了提高中国传统哲学的"哲学性",从今以后,应将中国哲学放在整个世界哲学的发展潮流中去评衡它的优劣长短,这样才能把中国哲学的价值与意义提高到世界水平的层次。

第二,要达到上述目的,传统思维方式必须得到转化。因为"哲学思想之所以具有哲学性,并不是在哲学结论的直接提示,而是在乎哲学思维的程序的展现"②。因此,除了要以多元开放的胸襟取代单元简易心态外,从事中国哲学研究的学者,还应通晓两门外语。只有这样,才能促使他们百尺竿头更进一步。

第三,在内容上,"必须打破'德性之知重于闻见之知'的片面看法,重视客观的经验知识,同时奠定知识论的独立研究与发展的现代基础。为此,我们必须吸收大量的西方知识论(包括科学方法与科学的哲学)进来"③。同时,还要"重新探讨中国哲学语言的得失所在,以便经由传统哲学语言之批判的继承设法创造合乎时代需要的哲学语言"④。

---

① 傅伟勋:《从西方哲学到禅佛教》,第 428 页,三联书店,1989 年。
② 同上书,第 429 页。
③ 同上书,第 430 页。
④ 同上书,第 429—430 页。

　　而且,傅伟勋还要求,在这个变革的过程中,哲学家与哲学史家应分工合作。在这一点上,他特别提醒哲学家"也需要接受严格的哲学史训练……逐步培养能够发掘前后哲学党派成理路的内在关联性的哲学史头脑,依此再进一步培养'批判的继承与创造的发展'精神,以便开拓具有严密哲学性的中国哲学之路"①。他认为,只有不折不扣地做到这些,才能奠定未来中国哲学在整个世界哲学之中必然占有的地位。

　　二是在"中西互为体用"精神的指导下,构想了"生命十大层面与价值取向"模型。如果说,前述十条建议只是作为目标的一种设想,那么,这里提出的模型则是目标的具体化,或者说是傅伟勋创建未来中国哲学体系的最初表现。据他自述,这个模型是在第三维也纳心理(精神)分析学派开创者普朗克思维灵感的影响下构建出来的。他认为,普朗克的四大层面为他构建这个模型提供了极富启迪意义的思想资料。不过,他又指出,它"太过简略,不足以充分说明极其复杂的生命层面及其价值取向之种种"②。因此,他以"中西互为体用论"为指导,经过反复探讨,根据他所了解的生命存在诸般意义的高低层次与自下向上的价值取向,提出了作为万物之灵的人的生命应有十个层面的主张。这十个层面是:(1)身体活动层面;(2)心理活动层面;(3)政治社会层面;(4)历史文化层面;(5)知性探求层面;(6)美感经验层面;(7)人伦道德层面;(8)实存主体层面;(9)生命解脱层面;(10)终极存在层面。

　　值得重视的是,在把这个模型与普朗克模型进行比较并解释

---

①　傅伟勋:《从西方哲学到禅佛教》,第429页,三联书店,1989年。
②　同上书,第477页。

了十大层面高低定位的理由后,傅伟勋还阐明了它对包括哲学在内的中国文化重建的努力方向。他指出,在政治社会层面,针对民主法治,自由平等观念未能扎下根来以及新儒家老一代既不想亦不愿意面对西学之"体"所犯的时代错误,认为在这个层面上的关键是必须"脚踏实地从头开始虚心学习西学之'体',以免一误再误,完成不了祖国文化重建的工作"①。在历史文化层面,根据已经发现的问题必须"一方面批判继承祖国传统的思想文化,另一方面培养多元开放的文化胸襟,尽吸收欧美日等先进国家的种种优点(不论体用),借以创造地发展未来的祖国思想与文化出来"②。在知性探求层面,认为要获得发展,除了重新评估传统儒家"德性之知"优位等主张外,还必须"一方面尽予避免道德问题(属于生命第七层面)与纯粹知识问题(属于第五层面)之间的混淆不清,另一方面大大推进现代化的'闻见之知',而平等对待'闻见之知'与'德性之知'的个别功能"③。在生命的最高两层,因为如康德所说,人是一种形上学动物,总免不了尝试形上学的探问。因此,为了解开终极存在的谜底,"必须重新探讨中国文化之中哲学(形上学)与宗教的真正合分所在,同时应该促进现代化的宗教研究,而在终极意义与终极存在的探索,通过与其他各大传统的对谈、交流与相互冲击,谋求中国哲学与宗教思想的进一步深化与丰富化"④。

通过"生命十大层面与价值取向"模型的介绍,可以看到,它实际上是一套中国文化、哲学重建的具体方案。它的提出与论证,

① 傅伟勋:《从西方哲学到禅佛教》,第491页,三联书店,1989年。
② 同上书,第490页。
③ 同上书,第492页。
④ 同上书,第493页。

真实地反映了傅伟勋哲学研究的探索精神，也充分体现了他对真善美理想境界的向往与追求。在这一点上，由于傅氏有长期生活在西方文化环境中的经历，有全身心浸润在中西哲学多种思潮中的深入思考，因而对于西方哲学，在一定程度上都能把它们放在整个人类发展的理论视野中进行审视，特别是在开拓中西哲学会通之路的探索，更是尽可能地以现代人类的思考与经验展示的时代精神要求与社会发展的方向作为探索的出发点。因此，傅伟勋这样提出与论述的种种观点，体现了台湾自由主义思潮的学者为中国哲学与世界哲学的繁荣与发展作出的努力和贡献。

同时，通过上述模型的提出与论证，也标志着台湾自由主义思潮会通中西哲学取得的重大进展。大家知道，早在 20 世纪 50 年代至 60 年代殷海光为此便进行过积极的探索，由于当年他受到政治上与文化上专制主义的严重压制，加上英年早逝，他的大有希望的探索被打断了。在“中西互为体用论”文化心态指导下，傅伟勋提出的一套批判继承与创造转化的思想与方案，是殷海光开辟的自由主义思潮会通中西哲学导向的发展，而且，其中以此导向孕育的自由主义思潮的哲学体系，也清晰可辨。它的显著特点是，从关心现代人类面临的种种问题与当前人类实践达到的水平出发，把中国传统哲学的变革与新哲学的创建，同解决当今世界面临的种种困难结合起来加以思考，把哲学研究与现代人类的社会实践结合起来，通过中西哲学会通，以此探寻中国哲学与世界哲学的未来发展方向。因此，它强调世界文化的多元化，主张在中西哲学交流过程中应以更为开放更为理性的态度对待各种哲学传统，并以人类社会发展与人类精神的需要为标准来创建未来的中国哲学，鲜明地体现了傅伟勋健康的文化心态与开阔的理论视野。虽然也因他提出后不久便随殷海光走向永恒，这样的哲学体系最终未能建立起来。但是,由于"中西互为体用论"与"生命十大层面与价值取向"模型的问世,不但反映了自由主义思潮在会通中西哲学研究上取得的重大进展,而且,从中还可以看到当前台湾哲学研究出现的新气象。

六、牟宗三融摄康德哲学建构道德理想主义

在新儒家的学者中,牟宗三的道德理想主义哲学体系,是以宋明儒学会通康德哲学建构起来的。这里着重介绍在其体系建构过程中对康德哲学的融摄。

在牟氏看来,"康德以前的哲学向康德处集中,而康德以后的哲学则由康德开出"[①]。康德在西方哲学中的这种地位,不仅在于他的承前启后,而且更为重要的是,他所达到的理想意志,直到现在还不能为西方最智慧的哲学家所达到。因此,他把康德哲学作为"中西融通之桥梁"[②],认为"西方哲学与东方哲学之相会通,只有经过康德的这一个间架才可能"[③]。从这种认识出发,他全面研究了康德的批判哲学,并经过批评、改造,从中吸取了一些因素来建构自己的道德理想主义。

一是从《实践理性批判》中。他认为,在康德的实践理性学说中,通过思辨的方式令人信服地说明了道德法则的"崇高"和"严整"。例如,康德主张道德法则不能从经验建立,不能从人的自然属性推出,也不来自对上帝的服从;真正的道德法则绝不是他律的,必须是无待于外的,必须出自自由自主自律的绝对的善的意

---

① 牟宗三:《中西哲学之会通十四讲》,第71页,上海古籍出版社,1997年。
② 牟宗三:《圆善论》,见《牟宗三集》,第163页,群言出版社,1992年。
③ 牟宗三:《中西哲学之会通十四讲》,第217页,上海古籍出版社,1997年。

志。在康德的实践理性学说中,"意志自由"是最受牟宗三关注的。在康氏那里,所谓"意志自由"是指理性意志为自己建立道德法则,规定自己的道德行为。虽然在理论理性中,它只是一个人们追求而不能认识的理念,但在实践理性中却是必须承认存在的。因为这是人类发自内在本性的要求,作为理性主体的人对其活动必须具有选择的决定的意志自由,否则,便是人性与尊严的丧失。牟宗三指出,康德实践理性学说的这些内容,其实就是一种道德的形上学。所以他说,在康德哲学中虽然没有"道德的形上学"这个词,"但虽无此词,却并非无此学之实"①。例如上面提到的这些内容,便是充分的证明。而且,他认为只要借助这些内容与观念,去疏解宋明理学,就能使其中的道德形上学的内容彰显出来。他对康德"自由意志"学说的批评与改造,是其中最集中的表现。本来,在康德那里,"自由意志"只是理性所追求的理念之一,并不具有本性、实体的意义。然而在牟氏对它的批评过程中,却使用宋明儒学有关本体、性体、良知的观念进行诠释和改造,把它本体化、实体化,使之成了一个普遍、贯通道德界与存在界、决定一切、创造一切的本体、实体。这是牟宗三创建其道德形上学的出发点。他的道德理想主义哲学体系,就是从这里出发建立起来的。

　　二是从《纯粹理性批判》中。在这一方面,他主要是借助康德在该书中的有关学说进行的。一方面,他赞成康德有关科学知识界定的范围;认为实践理性高于理论理性;人只有在道德领域才能使自己上升为自由主义的主体。然而另一方面,他又指出,康德之所以最终没有建立道德的形上学,原因在于他对现象与物自体的

――――――

① 牟宗三:《心体与性体》,见《道德理想主义的重建》,第218页,中国广播电视出版社,1992年。

区分以及人是否有智的直觉的理解和处理不当。在他看来,如何认识和解决这两个问题,对于康德哲学的命运以及对他的道德形上学的建立,都是至关重要的。为此,他开展了对康德这两个理论观点的批评和改造。

首先,关于现象与物自身区分和物自身不可知问题。牟宗三认为,现象与物自身超越区分的观念,在康德批判哲学中是一个关键问题,也是康德一个最高而又最根源的洞见。这主要是他给科学知识划出了一个界限,打破了科学万能的神话。但是,由于康德囿于西方的哲学传统,没有充分说明现象与物自身的超越成分,使其洞见闪烁不定,若隐若现。因此,他决心克服康德在这个问题上的困难。在他看来,现象与物自身的区分,不是程度的不同,而是质的不同;人类不能认识物自身,不是量的不能,而是原则上的不能。因为"物自身"不在知识范围内,根本不是知识的对象。如果否认这一点,就会像有些人那样把"物自身"看成是一个"事实上的原样"①。他认为要是这样,我们的认识(感性和知性)至少就会存在着寻求"物自身"的可能。但是他指出,"物自身之概念似乎不是一个'事实上的原样'之概念,因此,也不是一个可以求接近之而总不能接近之的客观事实,它乃是根本不可以我们的感性与知性去接近的"②。这样一来,如何理解现象与物自身的区分以及物自身不可知的真实含义,对于解决康德的矛盾和困难便具有决定性的意义。

在牟宗三看来,现象与物自身区分所展示的,只是科学与哲

---

① 牟宗三:《现象与物自体》,见《道德理想主义的重建》,第382页,中国广播电视出版社,1992年。

② 同上书,第382—383页。

学、知识与道德、理论理性与实践理性的性质、领域和范围的不同；
而物自身所以不可知，是指感性直观和理性分析(知性)都不能运
用于道德宗教领域，对于它的认识和把握只能采取一种道德的、实
践的进路，因为康德的物自身是"一个价值意味底概念"①，而不是
一个事实概念。这是他从科学世界与道德世界的区分出发，认为
物自体属于后者，它面对的只是一个价值世界提出来的。在这里，
牟宗三完全否定了物自身概念的实在论的倾向与它在认识论方面
的意义，只是从实践、伦理、自由、目的方面对它加以理解、把握和
界定，并且进一步把它视为价值主体、实体，即康德的自由意志，从
而使它完全伦理化了。并且在这种理解的基础上，他论证了物自
身的可知性。不过，这要联系他对康德"智的直觉"学说的批评与
改造才能说得清楚。

　　其次，关于"智的直觉"，即康德说的"理智直觉"问题。在这
个问题上，康德宣称人类只有感性直观，没有"智的直观"，这种直
观只有上帝才有。然而据牟宗三的理解，所谓"智的直觉"，是一
种不依赖感觉和概念直接理解把握对象的能力。就像他指出的那
样，"智的直觉是直接看到，而且这个直觉不是认知的，不只是看
到的。他看到了这个东西这个东西就出现，上帝看到这张桌子他
就创造了这张桌子，因为上帝是个创造原理，所以智的直觉是一个
创造原则，不是认知原则，不是个呈现原则"②。牟氏认为，要是如
康德所言，"直觉只属于上帝，吾人不能有之"③，那么，"不但全部

　　①　牟宗三：《现象与物自体》，见《道德理想主义的重建》，第388页，中国广
播电视出版社，1992年。
　　②　牟宗三：《四因说演讲录》(第十七)，载《鹅湖》月刊，1996年第1期，第1
页。
　　③　牟宗三：《现象与物自体》，见《牟宗三集》，第112页，群言出版社，1992年。

中国哲学不可能,即康德本人所讲的全部道德哲学亦全成空话"①。因为在他看来,承认人类没有智的直观,自由意志便只能是一个理论上的假设,物自身作为自在之物便永远只能停留在认识的彼岸。他深知这个问题意义关系重大,因而针康德的观点论证了智的直觉不仅上帝有,而且人类也有。他指出,人在单纯的认知方面是有限的,但从实践(道德)方面说,"人虽有限而可无限"②。因为"'道德'即依无条件的定然命令而行之谓。发此无条件的定然命令者,康德名曰'自由意志'即自发自律的意志,而在中国的儒者则各曰本心,仁体,或良知"③。在这里,他把康德的自由意志改造成儒家与天道通而为一的心性本体后,牟宗三解释,依据儒学的基本要义,此自由意志或良知,必是一个无限者。它"虽特彰显于人类,而其本身不为人类所限,虽特彰显于道德之极成,而不限于道德界,而必涉及存在界而为其体,自为必然之归结"④。可见,它不仅是道德创造的源泉,也是万事万物存在的原则。如是,由它发生的直觉必然是智的直觉。这种论证虽然缺乏有力的根据,但他要打通康德所严格区别的自然世界与应该世界的界限,却也达到了目的。

本来,阐述到这里就可以从内圣心性之学进一步论证新外王的开出。因为从传统儒学道德的形上学来说,道德良知(智的直觉)的自我呈现显露一真善统一的形上实体,达到天人合一的形

---

① 牟宗三:《智的直觉与中国哲学》,"序",见《牟宗三集》,第 108 页,群言出版社,1992 年。

② 牟宗三:《现象与物自体》,见《牟宗三集》,第 426 页,群言出版社,1992 年。

③ 牟宗三:《智取的直觉与中国哲学》,见《道德理想主义的重建》,第 361 页,中国广播电视出版社,1992 年。

④ 同上书,第 363—364 页。

上境界,目的就达到了。然而牟宗三还不放心。因为在他看来,以往两千年来,从儒家的传统看外王,外王不过是内圣的直接延长。他认为,如果外王只限于治国平天下,则此外王是能够从内圣直接推衍出来的。可是现在这个时代,外王除了治国平天下以外,还有其内部结构,即通常讲的科学和民主政治,尽管德性与它们有密切的关系,但不是直接关系,不能从内圣之运用表现中直接地推得出来,否则,那就是非现代化。在这里,他清醒地看到了从传统心性之学转出科学和民主的困难,就是说,在一定程度上,他意识到了儒学内圣心性之学及其内在精神,不能直接作民主和科学的形上基础。为此,他对内圣开出外王作出了相应的调整,提出了"道德理性(良知)自我坎陷"说;并通过"两层存有论"的论述,一方面从"无执的存有论"展露了一个超越的形上世界,阐明了它是道德实践,价值创造的源泉和成圣成贤的根据。另一方面,由"有执的存有论"开显出感性的现象世界,阐明了科学知识和民主政治及其对象如何可能。这样,既弥补了传统儒学内圣之学的不足,又从内圣中开出了新外王,说明传统儒学思想能够满足现代化关于科学和民主的需要,从而在现代条件下使儒学走上了一条复兴的道路。

就这样,在融摄康德哲学的基础上,牟宗三终于把他的道德理想主义建立起来了。从中可以看到,他在会通中西哲学时,对于康德哲学给予了特殊的重视。在这一方面,他在肯定吸收康德哲学中某些概念和方法的同时,还指出了存在于其中的问题与不足,并且在自己的哲学体系中试图解决它的矛盾和困难,使之克服它。为此,他做出了很大的努力。不过,由于受到其儒家文化中心主义立场的限制,他对康德哲学的实质及其价值的认识,并非是完全正确的,他对康德哲学的某些批评和吸纳,也存在一些片面性。

七、罗光的生命哲学是儒家思想与士林哲学的承合

在台湾士林哲学的学者中,罗光的生命哲学是承合儒家思想与士林哲学的产物。据其自述,从 20 世纪 70 年代开始,到 90 年代初完成,经历了不短的时间。为了生命哲学体系的建立与完善,使之成为中国儒家思想与西方士林哲学承合的中国新哲学,罗光为此付出了很大的心血。下面,简单介绍一下他的这个哲学体系,从中可以看到罗光是怎样会通中西哲学的。

罗光的哲学体系是以生命为出发点建立起来的。在他看来,"中国的传统哲学是一种生命哲学"①。例如,"易经以'生生之谓易',宇宙变易以化生万物,万物继续变易以求本体的成全,整个宇宙形成活动的生命,长流不息"②。同样,在西方传统哲学中,它以万物为研究对象,称"万物为'存有','存有'即存在之有,为一切事物的根基"③。他认为,这里的"存有"与"生命",实际上是"一体之两面"④。因为实际存在的"有",乃是一整体的实体。实体的根基即是"在","在"是生命,实体的根基即是生命。因此,中国哲学的"生命"与西方哲学的"存有"是相通的与一致的。罗光指出,他的生命哲学就是在这两面的基础之上建立起来的。

对于生命,罗光从各种角度作过许多解释。其中,在《生命哲学再续篇》中有两段话,对于理解罗光的生命具有关键的意义。一段话是:"生命,乃是存在,'存在'即本体的'存在';'存在'既

---

①　罗光:《中国哲学的展望》,第 4 页,学生书局,1977 年。

②　罗光:《生命哲学》"初版序",见《罗光全书》册一之一,第 2 页,学生书局,1996 年。

③　同上。

④　同上书,第 4 页。

是生命,本体的'存在'就是生命,本体乃是'生命者';所以说万物都是活动的,万物都有生命"①。这是他在形而上的意义上说明生命,认为存有、在,都是一体的诸"面"。另一段话是:"生命是实体的内在的动。宇宙万有都有内在的动,内在的动由阴阳而成……阴阳为变化之道,变化继续不停,变化所成的为物体之性。成了物性以后,阴阳在物体以内继续动,物体乃变化不停。例如人,从出生到老,没有一刻不是在动、不是在变,不动就不活了,不活就不存在了。人的存在就是活,活就是动,动就是变。所以'在'是变动的'在',也就是生命"②。这是从生命的特性,即变易或生生的意义上具体述说生命。

不过,要完全明白这些说法的真正含义,还要联系罗光关于生命起源的观点。而这,又须从"创造力"说起。所谓"创造力",是指宇宙万物的根源。因为在罗光看来,在宇宙万物的变化中,必定有一个绝对的实体作为第一根源、第一动力因。就是说,宇宙万物不能自有,它们都是受造的,而创造宇宙万物的纯粹性和超越性的实体,即造物主、天主上帝。由于它超越宇宙之上,且在创造宇宙万物时,它不是从自体分出,而是用自己的力;这种力便称为"创造力",宇宙万物的是造物主用"创造力"从无中生有造成的。只是造物主从无中创造宇宙万物时,又是经过"创生力"实现的。

那么,"创生力"是什么呢? 罗光指出,"创造主以创造力创造了'创生力'"③。可见,"创生力"来源于造物主创造宇宙的"创造力",或者说,它是从"创造力"那里得来的"力"。因此,它"不能

---

① 　罗光:《生命哲学再续编》,见《罗光全书》册二之三,第Ⅱ页,学生书局,1996 年。

② 　同上书,第 106—107 页。

③ 　同上书,第 46 页。

脱离创造力,好比电流不能脱离电源"①。然而,"创生力"也是一种"力"。通过这种"力",继续发动宇宙变动,生化万物。所以,"创生力"是宇宙继续动的动力。主要表现在,"创生力"依据造物主的智慧,按时按序推动宇宙万物发生变化,以此化生万物。值得注意的是,"物的化生只是化生,不是创造,因为不是从无中生有"②。这与创造主创造宇宙万物是有原则区别的。罗光在阐明生命起源时,在"创造力"之外又提出了一个"创生力",目的是要缓和"创造"与"进化"的矛盾,使之在生命的变易中,既不脱离造物主的创造力又不致招来科学的批评。尽管这种解释并没有因此改变生命来自天主上帝创造的实质,但是它却把信仰中的创造主,士林哲学形上基础与中国传统哲学中的生生、变易思想贯通起来了。

这样一来,生命哲学不仅以生命贯通一切,而且通过生命意义的解释,进一步阐明了宇宙万有。这便是生命发展的表现。罗光在谈到这个问题时,说:"中国的形上学不分析生命的意义,而从动的方面讲生命的发展。生命发展分两大部分:第一,物的生化程序;第二,人的修养"③。

从前者来说,罗光认为,物的化生以"变"为特征,在"变"中才有"生生"。所以,《易传》视变易为化生生命的能力,主张变易贯通万物。为此,他将士林哲学从"潜能"到"现实"的动力思想,与中国哲学"生生之谓易"的生化变易思想结合起来,认为"创造力"

---

① 罗光:《生命哲学再续编》,见《罗光全书》册二之三,第50页,学生书局,1996年。

② 同上。

③ 罗光:《儒家哲学体系》,见《中国哲学中的生命意义》,第88页,学生书局,1990年修订版。

在整个宇宙中是宇宙存在和变化的力。事物的变化过程不是一物由另一物生,而是它的潜能早已存在造物主"创造力"的质中,因受"创生力"的推动发生变化,最后成为现实。还因为"创生力"既是宇宙变化的生命力,又是每一事物存在的生命力,所以,宇宙万物的生命是互相连接、互相流通、互相帮助的。而且,从这种变易的成因中可以看到,它有起点,即"能",还有其终点,即"成",生命的创造力就是在这个从"能"到"成"的过程中得到充分发展的。正如系辞描述的那样:"是故易有太极,是生两仪,两仪生四象,四象生八卦"(系辞上,第十章)。八卦变为六十四卦,六十四卦代表天地万物。同样,每一卦代表宇宙的一种变化现象;每一变化现象都是天地人的变化,亦是宇宙的变化。由此变化形成天地人结合为一体。这不仅表明万物产生的程序与卦的程序一致,而且还告诉我们,宇宙的变化里由阴阳两元素结合而成,其目的在于使万物化生,使万物能成其性。有如系辞所言:"天地氤氲,万物化醇,男女构精,万物化生。"(系辞,第五章)

从后者来说,罗光认为,生命的发展不能挂在抽象的观念里,而必定要落实在生活中,指引人的生活趋向目的。因此,罗光在谈到宇宙变化时,便明确地指出,一切变化的目的在于"生生之仁",因为易经讲过,"天地之大德曰生,圣人之大宝曰位,何以守位?曰仁"(系辞下,第一章)。在罗光看来,仁就是"好生之德",仁和生紧密相连;若落实在人的生命中,则天地变化的原则就是人的生活原则,即以天地之心为心,此心必定是仁,惟圣人能感于此而以仁守位配天安命。"仁"在生生中显示出天道的精神,即使宇宙万物在化生中能有其次序,还同时能互相调节;除了调节自然界的变化仿照化生次序进行外,还特别协助有生命之物能够发育生长。圣人正是看到仁与天道相通,便将天道的生生之仁落实在人道的思想中。所以，人道也必须有"次序"、有"调节"、有"好生"，以此帮助人发展自己的生命。孔子的"仁"便是这三者的集中体现，也是他对人的修养提出的具体要求。因为在他的"仁"中既包含着代表"次序"的礼，这"礼"在于助人立身以承天道，使人的生活不紊乱而能正心和谐；又包含了代表"调节"的中庸，这中庸之道乃指宇宙万物在生化变化里，能各得其中，互相协调；还包含了代表"好生的仁爱"，这仁爱在于致中和而发育万物，能"修己以敬"、"修己以安人"、"修己以安百姓"。一个人的修养达到这种程度，便是孔子说的仁者立己立人，达己达人，这是精神生活的最高峰。于是从这里，我们再次看到，罗光把天主教的信仰与中国文化紧紧地扣合在一起，使之在他的生命哲学中化成一体的生命。

罗光毕生以信仰基督为依归，把自己的生命奉献给基督，为信仰奋斗和服务。因此，他从神修学的传统思路，即"净"——心灵的净化、"明"——进德进修、"合"——与主契合出发，结合他从中国文化的沉思中获得的生命体验，以及他对自我生命追索求知、求善、求美的创造，提出要对主展示生命的超越，找出生命在真善美圣中的自由，以发展自我生命的旋律，使自我空虚地在爱的圆融里成贤成圣，无我地唱出生命的智慧。

为了实现生命的超越，他从中国传统哲学中找到了"纯而明"、"明而神"与"神而通"三个命题，并赋予它们以天主教精神生活的意义，以此提出了它的一套灵修路向：

首先，"纯而明"。要求作到：止于至善、静而后定、定而后安、心地光明、斋戒沐浴、成性存仁、心灵祥和、怡然自在。一个人若能做到"心常主于一"，便能知"万物皆备我"，更了悟生活的目标，以基督的生活为自己的生活，奉行天主的旨意（若望福音第四章三十三节）；能奉行父旨的人，心中必有基督，基督便以圣神引人的心再一次归向天父,心境便能常常祥和,无忧无惧,常安怡乐,故心常"明"①。

其次,"明而神"。这种境界是从"纯而明"发展起来的。要求在"纯而明"后作到"明而神",借以帮助人跨越自己,做到以德化人,正己正人,立己立人,达己达人②。

再次,"神而通"。罗光写道:"通的意义⋯⋯是使自己的精神和道和天地和人物和世事,贯通无碍,顺乎自然,一切无然,无知无欲,素朴天真。儒家的圣人,以仁德的心和天地日月四时鬼神相通:'先天而无不违,后天而奉天时'(易经·乾卦文言)。基督的生命,既和天父相通,又和人类相通,且通于宇宙万物,造成一种新天地⋯⋯人心(基督教徒的心)以基督的生命,贯通于万物;以基督的爱,爱惜万物,在超越的境界里,实现儒家的'参天地之化育'。"③

总之,通过灵修生活,实现"纯而明"、"明而神"、"神而通",从而体验到生命必须与基督的生命相通。所以,人必须懂得"空虚自己",不自我执著,以基督的心为心,以基督的生命为生命,通呼万物;以基督空虚自己的爱,包容万物,爱惜万物,在生命的超越里,实现"天人合一"、"道通为一"、"圆融一体"的灵修生活。

罗光这样建立的生命哲学体系,的确代表了台湾士林哲学会通中西哲学的一种导向。在这个体系中,罗光把中国传统儒家的生命观与西方士林哲学的宗教信仰结合起来,通过哲学的思辨,探究了生命的终极问题。在这里,一方面他希望通过引进士林哲学

---

① 罗光:《生命的修养和境界》,第1—62页,辅仁大学出版社,1987年。
② 同上书,第63—134页。
③ 同上书,第135—136页。

的形上学、伦理观与宗教观念,并把它们用来解释、补充儒家的生命观,以便使传统儒学得到发展。然而另一方面在这个体系中,是以有位格的天主为创生的根源,以爱的圆满为生命至境,说明生命哲学在最终意义上是建立在宗教信仰的基础之上的。这就决定了他的生命哲学体系,能否使传统儒学真正得到变革与发展,是人们值得怀疑的。

八、海外学者会通之路探索

进入 20 世纪 80 年代,为了使哲学能够适应台湾社会以致国际形势的发展,不论自由主义、新儒家还是士林哲学思潮,除了前面介绍的几位学者的会通研究外,还有一些也走上了探索中西哲学新路子的道路。这里,主要阐述几位生活在海外的新儒家学者的探索成果。

第一位,刘述先(1934——　),江西吉安人。高中毕业后,于 1951 年考入台湾大学哲学系。1955 年开始任教于东海大学。1964 年赴美国南伊州大学深造,1966 年取得博士学位。自此以后,往返于美国南加州大学与台湾东海大学之间,先后任副教授、教授,主讲西洋哲学史、文化哲学、宋明儒学等课程。现任香港中文大学哲学系讲座教授。主要著作有:《语言学与真理》、《文化哲学的试探》、《中国哲学与现代化》、《中西哲学论文集》、《新时代哲学的信念与方法》等。

在哲学研究中,刘述先将儒学思想的复兴同解决人类整体在现代化过程中和"现代化以后"面临的困境结合起来,首先对传统与现代进行了双重的哲学反思。一方面,在反思传统时,他发现中国传统文化,特别是在其核心观念与其功用效能方面,均存在着重大的缺陷,并且看到了中国文化自近代以来在西方文化的冲击下日渐式微的事实,认为中国传统文化的缺陷如果得不到及时的弥补与超越,中国是很难走向现代化的。甚至他指出,"如果不加速现代化的历程,简直有亡国灭种的危险"①。

另一方面,他在反思现代化时,不仅指出了西方产业革命和科学技术发展以后,西方社会中出现的种种矛盾,而且还认为西方世界现在正在经受着"现代以后"的种种困扰。从文化哲学的观点来看,人类面临的这种困扰主要是,科技的发展并没有给人类带来幸福,反而使人生失去意义,使人成为科技的奴隶,从而产生了一种非人性的倾向;堪天役物措施的实行,打破了自然原有的平衡,剥夺了未来人类生存的凭藉,以及普遍商品化气氛的流行,使商品的价值成为衡量其他一切的价值标准等。这些事实说明,一个多世纪以来,中国人学习的西方文明进入"现代以后",它的流弊也已经暴露无遗了。

因此,在这种形势下,既要复兴儒学,又不致使它成为现代化的阻力,既要向西方学习,又必须避开它已经暴露的弊病,才有可能恢复和发扬我们中华民族传统中已开发的智慧,用来医治现代人类的病痛,解除现代人类面临的困境。

其次,从上述考虑出发,刘述先提出了文化上进行"创造的综合"的设想。他指出,"我们面对的真正问题既不抱残守缺,也不是全盘西化,而是如何去解释选取东西文化的传统,针对时代的问题加以创造的综合"②。意思是说,在文化的选择上,必须基于时代的课题,一方面用时代的真实来改造传统的缺陷;另一方面也要用传统的智慧来矫正时代的偏失,在古与今、新与旧、继承与创新、

---

① 刘述先:《中国哲学与现代化》,第41页,时报出版社,1980年。
② 同上。

科学与人文以及现实与理想等各个方面之间寻找一种平衡。为此,首先就要正确地认识与把握传统的所有智慧,在承认它有很大限制与缺陷的同时,还要看到时代进入"现代以后",人们因失落传统中某些可贵精神而面临困境的一面。因此,现在的当务之急是如何选取并恢复传统,使其表现出活生生的意义。与此同时,还要加强与西方哲学的交流与融通。因为尽管在我们面对的西方,是一个失去了精神主导的分崩离析的世界,但从一个更为广阔的文化视野出发,要恢复我们传统的智慧,创建我们的新哲学,离开了与西方哲学的往返交流,也是难以实现的。

刘述先的上述思考及其提出的文化上"创造的综合"的设想,说明他在文化选择上,既不满足于长期以来以中学批评西学,或以西学充实中学的思想模式,而是试图站在人类追求未来美好文化的理想上,要求以现在人类实践达到的水平作为标准,努力超越"五四"以来文化上的西化派与保守派的对立,在一个更高的起点上对人类文化、哲学作出选择。因此,在刘述先这里,不仅儒家思想,而且现代西方的人本主义、价值哲学,都可以成为他的哲学创造的重要资料。实际上,他提出的系统哲学及其对它的初步探索,都充分体现了他是在整个人类未来文化发展的大视野下寻找中西哲学会通新路的。

第二位,成中英(1935—　),湖北阳新人。重建中国哲学,使之现代化并走向世界,不仅是成中英的迫切心愿,而且为此他还进行了积极的探索。

在他看来,人类最终将走上一个整体。而这种走向的一个前提,就是建立起一个各个部分相互联系,相互影响的理论思维体系,一个能呈现人类整体和谐秩序的整体哲学——世界哲学。他认为,这种哲学虽然是人类对整体世界所作的理想思考的产物,但是也不能离开各个民族的传统哲学。因此,为了适应这一形势,对于中国传统哲学来说,就有必要对它进行"解构",然后进行全面的重建。具体说来,一方面吸取西方哲学的长处,对中国哲学进行本体观念、语言、范畴、逻辑结构上的分析,使之达到义理上的澄清与创新。这是"中国哲学的现代化"。另一方面,用现代化了的中国哲学对西方哲学提出诠释,对其进行普遍的说明和批评,甚至用中国哲学来解决西方哲学的种种问题,或揭示未来的发展方向。这是"中国哲学的世界化"。为了实现这个目标,成中英提出了"本体诠释学"。

　　所谓"本体诠释学",实际上是一种整体性的思维方法。这种思维方法认为,人的理性活动与其所追求的本体之间,部分与整体、主观与客观以及一切对立、差异之间,都存在着一种互相解释、互相决定的关系。并用这种关系必然使本体从原始的自然状态进入理想的秩序状态。就是在这种互相解释中,从对整体、本体的直观和理解,将会引起对部分的澄清。而部分的澄清又会反过来引起整体的进一步展开,并循环不止,从而使整体与部分在这一个动态的过程中互相弥补,互相定位,逐步走向一个更加完整的结构。如果对它加以简单的表述,本体解释学就是要把本体与方法,整体与部分统一起来,通过它们之间的互相诠释,使之互相影响、互相推进,从而产生一个更为完整的本体或整体。正如成中英对此说明的那样:"本体解释学是要用本体来批评方法,同时也用方法来批评本体。通过本体与方法不断的相互批评,本体就能够逐步突显出来,方法也更能适合我们的目标"①。因此,成中英认为,他的本体解释学是一种将本体与方法、整体与部分、主观与客观统一起

---

① 转引自李海翔:《本体诠释学与中国哲学的现代化和世界化——访美籍学者成中英教授》,载《哲学研究》,1992年,第11期,第55页。

来的学说。通过这个哲学体系,建立起天人合德的宇宙本体论、知识与价值合一的心性论、伦理与管理统一的社会学,以此初步建构了一个独具特色的哲学体系。

毫无疑问,成中英构建其本体诠释学的目的,在于将中国哲学与西方哲学作为统一的世界哲学的两个方面,通过两者的相互比较、批评与融合,亦即实现两者的互动,消除它们之间的分野,最后把世界哲学建立起来。就像成中英所言:"只有中国哲学与西方哲学这两大传统提携和融合,才能为未来人类提供坚实的基础和完美的归趋。未来哲学的重大课题,在于如何从一个放诸四海而皆准的标准,来探讨、解释中国哲学及其他哲学的语言性和历史性,并展开不同传统之间的互相诠释。本体诠释学正是要做这样的尝试,以创立统一的世界哲学"①。显然,成中英的本体诠释学是一种追求更高境界的哲学,以此在本体性上实现主体性与客体性的统一。在这个意义上,他超越了他的前两代新儒家学者尊崇陆王或尊崇程朱的局限性。从中可以看到,在对待西方哲学的态度上,成中英与他的前辈比较发生了很大的变化。表现在,他不仅从中国哲学中,而且更多地从西方哲学的历史发展中获得理论创造的启示;不仅努力解决中国哲学面临的问题,而且主动与当代西方哲学产生的问题觌面,积极参与问题的解决过程;不仅服膺自己所师承的一宗一派,而且广泛地综合现代西方哲学各家各派,尽可能地将它们冶于一炉。所有这些,都表现了一种更为开放的心智与心灵。

第三位,杜维明(1940—　),广东南海人。1961 年东海大学

---

①　转引自李海翔:《本体诠释学与中国哲学的现代化和世界化——访美籍学者成中英教授》,载《哲学研究》,1992 年,第 11 期,第 56 页。

中文系毕业。接着赴哈佛大学深造,1968 年取得哲学博士学位。现为哈佛大学中国历史和哲学教授,燕京学社社长。主要著作有:《今日儒家伦理——新加坡的挑战》、《儒家思想:创造转化的人格》、《儒家第三期发展的前景问题》等。

杜维明是新儒家新一代主要代表人物之一。曾经以研究宋明新儒学思想受到哲学界的重视,进入 80 年代以来,他反复论述的课题是儒家思想的现代意义和儒学第三期发展的前景问题。对于这个问题的研究,虽然有对新儒家前辈的继承,但主要是对列文森《儒教中国及其现代命运》一书的回应。因为在这本书中,作者断言儒家传统在现代中国已经死亡。杜维明在否定这个结论时,他从分析列文森所谓儒家传统走向死亡的那些条件入手,阐明了作为政治化的儒家之代表——即"儒教中国"死亡之后,被厘清了的,代表中国人文精神的真正的儒家传统将会获得新生,并且预测了儒学第三期发展的光明前景。

所谓儒学三期发展的划分,最早是 40 年代末由牟宗三提出来的。他认为,孔孟荀董仲舒,是儒学发展的第一期,宋明儒是儒学发展的第二期,现在则进入发展的第三期。杜维明基本上接受了牟氏的主张,所不同的是,牟宗三论述时是着眼于儒学自身发展的内在联系及其精神方向,而杜维明则把它放在世界文化发展的大背景下加以考察。在论述儒学发展的第一期与第二期是这样,特别是在阐述第三期的发展前景时,更是站在 80 年代人类认识的高度上,首先,从分析儒家思想对于现代社会所具有的意义和价值入手,揭示了儒学第三期发展的根据。杜维明认为,现代思潮的发展及其趋势是以 20 世纪人类全体的生存条件、人生意义、社会及文化所面临的危机,未来的展望等课题为出发点的,这些问题的焦点是人的问题。如何对人的问题进行全面反思,人道与天道如何结合,也就是说,如何建立"哲学人类学",这不仅是哲学问题,而且也成为宗教神学的课题。正是在这一领域,儒学对这一课题的解决具有重要的启迪意义。例如,如果站在 20 世纪的基点上重新反省人的问题,就必须从现实的具体的人所遇到的存在境遇出发,而这便是儒家思想对于其他宗教传统提出的挑战。因为只有儒家才有这样的信念:人是由各种不同关系的网络组织成的,但又可以内在于这些关系而转化之;人可以在不断扩展的人际关系中实现一种自我超越,最终达到天人合一的境界。

其次,特别在阐述如何推动儒学第三期发展的具体环节和努力方向问题上,杜维明在认识上也超过了他的新儒家前辈。一个表现是,他强调了与西方杰出的思想家开展广泛而平等对话的重要性。他认为,"五四"以来在对儒学传统反思和重建的过程中,虽然经过几代新儒家的努力;例如他们通过中西哲学比较,使他们能够深刻地发掘和精确地把握儒家思想,但是,真正与西方杰出的思想家进行平等对话,到目前为止还没有出现。因此,他提出,开发与国际第一流学者的有益对话,"确是我们这一代人义不容辞的责任"①。通过这种对话与交流,一方面可以增加相互了解,另一方面因直接面对挑战,"强迫你把传统里应该发展的潜力全部调动起来,把它内在的逻辑性完全展示出来"②,从而增进我们对于传统的理解和把握。同时,通过这种对话,亦可促使西方思想家认识和了解儒家思想的内在意蕴和价值。另一个表现是,他强调了"除了哲学的重建外",还必须从以下三个方面对西方文化加以

---

① 　杜维明:《儒学第三期发展的前景问题》,第 139 页,联经出版公司,1999年。

② 　同上书,第 140 页。

吸收。一是在超越的层次上，主张为了拓展儒家"超越而内在"的道德形上学，"应该吸取基督教神学中的智慧结晶，从当代基督教神学家中得到启示。"①例如基督教的傲骨与牺牲精神，以及为理想奋斗的绝对功利主义。二是在社会政治经济层次上，认为在这方面西方思想家那里值得吸取的内容很多，其中包括马克思主义。三是在深度心理层次上，认为吸取弗洛伊德学说对人性阴暗面的分析，对于疗治儒家在这方面认识上的肤浅具有一定的意义。

最后，尽管杜维明对于儒学第三期的发展充满了信心，但是他还指出，这必然会经历一个曲折的过程。因为"儒学在20世纪里是否有生命力，主要取决于它是否能够经过纽约、巴黎、东京，最后回到中国"②。意思是说，儒学只有直接面对当代美国文化、欧洲文化与东亚文化(即工业东亚)的挑战，并在这些文化中传播、生根，然后才能以新的姿态，康庄地回到中国。他自称"对此相当乐观"③。

虽然杜维明关于儒学发展前景的预测，带有几分主观的色彩，但从中西哲学会通的角度考察，他不但看到了儒学发展的一些实际问题，而且更为重要的是，为了建立新儒家的哲学人类学，认为必须同西方第一流的思想家进行平等对话。除此以外，还要从现象学、解释学等学派那里吸取方法营养，儒学才有可能创新和进一步发展的可能。所有的这些观点，都表现了杜维明在中西哲学会通中一种更为开放的精神。尽管他还没有形成一套系统的思想体系，但他在会通中西哲学过程中提出的上述思路，具有启发意义。

---

① 杜维明:《儒学第三期发展的前景问题》，第210—211页，联经出版公司，1999年。

② 同上书，第24页。

③ 同上。

上面介绍的,只是新儒家新近涌现的几位学者关于会通中西哲学之路的探索。除此以外,自由主义思潮中的林毓生、韦政通、陈鼓应、林正弘与士林哲学中的沈清松、傅佩荣,也都分别为此做出了不少努力。而且,如果把他们探索中提出的关于中西哲学会通的新思路概括起来,具有以下一些共同特征:

第一,他们的理论兴趣不是急于去创立某种哲学体系,而是从关心现时代人类所面临的种种问题与当前人类实践达到的水平出发,把中国传统哲学的变革与新哲学的创立,以及中西哲学会通,同解决当今世界面临的种种困境综合起来加以思考,把哲学研究与现代人类的社会实践结合起来,以此探寻世界未来哲学的发展方向。因此,他们对于中西哲学会通的新思路的探索起点高,视野开阔、富有现实感。

第二,他们强调世界文化的多元性,认为中西哲学以及其他地区的哲学,都是在特定的历史阶段上形成与发展的,在人类思维的发展中都有它们的价值。因此,在今天开展中外哲学交流与会通的时候,应该超越"五四"以来西化派与新传统主义的对立,以更为理性的心态对待中外各种哲学传统,以现代人类精神的需要作为标准,从理论上对它们作出取舍。对于中国哲学,他们在肯定其所包含的生命智慧的同时,对其中缺乏逻辑思考、轻视法治、压抑个性等不适应现代化发展的消极一面,也有清醒的认识和批评;对于西方哲学,他们既有批评其知分而不合、重知识轻价值的一面,还有对其推动自然科学发展、促进民主意识觉醒等的肯定,特别是引进时主张不仅注意从西方哲学的历史发展中去获取智慧,而且还特别注意从现代西方哲学中吸取理论成果,以便广泛地综合西方哲学的各家各派,尽量从各种各样的哲学中吸取理论思维的养料。

　　第三,他们主张区分学术与政治,积极开展两岸学者之间的学术交流。虽然他们并不一定完全赞成马克思主义,但改变了他们的前辈那种强烈反对马克思主义的态度,认为应该区分马克思主义作为社会历史科学理论的层面和作为政治形态的层面。在作出这种区分后,在哲学活动中他们主张同马克思主义对话,都积极开展了与大陆学者的各种学术交流,以便促进中国哲学研究事业的共同繁荣。

　　通过这几个特点,从中可以看到台湾学者在为中国哲学事业的进步做出的努力,以及当前台湾在哲学研究中出现的新气象。虽然体现时代精神的成熟的哲学体系尚未诞生,但是,完全有把握地说,这样的哲学体系在不久的未来,一定会产生。前景是美好的。

结束语： 回顾过去 展望未来

前面,从第一章到第九章,本书考察和论述了从 16 世纪末以来直到今天西方哲学东渐的进程及其内容。主要阐述了西方哲学东渐作为中国社会迈向现代化过程中一种文化现象发生的必然性,分析了西方哲学东渐曲折而复杂的发展历程,评述了这个进程中中国学者研究西方哲学开展的活动、取得的成果及其发挥的积极作用,指出了西方哲学东渐过程中值得总结的经验与应该接受的教训等。这是对业已过去四百多年西方哲学东渐总体面貌的宏观展示,也是对其发展全过程的初步总结。

现在把回顾过去与展望未来结合起来,在前述各章具体考察与论述的基础上,从总结经验教训与推进未来中外哲学交流出发,提出几个具有普遍意义或规律性的论题,即西方哲学东渐与西方哲学的学术研究、与中国的社会发展、与人类文化交流时的文化心态等关系,集中起来在这里进一步加以论述。不过,在论述这些论题前,需要简要地把西方哲学东渐的历程归纳一下,因为这些论题都是在吸取经验教训时从这个过程中提出来的。

一、西方哲学东渐的历程回顾

从 16 世纪末以来西方哲学东渐的历史,如果把它同中国社会发展联系起来,那么,可以分为五个时期:(1)16 世纪末到 18 世纪

初；（2）19 世纪初到 20 世纪初；（3）20 世纪 20 年代末到 40 年代
末；（4）20 世纪 40 年代末到 70 年代末；（5）20 世纪 70 年代末以
来。这样划分，不是想用政治事件来规定西方哲学东渐的历史，而
是依据西方哲学东渐的实际进程中不同时期的不同特点，并且为
了便于把握上述历史进程及其特点而临时设定的。

　　第一个时期，16 世纪末到 18 世纪初，明末清初。这个时期的
中国，临近封建社会的末期，在其母腹内已经孕育了资本主义的萌
芽。从文化背景的角度分析，当时的中国社会已经具备了引进与
接受西方文化、哲学的可能与条件。正是这个时候，随着耶稣会士
的东来，合乎规律地掀开了中西文化在思想层面直接对话的序幕。

　　1582 年，第一个进入中国的西方传教士是利玛窦。接着，傅
泛际、艾儒略、庞迪我等，紧跟其后。毫无疑问，他们作为西方文化
的传播者，是带着强烈的征服欲，企图通过传播基督教归化中国，
使中国基督教化。但是，当他们到达中国后，看到中国悠久的历
史，深厚的文化底蕴以及一流的大国实力，不但对他们产生了强烈
的吸引力，也使他们的心灵感受到了激烈的震撼。因此，他们在中
国传播基督教的过程中，不得不采取了"学术传教"的策略。例
如，除了讲华语、穿华服、行华礼、与中国学者结交朋友外，在传扬
基督教经典、基督教哲学的同时，还把作为传教媒介的西方天算知
识及其演绎推理的思维方式，通过翻译，或撰写著作，把它们输入
到中国来了。其中，基督教哲学与古代希腊哲学的引进，便是西方
哲学东渐的起点。与此同时，他们还热情地把大批中国哲学、文化
原典译成西文，介绍到西方去，则是"中学西传"的肇始。这样，不
论前者还是后者，都使中西文化交流不但在一定范围内开展起来，
而且还使交流从器物层面进展到思想层面的直接对话。更为重要
的是，当时这样开展的中西文化、哲学交流，双方传播者心态健康，

都是抱着平等对话的态度进行的。通过共同努力，使这个时期的文化交流，对于中国正在酝酿的思想启蒙，或是对于欧洲已经进入高潮的文艺复兴运动，都产生了一定的推动作用。因此，这个时期虽是西方哲学东渐的早期，但它在西方哲学东渐史上的收获却是多方面的。

　　然而还必须指出，明末清初的中西文化交流，虽然开了平等对话的先河，在西方哲学东渐史上具有重要意义，但是，当时的交流又只是在上层少数有识之士的圈子里进行，在社会上远远没有产生广泛的影响。特别是历史的车轮转入 18 世纪以后，由于"礼仪之争"与雍正禁教、驱赶传教士，掀开不久的近代中西文化交流与西方哲学东渐的帷幕，便被人为地拉了下来。在这个意义上，这个时期的中西文化交流终于失败了。原因是多方面的。有基督教的排他性与征服性，使利玛窦一派推行的适应中国文化、哲学传统的"学术传教"策略遭到罗马教廷的否定；也有清朝乾隆以降，国势日渐衰微、思想日趋保守与封闭，导致基督教被禁止传播，传教士被全部赶走。从此开始，闭关自守，实行文化隔离政策，既打断了中西文化交流的进程，也使中国趋向近代化的历史发生逆转。这对中国社会的发展与西方哲学东渐来说，后果是极其惨痛的。主要是，在这以后的一百多年中，西方资本主义世界在现代化的道路上得到了飞跃的发展，而中国社会却停滞不前，国运日衰。这是一段历史回流，它在西方哲学东渐史上留下了许多沉重的教训。

　　第二个时期，19 世纪初到 20 世纪初，清末民初。这是鸦片战争前西学重新东来，中国先进分子在中国被动地卷进世界现代化潮流后，为了救亡图存，使中国富强起来，一方面走上了向西方学习，向西方寻找真理，引进西学的道路。然而另一方面，由于重新开始的中西文化交流产生的一些新的特点，又使他们在输入西学时经历了一个艰难的选择过程。就是说，西方哲学并没有随着西学的重新东来而随之东渐，只是在经过洋务、维新与辛亥到五四新文化运动期间，具有自觉意义的西方哲学东渐局面才终于出现。

原因在于，19世纪初重新开始的中西文化交流，由于18世纪以来中西社会发生的变化，使双方的国际地位随之发生了根本变化。并且随着这一变化，还使重新开始的中西文化交流和明末清初的中西文化交流比较，具有一些新的特点。主要是：

1. 中西文化与哲学的发展进到这个时候，不仅是两种具有不同传统，不同长短的文化与哲学，而且已经形成具有两种不同发展程度或不同时代差别的文化与哲学，因而使原先文化交流的均势与平等的格局被打破了。

2. 这样开始的中西文化交流，是伴随西方资本主义寻求世界市场和掠夺殖民地、向外扩张的需要展开的。所以，在这种形势下进行的文化交流，必然通过经济上和军事上的侵略与被侵略事件与行为进行。因而不仅势头之猛，规模之大前所未有，而且还具有强烈的和严峻的政治性质。特别对于中国来说，在这个过程中，它一方面是西方殖民主义者的侵略对象；另一方面，作为被侵略的一方，因为经济文化落后，为了救亡图存和振兴国力，又必须向侵略者学习，引进西方文化，使得处理中西文化的关系变得十分复杂起来。

正是在这些特点基础上形成的双方文化心态，即西方的"文化霸权主义"与中国的"文化民族主义"，严重地阻碍了当时中西文化的顺利开展。仅就中国方面来说，虽然几代先进分子主张输入西学，但上述心态影响了他们对世界发展潮流、对西方社会、对西学的认识，以及中西文化关系的正确处理，使他们在输入西学时经历了一个从器物文化、制度文化到精神文化的选择过程。首先，洋务运动阶段，认为西学强过中学者，是自然科学及其应用技术，因而运用"中体西用"原则引进了西学中的声光化电等自然科学知识。接着，在维新变法与辛亥首义阶段，由于洋务运动的失败，使他们认识到西方所以胜过中国者，还有其政治制度作为后盾，于是又从"西学中源"模式出发引进西学中的制度文化。最后，进到新文化运动阶段，因为维新失败，特别是辛亥初年复辟帝制上演的一幕幕丑剧，使他们从这些失败的迷惘和痛苦中，认识到没有思想启蒙和广大群众的觉醒，即使挂上了共和的招牌，也不过是伪共和或假招牌罢了，终于催促他们把对西学的选择推进到了精神文化，因而不但使西方哲学成为西学东渐的主要对象，而且在大力引进体现"民主"与"科学"精神哲学流派的过程中找到了马克思主义。这个选择过程，虽然曲折漫长，在重重阻力中经历了千辛万苦，但在西方哲学东渐史上还是有不少成绩的。

第三个时期，20世纪20年代末到40年代，后五四时期。这是西方哲学东渐史上一个重要的发展时期。

在这个时期中，虽然国内外战争频繁，政治斗争异常激烈，西方哲学东渐需要的经济条件非常缺乏，但是，由于新文化运动为西方哲学东渐奠定的良好基础，加上一批留学外国学习西方哲学的学者归来，扩大了传播队伍，提高了学术水平。特别是，面对当时严重的民族危机，使广大有良知的学者出于对民族、国家命运的关注，为了变被动现代化为主动现代化，为中国走向现代化提供政治前提，他们在历史的山重水复中探索中国现代化前途的时候，深深感到有必要在新文化运动进行思想启蒙的基础上，继续开展一个更大规模的新的思想启蒙运动，以便唤起民族精神的全面觉醒。

为此,在当时相对宽松的学术环境条件下,中国学者不但积极地引进了西方各派哲学,热情地开展了对它们的学术研究,取得了多方面具有重要价值的学术成果。而且在输入的过程中察异观同,求其会通,在消化、吸收的基础上,使西方哲学与中国传统哲学的优秀成果结合起来,产生了各种以"新"为特点,并程度不同地反映了时代精神的哲学体系。其中,尤以毛泽东为代表的中国共产党人以其对中西古今文化论争的批判总结而创立的新民主主义理论体系,因其"以政治上理论上的明显优势,在平等竞争中独领风骚,既吸纳了广阔的精神资料,又赢得了广泛的社会支持"①。这样,西方哲学东渐就从过去单纯的和忠实的介绍,进展到了独立研究和通过摄取使之初步会通的时期。

应该承认,这个时期的西方哲学东渐事业,由于广大学者进行了艰苦卓绝的探讨,不但全面地把它向前推进了一步,而且取得的学术成果,还逐步地贴近了时代的脉搏。因此,这是西方哲学东渐史上的一个十分重要的时期。而且,通过它的学术成果,对于现代化因素的积累,主要是在为现代化提供政治前提的过程中,为迎来国家的独立和人民的解放,充分发挥了它的积极作用。

第四个时期,20世纪40年代末到70年代末,即从中华人民共和国诞生到"文化大革命"结束。这是西方哲学东渐从曲折发展走向再次被打断的时期。

在这个时期中,首先在新中国的建国初期,由于当时特殊的国际环境,在政治上"一边倒"向前苏联的条件下,文化思想上接受

---

① 萧萐父:《世纪桥头的一些浮想》,载《珞珈山论坛》,第1辑,第315页,武汉大学出版社,1996年。

了日丹诺夫文化模式的影响,对西方哲学采取了严厉批判和简单否定的态度,使西方哲学东渐陷入日丹诺夫思想的束缚之中。接着,50年代末到60年代初,在冲破上述束缚的过程中,却又随着国内"左"倾政治路线的抬头与膨胀,在"以阶级斗争为纲"的牢牢控制下,更使西方哲学东渐处于步履维艰之中。虽然由于"双百"方针的提出,以及有些学者坚持学术自由的立场,在西方哲学研究的某些领域取得了一些成绩,但在发展趋势上,西方哲学东渐却是越来越艰难起来。最后,发展到60年代中至70年代中"文化大革命"期间,随着"无产阶级专政下继续革命"的狂热推展,西方哲学被视为"封、资、修"毒草,宣布对它们实行全面专政。结果在"文化大革命"的旗号下,西方哲学东渐与中外文化交流,在西方哲学东渐史上人为地再次被打断了。虽然中间出现过"学点哲学史"的现象,但当时不过是把西方哲学作为工具或奴仆来为"左"倾政治卖命罢了。这种做法虽然时间不长,但给西方哲学东渐带来的危害,在人类文化史上却是不多见的。

不过,在西方哲学东渐极其困难与难以开展的条件下,西方哲学史作为一门独立学科的建设,却不但在这个时期突出出来,而且,尽管同样受到"左"倾政治的严重影响,但无论资料的准备,还是西方哲学史教材的撰写,都取得了一定的成绩。

需要指出的是,新中国成立前后,有些学者从大陆转移到了光复不久的台湾以及当时还在英国管辖下的香港地区。他们在这里继续开展西方哲学东渐工作。虽然国民党当局使用高压手段利用他们来为其"反攻复国"的政治目的服务,从而使一些著述严重地染上政治化的倾向,但是,多数学者在艰苦的条件下,仍然沿着原先在大陆的学术立场进行探索,在古典西方哲学与现代西方哲学领域,都取得了一些成果。他们的这些工作和成果，是近代以来西方哲学东渐的继续，也是这个时期西方哲学东渐的重要组成部分。

第五个时期，20世纪70年代末以来，即中国现代化建设进入新时期以来。这是经过拨乱反正使西方哲学东渐走上再度繁荣与全面发展的时期。

1976年10月，"四人帮"被粉碎了。以这个胜利为契机，中国共产党人面对当时生产力遭到严重破坏，现代化建设被打断的严峻现实，总结了近一个世纪以来、特别是近30年社会主义建设正反两方面的历史经验，勇敢地批判了自己所犯的错误，在拨乱反正过程中恢复了马克思主义实事求是的思想路线，提出了改革开放的方针，重新确定了工作重点，带领全国人民在建设有中国特色社会主义的道路上，现代化各项事业不但迅速地走上了健康发展的道路，而且经过全国各族人民的共同努力，取得了举世瞩目的辉煌成就。

其中，西方哲学东渐作为现代化科学文化建设的重要组成部分，它取得的成就是最好的证明。因为在这个过程中，随着中国现代化建设的进展，国家实力的攀升与中西关系发生的变化，19世纪下半叶以来中西文化交流过程中双方形成的文化心态逐渐淡化，从而使这个时期的中西文化交流开始回到平等对话的元点上来。因此，西方哲学东渐不但出现了前所未有的繁荣景象，而且通过它取得的多方面有价值的成果，既为新时期现代化建设发挥了重要的先导作用，也为未来中外哲学更大规模的交流和更高层次的会通，推进人类哲学事业的繁荣和发展奠定了坚实的基础。可见，这是西方哲学东渐史上一个最好的时期。

西方哲学东渐在大陆取得重大进展的同时，随着台湾经济的发展与政治上戒严令的解除，台湾学者在西方哲学研究方面，也取得了不少成绩。更为可喜的是，自20世纪80年代开始，海峡两岸的学者为了共同推进西方哲学东渐事业，还进行了热情的与多渠道的学术交流。从中可以看到，在中国文化整合的过程中，两岸走向统一的趋势已经清晰可辨。

从上述对西方哲学东渐全过程的回顾中，可以得到下面一些带有结论性的认识：

第一，西方哲学东渐作为适应中国走向现代化进程中发生的重要文化现象，是西学东渐的核心，在中西文化交流史上占有十分重要的位置。因此，考察、分析与评断西方哲学东渐过程中发生的一切现象，都必须把它和中国走向现代化的过程联系起来，才能得出正确的结论。

第二，从16世纪末直至今天的西方哲学东渐事业，在风雨征程中几经曲折起落，经历了一个俨如巨大的马鞍形的过程。在它的开头与结尾，16世纪末到18世纪初与20世纪70年代以来，西方哲学东渐较为顺利，基本上是依据人类文化交流的规律进行的；在马鞍形开头的后面与结尾的前面，18世纪初到19世纪中与20世纪的60年代中到70年代中，西方哲学东渐先后被人为地打断；而在马鞍形中间的一段，19世纪下半叶到20世纪60年代初，西方哲学东渐在曲折中艰难地向前推进。可见，西方哲学东渐的过程是极为复杂与曲折的。

第三，在这个过程中，由于各种政治力量和几代学者的努力，西方哲学的学术研究取得了引为自豪的成就，并多方面地发挥了它们对中国社会走向现代化的积极作用。然而由于不同时期不同原因造成西方哲学东渐跌宕起伏，又使西方哲学的学术研究没有取得应该取得的成果，使它在中国走向现代化的过程中没有发挥出本来可以发挥的作用。其中，有值得总结的经验，也有需要吸取的教训。

第四,如果把西方哲学东渐和西方哲学的学术研究以及中国的现代化事业联系起来进一步分析这个过程,那么,将会发现一些规律性的现象。就是:凡是西方哲学东渐顺利开展的时候,西方哲学的学术研究就会取得成果,中国的现代化事业就会向前发展;凡是西方哲学东渐处于曲折中的时候,西方哲学的学术研究便难以取得成绩,中国的现代化事业便难以获得进展;凡是西方哲学东渐被打断的时候,西方哲学的学术研究即停滞,中国的现代化事业即衰退。由此可见,在这个过程中,它们是同步发展的,命运是相同的。

第五,还要指出,它们在同步发展过程中,决定命运相同的根源也是相同的,即除了哲学研究的政治化倾向外,主要是由当时进行中西文化交流时的文化心态决定的。这是中西文化、哲学交流能否顺利开展的关键所在。因此,从推动未来中外文化、哲学交流出发,有必要通过总结过去的历史经验,对上述一些规律性的现象做出进一步的分析与论述。

二、西方哲学东渐与西方哲学的学术研究

在论述上面提到的这些规律性现象时,首先要考察西方哲学东渐与西方哲学学术研究的关系。因为学术成果是西方哲学东渐的直接后果及其理论表现,也是它在中国社会走向现代化进程中发挥作用的根据。通过这一关系的分析,在前面指出它们是同步发展的基础上,运用西方哲学研究成果的具体事实,进一步阐明二者同步发展的表现,以此把西方哲学东渐与西方哲学学术研究同步发展的规律性揭示出来。

西方哲学的学术研究,是西方哲学东渐的主要内容。首先,在

西方哲学东渐史上，它取得进展与成就的时候，是明末清初、后五四与进入现代化建设新时期以来。在这几个时期中，涌现了一批研究与传播西方哲学成就卓著的学者，如明末清初的徐光启、李之藻、杨廷筠；后五四时期的张颐、贺麟、张东荪、张铭鼎、陈康、金岳霖、范寿康、郑昕、洪谦、汤用彤、方东美、唐君毅、谢幼伟、严群、沈志远、郭本道；现代化建设新时期的汪子嵩、张世英、陈修斋、熊伟、王太庆、苗力田、涂纪亮、杨祖陶、叶秀山、王树人、梁志学、杨适、刘放桐、洪汉鼎、赵敦华、邓晓芒、倪梁康、王晓朝等。取得的学术成果，除了译著、论文外，出版了一批具有重要价值、影响深远的著作。如明末清初的《天主实义》、《辨学章疏》、《灵言蠡勺》；后五四时期的《巴门尼德斯篇译注》、《希腊三大哲学家》、《英国经验主义与欧洲大陆理性主义》、《康德学述》、《黑格尔》、《黑格尔历史哲学》、《哲学三慧》、《中西哲学思想之比较研究集》、《知识论》、《文化与人生》、《知识与文化》、《理性与民主》、《维也纳学派哲学》、《现代西方哲学名著述评》、《西洋哲学史》、现代化建设新时期的《希腊哲学史》、《古希腊哲学探本》、《基督教哲学1500年》、《欧洲哲学史上的经验主义与理性主义》、《斯宾诺莎哲学研究》、《德国古典哲学逻辑进程》、《〈纯粹理性批判〉指要》、《批判哲学批判》、《黑格尔哲学讲演集》、《思辨的张力》、《现代西方语言哲学比较研究》、《西方哲学史》（学术版）、《新编现代西方哲学》、《天人之际》、《进入澄明之境》、《自识与反思》等。

所有这些成就，都是西方哲学东渐过程中较为顺利的时期取得的。其中，明末清初与现代化建设新时代所以能够这样，人们是容易理解的。倒是后五四时期有些费解，需要多说几句。毫无疑问，原因也是多方面的。但归纳起来，主要是：（1）从"五四"以来，随着一批在国外研究西方文化、哲学的学者的归来,使传播队伍扩大了,传播者的学术素质提高了。(2)由于民族危机的加深,使许多有良知的学者出于对国家民族命运的关心,因而极大地激发起了他们向西方寻找真理的热情与使命感;(3)对于各种西方思潮的研究,在一定程度上受到政治因素的干扰较少,学者们能在一个较为宽松的环境中在平等的基础上自由发挥。要指出的是,在这几条中,由于国民党政权在全民抗战的条件与全国人民的强烈要求下,在文化方面采取了一些开放的民主姿态,使"学者们能在比较自由的条件下和比较少受政治干扰的环境下从事他们的创作"①,却是最重要的。

其次,西方哲学东渐处于曲折的时候,即19世纪下半叶到20世纪初与20世纪40年代末到60年代初两个时期,西方哲学的学术研究在某些领域也获得了不少成绩。例如,在从维新、辛亥到新文化运动的推进过程中,也出现了一批大师级的人物,如康有为、梁启超、严复、王国维、章太炎、蔡元培、马君武、陈独秀、李大钊、李达、胡适、鲁迅、郭沫若、沈雁冰、范寿康、李石岑、瞿世英、张申府等,他们从寻找救国救民的真理、启发民智进行思想启蒙出发,不但使西方哲学成为西学东渐的主要对象,而且,尽管西方哲学的学术研究尚处在起步阶段,但是,仍然产生了一些有重要影响的论文和著作。如《天演论》、《近世初祖二大家之学说》、《唯物论二巨子(底得娄、拉梅特利)之学说》、《近世第一人哲康德之学说》、《汗德之学说》、《唯心巨子黑智儿学说》、《尼采之学说》、《社会主义与进化论比较》、《无神论》、《文化偏至论》、《对于教育方针之意

_____

① 汤一介:《古今中西之争与中国现代化的发展》,载《江淮论坛》,1994年第6期,第13—14页。

见》、《我的马克思主义观》、《现代社会学》、《康德知识论概说》、《康德批判哲学之形式说》、《黑格尔的伦理学说》、《尼采的学说》、《实验主义》、《罗素》、《罗素的逻辑和宇宙观之概说》、《杜里舒哲学研究》等。又如20世纪50年代到60年代初的大陆以及50年代到70年代的中国台湾，在阻力重重中，葛力对法国哲学、牟宗三对康德哲学、殷海光对逻辑经验论、傅伟勋对英国经验论，以及贺麟、杨一之、张世英、韦卓民、姜丕之对康德黑格尔哲学的研究，不但都取得一些值得重视的成果，而且其中贺麟译出的《小逻辑》、张世英撰写的《论黑格尔的〈逻辑学〉》几乎哺育了研究西方哲学的几代中国学者的成长。

尤其在与西方哲学的学术研究关系密切的西方哲学的学科建设方面，成绩更是值得重视。例如，洋务、维新、辛亥与五四期间，首先，西文中的philosohy一词，经过几代学者的反复探索，最后在中文中终于做出了用"哲学"来翻译它的决定；接着，由于"哲学"一词在中文中的定译和普遍采用，在打破以经、史、子、集中国学术传统的过程中，1914年北京大学将"理学门"更名为"哲学门"、1917年正式改名为"哲学系"的时候，西方哲学不但作为哲学系的一门课程进入了中国大学的课堂，成为哲学系学生的必修课，而且，它还作为一门新近诞生的学科，从此开始进入创建阶段。所有这些在西方哲学东渐史上，都是具有标志性的事件。又如，20世纪的50年代到60年代，在学术研究难以取得进展的条件下，西方哲学学科建设的地位却凸现出来，并且通过采取的一些措施，在这一方面也取得了一些成绩。一个明显的事实是，当时北京大学在洪谦与任华主持下编译出版的一套"西方古典哲学名著选辑"与"西方现代资产阶级哲学论著选辑"，对于学科的资料积累与人才培养，都发挥了巨大的积极作用。

　　再次,18世纪初到19世纪初与20世纪60年代末到70年代初,是西方哲学东渐中断的两个时期。在当时的社会条件下,西方哲学的学术研究不但被迫停顿下来,而且,原先取得的许多学术成果还遭到了严重的破坏。虽然前后打断的时间有长有短,产生的原因有所区别,但在西方哲学东渐史上造成的消极后果,都是十分惨重的。

　　这些事实说明,在西方哲学东渐史上,不同时期西方哲学东渐的状况,完全决定于不同时期西方哲学东渐的状况。即:后者进展顺利时,前者即成就显著;后者处于曲折之中时,前者即步履维艰;后者一旦被人为地打断时,前者即停顿甚至倒退。由此不但证明了它们是同步发展的,命运是相同的,而且基于这些事实,对西方哲学东渐史上学术研究取得的成果,可以做出估计。即一方面,由于某些政治力量的推动与几代学者的辛勤耕耘,取得了一批具有重要价值的学术成果。其中,不乏足以使西方学者以不通中文深感遗憾的精品。在文献形式上,除了难以计数的译著外,还发表了大量的论文,出版了成批的著作。随着它们在中国的问世,使西方哲学发展过程中不同时期主要流派、主要哲学家著作中论述的观点、学说、原理,特别是作为西方社会走向现代化理论总结的近现代思维方式及其理论体系,都不同程度地输入进来了。从内容上考察,这些成果反映了中国先进人士对世界现代化潮流的认识,以及对自己民族命运的理解。从中可以看到,一个拥有悠久文化传统的民族,在西学东渐之风卷袭下向西方学习的漫长心路历程,以及从自己的社会条件出发面对时代的挑战做出的反应。这是中国几代研究西方哲学的学者为中国现代化前途探索与奋斗的记录,是他们为我国科学文化事业经过创作留下的一份十分珍贵的精神财富。然而还要指出另一方面,由于西方哲学东渐过程中在某些时期内受到各种不同原因的制约，从而不时处在困难与曲折之中，严重地干扰了西方哲学的学术研究使之没有取得本来应该取得的成果。对此，也是必须引起重视的。

三、西方哲学东渐与中国社会的发展

论述西方哲学东渐与中国社会发展的关系，是要阐明前述学术成果在中国近代社会发展过程中发挥的作用。这是在坚持社会存在决定社会意识的前提下，在一个新的层次上结合近代以来中国社会发展的具体实践，阐明社会意识对社会存在的反作用，主要是观念文化对社会历史进程的推动作用。

不过，在论述这个问题时，由于现代化是近代以来中国社会发展过程中贯穿始终的时代主题，因此，要阐明两者的关系，以及西方哲学的学术成果对中国近代以来积极作用发挥的真实情况，一定要联系中国现代化的历程进行考察。只有这样，才能把西方哲学东渐与中国社会同步发展、命运相同的规律性揭示出来。

首先，在西方哲学东渐史上，学术成果积极作用得到正常发展的时期，是五四与后五四以及现代化建设新时期。这几个时期，也是中国近代历史上现代化取得明显进展的时期。这是学术成果得到发挥的直接证明。

例如，五四前后，通过思想启蒙对国人变革意识的唤醒。现代化的顺利进行与目标的全面实现，需要的条件很多。其中，使亿万群众从封建传统观念和思维方式的束缚下解放出来，是重要条件之一。因此，从维新、辛亥到五四期间，中国的先进分子把这项工作提高到了十分重要的地位。孙中山所以提倡"心理建设"，就是根据辛亥革命失败的教训，认为如果群众中旧的传统观念打破了，那么，"推行革命之三民主义，五权宪法，而建设世界文明进步之

中华民国,诚如反掌之易也"①。相反,要不是这样,就会如陈独秀描述的那样,"共和立宪而不出于多数国民之自觉与自动,皆伪共和也,伪立宪也,政治之装饰品也"②。鲁迅主张改造"国民性",实际上也是基于同样的思考。而且,在这种认识的基础上,运用研究西方哲学的成果,通过多种渠道与手段,在社会上广泛开展了思想启蒙,促使不少人,特别是年轻知识分子从封建观念与思维方式的束缚下反叛出来,并在革命意识被唤醒的过程中,先后勇敢地走上了献身中国现代化事业的革命行列。

又如,在为现代化前途提供政治前提的奋斗中。这也是现代化顺利开展与目标全面实现的重要条件之一。为此,从19世纪下半叶以来,为了国家的独立和民族的解放,发生了一系列的反帝反封的革命运动。这些政治变革最初表现为民间起义与骚动,后来逐步转变为准现代和现代形式的革命运动,如维新变法,辛亥首义、国民革命、民主革命,等。这些转变,特别是进展到40年代最后取得胜利,建立中华人民共和国,都与西方哲学学术成果发挥的积极作用有着密切的联系。主要是它们为这些革命提供了理论指导。具体说来,孙中山的三民主义政治纲领,便是在当时大力引进的西方自由、平等、博爱思想影响下提出来的。特别是五四时期西方哲学东渐初步繁荣过程中找到了马克思主义,并把它作为观察国家命运的工具,通过对中国社会现实的分析,确立了革命的对象、任务与动力,解决了马克思主义普遍真理与中国革命具体实践的结合,找到了一条中国革命必经的特殊道路,并在历史的山重水

---

① 孙中山:《建国方略》,见《孙中山全集》,第6卷,第246页,中华书局,1986年。

② 陈独秀:《吾人最后之觉悟》,载《新青年》,第1卷第6号,1916年2月15日。

复中,终于1949年取得了民主革命的伟大胜利,为现代化前途奠定了坚实的政治基础。

再如,改革开放以来,中国特色现代化模式的确立与现代化建设的全面繁荣。现代化模式的选择,实质上是现代化道路的选择。选择正确与否,对于现代化的顺利开展以及目标的最终实现,是极为关键的一环。要想保证选择的正确,必须把世界历史发展潮流的趋势同中国社会发展的实际情况结合起来,使之既符合世界发展的潮流,又能反映中国社会发展的特殊性。然而,这不是一件容易的事情。为什么长期以来,中国没有找到适合中国特色的现代化模式,原因就是对于上述两方面都缺乏正确的认识。改革开放后,中国确立的中国特色社会主义现代化模式,则是对上述两个方面有了正确认识的表现。然而,这同样是西方哲学的研究成果发挥积极作用的结果。因为随着中国的国门打开和被卷进世界现代化潮流后,西方哲学作为西方社会发展一定阶段上的时代精神,为中国先进分子认识世界潮流与中国现实,从世界观上提供了一个参照系,从中看到了社会发展的方向,不但促使他们决心融入世界现代化潮流中去,而且在实践中,从一种模式转变为另一种模式,最后进展到有中国特色社会主义现代化模式,都是随着西方哲学学术研究的进展,特别是随着对马克思主义哲学关于社会发展规律的认识进展而变化的。实践证明,只有这个模式才把中国现代化引导到健康发展、经济起飞和社会转型的新阶段。从世界历史的广阔背景考察,这个模式显然是融会中西、综合创新、扬弃苏联僵化模式,发展马克思主义的产物。

其次,学术成果的积极作用没有正常地发挥出来,在西方哲学东渐史上,是19世纪下半叶到20世纪初,以及20世纪的50年代到60年代初。在这几个时期中,中国走向现代化过程中碰到的困难与发生的曲折,则是这种作用没有得到正常发挥的直接后果。这一点,用思想启蒙不力导致现代化启步迟缓与进展缓慢的事实,就能得到充分的证明。

时到今天,大概不会有人怀疑思想启蒙对于中国现代化的重要意义了。然而,尽管中国卷进世界现代化的潮流后,几代学者曾经通过引进与研究西方哲学,为现代化需要的思想启蒙积极奔走呼号,做出了他们应该作出的努力。但是,从最终的结果来看,没有取得应有的社会效应,说明思想启蒙不力。例如,辛亥首义革命期间,西方的"天赋人权"与"共和"等学说,都先后输入进来了,但辛亥首义的果实却落入到了封建势力的代表人物袁世凯的手中。又如,五四新文化运动前后,"民主"与"科学"的启蒙,也热闹了一阵子,但不久便在极不彻底的状态下停顿下来。因此,在地广人众的中国,真正相信并接受了德赛二先生的又有几个呢? 对此,当年陈独秀曾经指出,"其数目几乎不能列入统计"①。再如,马克思主义启蒙,也没有避免启蒙不力这个弱点。因为"五四"以后,虽然马克思主义得到了广泛的传播,但中国共产党成立后,就卷进了激烈革命斗争,加上"中国马克思主义思想启蒙在国际教条主认影响下"②,因此,在夺取政权后,对于如何走社会主义道路实现现代化,思想上的准备和理论上的修养,都"是不够的"③,从而造成理论上的混乱与实践上的扭曲和变形。

这些都是众所周知的事实。它们充分说明:在中国走向现代

① 陈独秀:《科学与人生观》"序",见《德赛二先生与社会主义》,第224页,远东出版社,1994年。

② 罗荣渠:《从西化到现代化》,载《人民日报》,1989年2月26日。

③ 刘少奇:《答宋亮同志》,见《刘少奇选集》,第200页,人民出版社,1981年。

化过程中所需要的思想启蒙,不论近代西方启蒙学者的理论,还是马克思主义学说,在中华民族心理上的实际覆盖面,在广度上狭窄,在深度上浅显。所以,体现新的时代精神的近现代西方哲学的曙光,虽然已经穿透帷幕射进了沉睡的神州大地,也有不少先觉者觉醒与奋起,但就整个中华民族来说,多数人还处在它的影响之外。其后果表现在思想上,使人们在长期小农经济基础上建立起来的思维模式和文化心态,在旧的传统惰力的束缚下不能解放出来,使中国社会"走出中世纪,迈向现代化"所需要的理性觉醒与成熟,即文化变迁迟迟不能实现。因此,我们可以看到,在中国社会发展的某些时期内,新的虽然在不断地冲破旧的,但死的又不断地拖住活的。社会生活中新旧杂陈,矛盾交错,方生方死,使中国社会在迈向现代化的过程中不断出现曲折和反复。表现在实践上,导致现代化起步迟缓与进展缓慢。前者出现在洋务运动期间,后者发生在 20 世纪的 50 年代到 60 年代初。以后者来说,新中国的诞生,本来为现代化全面发展提供了坚实的政治制度保证,然而由于对马克思主义理解的偏颇,在"左"倾思想路线的支配下,用"以阶级斗争为纲"代替了以经济建设为纲,偏离了中国社会主义现代化的目标,使全社会的工作重点发生了严重的逆转。

再次,西方哲学东渐史上两次被人为地打断的时期,不但西方哲学的学术研究完全停顿,而且原有的成果也遭到抛弃或毁坏,给中国走向现代化进程造成的惨痛后果,则是完全失去学术成果积极作用的直接证明。例如,18 世纪初到 19 世纪 40 年代,因为自雍正以来,对外闭关封锁,对内钦定封锁,强化封建文化专政,恢复宋明理学权威,不允许民间有任何一点思想自由,这样一来,前一个世纪思想启蒙的火花,到这个时期几乎熄灭了。整个 18 世纪到

19世纪中叶,中国社会便处在这种状态中。这种政策造成的后果是:使中国社会停滞不前,国运日衰,使生活在这种社会中的人们因循守旧,泥古不前。特别是由于闭关自守,傲然自大,致使对外部世界发生的巨大变化,孑然无知。一旦外患濒临,文臣无退敌之谋,武将无取胜之术,朝廷计穷,"惟顿首流涕,君臣相持嚎哭而已"①。这段历史回流,留下了许多沉痛的教训。

这些事实说明,在西方哲学东渐史上,不同时期学术成果发挥作用的状况,同样完全决定于不同时期西方哲学东渐的状况。即:顺利时积极作用就得到充分发挥,曲折时作用的发挥便受到限制,中断时这种作用则完全消失。由此不但证明了它们是同步发展的,命运是相同的,而且,基于这些事实,对西方哲学东渐史上学术成果对中国社会发展发挥的作用,也能够做出估计。即,一方面,这些学术成果对于中国社会的发展发挥了一定的积极作用,主要表现在中国走向现代化进程中思想启蒙、培养现代化主体、认识世界的发展潮流、选择现代化模式、保证现代化顺利进行诸方面。可以说,今天中国社会各方面发生巨大的变化,不论物质现象还是精神现象,都深浅不同地烙下了它的印迹。这是观念文化对社会存在反作用的表现,也是西方哲学东渐为中国社会发展做出的贡献。不过,还要指出另一方面,由于西方哲学东渐过程中不同时期遇到的不同阻力等原因,又使学术成果对中国社会发展本来可以发挥的积极作用,没有正常地与充分地发挥出来。如前述思想启蒙不力、现代化起步迟缓与进展缓慢。所以对其作用的发挥,必须保持清醒的认识。

---

① 欧阳中鹄:《谭嗣同〈兵算学议〉注》,见《谭嗣同全集》(上),第158页,中华书局,1981年。

四、西方哲学东渐与中外文化交流时的文化心态

论述了西方哲学东渐史上两个带规律性的现象后，进一步要回答的问题是，在过去四百多年西方哲学东渐的过程中，为什么没有取得本来应该取得的学术成果，为什么这些学术成果没有发挥本来能够发挥的积极作用，原因何在？在阐明这个问题时，由于西方哲学是西学的核心，西方哲学东渐是近代以来中西文化交流的主要表现，为了正确地总结以往西方哲学东渐的经验教训和有效地推动未来中外文化交流的健康开展，必须联系人类走向全球化的进程，把它放在中外文化交流的过程中进行考察，并以此为理论视野对它进行审视，才能做出符合实际的判断。

实践证明，人类文化交流的正常开展，要有相应条件的保证。在这些条件中，有政治的、经济的与思想的。其中有些是深层次的、长时间起作用的。因此，在总结过去西方哲学东渐的经验教训，分析制约学术研究与作用发挥的原因时，必须找到这种深层次、长时间起作用的因素。如果依据这一思路进行探索，那么首先会容易地看到，上述后果是西方哲学东渐过程中的曲折起落引起的。然而进一步分析，又会认识到曲折起落不过是造成这些后果的表层原因，在这些原因的后面还有决定曲折起落更为深刻的原因，而且，这样的原因起作用的时间也是不同的。所以，必须透过表面现象在引发曲折起落的各种因素中，找到其中长时间起作用的深层因素。

最后终于发现，它就是中西文化交流过程中出现的中西不同的文化心态。仅就我们中国来说，先后提出的"中体西用"论、"西学东源"论、"东方文化救西方"论、"本位文化"论与"世界革命中心"论，都是不同时期进行中西文化交流时文化心态的表现。其

中,"中体西用"论具有代表性。只要集中剖析一下这种文化心态,阐明它给西方哲学东渐带来的消极后果,指出克服它对于推动未来中外文化交流的重大意义,西方哲学东渐何以不断发生曲折起落,便完全明白了。

"中体西用"论是19世纪下半叶洋务派提出来的。他们虽然主张向西方学习,但必须以"中学为体"、"西学为用",只引进西方的物质文化,不能输入西方的其他文化,特别是哲学社会科学。因为在他们看来,在这些方面中国远在西方之上,认为只有这样就不会触动封建制度的根基。可见,这种心态的本质是在维护中国封建制度这个"体"的前提下,引进西方的生产手段和科技文化,以此达到强化本体的目的。这反映了洋务派在中西文化冲突中,既忠于现存封建秩序,又具有一定改革要求的矛盾心情。因此,它在中西文化交流过程中所起的作用是复杂的。一方面,在洋务运动的进行过程中,随着它的提出和贯彻,打破了中国传统文化神圣不可侵犯的神话,动摇了中国封建统治阶级长期形成的夜郎自大、盲目排外、僵化的思想统治,为西方文化在中国的传播争得了一块合法的地盘。从此开始,西学便顺着这个口子渗入进来,输入的范围越来越宽,步伐越来越快,并在这个过程中产生了一些有积极意义的成果,使它成为近代中国向西方学习的一个阶梯。然而另一方面,"中体西用"的宗旨与世界现代化潮流和中国社会的发展方向是根本对立的。因为它始终是以坚持和维护封建秩序之"体"作为出发点,而这个"体"已经日薄西山,摇摇欲坠了。因此,从这种立场出发,使它所允许引进的西学有一定的限度。一旦西学之"用"超出了这个限度,洋务派就会加以坚决拒绝和严格控制。特别是随着社会变革向前发展,它开始时仅有的一点儿积极作用便消失殆尽,成为抵制新事物的思想工具。例如,影响了对西学的正确选择,延缓了中国现代化的起步,就是这种心态的直接后果。

值得重视的是,这种心态并不是近代中国历史某一阶段上独有的现象,而是中西文化交流过程中不断遇到的一种思想障碍。例如,1935年出现的"本位文化"论,宣称在进行"文化建设"时,既不"模仿英美",也不"模仿苏俄",而应"根据中国本位","采取批判态度","吸收其当吸收"①。然而在骨子里,他们的所谓"根据中国本位"不外是"中学为体"的别称,而所谓"吸收其当吸收",也不过是"西学为用"的代名词。实际上,当年胡适就指出,"本位文化论"是"中体西用"的翻版。又如,1949年以后的一段时间内,主要是中苏关系恶化后,认为苏联变质了,成了修正主义国家,只有中国坚持了社会主义方向,并且通过"文化大革命"解决了无产阶级专政下继续革命和防止资本主义复辟的问题,成为"世界革命的中心"和人类争取解放的灯塔。认真分析一下,不难发现这种思想是建立在下述社会文化心理基础上的,即:"中国人民已经成为世界上最正确、最革命的科学的代表,我们的责任就是捍卫和在全世界宣传、推广这种科学。这种傲视人类的心态其实就是祖传的天朝大国心理的20世纪的修订版"②。由此造成的消极后果是众所周知的。可见,这些文化心态在不同的时期虽然有不同的名称与不同的表述,但都是"中体西用"论改头换面的表现。在西方哲学东渐史上,它长时间成为一道阻挡西方文化洗礼的精神堤防,导致西方哲学东渐不断发生曲折与反复,使学术研究没有取得本来可以取得的成果,也使这些成果没有发挥本来能够发挥的积

---

① 陶希圣等:《中国本位文化宣言》,载《中国建设》,第1卷第4期,1935年。
② 袁伟时:《建立适应全球化时代的文化心态》,载《现代与传统》,1994年第6期,第18页。

极作用。

　　要是把这些文化心态综合起来进行分析，那么，从中可以看到，这些文化心态的思想实质也是相同的。即："它们坚持的是中国古已有之的思维模式：人是为特定的纪纲或文化传统而生的"①。就是说，都是站在中国封建传统文化的立场上，从中国以儒学为代表的传统文化出发，来确定中西文化交流过程中对待西方文化的态度。是吸收，吸收什么？是排斥，排斥的根据，都是完全以中国传统文化作为惟一的标准。这就是文化民族主义，确切地说，是狭隘的文化民族主义。这是上述文化心态的共同本质。在人类进入全球化以后，由于它的存在和作祟，使我们在近代中西文化交流过程造成了巨大的损失，更使中国丧失了不少发展的大好时机，延误了中国走向现代化的进程。

　　应该指出，文化民族主义的形成和推行，还有它更为深刻的文化与社会根源。首先，传统文化惰力的顽固性。虽然中国是世界文化的摇篮之一，但在过去几千年的发展中，由于长期只是与同一层次或者是较低层次的文化保持联系，除了输入过印度的佛教文化外，中国基本上是"文化的输出者"。由此，逐渐形成了一种"用夏变夷"的"民族中心"与"文化中心"的观念。而且，经过长时期的历史积淀，已经深深地沉入社会心理之中，成为一种封闭的文化视野或心理定势，在中外文化交流的过程中默默地发挥着它的作用。综观西方哲学东渐史上，对西方哲学种种偏颇、歪曲、片面和错误的认识，以及对它采取的种种怀疑、恐惧、迷惑和排斥的态度，都是这样产生的。

---

　　①　袁伟时：《建立适应全球化时代的文化心态》，载《现代与传统》，1994 年第 6 期，第 18 页。

其次，与近代中国的社会历史条件也有关系。因为自19世纪中叶以来，西方哲学的输入是伴随西方帝国主义的军舰和大炮的入侵发生的。这样一来，一方面帝国主义的侵略，使中国的传统社会不断走向崩溃，民族蒙受了巨大的灾难。因此，必须捍卫国家主权，维护民族独立，反对外来侵略。另一方面，随着帝国主义的入侵，中国社会被动地卷进了世界现代化的进程。为了实现现代化与促进社会转型，又必须向西方学习，引进西方先进的科学文化成果。在这种社会历史条件下，带来了处理中西文化关系的复杂性，增加了输入西方文化时的思想障碍，促使文化民族主义得到了发展。因为帝国主义的入侵，不仅触动了旧中国统治阶级的利益，也伤害了生活在中国土地上的普通老百姓的土地、家园和国土感情。因此，在文化民族主义认识的基础上，使作为统治阶级思想结晶的意识形态和作为普通大众观念积淀的社会心理混在一起，使反对帝国主义侵略、捍卫国家主权的必要性掩盖了输入西方文化、哲学的必要性，使政教合一，文化与意识形态不分的传统延伸到对待西方文化、哲学上来，在抵御西方文化、哲学东渐这一点上得到了某种契合。西方哲学东渐史上先后出现的那些文化心态，从这里都可以找到它们的思想根源。

总结过去，无论经验还是教训，都充分说明，健康的文化心态是人类文化正常交流的思想保证。

展望未来，随着人类走向全球化步伐的加快，为了适应中外哲学将在更大规模与更高层次上开展的需要，必须要有真正的开放观念，建立起真正满足全球化时代要求的文化心态。

这种主张的提出，既是适应人类走向全球化时代的需要，在我国传统文化中也有根据。从前者来说，实际上，早在一百多年前，马克思和恩格斯就认为，由于大工业开创了世界历史，"使每个文明国家以及这些国家中的每一个人的需要的满足都依赖于整个世界,因为它消灭了以往自然形成的各国的孤立状态"①。又指出,由于资产阶级"开拓了世界市场,使一切国家的生产和消费都成了世界性的了"②。因此,"过去那种地方的民族的自给自足和封闭自守状态,被各民族的各方面的相互往来和各方面的相互依赖代替了。物质的生产如此,精神的生产也是如此"③。在这种形势下,没有一个国家孤立于世界经济体系之外,能够求得国家经济的繁荣和发展。四百多年来的西方哲学东渐实践证明:"一个国家如果把自己封闭起来,就会丧失吸收外来的现代化因素的动力,就会脱离世界发展的大潮,就会因停滞而落后"④。

社会历史又经过一个多世纪的发展,人类的世界性联系更加密切了,世界各国之间的相互依赖也更是增加了。尤其随着市场经济全球化与信息全球化的出现,带来了人员、物质、能量、信息在全球范围内的交流。更由于交通、通信的飞速发展,还使这种交流规模越来越大,速度越来越快,使地域之间、国家之间的距离越来越近。由此,世界便越来越变成鸡犬之声相闻的地球村了。在这个经济、政治和文化走向全球化的过程中,也必然带来与社会历史命运联系在一起、反映全球化时代精神的哲学研究与哲学交流的全球化。这既是人类文明发展的必然趋势,也是人类哲学发展的必然逻辑。因为作为人类思维结晶的哲学,尽管它的产生和发展

---

①　马克思恩格斯:《德意志意识形态》,见《马克思恩格斯选集》,第1卷,第67页,人民出版社,1995年。

②　马克思恩格斯:《共产党宣言》,见《马克思恩格斯选集》,第1卷,第254页,人民出版社,1995年。

③　同上书,第255页。

④　罗荣渠:《现代化新论》,第190页,北京大学出版社,1983年。

有其地域与民族的根源，但它又不能离开一个时代的整个宏观大背景，即人类社会发展的必然趋势以及由此形成的时代精神。这就决定了在生产力普遍发展和世界交往普遍发展的推动下，人类思维的区域性、民族性的差异会越来越小，而其全球性、人类的共性会越来越显著。这样一来，在哲学研究过程中，由于从思维方式到研究方法的种种变化，也必然使各个国家或地区的哲学研究事业，从课题的提出到成果的取得，都必然依靠各国哲学家的共同努力。同样，在哲学交流中，由于交流规模扩大与交流层次提升，更是需要建立起一种与人类走向全球化时代相适应的文化心态。

把这种文化心态运用到今后的中外文化交流中去，虽然它对交流过程的各个环节和方面都有不同的要求，但其中共同的却是：

第一，在思想上，必须排除华夏优越感，坚决克服封闭观念，建立起真正的开放视野。在西方哲学东渐史上，在"华夏中心"基础上产生的封闭观念，使我们吃够了苦头，早已成为人类文化交流的大敌。因此，为了推动中外文化、哲学交流的正常进行，必须用真正开放的视野代替封闭观念，把本国本民族置于世界走向一体化之中，作为地球村中平等的一员，与其他国家、其他民族进行文化交流。

第二，在行动上，必须抛弃二元对立的思维模式，而以海纳百川的胸襟吸取人类文明的精华。不论中西对立，还是体用对立的二元思维模式，带来的消极后果也是有目共睹的。古往今来，人类文化从来是多元的。实践证明任何完善的理论和公式都不可能令文化统一。因此，在判断一种文化、哲学的价值时，首先不是看它属于哪一个国家，哪一个民族、哪一类宗教，而是看它体现的时代精神和具有的功能。在进行交流时，相互尊重，兼容并包，积极开展平等对话，并从中国社会主义现代化建设的实际出发，批判地借鉴和吸取古今中外一切有价值的优秀成果,消化后使之与中国传统哲学中的精华熔于一炉,经过推陈出新,创立既有民族特色,又能体现时代精神的新时代的中国哲学来。

　　这些论述充分说明,在未来中外哲学交流中,只要有了全球化的文化心态,就能保证中外哲学之间的交流健康地进行,就能取得应该取得的学术成果,这些学术成果就能发挥本来能够发挥的积极作用。要是这样,就能为人类哲学走向繁荣和发展的崇高事业,做出新的贡献。

参 考 文 献

本目录着重列出了对本书写作产生过影响的有关西方哲学东渐背景性与评论性的主要文献,对于西方哲学东渐的原始文献,则只收录了其中少量有代表性的文集。

一、著作部分

1. 马克思恩格斯:《共产党宣言》,见《马克思恩格斯选集》,第1卷,人民出版社,1995年版。

2. 马克思恩格斯:《德意志意识形态》,见《马克思恩格斯选集》,第1卷,人民出版社,1995年版。

3. 马克思:《关于179号〈科伦日报〉社论》,见《马克思恩格斯全集》,第1卷,人民出版社,1956年版。

4. 恩格斯:《路德维希·费尔巴哈与德国古典哲学的终结》,见《马克思恩格斯选集》,第4卷,人民出版社,1995年版。

5. 恩格斯:《自然辩证法》,见《马克思恩格斯选集》,第3卷,人民出版社,1995年版。

6. 列宁:《共青团的任务》,见《列宁选集》,第4卷,人民出版社,1995年版。

7. 列宁:《什么是人民之友以及它们如何攻击社会主义者》,见《列宁选集》,第1卷,人民出版社,1995年版。

8. 列宁:《马克思主义的三个来源和三个组成部分》,见《列宁选集》,

第 2 卷,人民出版社,1995 年版。

9. 列宁:《论无产阶级文化》,见《列宁选集》,第 4 卷,人民出版社,
1995 年版。

10. 毛泽东:《新民主主义论》,见《毛泽东选集》,第 2 卷,1991 年版。

11. 毛泽东:《论联合政府》,见《毛泽东选集》,第 3 卷,人民出版社,
1991 年版。

12. 毛泽东:《论人民民主专政》,见《毛泽东选集》,第 4 卷,1991
年版。

13. 樊树志:《晚明史》(1573—1644),复旦大学出版社,2003 年版。

14. 赵尔巽等:《清史稿》,中华书局, 1976 年版。

15. 胡绳主编:《从鸦片战争到五四运动》,人民出版社,1981 年版。

16. 李新、陈铁健主编:《中国新民主主义革命史》(共七卷),上海人民
出版社,1993 年版。

17. 李禹:《国魂——中国抗日战争纪实》,中共中央党校出版社,1995
年版。

18. 钟鸣旦编:《徐家汇藏书楼明清天主教文献》(1—4),辅仁大学出
版社,1996 年版。

19. 朱维铮主编:《利玛窦中文著译集》,复旦大学出版社,2001 年版。

20. 利玛窦、金尼阁:《利玛窦中国札记》,中华书局,1982 年版。

21. 永瑢等:《四库全书总目》,中华书局,1995 年版。

22. 徐宗泽:《明清间耶稣会士译著提要》,中华书局,1949 年版。

23. 李之藻编辑:《天学初函》,根据梵蒂冈图书馆藏 1628 年李之藻刻
本影印,台湾学生书局,1966 年版。

24. 徐光启等:《天主教东传文献》(共三册),根据梵蒂冈图书馆藏本
影印,台湾学生书局,1966 年版。

25. 费耐之著,冯承钧译:《在华耶稣会士列传及书目》,中华书局,
1995 年版。

26. 荣振华著,耿昇译:《在华耶稣会士列传及书目补编》,中华书局,1995 年版。

27. 波塞尔编:《莱布尼茨与中国》,科学出版社,2002 年版。

28. 《中国近代期刊篇目汇编》编者:《中国近代期刊篇目汇编》(共三卷六册),上海人民出版社,1965 年版。

29. 四川大学、复旦大学哲学系编:《全国主要报刊哲学论文资料索引》(1900—1949),商务印书馆,1989 年版。

30. 辽宁大学哲学系编:《中国现代哲学史资料汇编》(共 14 集),1982年版。

31. 《外国哲学》编委会:《外国哲学译著书目提要》,见《外国哲学》(8—10 辑),商务印书馆,1981 年版。

32. 社科院哲学所编:《外国哲学史研究集刊》(1—8),上海人民出版社,1978 年以来。

33. 中国现代外国哲学研究会:《现代外国哲学论集》(1—10 集),三联书店,1981 年以来。

34. 梁启超:《近三百年学术史》,东方出版社,1996 年版。

35. 梁启超:《清代学术概论》,东方出版社,1996 年版。

36. 柳诒徵:《中国文化史》,台北正中书局,1947 年版。

37. 钱穆:《中国近三百年学术史》,商务印书馆,1997 年版。

38. 沈福伟:《中西文化交流史》,上海人民出版社,1985 年版。

39. 方豪:《中西交通史》,岳麓书院,1989 年版。

40. 萧萐父等:《明清启蒙学术流变》,辽宁教育出版社,1995 年版。

41. 张西平:《中国与欧洲早期宗教和哲学交流史》,东方出版社,2001年版。

42. 沈定平:《明清之际中西文化交流史——明代:调适与会通》,商务印书馆,2001 年版。

43. 冯友兰:《中国哲学史新编》(第四卷),人民出版社,1988 年版。

44. 侯外庐主编:《中国思想通史》(第四卷),人民出版社,1980 年版。

45. 嵇文甫:《晚明思想史论》(第八章:西学输入新潮),东方出版社,
1996 年版。

46. 张学智:《明代哲学史》,北京大学出版社,2000 年版。

47. 朱维铮编:《基督教与近代文化》,上海人民出版社,1994 年版。

48. 赵敦华:《基督教哲学 1500 年》,人民出版社,1994 年版。

49. 王晓朝:《基督教与帝国文化》,东方出版社,1997 年版。

50. 孙尚扬:《基督教与明末儒学》,东方出版社,1994 年版。

51. 张恺:《庞迪我与中国》,北京图书馆出版社,1997 年版。

52. 许志伟等主编:《冲突与互补:基督教哲学在中国》,中国社会科学
出版社,2000 年版。

53. 谢和耐著,耿昇译:《中国与基督教——中西文化的首次撞击》(增
补本),上海古籍出版社,2003 年版。

54. 邓恩著,余三乐等译:《从利玛窦到汤若望——晚明的耶稣会传教
士》,上海古籍出版社,2003 年版。

55. 余三乐:《早期西方传教士与北京》,北京出版社,2001 年版。

56. 容闳:《西学东渐记》,岳麓书院,1985 年版。

57. 熊月之:《西学东渐与晚清社会》,上海人民出版社,1984 年版。

58. 汪澍白:《艰难的转型——中国文化从传统到现代》,湖南出版社,
1991 年版。

59. 冯天瑜主编:《中国文化的现代转型》,湖北教育出版社,1996
年版。

60. 陈旭麓:《近代中国社会的新陈代谢》,上海人民出版社,1992
年版。

61. 吴延桢等:《坎坷的历程——近代学习西方八十年》,中国社会科
学出版社,1993 年版。

62. 刘宗敬:《向西方学习的探索与反思》,求实出版社,1993 年版。

63. 龚书铎:《近代中国与文化抉择》,北京师范大学出版社,1993
年版。

64. 曾乐山:《中西文化与哲学争论史》,华东师范大学出版社,1988
年版。

65. 郑师渠等:《近代中西文化论争的反思》,高等教育出版社,1991
年版。

66. 中国近代文化史丛书编委会编:《中国近代文化问题》,中华书局,
1989 年版。

67. 艾恺:《世界范围内的反现代化思潮》,贵州人民出版社,1991 年。

68. 罗荣渠主编:《从"西化"到现代化——五四以来有关中国的文化
趋向和发展道路论争文选》,北京大学出版社,1990 年版。

69. 罗荣渠:《现代化新论——世界与中国的现代化进程》,北京大学
出版社,1993 年版。

70. 庞朴:《文化的民族性与时代性》,中国和平出版社,1988 年版。

71. 丁伟志等:《中西体用之间》,中国社科文献出版社,1995 年版。

72. 冯契:《中国近代哲学的革命进程》(冯契文集第七卷),华东师大
出版社,1997 年版。

73. 袁伟时:《中国现代哲学史稿》(上),中山大学出版社,1987 年版。

74. 李泽厚:《中国近代思想史论》(修订本),安徽文艺出版社,1994
年版。

75. 朱维铮:《求索真文明——晚清学术论》,上海古籍出版社,1996
年版。

76. 张海林:《近代中外文化交流史》,南京大学出版社,2003 年版。

77. 李喜所:《中国近代社会与近代文化》,人民出版社,2003 年版。

78. 陈胜 :《林则徐与鸦片战争论稿》,中山大学出版社,1990 年版。

79. 李瑚:《魏源研究》,朝华出版社,2002 年版。

80. 任复兴主编:《徐继畬与中西文化交流》,中国社科出版社,1993

年版。

81. 顾长声:《从马礼逊到司徒雷登——来华新教传教士评传》,上海人民出版社,1985 年版。

82. 汤森著,王振华译:《马礼逊——在华传教士的先驱》,大象出版社,2002 年版。

83. 阮芳纪:《洋务运动论文集》,人民出版社,1985 年版。

84. 周建波:《洋务运动与中国早期现代化思想》,山东人民出版社,2001 年版。

85. 刘广京:《中国现代化的起始——李鸿章评传》,上海古籍出版社,1995 年版。

86. 郑海麟:《黄遵宪与近代中国》,三联书店,1988 年版。

87. 容闳著,石霓译:《容闳自传——我在中国和美国的生活》,百家出版社,2003 年版。

88. 张海林:《王韬评传》,南京大学出版社,1993 年版。

89. 袁伟时:《中国现代思想史散论》,广东教育出版社,1993 年版。

90. 汪祖荣:《晚清变法思想论丛》,台北联经出版公司,1983 年版。

91. 孔祥吉:《戊戌维新运动新探》,湖南人民出版社,1989 年版。

92. 广东康梁研究会编:《戊戌康梁维新派研究论集》,广东人民出版社,1994 年。

93. 田伏隆:《辛亥革命与二十世纪中国》,湖南人民出版社,2001 年版。

94. 朱英主编:《辛亥革命与近代中国社会变迁》,华中师大出版社,2001 年版。

95. 汤志钧:《康有为与戊戌变法》,中华书局,1984 年版。

96. 易新鼎:《梁启超与中国的学术思想史》,中州古籍出版社,1992 年版。

97. 苏中立:《救国·启蒙·启示——严复和中西文化》,华北师大出版社,1982 年版。

98. 王樾:《谭嗣同变法思想研究》,台湾学生书局,1990 年版。

99. 章念驰编:《章太炎生平与学术》,三联书店,1989 年版。

100. 周一平等:《中西文化交汇与王国维学术成就》,学术出版社,
1999 年版。

101. 沈渭滨:《孙中山与辛亥革命》,上海人民出版社,1993 年版。

102. 李时岳:《孙中山与中国民主革命》,辽宁人民出版社,1994 年版。

103. 林家有:《孙中山与中国近代化道路研究》,广东教育出版社,
1999 年版。

104. 蔡建国:《蔡元培与近代中国》,上海社科院出版社,1997 年版。

105. 黄见德:《20 世纪西方哲学东渐问题》,湖南教育出版社,1996
年版。

106. 黄见德:《20 世纪西方哲学东渐史导论》,首教师大出版社,2003
年版。

107. 夏禹龙主编:《中国文化发展的转机》,知识出版社,1989 年版。

108. 袁伟时编著:《告别中世纪——五四文献选粹与解读》,广东人民
出版社,2004 年版。

109. 周钧美选编:《世纪先声——五四·新文化运动文选》,华文出版
社,1999 年版。

110. 丁守和主编:《中国近代启蒙思潮》(中卷),社科文献出版社,
1999 年版。

111. 陈崧编:《五四前后东西文化问题论战文选》,中国社科出版社,
1989 年版。

112. 吴晓明选编:《德赛二先生与社会主义——陈独秀文选》,上海远
东出版社,1994 年版。

113. 高瑞泉选编:《向着新的理想社会——李大钊文选》,上海远东出
版社,1982 年版。

114. 李达:《李达文集》(共4卷),人民出版社,1982年版。

115. 胡适:《胡适全集》(共44卷),安徽教育出版社,2003年版。

116. 张申府:《张申府全集》(共4卷),河北人民出版社,2004年版。

117. 李石岑:《李石岑论文集》,商务印书馆,1924年版。

118. 郭湛波:《近三十年中国思想史》,北平人文书店,1935年版。

119. 贺麟:《当代中国哲学》,胜利出版社,1947年版。

120. 王守常等:《马克思主义哲学在中国》,首都师大出版社,2002年版。

121. 杨河、邓安庆:《康德黑格尔哲学在中国》,首都师大出版社,2002年版。

122. 杨寿堪等:《实用主义在中国》,首都师大出版社,2002年版。

123. 胡军:《分析哲学在中国》,首都师大出版社,2002年版。

124. 成海鹰等:《唯意志论哲学在中国》,首都师大出版社,2002年版。

125. 许全兴主编:《延安时期的毛泽东思想》,陕西教育出版社,1988年版。

126. 宋一秀主编:《毛泽东思想科学体系》,北京出版社,1993年版。

127. 张岱年等:《文化的冲突与融合——张申府、梁漱溟、汤用彤百年诞辰纪念集》,北京大学出版社,1987年版。

128. 田文军:《冯友兰新理学研究》,武汉出版社,1990年版。

129. 郭齐勇:《梁漱溟哲学思想》,湖北民出版社,1996年。

130. 郭齐勇:《熊十力思想研究》,天津人民出版社,1993年。

131. 宋祖良、范进编:《会通集——贺麟生平与学术》,三联书店,1993年。

132. 侯成亚等编译:《张颐论黑格尔》,四川大学出版社,2000年。

133. 张耀南:《张东荪知识论研究》,台湾洪叶文化事业公司,1995年。

134. 郑大华:《张君劢学术思想评传》,北京图书馆出版社,1999年。

135. 毛泽东:《论人民民主专政》,人民出版社,1949年版。

136. 毛泽东:《关于正确处理人民内部矛盾的问题》,人民出版社,1956 年版。

137. 毛泽东:《论十大关系》,人民出版社,1956 年版。

138. 邓小平:《解放思想,实事求是,团结一致向前看》,见《邓小平文选》,人民出版社,1983 年版。

139. 邓小平:《思想路线政治路线的实现要靠组织路线来保证》,见《邓小平文选》,人民出版社,1983 年版。

140. 邓小平:《在武昌、深圳、上海等地的谈话要点》,见《邓小平文选》,第 3 卷,人民出版社,1993 年版。

141. 邓小平:《建设社会主义的物质文明和精神文明》,见《邓小平文选》,第 3 卷,人民出版社,1993 年版。

142. 刘少奇:《在中国共产党第八次全国代表大会上的政治报告》,人民出版社,1956 年版。

143. 周恩来:《关于知识分子问题的报告》,人民出版社,1956 年版。

144. 周恩来:《论知识分子问题》,见《周恩来选集》(下),人民出版社,1984 年版。

145. 陆定一:《百花齐放 百家争鸣》,见《陆定一文集》,人民出版社,1991 年版。

146. 江泽民:《在庆祝中国共产党成立七十周年大会上的讲话》,人民出版社,1991 年版。

147.《中国共产党中央委员会关于建国以来党的若干历史问题的决议》,人民出版社,1981 年版。

148.《关于社会主义精神文明建设指导方针的决议》,人民出版社,1986 年版。

149. 本书编委会:《中华人民共和国史全鉴》,团结出版社,1996 年版。

150. 林蕴辉:《中国 20 世纪全史》,中国青年出版社,2001 年版。

151. 丛进:《曲折发展的岁月》,河南人民出版社,1989 年版。

152. 王年:《大动乱的年代》,河南人民出版社,1989 年版。

153. 柴树祥等:《震惊世界的 1976》,华夏出版社,1994 年版。

154. 汤应武:《1976 年以来的中国》,经济日报出版社,1994 年版。

155. 王海光:《从革命到改革》,法律出版社,2000 年版。

156. 高屹等:《邓小平时代的中国》(1975——1994),光明日报出版社,1996 年版。

157. 沈宝祥:《真理标准问题讨论始末》,中国青年出版社,1997 年版。

158. 袁木主编:《历史的足迹——中国在改革开放中前进》,(共 6卷),新华出版社,1987——1999 年。

159. 赵剑英主编:《复兴中国——中共三代对中国现代化的新追求》,社科文献出版社,1999 年版。

160. 董兆祥主编:《中国改革开放 20 年纪事》,上海人民出版社,1998 年版。

161. 许庞朴主编:《有中国特色社会主义理论探源》,人民出版社,2002 年版。

162. 陈孔立:《台湾历史纲要》,九州图书出版社,1996 年版。

163. 连横(连雅堂):《台湾通史》,众文图书公司,1979 年版。

164. 黄大受:《台湾史纲》,台北三民书局,1982 年版。

165. 新闻出版署信息中心中国版本图书馆编:《全国总书目》,中华书局,1949 年以来。

166. 北京图书馆《中国国家书目》编委会主编:《中国国家书目》,书目文献出版社,1986 年以来。

167. 哲学研究杂志社:《中国哲学年鉴》,哲学研究杂志社出版,自1983 年以来。

168. 中国人民大学书报资料中心:《外国哲学》(复印报刊资料),自1978 年以来。

169. 哲学研究编辑部:《中国哲学史问题讨论专辑》,科学出版社,

1957 年版。

170. 张世英主编:《德国哲学》,北京大学出版社,自 1986 年以来。

171. 编辑组:《外国哲学》(1—16 辑),商务印书馆,自 1981 年以来。

172. 编委会:《中国现象学与哲学评论》,上海译文出版社,1995 年以来。

173. 洪汉鼎主编:《中国诠释学》,山东人民出版社,2003 年以来;

174. 台湾"中央图书馆":《"中华民国"出版图书目录》(每月一期),1975 年以来。

175.《"中华民国"期刊论文索引》,1974 年以来。

176. 中国论坛社:《海峡两岸学术研究的发展》,中国论坛社出版,1988 年版。

177. 廖仁义:《异端观点——战后台湾文化霸权的批判》,桂冠图书公司,1990 年版。

178. 岳介先主编:《世纪的交融与选择》,安徽人民出版社,1997 年版。

179. 李步楼等:《冲击与思考——西方思潮在中国》,湖北人民出版社,1991 年版。

180. 李步楼、贺绍中主编:《非理性主义人生哲学在中国》,陕西教育出版社,1996 年版。

181. 魏金声主编:《现代西方人学思潮的震荡》,中国人民大学出版社,1996 年版。

182. 谢龙编:《中西哲学与文化比较新论》,人民出版社,1995 年版。

183. 上海中西哲学与文化交流研究中心编:《时代与思潮》(1—7集),学林出版社,1989 年以来;

184. 黄见德:《20 世纪西方哲学东渐史导论》,首都师大出版社,2002 年版。

185. 黄见德:《20 世纪西方哲学东渐问题》,湖南教育出版社,1998 年版。

186. 黄见德:《西方哲学在当代中国》,华中理工大学出版社,1996年版。

187. 张祥龙、杜小真:《现象学思潮在中国》,首教师大出版社,2002年版。

188. 王岳川:《后现代后殖民主义在中国》,首都师大出版社,2002年版。

189. 王守常等:《马克思主义哲学在中国》,首教师大出版社,2002年版。

190. 丁守和:《民主科学在中国的命运》,香港中华书局,1994年版。

191. 谢龙等:《哲学百年》,北京出版社,1999年版。

192. 黄见德:《西方哲学在当代台湾和香港》,首都师大出版社,2002年版。

193. 台湾大学:《哲学·台湾》,载《哲学杂志》1998年,第25期。

194. 台湾大学:《现代中国哲学》,载《哲学杂志》1996年,第17期。

195. 黄克剑:《挣扎中的儒学——论海峡彼岸的新儒学思想》,海峡文艺出版社,1995年版。

196. 赵德志:《现代新儒家与西方哲学》,辽宁大学出版社,1994年版。

197. 启良:《新儒学批判》,上海三联书店,1995年版。

198. 郑家栋:《本体与方法——从熊十力到牟宗三》,辽宁大学出版社,1992年版。

199. 黄俊杰:《儒学与现代台湾》,中国社科出版社,2001年版。

200. 耿开君:《中国文化的'外在超越'之路——论台湾新士林哲学》,当代中国出版社,1999年版。

201. Martin Müller: *Die chinesischsprachige Hegel-Rezeption von 1902 bis 2000*, Europaischer Verlag der Wissenschatter 2002.

202. 当代外国哲学编委会:《今日中国哲学》,广西人民出版社,1996年版。

203. 董驷翔编:《哲人忆往》,中国青年出版社,1999 年版。

204. 胡军:《道与真:金岳霖哲学思想研究》,人民出版社,2002 年版。

205. 胡军、王中江等:《金岳霖思想研究》,人民出版社,2002 年版。

206. 哲学所编:《金岳霖学术思想研究》,四川人民出版社,1987 年版。

207. 杨国荣:《从严复到金岳霖——实证论与中国哲学》,高等教育出版社,1996 年版。

208. 王鉴平:《冯友兰哲学思想研究》,四川人民出版社,1987 年版。

209. 田文军:《冯友兰新理学研究》,武汉出版社,1990 年版。

210. 宋志明等:《冯友兰学术思想评传》,北图出版社,1999 年版。

211. 冯宗璞等编:《冯友兰先生百年诞辰纪念文集》,清华大学出版社,1995 年版。

212. 王思隽、李肃东:《贺麟评传》,百花洲文艺出版社,1995 年版。

213. 宋祖良、范进编:《会通集——贺麟生平与学术》,三联书店,1993 年版。

214. 马敏等主编:《跨越中西文化的巨人——韦卓民学术思想国际研讨会文集》,华中师大出版社,1995 年版。

215. 段德智编:《陈修斋先生纪念文集》,武汉大学出版社,1997 年版。

216. 谭鑫田、李秋零编:《苗力田教授纪念文集》,中国人民大学出版社,2001 年版。

217. 周礼全编:《金岳霖文集》(共 4 卷),甘肃人民出版社,1995 年版。

218. 冯友兰:《三松堂全集》,河南人民出版社,1994 年版。

219. 崔唯航主编:《王玖兴文集》,河北大学出版社,2005 年版。

220. 杨一之:《理性的追求——杨一之著述选粹》,社科文献出版社,2000 年版。

221. 贺麟:《哲学与哲学史论文集》,商务印书馆,1990 年版。

222. 贺麟:《黑格尔哲学讲演集》,上海人民出版社,1986 年版。

223. 汝信、叶秀山主编：《姜丕之文集》，社科文献出版社，1997年版。

224. 冯契：《冯契文集》（共10卷），华东师大出版社，1997年。

225. 高清海：《高清海文集》（共8卷），吉林人民出版社，2000年

226. 冯定：《冯定文集》（共2卷），人民出版社，1989年版。

227. 洪谦：《论逻辑经验主义》，商务印书馆，1999年版。

228. 熊伟：《自由的真谛——熊伟文选》，中央编译局出版社，1997年版。

229. 陈启伟：《西方哲学论集》，辽宁大学出版社，1998年版。

230. 赵敦华：《西方哲学的中国式解读》，黑龙江人民出版，2002年

231. 吴江：《吴江论集》，兰州大学出版社，2004年版。

232. 何干之：《何干之文集》，北京出版社，1993年版。

233. 萧萐父：《吹沙集》，巴蜀书社，1991年版。

234. 段德智编：《陈修斋哲学与哲学史论文集》，武汉大学出版社，1995年版。

235. 杨祖陶：《康德黑格尔哲学研究》，武汉大学出版社，2001年版。

236. 张世英：《天人之际——中西哲学的困惑与选择》，人民出版社，1995年版。

237. 汪子嵩：《亚里士多德·理性·自由》，河北大学出版社，2003年版。

238. 刘放桐：《马克思主义与西方哲学的现当代走向》，人民出版社，2002年版。

239. 韦卓民：《韦卓民学术论著选》，华中师大出版社，1997年版。

240. 何卓恩：《殷海光与近代中国自由主义》，上海三联书店，2004年版。

241. 黎汉基：《殷海光思想研究：由五四到战后看台湾，1919——1969》，台北正中书局，2000年版。

242. 王中江：《万山不许一溪奔——殷海光评传》，台北水牛出版社，

1997 年版。

243. 张斌峰等编:《西方现代自由主义与中国古典传统》,湖北人民出版社,2000 年版。

244. 张斌峰主编:《殷海光学术思想研究——海峡两岸殷海光学术讨论会论文集》,辽宁大学出版社,2000 年版。

245. 陈昭瑛:《台湾儒学的当代课题:本土性与现代性》,中国社科出版社,2001 年版。

246. 颜炳罡:《当代新儒学引论》,北京图书馆出版社,1998 年

247. 刘建光:《儒家思想开拓的尝试》,中国社科出版社,2001 年版。

248. 李山等:《现代新儒学家传》,山东人民出版社,2002 年版。

249. 蒋国保、余秉颐:《方东美思想研究》,天津人民出版社,2004 年版。

250. 张祥浩:《唐君毅思想研究》,天津人民出版社,1994 年版。

251. 颜炳罡:《整合与重铸:当代大儒牟宗三先生思想研究》,台湾学生书局,1985 年版。

252. 樊志辉:《台湾新土林哲学研究》,黑龙江人民出版社,2001 年版。

253. 林正弘主编:《殷海光全集》(共 18 卷),桂冠图书股份有限公司,1990 年版。

254. 殷海光:《殷海光文集》(共 4 卷),湖北人民出版社,2001 年版。

255. 殷海光:《思想与方法》,香港文艺书屋,1968 年版。

256. 殷海光:《中国文化的展望》,桂冠图书股份有限公司,1988 年版。

257. 胡秋原:《胡秋原选集》,台北东大图书公司,1994 年版。

258. 胡秋原:《中华心》,社科文献出版社,1995 年版。

259. 江日新等编:《陈康哲学论文集》,联经出版事业公司,1985 年版

260. 劳思光:《思想方法五讲新编》,香港中文大学出版社,1998 年版。

261. 林毓生:《中国传统的创造性转化》,三联书店,1988 年版。

262. 傅伟勋:《从西方哲学到禅佛教》,三联书店,1989 年版。

263. 林正弘：《知识·逻辑·科学哲学》,东大图书公司,1985 年版。

264. 陈鼓应：《悲剧哲学家尼采》,三联书店,1987 年版。

265. 何秀煌：《文化·哲学与方法》,东大图书公司,1988 年版。

266. 徐复观：《学术与政治之间》,台北学生书局,1985 年版。

267. 黄克剑编：《方东美集》,群言出版社,1993 年版。

268. 方东美：《生生之德》,黎明文化事业公司,1979 年版。

269. 唐君毅：《唐君毅全集》(共 30 卷),台湾学生书局,1992 年版。

270. 黄克剑编：《唐君毅集》,群言出版社,1993 年版。

271. 黄光剑编：《牟宗三集》,群言出版社,1993 年版。

272. 牟宗三：《中西哲学会通十四讲》,上海古籍出版社,1997 年版。

273. 黄克剑编：《张君劢集》,群言出版社,1993 年版。

274. 张君劢：《中西印哲学文集》,台湾学生书局,1981 年版。

275. 杜维明：《儒学第三期发展的前景问题》,台湾联经出版事业公司,1989 年版。

276. 成中英：《世纪之交的选择——论中西哲学的会通与融合》,知识出版社,1991 年版。

277. 刘述先：《文化与哲学的探索》,台湾学生书局,1986 年版。

278. 刘述先：《中西哲学论文集》,台湾学生书局,1987 年版。

二、论文部分

1. 张广达：《唐代的中外文化汇聚与晚清的中西文化冲突》,载《中国社会科学》,1989 年第 3 期。

2. 张荫麟：《明清之际西学输入中国考略》,载《清华学报》,第一卷第 1 期,1932 年。

3. 郑克晟：《关于明清之际耶稣会士来华的几个问题》,载《南开史学》,1981 年第 2 集。

4. 史静寰:《谈明清之际入华耶稣会士的学术传教》,载《内蒙师大学报》,1983 年第 3 期。

5. 陈乐民:《明清之际天主教耶稣会在华活动的"三起三落"》,载《百科知识》,1988 年第 3 期。

6. 刘建:《十六世纪天主教对华传教政策的演变》,载《世界宗教研究》,1986 年第 1 期。

7. 孙明章:《传教士与明清之际的思想界》,载《浙江学刊》,1990 年第 4 期。

8. 黄启臣:《明代天主教在中国的传播及其文化效应》,载《史学集刊》,1994 年第 2 期。

9. 臧荣:《明清之际来华耶稣会士的评价》,载《北方论丛》,1981 年第 4 期。

10. 陈申如:《试论明末清初耶稣会士的历史作用》,载《中国史研究》,1980 年第 2 期。

11. 杨洪:《明末清初基督教东传与中西文化交流》,载《华夏文化》,1995 年第 6 期。

12. 刘耘华:《明清之际基督教文化在中土之流传与变异》,载《东方丛刊》,1996 年第 2 期。

13. 丁顺茹:《论西方传教士在明清之际中西文化交流中的作用》,载《广州师院学报》,1997 年第 3 期。

14. 饶良伦:《明末清初西学东渐评议》,载《求是》学刊,1988 年第 1 期。

15. 许文德:《四库全书收录西书之探析》,载台湾《国立中央图书馆刊》,第 23 卷第 1 期,1990 年。

16. 陈卫平:《论明清之际西学传播的思想张力》,载《江汉论坛》,1993 年第 10 期。

17. 李建忠:《明末清初吸收西方文化的历史启示》,载《桂梅论丛》,

1984 年第 4 期。

18. 邹振环：《明清之际的西书中译及其文化意义》，见《宋明思想和中华文明》，学林出版社，1995 年版。

19. 戴维杨：《从〈交友论〉看中西思想文化交流史上的一个范例：利玛窦和徐光启》，载《纪念利玛窦来华四百周年中西文化交流国际学术会议论文集》，辅仁大学出版社，1983 年版。

20. 沈清松：《利玛窦在华文化进路之哲学反省》，载《国际汉学》第 1 期，商务印书馆，1995 年版。

21. 范传培：《利玛窦对我国近代化的贡献》，载台湾《纪念利玛窦来华四百周年中西文化交流国际学术会议论文集》，辅仁大学出版社，1983 年版。

22. 黄炳炎：《利玛窦的神学著作〈天主实义〉简介》，同上书。

23. 蒋复璁：《利玛窦来华传教的经过与其所作天主实义的精神》，同上书。

24. 王萍：《利玛窦译述〈几何原本〉对中国的影响》，同上书。

25. 徐明德：《明清之际来华耶稣会士对中西文化交流的贡献》，载《杭州大学学报》，1986 年第 4 期。

26. 林金水：《试论艾儒略传播基督教的策略与方法》，载《世界宗教研究》，1995 年第 1 期。

27. 王庆余：《近代西方文化使者利玛窦》，载《百科知识》，1980 年第 12 期。

28. 樊洪业：《西学东渐第一师：利玛窦》，载《自然辩证法通讯》，1989 年第 5 期。

29. 汤一介：《论利玛窦会合中西文化的尝试》，载《宗教》，1988 年第 2 期。

30. 刘璐：《南怀仁在中国》，载《紫禁城》，1980 年第 3 期。

31. 康志杰：《西学东渐的先行者汤若望》，载《中国典籍与文化》，1993

年第 3 期。

32. 顾宁:《艾儒略和他的〈西学凡〉》,载《世界历史》,1994 年第 5 期。

33. 冯天瑜:《徐光启的学术路线》,见《明清文化史散论》,华中工学院出版社,1984 年。

34. 钟鸣旦:《〈四库全书总目〉对于"西学"的评价》,载《中外关系史学会通讯》,1986 年第 4 期。

35. 萧萐父:《十七世纪中国学人对西方文化传入的态度》,载《文化:中国与世界》第二辑,三联书店,1987 年。

36. 唐明邦:《明清之际对待西学的几种心态》,载《船山学报》,1993 年第 10 期。

37. 孙西:《论"礼仪"之争》,载《中国史研究》,1987 年第 4 期。

38. 黄兰英等:《中西文化的一次剧烈冲突:明清时期的"中国礼仪之争"》,载《浙江学刊》,1992 年第 12 期。

39. 林金水:《明清之际士大夫与中西礼仪之争》,载《历史研究》,1993 年第 2 期。

40. 斐德生等:《徐光启·李之藻·杨廷筠成为天主教徒试释》,载《明史研究论丛》,第 5 辑,江苏古籍出版社,1991 年版。

41. 罗光:《天学初函影印本序》,载《天学初函》影印本,台湾学生书局,1966 年版。

42. 方豪:《李之藻辑刊天学初函——李之藻诞生四百周年纪念论文》,载《天学初函》影印本,台湾学生书局,1966 年版。

43. 欧阳珍:《马克思恩格斯论鸦片战争》,载《文史哲》,1952 年第 6 期。

44. 戴逸:《闭关政策的历史教训》,载《人民日报》,1979 年 3 月 18 日。

45. 来新厦:《第一次鸦片战争对中国社会的影响》,载《南开大学学报》,1956 年第 1 期。

46. 徐子和:《魏源〈海国图志〉与林则徐》,载《国立中央图书馆刊》,1974 年第 2 期。

47. 熊月之:《"师夷之长技以制夷"是魏源而不是林则徐提出的》,载《历史教学》,1980 年第 4 期。

48. 吴泽等:《魏源〈海国图志〉研究》,载《历史研究》,1943 年第 4 期。

49. 熊月之:《近代西学东渐的序幕:早期传教士在南洋等地活动史料钩沉》,载《史林》,1992 年第 4 期。

50. 李志刚:《马礼逊与英华书院》,载《文史知识》,1988 年 12 月。

51. 李喜所:《两次鸦片战争时期传教士在华的文化活动》,见《中国近代社会与文化研究》,人民出版社,2003 年版。

52. 王继平:《洋务运动与中国现代化》,见《近代中国与近代文化》,中国社科出版社,2003 年版。

53. 李喜所:《洋务运动与认识世界》,见《中国近代社会与文化研究》,人民出版社,2003 年版。

54. 皮明庥:《"中体西用"论评议》,见《辛亥革命与近代思想——近代历史研究录》,陕西师大出版社,1986 年版。

55. 史革新:《十九世纪六十年代至九十年代西学在中国的传播》,载《北京师大学报》,1985 年第 5 期。

56. 刘纯:《从徐光启到李善兰:从〈几何原本〉之完璧透视明清文化》,载《自然辩证法通讯》,1989 年第 3 期。

57. 王维俭:《丁韪良和京师同文馆》,载《中山大学学报》,1984 年第 2 期。

58. 邹振环:《傅兰雅江南制造局的译书》,载《历史教学》,1986 年第 10 期。

59. 邹振环:《幕维廉与〈新工具〉》,见朱维铮主编:《基督教与近代文化》,上海人民出版社,1994 年版。

60. 李喜所:《林乐知在华的文化活动》,见《中国近代社会与文化研究》,人民出版社,2003 年版。

61. 陈启伟:《谁是我国近代介绍西方哲学的第一人》,载《东岳论丛》,
　　第 21 卷 4 期,2000 年 7 月。

62. 忻平:《论王韬与上海格致书院》,载《档案与历史》,1987 年第
　　1 期。

63. 王芸生:《容闳和他的〈西学东渐记〉》,载《读书》,1979 年第 6 期。

64. 陆宝千:《郭嵩焘之洋务思想》,载《广文月刊》,第一卷第三期,
　　1968 年 12 月。

65. 邹振环:《薛福成与〈瀛环志略〉续编》,见王元化主编《学术集
　　林》,第 14 集。

66. 李喜所:《马建中与中西文化交流》,见《中国近代社会与文化研
　　究》,人民出版社,2005 年版。

67. 李茂萧:《黄遵宪的爱国主义精神》,载《光明日报》,1959 年 11 月
　　8 日。

68. 戴逸:《戊戌时代的思想解放》,载《历史研究》,1958 年第 9 期。

69. 范文澜:《戊戌变法的历史意义》,载《人民日报》,1958 年 9 月
　　29 日。

70. 杨立强:《民族觉醒的里程碑——关于戊戌变法评价的若干问
　　题》,载《复旦学报》,1979 年第 5 期。

71. 周恩来:《开会词——在辛亥革命五十周年纪念大会上》,载《人民
　　日报》,1961 年 10 月 10 日。

72. 李达:《辛亥革命学术讨论会开幕词》,载《历史研究》,1961 年第
　　6 期。

73. 光明日报社论:《辛亥革命的历史意义》,载《光明日报》,1961 年
　　10 月 10 日。

74. 李泽厚:《论康有为的哲学思想》,载《哲学研究》,1957 年第 1 期。

75. 汤志钧:《康有为早期的“大同”思想》,载《江海学刊》,1963 年第 1
　　期。

76. 耿志云:《"新民丛报"前期梁对思想启蒙运动的主要贡献》,见《论戊戌维新运动及康有为梁启超》,广东人民出版社,1985 年版。

77. 黄见德:《论梁启超在中国传播西方哲学的启蒙意义》,载《安徽师大学报》,1989 年第 3 期。

78. 王拭:《严复在维新运动时期(1895—1898)的思想与活动》,载《南京大学学报》,1956 年第 4 期。

79. 李泽厚:《论严复》,载《历史研究》,1977 年第 2 期。

80. 孙长江:《论谭嗣同》,载《历史研究》,1945 年第 3 期。

81. 冯契:《王国维的哲学思想与治学方法》,载《河北学刊》,1987 年第 6 期。

82. 黄见德:《论王国维对近代德国哲学的研究》,载《江淮论坛》,1989 年第 6 期。

83. 陈锡祺:《孙中山和辛亥革命》,载《中山大学学报》,1979 年第 4 期。

84. 林家有:《中华民族的发展与民族精神的振兴——论孙中山的民族发展观》,见《孙中山与亚洲国际学术讨论会论文集》,中山大学出版社,1994 年版。

85. 周兴梁:《吸取·融贯·创新——略论孙中山与中西文化的关系》,同上书。

86. 汤志钧:《辛亥革命前章炳麟学术思想评价》,载《文史哲》,1964 年第 2 期。

87. 孔繁:《章太炎在主编〈民报〉时期的哲学思想》,载《哲学研究》,1978 年第 5 期。

88. 黄见德:《论章太炎传播西方哲学的特点》,载《社会科学动态》,1990 年第 10 期。

89. 黄见德:《论马君武对西方哲学的研究与传播》,载《华中理工大学学报》,1990 年第 2 期。

90. 黄见德:《论蔡元培对康德哲学的研究》,载《华中理工大学学报》,1988 年第 2 期。

91. 黎红雷:《辛亥革命前法国启蒙哲学在中国的传播和影响》,载《法国研究》,1986 年第 4 期。

92. 丁伟志:《近代中国中西文化交流的历史特点》,载《中国文化研究》,1998 年第 3 期。

93. 丁伟志:《本世纪初的文化反省》,载《传统文化与现代化》,1995 年第 5 期。

94. 罗荣渠:《论现代化的世界进程》,载《中国社会科学》,1990 年第 5 期。

95. 陈启伟:《"哲学"译名考》,载《哲学译丛》,2001 年第 3 期。

96. 张磊:《划时代的伟大启蒙——纪念五四运动六十周年》,载《学术月刊》,1979 年第 3 期。

97. 丁守和:《论五四时期的社会思潮》,载《新华文稿》,1979 年第 5 期。

98. 陈辽:《特点·落差·原因·启示——略论五四时期的中外文化交流》,见《文化发展的转机》,知识出版社,1989 年版。

99. 黄见德:《论五四时期西方哲学在中国的传播》,同上书。

100. 冯贵等:《马克思主义哲学在中国的传播》,见《中国现代哲学与文化思潮》,求实出版社,1989 年版。

101. 段启咸:《唯物史观在中国的传播》,载《江汉学报》,1983 年第 3 期。

102. 李慎兆:《论陈独秀在新文化运动中的历史作用》,载《北京师大学报》,1979 年第 3 期。

103. 许全兴:《简论陈独秀的前期哲学思想》,载《中国哲学史研究》,1986 年第 2 期。

104. 袁伟时:《先驱者的历史功勋——论李大钊哲学思想的地位》,载

　　《哲学研究》,1981 年第 8 期。

105. 吕明灼:《李大钊对传播马克思主义的贡献》,载《哲学研究》,
　　　1983 年第 2 期。

106. 宋镜明:《李达同志在建党时期传播马克思主义的贡献》,载《武
　　　汉大学学报》,1983 年第 3 期。

107. 丁守和:《蔡和森对中国革命理论的贡献》,载《人民日报》,1986
　　　年 6 月。

108. 丁守和:《试论瞿秋白的哲学思想》,载《马克思主义研究》,1986
　　　年第 1 期。

109. 章清:《实用主义哲学与近代中国启蒙运动》,载《复旦学报》,
　　　1988 年第 5 期。

110. 朱文华:《试论胡适在五四新文化运动中的作用和地位》,载《复
　　　旦学报》,1979 年第 3 期。

111. 胡军:《罗素与张申府》,见《文化的冲突与融合——张申府,梁漱
　　　溟,汤用彤百年诞辰纪念文集》,北京大学出版社,1997 年。

112. 钱碧湘:《鲁迅与尼采哲学》,载《中国社会科学》,1982 年第
　　　2 期。

113. 黄见德:《五四时期尼采哲学在中国传播的重新认识》,载《华中
　　　理工大学学报》,1989 年第 1 期。

114. 贺麟:《康德黑格尔哲学东渐记》,载《中国哲学》,第二辑,三联书
　　　店,1982 年。

115. 张静如:《抗日战争与中国社会现代化》,载《北京师大学报》,
　　　1995 年第 4 期。

116. 武文全:《30 年代中国社联的活动及其历史功绩》,载《学术月
　　　刊》,2000 年第 8 期。

117. 马克锋:《试论 30 年代中期的中国本位文化建设运动》,载《宝鸡
　　　师院学报》,1987 年第 4 期。

118. 朱清华:《"哲学评论"杂志和中国近现代哲学》,载《学术月刊》,2000 年第 8 期。

119. 汪子嵩:《中西哲学的交会——漫谈西南联大哲学系的教授》,载《读书》,1999 年第 4 期。

120. 汪子嵩:《学术需要自由——纪念西南联大 45 周年》,见《庆祝西南联大成立 65 周年纪念特辑》,2002 年。

121. 李　凌:《西南联大的学术》,载《社会科学报》,2003 年 12 月 18 日。

122. 胡昌善:《延安时期马克思主义哲学的传播及其特点》,载《武汉师院学报》,1983 年第 1 期。

123. 袁似瑶:《马克思主义哲学与中国民主革命》,载《南宁师院学报》,1983 年第 2 期。

124. 黎澍:《马克思主义在中国胜利的历史背景和国际意义》,载《马克思主义研究丛刊》,1983 年第 1 期。

125. 蔡德麟:《从马克思主义在中国的传播到毛泽东思想的形成》,载《安徽大学学报》,1983 年第 1 期。

126. 赵德志:《李达的〈社会学大纲〉在中国马克思主义哲学与历史上的地位》,载《社会科学辑刊》1987 年第 4 期。

127. 卢国英等:《艾思奇三十年代在上海的哲学活动》,载《云南社会科学》,1982 年第 1 期。

128. 刘培育:《一代宗师金岳霖》,载《哲学研究》,1984 年第 8 期。

129. 胡军:《中国哲学的现代化与金岳霖的〈知识论〉》,载《理论探讨》,1994 年第 2 期。

130. 冯契:《新理学的理论精神》,载《学术月刊》,1991 年第 2 期。

131. 方克立:《全面评价冯友兰》,载《哲学研究》,1997 年第 12 期。

132. 汪子嵩:《研究希腊哲学的楷模》,载《读书》,1989 年第 10 期。

133. 杨祖陶:《西哲东渐的宗师——汤用彤先生追忆》,载《学术月刊》,2001 年第 4 期。

134. 詹志芳:《圣哲徐梵澄》,载《人物》,2000 年第 8 期。

135. 郑涌:《重读〈维也纳学派哲学〉有感》,载《读书》,1993 年第
6 期。

136. 赵德志:《熊十力与生命哲学》,载《辽宁大学学报》,1993 年第
3 期。

137. 王宗昱:《梁漱溟与柏格森哲学》,载《社会科学家》,1989 年 3、
4 期。

138. 简力:《贺麟先生与黑格尔哲学》,见《会通集》,三联书店,
1993 年。

139. 张学智:《贺麟的哲学翻译》,载《广东社会科学》,1991 年第
4 期。

140. 张耀南:《张东荪与中国哲学现代化》,载《首都师大学报》,1999
年第 3 期。

141. 黄见德:《还张东荪在西方哲学东渐史上的本来面目》,载《世界
哲学》,2002 年增刊。

142. 吕希晨:《论张君劢对传播现代西方哲学的贡献》,见《中国现代
哲学与文化思潮》,求实出版社,1989 年版。

143. 《人民日报》社论:《用马克思主义理论来指导我们的国家建设工
作——纪念马克思诞生 135 周年》,载《人民日报》,1953 年 5 月
5 日。

144. 刘少奇:《马克思列宁主义在中国的胜利》,载《红旗》杂志,1959
年第 19 期。

145. 许立群等:《〈关于正确处理人民内部矛盾的问题〉是对马克思主
义的重大贡献》,载《哲学研究》,1958 年第 3 期。

146. 马特等:《讨论日丹诺夫关于亚历山大洛夫〈西方哲学史〉的发
言》。载《新建设》,1950 年第 1 期。

147. 艾思奇:《关于几个哲学问题》,载《新建设》,1950 年第 1 期。

148. 郑昕:《送车斯洛夫、阿斯楷洛夫两教授南下讲学》,载《新建设》,1950 年第 9 期。

149.《新建设》编者:《罗素——新世界战争哲学化的挑拨者》"编者按",载《新建设》,1952 年第 8 期。

150. 金岳霖:《介绍威尔斯〈实用主义:帝国主义的哲学〉》,载《新建设》,1954 年第 10 期。

151. 任华:《介绍康福斯的〈科学与唯心主义的对立〉》,载《新建设》,1954 年第 12 期。

152. 黄枬森:《回顾〈哲学〉专刊的早期工作》,见《光明日报四十年》,光明的出版社,1989 年版。

153. 刘放桐:《总结经验教训,加强对现代西方哲学的研究》,载《复旦学报》,1984 年第 5 期。

154. 贺麟:《关于哲学史上唯心主义的评价问题》,见《中国哲学史问题讨论专辑》,科学出版社,1957 年版。

155. 贺麟:《讲授唯心主义课程的一些体会》,载《光明日报》,1952 年 1 月 4 日。

156. 郝逸今:《中国哲学史工作会议散论》,载《新建设》,1957 年第 6 期。

157. 冯友兰:《关于中国哲学史研究的两个问题》,见《中学哲学史问题讨论专辑》,科学出版社,1957 年版。

158. 朱谦之:《关于中国哲学史的对象和范围问题》,同上书。

159. 任继愈:《中国哲学史的对象和范围》,同上书。

160. 洪谦:《应该重视西方哲学史的研究》,载《人民日报》,1957 年 6 月 7 日。

161. 关锋:《反对哲学史工作中的修正主义》,载《哲学研究》,1958 年第 2 期。

162.《新建设》编辑部:《进一步贯彻百花齐放、百家争鸣的方针,发展我国哲学社会科学》,载《新建设》,1961 年第 1 期。

163. 任华:《苏联哲学史研究工作中的重大成就》,载《光明日报》,1957 年 11 月 12 日。

164. 朱德生:《西方哲学通史》"总序",见赵敦华著《西方哲学通史》第一卷,北京大学出版社,1996 年。

165. 炳然:《〈哲学史简编〉出版》,载《光明日报》,1957 年 4 月 1 日。

166. 葛力:《治哲学述怀》,见《哲人忆往》,中国青年出版社,1999 年。

167. 邓晓芒:《读韦卓民先生西方哲学译著的文化断想》,见《韦卓民学术思想国际研讨会论文集》,华中师大出版社,1995 年。

168. 王元化:《韦卓民哲学遗著片谈》,同上书。

169. 王宏维:《韦卓民先生对康德'三大批判'的研究》,同上书。

170. 何建明:《文化接受与交融的方法论问题——韦卓民文化方法论思想引论》,同上书。

171. 王元化:《〈关于黑格尔〈小逻辑〉一书的通信·跋》,见《读黑格尔》,百花州文艺出版社,1997 年。

172. 贺麟:《十年来西方哲学的翻译工作》,载《文汇报》,1959 年 9 月 22 日。

173. 王树人:《康德黑格尔哲学讲演稿·序》,见《康德黑格尔哲学讲演稿》,商务印书馆,1996 年。

174. 王树人:《读一之老师文集有感》,见《杨一之著述选粹》附录,社科文献出版,2000 年。

175. 王树人:《为了进取的纪念——写在杨一之教授逝世一周年的日子里》,同上书。

176. 鲍世珍:《智识分子的一代楷模》,同上书。

177. 唐晓文:《读几本哲学史》,载《红旗》杂志,1972 年第二期。

178. 宋祖良:《三十五年来的西方哲学史研究》,载《学习与思考》,

1984 年第 10 期。

179. 王树人:《十年来哲学与哲学史研究若干反思》,载《学术月刊》,1989 年第 9 期。

180. 王元明:《20 世纪尼采哲学在中国的盛衰》,载《南开学报》,1999 年第 1 期。

181. 王元明:《实用主义在中国》,载《哲学动态》,2000 年第 3 期。

182. 江怡:《实证主义在我国当代哲学中的命运》,载《哲学动态》,1999 年第 9 期。

183. 顾红亮:《近 20 年来杜威哲学研究综述》,载《哲学动态》,1997 年第 10 期。

184. 杨祖陶:《德国古典哲学研究的现代价值》,载《哲学研究》,2001 年第 4 期。

185. 杨河:《20 世纪康德黑格尔哲学在中国的传播和研究》,载《厦门大学学报》,2001 年第 1 期。

186. 黄见德:《现象学研究述评》,载《哲学动态》,1998 年第 3 期。

187. 王路:《语言哲学研究述评》,载《国外社会科学》,1997 年第 6 期。

188. 何卫平:《西方解释学在中国的传播及效应》,载《世界哲学》,2000 年增刊。

189. 王为理:《海德格尔研究述评》,载《哲学动态》,1996 年第 6 期。

190. 黄见德:《理想与抱负的体现——有感于〈希腊哲学史〉一、二卷问世》,载《学术月刊》,1994 年第 10 期。

191. 孙月才:《三代学人的智慧:评〈希腊哲学史〉》,载《读书》,1994 年第 4 期。

192. 汪子嵩:《陈康苗力田与亚里士多德哲学研究》,载《中国人民大学学报》,2001 年第 4 期。

193. 洪汉鼎:《我和苗公的斯宾诺莎缘》,见《苗力田教授纪念文集》,

中国人民大学出版社,2001年版。

194. 李秋零:《无尽的思念》,见《苗力田教授纪念文集》,中国人民大学出版社,2001年版。

195. 洪汉鼎:《斯宾诺莎哲学研究·自序》,人民出版社,1983年版。

196. 黄见德:《呕心沥血30年智慧结晶——评洪汉鼎〈斯宾诺莎哲学研究〉》,载《北京社会科学》,1994年第2期。

197. 李泽厚:《批判哲学的的批判》"再版后记",人民出版社,1984年。

198. 黄枏森:《〈批判哲学的批判〉一书简评》,载《哲学研究》,1980年第5期。

199. 郭大为:《重估费希特的价值——费希特著作选集编译告成》,载《哲学动态》,2000年第4期。

200. 张世英:《为了人类美好的未来——评〈费希特青年时期的哲学创作〉》,载《哲学研究》,1994年第2期。

201. 姜丕之:《谈谈贺麟先生对黑格尔辩证法的研究》,见《会通集》,三联书店,1993年。

202. 杨祖陶:《论贺麟先生对黑格尔哲学体系构成的创见》,同上书。

203. 侯鸿勋:《贺麟先生与黑格尔的法哲学》,同上书。

204. 高全喜:《贺麟先生与〈精神现象学〉》,同上书。

205. 黄行发:《求真求是的学术道路——论贺麟的〈黑格尔哲学讲演集〉》,同上书。

206. 陈修斋:《论贺麟先生对唯心主义的评价》,同上书。

207. 钱广华:《贺麟先生与康德哲学》,同上书。

208. 梁志学:《贺麟对费希特的研究》,同上书。

209. 洪汉鼎:《贺师与斯宾诺莎》,同上书。

210. 罗志野:《贺麟教授论实用主义》,同上书。

211. 周谷城:《贺麟先生的治学风格》,同上书。

212. 罗达仁:《谈谈贺麟先生的翻译风格》,同上书。

213. 周辅成:《哲学·文化与民族——我所了解的贺麟先生》,同上书。

214. 汪子嵩:《陈修斋哲学与哲学史论文集·序》,武汉大学出版社, 1995 年。

215. 杨祖陶:《陈修斋哲学与哲学史论文集·序》,武汉大学出版社, 1995 年。

216. 郭齐勇:《陈修斋先生与一桩哲学公案》,见《陈修斋哲学与哲学史论文集》,武汉大学出版社,1995 年。

217. 段德智:《陈修斋的哲学生涯与理论贡献刍议》,同上书。

218. 徐瑞康:《陈修斋先生与西欧近代唯理论和经验论》,同上书。

219. 段德智:《谈谈陈修斋先生在西欧近代唯理论和经验论哲学研究方面的贡献》,同上书。

220. 李超杰:《张世英教授的哲学研究》,载《北京大学学报》,1996 年第 1 期。

221. 萧萐父:《让逻辑之光照亮历史——评杨祖陶〈德国古典哲学逻辑进程〉》,载《中国社会科学》,1996 年第 1 期。

222. 盛永:《德国古典哲学的新成果——杨祖陶〈德国古典哲学逻辑进程〉读后》,载《光明日报》,1993 年 11 月 15 日。

223. 江怡:《美国哲学的历史把握—谈涂纪亮新著〈美国哲学史〉》,载《哲学动态》,2000 年第 7 期。

224. 李树琦:《以"辩证分析"对待"分析哲学"》,载《中国社会科学》,1988 年第二期。

225. 吴伦生:《广博巡视长知识,细微分析见功底——赵敦华教授的西方哲学研究》,载《北京大学学报》,

226. 王炜、陈嘉映:《于天人之际,求自由之真谛—忆熊伟先生》,载《东方》,1995 年第 1 期。

227. 邓晓芒:《中国百年西方哲学研究中的十大文化错位》,载《世界哲学》,2000 年增刊。

228. M. 缪勒:《中国人的黑格尔:关于百年来中国大陆和台湾对黑格尔的接受调查报告》,载《世界哲学》,2002 年增刊。

229. 黄见德:《略论当代台湾学者的西方哲学研究》,载《华中科技大学学报》,2001 年第 3 期。

230. 唐君毅等:《为中国文化敬告世界人士宣言》,载《民主评论》,1958 年第 1 期。

231. 廖仁义:《台湾哲学的历史构造——日据时期哲学思想的发生与演进》,载《当代》,1989 年第 28 期。

232. 徐复观:《近三十年中国文化思想问题》,见《学术与政治之间》,学生书局,1985 年。

233. 沈清松:《哲学在台湾之发展》,见《海峡两岸学术研究的发展》,中国论坛社,1988 年版。

234. 邬昆如:《欧陆现代思潮在台省的创新与发展》,载《哲学杂志》,1996 年第 25 期。

235. 林正弘:《台湾分析哲学之回顾与现况》,载《哲学杂志》,1999 年第 27 期。

236. 魏元珪:《中国传统哲学在台湾——超越传统与现实的冲突》,载《哲学杂志》,第 25 期,1998 年 8 月。

237. 刘述先:《当代儒家发展的新契机》,载《新儒家评论》第二辑,中国广电出版社,1995 年。

238. 刘述先:《中华文化在多元文化中的位置》,载《二十一世纪》,2000 年第 4 期。

239. 傅伟勋:《哲学探求的荆棘之路》,见《从西方哲学到禅佛教》,三联书店,1989 年。

240. 成中英:《深入西方哲学的核心》,见《世纪之交的抉择》,知识出版社,1991 年。

241. 刘述先:《哲学探索的机缘背景与实存体证》,见《中西哲学论文集》,学生书局,1987 年。

242. 胡秋原:《我的时代和我的思想》,见《中华心》,社科文献出版社,1995 年版。

243. 韦政通:《社会关怀》,见《思想的探险》(下),台北正中书局,1994 年。

244. 林毓生:《试图贯通热烈与冷静之间—— 述我的治学机缘》,见《热烈与冷静》,上海文艺出版社,1998 年版。

245. 翁之光:《近期台湾哲学文化思想概述》,载《中国哲学年鉴》,1990 年。

246. 黄克剑:《"当代新儒家八大家"编辑旨趣》,见《唐君毅集》,群言出版社,1993 年。

247. 郑家栋:《中西融合的另一趋势》,载《读书》,1993 年第 10 期。

248. 陈来:《分化与重组:台湾学界一瞥》,载《读书》,1993 年第 1 期。

249. 李慎之:《全球化时代与中国人的使命》,载《东方》,1994 年第 5 期。

250. 李慎之:《辨异同·合东西——中国文化前景展望》,载《东方》,1994 年第 3 期。

251. 汤一介:《古今中西之争与中国现代文化的发展》,载《江淮论坛》,1994 年第 6 期。

252. 袁伟时:《建立适应全球化时代的文化心态》,载《传统与现代》,1994 年第 6 期。

253. 袁伟时:《西化·现代化·政治家·知识分子》,载《传统与现代》,1994 年第 4 期。

254. 汤一介:《文化历程的反思与展望》,载《现代传播》,1996 年第 3 期。

255. 萧萐父:《中国哲学启蒙的坎坷道路》,见《吹沙集》,巴蜀书社,1991 年版。

256. 萧萐父:《对外开放的历史反思》,见《吹沙集》,巴蜀书社,1991年版。

257. 萧萐父:《世纪桥头的一些浮想》,见《珞珈哲学论坛》,第一辑,武汉大学出版社,1996 年版。

258. 黄见德:《西方哲学东渐与中国的现代化》,载《广东社会科学》,1998 年第 1 期。

259. 黄见德:《西方哲学东渐与文化民族主义》,载《开放时代》,1997年第 6 期。

260. 方克立:《二十世纪中国哲学的宏观审视》,载《中国社科院研究生院学报》,1994 年第 4 期。

261. 尤西林:《人文学科与 20 世纪中国学术》,载《学术月刊》,1998年第 2 期。

后　记

　　全过程地论述西方哲学东渐的《西方哲学东渐史》，经过近二十年的艰苦探索，终于以今天这样的面貌付梓问世了。

　　本来，我一直从事西方哲学的教学与研究工作。20世纪80年代的后期，在几位学术前辈的启发下，基于本书绪论中阐述的那些研究《西方哲学东渐史》意义与现状的认识，我踏上了探索这个课题的道路。虽然西方哲学东渐史与西方哲学在内容上有密切的关系，但就研究的对象与任务而言，它们是有区别的。因此，它对我来说，是一个相当陌生的题目。为了使研究能有所收获，我放弃了手头原有的课题，转向执意围绕《西方哲学东渐史》进行思考，多少年来不敢离开这个课题一步。在开始的十多年中，我一边收集资料，一边对不同时期西方哲学东渐过程中发生的各种现象，从不同的角度进行探讨，发表了一些论文，出版了几本著作。不过，它们都只是对西方哲学东渐过程中某个时段或某些论题的研究。

　　随着探索的进展，进入本世纪以来，我把这项研究与人类走向全球化的进程联系起来，放在近代以来中外文化交流的过程中进行考察和审视，力图使它在原先取得进展的基础上，力争从广度与深度上向前推进一步。冬去春来，又是几度寒暑，结出的果实便是这部由上下两卷构成的《西方哲学东渐史》。毫无疑问，它是在我原来探讨的基础上完成的，因此，它们在内容上有一定的联系。但是，要指出的是，它却不是过去那些论文与著作的简单重复，而是使用新的理论视野，在资料更为全面的基础上对西方哲学东渐全过程进行系统研究的结果。

在这个时间不算短的探索过程中，遇到的困难是人们可以想象得到的。然而，当我广泛地阅读资料，并亲自走访有关学者、探寻他们引进与研究西方哲学的思路历程后，我被几代从事西方哲学研究的中国学者那种为了振兴国家科学文化事业，争取早日实现中国现代化而孜孜不倦地传播与吸收人类优秀哲学成果的精神深深地打动了。因此，我以一种从未有过的使命感全身心地投入到了这项研究中去，并且，在一批学者、包括台港学者的关心下，使我克服了一个又一个困难。主要是，他们通过各种形式给予的热情支持，以及通过各种渠道提供的具体帮助，使我掌握西方哲学东渐的文献资料越来越丰富，使我对这一重要而复杂的文化现象的认识，越来越全面，越来越深入。最后，才有今天这部书的问世。由此可见，书中熔铸了他们的大量心血。在这个意义上，我认为本书是几代学者共同耕耘的收获。

其中，最令我终生难忘的是贺麟和陈修斋两位教授。他们对我进行这项研究寄以希望，并多方鼓励，特别是我研究中遇到的一些关键性的难题，也多是他们帮助解决的。然而，就是在这样进行探索的途中，他们离开了我们。因此，为了表达我对他们的无限感激之情，也是为了铭记他们为西方哲学东渐事业做出的卓越贡献，我抱着虔诚的心情，拱手捧着这部书献给他们。

书虽然出来了，然而对这个课题的探索远远没有结束。所以，我真诚地希望，看过本书的学者与读者，对于书中的缺点与错误，以及如何深化西方哲学东渐史的研究，请通过各种途径给我指出来，以便依靠和运用大家的智慧，共同把这项研究向前推进。

　　最后，还要感谢我的夫人漆兰芬、儿子黄捷﹑女儿黄雯，是他们的具体支持，使我对这个课题的研究得以长期坚持下来，也才有本书以今天的面貌顺利地与读者见面。

黄见德

2005 年 3 月于武昌瑜珈山麓